中國國家圖書館編

國家圖書館藏敦煌遺書

第十九册　北敦〇一二五五號——北敦〇一三一四號

北京圖書館出版社

圖書在版編目(CIP)數據

國家圖書館藏敦煌遺書・第十九册/中國國家圖書館編;任繼愈主編. —北京:北京圖書館出版社,2006.2

ISBN 7-5013-2961-3

Ⅰ.國… Ⅱ.①中…②任… Ⅲ.敦煌學—文獻 Ⅳ.K870.6

中國版本圖書館 CIP 數據核字(2005)第 153404 號

ISBN 7-5013-2961-3

9 787501 329618 >

書　　名　國家圖書館藏敦煌遺書・第十九册
著　　者　中國國家圖書館編　任繼愈主編
責任編輯　徐　蜀　孫　彦
封面設計　李　璀

出　　版　北京圖書館出版社　(100034　北京西城區文津街 7 號)
發　　行　010-66139745　66151313　66175620　66126153
66174391(傳真)　66126156(門市部)
E-mail　cbs@nlc.gov.cn(投稿)　btsfxb@nlc.gov.cn(郵購)
Website　www.nlcpress.com
經　　銷　新華書店
印　　刷　北京文津閣印務有限責任公司

開　　本　八開
印　　張　53.25
版　　次　2006 年 2 月第 1 版第 1 次印刷
印　　數　1-150 册(套)

書　　號　ISBN 7-5013-2961-3/K・1244
定　　價　990.00 圓

目錄

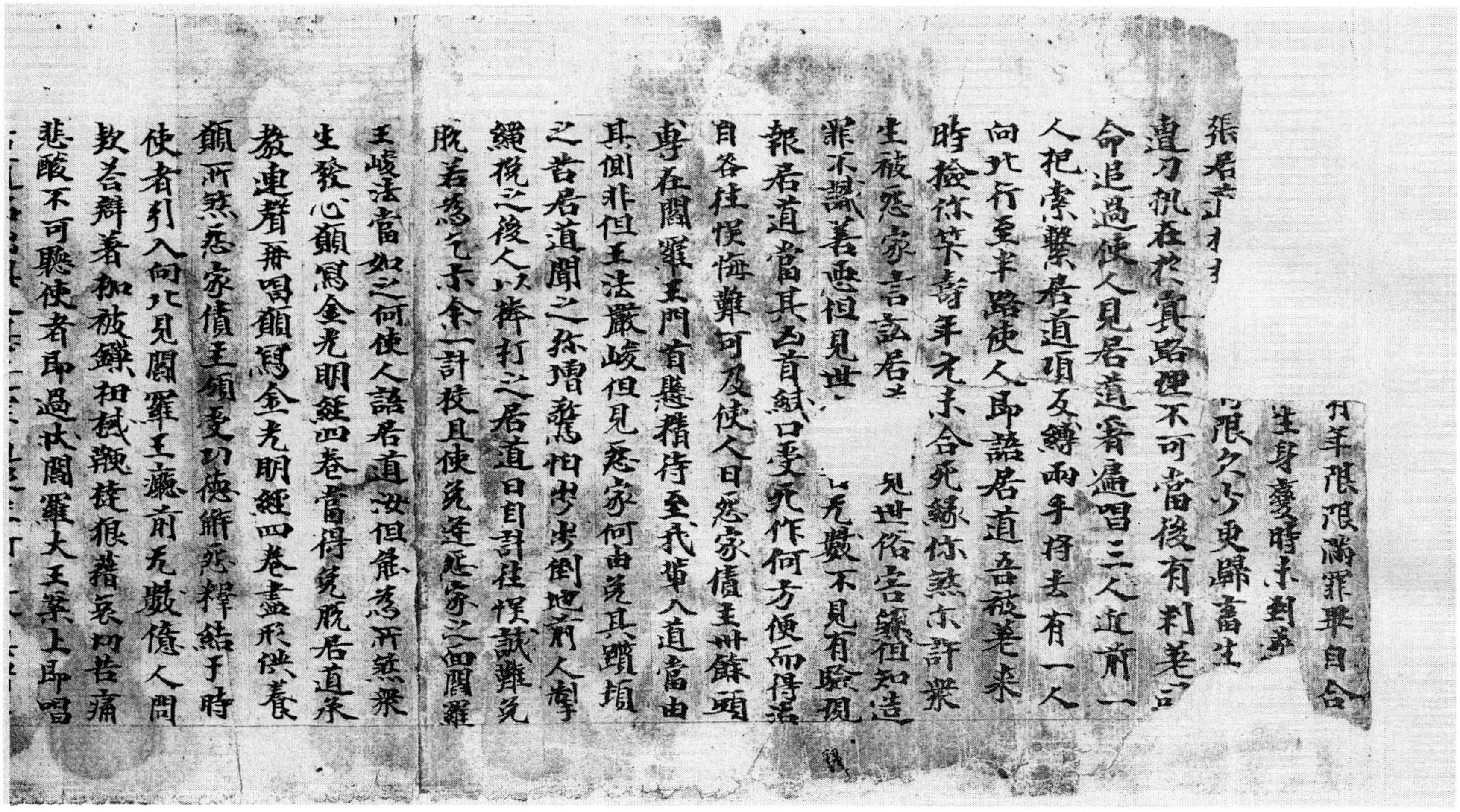

月年限限滿罪畢自合
生身憂時未到
限久少更歸畜生
張君…
遺刀机在於冥路理不可當後有判苳
命追過使人見居直追胥處唱三人近前一
人把索繫居直項反縛兩手將去有一人
向北行至半路使人即語居直吾被差來
時檢你筭壽年元未合死緣你煞亦許衆
生被怨家言訟居士　見世俗害緣但知造
罪不識善惡但見世　無數不見有驗現
報居直當其乃首緘口受死作何方便而得活
自咎往愆悔難可及使人曰怨家債主卅餘頭
專在閻羅王門首懸穳待至我等入道當由
其側非但王法嚴峻但見怨家何由免其蹾蹋
之苦居直聞之一弥增惡怕步步倒地前人牽
繩挽之後人以棒打之居直日自討往愆試難免
脫若爲乞示余一計枝且使免達怨家之面閻羅
王峻法當如之何使人語居直汝但能爲所煞衆
生發心願寫金光明經四卷當得免脫居直承
教連聲再唱願寫金光明經四卷盡形供養
願所煞怨家債主領受功德解怨釋結于時
使者引入向北見閻羅王廳前無數億人問
數若辯着枷被鎖杻械鞭撻狼藉哀叫苦痛
悲酸不可聽使者即過狀閻羅大王案上即唱

BD01255 號 1　金光明經懺悔滅罪傳　（21–1）

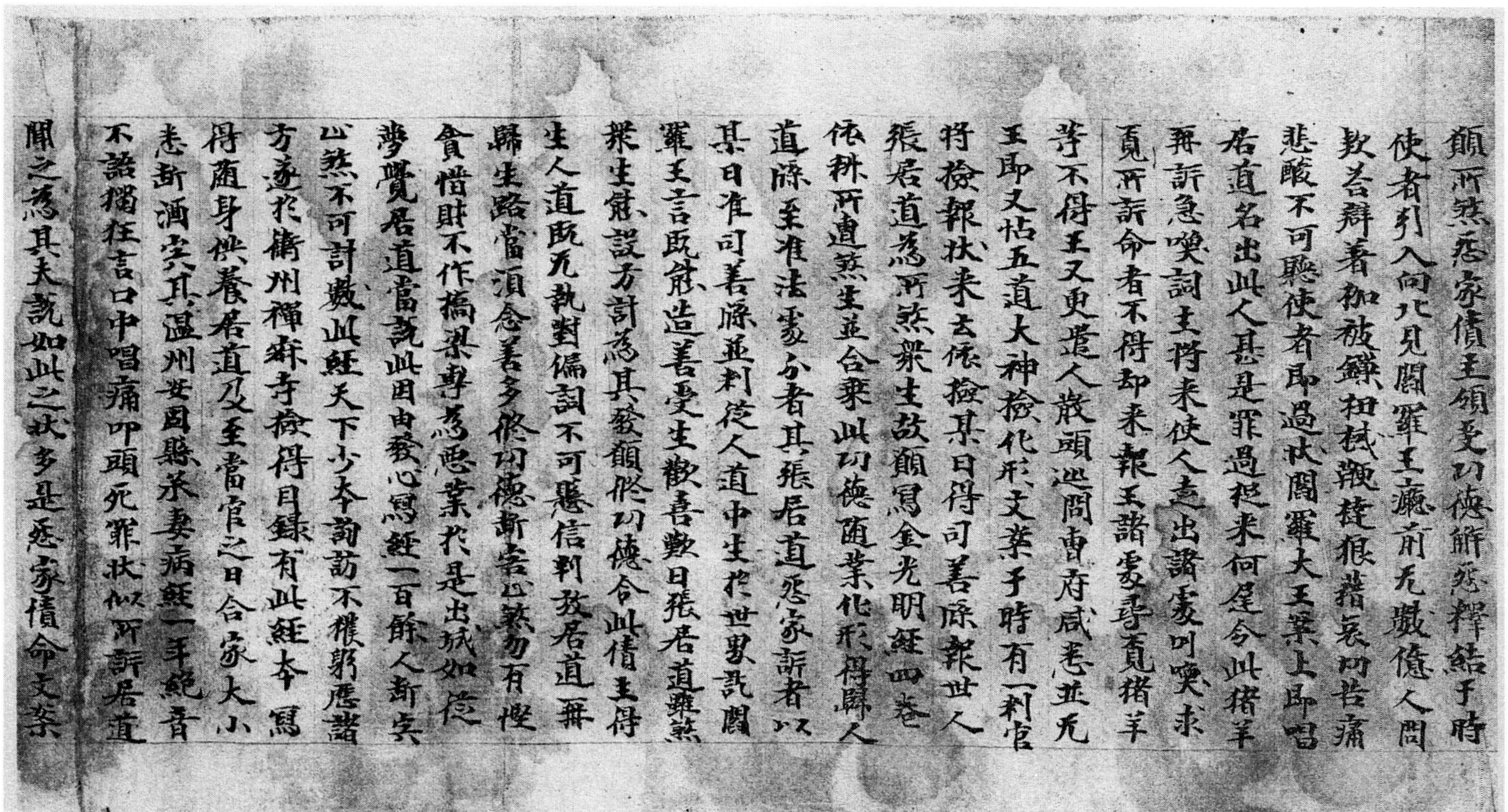

願所煞怨家債主領受功德解怨釋結于時
使者引入向北見閻羅王廳前無數億人問
數若辯着枷被鎖杻械鞭撻狼藉哀叫苦痛
悲酸不可聽使者即過狀閻羅大王案上即唱
居直名出此人甚是罪過捉來何遲令此猪羊
再訴急喚詞主將來使人走出諸處叫喚求
覓所訴命者不得却來報王諸處尋覓猪羊
等不得王又更遣人蔽頭巡問曹府咸悉並無
王即又帖五道大神檢化形文案于時有一判官
將檢報狀來去依檢某日得司善除報世人
張居直爲所煞衆生故願寫金光明經四卷
依身所遣煞生並合乘此功德隨業化形得歸人
道除受淮法處分者其張居直怨家訴者以
某日准司善除並判從人道中生於世界訖閻
羅王言既能造善受生歡喜數日張居直雖煞
衆生能設方計爲其發願修功德合此債主得
生人道既無執對偏詞不可懸信判放居直再
歸生路當須念善多修功德齋容心懃勿有慢
貪惜財不作橋梁專爲惡業於是出城如從
夢覺居直當說此因由發心寫經一百餘人齋次
心煞不可討數此經天下少本詢訪不獲影應諸
方遂於衛州禪寂寺檢得目錄有此經本寫
得隨身供養居直及至當官之日合家大小
悉斷酒宍其溫州安固縣丞妻病經一年絕音
不語獨在言口中唱痛叩頭死罪狀似所訴居直
聞之爲其夫說如此之狀多是怨家債命文案

BD01255 號 1　金光明經懺悔滅罪傳　（21–2）

得蘇其[illegible]
患斷酒宍其温州安固縣丞妻病經一年絕音
不語獨枉言口中唱痛叩頭死罪狀似所訴居道
聞之為其夫說如此之狀多是怨家債命文案
未斷命猶不絕自審思忖省悟已來因由所煞
生命忽急為寫金光明經分明懺唱此經個道元
本惟居道家有此經其縣丞依遵其教請本
雇人抄寫未畢妻便醒悟狀如睡夢惛惛常
有雞猪鵝鴨一日之中三迴覺來咬唼痛苦不
可當從來應其到時遂乃不見惟有戎猪羊
牛畜雞鴨之類皆從人身來與我无別雖是怨
家遣你屠害以你為我教造功德所以令我得
化形成人今與怨家解散不相逮情語說取
去因尔不復如此病即輕差平復如故當此之
時温州一郡所養雞猪鵝鴨之類咸悉放生家
之斷肉人之念善不立屠行爰及比州隣里並
起淨心不必一家當今所煞无所嶯効者皆
是衆生業滿合死故致无應報只是盡此人身
還作畜生被他屠煞若衆生日限未足被遭損
煞者立被言訟今時世人有卒死及瘦病連
年累月唱痛枉言或語並是衆生執注文案
斷定然始命絕一切衆罪懺悔滅除唯有煞
生懺悔不滅為有怨家專心訟對自非為
其修功德或被人所遣不已者當生慚愧為
其傷嘆所煞如割己身或酬貴與人取其貼
價以為豐足之寫一本令此功德貴益怨家
[illegible]

BD01255 號 1　金光明經懺悔滅罪傳　（21–3）

生懺悔不滅為有怨家專心訟對自非為
其修功德或被人所遣不已者當生慚愧為
其傷嘆所煞如割己身或酬貴與人取其貼
價以為豐足之寫一本令此功德貴益怨家
早生人道擣訟自休若善男女等明當試
之

金光明經序品第一
如是我聞一時佛在王舍城耆闍崛山是時如
來遊於无量甚深法性諸佛行處過諸菩薩
所行清淨是金光明諸經之王若有聞者則
能思惟无上微妙甚深之義如是經典常
為四方佛世尊之所護持東方阿閦南方寶
相西方无量壽北方微妙聲我今當說懺悔
等法所生功德為无有上能壞一切諸苦盡
不善業
一切種智　而為根本　无量功德　之所莊嚴
滅除諸苦　與无量樂　諸根不具　壽命損減
貧窮困苦　諸天捨離　親厚鬪訟　王法所加
各各忿諍　財物損耗　憂愁恐怖　惡星災異
衆邪蠱道　變怪相續　卧見惡夢　晝夜愁惱
當淨洗浴　聽是經典　至心清淨　著淨潔衣
專聽諸佛　甚深行處　是經威德　能悉除滅
[illegible]

BD01255 號 1　金光明經懺悔滅罪傳　（21–4）
BD01255 號 2　金光明經卷一

各各忿諍　財物損耗　悲憂恐怖　惡星災異
衆邪蠱道　變怪相續　卧見惡夢　晝夜愁惱
當淨洗浴　聽是經典　至心清淨　著淨潔衣
尊聽諸佛　甚深行處　是經威德　能悉除滅
如是諸惡　令其寂滅　護世四王　將諸官屬
并及无量　夜叉之衆　悉來擁護　持是經者
大辯天神　尼連河神　鬼子母神　地神堅牢
大梵尊天　三十三天　大神龍王　緊那羅王
迦樓羅王　阿脩羅王　與其眷屬　悉共至彼
擁護是人　晝夜不離　我今所說　諸佛世尊
甚深秘密　微妙行處　億百千劫　甚難得值
若得聞經　若為他說　若心隨喜　若設供養
如是之人　於无量劫　常為諸天　八部所敬
如是脩行　生功德者　得不思議　无量福聚
亦為十方　諸佛世尊　深行菩薩　之所護持
著淨衣服　以上妙香　慈心供養　常不遠離
身意清淨　无有垢穢　歡喜悅豫　深樂是典
若得聽聞　當知善德　人身人道　及以正命
若聞懺悔　執持在心　是上善根　諸佛所讚

金光明經壽量品第二

尒時王舍城中有菩薩摩訶薩名曰信相已
曾供養過去无量億那由他百千諸佛種諸
善根是信相菩薩作是思惟何因何緣釋迦
如來壽命短促方八十年復更念言如佛所
說有二因緣壽命得長何等為二一者不煞
二者不盜而我世尊於无量百千億那由他

善根是信相菩薩作是思惟何因何緣釋迦
如來壽命短促方八十年復更念言如佛所
說有二因緣壽命得長何等為二一者不煞
二者不盜而我世尊於无量百千億那由他
阿僧祇劫修不煞戒具足十善飲食惠施
不可限量乃至已身骨髓肉血充足飽滿飢
餓衆生況餘飲食大士如是至心念佛思是
義時其室自然廣博嚴事天紺琉璃種種衆
寶雜廁間錯以成其地猶如如來所居淨土有妙
香氣過諸天香烟雲垂布遍滿其室其室
四面各有四寶上妙高座自然而出純以天衣
而為敷具是妙坐上各有諸佛所受用華衆
寶合成於蓮華上有四如來東方名阿閦南方
名寶相西方名无量壽北方名微妙聲是四如
來自然而坐師子座上放大光明照王舍城
及此三千大千世界乃至十方恒河沙等諸佛
世界雨衆天華作天伎樂尒時三千大千世
界所有衆生以佛神力受天快樂諸根不具
即得具足舉要言之一切世間所有利益未
事悉得具足出現
尒時信相菩薩見是諸佛及希有事歡喜
踊躍恭敬合掌向諸世尊至心念佛作是思
惟釋迦如來无量功德唯壽命中心生疑惑云
何如來壽命如是方八十年尒時四佛以正遍
知告信相菩薩善男子汝今不應思量如
來壽命短促何以故善男子我等不見諸

何如来壽命如是方八十年尒時四佛以正遍
知告信相菩薩善男子汝今不應思量如
来壽命極促何以故善男子我等不見諸
天世人魔衆梵衆沙門婆羅門人及非人有
能思筭如来壽量知是齊限唯除如来時四如
来将欲宣暢釋迦文佛所得壽命欲色界天
諸龍鬼神乾闥婆阿脩羅迦樓羅緊那羅
摩睺羅伽及无量百千億那由他菩薩摩訶
薩以佛神力悉来聚集信相菩薩摩訶薩
室尒時四佛於大衆中略以偈頌說[釋]迦如来所
得壽量而作頌曰
一切諸水 可知幾渧 无有能數 釋尊壽命
諸須弥山 可知斤兩 无有能壽 一切大地
可知塵數 无有能筭 釋尊壽命 虛空分界
尚可盡邊 无有能計 釋尊壽命 不可計劫
億百千万 佛壽如是 无量无邊 以是因緣
故說二乘 不害物命 施食无量 是故大士
壽不可計 无量无邊 亦无齊限 是故汝今
不應於佛 无量壽命 而生疑惑
尒時信相菩薩摩訶薩聞是四佛宣說如来
壽命无量深心信解歡喜踊躍說是如来壽
命品時无量无邊阿僧祇衆生發阿耨多羅
三藐三菩提心時四如来忽然不現
金光明經懺悔品第三
尒時信相菩薩即於其夜夢見金鼓其狀殊
大其明普照喻如日光復於光中得見十方

BD01255號2　金光明經卷一　（21–7）

金光明經懺悔品第三
尒時信相菩薩即於其夜夢見金鼓其狀殊
大其明普照喻如日光復於光中得見十方
无量无邊諸佛世尊衆寶樹下坐瑠璃座與
无量百千眷屬圍遶而爲說法見有一人似
婆羅門以桴擊鼓出大音聲演說懺悔偈頌
時信相菩薩從夢悟已至心憶念夢中所聞
懺悔偈頌過夜至旦出王舍城尒時亦有无
量无邊百千衆生與菩薩俱往耆闍崛山
至於佛所至佛所已頂礼佛足右遶三帀却坐
一面敬心合掌瞻仰尊顏以其夢中所說金
鼓及聞懺悔偈頌向如来說
昨夜所夢 至心憶持 夢見金鼓 妙色晃曜
其光大盛 明喻於日 遍照十方 恒河世界
又因此光 得見諸佛 衆寶樹下 坐瑠璃座
无量大衆 圍遶說法 見婆羅門 擊是金鼓
其鼓音中 說如是偈 是大金鼓 所出妙音
悉能除滅 三世諸苦 地獄餓鬼 畜生等苦
貧窮困厄 及諸有苦 是故所出 微妙之音
能除衆生 諸苦所逼 斷衆普畏 令得无懼
猶如諸佛 得无所畏 諸佛聖人 所成功德
離於生死 到大智岸 如是衆生 所得功德
定及助道 猶如大海 是故所出 如是妙音
令衆生得 梵音深遠 讚佛无上 菩提勝果
轉无上輪 微妙清淨 住壽无量 不思議劫
演說正法 利益衆生 [illegible]

BD01255號2　金光明經卷一　（21–8）

之及助道 猶如大海 是故所出 如是妙音
令衆生得 梵音深遠 讚佛无上 菩提勝果
轉无上輪 微妙清淨 住壽无量 不思議劫
演說正法 利益衆生 能害煩惱 消除諸苦
貪瞋癡等 悉令滅滅 若有衆生 處在地獄
大火熾然 燒炙其身 若聞金鼓 微妙音聲
所出言教 即尋礼佛 亦令衆生 得知宿命
百生千生 千万億生 令心正念 諸佛世尊
亦聞无上 微妙之言 是金鼓中 所出妙音
復令衆生 值遇諸佛 悉離一切 諸佛業等
善脩无量 白淨之業 諸天世人 及餘衆生
隨其所思 諸所念求 如是金鼓 所出之音
皆悉能令 成就具足 若有衆生 墮大地獄
猛火熾燃 焚燒其身 无有救護 流轉諸難
當令是等 悉滅諸苦 若有衆生 諸苦所切
三惡道報 及以人中 如是金鼓 所出之音
悉能除滅 一切諸苦 无依无歸 无有救護
我為是等 作歸依處 是諸世尊 今當證知
久已於我 生大悲心 在在處處 十方諸佛
現在世雄 兩足之尊 我本所作 惡不善業
今者懺悔 十方力前 不識諸佛 及父母恩
不解善法 造作衆惡 自恃種姓 及諸財寶
盛年放逸 作諸惡行 心念不善 口作惡業
隨心所作 不見其過 凡夫愚行 无知闇覆
親近惡友 煩惱亂心 五欲因緣 心生忿恚
不知猒足 故作衆惡 親近非聖 因生慳嫉

盛年放逸 作諸惡行 心念不善 口作惡業
隨心所作 不見其過 凡夫愚行 无知闇覆
親近惡友 煩惱亂心 五欲因緣 心生忿恚
不知猒足 故作衆惡 親近非聖 因生慳嫉
貧窮因緣 姧諂作惡 繫屬於他 常有怖畏
不得自在 而造諸惡 貪欲恚癡 擾動其心
渴愛所逼 造作衆惡 依因衣食 及以女色
諸結煩熱 造作衆惡 身口意惡 所集三業
如是衆罪 今悉懺悔 或不恭敬 緣覺菩薩
如是衆罪 今悉懺悔 以无智故 誹謗正法
不知恭敬 父母尊長 如是衆罪 今悉懺悔
愚惑所覆 憍慢放逸 因貪恚癡 造作衆惡
如是衆罪 今悉懺悔 我今供養 无量无邊
三千大千 世界諸佛 我今救濟 十方一切
无量衆生 所有諸苦 我今安止 不可思議
阿僧祇劫 令住十地 已得安止 住十地者
悉令具足 如來正覺 為一衆生 億劫脩行
使无量衆 令度苦海 我當為是 諸衆生等
演說微妙 甚深悔法 所為金光 滅除諸惡
千劫所作 極重惡業 若能至心 一懺悔者
如是衆罪 悉皆滅盡 我今已說 懺悔之法
是金光明 清淨微妙 速能滅除 一切業障
我當安止 住於十地 十種珎寶 以為脚足
成佛无上 功德光明 令諸衆生 度三有苦
諸佛所有 甚深法藏 不可思議 无量功德

是金光明 清淨微妙 速能滅除 一切業障
我當安止 住於十地 十種珍寶 以為腳足
成佛无上 功德光明 令諸衆生 度三有海
諸佛所有 甚深法藏 不可思議 无量功德
一切種智 願悉具足 百千禪定 根力覺道
不可思議 諸陀羅尼 十力世尊 我當成就
諸佛世尊 有大慈悲 當證微誠 哀受我悔
若我百劫 所作衆惡 以是因緣 生大憂苦
貧窮困乏 愁惱驚懼 怖畏惡業 心常怯劣
在在處處 暫无歡喜 十方現在 大悲世尊
能除衆生 一切怖畏 願當受我 誠心懺悔
令我恐懼 悉得消除 我之所有 煩惱業垢
唯願現在 諸佛世尊 以大悲水 洗除令淨
過去諸惡 今悉懺悔 現在作罪 誠心發露
所未作者 更不敢作 已作之者 不敢覆藏
身業三種 口業有四 意三業行 今悉懺悔
身口所作 及以意思 十種惡業 一切懺悔
遠離十惡 修行十善 安止十地 逮十力尊
所造惡業 應受惡報 今於佛前 誠心懺悔
若此國土 及餘世界 所有善法 悉以迴向
我所修行 身口意善 願於來世 證无上道
若在諸有 六趣險難 愚癡无智 造作諸惡
今於佛前 皆悉懺悔 世間所有 生死險難
種種婬欲 愚煩惱難 如是諸難 我今懺悔
心輕躁難 近惡友難 及三毒難 遇无難難
值好時難 修功德難 值佛亦難 如是諸難

BD01255號2　金光明經卷一　（21－11）

今於佛前 皆悉懺悔 世間所有 生死險難
種種婬欲 愚煩惱難 如是諸難 我今懺悔
心輕躁難 近惡友難 及三毒難 遇无難難
值好時難 修功德難 值佛亦難 如是諸難
今悉懺悔 諸佛世尊 我今依心 是故我今
敬礼佛海 金色晃曜 猶如須彌 是故我今
頂礼宗藏 其色无上 猶如真金 眼目清淨
如紺琉璃 功德威神 名稱顯著 佛日大悲
滅一切闇 善淨无垢 離諸塵翳 无上佛日
大光普照 煩惱火熾 令心焦熱 唯佛能除
月如清涼 三十二相 八十種好 莊嚴其身
視之无猒 功德巍巍 明鋼顯曜 安住三界
如日照世 猶如琉璃 淨无霞穢 妙色廣大
種種各異 其色紅赤 如日初出 頗梨白銀
校飾光網 如是種種 莊嚴佛日 三有之中
生死大河 滲水波蕩 惱亂我心 其味苦毒
宸為蔗滲 如來網明 能令枯涸 妙身端嚴
相好殊特 金色光明 遍照一切 智慧大海
弥滿三界 是故我今 稽首敬礼 如大海水
其量難知 大地微塵 不可稱計 諸須弥山
難可度量 虛空邊際 亦不可得 諸佛亦尒
功德无量 一切有心 无能知者 於无量劫
撿心思惟 不能得知 佛功德邊 大地諸山
尚可知量 毛滴海水 亦可知數 諸佛功德
无能知者 相好莊嚴 名稱讚嘆 如是功德
令衆皆得 我以善業 諸因緣故 來世不久

BD01255號2　金光明經卷一　（21－12）

猶心思惟 不能得知 佛功德邊 大地諸山
尚可知量 毛渧海水 亦可知數 諸佛功德
无能知者 相好莊嚴 名稱讚嘆 如是功德
令衆皆得 我以善業 諸因緣故 來世不久
成於佛道 講宣妙法 利益衆生 度脫一切
无量諸苦 摧伏諸魔 及其眷屬 轉於无上
清淨法輪 住壽无量 不可思議 充足衆生
甘露法味 我當具足 六波羅蜜 猶如過佛
之所成就 斷諸煩惱 除一切苦 悉滅貪欲
及恚癡等 我當憶念 宿命之事 百生千生
百千億生 常當專心 正念諸佛 聞說微妙
无上正法 我因善業 常值諸佛 遠離諸惡
脩諸善業 一切世界 所有衆生 无量苦惱
我當悉滅 若有衆生 諸根毀壞 不具足者
悉令具足 十方世界 所有病苦 羸瘦頓乏
无救護者 悉令解脫 如是諸苦 還得勢力
平服如故 若犯王法 臨當刑戮 无量怖畏
愁憂苦惱 如是之人 悉令解脫 若受鞭撻
繫縛枷鎖 種種苦事 逼切其身 无量百千
愁憂驚畏 種種恐懼 擾亂其心 如是无邊
諸苦惱等 願使一切 皆得解脫 若有衆生
飢渴所惱 令得種種 甘美飲食 盲者得視
聾者得聽 瘂者能言 裸者得衣 貧窮之者
即得寶藏 倉庫盈溢 无所乏少 一切皆受
安隱快樂 乃至无有 一人受苦 衆生相視
和顏悅色 形貌端嚴 人所喜見 心常思念
他人善事 飲食飽滿 功德具足 隨諸衆生

即得寶藏 倉庫盈溢 无所乏少 一切皆受
安隱快樂 乃至无有 一人受苦 衆生相視
和顏悅色 形貌端嚴 人所喜見 心常思念
他人善事 飲食飽滿 功德具足 隨諸衆生
之所思念 皆願令得 種種伎樂 箜篌箏笛
琴瑟鼓吹 如是種種 微妙音聲 江河池沼
流泉諸水 金華遍地 及憂鉢羅 隨諸衆生
之所思念 即得種種 衣服飲食 錢財珍寶
金銀琉璃 真珠璧玉 雜廁瓔珞 願諸衆生
色貌微妙 各各相於 共相愛念 世間所有
資生之具 隨其所念 悉令具足 願諸衆生
願諸衆生 諸有求索 如其所須 應念即得
香華諸樹 常於三時 雨細末香 及塗身香
衆生受者 歡喜快樂 願諸衆生 常得供養
不可思議 十方諸佛 无上妙法 清淨无垢
及諸菩薩 聲聞大衆 願諸衆生 常得遠離
三惡八難 值无難處 覲觀諸佛 无上之王
願諸衆生 常生尊貴 多饒財寶 安隱豐樂
上妙色像 莊嚴其身 功德成就 有大名稱
願諸女人 皆成男子 具足智慧 精進不懈
一切皆行 菩提之道 懃心脩集 六波羅蜜
常見十方 无量諸佛 坐菩提樹 琉璃座上
安住禪定 自在快樂 演說正法 衆所樂聞
若我現在 及過去世 所作惡業 諸惡險難
應得惡果 不適意者 願悉盡滅 令无有餘
若諸衆生 三有繫縛 生死羅網 弥塞牢固

若我現在　及過去世　所作惡業　諸惡嶮難
應得惡果　不適意者　願悉盡滅　令无有餘
若諸衆生　三有繫縛　生死羅網　弥靈牢固
願以智力　割斷破壞　除諸苦惱　早成菩提
若此閻浮　及餘他方　无量世界　所有衆生
所作種種　善巧功德　我念深心　隨其歡喜
我念以此　隨喜功德　及身口意　所作善業
願於來世　成无上道　得淨无垢　吉祥果報
若有敬礼　讚嘆十方　信心清淨　无諸瑕疵
能作如是　所說懺悔　便得超越　六十劫罪
諸善男子　及善女人　諸王剎利　婆羅門等
若有恭敬　合掌向佛　稱讚如來　并讚此偈
在在處處　常識宿命　諸根具足　清淨端嚴
種種功德　悉皆成就　在在處處　常為國王
輔相大臣　之所供養　非於一佛　五佛十佛
種種功德　聞是懺悔　若於无量　百千万億
諸佛如來　種諸善根　然後乃得　聞是懺悔

金光明經讚嘆品第四

尒時佛告地神堅牢善女天過去有王名金
龍尊常以讚嘆去來現在諸佛
我今尊重敬礼讚嘆　去來現在　十方諸佛
諸佛清淨　微妙寂滅　色中上色　金光照曜
於諸聲中　佛聲第上　猶如大梵　深遠雷音
其髮紺黑　光踰蜂起　翡翠孔雀　色不得喻
其齒鮮白　猶如珂雪　顯發金顏　分齊分明
其目脩廣　清淨无垢　如青蓮華　睫水開敷

BD01255號2　金光明經卷一　（21–15）

諸佛清淨　微妙寂滅　色中上色　金光照曜
於諸聲中　佛聲第上　猶如大梵　深遠雷音
其髮紺黑　光踰蜂起　翡翠孔雀　色不得喻
其齒鮮白　猶如珂雪　顯發金顏　分齊分明
其目脩廣　清淨无垢　如青蓮華　睫水開敷
舌相廣長　形色紅暐　光明照曜　如華初生
眉間豪相　白如軻月　右旋潤澤　如淨琉璃
眉細脩揚　形如月初　其色黑曜　過於蜂王
鼻高圓直　如鑄金鋌　微妙細滑　當于面門
如來勝相　次第第上　得味真正　无與等者
一一毛孔　一毛旋生　柔細紺青　猶孔雀頸
即於生時　身放大光　普照十方　无量國土
滅盡三界　一切諸苦　令諸衆生　悉受快樂
地獄畜生　及以餓鬼　諸天人等　安隱无患
悉滅一切　无量惡趣　身色微妙　如融金聚
面貌清淨　如月盛滿　佛身明曜　如日初出
進止威儀　猶如師子　脩臂下垂　立過于膝
猶如風動　娑羅樹枝　圓光一尋　能照无量
猶如聚集　百千日月　佛身淨妙　无諸垢穢
其明普照　一切佛剎　佛光巍巍　明踰大盛
悉能隱蔽　无量日月　佛日燈炬　照无量界
皆令衆生　尋光見佛　本所脩集　百千行業
聚集功德　莊嚴佛身　臂臑纖圓　如象王鼻
手足淨柔　敬愛无猒　去來諸佛　數如微塵
現在諸佛　亦復如是　如是如來　我今悉礼
身口清淨　意亦如是　以好華香　供養奉獻

BD01255號2　金光明經卷一　（21–16）

聚集功德 莊嚴佛身 臂臑纖圓 如象王鼻
手足淨潔 敬受无猒 去来諸佛 數如微塵
現在諸佛 亦復如是 如是如来 我今悉礼
身口清淨 意亦如是 以好華香 供養奉獻
百千功德 讚詠歌歎 設以百舌 於千劫中
歎佛功德 不能得盡 如来所有 現世功德
種種深固 微妙第一 設復歎美 欲讚一佛
尚不能盡 功德少分 況欲歎美 諸佛功德
大地及天 以為大海 乃至有頂 滿月中水
尚以一毛 知其渧數 无有能知 佛一功德
我今以礼 讚歎諸佛 身口意業 悉皆清淨
一切所脩 无量善業 與諸衆生 證无上道
如是人王 讚歎佛已 復作如是 无量誓願
若我来世 无量无邊 阿僧祇劫 在在生處
常於夢中 見妙金鼓 得聞懺悔 深奧之聲
今所讚歎 面貌清淨 願我来世 亦得如是
諸佛功德 不可思議 於百千劫 甚難得值
願於来世 无量之世 夜則夢見 晝則實說
我當具足 脩行六度 濟拔衆生 越於苦海
然後我身 成无上道 令我世界 无與等者
奉貢金鼓 讚佛因緣 以此果報 當来之世
值釋迦佛 得授記莂 并令二子 金龍金藏
常生我家 同共受記 若有衆生 无救護者
衆苦逼切 无所依止 我於来世 為是等輩
作大救護 及依止處 能除衆苦 悉令滅盡
施與衆生 諸善安樂 我未来世 行菩提道

BD01255 號 2　金光明經卷一　（21–17）

衆苦逼切 无所依止 我於来世 為是等輩
作大救護 及依止處 能除衆苦 悉令滅盡
施與衆生 諸善安樂 我未来世 行菩提道
不計劫數 如盡本際 以此金光 懺悔因緣
使我惡海 及以業海 煩惱大海 悉竭无餘
我功德海 願悉成就 智慧大海 清淨具足
无量功德 助菩提道 猶如大海 珎寶具足
以此金光 懺悔力故 菩提功德 光明无㝵
慧光无垢 照徹清淨 我當来世 身光普照
功德威神 光明熾盛 於三界中 最勝殊特
諸功德力 无所減少 當度衆生 越於苦海
并復安置 功德大海 来世多劫 行菩提道
如昔諸佛 行菩提者 三世諸佛 淨妙國土
諸佛世尊 无量功德 令我来世 得此殊異
功德淨土 如佛世尊 信相當知 尔時國王
金龍尊者 則汝身是 尔時二子 金龍金光
今汝二子 銀相等是
金光明經空品第五
无量餘經 已廣說空 是故此中 略而解說
衆生根鈍 鮮於智慧 不能廣知 无量空義
今此尊經 略而說之 異妙方便 種種因緣
為鈍根故 起大悲心 我今演說 此妙經典
如我所解 知衆生意 是身虛偽 猶如空聚
六入村落 結賊所止 一切自住 各不相知
眼根受色 耳分別聲 鼻嗅諸香 舌嗜於味
所有身根 貪愛於觸 意根分別 一切諸法

BD01255 號 2　金光明經卷一　（21–18）

六入村落　結賊所止　一切自住　各不相知
眼根受色　耳分別聲　鼻嗅諸香　舌嗜於味
所有身根　貪受諸觸　意根分別　一切諸法
六情諸根　各各自緣　諸塵境界　不行他緣
心如幻化　馳騁六情　而常妄想　分別諸法
猶如世人　馳走空聚　六賊所害　愚不知避
心常依止　六根境界　各各自知　所伺之處
隨行色聲　香味觸法　心處六情　如鳥投網
其心在在　常處諸根　隨逐諸塵　无有暫捨
身空虛偽　不可長養　无有諍訟　亦无正主
從諸因緣　和合而有　无有堅實　妄想故起
業力機關　假為空聚　地水火風　合集成立
隨時增長　共相殘害　猶如四蛇　同處一篋
四大蚖蛇　其性各異　二上二下　諸方亦二
如是蛇大　悉滅无餘　地水二蛇　其性沉下
風火二蛇　性輕上昇　心識二性　躁動不停
隨業受報　天人諸趣　隨所作業　而墮三有
水火風動　散滅壞時　大小不淨　盈流於外
體生諸虫　无可愛樂　捐棄塜間　如朽敗木
善女當觀　諸法如是　何處有人　及以眾生
本性空寂　无明故有　如是諸大　一一不實
本自不生　性无和合　以是因緣　我說諸大
從本不實　和合而有　无明體性　本亦不有
妄想因緣　和合而生　无所有故　假名无明
是故我說　名曰无明　行識名色　六入觸受

BD01255號2　金光明經卷一　（21–19）

從本不實　和合而有　无明體性　本亦不有
妄想因緣　和合而生　无所有故　假名无明
是故我說　名曰无明　行識名色　六入觸受
愛取有生　老死憂惱　眾苦行業　不可思議
生死无際　輪轉不息　本无有生　亦无和合
不善思惟　心行所造　我斷一切　諸見纏等
以智慧力　烈煩惱網　五陰舍宅　觀心空寂
證无上道　微妙功德　開甘露門　示甘露器
入甘露城　處甘露室　令諸眾生　食甘露味
吹大法蠡　擊大法鼓　燃大法燈　雨勝法雨
我今摧伏　一切怨結　豎立第一　微妙法幢
度諸眾生　於生死海　永斷三惡　无量苦惱
煩惱熾然　燒諸眾生　无有救護　无所依止
我以甘露　清淨美味　充足是輩　令離焦熱
於无量劫　勤修諸行　供養恭敬　諸佛世尊
堅牢諸集　菩提之道　求於如來　真實法身
捨諸所重　支節手足　頭目髓惱　所愛妻子
錢財珎寶　真珠瓔珞　金銀琉璃　種種異物

金光明經卷第一

BD01255號2　金光明經卷一　（21–20）

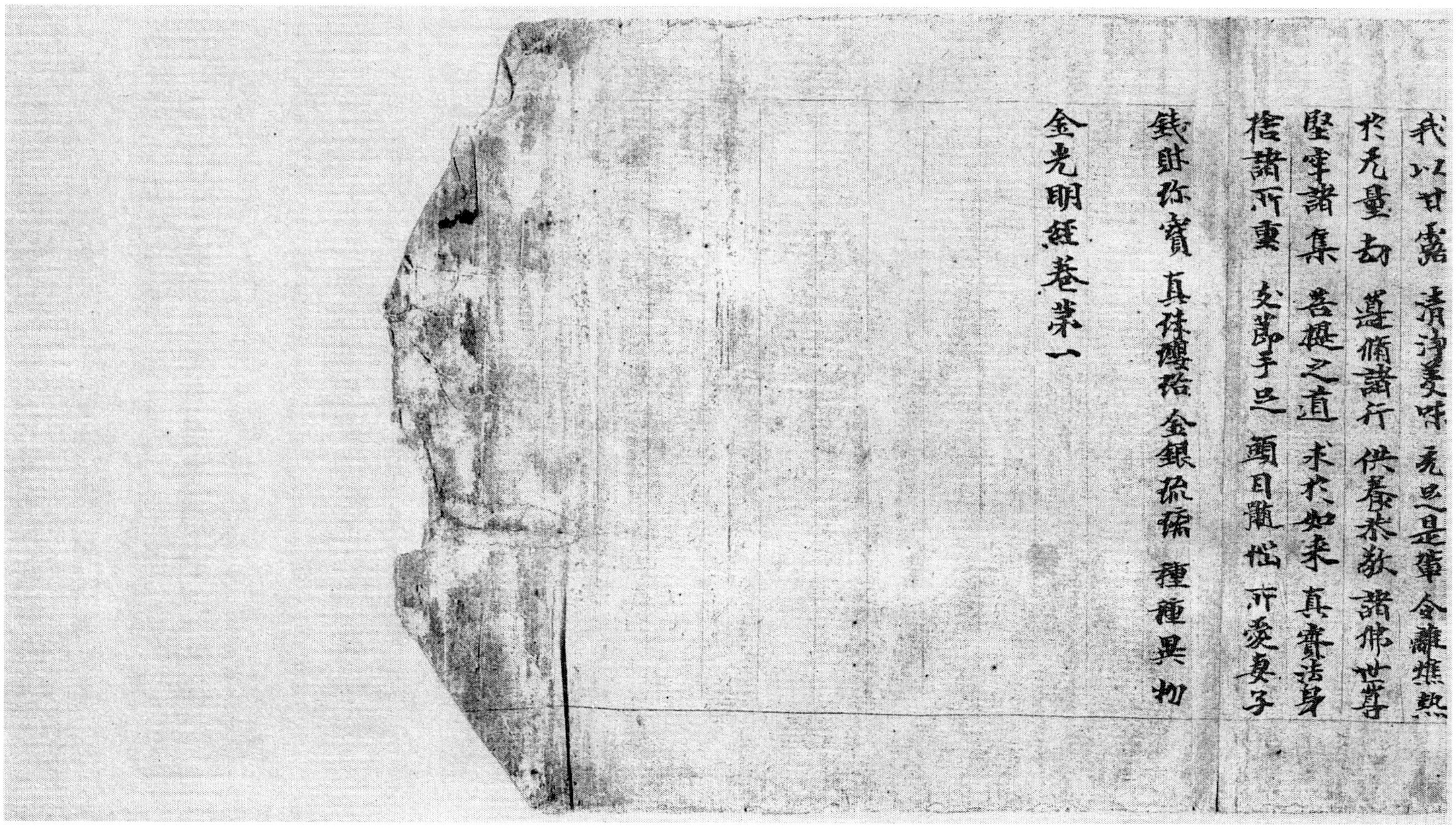

BD01255 號 2　金光明經卷一　　（21–21）

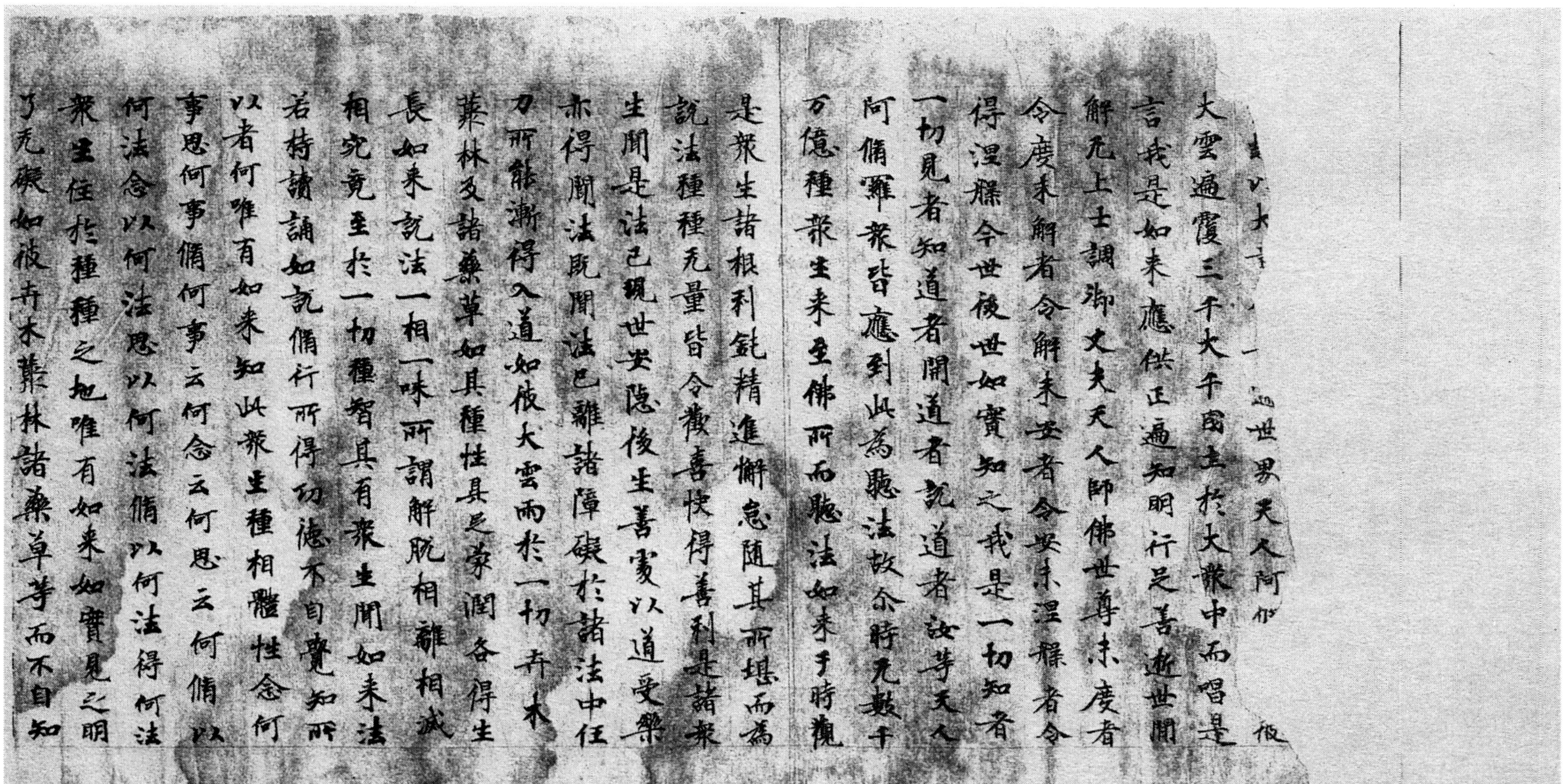

BD01256 號　妙法蓮華經卷三　　（23–1）

事思何事修何事云何念云何思云何修以
何法念以何法思以何法修以何法得何法
衆生住於種種之地唯有如來如實見之明
了无㝵如彼卉木叢林諸藥草等而不自知
上中下性如來知是一相一味之法所謂解
脫相離相滅相究竟涅槃常寂滅相終歸於
空佛知是已觀衆生心欲而将護之是故不
即為說一切種智汝等迦葉甚為希有能知
如來隨宜說法能信能受所以者何諸佛世
尊隨宜說法難解難知尒時世尊欲重宣此
義而說偈言
破有法王　出現世間　隨衆生欲　種種說法
如來尊重　智慧深遠　久嘿斯要　不務速說
有智若聞　則能信解　无智疑悔　則為永失
是故迦葉　隨力為說　以種種緣　令得正見
迦葉當知　譬如大雲　起於世間　遍覆一切
惠雲含潤　電光晃曜　雷聲遠震　令衆悅豫
日光掩蔽　地上清涼　靉靆垂布　如可承攬
其雨普等　四方俱下　流澍无量　率土充洽
山川險谷　幽邃所生　卉木藥草　大小諸樹
百穀苗稼　甘蔗蒲桃　雨之所潤　无不豐足
乾地普洽　藥木並茂　其雲所出　一味之水
草木叢林　隨分受潤　一切諸樹　上中下等
稱其大小　各得生長　根莖枝葉　華果光色
一雨所及　皆得鮮澤　如其體相　性分大小
所潤是一　而各滋茂　佛亦如是　出現於世
譬如大雲　普覆一切　既出于世　為諸衆生
分別演說　諸法之實　大聖世尊　於諸天人

BD01256號　妙法蓮華經卷三　（23–2）

一雨所及　皆得鮮澤　如其體相　性分大小
所潤是一　而各滋茂　佛亦如是　出現於世
譬如大雲　普覆一切　既出于世　為諸衆生
分別演說　諸法之實　大聖世尊　於諸天人
一切衆中　而宣是言　我為如來　兩足之尊
出于世間　猶如大雲　充潤一切　枯槁衆生
皆令離苦　得安隱樂　世間之樂　及涅槃樂
諸天人衆　一心善聽　皆應到此　覲无上尊
我為世尊　无能及者　安隱衆生　故現於世
為大衆說　甘露淨法　其法一味　解脫涅槃
以一妙音　演暢斯義　常為大乘　而作因緣
我觀一切　普皆平等　无有彼此　愛憎之心
我无貪著　亦无限㝵　恒為一切　平等說法
如為一人　衆多亦然　常演說法　曾无他事
去來坐立　終不疲猒　充足世間　如雨普潤
貴賤上下　持戒毀戒　威儀具足　及不具足
正見邪見　利根鈍根　等雨法雨　而无懈惓
一切衆生　聞我法者　隨力所受　住於諸地
或處人天　轉輪聖王　釋梵諸王　是小藥草
知无漏法　能得涅槃　起六神通　及得三明
獨處山林　常行禪定　得緣覺證　是中藥草
求世尊處　我當作佛　行精進定　是上藥草
又諸佛子　專心佛道　常行慈悲　自知作佛
決定无疑　是名小樹　安住神通　轉不退輪
度无量億　百千衆生　如是菩薩　名為大樹
佛平等說　如一味雨　隨衆生性　所受不同
如彼草木　所稟各異　佛以此喻　方便開示
種種言辭　演說一法　於佛智慧　如海一渧

BD01256號　妙法蓮華經卷三　（23–3）

決定无疑　是名小樹　安住神通　轉不退輪
度无量億　百千衆生　如是菩薩　名為大樹
佛平等說　如一味雨　隨衆生性　所受不同
如彼草木　所稟各異　佛以此喻　方便開示
種種言辭　演說一法　於佛智慧　如海一渧
我雨法雨　充滿世間　一味之法　隨力脩行
如彼藂林　藥草諸樹　隨其大小　漸增茂好
諸佛之法　常以一味　令諸世間　普得具足
漸次脩行　皆得道果　聲聞緣覺　處於山林
住㝡後身　聞法得果　是名藥草　各得增長
若諸菩薩　智慧堅固　了達三界　求㝡上乘
是名小樹　而得增長　復有住禪　得神通力
聞諸法空　心大歡喜　放无數光　度諸衆生
是名大樹　而得增長　如是迦葉　佛所說法
譬如大雲　以一味雨　潤於人華　各得成實
迦葉當知　以諸因緣　種種譬喻　開示佛道
是我方便　諸佛亦然　今為汝等　說㝡實事
諸聲聞衆　皆非滅度　汝等所行　是菩薩道
漸漸脩學　悉當成佛
妙法蓮華經授記品第六
尒時世尊說是偈已告諸大衆唱如是言我
此弟子摩訶迦葉於未來世當得奉覲三
百万億諸佛世尊供養恭敬尊重讚歎廣宣
諸佛无量大法於㝡後身得成為佛名曰光明
如來應供正遍知明行足善逝世間解无上
士調御丈夫天人師佛世尊國名光德劫名
大莊嚴佛壽十二小劫正法住世二十小劫
像法亦住二十小劫國界嚴飾无諸穢惡凡

BD01256號　妙法蓮華經卷三　（23–4）

如來應供正遍知明行足善逝世間解无上
士調御丈夫天人師佛世尊國名光德劫名
大莊嚴佛壽十二小劫正法住世二十小劫
像法亦住二十小劫國界嚴飾无諸穢惡凡
礫荊棘便利不淨其土平正无有高下坑坎
堆阜琉璃為地寶樹行列黃金為繩以界道
側散諸寶華周遍清淨其國菩薩无量千億
諸聲聞衆亦復无數无有魔事雖有魔及魔
民皆護佛法尒時世尊欲重宣此義而說偈
言
告諸比丘　我以佛眼　見是迦葉　於未來世
過无數劫　當得作佛　而於來世　供養奉覲
三百万億　諸佛世尊　為佛智慧　淨脩梵行
供養㝡上　二足尊已　脩習一切　无上之慧
於㝡後身　得成為佛　其土清淨　琉璃為地
多諸寶樹　行列道側　金繩界道　見者歡喜
常出好香　散衆名華　種種奇妙　以為莊嚴
其地平正　无有丘坑　諸菩薩衆　不可稱計
其心調柔　逮大神通　奉持諸佛　大乘經典
諸聲聞衆　无漏後身　法王之子　亦不可計
乃以天眼　不能數知　其佛當壽　十二小劫
正法住世　二十小劫　像法亦住　二十小劫
光明世尊　其事如是
尒時大目揵連須菩提摩訶迦旃延等皆悉
悚慄一心合掌瞻仰世尊目不暫捨即共同
聲而說偈言
大雄猛世尊　諸釋之法王　哀愍我等故　而賜佛音聲
若知我深心　見為授記者　如以甘露灑　除熱得清涼

BD01256號　妙法蓮華經卷三　（23–5）

尒時大目揵連須菩提摩訶迦旃延等皆悉
悚慄一心合掌瞻仰世尊目不暫捨即共同
聲而説偈言
大雄猛世尊 諸釋之法王 哀愍我等故 而賜佛音聲
若知我深心 見爲授記者 如以甘露灑 除熱得清涼
如從飢國來 忽遇大王饍 心猶懷疑懼 未敢即便食
若復得王教 然後乃敢食 我等亦如是 每惟小乘過
不知當云何 得佛无上慧 雖聞佛音聲 言我等作佛
心尚懷憂懼 如未敢便食 若蒙佛授記 尒乃快安樂
大雄猛世尊 常欲安世間 願賜我等記 如飢須教食
尒時世尊知諸大弟子心之所念告諸比丘
是須菩提於當來世奉覲三百万億那由他
佛供養恭敬尊重讃歎常脩梵行具菩薩道
於最後身得成爲佛号曰名相如來應供正
遍知明行足善逝世間解无上士調御丈夫
天人師佛世尊劫名有寶國名寶生其土平
正頗梨爲地寶樹莊嚴无諸丘坑沙礫荊棘
便利之穢寶華覆地周遍清淨其土人民皆
處寶臺珎妙樓閣聲聞弟子无量无邊筭數
譬喻所不能知諸菩薩衆无數千万億那由
他佛壽十二小劫正法住世二十小劫像法
亦住二十小劫其佛常處虚空爲衆説法度
脱无量菩薩及聲聞衆尒時世尊欲重宣此
義而説偈言
諸比丘衆 今告汝等 皆當一心 聽我所説
我大弟子 須菩提者 當得作佛 号曰名相
當供无數 万億諸佛 隨佛所行 漸具大道
最後身得 三十二相 端正姝妙 猶如寶山

BD01256號　妙法蓮華經卷三　(23–6)

諸比丘衆 今告汝等 皆當一心 聽我所説
我大弟子 須菩提者 當得作佛 号曰名相
當供无數 万億諸佛 隨佛所行 漸具大道
最後身得 三十二相 端正姝妙 猶如寶山
其佛國土 嚴淨第一 衆生見者 无不愛樂
佛於其中 度无量衆 其佛法中 多諸菩薩
皆悉利根 轉不退輪 彼國常以 菩薩莊嚴
諸聲聞衆 不可稱數 皆得三明 具六神通
住八解脱 有大威德 其佛説法 現於无量
神通變化 不可思議 諸天人民 數如恒沙
皆共合掌 聽受佛語 其佛當壽 十二小劫
正法住世 二十小劫 像法亦住 二十小劫
尒時世尊復告諸比丘衆我今語汝是大迦
旃延於當來世以諸供具供養奉事八千億
佛恭敬尊重諸佛滅後各起塔廟高千由旬
縦廣正等五百由旬以金銀琉璃車𤦲馬瑙
真珠玫瑰七寶合成衆華瓔珞塗香末香燒
香繒蓋幢幡供養塔廟過是已後當復供養
二万億佛亦復如是供養是諸佛已具菩薩
道當得作佛号曰閻浮那提金光如來應供
正遍知明行足善逝世間解无上士調御丈
夫天人師佛世尊其土平正頗梨爲地寶樹
莊嚴黄金爲繩以界道側妙華覆地周遍清
淨見者歡喜无四惡道地獄餓鬼畜生阿脩
羅道多有天人諸聲聞衆及諸菩薩无量万
億莊嚴其國佛壽十二小劫正法住世二十
小劫像法亦住二十小劫尒時世尊欲重宣
此義而説偈言

BD01256號　妙法蓮華經卷三　(23–7)

[illegible]
羅道多有天人諸聲聞衆及諸菩薩无量万
億莊嚴其國佛壽十二小劫正法住世二十
小劫像法亦住二十小劫尒時世尊欲重宣
此義而說偈言
諸比丘衆　皆一心聽　如我所說　真實无異
是迦栴延　當以種種　妙好供具　供養諸佛
諸佛滅後　起七寶塔　亦以華香　供養舍利
其最後身　得佛智慧　成等正覺　國土清淨
度脫无量　万億衆生　皆為十方　之所供養
佛之光明　无能勝者　其佛号曰　閻浮金光
菩薩聲聞　斷一切有　无量无數　莊嚴其國
尒時世尊復告大衆我今語汝是大目揵連
當以種種供具供養八千諸佛恭敬尊重諸
佛滅後各起塔廟高千由旬縱廣正等五百
由旬以金銀琉璃車𤦲馬瑙真珠玫瑰七寶
合成衆華瓔珞塗香末香燒香繒蓋幢幡以
用供養過是已後當復供養二百万億諸佛
亦復如是當得成佛号曰多摩羅跋栴檀香
如來應供正遍知明行足善逝世間解无上
士調御丈夫天人師佛世尊劫名喜滿國名
意樂其土平正頗梨為地寶樹莊嚴散真珠
華周遍清淨見者歡喜多諸天人菩薩聲聞
其數无量佛壽二十四小劫正法住世四十
小劫像法亦住四十小劫尒時世尊欲重宣
此義而說偈言
我此弟子　大目揵連　捨是身已　得見八千
二百万億　諸佛世尊　為佛道故　供養恭敬
[illegible]

BD01256號　妙法蓮華經卷三　（23-8）

此義而說偈言
我此弟子　大目揵連　捨是身已　得見八千
二百万億　諸佛世尊　為佛道故　供養恭敬
於諸佛所　常脩梵行　於无量劫　奉持佛法
諸佛滅後　起七寶塔　長表金刹　華香伎樂
而以供養　諸佛塔廟　漸漸具足　菩薩道已
於意樂國　而得作佛　号多摩羅　栴檀之香
其佛壽命　二十四劫　常為天人　演說佛道
聲聞无量　如恒河沙　三明六通　有大威德
菩薩无數　志固精進　於佛智慧　皆不退轉
佛滅度後　正法當住　四十小劫　像法亦尒
我諸弟子　威德具足　其數五百　皆當授記
於未來世　咸得成佛　我及汝等　宿世因緣
吾今當說　汝等善聽
妙法蓮華經化城喻品第七
佛告諸比丘乃往過去无量无邊不可思議
阿僧祇劫尒時有佛名大通智勝如來應供
正遍知明行足善逝世間解无上士調御丈
夫天人師佛世尊其國名好成劫名大相諸
比丘彼佛滅度已來甚大久遠譬如三千大
千世界所有地種假使有人磨以為墨過於
東方千國土乃下一點大如微塵又過千國
土復下一點如是展轉盡地種墨於汝等意
云何是諸國土若筭師若筭師弟子能得邊
際知其數不不也世尊諸比丘是人所經國
土若點不點盡末為塵一塵一劫彼佛滅度
已來復過是數无量无邊百千万億阿僧祇
劫我以如來知見力故觀彼久遠猶若今日

BD01256號　妙法蓮華經卷三　（23-9）

土若點不點盡末爲塵一塵一劫彼佛滅度
已來復過是數无量无邊百千万億阿僧祇
劫我以如來知見力故觀彼久遠猶若今日
尒時世尊欲重宣此義而説偈言
我念過去世　无量无邊劫　有佛兩足尊　名大通智勝
如人以力磨　三千大千土　盡此諸地種　皆悉以爲墨
過於千國土　乃下一塵點　如是展轉點　盡此諸塵墨
如是諸國土　點與不點等　復盡末爲塵　一塵爲一劫
此諸微塵數　其劫復過是　彼佛滅度來　如是无量劫
如來无礙智　知彼佛滅度　及聲聞菩薩　如見今滅度
諸比丘當知　佛智淨微妙　无漏无所礙　通達无量劫
佛告諸比丘大通智勝佛壽五百四十万億
那由他劫其佛本坐道場破魔軍已垂得阿
耨多羅三藐三菩提而諸佛法不現在前如
是一小劫乃至十小劫結加趺坐身心不動
而諸佛法猶不在前尒時忉利諸天先爲彼
佛於菩提樹下敷師子座高一由旬佛於此
座當得阿耨多羅三藐三菩提適坐此座時
諸梵天王雨衆天華面百由旬香風時來吹
去萎華更雨新者如是不絶滿十小劫供養
於佛乃至滅度常雨此華四王諸天爲供養
佛常擊天鼓其餘諸天作天伎樂滿十小劫
至于滅度亦復如是諸比丘大通智勝佛過
十小劫諸佛之法乃現在前成阿耨多羅三
藐三菩提其佛未出家時有十六子其第一
者名曰智積諸子各有種種珍異玩好之具
聞父得成阿耨多羅三藐三菩提皆捨所珍
往詣佛所諸母涕泣而隨送之其祖轉輪聖

藐三菩提其佛未出家時有十六子其第一
者名曰智積諸子各有種種珍異玩好之具
聞父得成阿耨多羅三藐三菩提皆捨所珍
往詣佛所諸母涕泣而隨送之其祖轉輪聖
王與一百大臣及餘百千万億人民皆共圍
繞隨至道場咸欲親近大通智勝如來供養
恭敬尊重讃歎到已頭面礼足繞佛畢一心
合掌瞻仰世尊以偈頌曰
大威德世尊　爲度衆生故　於无量億歲　尒乃得成佛
諸願已具足　善哉吉无上　世尊甚希有　一坐十小劫
身體及手足　靜然安不動　其心常惔怕　未曾有散亂
究竟永寂滅　安住无漏法　今者見世尊　安隱成佛道
我等得善利　稱慶大歡喜　衆生常苦惱　盲暝无導師
不識苦盡道　不知求解脱　長夜增惡趣　減損諸天衆
從暝入於暝　永不聞佛名　今佛得冣上　安隱无漏法
我等及天人　爲得冣大利　是故咸稽首　歸命无上尊
尒時十六王子偈讃佛已勸請世尊轉於法
輪咸作是言世尊説法多所安隱憐愍饒益
諸天人民重説偈言
世雄无等倫　百福自莊嚴　得无上智慧　願爲世間説
度脱於我等　及諸衆生類　爲分別顯示　令得是智慧
若我等得佛　衆生亦復然　世尊知衆生　深心之所念
亦知所行道　又知智慧力　欲樂及脩福　宿命所行業
世尊悉知已　當轉无上輪
佛告諸比丘大通智勝佛得阿耨多羅三藐
三菩提時十方各五百万億諸佛世界六種
震動其國中間幽暝之處日月威光所不能

佛告諸比丘大通智勝佛得阿耨多羅三藐
三菩提時十方各五百万億諸佛世界六種
震動其國中間幽瞑之處日月威光所不能
照而皆大明其中衆生各得相見咸作是言
此中云何忽生衆生又其國界諸天宮殿乃
至梵宮六種震動大光普照遍滿世界勝諸
天光尒時東方五百万億諸國土中梵天宮
殿光明照曜倍於常明諸梵天王各作是念
今者宮殿光明昔所未有以何因緣而現此相
是時諸梵天王即各相詣共議此事而彼
衆中有一大梵天王名救一切為諸梵衆而
說偈言
我等諸宮殿　光明昔未有　此是何因緣　宜各共求之
為大德天生　為佛出世間　而此大光明　遍照於十方
尒時五百万億國土諸梵天王與宮殿俱各
以衣裓盛諸天華共詣西方推尋是相見大
通智勝如來處于道場菩提樹下坐師子座
諸天龍王乾闥婆緊那羅摩睺羅伽人非人
等恭敬圍繞及見十六王子請佛轉法輪即時
諸梵天王頭面礼佛繞百千帀即以天華
而散佛上其所散華如須弥山并以供養佛
菩提樹其菩提樹高十由旬華供養已各以
宮殿奉上彼佛而作是言唯見哀愍饒益我
等所獻宮殿願垂納處時諸梵天王即於佛
前一心同聲以偈頌曰
世尊甚希有　難可得值遇　具无量功德　能救護一切
天人之大師　哀愍於世間　十方諸衆生　普皆蒙饒益
我等所從來　五百万億國　捨深禪定樂　為供養佛故

世尊甚希有　難可得值遇　具无量功德　能救護一切
天人之大師　哀愍於世間　十方諸衆生　普皆蒙饒益
我等所從來　五百万億國　捨深禪定樂　為供養佛故
我等先世福　宮殿甚嚴飾　今以奉世尊　唯願哀納受
尒時諸梵天王偈讚佛已各作是言唯願世
尊轉於法輪度脫衆生開涅槃道時諸梵天
王一心同聲而說偈言
世雄兩足尊　唯願演說法　以大慈悲力　度苦惱衆生
尒時大通智勝如來默然許之又諸比丘東
南方五百万億國土諸大梵王各自見宮殿
光明照曜昔所未有歡喜踊躍生希有心即
各相詣共議此事而彼衆中有一大梵天王
名曰大悲為諸梵衆而說偈言
是事何因緣　而現如此相　我等諸宮殿　光明昔未有
為大德天生　為佛出世間　未曾見此相　當共一心求
過千万億土　尋光共推之　多是佛出世　度脫苦衆生
尒時五百万億諸梵天王與宮殿俱各以衣
裓盛諸天華共詣西北方推尋是相見大通
智勝如來處于道場菩提樹下坐師子座諸
天龍王乾闥婆緊那羅摩睺羅伽人非人等
恭敬圍繞及見十六王子請佛轉法輪時諸
梵天王頭面礼佛繞百千帀即以天華而散
佛上所散之華如須弥山并以供養佛菩提
樹華供養已各以宮殿奉上彼佛而作是言
唯見哀愍饒益我等所獻宮殿願垂納處尒
時諸梵天王即於佛前一心同聲以偈頌曰
聖主天中王　迦陵頻伽聲　哀愍衆生者　我等今敬礼
世尊甚希有　久遠乃一現　一百八十劫　空過无有佛

唯見哀愍饒益我等　所獻宮殿　願垂納處尒
時諸梵天王即於佛前一心同聲以偈頌曰
聖主天中王　迦陵頻伽聲　哀愍衆生者　我等今敬礼
世尊甚希有　久遠乃一見　一百八十劫　空過无有佛
三惡道充滿　諸天衆減少　今佛出於世　為衆生作眼
世間所歸趣　救護於一切　為衆生之父　哀愍饒益者
我等宿福慶　今得值世尊
尒時諸梵天王偈讚佛已各作是言唯願世
尊哀愍一切轉於法輪度脫衆生時諸梵天
王一心同聲而說偈言
大聖轉法輪　顯示諸法相　度苦惱衆生　令得大歡喜
衆生聞此法　得道若生天　諸惡道減少　忍善者增益
尒時大通智勝如來嘿然許之又諸比丘南
方五百万億國土諸大梵王各自見宮殿光
明照曜昔所未有歡喜踊躍生希有心即各
相詣共議此事以何因緣我等宮殿有此光
曜而彼衆中有一大梵天王名曰妙法為諸梵
衆而說偈言
我等諸宮殿　光明甚威曜　此非无因緣　是相宜求之
過於百千劫　未曾見是相　為大德天生　為佛出世間
尒時五百万億諸梵天王與宮殿俱各以衣
裓盛諸天華共詣北方推尋是相見大通智
勝如來處于道場菩提樹下坐師子座諸天
龍王乾闥婆緊那羅摩睺羅伽人非人等恭
敬圍繞及見十六王子請佛轉法輪時諸梵
天王頭面礼佛繞百千帀即以天華而散佛
上所散之華如須弥山并以供養佛菩提樹

敬圍繞及見十六王子請佛轉法輪時諸梵
天王頭面礼佛繞百千帀即以天華而散佛
上所散之華如須弥山并以供養佛菩提樹
華供養已各以宮殿奉上彼佛而作是言唯
見哀愍饒益我等所獻宮殿願垂納處尒
時諸梵天王即於佛前一心同聲以偈頌曰
世尊甚難見　破諸煩惱者　過百三十劫　今乃得一見
諸飢渴衆生　以法雨充滿　昔所未曾覩　无量智慧者
如優曇波羅　今日乃值遇　我等諸宮殿　蒙光故嚴飾
世尊大慈愍　唯願垂納受
尒時諸梵天王偈讚佛已各作是言唯願世
尊轉於法輪令一切世間諸天魔梵沙門婆
羅門皆獲安隱而得度脫時諸梵天王一心
同聲以偈頌曰
唯願天人尊　轉无上法輪　擊于大法鼓　而吹大法螺
普雨大法雨　度无量衆生　我等咸歸請　當演深遠音
尒時大通智勝如來嘿然許之西南方乃至
下方亦復如是尒時上方五百万億國土諸
大梵王皆悉自覩所止宮殿光明威曜昔所
未有歡喜踊躍生希有心即各相詣共議此
事以何因緣我等宮殿有斯光明而彼衆中
有一大梵天王名曰尸棄為諸梵衆而說偈
言
今以何因緣　我等諸宮殿　威德光明曜　嚴飾未曾有
如是之妙相　昔所未聞見　為大德天生　為佛出世間
尒時五百万億諸梵天王與宮殿俱各以衣
裓盛諸天華共詣下方推尋是相見大通智
勝如來處于道場菩提樹下坐師子座諸天

今以何因緣　我等諸宮殿　威德光明曜　嚴飾未曾有
如是之妙相　昔所未聞見　為大德天生　為佛出世間
尒時五百万億諸梵天王與宮殿俱，各以衣
祴盛諸天華，共詣下方推尋是相。見大通智
勝如來處于道場菩提樹下，坐師子座，諸天
龍王、乾闥婆、緊那羅、摩睺羅伽、人非人等恭
敬圍繞，及見十六王子請佛轉法輪。時諸梵
天王頭面礼佛，繞百千帀，即以天華而散佛
上，所散之華如須弥山，并以供養佛菩提樹。
華供養已，各以宮殿奉上彼佛，而作是言：唯
見哀愍饒益我等，所獻宮殿，願垂納處。時諸
梵天王即於佛前一心同聲以偈頌曰：
善哉見諸佛　救世之聖尊　能於三界獄　勉出諸眾生
普智天人尊　哀愍群萌類　能開甘露門　廣度於一切
於昔无量劫　空過无有佛　世尊未出時　十方常闇暝
三惡道增長　阿脩羅亦盛　諸天眾轉減　死多墮惡道
不從佛聞法　常行不善事　色力及智慧　斯等皆減少
罪業因緣故　失樂及樂想　住於邪見法　不識善儀則
不蒙佛所化　常墮於惡道　佛為世間眼　久遠時乃出
哀愍諸眾生　故現於世間　超出成正覺　我等甚欣慶
及餘一切眾　喜歎未曾有　我等諸宮殿　蒙光故嚴飾
今以奉世尊　唯垂哀納受　願以此功德　普及於一切
我等與眾生　皆共成佛道
尒時五百万億諸梵天王偈讚佛已，各白佛
言：唯願世尊轉於法輪，多所安隱，多所度脫。
時諸梵天王而說偈言：
世尊轉法輪　擊甘露法鼓　[illegible]

BD01256號　妙法蓮華經卷三　（23–16）

言：唯願世尊轉於法輪，多所安隱，多所度脫。
時諸梵天王而說偈言：
世尊轉法輪　擊甘露法鼓　度苦惱眾生　開示涅槃道
唯願受我請　以大微妙音　哀愍而敷演　无量劫習法
尒時大通智勝如來受十方諸梵天王及十
六王子請，即時三轉十二行法輪，若沙門婆
羅門若天魔梵及餘世間所不能轉，謂是苦，
是苦集，是苦滅，是苦滅道，及廣說十二因緣
法：无明緣行，行緣識，識緣名色，名色緣六入，
六入緣觸，觸緣受，受緣愛，愛緣取，取緣有，有
緣生，生緣老死憂悲苦惱；无明滅則行滅，行
滅則識滅，識滅則名色滅，名色滅則六入滅，
六入滅則觸滅，觸滅則受滅，受滅則愛滅，愛
滅則取滅，取滅則有滅，有滅則生滅，生滅則
老死憂悲苦惱滅。佛於天人大眾之中說是
法時，六百万億那由他人以不受一切法故，
而於諸漏心得解脫，皆得深妙禪定、三明、六
通，具八解脫。第二、第三、第四說法時，千万億
恒河沙那由他等眾生亦以不受一切法故，
而於諸漏心得解脫。從是已後，諸聲聞眾无
量无邊，不可稱數。尒時十六王子皆以童子
出家而為沙弥，諸根通利，智慧明了，已曾供
養百千万億諸佛，淨脩梵行，求阿耨多羅三
藐三菩提，俱白佛言：世尊，是諸无量千万億
大德聲聞皆已成就。世尊亦當為我等說阿
耨多羅三藐三菩提法，我等聞已，皆共脩學。
世尊，我等志願如來知見，深心所念，佛自證

BD01256號　妙法蓮華經卷三　（23–17）

藐三菩提俱白佛言世尊是諸无量千万億
大德聲聞皆已成就世尊亦當為我等說阿
耨多羅三藐三菩提法我等聞已皆共修學
世尊我等志願如来知見深心所念佛自證
知尒時轉輪聖王所將衆中八万億人見十
六王子出家亦求出家王即聽許尒時彼佛
受沙弥請過二万劫已乃於四衆之中說是
大乘經名妙法蓮華教菩薩法佛所護念說
是經已十六沙弥為阿耨多羅三藐三菩提
故皆共受持諷誦通利說是經時十六菩薩
沙弥皆悉信受聲聞衆中亦有信解其餘衆
生千万億種皆生疑惑佛說是經於八千劫
未曾休廢說此經已即入靜室住於禪定八
万四千劫是時十六菩薩沙弥知佛入室寂
然禪定各昇法座亦於八万四千劫為四部
衆廣說分別妙法華經一一皆度六百万億
那由他恒河沙等衆生示教利喜令發阿耨
多羅三藐三菩提心大通智勝佛過八万四
千劫已從三昧起往詣法座安詳而坐普告
大衆是十六菩薩沙弥甚為希有諸根通利
智慧明了已曾供養无量千万億數諸佛於
諸佛所常脩梵行受持佛智開示衆生令入
其中汝等皆當數數親近而供養之所以者
何若聲聞辟支佛及諸菩薩能信是十六菩
薩所說經法受持不毀者是人皆當得阿耨
多羅三藐三菩提如来之慧佛告諸比丘是十
六菩薩常樂說是妙法蓮華經一一菩薩

BD01256號　妙法蓮華經卷三

（23–18）

何若聲聞辟支佛及諸菩薩能信是十六菩
薩所說經法受持不毀者是人皆當得阿耨
多羅三藐三菩提如来之慧佛告諸比丘是十
六菩薩常樂說是妙法蓮華經一一菩薩
所化六百万億那由他恒河沙等衆生世世
所生與菩薩俱從其聞法悉皆信解以此因
緣得值四万億諸佛世尊于今不盡諸比丘
我今語汝彼佛弟子十六沙弥今皆得阿耨
多羅三藐三菩提於十方國土現在說法有
无量百千万億菩薩聲聞以為眷屬其二沙
弥東方作佛一名阿閦在歡喜國二名須弥
頂東南方二佛一名師子音二名師子相南
方二佛一名虛空住二名常滅西南方二佛
一名帝相二名梵相西方二佛一名阿弥陀
二名度一切世間苦惱西北方二佛一名多
摩羅跋栴檀香神通二名須弥相北方二佛
一名雲自在二名雲自在王東北方佛名壞
一切世間怖畏第十六我釋迦牟尼佛於娑
婆國土成阿耨多羅三藐三菩提諸比丘我
等為沙弥時各各教化无量百千万億恒河
沙等衆生從我聞法為阿耨多羅三藐三菩
提此諸衆生于今有住聲聞地者我常教化
阿耨多羅三藐三菩提是諸人等應以是法
漸入佛道所以者何如来智慧難信難解尒
時所化无量恒河沙等衆生者汝等諸比丘
及我滅度後未来世中聲聞弟子是也我滅
度後復有弟子不聞是經不知不覺菩薩所

BD01256號　妙法蓮華經卷三

（23–19）

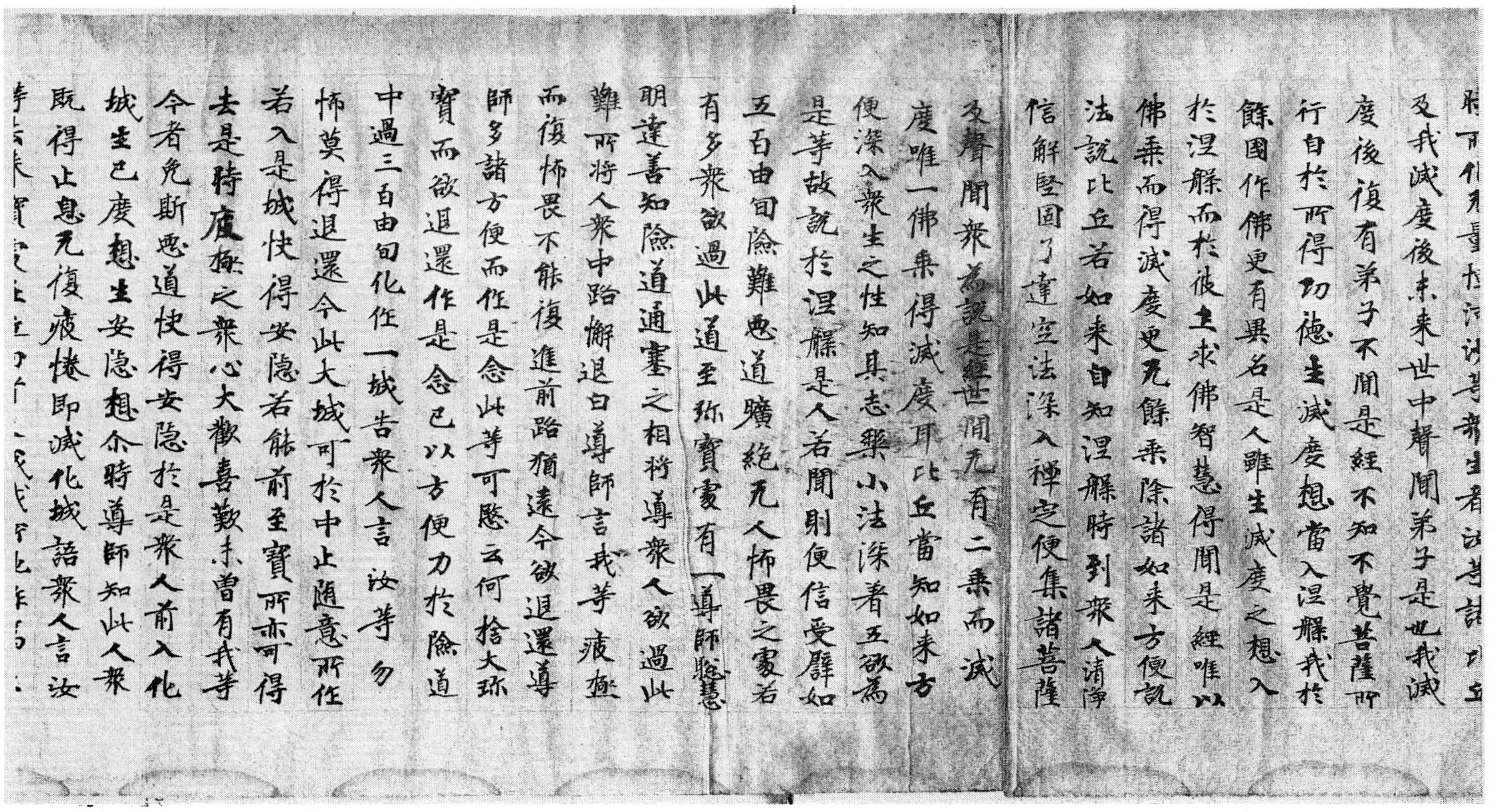
時所化无量恒河沙等衆生者汝等諸比丘
及我滅度後未来世中聲聞弟子是也我滅
度後復有弟子不聞是經不知不覺菩薩所
行自於所得功德生滅度想當入涅槃我於
餘國作佛更有異名是人雖生滅度之想入
於涅槃而於彼土求佛智慧得聞是經唯以
佛乘而得滅度更无餘乘除諸如来方便說
法諸比丘若如来自知涅槃時到衆又清淨
信解堅固了達空法深入禪定便集諸菩薩
及聲聞衆為說是經世間无有二乘而得滅
度唯一佛乘得滅度耳比丘當知如来方
便深入衆生之性知其志樂小法深著五欲為
是等故說於涅槃是人若聞則便信受譬如
五百由旬險難惡道曠絕无人怖畏之處若
有多衆欲過此道至珎寶處有一導師聡慧
明達善知險道通塞之相將導衆人欲過此
難所將人衆中路懈退白導師言我等疲極
而復怖畏不能復進前路猶遠今欲退還導
師多諸方便而作是念此等可愍云何捨大珎
寶而欲退還作是念已以方便力於險道
中過三百由旬化作一城告衆人言汝等勿
怖莫得退還今此大城可於中止隨意所作
若入是城快得安隱若能前至寶所亦可得
去是時疲極之衆心大歡喜歎未曾有我等
今者免斯惡道快得安隱於是衆人前入化
城生已度想生安隱想爾時導師知此人衆
既得止息无復疲惓即滅化城語衆人言汝
等去来寶處在近向者大城我所化作為止息耳

BD01256 號　妙法蓮華經卷三　（23–20）

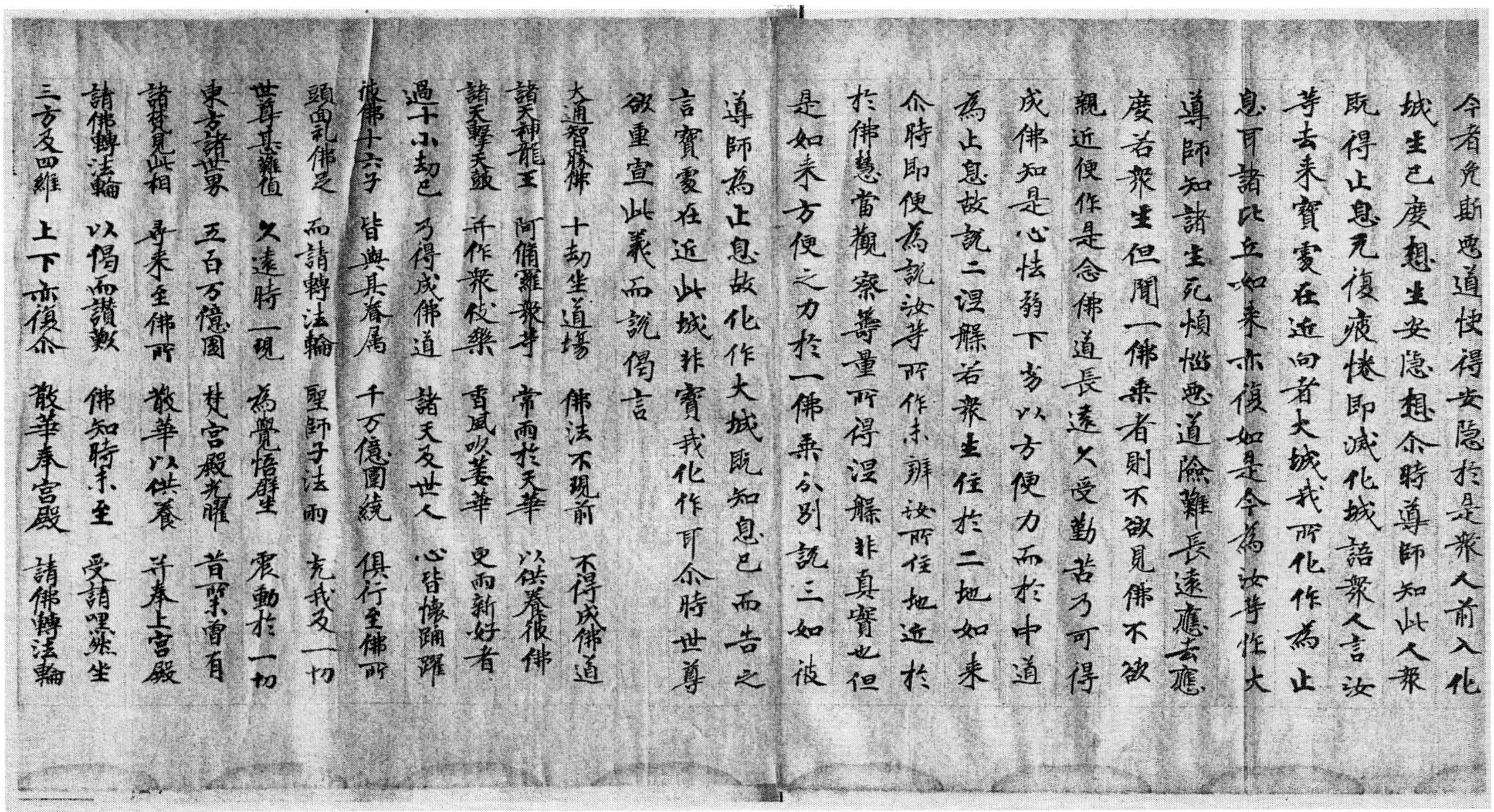
今者免斯惡道快得安隱於是衆人前入化
城生已度想生安隱想爾時導師知此人衆
既得止息无復疲惓即滅化城語衆人言汝
等去来寶處在近向者大城我所化作為止
息耳諸比丘如来亦復如是今為汝等作大
導師知諸生死煩惱惡道險難長遠應去應
度若衆生但聞一佛乘者則不欲見佛不欲
親近便作是念佛道長遠久受勤苦乃可得
成佛知是心怯弱下劣以方便力而於中道
為止息故說二涅槃若衆生住於二地如来
爾時即便為說汝等所作未辦汝所住地近於
佛慧當觀察籌量所得涅槃非真實也但
是如来方便之力於一佛乘分別說三如彼
導師為止息故化作大城既知息已而告之
言寶處在近此城非實我化作耳爾時世尊
欲重宣此義而說偈言
大通智勝佛　十劫坐道場　佛法不現前　不得成佛道
諸天神龍王　阿脩羅衆等　常雨於天華　以供養彼佛
諸天擊天鼓　并作衆伎樂　香風吹萎華　更雨新好者
過十小劫已　乃得成佛道　諸天及世人　心皆懷踊躍
彼佛十六子　皆與其眷屬　千万億圍繞　俱行至佛所
頭面礼佛足　而請轉法輪　聖師子法雨　充我及一切
世尊甚難值　久遠時一現　為覺悟群生　震動於一切
東方諸世界　五百万億國　梵宮殿光曜　昔所未曾有
諸梵見此相　尋来至佛所　散華以供養　并奉上宮殿
請佛轉法輪　以偈而讚歎　佛知時未至　受請嘿然坐
三方及四維　上下亦復爾　散華奉宮殿　請佛轉法輪

BD01256 號　妙法蓮華經卷三　（23–21）

東方諸世界 五百万億國 梵宮殿光曜 昔所未曾有
諸梵見此相 尋來至佛所 散華以供養 并奉上宮殿
請佛轉法輪 以偈而讚歎 佛知時未至 受請嘿然坐
三方及四維 上下亦復尒 散華奉宮殿 請佛轉法輪
世尊甚難值 願以大慈悲 廣開甘露門 轉无上法輪
无量慧世尊 受彼衆人請 為宣種種法 四諦十二緣
无明至老死 皆從生緣有 如是衆過患 汝等應當知
宣暢是法時 六百万億姟 得盡諸苦際 皆成阿羅漢
第二說法時 千万恒沙衆 於諸法不受 亦得阿羅漢
從是後得道 其數无有量 万億劫筭數 不能得其邊
時十六王子 出家作沙弥 皆共請彼佛 演說大乘法
我等及營從 皆當成佛道 願得如世尊 慧眼第一淨
佛知童子心 宿世之所行 以无量因緣 種種諸譬喻
說六波羅蜜 及諸神通事 分別真實法 菩薩所行道
說是法華經 如恒河沙偈 彼佛說經已 靜室入禪定
一心一處坐 八万四千劫 是諸沙弥等 知佛禪未出
為无量億衆 說佛无上慧 各各坐法座 說是大乘經
於佛宴寂後 宣揚助法化 一一沙弥等 所度諸衆生
有六百万億 恒河沙等衆 彼佛滅度後 是諸聞法者
在在諸佛土 常與師俱生 是十六沙弥 具足行佛道
今現在十方 各得成正覺 尒時聞法者 各在諸佛所
其有住聲聞 漸教以佛道 我在十六數 曾亦為汝說
是故以方便 引汝趣佛慧 以是本因緣 今說法華經
令汝入佛道 慎勿懷驚懼 譬如險惡道 迥絕多毒獸
又復无水草 人所怖畏處 无數千万衆 欲過此險道
其路甚曠遠 經五百由旬 時有一導師 強識有智慧
明了心決定 在險濟衆難 衆人皆疲惓 而白導師言

BD01256號 妙法蓮華經卷三 (23–22)

是故以方便 引汝趣佛慧 以是本因緣 今說法華經
令汝入佛道 慎勿懷驚懼 譬如險惡道 迥絕多毒獸
又復无水草 人所怖畏處 无數千万衆 欲過此險道
其路甚曠遠 經五百由旬 時有一導師 強識有智慧
明了心決定 在險濟衆難 衆人皆疲惓 而白導師言
我等今頓乏 於此欲退還 導師作是念 此輩甚可愍
如何欲退還 而失大珎寶 尋時思方便 當設神通力
化作大城郭 莊嚴諸舍宅 周帀有園林 渠流及浴池
重門高樓閣 男女皆充滿 即作是化已 慰衆言勿懼
汝等入此城 各可隨所樂 諸人既入城 心皆大歡喜
皆生安隱想 自謂已得度 導師知息已 集衆而告言
汝等當前進 此是化城耳 我見汝疲極 中路欲退還
故以方便力 權化作此城 汝今勤精進 當共至寶所
我亦復如是 為一切導師 見諸求道者 中路而懈廢
不能度生死 煩惱諸險道 故以方便力 為息說涅槃
言汝等苦滅 所作皆已辦 既知到涅槃 皆得阿羅漢
尒乃集大衆 為說真實法 諸佛方便力 分別說三乘
唯有一佛乘 息處故說二 今為汝說實 汝所得非滅
為佛一切智 當發大精進 汝證一切智 十力等佛法
具三十二相 乃是真實滅 諸佛之導師 為息說涅槃
既知是息已 引入於佛慧

妙法蓮華經卷第三

BD01256號 妙法蓮華經卷三 (23–23)

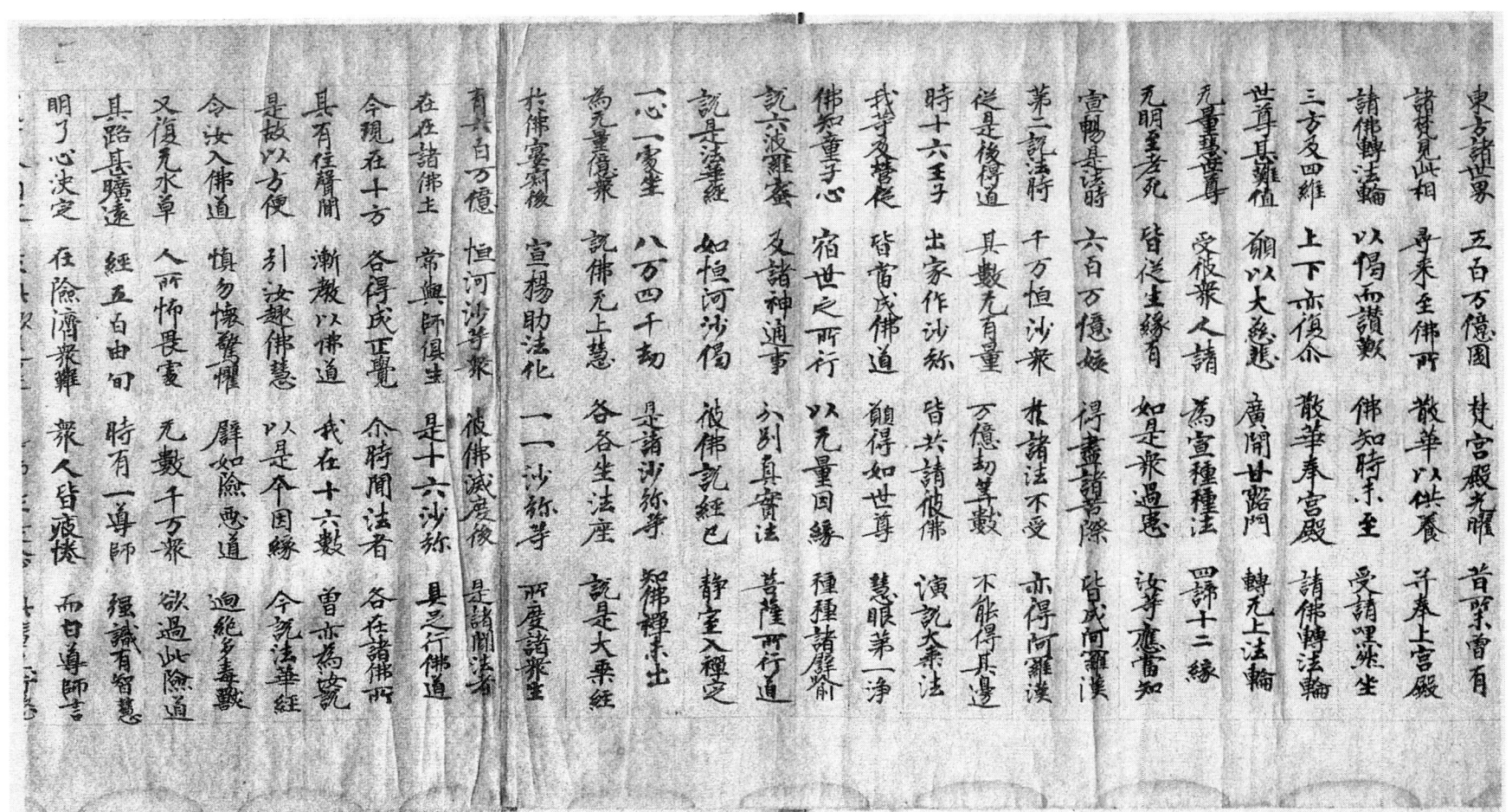

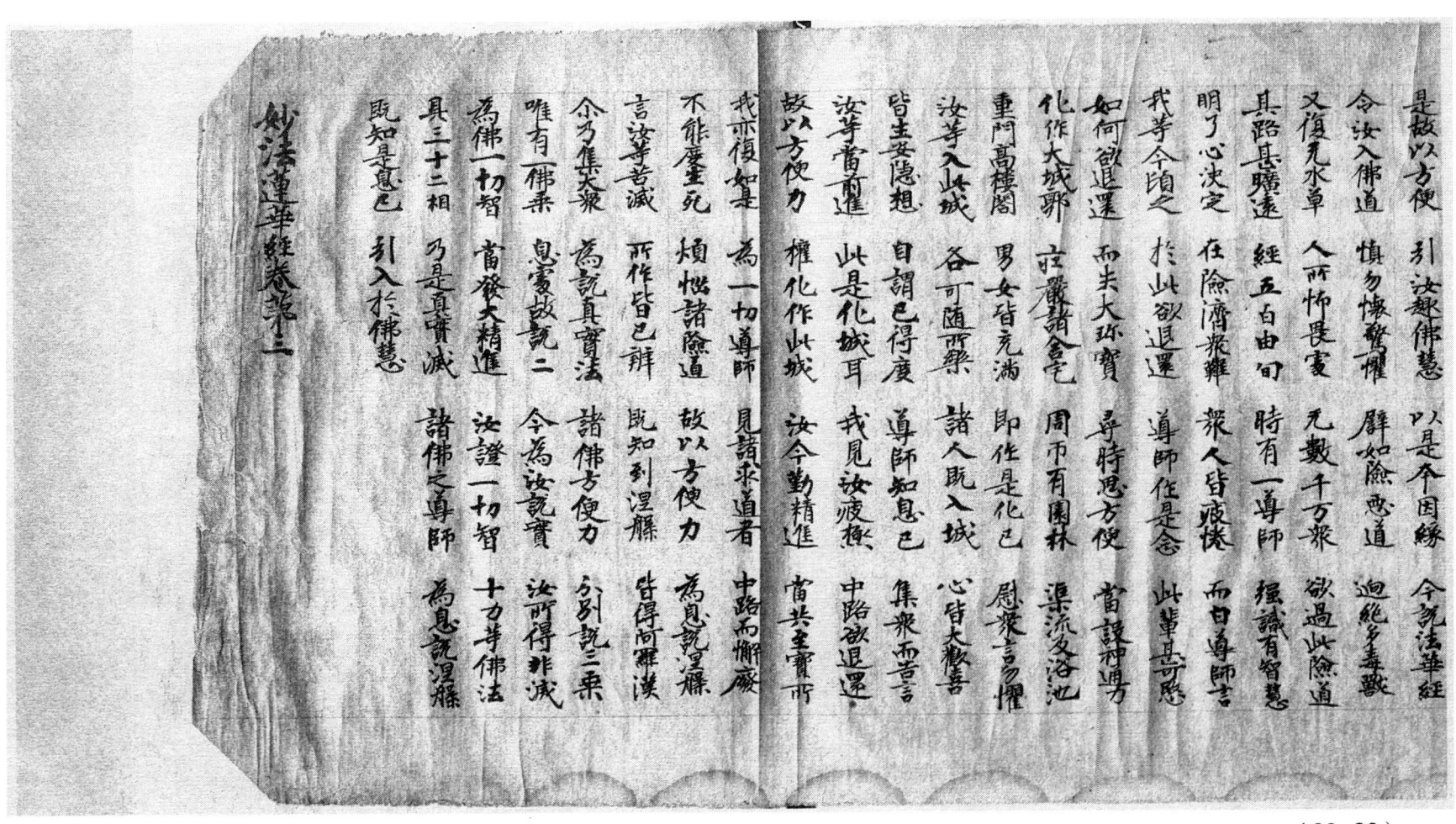

一切寂靜法中而得安住此依一切
善根而得生起
善男子譬如寶須彌山王饒益一切此菩提
心利眾生故是名第一布施波羅蜜因善男
子譬如大地持眾物故是名第二持戒波
羅蜜因譬如師子有大威力獨步無畏離驚
恐故是名第三忍辱波羅蜜因譬如風輪那羅
延力勇壯速疾心不退故是名第四勤策波
羅蜜因譬如七寶樓觀有四階道清涼之風
來吹四門受安隱樂靜慮法藏求滿足故是
名第五靜慮波羅蜜因譬如日輪光耀熾盛
此心速能破滅生死無明闇故是名第六智
慧波羅蜜因譬如商主能令一切心願滿之
此心能度生死險道獲功德寶故是名第七
方便勝智波羅蜜因譬如淨月圓滿無翳此
心能於一切境界清淨具足故是名第八願
波羅蜜因譬如轉輪聖王主兵寶臣隨意自
在此心善能莊嚴淨佛國土無量功德廣利
群生故是名第九力波羅蜜因譬如虛空及
轉輪聖王此心能於一切境界無有障礙於
一切處皆得自在至灌頂位故是名第十智
波羅蜜因善男子是名菩薩摩訶薩十種菩
提心因如是十因汝當修學

BD01257 號　金光明最勝王經卷四　（17–1）

在此心善能莊嚴淨佛國土無量功德廣利
群生故是名第九力波羅蜜因譬如虛空及
轉輪聖王此心能於一切境界無有障礙於
一切處皆得自在至灌頂位故是名第十智
波羅蜜因善男子是名菩薩摩訶薩十種菩
提心因如是十因汝當修學
善男子依五種法菩薩摩訶薩成就布施波
羅蜜云何為五一者信根二者慈悲三者無
求欲心四者攝受一切眾生五者願求一切
智智善男子是名菩薩摩訶薩成就布施
波羅蜜善男子復依五法菩薩摩訶薩成
就持戒波羅蜜云何為五一者三業清淨二者
不為一切眾生作煩惱因緣三者閉諸惡道開
善趣門四者過於聲聞獨覺之地五者一切
功德皆悉滿足善男子是名菩薩摩訶薩成
就持戒波羅蜜善男子復依五法菩薩摩訶
薩成就忍辱波羅蜜云何為五一者能伏貪
瞋煩惱二者不惜身命不求安樂止息之想
三者思惟往業遭苦能忍四者發慈悲心成
就眾生諸善根故五者為得甚深無生法忍
善男子是名菩薩摩訶薩成就忍辱波羅蜜
善男子復依五法菩薩摩訶薩成就勤策波
羅蜜云何為五一者與諸煩惱不樂共住二
者福德未具不受安樂三者於諸難行苦行
之事不生厭心四者以大慈悲攝受利益方
便成就一切眾生五者願求不退轉地善男
子是名菩薩摩訶薩成就勤策波羅蜜善
男子復依五法菩薩摩訶薩成就靜

BD01257 號　金光明最勝王經卷四　（17–2）

之事不生厭心四者以大慈悲攝受方
便成就一切眾生五者願求不退轉地善男
子是名菩薩摩訶薩成就勤策波羅蜜善
男子復依五法菩薩摩訶薩成就靜慮波羅蜜
云何為五一者於諸善法攝令不散故二者常
願解脫不著二邊故三者願得神通成就
眾生諸善根故四者為淨法界蠲除心垢故
五者為斷眾生煩惱根本故善男子是名菩
薩摩訶薩成就靜慮波羅蜜善男子復依
五法菩薩摩訶薩成就智慧波羅蜜云何為
五一者常於一切諸佛菩薩及明智者供養親
近不生厭背二者諸佛如來說甚深法心常
樂聞無有厭足三者真俗勝智樂善分別四
者見修煩惱咸速斷除五者世間伎術五明
之法皆悉通達善男子是名菩薩摩訶薩成
就智慧波羅蜜善男子復依五法菩薩摩
訶薩成就方便波羅蜜云何為五一者於一切
眾生意樂煩惱心行差別悉皆通達二者無
量諸法對治之門心皆曉了三者大慈悲定
出入自在四者於諸波羅蜜多皆願修行成
熟滿足五者一切佛法皆願了達攝受無
遺善男子是名菩薩摩訶薩成就方便勝智
波羅蜜善男子復依五法菩薩摩訶薩成就願
波羅蜜云何為五一者於一切法本來不
生不滅非有非無心得安住二者觀一切法
最妙理趣離垢清淨心得安住三者過一
切相心本真如無作無行不異不動心得安
住四者為欲利益諸眾生事於俗諦中心得

BD01257號　金光明最勝王經卷四　（17–3）

生不滅非有非無心得安住二者觀一切法
最妙理趣離垢清淨心得安住三者過一
切相心本真如無作無行不異不動心得安
住四者為欲利益諸眾生事於俗諦中心得
安住五者於奢摩他毗鉢舍那同時運行心
得安住善男子是名菩薩摩訶薩成就願波
羅蜜善男子復依五法菩薩摩訶薩成就力
波羅蜜云何為五一者以正智力能了一切
眾生心行善惡二者能令一切眾生入於甚
深微妙之法三者一切眾生輪迴生死隨其
緣業如實了知四者於諸眾生三種根性以
正智力能分別知五者於諸眾生如理為說
令種善根成熟度脫皆是智力故善男子
是名菩薩摩訶薩成就力波羅蜜善男子復
依五法菩薩摩訶薩成就智波羅蜜云何為五
一者能於諸法分別善惡二者於黑白法遠
離攝受三者能於生死涅槃不厭不喜四者
具福智行至究竟處五者受勝灌頂能得諸
佛不共法等及一切智智善男子是名菩薩
摩訶薩成就智波羅蜜善男子何者是波
羅蜜義所謂修習勝利是波羅蜜義滿足無量
大甚深智是波羅蜜義行非行法心不執著
是波羅蜜義生死過失涅槃功德正覺正觀
是波羅蜜義愚人智人皆悉攝受是波羅蜜
義能現種種珍妙法寶是波羅蜜義無礙解
脫智慧滿足是波羅蜜義法界眾生界正分
別知是波羅蜜義施等及法能令至不退轉
是波羅蜜義無生法忍能令滿之是波羅蜜

BD01257號　金光明最勝王經卷四　（17–4）

生不滅非有非無心得安住二者觀一切法
最妙理趣離諸清淨心得安住三者過一
切相心本真如無作無行不異不動心得安
住四者爲欲利益諸衆生事於俗諦中心得
安住五者於奢摩他毗鉢舍那同時運行心
得安住善男子是名菩薩摩訶薩成就願波
羅蜜善男子復依五法菩薩摩訶薩成就力
波羅蜜云何爲五一者以正智力能了一切
衆生心行善惡二者能令一切衆生入於甚
深微妙之法三者一切衆生輪迴生死隨其
緣業如實了知四者於諸衆生三種根性以
正智力能分別知五者於諸衆生如理爲說
令種善根成熟度脫皆是智力故善男子
是名菩薩摩訶薩成就力波羅蜜善男子復
依五法菩薩摩訶薩成就智波羅蜜云何爲五
一者能於諸法分別善惡二者於黑白法遠
離攝受三者能於生死涅槃不厭不喜四者
具福智行至究竟處五者受勝灌頂能得諸
佛不共法等及一切智智善男子是名菩薩
摩訶薩成就智波羅蜜善男子何者是波
羅蜜義所謂修習勝利是波羅蜜義滿足無量
大甚深智是波羅蜜義行非行法心不執著
是波羅蜜義生死過失涅槃功德正覺正觀
是波羅蜜義愚人智人皆悉攝受是波羅蜜
義能現種種珍妙法寶是波羅蜜義無礙解
脫智慧滿足是波羅蜜義法界衆生界正分
別知是波羅蜜義施等及法能令至不退轉
是波羅蜜義無生法忍能令滿足是波羅蜜

BD01257 號　金光明最勝王經卷四　（17–5）

別知是波羅蜜義施等及法能令至不退轉
是波羅蜜義無生法忍能令滿足是波羅蜜
義一切衆生功德善根能令成熟是波羅蜜
義能於菩提成佛十力四無所畏不共法等
皆悉成就是波羅蜜義生死涅槃了無二相
是波羅蜜義濟度一切是波羅蜜義一切外
道來相詰難善能解釋令其降伏是波羅蜜
義能轉十二妙行法輪是波羅蜜義無所著
無所見無患累是波羅蜜多義
善男子初地菩薩是相先現三千大千世界
無量無邊種種寶藏無不盈滿菩薩悉見
善男子二地菩薩是相先現三千大千世界地
平如掌無量無邊種種妙色清淨珍寶莊
嚴之具菩薩悉見善男子三地菩薩是相先現
自身勇健甲仗莊嚴一切怨賊皆能摧伏菩
薩悉見善男子四地菩薩是相先現四方風
輪種種妙花悉皆散灑充布地上菩薩悉見
善男子五地菩薩是相先現有妙寶女衆寶
瓔珞周遍嚴身首冠名花以爲其飾菩薩悉
見善男子六地菩薩是相先現七寶花池有
四階道金砂遍布清淨無穢八功德水皆悉
盈滿嗢鉢羅花拘物頭花分陀利花隨處莊
嚴於花池所遊戲快樂清涼無比菩薩悉見
善男子七地菩薩是相先現於菩薩前有諸
衆生應墮地獄以菩薩力便得不墮無有損
傷亦無恐怖菩薩悉見善男子八地菩薩
是相先現於身兩邊有師子王以爲衛護一切

BD01257 號　金光明最勝王經卷四　（17–6）

眾生應墮地獄以菩薩力便得不墮無有橫
傷亦無恐怖菩薩悉見善男子八地菩薩
是相先現於身兩邊有師子王以為衛護一切
眾獸悉皆怖畏菩薩悉見善男子九地菩薩
是相先現轉輪聖王無量億眾圍繞供養頂
上白蓋無量眾寶之所莊嚴菩薩悉見善
男子十地菩薩是相先現如來之身金色晃耀
無量淨光悉皆圓滿有無量億梵王圍繞恭
敬供養轉於無上微妙法輪菩薩悉見
善男子云何初地名為歡喜謂初證得出世
之心昔所未得而今始得於大事用如其所願
悉皆成就生極喜樂是故最初名為歡喜
諸微細垢犯戒過失皆得清淨是故二地名
為無垢無量智慧三昧光明不可傾動無能
摧伏聞持陀羅尼以為根本是故三地名為
明地以智慧火燒諸煩惱增長光明修行覺
品是故四地名為焰地修行方便勝智自在
極難得故見修煩惱難伏能伏是故五地名
為難勝行法相續了了顯現無相思惟皆悉
現前是故六地名為現前無漏無間無相思
惟解脫三昧遠修行故是地清淨無相障礙
是故七地名為遠行無相思惟修得自在諸煩
惱行不能令動是故八地名為不動說一切法
種種差別皆得自在無患無累增長智
慧自在無礙是故九地名為善慧法身如虛
空智慧如大雲皆能遍滿覆一切故是故
第十名為法雲
善男子執著有相我法無明怖畏生死惡趣

BD01257號　金光明最勝王經卷四　（17–7）

慧自在無礙是故九地名為善慧法身如虛
空智慧如大雲皆能遍滿覆一切故是故
第十名為法雲
善男子執著有相我法無明怖畏生死惡趣
無明此二無明障於初地微細學處誤犯無
明發起種種業行無明此二無明障於二地
未得今得愛著無明能障殊勝總持無明此
二無明障於三地味著等至喜悅無明微妙
淨法愛樂無明此二無明障於四地欲背生
死無明希趣涅槃無明此二無明障於五地
觀行流轉無明麤相現前無明此二無明障
於六地微細諸相現行無明作意欣樂無相
無明此二無明障於七地於無相觀功用無
明執相自在無明此二無明障於八地於所
說義及名句文此二無量未善巧無明於詞
辯才不隨意無明此二無明障於九地於大
神通未得自在變現無明微細祕密未能悟
解事業無明此二無明障於十地於一切境
微細所知障礙無明極細煩惱麁重無明此
二無明障於佛地
善男子菩薩摩訶薩於初地中行施波羅
蜜於第二地行戒波羅蜜於第三地行忍波羅
蜜於第四地行勤波羅蜜於第五地行定波
羅蜜於第六地行慧波羅蜜於第七地行方
便勝智波羅蜜於第八地行願波羅蜜於第
九地行力波羅蜜於第十地行智波羅蜜善
男子菩薩摩訶薩最初發心攝受能生妙寶
三摩地第二發心攝受能生可愛樂三摩地

BD01257號　金光明最勝王經卷四　（17–8）

九地行力波羅蜜於第十地行智波羅蜜善
男子菩薩摩訶薩最初發心攝受能生妙寶
三摩地第二發心攝受能生可愛樂三摩地
第三發心攝受能生難動三摩地第四發心
攝受能生不退轉三摩地第五發心攝受能
生寶花三摩地第六發心攝受能生日圓光
焰三摩地第七發心攝受能生一切願如意
成就三摩地第八發心攝受能生現前證住
三摩地第九發心攝受能生智藏三摩地第
十發心攝受能生勇進三摩地善男子是名
菩薩摩訶薩十種發心善男子菩薩摩訶
薩於此初地得陀羅尼名依功德力尒時世
尊即說呪曰
怛　姪　他　晡　㗚　你　曷　奴　喇　剩
獨虎獨虎獨虎　耶跋蘇利瑜
阿婆婆薩底丁里反下皆同　耶跋旃達囉
調　怛　底　多跋達略叉蕩
憚荼䟦唎訶𠻬　矩嚕莎訶
善男子此陀羅尼是過一恒河沙數諸佛所
說為護初地菩薩故若有誦持此陀羅尼呪
者得脫一切怖畏所謂虎狼師子惡獸之類
一切惡鬼人非人等怨賊灾横及諸苦惱解
脫五障不忘念初地
善男子菩薩摩訶薩於第二地得陀羅尼
名善安樂住
怛　姪　他　嗢　篤入鞞下同　里
質　里　質　里　嗢篤羅篤羅羽喃

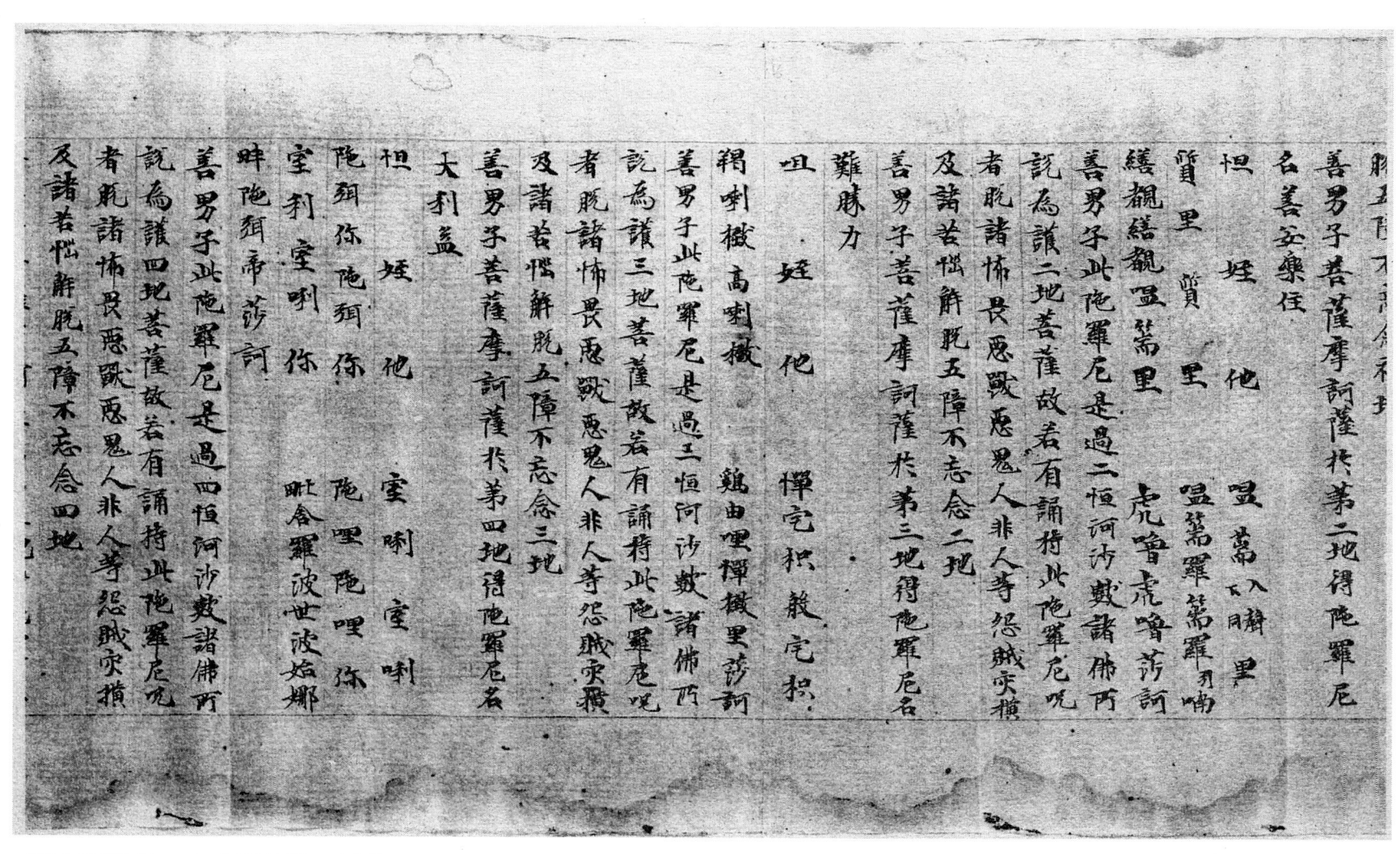

善男子菩薩摩訶薩於第二地得陀羅尼
名善安樂住
怛　姪　他　嗢　篤入鞞下同　里
質　里　質　里　嗢篤羅篤羅羽喃
繕覩繕覩嗢篤里　虎嚕虎嚕莎訶
善男子此陀羅尼是過二恒河沙數諸佛所
說為護二地菩薩故若有誦持此陀羅尼呪
者脫諸怖畏惡獸惡鬼人非人等怨賊灾横
及諸苦惱解脫五障不忘念二地
善男子菩薩摩訶薩於第三地得陀羅尼名
難勝力
怛　姪　他　憚宅枳　般宅枳
羯喇徵　高喇徵　雞由哩　憚徵里莎訶
善男子此陀羅尼是過三恒河沙數諸佛所
說為護三地菩薩故若有誦持此陀羅尼呪
者脫諸怖畏惡獸惡鬼人非人等怨賊灾横
及諸苦惱解脫五障不忘念三地
善男子菩薩摩訶薩於第四地得陀羅尼名
大利益
怛　姪　他　室　唎　室　唎
陀彌你　陀彌你　陀哩　陀哩　你
室利　室唎　你　毗舍羅波世波始娜
畔陀彌帝莎訶
善男子此陀羅尼是過四恒河沙數諸佛所
說為護四地菩薩故若有誦持此陀羅尼呪
者脫諸怖畏惡獸惡鬼人非人等怨賊灾横
及諸苦惱解脫五障不忘念四地

善男子此陀羅尼是過四恒河沙數諸佛所
說為護四地菩薩故若有誦持此陀羅尼呪
者脫諸怖畏惡獸惡鬼人非人等怨賊災撗
及諸苦惱解脫五障不忘念四地
善男子菩薩摩訶薩於第五地得陀羅尼
名種種功德莊嚴
怛　姪　他　訶哩　訶哩　你
遮哩　遮哩　你　羯喇摩引　𠼝
僧羯喇摩引你　三婆山你　蘖跋你
悉耽婆你　謨漢你　碎闍步陛　莎訶
善男子此陀羅尼是過五恒河沙數諸佛所
說為護五地菩薩摩訶薩故若有誦持此陀
羅尼呪者脫諸怖畏惡獸惡鬼人非人等怨
賊災撗及諸苦惱解脫五障不忘念五地善
男子菩薩摩訶薩於第六地得陀羅尼名
圓滿智
怛　姪　他　毗徒哩　毗徒哩
摩哩你迦里迦里　毗　度漢　底
嚕嚕　嚕嚕　主嚕　主嚕
杜嚕婆　杜嚕婆　捨捨設者婆哩灑
莎入悉底薩婆薩埵喃　悉　甸　覩　漫
曼怛囉鉢陀你莎訶
善男子此陀羅尼是過六恒河沙數諸佛所
說為護六地菩薩摩訶薩故若有誦持此陀
羅尼呪者脫諸怖畏惡獸惡鬼人非人等怨
賊災撗及諸苦惱解脫五障不忘念六地
善男子菩薩摩訶薩於第七地得陀羅尼
名法勝行

BD01257 號　金光明最勝王經卷四　（17–11）

善男子菩薩摩訶薩於第七地得陀羅尼
名法勝行
怛　姪　他　勺訶上　勺訶引　嚕
勺訶勺訶勺訶嚕　鞞陸枳　鞞陸枳
阿蜜栗多嚧漢你　勃里　山　你
鞞嚕勃枳婆嚕伐底　鞞提　呬　枳
頻陀鞞　哩　你　阿　蜜　哩　底　枳
薄　虎　主　愈　薄虎主愈　莎訶
善男子此陀羅尼是過七恒河沙數諸佛所
說為護七地菩薩故若有誦持此陀羅尼呪
者脫諸怖畏惡獸惡鬼人非人等怨賊災撗
及諸苦惱解脫五障不忘念七地
善男子菩薩摩訶薩於第八地得陀羅尼
名無盡藏
怛　姪　他　室唎室唎室唎你
蜜　底　蜜　底　羯哩羯哩醯嚕醯嚕
主嚕　主嚕　畔陀　類　莎訶
善男子此陀羅尼是過八恒河沙數諸佛所
說為護八地菩薩故若有誦持此陀羅尼呪
者脫諸怖畏惡獸惡鬼人非人等怨賊災撗
及諸苦惱解脫五障不忘念八地
善男子菩薩摩訶薩於第九地得陀羅尼
名無量門
怛　姪　他　訶哩　旃　荼　哩　枳
俱藍婆喇　體天里反　覩　剌　死
拔吒　拔吒死　室唎室唎　迦室哩迦必　室唎
莎蘇活反　悉　底　薩婆薩埵喃　莎訶

BD01257 號　金光明最勝王經卷四　（17–12）

莎蘇活反　悉　㡧　薩婆薩嚩喃莎訶
善男子此陀羅尼是過九恒河沙數諸佛所
說為護九地菩薩故若有誦持此陀羅尼呪
者脫諸怖畏惡獸惡鬼人非人等怨賊災橫
及諸苦惱解脫五障不忘念九地
善男子菩薩摩訶薩於第十地得陀羅尼
名破金剛山
怛姪他　悉提去　蘇悉提去
謨折你　木察你　毗木底　菴末麗
毗末麗　涅末麗　忙揭驪
呬囒若揭鞞　曷喇怛娜揭鞞
三曼多跋姪麗　薩婆頞他娑憚你
摩捺斯莫訶摩捺斯　頞步底
頞窒步底　阿喇誓　毗喇誓
頞主底菴蜜栗底　阿喇誓　毗喇誓
吠　嚂　謎　跋囉蚶火含麼莎入囇
晡喇你晡喇娜　曼奴喇剃莎訶
善男子此陀羅尼灌頂吉祥句是過十恒河
沙數諸佛所說為護十地菩薩故若有誦持
此陀羅尼呪者脫諸怖畏惡獸惡鬼人非人
等怨賊災橫一切毒害皆悉除滅解脫五
障不忘念十地
尒時師子相無礙光燄菩薩聞佛說此不可
思議陀羅尼已即從座起偏袒右肩右膝著
地合掌恭敬頂礼佛足以頌讚佛
敬礼無譬喻　甚深無相法　衆生失正知　唯佛能濟度

BD01257 號　金光明最勝王經卷四　（17–13）

地合掌恭敬頂礼佛足以頌讚佛
敬礼無譬喻　甚深無相法　衆生失正知　唯佛能濟度
如來明慧眼　不見一法相　復以正法眼　普照不思議
不生於一法　亦不滅一法　由斯平等見　得至無上處
不壞於生死　亦不住涅槃　不著於二邊　是故證圓寂
於淨不淨品　世尊知一味　由不分別故　獲得最清淨
世尊無邊身　不說於一字　令諸弟子衆　法雨皆充滿
佛觀衆生相　一切種皆無　然於苦惱者　常興於救護
苦樂常無常　有我無我等　不一亦不異　不生亦不滅
如是衆多義　隨說有差別　譬如空谷響　唯佛能了知
法界無分別　是故無異乘　為度衆生故　分別說有三
尒時大自在梵天王亦從座起偏袒右肩右膝
著地合掌恭敬頂礼佛足而白佛言世尊此
金光明最勝王經希有難量初中後善文
義究竟皆能成就一切佛法若受持者是人
則為報諸佛恩佛言善男子如是如是如汝所
說善男子若得聽聞是經典者皆不退於
阿耨多羅三藐三菩提何以故善男子是能
成熟不退地菩薩殊勝善根是第一法印是
衆經王故應聽聞受持讀誦何以故善男子
若一切衆生未種善根未成熟善根未親近
諸佛者不能聽聞是微妙法若善男子善女
人能聽受者一切罪障皆悉除滅得最清淨
常得見佛不離諸佛及善知識勝行之人恒
聞妙法住不退地獲得如是勝陀羅尼門所
謂無盡無減海印出妙功德陀羅尼無盡無
減通達衆生意行言語陀羅尼無盡無減日

BD01257 號　金光明最勝王經卷四　（17–14）

謂無盡無減海印出妙功德陀羅尼無盡無
減通達衆生意行言語陀羅尼無盡無減日
圓無垢相光陀羅尼無盡無減滿月相光陀
羅尼無盡無減能伏諸惑演功德流陀羅尼
無盡無減破金剛山陀羅尼無盡無減說不
可說義因緣藏陀羅尼無盡無減通達實語
法則音聲陀羅尼無盡無減虛空無垢心行
印陀羅尼無盡無減無邊佛身皆能顯現
陀羅尼無盡無減
善男子如是等無盡無減諸陀羅尼門得成
就故是菩薩摩訶薩能於十方一切佛土化
作佛身演說無上種種正法於法真如不動
不住不來不去善能成熟一切衆生善根亦
不見一衆生可成熟者雖說種種諸法於言
詞中不動不住不去不來能於生滅證無生
滅以何因緣說諸行法無有去來由一切法
體無異故說是法時三万億菩薩摩訶薩
得無生法忍無量諸菩薩不退菩提心無量
無邊苾芻苾芻尼得法眼淨無量衆生發
菩提心尒時世尊而說頌曰
勝法能逆生死流　甚深微妙難得見
有情盲冥貪欲覆　由不見故受衆苦
尒時大衆俱從座起頂礼佛足而白佛言世
尊若所在處講宣讀誦此金光明最勝王經
我等大衆皆悉往彼為作聽衆是說法師令
得利益安樂無障身意泰然我等皆當盡
心供養亦令聽衆安隱快樂所住國土無諸怨
賊恐怖厄難飢饉之苦人民熾盛此說法處

BD01257 號　金光明最勝王經卷四　（17–15）

心供養亦令聽衆安隱快樂所住國土無諸怨
賊恐怖厄難飢饉之苦人民熾盛此說法處
道場之地一切諸天人非人等一切衆生不應
履踐及以污穢何以故說法之處即是制底
當以香花繒綵幡蓋而為供養我等常為
守護令離衰損佛告大衆善男子汝等應
當精勤修習此妙經典是則正法久住於世
金光明經卷第四

BD01257 號　金光明最勝王經卷四　（17–16）

金光明經卷第四

BD01257號　金光明最勝王經卷四　（17–17）

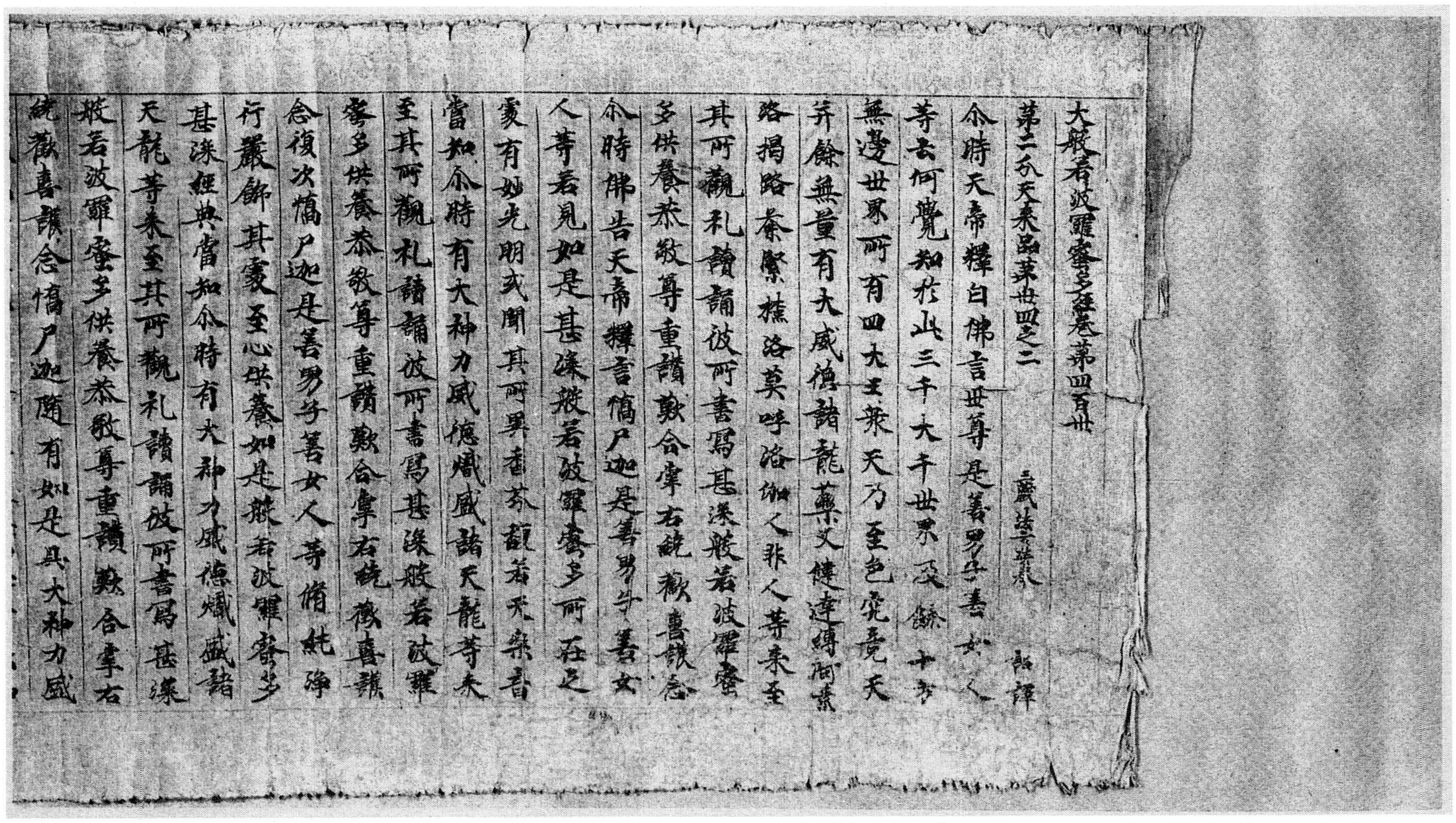

大般若波羅蜜多經卷第四百卅
第二分天來品第卅四之二　三藏法師奘奉　詔譯
尒時天帝釋白佛言世尊是善男子善女人
等云何覺知於此三千大千世界及餘十方
無邊世界所有四大王衆天乃至色究竟天
并餘無量有大威德諸龍藥叉健達縛阿素
洛揭路荼緊捺洛莫呼洛伽人非人等來至
其所觀礼讀誦彼所書寫甚深般若波羅蜜
多供養恭敬尊重讚歎合掌右繞歡喜讚念
尒時佛告天帝釋言憍尸迦是善男子善女
人等若見如是甚深般若波羅蜜多所在之
處有妙光明或聞其所異香芬馥若天衆音
當知尒時有大神力威德熾盛諸天龍等來
至其所觀礼讀誦彼所書寫甚深般若波羅
蜜多供養恭敬尊重讚歎合掌右繞歡喜讚
念復次憍尸迦是善男子善女人等脩純淨
行嚴飾其處至心供養如是般若波羅蜜多
甚深經典當知尒時有大神力威德熾盛諸
天龍等來至其所觀礼讀誦彼所書寫甚深
般若波羅蜜多供養恭敬尊重讚歎合掌右
繞歡喜讚念憍尸迦隨有如是具大神力威

BD01258號　大般若波羅蜜多經卷四三〇　（3–1）

行嚴飾其處至心供養如是般若波羅蜜多
甚深經典當知尒時有大神力威德熾盛諸
天龍等來至其所觀礼讀誦彼所書寫甚深
般若波羅蜜多供養恭敬尊重讚歎合掌右
繞歡喜讚念憍尸迦隨有如是具大神力威
德熾盛諸天龍等來至其處此中所有邪神
惡鬼驚怖退散無敢住者由此因緣是善男
子善女人等心便廣大起淨勝解所脩善業
倍復增長諸有所為皆無障礙以是故憍尸
迦若此般若波羅蜜多甚深經典隨所在處
應當周帀除去穢物掃拭塗治香水散灑敷
設寶座而安措之燒香散花張施幰蓋寶幢
幡鐸間飾其中諸妙珍奇衣服瓔珞金銀寶
器伎樂燈明種種雜綵莊嚴其處若能如是
供養般若波羅蜜多便有無量具大神力威
德熾盛諸天龍等來至其所觀礼讀誦彼所
書寫甚深般若波羅蜜多供養恭敬尊重讚
歎合掌右繞歡喜讚念復次憍尸迦是善男
子善女人等若能如是供養恭敬尊重讚歎
甚深般若波羅蜜多決定當得身心無倦身
樂心樂身輕心輕身調柔心調柔身安隱心
安隱繫想般若波羅蜜多夜寢息時無諸惡
夢唯得善夢謂見如來應正等覺身真金色
具三十二大丈夫相八十隨好圓滿莊嚴放
大光明普照一切聲聞菩薩前後圍繞身處
眾中聞佛為說布施淨戒安忍精進靜慮般
若波羅蜜多相應之法復聞為說內空乃至

BD01258號　大般若波羅蜜多經卷四三〇　（3–2）

歎合掌右繞歡喜讚念復次憍尸迦是善男
子善女人等若能如是供養恭敬尊重讚歎
甚深般若波羅蜜多決定當得身心無倦身
樂心樂身輕心輕身調柔心調柔身安隱心
安隱繫想般若波羅蜜多夜寢息時無諸惡
夢唯得善夢謂見如來應正等覺身真金色
具三十二大丈夫相八十隨好圓滿莊嚴放
大光明普照一切聲聞菩薩前後圍繞身處
眾中聞佛為說布施淨戒安忍精進靜慮般
若波羅蜜多相應之法復聞為說內空乃至
無性自性空四念住廣說乃至十八佛不共
法相應之法復聞分別布施淨戒安忍精進
靜慮般若波羅蜜多相應之義復聞分別內
空乃至無性自性空四念住廣說乃至十八
佛不共法相應之義又於夢中見菩提樹其
量高廣眾寶莊嚴有大菩薩趣菩提樹結跏
趺坐降伏魔怨證得無上正等菩提轉妙法
輪度無量眾復見無量百千俱胝那庾多菩
薩摩訶薩論議決擇種種法義謂應如是成
熟有情嚴淨佛土脩菩薩行降伏魔軍永斷
障習趣證無上正等菩提又復夢見十方無

BD01258號　大般若波羅蜜多經卷四三〇　（3–3）

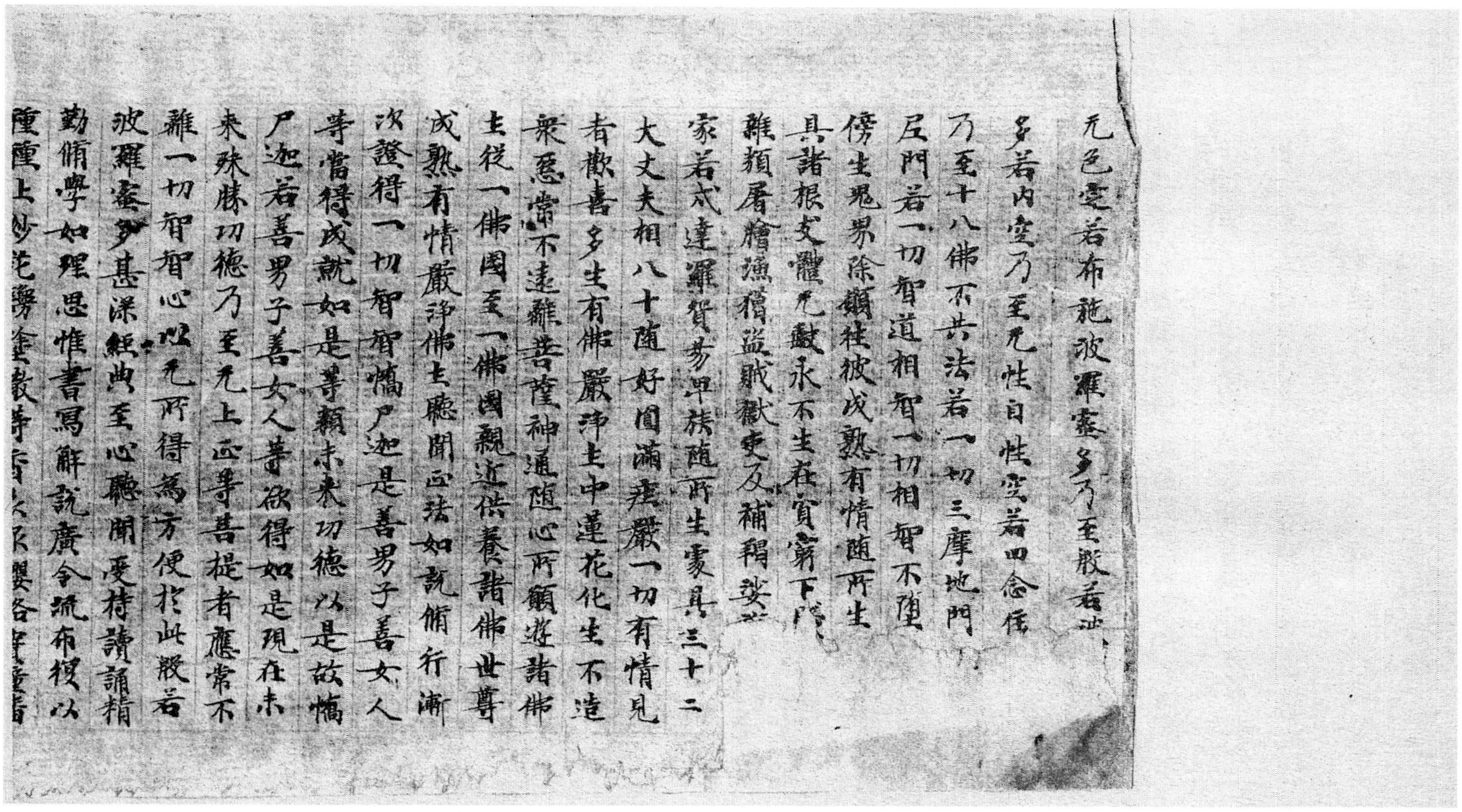

无色處若布施波羅蜜多乃至般若波
多若内空乃至无性自性空若四念住
乃至十八佛不共法若一切三摩地門
尼門若一切智道相智一切相智不墮
傍生鬼界除願往彼成熟有情隨所生
具諸根支體无缺永不生在貧窮下賤
雜類屠膾漁獵盜賊獄吏及補羯娑
家若戍達羅貿易卑族隨所生處具三十二
大丈夫相八十隨好圓滿莊嚴一切有情見
者歡喜多生有佛嚴淨土中蓮花化生不造
衆惡常不遠離菩薩神通隨心所願遊諸佛
土從一佛國至一佛國親近供養諸佛世尊
成熟有情嚴淨佛土聽聞正法如說脩行漸
次證得一切智智憍尸迦是善男子善女人
等當得成就如是等類未來功德以是故憍
尸迦若善男子善女人等欲得如是現在未
來殊勝功德乃至无上正等菩提者應常不
離一切智智心以无所得爲方便於此般若
波羅蜜多甚深經典至心聽聞受持讀誦精
勤脩學如理思惟書寫解說廣令流布復以
種種上妙花鬘塗散等香衣服瓔珞寶幢旛

BD01259 號　大般若波羅蜜多經卷四二九　　（3–1）

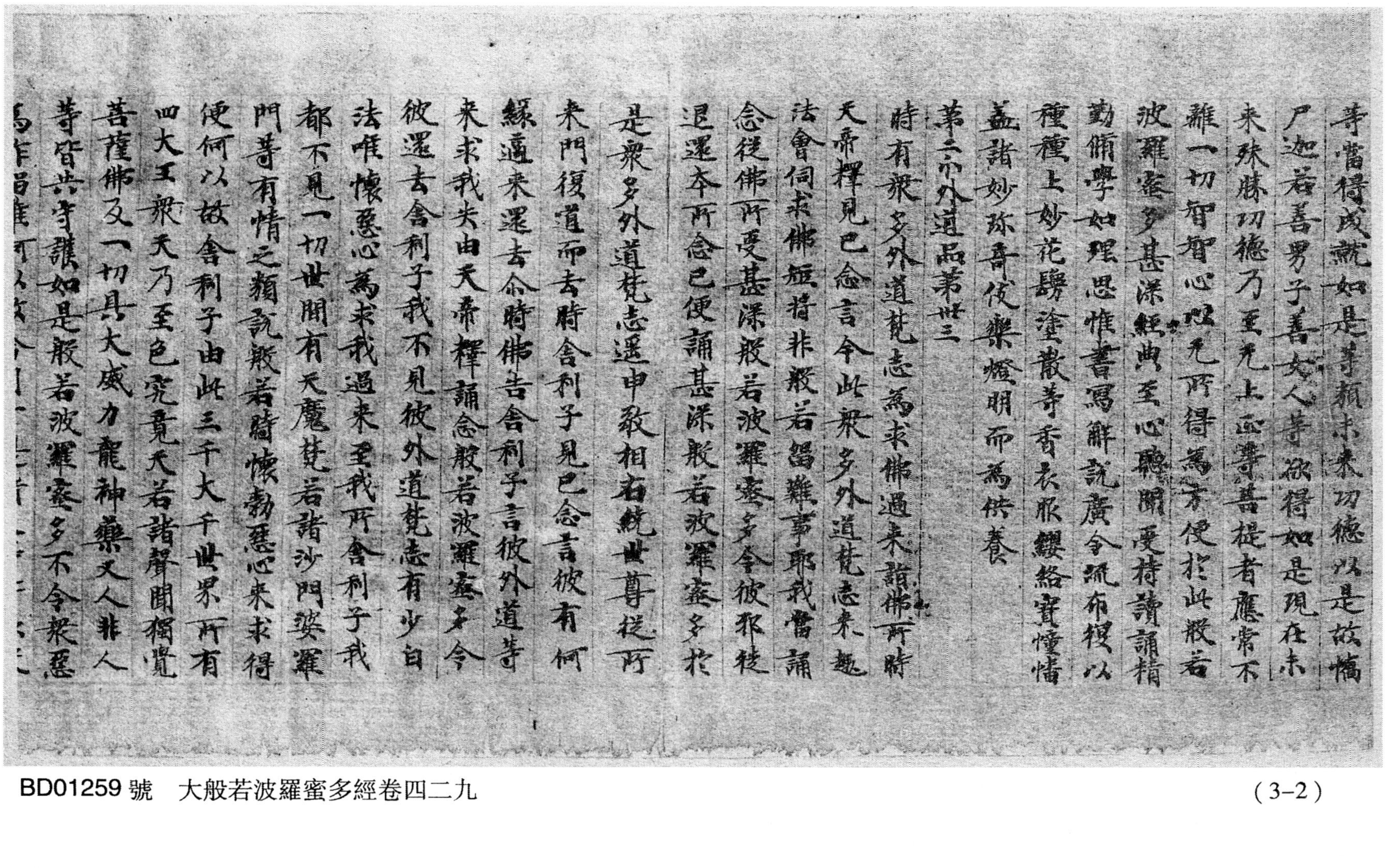

等當得成就如是等類未來功德以是故憍
尸迦若善男子善女人等欲得如是現在未
來殊勝功德乃至无上正等菩提者應常不
離一切智智心以无所得爲方便於此般若
波羅蜜多甚深經典至心聽聞受持讀誦精
勤脩學如理思惟書寫解說廣令流布復以
種種上妙花鬘塗散等香衣服瓔珞寶幢旛
蓋諸妙珍奇伎樂燈明而爲供養
第二分外道品第卅三
時有衆多外道梵志爲求佛過來詣佛所時
天帝釋見已念言今此衆多外道梵志來趣
法會伺求佛短將非般若留難事耶我當誦
念從佛所受甚深般若波羅蜜多令彼邪徒
退還本所念已便誦甚深般若波羅蜜多於
是衆多外道梵志遥申敬相右繞世尊從所
來門復道而去時舍利子見已念言彼有何
緣適來還去尒時佛告舍利子言彼外道等
來求我失由天帝釋誦念般若波羅蜜多令
彼還去舍利子我不見彼外道梵志有少白
法唯懷惡心爲求我過來至我所舍利子我
都不見一切世間有天魔梵若諸沙門婆羅
門等有情之類說般若時懷勃惡心來求得
便何以故舍利子由此三千大千世界所有
四大王衆天乃至色究竟天若諸聲聞獨覺
菩薩佛及一切具大威力龍神藥叉人非人
等皆共守護如是般若波羅蜜多不令衆惡
爲作留難

BD01259 號　大般若波羅蜜多經卷四二九　　（3–2）

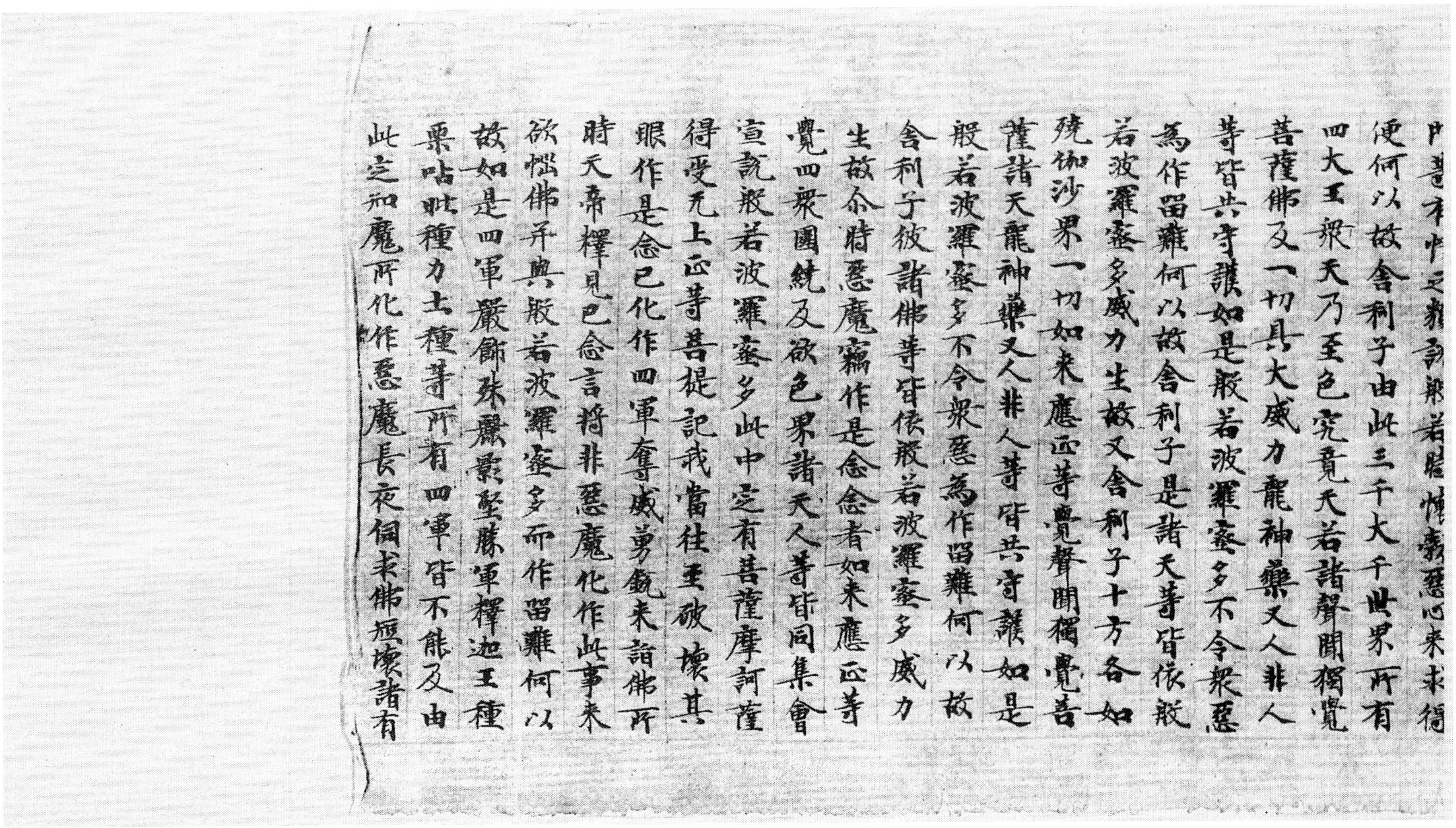

門善本中之難謗般若時懷惡心來求得
便何以故舍利子由此三千大千世界所有
四大王衆天乃至色究竟天若諸聲聞獨覺
菩薩佛及一切具大威力龍神藥叉人非人
等皆共守護如是般若波羅蜜多不令衆惡
為作留難何以故舍利子是諸天等皆依般
若波羅蜜多威力生故又舍利子十方各如
殑伽沙界一切如來應正等覺聲聞獨覺菩
薩諸天龍神藥叉人非人等皆共守護如是
般若波羅蜜多不令衆惡為作留難何以故
舍利子彼諸佛等皆依般若波羅蜜多威力
生故尒時惡魔竊作是念念者如來應正等
覺四衆圍繞及欲色界諸天人等皆同集會
宣說般若波羅蜜多此中定有菩薩摩訶薩
得受无上正等菩提記我當往至破壞其
眼作是念已化作四軍奮威勇銳來詣佛所
時天帝釋見已念言將非惡魔化作此事來
欲惱佛并與般若波羅蜜多而作留難何以
故如是四軍嚴飾殊麗影堅勝軍釋迦王種
栗呫毗種力士種等所有四軍皆不能及由
此定知魔所化作惡魔長夜伺求佛短壞諸有

BD01259 號　大般若波羅蜜多經卷四二九　（3–3）

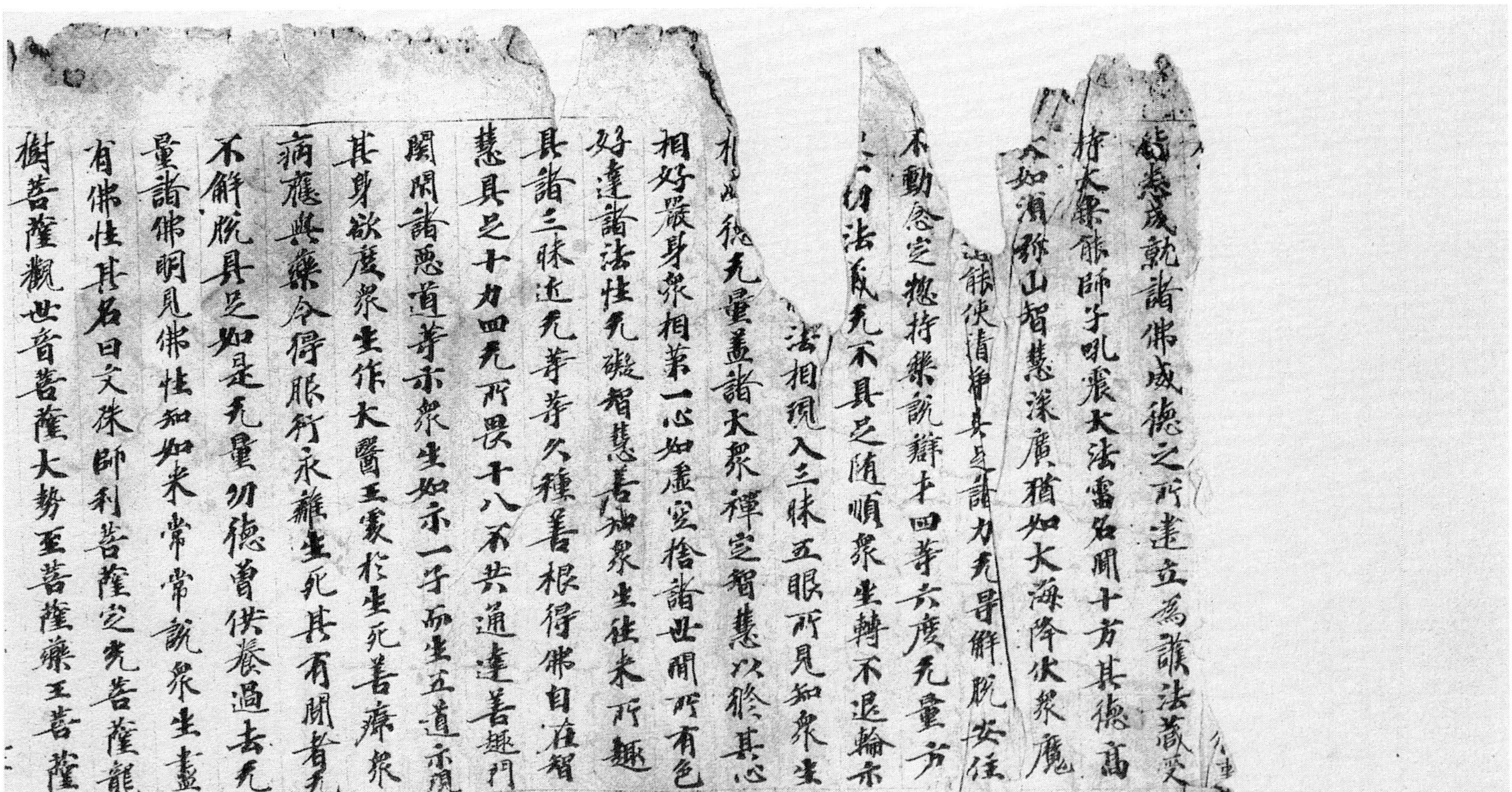

悉成就諸佛成德之所建立為護法藏受
持大衆能師子吼震大法雷名聞十方其德高
如須彌山智慧深廣猶如大海降伏衆魔
能使清淨其足諸力无畏解脫安住
不動念定總持樂說辯才四等六度无量方
一切法義无不具足隨順衆生轉不退輪示
法相現入三昧五眼所見知衆生
後无量盖諸大衆禪定智慧以勝其心
相好嚴身衆相第一心如虛空捨諸世間所有色
好達諸法性无礙智慧善知衆生往來所趣
具諸三昧近无等等久種善根得佛自在智
慧具足十力四无所畏十八不共通達善趣門
閉諸惡道等示衆生如示一子而生五道示現
其身欲度衆生作大醫王處於生死善療衆
病應與藥令得服行永離生死其有聞者无
不解脫具足如是无量功德曾供養過去无
量諸佛明見佛性知如來常說衆生盡
有佛性其名曰文殊師利菩薩定光菩薩龍
樹菩薩觀世音菩薩大勢至菩薩藥王菩薩

BD01260 號　大通方廣懺悔滅罪莊嚴成佛經卷上　（28–1）

不解脫具足如是无量功德曾供養過去无
量諸佛明見佛性知如來常常說衆生盡
有佛性其名曰文殊師利菩薩定光菩薩龍
樹菩薩觀世音菩薩大勢至菩薩藥王菩薩
藥上菩薩普賢菩薩法自在王菩薩師子吼菩
薩陁羅尼菩薩寶藏菩薩常精進菩薩不休
息菩薩信相菩薩無勝菩薩弥勒菩薩如是
等菩薩摩訶薩三万六千人復有八十万億威
力諸天及諸比丘比丘尼優婆塞優婆夷天龍
夜叉人非人等釋提桓因與無量天人在於虛
中雨寶天華无量音樂自然而作梵摩三鉢
天燒妙天香供養如來香煙遍至十方无量
世界願皆普同供養十方一切諸佛供養十
方一切諸法供養十方諸大菩薩是天等爲利
如是供養諸佛爲求大乘无上之道尒時世尊
與如是等无量无邊大衆前後圍繞發向娑羅
二月十五日臨般涅槃時以佛神力大悲普覆
欲攝衆生出大音聲其聲遍滿乃至十方隨
其類音普告衆生今日如來應正遍知憐愍
衆生覆護衆生攝受衆生等視衆生如視一子
無歸依者爲作歸依未見佛性者令見佛性未
離煩惱者令離煩惱无安隱者爲作安隱未解
脫者爲作解脫未安樂者令得安樂未離疑惑

BD01260 號　大通方廣懺悔滅罪莊嚴成佛經卷上　（28–2）

離煩惱者令離煩惱无安隱者爲作安隱未解
脫者爲作解脫未安樂者令得安樂未離疑惑
者令離疑惑未懺悔者令得懺悔未涅槃
者令得涅槃尒時道邊清淨平正吉祥福地
縱廣正等十千由旬佛見此地平正清淨即便
住止告諸比丘今於是中可以說法尒時阿難
比丘白佛言世尊如來世尊昔常性好山林
清淨流水華菓園林今於是中亦无流水亦无
林樹亦无聚落國土人民今日如來安居說法遠
來者衆飢勞疲乏性命不濟有食有命有命
有身有道无身无命无命无身无身无道
今於是中无有如是可憶之事云何世尊於中
說法尒時大智舍利弗以佛智力告阿難言先應
爲法不須餘念如來世尊不但十力四无所畏
如來世尊有无量力一切无所畏智慧无量
威神无歸依者爲作歸依未見佛性者
令見佛性未離煩惱者令離煩惱未安隱者
爲作安隱未解脫者令得解脫未安樂者
令得安樂未得涅槃者令得涅槃如來世
尊有如是等无量神力何憂如來而无自然
我念往昔維摩大士爲衆說法他方菩薩
聲聞緣覺威力諸天龍神大衆集在方
室未曾有食我時念言此諸大衆云何得食大

BD01260 號　大通方廣懺悔滅罪莊嚴成佛經卷上　（28–3）

聲聞緣覺威力諸天龍神大衆集在方
室未曾有食我時念言此諸大衆云何得食大
士維摩即語我言聲聞小智應念正法云何
先觀耶命衣食及以床坐維摩大士說是語
時天人得道我懷慚愧汝今所念亦復如是
尒時如來即告阿難實如大智舍利弗語應念
大乘莫念安身作是語已即入三昧以威神力
即時其地有一金華從踴出其高四十万由旬
遍覆三千大千世界弥綺羅網弥覆金華下
有寶浴池與華正等名為八功德香水弥滿
其池四岸有種種名華所謂優鉢羅華拘物
頭華波頭摩華分陁利華有如是等種種無
量名華莊嚴寶池若見如是金華寶池得法
眼淨何況入中而得洗浴若入洗浴即得清淨
無生法忍其金華下有寶師子座其師子座
高百由旬尒時尒時如來坐於寶座身諸毛孔
上下枝節放大光明光明與金華同色從
華四面金光流出普照十方一切佛土佛光金
華所照之處山谷國土高下平正皆作金色无
有穢惡地獄休息餓鬼解脫除一闡提謗方等
經以佛神力他方國土及此中國悉皆一等无有殊
異十方諸佛觀此光已異口同音俱歎釋迦善
哉大慈世尊今放光明異於常明昔放光先照

BD01260號　大通方廣懺悔滅罪莊嚴成佛經卷上　（28–4）

經以佛神力他方國土及此中國悉皆一等无有殊
異十方諸佛觀此光已異口同音俱歎釋迦善
哉大慈世尊今放光明異於常明昔放光先照
東方放光四面一時普照十方當知此光欲度苦
惱一切衆生使出三界到大涅槃
尒時他方十方諸佛異口同音告其侍者大
菩薩衆諸善男子汝等當知今日中國娑婆
世界釋迦如來放大光明必說妙法度苦衆生
汝等今者應往彼土供養彼佛請決所疑聽
受經法彼土衆生昔來剛惡為不實不信一乘
釋迦大慈方善方便為開三乘度脫三有雖
說三乘上語亦善中語亦善下語亦善義味
甚深純備具足彼佛世尊百千万劫不可值
見所說經法不可得聞彼諸大衆不可時會
釋迦所坐殊妙金華不可得見是故汝等今往
彼土得見彼佛諮問所疑自得利益復利衆生
作是語已十方佛土一一各有十億菩薩即從
坐起為佛作礼俱同發來一一菩薩各有百千
音樂雨寶妙華來到佛所到佛所已繞佛七匝
為佛作礼却坐一面俱共發聲異口同音而白佛
言世尊我等今者欲有所問唯願世尊當為
說之利益衆生尒時佛告諸菩薩摩訶薩衆諸
善男子若有所疑今悉可問吾當為汝決定說

BD01260號　大通方廣懺悔滅罪莊嚴成佛經卷上　（28–5）

說之利益衆生尒時佛告諸菩薩摩訶薩衆諸
善男子若有所疑今悉可問吾當爲汝决之說
之尒時諸菩薩白佛言世尊我土如來唯說一乘
云何如來今說三乘尒時世尊以无㝵智告諸菩
薩汝今者爲利衆生諮問是義諦聽諦聽諸
善男子譬如有人一人三名小時名小二十名中
年過八十名爲老者我今三乘亦復如是爲初小
心聲聞之人說於小乘爲於中心緣覺之人說
於中乘爲大菩薩大道心人說於大乘諸善男
子汝今復聽理无二趣必趣同歸解雖殊漆終爲
一觀理是一乘分之爲三聲聞緣覺乘皆入大乘
大乘者即佛乘也是故三乘即是一乘說是法時
會中十千菩薩得无生法忍八百比丘得阿羅
漢果二万天人得法眼淨百千万人即發阿耨
多羅三藐三菩提心尒時十方諸菩薩俱共合
掌而白佛言我等今者以彼佛力來到此土得見
世尊復聞大乘願聽我等受持是經於佛滅後在
此國土及餘他方山林樹下神仙居處城邑聚落
曠野冢間樹下露地塔寺僧坊講法衆會俗
人住處家家人人廣宣流布常使不絕何以故是
經久住惡道永息所以尒者曾聞佛說地獄不閑
若誦經一句諸天歡喜常來親近自然脩善人
聞是方廣經典歡喜信敬書寫讀誦受持礼

BD01260 號　大通方廣懺悔滅罪莊嚴成佛經卷上　（28–6）

經久住惡道永息所以尒者曾聞佛說地獄不閑
若誦經一句諸天歡喜常來親近自然脩善人
聞是方廣經典歡喜信敬書寫讀誦受持礼
拜稱是經中一佛一菩薩名者是人現世安隱不
見諸惡若其命終我等菩薩前導是人迴向我國
共生一處何以故受持是經者即持佛
身持佛身者當知是人即是菩薩是故是人即我
同學以是因緣受持是經願生一處不相捨離
尒時復有諸鬼神王大梵天王三十三天護世四天
王金剛密迹諸鬼神王散脂大將那羅王等難陀龍
王婆難陀龍王阿脩羅王迦樓羅王大辯天王九子
母天山神王樹神王河神王海神王地神王水神王
火神王風神王如是等无量无邊諸神王等及大
諸天即從坐起頭面礼佛合掌恭敬而白佛言世
尊我等今者常當護持世尊所說方廣經典有
是經處我等神王常於在前爲作清淨若在塔中
若在房中若在白衣舍若在空處或復有人以不淨
手執捉是經或不恭敬讀誦是經我使是人行住
坐卧身心不安處處怖畏橫羅惡事現世不安
死入地獄若人恭敬清淨捉持此經洗浴燒香讀誦
受持或復書寫憶念不忘憶是經典不行惡事
若能如是我等神王爲是經故守護是人若卧立
其人前不使見惡亦復不爲惡人惡鬼橫害其人若

BD01260 號　大通方廣懺悔滅罪莊嚴成佛經卷上　（28–7）

受持或復書寫憶念不忘憶是經典不行惡事
若能如是我等神王為是經故守護是人若卧立
其人前不使見惡亦復不為惡人惡鬼横害其人若
其往處護其舍宅若欲行來我等神王於其人前
為作開道消者給與四方行來无所障㝵常見善
事命終生天因是值佛不失大乘介時世尊告諸
大菩薩鬼神王等如是如是如汝所說如是經典不
可得聞何况可見若欲受持讀誦是經當淨洗
浴著新淨衣服淨持房舍以繒幡蓋莊嚴室内
燒種種妙香栴檀香末香種種塗香礼拜如是六時
從初一日乃至七日日日中間讀誦是經正心正憶正
念正觀正思惟正思議正受持正用行正教化日夜六
時礼是經中諸佛菩薩十二部經若能如是礼拜讀
誦信敬之者如是經中所說重罪皆除滅无有疑也
何以故是大方廣經典十方諸佛之所護持諸佛之
所脩行之所護持諸佛之母諸經之王妙義之藏
菩薩之道今是方廣深妙經藏亦如世間所有六
大不可思議何等為六一者大地二者大水三者大
火四者大風五者大日六者大空是經亦如大地普
載一切淨穢好惡是經亦如大水洗除一切穢惡不淨
是經亦如大火普燒一切煩惱穢惡不淨惡物是經
亦如大風普吹一切不淨穢惡是經亦如大日普照一切
所有黑闇是經亦如大空悉能受所有好惡今是
大乘方廣經典大无對上至菩薩中至聲聞

BD01260號　大通方廣懺悔滅罪莊嚴成佛經卷上　（28–8）

亦如大風普吹一切不淨穢惡是經亦如大日普照一切
所有黑闇是經亦如大空悉能受所有好惡今是
大乘方廣經典大无對上至菩薩中至聲聞
下至有形悉能容受是故汝等受持是經流布是
經信敬是經常使汝等諸大菩薩入佛智慧明見
佛性當令汝等諸天神王及受持經者常得見我
及見未來一切諸佛轉大法輪坐於道場
介時大衆中有一菩薩名曰信相於大衆中即從坐
起正理衣服頂礼佛足而白佛言世尊我等今者欲
有所問唯願世尊當為說之世尊所說能大利益无
量衆生介時佛告信相菩薩善哉善哉善男子
若有所問隨意問之吾當為汝說分別解說汝所問
者亦大利益无量衆生信相菩薩白佛言世尊我念
往昔久遠過去无量世時有佛名曰寶勝一聞名
者皆得生天於後不久天自在光王國内曠野澤
中有一大池其水枯涸於彼池中有十千大魚為
日所曝欲入死門有一大士名曰流水見是大魚心生
慈悲施水飲食少日得活知命不久即為三稱寶
勝佛名是魚聞已即便受終生忉利天以是因緣今
願世尊為是大衆及未來衆生說諸佛名及聞世
尊釋迦名号亦得无量无邊利益无邊功德常處
富樂見了佛性以是因緣故求此願唯願說之度
脫重業迷惑衆生介時佛告信相菩薩摩訶薩

BD01260號　大通方廣懺悔滅罪莊嚴成佛經卷上　（28–9）

尊釋迦名号亦得无量无邊刹盡无邊功德常處
冨樂見了佛性以是因緣故求此願唯願說之度
脫重業迷惑衆生尒時佛告信相菩薩摩訶薩
善男子我若廣說十方諸佛所有名号百千万
劫說不能盡一切諸水可知滴數无有能知諸
佛名字諸須弥山可知斤兩无有能知諸佛名字
一切大地可知塵數无有能知諸佛名字虛空分界
可知盡邊无有能知諸佛名字音今爲汝略說三
世諸佛名字若人聞者一經於耳其人命終亦得生
天聞已信敬復能書寫稱名礼拜得滅无量生死
重罪得福无量其人命終十方世界隨意往生亦
得見我及見未來賢劫諸佛尒時世尊告諸大衆
汝等應當正理衣服正身正心正意正念正觀欲聞
法者一心
當敬礼須弥燈王佛　　當敬礼寶　王佛
當敬礼寶勝佛　　當敬礼阿弥陁佛
當敬礼毗婆尸佛　　當敬礼多寶佛
當敬礼釋迦牟尼佛　　當敬礼攝持一切法
敬礼過稱量　　敬礼无辟類
敬礼无邊法　　敬礼難思議
敬礼任力力中力　　敬礼十力无所畏
敬礼三界尊　　敬礼一切大道師
敬礼能斷衆結縛　　敬礼已到於彼岸

BD01260號　大通方廣懺悔滅罪莊嚴成佛經卷上　（28–10）

敬礼任力力中力　　敬礼十力无所畏
敬礼三界尊　　敬礼一切大道師
敬礼能斷衆結縛　　敬礼已到於彼岸
敬礼以度於世間　　敬礼永離生死道
敬礼三昧得解脫　　敬礼如空无所依
敬礼衆中大法王　　敬礼破壞四魔衆
敬礼一子大慈父
唯願世世值諸佛明見佛性到大涅槃何以故
一切有形皆有佛性是諸大衆合十指掌一心
供養
聽我說三世　十方諸佛名　乃至五无間　當生解脫相
若人无善根　我亦爲說之　彼自不能解　燋種自然去
唯有真實在　除去小乘相　唯有大乘在　除去二乘者
唯有一乘在　若人无善根　不得聞是音　曾供无量佛
令得聞佛名　當知受持者　少分解脫人　安住清淨地
令於我法中　經行作佛事　受持及讀誦　礼拜是佛名
去離衆魔事　滅除四重禁　无間一闡提　是人未來世
必得成佛道　若人不生信　定墮三惡道　生信勤礼拜
常見无量佛　應當一心礼　願除无量罪　是故應敬礼
是諸大衆合掌諦聽攝持身心勿得動轉五體
一心諦聽尒時世尊稱名唱曰
南无過去无量諸佛　　南无二万日月燈明佛
南无三万燃燈佛　　南无大通智勝佛
南无十六王子佛　　南无空王佛

BD01260號　大通方廣懺悔滅罪莊嚴成佛經卷上　（28–11）

南无過去无量諸佛　南无二万日月燈明佛
南无三万燃燈佛　南无大通智勝佛
南无十六王子佛　南无寶王佛
南无多寶佛　南无威音王佛
南无雲自在王佛　南无思善佛
南无无數光佛　南无分身諸佛
南无日月淨明德佛　南无淨華宿王智佛
南无淨莊嚴王佛　南无龍尊王佛
南无雲雷音王佛　南无慧炬照佛
南无雲雷音宿王華智佛　南无寶王佛
南无娑羅樹王佛　南无威德寶王佛
南无光明王佛　南无百億定光佛
南无光遠佛　南无月光佛
南无栴檀香佛　南无善山王佛
南无須弥天冠佛　南无須弥等曜佛
南无月色佛　南无正念佛
南无離垢佛　南无无著佛
南无龍天佛　南无不動地佛
南无琉璃妙華佛　南无琉璃金色佛
南无金藏佛　南无炎光佛
南无炎根佛　南无地種佛
南无莊嚴光明佛　南无日音佛
南无莊嚴光明佛　南无解脫華佛
南无海覺神通佛　南无水光佛
南无捨歌意佛　南无寶炎佛
南无妙頂佛　南无勇立佛

BD01260號　大通方廣懺悔滅罪莊嚴成佛經卷上　（28–12）

南无莊嚴光明佛　南无解脫華佛
南无海覺神通佛　南无水光佛
南无捨歌意佛　南无寶炎佛
南无妙頂佛　南无勇立佛
南无功德持慧佛　南无藏日月光佛
南无日月流璃光佛　南无无上琉璃光佛
南无寂上首佛　南无菩提華佛
南无月明佛　南无日光佛
南无華色王佛　南无水月光佛
南无除疑眞佛　南无度皆行佛
南无淨信佛　南无善宿佛
南无威神佛　南无法慧佛
南无雷音佛　南无師子音佛
南无龍音佛　南无象世佛
南无自在佛　南无无量壽佛
南无无量光佛　南无无邊光佛
南无无导光佛　南无无對光佛
南无光炎王佛　南无清淨光佛
南无歡喜光佛　南无智慧光佛
南无不斷光佛　南无難思光佛
南无无稱光佛　南无超日月光佛
南无相好紫金佛　南无遠照佛
南无寶藏佛　南无无量音佛
南无甘露味佛　南无龍勝佛
南无勝力佛　南无師子音佛
南无離垢光佛　南无德首佛

BD01260號　大通方廣懺悔滅罪莊嚴成佛經卷上　（28–13）

南无勝力佛　南无師子音佛
南无離垢光佛　南无德首佛
南无妙德山佛　南无人王佛
南无无上華佛　南无无畏力王佛
南无龍自在王佛　南无師子威王佛
南无自在王佛　南无普光佛
南无普明佛　南无普淨佛
南无多摩羅跋栴檀香佛　南无栴檀香光佛
南无摩尼幢佛　南无歡喜藏寶積佛
南无金剛牢強佛　南无普散金光佛
南无大強精進佛　南无勇猛佛
南无大悲光佛　南无慈力王佛
南无慈藏王佛　南无栴檀窟莊嚴勝佛
南无賢善首佛　南无善覺佛
南无莊嚴王佛　南无金山寶蓋佛
南无金華炎光相佛　南无大炬光明佛
南无寶蓋照空自在力王佛　南无金華光佛
南无虛空寶華光佛　南无上大精進佛
南无琉璃莊嚴王佛　南无普現色身光佛
南无不動智光佛　南无降伏諸魔王佛
南无千光明佛　南无慈慧勝佛
南无彌勒鮮光佛　南无世淨光佛
南无善寂月音佛　南无妙尊智王佛
南无寶蓋燈王佛　南无龍種上尊智王佛
南无日月光佛　南无日月珠光佛

BD01260號　大通方廣懺悔滅罪莊嚴成佛經卷上　（28–14）

南无善寂月音佛　南无妙尊智王佛
南无寶蓋燈王佛　南无龍種上尊智王佛
南无日月光佛　南无日月珠光佛
南无慧幢勝莊嚴王佛　南无无垢藏王佛
南无光明相佛　南无金炎光明佛
南无金光明藏佛　南无師子吼自在力王佛
南无妙音勝王佛　南无常光幢佛
南无觀世燈王佛　南无惠衣燈王佛
南无法相勝王佛　南无須彌光佛
南无須摩那華光佛　南无優鉢羅華光佛
南无強勝力王佛　南无慧力王佛
南无阿閦毗歡喜光佛　南无无量音聲王佛
南无才光佛　南无金海光佛
南无山海慧自在通王佛　南无大通光佛
南无一切法常滿王佛　南无現无愚佛
南无過去分身諸佛
南无過去一佛十佛百佛千佛万佛能除无量劫
以来生死重罪
南无一億十億百億千億万億那由他恒河沙
无量阿僧祇佛　若人聞是過去无量阿僧祇佛
名　是人八万劫不墮地獄　是故今敬礼
若人囙礼拜　過去諸佛者　滅除得本心　更不造十惡
及以五逆等　常得聞正法　具足大乘戒　是故今敬礼
唯除二種人　一者謗方等　二者一闡提　若人心淨信
不名一闡提　常見无量佛　若有犯四重　及以五无間
冥歸清淨言　亦決出法注　皆由敬礼故　滅除十惡業

BD01260號　大通方廣懺悔滅罪莊嚴成佛經卷上　（28–15）

唯除二種人　一者謗方等　二者一闡提　若人心淨信
不名一闡提　常見无量佛　若有犯四重　及以五无間
須能清淨信　亦使如法住　皆由敬礼故　滅除十惡業
悉得大乘戒　是故今敬礼
說是過去諸佛名時　十千菩薩得无生法忍　八百
聲聞發少念心　五千比丘得阿羅漢道　一億天人
得法眼淨
南无現在无量諸佛　南无千億王明諸佛
南无離垢紫金沙佛　南无无量明佛
南无日轉光明王佛　南无香積佛
南无師子億像佛　南无師子遊戲佛
南无普光功德山王佛　南无善住功德寶王佛
南无寶華莊嚴王佛　南无難勝佛
南无須彌相佛　南无須彌燈王佛
南无寶德佛　南无寶月佛
南无寶炎佛　南无寶嚴佛
南无難勝師子獨佛　南无大光王佛
南无不動佛　南无藥王佛
南无莊嚴佛　南无樓至佛
南无月蓋佛　南无普光佛
南无寶王佛　南无維衛佛
南无式王佛　南无隨葉佛
南无拘樓秦佛　南无拘那含牟尼佛
南无迦葉佛　南无雷音王佛
南无祇法藏佛　南无旃檀華佛
南无旃檀菉佛　南无妙意佛

BD01260號　大通方廣懺悔滅罪莊嚴成佛經卷上　（28–16）

南无迦葉佛　南无雷音王佛
南无祇法藏佛　南无旃檀華佛
南无旃檀菉佛　南无妙意佛
南无无上勝佛　南无甘露鼓佛
南无毗婆尸佛　南无日月光明佛
南无无勝光佛　南无具足莊嚴王佛
南无光明遍照功德王佛　南无破壞四魔師子佛
南无金剛不壞佛　南无琉璃光佛
南无須彌山王佛　南无淨土光明王佛
南无善德佛　南无无量光明佛
南无陁羅尼遊戲佛　南无首楞嚴定三昧力菩
南无善見定自在王佛　南无无上功德佛
南无神通自在佛　南无无色相佛
南无无散相佛　南无无青相佛
南无无味相佛　南无无觸相佛
南无三昧定自在佛　南无慧定自在佛
南无相覺自在佛　南无普攝佛
南无寶德普光佛　南无尸棄佛
南无毗舍浮佛　南无迦羅鳩村大佛
南无迦那含牟尼佛　南无迦葉佛
南无意樂美音佛　南无歡喜佛
南无阿閦佛　南无須彌頂佛
南无師子音佛　南无師子相佛
南无雲自在佛　南无常滅佛
南无帝相佛　南无阿彌陁佛
南无梵相佛　南无度一切世間苦惱佛

BD01260號　大通方廣懺悔滅罪莊嚴成佛經卷上　（28–17）

南无帝相佛　南无阿弥陁佛
南无梵相佛　南无度一切世間苦惱佛
南无多摩羅跋栴檀香佛　南无雲自在王佛
南无須弥相佛　南无壞一切世間怖畏佛
南无虚空住佛　南无百億我釋迦牟尼佛
南无現在一切佛十佛百佛千佛万佛能除无量
劫以來生死重罪
南无一億十億百億千億万億那由他恒河沙
等无量阿僧祇佛若人聞是現在无量阿僧祇
佛名是人六十万劫不墮地獄昔是故今敬礼
若人因礼拜　現在十方佛　度脫諸惡業　滅除五逆罪
常住清淨地　安住釋迦衆　永離四惡道　得見弥勒佛
及以見千佛　是故今敬礼
復見十方佛　常生清淨地　得聞第一義　了知如來常
說是現在諸佛名時二恒河沙菩薩得入陁羅
尼門四十二億諸天及人皆發无上菩提道心
南无未來賢劫无量諸佛　南无弥勒佛
南无淨身佛　南无華光佛
南无華足佛　南无光明佛
南无名相佛　南无閻浮那提金光佛
南无法明佛　南无寶明佛
南无普明佛　南无普相佛
南无光相佛　南无普光佛
南无山海慧佛　南无自在通王佛
南无寶莊嚴佛　南无弗沙佛
南无百億自在燈王佛　南无寶相佛

BD01260號　大通方廣懺悔滅罪莊嚴成佛經卷上　（28–18）

南无山海慧佛　南无自在通王佛
南无寶莊嚴佛　南无弗沙佛
南无百億自在燈王佛　南无寶相佛
南无喜見佛　南无二万光相莊嚴王佛
南无三万同号普德佛　南无雷音王佛
南无四万八十定光佛　南无寶月王佛
南无離垢光佛　南无妙色佛
南无妙色光明佛　南无破一切衆難佛
南无衆香佛　南无衆聲佛
南无十千莊嚴光明佛　南无八十億莊嚴光明佛
南无寶華莊嚴佛　南无上首德王佛
南无紫金光明佛　南无五百受記華光佛
南无那羅延不壞佛　南无好華莊嚴佛
南无金剛定自在佛　南无金剛定自在佛
南无未來一佛十佛百佛千佛万佛能除无量
劫以來生死重罪
南无一億十億百億千億万億那由他恒河沙
量阿僧祇佛若人聞是未來无量阿僧祇佛
名是人十四万劫不墮地獄昔是故今敬礼
若人因礼拜　未來諸佛名　三障及五逆　唯除一闡提
悉皆得除滅　安住佛法中　得見无量佛　當得聞正法
是故今敬礼
若人因礼拜　三世十方佛　滅除過去罪　未來及現在
所造十惡業　今現得滅除　未來見佛性　是故諦信之
書寫讀誦礼　世世所生處　不生惡邪見　常生淨解脫

BD01260號　大通方廣懺悔滅罪莊嚴成佛經卷上　（28–19）

若人因礼拜　三世十方佛　滅除過去罪　未來及現在
所造十惡業　今現得滅除　未來見佛性　是故誦信之
書寫讀誦礼　世世所生處　不生惡邪見　常正得解脫
不生在邊地　不生在惡國　不見惡國王　四億万劫中
不墮地獄苦　是故今敬礼　滅除十惡業　得大陁羅尼
說是未來諸佛名時五万菩薩住不退地七百
比丘尼得阿羅漢道六十二億諸天人民得法眼
淨南无惣持大陁羅尼十二部經脩多羅祇夜受
記伽陁那優陁那尼陁那阿波陁那伊帝曰多伽
闍陁伽毗佛略阿浮陁達摩優波提舍所有大藏
諸波羅蜜若人聞是十二部經諸波羅蜜讀誦礼
拜信樂受持是人二十万劫中不墮地獄苦得宿
命智是故今敬礼說是十二部經名時八万五
千菩薩得金剛三昧十億聲聞發大乘心十千
比丘比丘尼得阿羅漢道无量天人得法眼淨
南无十方諸大菩薩　南无文殊師利菩薩
南无觀世音菩薩　南无得大勢至菩薩
南无常精進菩薩　南无不休息菩薩
南无寶掌菩薩　南无藥王菩薩
南无勇施菩薩　南无寶月菩薩
南无月光菩薩　南无滿月菩薩
南无大力菩薩　南无无量力菩薩
南无越三界菩薩　南无颰陁波羅菩薩
南无弥勒菩薩　南无寶積菩薩
南无導師菩薩　南无德藏菩薩
[illegible]

BD01260 號　大通方廣懺悔滅罪莊嚴成佛經卷上　（28–20）

南无越三界菩薩　南无颰陁波羅菩薩
南无弥勒菩薩　南无寶積菩薩
南无導師菩薩　南无德藏菩薩
南无樂說菩薩　南无龍樹菩薩
南无寶檀華菩薩　南无上行菩薩
南无无邊行菩薩　南无安立行菩薩
南无淨行菩薩　南无陁羅尼菩薩
南无金剛那羅延菩薩　南无常不輕菩薩
南无宿王華菩薩　南无喜見菩薩
南无妙音菩薩　南无德精進力菩薩
南无无盡菩薩　南无淨藏菩薩
南无淨眼菩薩　南无普賢菩薩
南无妙德菩薩　南无慈氏菩薩
南无善思議菩薩　南无光英菩薩
南无空无菩薩　南无神通華菩薩
南无慧上菩薩　南无智幢菩薩
南无寂根菩薩　南无願慧菩薩
南无香象菩薩　南无寶英菩薩
南无中住菩薩　南无制行菩薩
南无解脫菩薩　南无法藏菩薩
南无等觀菩薩　南无不等觀菩薩
南无等不等觀菩薩　南无定自在王菩薩
南无法自在王菩薩　南无法相菩薩
南无光相菩薩　南无光嚴菩薩
南无大嚴菩薩　南无寶積菩薩
南无辯積菩薩　南无寶手菩薩

BD01260 號　大通方廣懺悔滅罪莊嚴成佛經卷上　（28–21）

南無光相菩薩　南無光嚴菩薩
南無大嚴菩薩　南無寶積菩薩
南無辯積菩薩　南無寶手菩薩
南無寶印手菩薩　南無常舉手菩薩
南無常下手菩薩　南無常慘菩薩
南無喜根菩薩　南無喜王菩薩
南無辯意菩薩　南無虛空藏菩薩
南無攝寶炬菩薩　南無寶勇菩薩
南無寶見菩薩　南無諦網菩薩
南無明網菩薩　南無無緣觀菩薩
南無慧積菩薩　南無寶勝菩薩
南無天王菩薩　南無壞魔菩薩
南無電德菩薩　南無自在王菩薩
南無功德相嚴菩薩　南無師子吼菩薩
南無雷音菩薩　南無山相擊音菩薩
南無香象菩薩　南無白香象菩薩
南無妙生菩薩　南無華嚴菩薩
南無梵網菩薩　南無寶杖菩薩
南無無勝菩薩　南無嚴土菩薩
南無金髻菩薩　南無珠髻菩薩
南無光嚴童子菩薩　南無持世菩薩
南無善德菩薩　南無難勝菩薩
南無照明菩薩　南無華光菩薩
南無寶檀華菩薩　南無薩陁波論菩薩
南無曇無竭菩薩　南無法自在菩薩

BD01260號　大通方廣懺悔滅罪莊嚴成佛經卷上　（28–22）

南無照明菩薩　南無華光菩薩
南無寶檀華菩薩　南無薩陁波論菩薩
南無曇無竭菩薩　南無法自在菩薩
南無德守菩薩　南無不眴菩薩
南無德頂菩薩　南無善宿菩薩
南無善眼菩薩　南無妙臂菩薩
南無弗沙菩薩　南無師子菩薩
南無師子意菩薩　南無淨解菩薩
南無那羅延菩薩　南無善意菩薩
南無現見菩薩　南無普手菩薩
南無電光菩薩　南無喜見菩薩
南無明相菩薩　南無妙意菩薩
南無盡意菩薩　南無深慧菩薩
南無寂根菩薩　南無心無导菩薩
南無上善菩薩　南無福田菩薩
南無華嚴菩薩　南無德藏菩薩
南無月上菩薩　南無寶印手菩薩
南無珠頂王菩薩　南無樂實菩薩
南無慧見菩薩　南無登王菩薩
南無深王菩薩　南無華王菩薩
南無妙色菩薩　南無善冏菩薩
南無善眷菩薩　南無了相菩薩
南無定相菩薩　南無定積菩薩
南無發喜菩薩　南無安砬菩薩
南無怖魔菩薩　南無慧施菩薩
南無救脫菩薩　南無慧燈菩薩

BD01260號　大通方廣懺悔滅罪莊嚴成佛經卷上　（28–23）

南无怖魔菩薩　南无慧施菩薩
南无救脫菩薩　南无慧燈菩薩
南无勇勢菩薩　南无智尊菩薩
南无歡音菩薩　南无海妙菩薩
南无法喜菩薩　南无尊品菩薩
南无總持菩薩　南无慈王菩薩
南无大自在菩薩　南无梵音菩薩
南无妙色菩薩　南无察教菩薩
南无栴檀林菩薩　南无師子音菩薩
南无妙贊菩薩　南无妙色形菩薩
南无種種莊嚴菩薩　南无釋幢菩薩
南无須生菩薩　南无明王菩薩
南无大光菩薩　南无奢提菩薩
南无察積菩薩　南无華勝菩薩
南无上首菩薩　南无普現色身菩薩
南无神通菩薩　南无海德菩薩
南无无邊身菩薩　南无依王自在菩薩
南无迦葉菩薩　南无无垢藏王菩薩
南无持一切菩薩　南无高貴德王菩薩
南无琉璃光菩薩　南无无畏菩薩
南无海王菩薩　南无師子吼菩薩
南无信相菩薩　南无持地菩薩
南无光嚴菩薩　南无光明菩薩
南无大辯菩薩　南无慈力菩薩
南无大悲菩薩　南无依王菩薩

南无光嚴菩薩　南无光明菩薩
南无大辯菩薩　南无慈力菩薩
南无大悲菩薩　南无依王菩薩
南无依力菩薩　南无依德菩薩
南无普濟菩薩　南无普攝菩薩
南无定光菩薩　南无普光菩薩
南无真光菩薩　南无拘樓菩薩
南无天光菩薩　南无寶王菩薩
南无弥光菩薩　南无教道菩薩
南无大忍菩薩　南无華王菩薩
南无海慧菩薩　南无堅意菩薩
南无釋摩男菩薩　南无金光明菩薩
南无金藏菩薩　南无常悲菩薩
南无法上菩薩　南无普首菩薩
南无山光菩薩　南无山慧菩薩
南无大明菩薩　南无總持菩薩
南无山剛菩薩　南无登王菩薩
南无山頂菩薩　南无山幢菩薩
南无山王菩薩　南无伏魔菩薩
南无雷音菩薩　南无雨王菩薩
南无雷王菩薩　南无寶輪菩薩
南无寶英菩薩　南无寶首菩薩
南无寶藏菩薩　南无寶明菩薩
南无寶定菩薩　南无寶印菩薩
南无寶場菩薩　南无寶嚴菩薩

南无寶英菩薩　南无寶首菩薩
南无寶藏菩薩　南无寶明菩薩
南无寶定菩薩　南无寶印菩薩
南无寶場菩薩　南无寶嚴菩薩
南无寶水菩薩　南无寶光菩薩
南无寶登菩薩　南无寶現菩薩
南无寶造菩薩　南无樂法菩薩
南无淨王菩薩　南无須相菩薩
南无金光菩薩　南无寶髻菩薩
南无千光菩薩　南无原嶮菩薩
南无照味菩薩　南无月辯菩薩
南无月光菩薩　南无法輪菩薩
南无光淨菩薩　南无常施菩薩
南无普德菩薩　南无普明菩薩
南无勝幢菩薩　南无濡音菩薩
南无德炎菩薩　南无相光菩薩
南无海月菩薩　南无海藏菩薩
南无勝月菩薩　南无淨慧菩薩
南无超光菩薩　南无月德菩薩
南无日光菩薩　南无金剛菩薩
南无炎幢菩薩　南无尊德菩薩
南无海月菩薩　南无海廣菩薩
南无照境菩薩　南无慧明菩薩
南无功德菩薩　南无明達菩薩
南无須那菩薩　南无色力菩薩
南无調伏菩薩　南无隱身菩薩

BD01260 號　大通方廣懺悔滅罪莊嚴成佛經卷上　（28–26）

南无功德菩薩　南无明達菩薩
南无須那菩薩　南无色力菩薩
南无調伏菩薩　南无隱身菩薩
南无藥上菩薩　南无地藏菩薩
南无財首菩薩　南无寶幢菩薩
南无一菩薩南无十菩薩南无百菩薩南无千
菩薩南无万菩薩南无一百万二百万三百万四
百万五百万六百万七百万八万九百万千十万
諸大菩薩摩訶薩能除无量劫以來生死重罪
南无一億十億百億千億万億南无万万億諸
大菩薩摩訶薩能除无量劫以來生死重罪
南无一那由他十那由他百那由他千那由他万那
由他　南无万万那由他諸大菩薩摩訶薩能除
无量劫以來生死重罪
南无一恒河沙南无二恒河沙南无三恒河沙南
无四恒河沙南无五恒河沙南无六恒河沙南无
七恒河沙南无八恒河沙南无九恒河沙南无十恒
河沙南无百恒河沙南无百億〻恒河沙諸大菩（无量）
薩摩訶薩能除无量劫以來生死重罪
若人聞是大士諸大菩薩摩訶薩名者是人四十千
劫中不墮地獄苦不屬三界獄常屬解脫王不生邊
地不生惡國不受惡身不生邪見不生下姓不生外道
身根具足常聞正法不受業衰常得具大乘威儀
常見佛性是故今敬礼安住佛法中衆世得成佛說
諸大菩薩名時八十八億清信男女悟阿那含果九
十四億諸天得斯陁含果七十八意失心比丘還得

BD01260 號　大通方廣懺悔滅罪莊嚴成佛經卷上　（28–27）

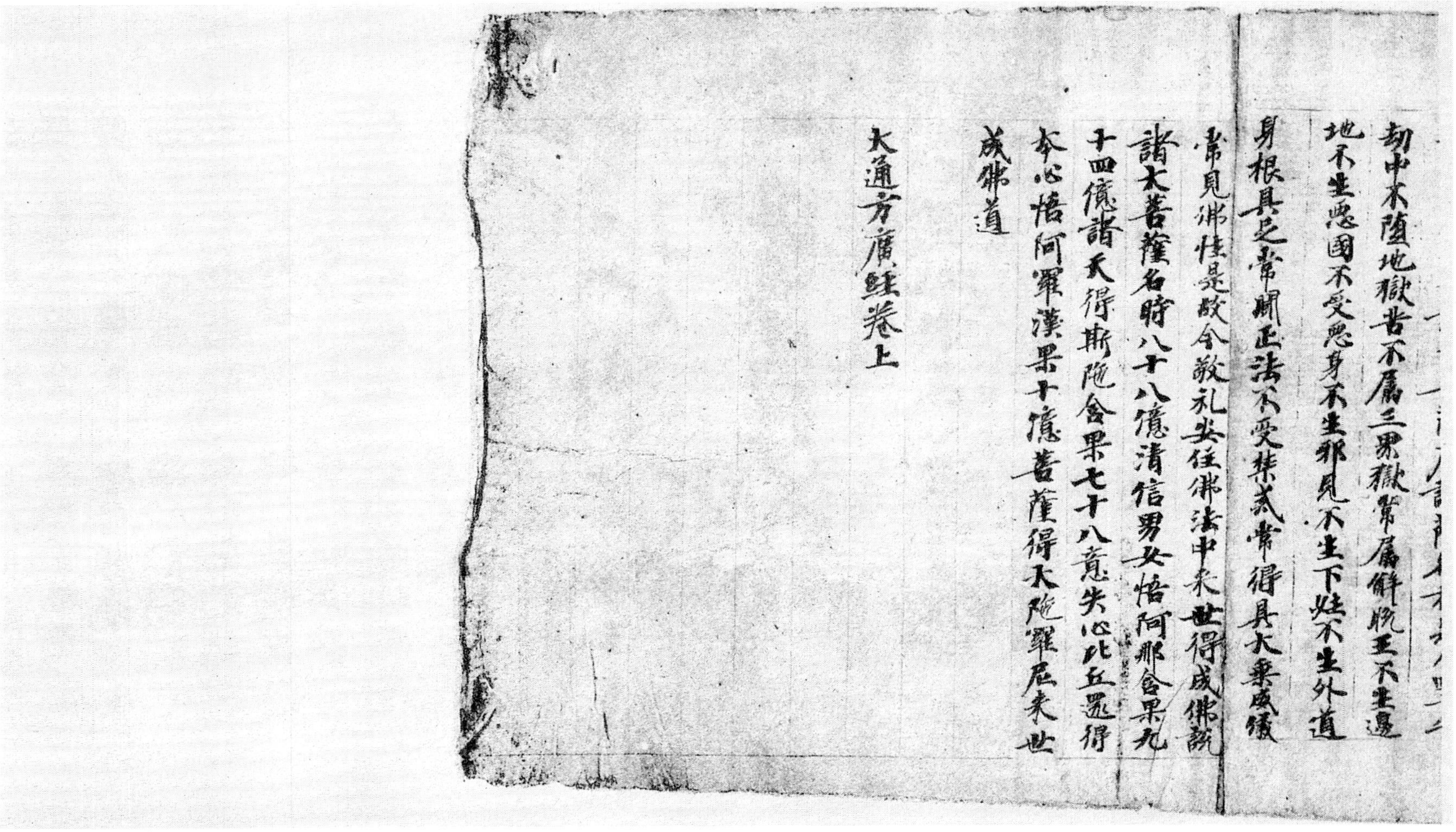

劫中不墮地獄皆不屬三界獄常屬解脫王不生邊
地不生惡國不受惡身不生邪見不生下姓不生外道
身根具足常聞正法不受禁戒常得具大乘威儀
常見佛性是故今敬礼安住佛法中來世得成佛說
諸大菩薩名時八十八億清信男女悟阿那含果九
十四億諸天得斯陁含果七十八億失心比丘還得
本心悟阿羅漢果十億菩薩得不退羅屈來世
成佛道
大通方廣經卷上

BD01260 號　大通方廣懺悔滅罪莊嚴成佛經卷上　　（28–28）

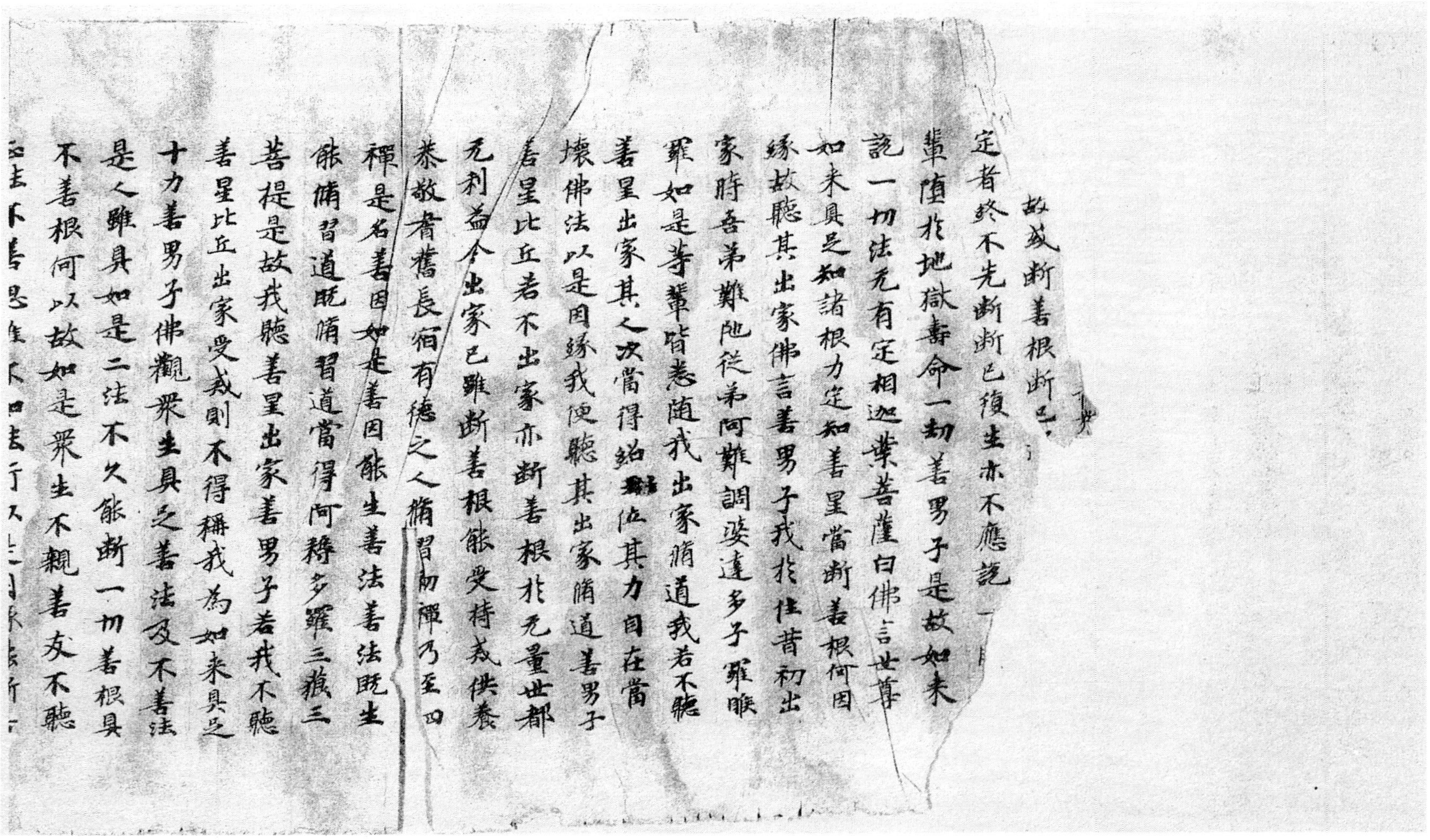

故或斷善根斷已
定者終不先斷斷已復生亦不應說一
輩墮於地獄壽命一劫善男子是故如來
說一切法无有定相迦葉菩薩白佛言世尊
如來具足知諸根力定知善星當斷善根何因
緣故聽其出家佛言善男子我於往昔初出
家時吾弟難陁從弟阿難調婆達多子羅睺
羅如是等輩皆悉隨我出家脩道我若不聽
善星出家其人次當得紹王位其力自在當
壞佛法以是因緣我便聽其出家脩道善男子
善星比丘若不出家亦斷善根於无量世都
无利益今出家已雖斷善根能受持戒供養
恭敬耆舊長宿有德之人脩習初禪乃至四
禪是名善因如是善因能生善法善法既生
能脩習道既脩習道當得阿耨多羅三藐三
菩提是故我聽善星出家善男子若我不聽
善星比丘出家受戒則不得稱我為如來具足
十力善男子佛觀衆生具足善法及不善法
是人雖具如是二法不久能斷一切善根具
不善根何以故如是衆生不親善友不聽

BD01261 號　大般涅槃經（北本　宮本）卷三四　　（21–1）

十力善男子佛觀衆生具足善法及不善法
是人雖具如是二法不久能斷一切善根具
不善根何以故如是衆生不親善友不聽
正法不善思惟不如法行以是因緣能斷善
根具不善根善男子如来復知是人現世
若未来世少壯老時當近善友聽受正法苦
集滅道尒時則能還生善根善男子譬如有
泉去村不遠其水甘美具八功德有人熱渴
欲往泉所遇有智者觀是渴人必定无疑當
至水所何以故无異路故如来世尊觀諸衆生
亦復如是是故如来名為具足知諸根力尒時
世尊取地少土置之抓上告迦葉言是土多
耶十方世界地土多乎迦葉菩薩白佛言世
尊抓上土者不比十方所有土也善男子有
人捨身還得人身捨三悪身得受人身諸根
完具生於中國具足正信能脩習道脩習道
已能脩正道脩正道已能得解脫得解脫已
能入涅槃如抓上土捨人身已得三悪身捨
三悪身得三悪身身根不具生於邊地信邪
倒見脩習邪道不得解脫常樂涅槃如十方
界所有地土善男子護持禁戒精進不懈不
犯四重不作五逆不用僧鬘物不作一闡提
不斷善根信如是等涅槃經典如抓上土毀
戒懈怠犯四重禁作五逆罪用僧鬘物作一
闡提斷諸善根不信是經如十方界所有
地土善男子如来善知衆生如是上中下根
是故稱佛具知根力迦葉菩薩白佛言世尊

BD01261號　大般涅槃經（北本　宮本）卷三四　（21–2）

戒懈怠犯四重禁作五逆罪用僧鬘物作一
闡提斷諸善根不信是經如十方界所有
地土善男子如来善知衆生如是上中下根
是故稱佛具知根力迦葉菩薩白佛言世尊
如来具足知是根力是故能知一切衆生上中
下根利鈍差別知現在世衆生諸根亦知未
来衆生諸根如是衆生於佛滅後作如是說
如来畢竟入於涅槃或不畢竟入於涅槃
或說有我或說无我或有中陰或无中陰
或說有退或說无退或言如来身是有為或
言如来身是无為或有說言十二因緣是有
為法或說因緣是无為法或說心是有常或
說心是无常或有說言受五欲樂能障聖道
或說不遮或說世第一法唯是欲界或說三
界或說布施唯是意業或有說言即是五陰
或有說言有三无為或有說言无三无為復
有說言或有造色或有說言无有造色或有
說言有无作色或有說言无无作色或有說
言有心數法或有說言无心數法或有說言
有五種有或有說言有六種有或有說言八
戒齋法優婆塞戒具足受得或有說言不具
受得或說比丘犯四重已比丘戒在或說不在
或有說言須陁洹人斯陁含人阿那含人阿
羅漢人皆得佛道或言不得或說佛性即衆
生有或說佛性離衆生有或有說言犯四重禁作
五逆罪一闡提等皆有佛性或說言无或有
說言有十方佛或有說言无十方佛如其如

BD01261號　大般涅槃經（北本　宮本）卷三四　（21–3）

[illegible]
五逆罪一闡提等皆有佛性或說言无或有
說言有十方佛或有說言无十方佛如其如
来具足成就知根力者何故今日不決定說
佛告迦葉善男子如是之義非眼識知
乃至非意識知乃是智慧之所能知若有智者
我於是人終不作二是亦謂我不作二說於无
智者作不定說而是无智亦復謂我作不定
說善男子如来所有一切善行悉為調伏諸
眾生故辟如醫王所有醫方悉為療治一切
病苦善男子如来世尊為國土故為時節故
為他語故為人故為眾根故於一法中作二
種說於一名法說无量名於一義中說无量
名於无量義說无量名云何一名說无量名
猶如涅槃亦名涅槃亦名无生亦名无出亦
名无作亦名无為亦名歸依亦名窟宅亦名
解脫亦名光明亦名燈明亦名彼岸亦名无畏
亦名无退亦名安處亦名寂靜亦名无相亦
名无二亦名一行亦名清涼亦名无闇亦名
无㝵亦名无諍亦名无濁亦名廣大亦名甘露
亦名吉祥是名一名作无量名云何一義說无
量名猶如帝釋亦名帝釋亦名憍尸迦亦
名婆蹉婆亦名富蘭陀羅亦名摩佉婆亦
名因陀羅亦名千眼亦名舍脂夫亦名金剛
亦名寶頂亦名寶幢是名一義說无量名云
何於无量義說无量名如佛如来亦名如来
義異名異亦名阿羅呵義異名異亦名三
藐三佛陀義異名異亦名船師亦名導師亦

BD01261 號　大般涅槃經（北本　宮本）卷三四　（21–4）

何於无量義說无量名如佛如来亦名如来
義異名異亦名阿羅呵義異名異亦名三
藐三佛陀義異名異亦名船師亦名導師亦
名正覺亦名明行足亦名大師子王亦名沙門
亦名婆羅門亦名寂靜亦名施主亦名到彼
岸亦名大醫王亦名大象王亦名大龍王亦
名大施眼亦名大力士亦名大无畏亦名寶
聚亦名商主亦名得解脫亦名大丈夫亦名
天人師亦名大分陀利亦名獨无等侶亦名
大福田亦名大智慧海亦名无相亦名具足八
智如是一切義異名異善男子是名无量義
中說无量名復有一義說无量名所謂如陰
亦名為陰亦名顛倒亦名為諦亦名四念處
亦名四食亦名四識住處亦名為有亦名為
道亦名為時亦名眾生亦名為世亦名
第一義亦名三脩謂身戒心亦名因果亦名
煩惱亦名解脫亦名十二因緣亦名聲聞辟
支佛亦名地獄餓鬼畜生人天亦名過去未
来現在是名一義說无量名善男子如来
世尊為眾生故廣中說略略中說廣第一
義諦說為世諦說世諦法為第一義諦云
何名為廣中說略如告比丘我今宣說十二
因緣云何名為十二因緣所謂因果云何名為
略中說廣如告比丘我今宣說苦集滅道苦
者所謂无量諸苦集者所謂无量煩惱滅者
所謂无量解脫道者所謂无量方便云何名
為第一義諦說為世諦如告比丘吾今此身
[illegible]

BD01261 號　大般涅槃經（北本　宮本）卷三四　（21–5）

者所謂无量諸異身者所謂无量煩惱病者
所謂无量解脫道者所謂无量方便云何名
為苐一義諦說為世諦如告比丘吾今此身
有老病死云何名為說世諦若為苐一義諦如
告憍陳如汝得法利故名阿若憍陳如是故
隨人隨意隨時故名如來知諸根力善男子
我若當於如是等義作定說者則不得稱
我為如來具知根力善男子智人當知香象
所負非驢所勝一切衆生所行无量是故如
來種種為說无量之法何以故衆生多有諸
煩惱故若使如來說於一行不名如來具足
成就知諸根力是故我於餘經中說五種衆
生不應還為說五種法為不信者不讚正法
為毀禁者不讚持戒為慳貪者不讚布施為
懈怠者不讚多聞為愚癡者不讚智慧何以
故智者若為是五種人說是五事當知說者不
得具足知諸根力亦不得名憐愍衆生何以
故是五種人聞是事已生不信心惡心瞋心
以是因緣於无量世受苦果報是故不名憐愍
衆生具知根力是故我先於餘經中告舍利
弗汝慎无為利根之人廣說法語鈍根之人
略說法也舍利弗言世尊我但為憐愍故說
非是具足根力故說善男子廣略說法是佛境
界非是聲聞緣覺所知善男子如汝所言佛涅
槃後諸弟子等各異說者是人皆以顛倒因
緣不得正見是故不能自利利他善男子
是諸衆生不唯一性一行一根一種國土
一善知識是故如來為彼種種宣說法要

BD01261號　大般涅槃經（北本　宮本）卷三四　　（21–6）

槃後諸弟子等各異說者是人皆以顛倒因
緣不得正見是故不能自利利他善男子
是諸衆生不唯一性一行一根一種國土
一善知識是故如來為彼種種宣說法要
以是因緣十方三世諸佛如來為衆生故開示
演說十二部經善男子如來說是十二部經非
為自利但為利他是故如來苐五力者名
為解力為是二力故如來深知是人現在
能斷善根是人後世能斷善根是人現在能
得解脫是人後世能得解脫是故如來名无
上士善男子若言如來畢竟涅槃不畢竟涅
槃是人不解如來意故作如是說善男子是
香山中有諸仙人五万三千皆於過去迦葉
佛所脩諸功德未得正道親近諸佛聽受
正法如來欲為如是人故告阿難言過三月已
吾當涅槃諸天聞已其聲展轉乃至香山諸仙
聞已即生悔心作如是言云何我等得生人中
不親近佛諸佛如來出世甚難如優曇華我
今當往至世尊所聽受正法善男子尒時五
万三千諸仙即來我所我時即為如應說法
諸大士色是无常何以故色之因緣是无常
故无常因生色云何常乃至識亦如是尒時
諸仙聞是法已即時獲得阿羅漢果善男
子拘尸那竭有諸力士卅万人无所繫屬自
恃憍恣色力命財狂醉乱心善男子我為
調伏諸力士故告目連言汝當調伏如是力
士時目揵連敬順我教於五年中種種教化乃
至不能令一人[illegible]

BD01261號　大般涅槃經（北本　宮本）卷三四　　（21–7）

調伏諸力士故告目連言汝當調伏如是力
士時目揵連敬順我教於五年中種種教化乃
至不能令一力士受法調伏是故我復為彼
力士告阿難言過三月已吾當涅槃善男
子時諸力士聞是語已相与集聚平治道路
中路還見諸力士輩即自化身為沙門像往
過三月已我時便從毗舍離國至拘尸那城
已恚生瞋恨作如是言沙門汝今云何謂我
力士所作如是言諸童子作何事耶力士聞
等輩為童子耶我時語言汝等大衆三十万
人盡其身力不能移此微末小石云何不名為
童子乎諸力士言汝若謂我為童子者當知
汝即是大人也善男子我於尒時以足二指
掘出此石是諸力士見是事已即於已身生
輕劣想復作是言沙門汝今復能移徙此
石令出道不我言童子何因緣故嚴治此道
諸力士言沙門汝不知耶釋迦如來當由此
路至娑羅林入於涅槃以是因緣我等平治
我時讚言善哉童子汝等已發如是善心吾
當為汝除去此石我時以手舉擲高至阿迦
膩吒時諸力士見石在空皆生驚怖尋欲四
散我復告言諸力士等汝今不應生恐怖心
各欲散去諸力士言沙門若能救護我者我
當安住尒時我復以手接石置之右掌力士
見已心生歡喜復作是言沙門是石常耶是
无常乎我於尒時以口吹之石即散壞猶如
微塵力士見已唱言沙門是石无常即生愧

BD01261號　大般涅槃經（北本　宮本）卷三四　（21-8）

見已心生歡喜復作是言沙門是石常耶是
无常乎我於尒時以口吹之石即散壞猶如
微塵力士見已唱言沙門是石无常即生愧
心而自考責云何我等恃怙自在色力命財
而生憍慢我知其心即捨化身還服本形
而為說法力士見已一切皆發菩提之心善
男子拘尸那竭有一工巧名曰純陁是人先
於迦葉佛所發大誓願釋迦如來入涅槃時
我當最後奉施飲食是故我於毗舍離國顧
命比丘憂波摩那善男子過三月已吾當於
彼拘尸那竭娑羅雙樹入般涅槃汝可往告純
陁令知善男子王舍城中有五通仙名須跋陁
年百二十常自稱是一切智人生大憍慢已
於過去无量佛所種諸善根我亦為欲調伏
彼故告阿難言過三月已吾當涅槃須跋聞
已當來我所生信敬心我當為彼說種種法
其人聞已當得盡漏善男子羅閱耆王頻婆
娑羅其王太子名曰善見業因緣故生惡逆
心欲害其父而不得便尒時惡人提婆達多
亦因過去業因緣故復於我所生不善心欲
害於我即脩五通不久獲得与善見太子
共為親厚為太子故現作種種神通之事
從非門出從門而入從門而出非門而入或
時示現象馬牛羊男女之身善見太子見已
即生愛心喜心信敬之心為是事故嚴設種種
供養之具而供養之又復白言大師聖人我今
欲見曼陁羅華時提婆達多即便往至三十

BD01261號　大般涅槃經（北本　宮本）卷三四　（21-9）

即生愛心喜心信敬之心為是事故嚴設種種
供養之具而供養之又復白言大師聖人我今
欲見曼陀羅華時提婆達多即便往至三十
三天從彼天人而求索之其福盡故都无与者
既不得華作是思惟曼陀羅樹无我我所我
若自取當有何罪即前欲取便失神通還見
己身在王舍城心生慚愧不能復見善見
太子復作是念我今當往至如來所求索大
衆佛若聽者我當隨意教詔勑使舍利弗
等尒時提婆達多便來我所作如是言唯願
如來以此大衆付囑於我我當種種說法教
化令其調伏我言癡人舍利弗等聰明大智
世所信伏我猶不以大衆付囑況汝癡人食
唾者乎時提婆達復於我所倍生惡心作如
是言瞿曇汝今雖復調伏大衆勢亦不久當
見摩滅作是語已大地即時六反震動提婆達
多尋時躄地於其身邊出大暴風吹諸塵土
而汙坌之提婆達多見惡相已復作是言若
我此身現世必入阿鼻地獄我要當報如是
大怨時提婆達尋起往至善見太子所善見
見已即問聖人何故顏容憔悴有憂色耶提
婆達言我常如是汝不知乎善見荅言願說
其意何因緣尒提婆達言我今与汝極成親
愛外人罵汝以為非理我聞是事豈得不憂
善見太子復作是言國人云何罵辱於我提
婆達言國人罵汝為未生怨善見復言何故
名我為未生怨誰作此名提婆達言汝未生時

BD01261號　大般涅槃經（北本　宮本）卷三四　（21–10）

善見太子復作是言國人云何罵辱於我提
婆達言國人罵汝為未生怨善見復言何故
名我為未生怨誰作此名提婆達言汝未生時
一切相師皆作是言是兒生已當煞其父是
故外人皆悉號汝為未生怨一切內人護汝心
故謂為善見毗提夫人聞是語已既生汝身
於高樓上棄之於地壞汝一指以是因緣
人復號汝為婆羅留枝我聞是已心生愁憒
而復不能向汝說之提婆達多以如是等種
種惡事教令煞父若汝父死我亦能煞瞿曇
沙門善見太子問一大臣名曰雨行大王何故
為我立字作未生怨大臣即為說其本末如
提婆達所說无異善見聞已即与大臣收其
父王閉之城外以四種兵而守衛之毗提夫
人聞是事已即至王所所守王人遮不聽入
尒時夫人生瞋恚心便呵罵之時諸守人即
告太子大王夫人欲得往見父王不審聽不
善見聞已復生瞋嫌即往母所前挽母髮
拔刀欲斫尒時耆婆白言大王有國已來
罪雖極重不及女人況所生母善見太子聞
是語已為耆婆故即放捨遮斷父王衣服臥
具飲食湯藥過七日已王命便終善見太子見
父喪已方生悔心雨行大臣復以種種惡邪
之法而為說之大王一切業行都无有罪何故今
者而生悔心耆婆復言大王當知如是業者
罪兼二種一者煞害父王二者煞須陀洹如是
罪者除佛更无能除滅者善見王言如來清

BD01261號　大般涅槃經（北本　宮本）卷三四　（21–11）

者而生悔心耆婆復言大王當知如是業者
罪兼二種一者欲害父王二者欲須陁洹如是
罪者除佛更无能除滅者善見王言如來清
淨无有穢濁我是罪人云何得見善男子
我知是事故告阿難過三月已吾當涅槃
善見聞已即來我所我為說法重罪得薄
獲无根信善男子我諸弟子聞是說已
不解我意故作是言如來定說畢竟涅槃
善男子菩薩二種一者實義二者假名假名
菩薩聞我三月當入涅槃皆生退心而作是
言如其如來无常不住我等何為為是事故
无量世中受大苦惱如來世尊成就具足无
量功德尚不能壞如是死魔況我等輩當能
壞耶善男子是故我為如是菩薩而作是言
如來常住无有變易善男子我諸弟子聞
是說已不解我意定言如來終不畢竟入於
涅槃善男子有諸衆生生於斷見作如是言一
切衆生身滅之後善惡之業无有受者我為
是人作如是言善惡果報實有受者云何知
有善男子過去之世拘尸那竭有王名曰善
見作童子時逕八万四千歲作太子時八万
四千歲及登王位亦八万四千歲於獨處坐
作是思惟衆生薄福壽命短促常有四怨而
隨逐之不自覺知猶故放逸是故我當出家
脩道斷絕四怨生老病死即勑有司於其城
外作七寶堂作已便告羣臣百官宮內妃后
諸子眷屬汝等當知我欲出家誰見聽不尒

BD01261 號　大般涅槃經（北本　宮本）卷三四　（21–12）

隨逐之不自覺知猶故放逸是故我當出家
脩道斷絕四怨生老病死即勑有司於其城
外作七寶堂作已便告羣臣百官宮內妃后
諸子眷屬汝等當知我欲出家誰見聽不尒
時大臣及其眷屬各作是言善哉大王今正
是時時善見王將一使人獨住堂上復經八
万四千歲十脩習慈心以是因緣於後八万
四千世中次苐得作轉輪聖王卅世中作釋
提桓因无量世中作諸小王善男子尒時善
見豈異人乎莫作斯觀即我身是善男子我
諸弟子聞是說已不解我意唱言如來定說
有我及有我所我又一時為諸衆生說言我
者即是性也所謂內外因緣十二因緣衆生
五陰心界世間功德業行自在天世即名為
我我諸弟子聞是說已不解我意唱言如來
定說有我善男子復於異時有一比丘來至
我所作如是言世尊云何名我誰是我耶何
緣故我我時即為比丘說言比丘无我我所眼
者即是本无今有已有還无其生之時无所
從來及其滅時亦无所至雖有業果无有作
者无有捨陰及受陰者如汝所問云何我者
我即期也誰是我者即是業也何緣我者
即是愛也比丘辟如二手相拍聲出其中我
亦如是衆生業愛三因緣故名之為我比丘
一切衆生色不是我我中无色色中无我乃
至識亦如是比丘諸外道輩雖說有我終不
離陰若說離陰別有我者无有是處一切衆
生行如幻化熱時之炎比丘五陰皆是无常

BD01261 號　大般涅槃經（北本　宮本）卷三四　（21–13）

至識亦如是比丘諸外道輩雖說有我終不
離陰若說離陰別有我者无有是處一切衆
生行如幻化熱時之炎比丘五陰皆是无常
无樂无我无淨善男子尒時多有无量比丘
觀此五陰无我我所得阿羅漢果善男子我
諸弟子聞是說已不解我意唱言如来定說
无我善男子我於経中復作是言三事和合
得受是身一父二母三者中陰是三和合得受
是身我時復說阿那含人現般涅槃或於中
陰入般涅槃或復說言中陰身根具足明了
皆因往業如淨提湖善男子我或時說弊惡
衆生所受中陰如世間中麁澀氀褐純善衆
生所受中陰如波羅柰所出白疊我諸弟子
聞是說已不解我意唱言如来說有中陰善
男子我復為彼逆罪衆生而作是言造五逆
者捨身直入阿鼻地獄我復說言曇摩留枝
比丘捨身直入阿鼻地獄於其中間无止宿
處我復為彼犢子梵志說言梵志若有中
陰則有六有我復說言无色衆生无有中陰
善男子我諸弟子聞說是已不解我意唱言
佛說定无中陰善男子我於経中復說有退
何以故因於无量懈怠懶惰諸比丘等不循道
故說退五種一者樂於多事二者樂說世事
三者樂於睡眠四者樂近在家五者樂多遊
行以是因緣令比丘退說退因緣復有二種一
內二外阿羅漢人雖離內因不離外因以外
因緣故生煩惱生煩惱故則便退失復有比

BD01261號　大般涅槃經(北本　宮本)卷三四　(21–14)

內二外阿羅漢人雖離內因不離外因以外
因緣故生煩惱生煩惱故則便退失復有比
丘名曰瞿坻六反退失退已慚愧復更進循
第七即得得已恐失以刀自害我復或說有
時解脫或說六種阿羅漢等我諸弟子聞
說是已不解我意唱言如来定說有退善男子
経中復說譬如焦炭不還為木亦如瓶壞更
无瓶用煩惱亦尒阿羅漢斷終不還生亦說
衆生生煩惱因凡有三種一者未斷煩惱二
者不斷因緣三者不善思惟而阿羅漢无二
因緣謂斷煩惱无不善思惟善男子我諸
弟子聞是說已不解我意唱言如来定說无
退善男子我於経中說如来身凡有二種
一者生身二者法身言生身者即是方便應化
之身如是身者可得言是生老病死長短黑
白是此是彼是學无學我諸弟子聞是說已
不解我意唱言如来定說佛身是有為法法
身即是常樂我淨永離一切生老病死非
白非黑非長非短非彼非此非學非无學若
佛出世及不出世常住不動无有變易善男
子我諸弟子聞是說已不解我意唱言如来
定說佛身是无為法善男子我経中說云何
名為十二因緣從无明生行從行生識從識生
名色從名色生六入從六入生觸從觸生受從
受生愛從愛生取從取生有從有生生從生
則有老死憂苦善男子我諸弟子聞說是已
不解我意唱言如来說十二因緣定是有為

BD01261號　大般涅槃經(北本　宮本)卷三四　(21–15)

則有老有憂苦善男子我諸弟子聞說是已
不解我意唱言如來說十二因緣定是有為
我又一時告喻比丘而作是言十二因緣有佛
无佛性相常住善男子有十二緣不從緣
生有從緣生非十二緣有從緣生亦十二緣
有非緣生非十二緣有十二緣非緣生者謂
未來世十二枝也有從緣生非十二緣者謂
阿羅漢所有五陰有從緣生名十二緣者謂
凡夫人所有五陰十二因緣有非緣生非十
二緣者謂虛空涅槃善男子我諸弟子聞
是說已不解我意唱言如來說十二緣定是无
為善男子我經中說一切衆生作善惡業捨身
之時四大於此即時散壞純善業者心即上行
純惡業者心即下行善男子我諸弟子聞是
說已不解我意唱言如來說心定常善男子
我於一時為頻婆娑羅王而作是言大王當
知色是无常何以故從无常因而得生故是色
若從无常因生智者云何說言是常若色是
常不應懷滅生諸苦惱今見是色散滅破
壞是故當知色是无常乃至識亦如是善男
子我諸弟子聞是說已不解我意唱言如來
說心定斷善男子我於經中說諸弟子受諸
香華金銀寶物妻子奴婢及不淨物獲得
正道得正道已亦不捨離我諸弟子聞是說
已不解我意定言如來說受五欲不妨聖道又
我一時復作是說在家之人得正道者无有是
處善男子我諸弟子聞是說已不解我意
唱言如來說受五欲定遮正道

我一時復作是說在家之人得正道者无有是
處善男子我諸弟子聞是說已不解我意
唱言如來說受五欲定遮正道
善男子我經中說遠離煩惱未得解脫猶如
欲界脩習世間第一法也善男子我諸弟子
聞作是說不解我意唱言如來說第一法唯
是欲界又復我說煖法頂法忍法世第一法
在於初禪至第四禪我諸弟子聞是說已不
解我意故言如來說如是法在於色界又復我
說諸外道等先已得斷四禪煩惱脩習煖法頂
法忍法世第一法觀四真諦得阿那含果我諸
弟子聞是說已不解我意唱言如來說第一法
在无色界
善男子我經中說四種施中有三種淨一者施
主信因信果信施受者不信因果与施二者
受者信因果施施主不信因果及施三者施
主受者二俱有信四者施主受者二俱不信
是四種施初三種淨我諸弟子聞是說已不
解我意唱言如來說施唯意善男子我於一
時復作是說施者施時以五事施何等為五
一者施色二者施力三者施安四者施命五者
施辯以是因緣施主還得五事果報我諸弟
子聞是說已不解我意唱言佛說施即五陰
善男子我於一時宣說涅槃即是遠離煩惱
永盡滅无遺餘猶如燈滅更无法生涅槃亦
尒言虛空者即无所有譬如世間无所有故名
為虛空非智緣滅即无所有如其有者應有因

尒言虛空者即无所有譬如世間无所有故名
為虛空非智緣滅即无所有如其有者應有因
緣有因緣故應有盡滅以其无故无有盡滅
我諸弟子聞是說已不解我意唱言佛說无
三无為善男子我於一時為目揵連而作是
言目連夫涅槃者即是章句即是足跡是畢
竟處是无所畏即是大師即是大果是畢
竟智即是大忍无碍三昧是大法界是甘露
味即是難見目連若說无涅槃者云何有人生
誹謗者墮於地獄善男子我諸弟子聞是
說已不解我意唱言如來說有涅槃復於一
時我為目連而作是說目連眼不牢固至身
亦尒皆不牢固不牢固故名為虛空食下迴
轉消化之處一切音聲皆名虛空我諸弟子
聞是說已不解我意唱言如來決定說有虛空
无為復於一時為目連說目連有人未得須陁
洹果住忍法時斷於无量三惡道報當知不
從智緣而滅我諸弟子聞是說已不解我意
唱言如來決定說有非智緣滅
善男子我又一時為跋波比丘說跋波若比丘
觀色若過去若未來若現在若近若遠若麁
若細如是等色非我我所若有比丘如是觀
已能斷色愛跋波又言云何名色我言四大
名色四陰名名我諸弟子聞是說已不解
我意唱言如來決定說言色是四大善男子
我復說言譬如因鏡則有像現色亦如是因
四大造所謂麁細澁滑青黃赤白長短方圓

我意唱言如來決定說言色是四大善男子
我復說言譬如因鏡則有像現色亦如是因
四大造所謂麁細澁滑青黃赤白長短方圓
耶角輕重寒熱飢渴烟雲塵霧是名造色猶
如響像我諸弟子聞是說已不解我意唱言
如來說有四大則有造色或有四大无有造色
善男子往昔一時菩提王子作如是言若有
比丘護持禁戒若發惡心當知是時失比丘
戒我時語言菩提王子戒有七種從於身口
有无作色以是无作色因緣故其心雖在惡
无記中不名失戒猶名持戒以何因緣名无
作色非異色因不作異色因果善男子我諸
弟子聞是說已不解我意唱言佛說有无
作色善男子我於餘經作如是說戒者即是
遮制惡法若不作惡是名持戒我諸弟子聞
是說已不解我意唱言如來決定說无无
作色善男子我於經中作如是說聖人色陰
乃至識陰皆是无明因緣所出一切凡夫亦
復如是從无明生愛當知是愛即是无明從
愛生取當知是取即无明愛從取生有是有
即是无明愛取從有生受當知是受即是行
有從受因緣生於名色无明愛取有行受觸
識六入等是故受者即十二枝善男子我諸弟
子聞是說已不解我意唱言如來說无心數
善男子我於經中作如是說從眼色明惡欲
等四則生眼識言惡欲者即是无明欲性求
時即名為愛愛因緣取取名為業業因緣識

善男子我於經中作如是說從眼色明惡欲
等四則生眼識言惡欲者即是无明欲性求
時即名為愛愛因緣取取名為業業因緣識
識緣名色名色緣六入六入緣觸觸緣想受愛
信精進定慧如是等法因觸而生然非是觸
善男子我諸弟子聞是說已不解我意唱
言如來說有心數善男子我或時說唯有一
有或說二三四五六七八九至廿五有我諸
弟子聞是說已不解我意唱言如來說有
五有或言六有善男子我往一時住迦毗羅
衛尼拘陁林時釋摩男來至我所作如是言
云何名為優婆塞也我即為說若有善男子
善女人諸根完具受三歸依是則名為優婆塞
也釋摩男言世尊云何名為一分優婆塞我
言釋摩男若受三歸及受一戒是名一分優
婆塞也我諸弟子聞是說已不解我意唱
言如來說優婆塞戒不具受得善男子我
於一時住恒河邊尒時迦旃延來至我所作如
是言世尊我教衆生令受齋法或一日或一夜
或一時或一念如是之人成齋不耶我言比
丘是人得善不名得齋我諸弟子聞是說已
不解我意唱言如來說八戒齋具受乃得

大般涅槃經卷第卅四

BD01261號　大般涅槃經（北本　宮本）卷三四　（21-20）

婆塞也我諸弟子聞是說已不解我意唱
言如來說優婆塞戒不具受得善男子我
於一時住恒河邊尒時迦旃延來至我所作如
是言世尊我教衆生令受齋法或一日或一夜
或一時或一念如是之人成齋不耶我言比
丘是人得善不名得齋我諸弟子聞是說已
不解我意唱言如來說八戒齋具受乃得

大般涅槃經卷第卅四

BD01261號　大般涅槃經（北本　宮本）卷三四　（21-21）

……聲 鍾聲
……聲 童女聲 法
……聲 聖人聲 喜聲 不
乾闥婆聲 阿脩羅聲
迦樓羅聲 緊那羅聲 摩睺羅伽聲 火聲 水聲
風聲 地獄聲 畜生聲 餓鬼聲 比丘聲 比丘尼
聲聞聲 辟支佛聲 菩薩聲 佛聲 以要言之
三千大千世界中 一切內外所有諸聲 雖未
得天耳 以父母所生清淨常耳 皆悉聞知 如
是分別種種音聲 而不壞耳根 尒時世尊欲
重宣此義 而說偈言
父母所生耳 清淨無濁穢 以此常耳聞 三千世界聲
象馬車牛聲 鍾鈴螺鼓聲 琴瑟箜篌聲 簫笛之音聲
清淨好歌聲 聽之而不著 無數種人聲 聞悉能解了
又聞諸天聲 微妙之歌音 及聞男女聲 童子童女聲
山川嶮谷中 迦陵頻伽聲 命命等諸鳥 悉聞其音聲
地獄眾苦痛 種種楚毒聲 餓鬼飢渴逼 求索飲食聲
諸阿脩羅等 居在大海邊 自共言語時 出于大音聲
如是說法者 安住於此間 遙聞是眾聲 而不壞耳根

BD01262 號　妙法蓮華經卷六　（23–1）

……能解了
又聞諸天聲 微妙之歌音 及聞男女聲 童子童女聲
山川嶮谷中 迦陵頻伽聲 命命等諸鳥 悉聞其音聲
地獄眾苦痛 種種楚毒聲 餓鬼飢渴逼 求索飲食聲
諸阿脩羅等 居在大海邊 自共言語時 出于大音聲
如是說法者 安住於此間 遙聞是眾聲 而不壞耳根
十方世界中 禽獸鳴相呼 其說法之人 於此悉聞之
其諸梵天上 光音及遍淨 乃至有頂天 言語之音聲
法師住於此 悉皆得聞之 一切比丘眾 及諸比丘尼
若讀誦經典 若為他人說 法師住於此 悉皆得聞之
復有諸菩薩 讀誦於經法 若為他人說 撰集解其義
如是諸音聲 悉皆得聞之 諸佛大聖尊 教化眾生者
於諸大會中 演說微妙法 持此法華者 悉皆得聞之
三千大千界 內外諸音聲 下至阿鼻獄 上至有頂天
皆聞其音聲 而不壞耳根 其耳聰利故 悉能分別知
持是法華者 雖未得天耳 但用所生耳 功德已如是
復次常精進 若善男子善女人受持是經 若
讀若誦若解說若書寫 成就八百鼻功德 以
是清淨鼻根 聞於三千大千世界上下內外
種種諸香 須曼那華香 闍提華香 末利華香
瞻蔔華香 波羅羅華香 赤蓮華香 青蓮華香
白蓮華香 華樹香 菓樹香 栴檀香 沉水香 多
摩羅跋香 多伽羅香 及千万種和香 若末 若
丸 若塗香 持是經者 於此間住 悉能分別 又
復別知眾生之香 象香 馬香 牛羊等香 男香
女香 童子香 童女香 及草木叢林香 若近若

BD01262 號　妙法蓮華經卷六　（23–2）

丸若塗香持是經者於此閒住悉能分別又
復別知衆生之香象香馬香牛羊等香男香
女香童子香童女香及草木叢林香若近若
遠所有諸香悉皆得聞分別不錯持是經者
雖住於此亦聞天上諸天之香波利質多羅
拘鞞陀羅樹香及曼陀羅華香摩訶曼陀羅
華香曼殊沙華香摩訶曼殊沙華香栴檀沉
水種種末香諸雜華香如是等天香和合所
出之香无不聞知又聞諸天身香釋提桓因
在勝殿上五欲娛樂嬉戲時香若在妙法堂
上為忉利諸天說法時香若於諸園遊戲時
香及餘天等男女身香皆悉遙聞如是展轉
乃至梵世上至有頂諸天身香亦皆聞之并
聞諸天所燒之香及聲聞香辟支佛香菩薩
香諸佛身香亦皆遙聞知其所在雖聞此香
然於鼻根不壞不錯若欲分別為他人說憶
念不謬尒時世尊欲重宣此義而說偈言
是人鼻清淨　於此世界中　若香若臭物　種種悉聞知
須曼那闍提　多摩羅栴檀　沉水及桂香　種種華菓香
及知衆生香　男子女人香　說法者遠住　聞香知所在
大勢轉輪王　小轉輪及子　羣臣諸宮人　聞香知所在
身所著珎寶　及地中寶藏　轉輪王寶女　聞香知所在
諸人嚴身具　衣服及瓔珞　種種所塗香　聞香知其身
諸天若行坐　遊戲及神變　持是法華經　聞香悉能知
諸樹華菓實　及蘇油香氣　持經者住此　悉知其所在
諸山深嶮處　栴檀樹華敷　衆生在中者　聞香皆能知

BD01262號　妙法蓮華經卷六　（23-3）

諸天若行坐　遊戲及神變　持是法華經　聞香悉能知
諸樹華菓實　及蘇油香氣　持經者住此　悉知其所在
諸山深嶮處　栴檀樹華敷　衆生在中者　聞香皆能知
鐵圍山大海　地中諸衆生　持經者聞香　悉知其所在
阿脩羅男女　及其諸眷屬　鬪諍遊戲時　聞香皆能知
曠野險隘處　師子象虎狼　野牛水牛等　聞香知所在
若有懷姙者　未辯其男女　无根及非人　聞香悉能知
以聞香力故　知其初懷姙　成就不成就　安樂產福子
以聞香力故　知男女所念　染欲癡恚心　亦知脩善者
地中衆伏藏　金銀諸珎寶　銅器之所盛　聞香悉能知
種種諸瓔珞　无能識其價　聞香知貴賤　出處及所在
天上諸華等　曼陀曼殊沙　波利質多樹　聞香悉能知
天上諸宮殿　上中下差別　衆寶華莊嚴　聞香悉能知
天園林勝殿　諸觀妙法堂　在中而娛樂　聞香悉能知
諸天若聽法　或受五欲時　來往行坐臥　聞香悉能知
天女所著衣　好華香莊嚴　周旋遊戲時　聞香悉能知
如是展轉上　乃至於梵世　入禪出禪者　聞香悉能知
光音遍淨天　乃至于有頂　初生及退沒　聞香悉能知
諸比丘衆等　於法常精進　若坐若經行　及讀誦經法
或在林樹下　專精而坐禪　持經者聞香　悉知其所在
菩薩志堅固　坐禪若讀經　或為人說法　聞香悉能知
在在方世尊　一切所恭敬　愍衆而說法　聞香悉能知
衆生在佛前　聞經皆歡喜　如法而脩行　聞香悉能知
雖未得菩薩　无漏法生鼻　而是持經者　先得此鼻相
復次常精進若善男子善女人受持是經若
讀若誦若解說若書寫得千二百舌功德若

BD01262號　妙法蓮華經卷六　（23-4）

在在方世尊　一切所恭敬　愍衆而說法　聞香悉能知
衆生在佛前　聞經皆歡喜　如法而脩行　聞香悉能知
雖未得菩薩　无漏法生鼻　而是持經者　先得此鼻相
復次常精進若善男子善女人受持是經若
讀若誦若解說若書寫得千二百舌功德若
好若醜若美若不美及諸苦澁物在其舌根
皆變成上味如天甘露无不美者若以舌根
於大衆中有所演說出深妙聲能入其心皆
令歡喜快樂又諸天子天女釋梵諸天聞是
深妙音聲有所演說言論次第皆悉來聽及
諸龍龍女夜叉夜叉女乾闥婆乾闥婆女阿
脩羅阿脩羅女迦樓羅迦樓羅女緊那羅緊
那羅女摩睺羅伽摩睺羅伽女為聽法故皆
來親近恭敬供養及比丘比丘尼優婆塞優
婆夷國王王子群臣眷屬小轉輪王大轉輪
王七寶千子內外眷屬乘其宮殿俱來聽法
以是菩薩善說法故婆羅門居士國內人民
盡其形壽隨侍供養又諸聲聞辟支佛菩薩
諸佛常樂見之是人所在方面諸佛皆向其
處說法悉能受持一切佛法又能出於深妙
法音尒時世尊欲重宣此義而說偈言
是人舌根淨　終不受惡味　其有所食噉　悉皆成甘露
以深淨妙聲　於大衆說法　以諸因緣喻　引導衆生心
聞者皆歡喜　設諸上供養　諸天龍夜叉　及阿脩羅等
皆以恭敬心　而共來聽法　是說法之人　若欲以妙音
遍滿三千界　隨意即能至　大小轉輪王　及千子眷屬

聞者皆歡喜　設諸上供養　諸天龍夜叉　及阿脩羅等
皆以恭敬心　而共來聽法　是說法之人　若欲以妙音
遍滿三千界　隨意即能至　大小轉輪王　及千子眷屬
合掌恭敬心　常來聽受法　諸天龍夜叉　羅剎毗舍闍
亦以歡喜心　常樂來供養　梵天王魔王　自在大自在
如是諸天衆　常來至其所　諸佛及弟子　聞其說法音
常念而守護　或時為現身
復次常精進若善男子善女人受持是經若
讀若誦若解說若書寫得八百身功德得清
淨身如淨瑠璃衆生憙見其身淨故三千大
千世界衆生生時死時上下好醜生善處惡
處悉於中現及鐵圍山大鐵圍山彌樓山摩
訶彌樓山等諸山及其中衆生悉於中現下
至阿鼻地獄上至有頂所有及衆生悉於中
現若聲聞辟支佛菩薩諸佛說法皆於身中
現其色像尒時世尊欲重宣此義而說偈言
若持法華者　其身甚清淨　如彼淨瑠璃　衆生皆憙見
又如淨明鏡　悉見諸色像　菩薩於淨身　皆見世所有
唯獨自明了　餘人所不見　三千世界中　一切諸群萌
天人阿脩羅　地獄鬼畜生　如是諸色像　皆於身中現
諸天等宮殿　乃至於有頂　鐵圍及彌樓　摩訶彌樓山
諸大海水等　皆於身中現　諸佛及聲聞　佛子菩薩等
若獨若在衆　說法悉皆現　雖未得无漏　法性之妙身
以清淨常體　一切於中現
復次常精進若善男子善女人如來滅後受
持是經若讀若誦若解說若書寫得千二百

以清淨常體　一切於中現
復次常精進若善男子善女人如來滅後受
持是經若讀若誦若解說若書寫得千二百
意功德以是清淨意根乃至聞一偈一句通
達无量无邊之義解是義已能演說一句一
偈至於一月四月乃至一歲諸所說法隨其
義趣皆與實相不相違背若說俗間經書治
世語言資生業等皆順正法三千大千世界
六趣眾生心之所行心所動作心所戲論皆
悉知之雖未得无漏智慧而其意根清淨如
此是人有所思惟籌量言說皆是佛法无不
真實亦是先佛經中所說尒時世尊欲重宣
此義而說偈言
是人意清淨　明利无濁穢　以此妙意根　知上中下法
乃至聞一偈　通達无量義　次第如法說　月四月至歲
是世界內外　一切諸眾生　若天龍及人　夜叉鬼神等
其在六趣中　所念若干種　持法華之報　一時皆悉知
十方无數佛　百福莊嚴相　為眾生說法　悉聞能受持
思惟无量義　說法亦无量　終始不忘錯　以持法華故
悉知諸法相　隨義識次第　達名字語言　如所知演說
此人有所說　皆是先佛法　以演此法故　於眾无所畏
持法華經者　意根淨若斯　雖未得无漏　先有如是相
是人持此經　安住希有地　為一切眾生　歡喜而愛敬
能以千万種　善巧之語言　分別而說法　持法華經故

妙法蓮華經常不輕菩薩品第二十

尒時佛告得大勢菩薩摩訶薩汝今當知若

BD01262號　妙法蓮華經卷六

（23–7）

妙法蓮華經常不輕菩薩品第二十

尒時佛告得大勢菩薩摩訶薩汝今當知若
比丘比丘尼優婆塞優婆夷持法華經者若
有惡口罵詈誹謗獲大罪報如前所說其所
得功德如向所說眼耳鼻舌身意清淨得大
勢乃往古昔過无量无邊不可思議阿僧祇
劫有佛名威音王如來應供正遍知明行足
善逝世間解无上士調御丈夫天人師佛世
尊劫名離衰國名大成其威音王佛於彼世
中為天人阿脩羅說法為求聲聞者說應四
諦法度生老病死究竟涅槃為求辟支佛者
說應十二因緣法為諸菩薩因阿耨多羅三
藐三菩提說應六波羅蜜法究竟佛慧得大
勢是威音王佛壽四十万億那由他恒河沙
劫正法住世劫數如一閻浮提微塵像法住
世劫數如四天下微塵其佛饒益眾生已然
後滅度正法像法滅盡之後於此國土復有
佛出亦号威音王如來應供正遍知明行足
善逝世間解无上士調御丈夫天人師佛世
尊如是次第有二万億佛皆同一号最初威
音王如來既已滅度正法滅後於像法中增
上慢比丘有大勢力尒時有一菩薩比丘名
常不輕得大勢以何因緣名常不輕是比丘
凡有所見若比丘比丘尼優婆塞優婆夷皆
悉禮拜讚歎而作是言我深敬汝等不敢輕
慢所以者何汝等皆行菩薩道當得作佛而

BD01262號　妙法蓮華經卷六

（23–8）

凡有所見若比丘比丘尼優婆塞優婆夷皆
悉礼拜讚歎而作是言我深敬汝等不敢輕
慢所以者何汝等皆行菩薩道當得作佛而
是比丘不專讀誦經典但行礼拜乃至遠見
四衆亦復故往礼拜讚歎而作是言我不敢
輕於汝等汝等皆當作佛四衆之中有生瞋
恚心不淨者惡口罵詈言是无智比丘從何
所來自言我不輕汝而與我等授記當得作
佛我等不用如是虛妄授記如此經歷多年
常被罵詈不生瞋恚常作是言汝當作佛說
是語時衆人或以杖木瓦石而打擲之避走
遠住猶高聲唱言我不敢輕於汝等汝等皆
當作佛以其常作是語故增上慢比丘比丘
尼優婆塞優婆夷皆号之為常不輕是比丘
臨欲終時於虛空中具聞威音王佛先所說
法華經二十千万億偈悉能受持即得如上
眼根清淨耳鼻舌身意根清淨得是六根清
淨已更增壽命二百万億那由他歲廣為人
說是法華經於時增上慢四衆比丘比丘尼
優婆塞優婆夷輕賤是人為作不輕名者見
其得大神通力樂說辯力大善寂力聞其所
說皆信伏隨從是菩薩復化千万億衆令住
阿耨多羅三藐三菩提命終之後得值二千
億佛皆号日月燈明於其法中說是法華經
以是因緣復值二千億佛同号雲自在燈王
於此諸佛法中受持讀誦為諸四衆說此經

BD01262號　妙法蓮華經卷六　（23–9）

阿耨多羅三藐三菩提命終之後得值二千
億佛皆号日月燈明於其法中說是法華經
以是因緣復值二千億佛同号雲自在燈王
於此諸佛法中受持讀誦為諸四衆說此經
典故得是常眼清淨耳鼻舌身意諸根清淨
於四衆中說法心无所畏得大勢是常不輕
菩薩摩訶薩供養如是若干諸佛恭敬尊重
讚歎種諸善根於後復值千万億佛亦於諸
佛法中說是經典功德成就當得作佛得大
勢於汝意云何尒時常不輕菩薩豈異人乎
則我身是若我於宿世不受持讀誦此經為
我於先佛所受持讀誦此經為人說故疾得
阿耨多羅三藐三菩提得大勢彼時四衆比
丘比丘尼優婆塞優婆夷以瞋恚意輕賤我
故二百億劫常不值佛不聞法不見僧千劫
於阿鼻地獄受大苦惱畢是罪已復遇常不
輕菩薩教化阿耨多羅三藐三菩提得大勢
於汝意云何尒時四衆常輕是菩薩者豈異
人乎今此會中跋陀婆羅等五百菩薩師子
月等五百比丘尼思佛等五百優婆塞皆於
阿耨多羅三藐三菩提不退轉者是得大勢
當知是法華經大饒益諸菩薩摩訶薩能令
至於阿耨多羅三藐三菩提是故諸菩薩摩
訶薩於如來滅後常應受持讀誦解說書寫
是經尒時世尊欲重宣此義而說偈言
過去有佛　号威音王　神智无量　將導一切

BD01262號　妙法蓮華經卷六　（23–10）

訶薩於如來滅後常應受持讀誦解說書寫
是經介時世尊欲重宣此義而說偈言
過去有佛 号威音王 神智无量 將導一切
天人龍神 所共供養
是佛滅後 法欲盡時 有一菩薩 名常不輕
時諸四衆 計着於法 不輕菩薩 往到其所
而語之言 我不輕汝 汝等行道 皆當作佛
諸人聞已 輕毀罵詈 不輕菩薩 能忍受之
其罪畢已 臨命終時 得聞此經 六根清淨
神通力故 增益壽命 復為諸人 廣說是經
諸着法衆 皆蒙菩薩 教化成就 令住佛道
不輕命終 值无數佛 說是經故 得无量福
漸具功德 疾成佛道 彼時不輕 則我身是
時四部衆 着法之者 聞不輕言 汝當作佛
以是因緣 值无數佛 此會菩薩 五百之衆
并及四部 清信士女 今於我前 聽法者是
我於前世 勸是諸人 聽受斯經 第一之法
開示教人 令住涅槃 世世受持 如是經典
億億万劫 至不可議 時乃得聞 是法華經
億億万劫 至不可議 諸佛世尊 時說是經
是故行者 於佛滅後 聞如是經 勿生疑惑
應當一心 廣說此經 世世值佛 疾成佛道

妙法蓮華經如來神力品第二十一

介時千世界微塵等菩薩摩訶薩從地踊出
者皆於佛前一心合掌瞻仰尊顏而白佛言
世尊我等於佛滅後世尊分身所在國土滅

BD01262號　妙法蓮華經卷六　（23–11）

妙法蓮華經如來神力品第二十一

介時千世界微塵等菩薩摩訶薩從地踊出
者皆於佛前一心合掌瞻仰尊顏而白佛言
世尊我等於佛滅後世尊分身所在國土滅
度之處當廣說此經所以者何我等亦自欲
得是真淨大法受持讀誦解說書寫而供養
之介時世尊於文殊師利等无量百千万億
舊住娑婆世界菩薩摩訶薩及諸比丘比丘
尼優婆塞優婆夷天龍夜叉乾闥婆阿脩羅迦
樓羅緊那羅摩睺羅伽人非人等一切衆前
現大神力出廣長舌上至梵世一切毛孔放
於无量无數色光皆悉遍照十方世界衆寶
樹下師子座上諸佛亦復如是出廣長舌放
无量光釋迦牟尼佛及寶樹下諸佛現神力
時滿百千歲然後還攝舌相一時謦欬俱共
彈指是二音聲遍至十方諸佛世界地皆六
種震動其中衆生天龍夜叉乾闥婆阿脩羅
迦樓羅緊那羅摩睺羅伽人非人等以佛神
力故皆見此娑婆世界无量无邊百千万億
衆寶樹下師子座上諸佛及見釋迦牟尼佛
共多寶如來在寶塔中坐師子座又見无量
无邊百千万億菩薩摩訶薩及諸四衆恭敬
圍遶釋迦牟尼佛既見是已皆大歡喜得未
曾有即時諸天於虛空中高聲唱言過此无
量无邊百千万億阿僧祇世界有國名娑婆
是中有佛名釋迦牟尼今為諸菩薩摩訶薩

BD01262號　妙法蓮華經卷六　（23–12）

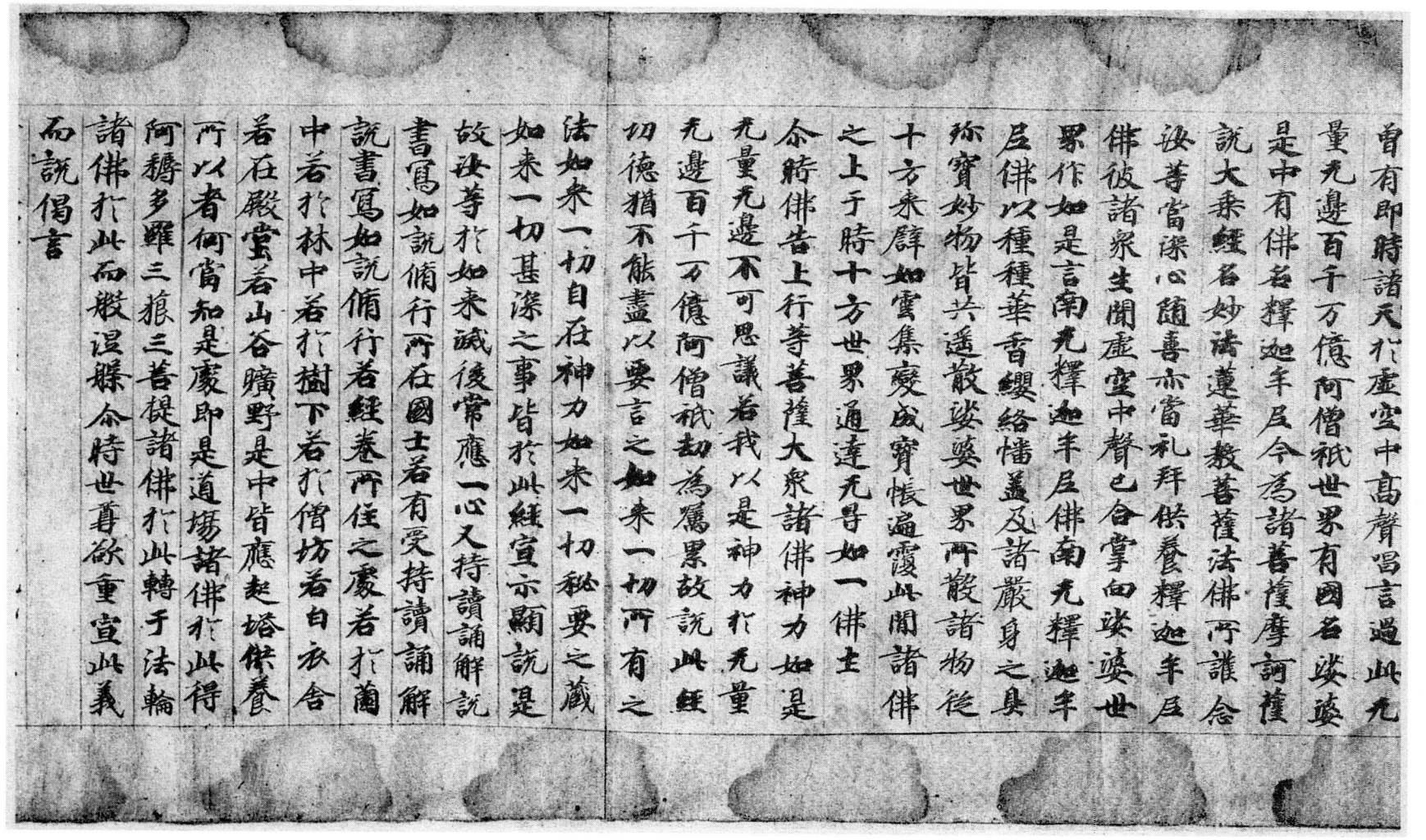

曾有卽時諸天於虚空中高聲唱言過此无
量无邊百千万億阿僧祇世界有國名娑婆
是中有佛名釋迦牟尼今為諸菩薩摩訶薩
說大乘經名妙法蓮華教菩薩法佛所護念
汝等當深心隨喜亦當礼拜供養釋迦牟尼
佛彼諸衆生聞虚空中聲已合掌向娑婆世
界作如是言南无釋迦牟尼佛南无釋迦牟
尼佛以種種華香瓔珞幡蓋及諸嚴身之具
珎寶妙物皆共遥散娑婆世界所散諸物從
十方來辟如雲集變成寶帳遍覆此間諸佛
之上于時十方世界通達无㝵如一佛土
尒時佛告上行等菩薩大衆諸佛神力如是
无量无邊不可思議若我以是神力於无量
无邊百千万億阿僧祇劫為囑累故說此經
功德猶不能盡以要言之如來一切所有之
法如來一切自在神力如來一切秘要之藏
如來一切甚深之事皆於此經宣示顯說是
故汝等於如來滅後常應一心受持讀誦解說
書寫如說脩行所在國土若有受持讀誦解
說書寫如說脩行若經卷所住之處若於薗
中若於林中若於樹下若於僧坊若白衣舍
若在殿堂若山谷曠野是中皆應起塔供養
所以者何當知是處卽是道場諸佛於此得
阿耨多羅三藐三菩提諸佛於此轉于法輪
諸佛於此而般涅槃尒時世尊欲重宣此義
而說偈言

BD01262號　妙法蓮華經卷六

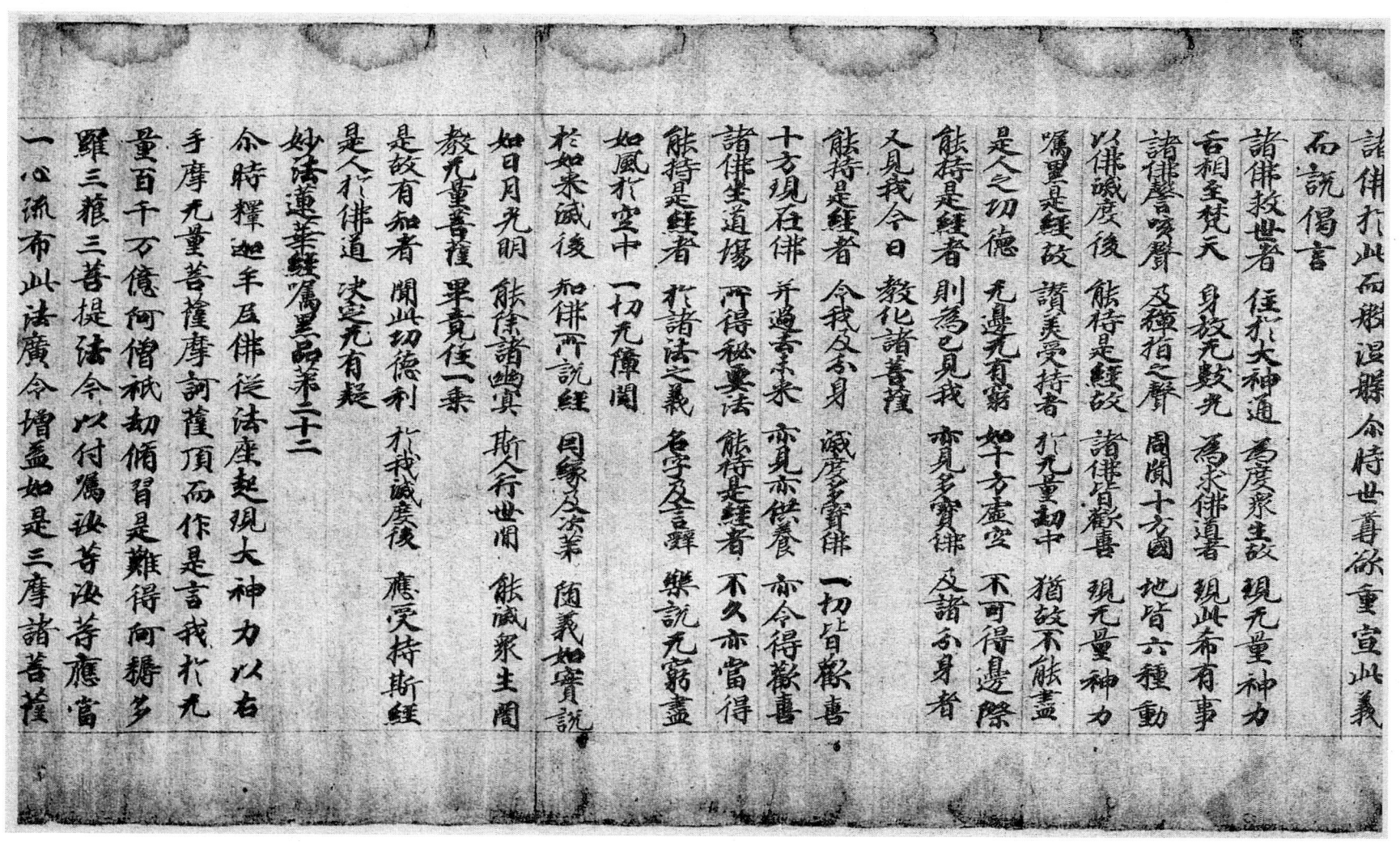

（23–13）

諸佛於此而般涅槃尒時世尊欲重宣此義
而說偈言
諸佛救世者　住於大神通　為度衆生故　現无量神力
舌相至梵天　身放无數光　為求佛道者　現此希有事
諸佛謦欬聲　及彈指之聲　周聞十方國　地皆六種動
以佛滅度後　能持是經故　諸佛皆歡喜　現无量神力
囑累是經故　讃美受持者　於无量劫中　猶故不能盡
是人之功德　无邊无有窮　如十方虚空　不可得邊際
能持是經者　則為已見我　亦見多寶佛　及諸分身者
又見我今日　教化諸菩薩
能持是經者　令我及分身　滅度多寶佛　一切皆歡喜
十方現在佛　并過去未來　亦見亦供養　亦令得歡喜
諸佛坐道場　所得秘要法　能持是經者　不久亦當得
能持是經者　於諸法之義　名字及言辭　樂說无窮盡
如風於空中　一切无障閡
於如來滅後　知佛所說經　因緣及次第　隨義如實說
如日月光明　能除諸幽冥　斯人行世間　能滅衆生闇
教无量菩薩　畢竟住一乘
是故有智者　聞此功德利　於我滅度後　應受持斯經
是人於佛道　決定无有疑
妙法蓮華經囑累品第二十二
尒時釋迦牟尼佛從法座起現大神力以右
手摩无量菩薩摩訶薩頂而作是言我於无
量百千万億阿僧祇劫脩習是難得阿耨多
羅三藐三菩提法今以付囑汝等汝等應當
一心流布此法廣令增益如是三摩諸菩薩

BD01262號　妙法蓮華經卷六

（23–14）

量百千万億阿僧祇劫脩習是難得阿耨多
羅三藐三菩提法今以付囑汝等汝等應當
一心流布此法廣令增益如是三摩諸菩薩
摩訶薩頂而作是言我於无量百千万億阿
僧祇劫脩習是難得阿耨多羅三藐三菩提
法今以付囑汝等汝等當受持讀誦廣宣此
法令一切衆生普得聞知所以者何如來有
大慈悲无諸慳悋亦无所畏能與衆生佛之
智慧如來智慧自然智慧如來是一切衆生
之大施主汝等亦應隨學如來之法勿生慳
悋於未來世若有善男子善女人信如來智
慧者當為演說此法華經使得聞知為令其
人得佛慧故若有衆生不信受者當於如來
餘深法中示教利喜汝等若能如是則為已
報諸佛之恩時諸菩薩摩訶薩聞佛作是說
已皆大歡喜遍滿其身益加恭敬曲躬低頭
合掌向佛俱發聲言如世尊勑當具奉行唯
然世尊願不有慮諸菩薩摩訶薩衆如是三
反俱發聲言如世尊勑當具奉行唯然世尊
願不有慮尒時釋迦牟尼佛令十方來諸分
身佛各還本土而作是言諸佛各隨所安多
寶佛塔還可如故說是語時十方无量分身
諸佛坐寶樹下師子座上者及多寶佛并上
行等无邊阿僧祇菩薩大衆舍利弗等聲聞
四衆及一切世間天人阿脩羅等聞佛所說
皆大歡喜

BD01262號　妙法蓮華經卷六　（23–15）

行等无邊阿僧祇菩薩大衆舍利弗等聲聞
四衆及一切世間天人阿脩羅等聞佛所說
皆大歡喜
妙法蓮華經藥王菩薩本事品第二十三
尒時宿王華菩薩白佛言世尊藥王菩薩云
何遊於娑婆世界世尊是藥王菩薩有若干
百千万億那由他難行苦行善哉世尊願少
解說諸天龍神夜叉乾闥婆阿脩羅迦樓羅
緊那羅摩睺羅伽人非人等又他方國土諸
來菩薩及此聲聞衆聞皆歡喜尒時佛告宿
王華菩薩乃往過去无量恒河沙劫有佛号
日月淨明德如來應供正遍知明行足善逝
世間解无上士調御丈夫天人師佛世尊其
佛有八十億大菩薩摩訶薩七十二恒河沙
大聲聞衆佛壽四万二千劫菩薩壽命亦等
彼國无有女人地獄餓鬼畜生阿脩羅等及
以諸難地平如掌瑠璃所成寶樹莊嚴寶帳
覆上垂寶華幡寶瓶香爐周遍國界七寶為
臺一樹一臺其樹去臺盡一箭道此諸寶樹
皆有菩薩聲聞而坐其下諸寶臺上各有百
億諸天作天伎樂歌歎於佛以為供養尒時
彼佛為一切衆生喜見菩薩及衆菩薩諸聲
聞衆說法華經是一切衆生喜見菩薩樂集
苦行於日月淨明德佛法中精進經行一心
求佛滿万二千歲已得現一切色身三昧得
此三昧已心大歡喜即作念言我得現一切

BD01262號　妙法蓮華經卷六　（23–16）

聞衆說法華經是一切衆生喜見菩薩樂集
苦行於日月淨明德佛法中精進經行一心
求佛滿万二千歲已得現一切色身三昧得
此三昧已心大歡喜即作念言我得現一切
色身三昧皆是得聞法華經力我今當供養
日月淨明德佛及法華經即時入是三昧於
虛空中雨曼陀羅華摩訶曼陀羅華細末堅
黑栴檀滿虛空中如雲而下又雨海此岸栴
檀之香此香六銖價直娑婆世界以供養佛
作是供養已從三昧起而自念言我雖以神
力供養於佛不如以身供養即服諸香栴檀
薰陸兜樓婆畢力迦沉水膠香又飲瞻蔔諸
華香油滿千二百歲已香油塗身於日月淨
明德佛前以天寶衣而自纏身灌諸香油以
神通力願而自然身光明遍照八十億恒河
沙世界其中諸佛同時讚言善哉善哉善男
子是真精進是名真法供養如來若以華香
瓔珞燒香末香塗香天繒幡蓋及海此岸栴
檀之香如是等種種諸物供養所不能及假
使國城妻子布施亦所不及善男子是名第
一之施於諸施中最尊最上以法供養諸如
來故作是語已而各默然其身火然千二百
歲過是已後其身乃盡一切衆生喜見菩薩
作如是法供養已命終之後復生日月淨明
德佛國中於淨德王家結跏趺坐忽然化生
即為其父而說偈言

BD01262號　妙法蓮華經卷六

（23–17）

作如是法供養已命終之後復生日月淨明
德佛國中於淨德王家結跏趺坐忽然化生
即為其父而說偈言
大王今當知　我經行彼處　即時得一切　現諸身三昧
懃行大精進　捨所愛之身
說是偈已而白父言日月淨明德佛今故現
在我先供養佛已得解一切衆生語言陀羅
尼復聞是法華經八百千万億那由他甄迦
羅頻婆羅阿閦婆等偈大王我今當還供養
此佛白已即坐七寶之臺上昇虛空高七多
羅樹往到佛所頭面禮足合十指爪以偈讚
佛
容顏甚奇妙　光明照十方　我適曾供養　今復還親覲
爾時一切衆生喜見菩薩說是偈已而白佛
言世尊世尊猶故在世爾時日月淨明德佛
告一切衆生喜見菩薩善男子我涅槃時到
滅盡時至汝可安施床座我於今夜當般涅
槃又勅一切衆生喜見菩薩善男子我以佛
法囑累於汝及諸菩薩大弟子并阿耨多羅
三藐三菩提法亦以三千大千七寶世界諸
寶樹寶臺及給侍諸天悉付於汝我滅度後
所有舍利亦付囑汝當令流布廣設供養應
起若干千塔如是日月淨明德佛勅一切衆
生喜見菩薩已於夜後分入於涅槃爾時一
切衆生喜見菩薩見佛滅度悲感懊惱戀慕

BD01262號　妙法蓮華經卷六

（23–18）

生喜見菩薩已於夜後分入於涅槃尒時一
切衆生喜見菩薩見佛滅度悲感懊惱戀慕
於佛即以海此岸栴檀為積供養佛身而以
燒之火滅已後收取舍利作八万四千寶瓶
以起八万四千塔高三世界表剎莊嚴垂諸
幡蓋懸衆寶鈴尒時一切衆生喜見菩薩復
自念言我雖作是供養心猶未足我今當更
供養舍利便語諸菩薩大弟子及天龍夜叉
等一切大衆汝等當一心念我今供養日月
淨明德佛舍利作是語已即於八万四千塔
前然百福莊嚴臂七万二千歲而以供養令
無數求聲聞衆無量阿僧祇人發阿耨多羅
三藐三菩提心皆使得住現一切色身三昧
尒時諸菩薩天人阿脩羅等見其無臂憂惱
悲哀而作是言此一切衆生喜見菩薩是我
等師教化我者而今燒臂身不具足于時一
切衆生喜見菩薩於大衆中立此誓言我捨
兩臂必當得佛金色之身若實不虛令我兩
臂還復如故作是誓已自然還復由斯菩薩
福德智慧淳厚所致當尒之時三千大千世
界六種震動天雨寶華一切人天得未曾有
佛告宿王華菩薩於汝意云何一切衆生喜
見菩薩豈異人乎今藥王菩薩是也其所捨
身命布施如是無量百千万億那由他數宿
王華若有發心欲得阿耨多羅三藐三菩提

BD01262 號　妙法蓮華經卷六　　（23–19）

見菩薩豈異人乎今藥王菩薩是也其所捨
身命布施如是無量百千万億那由他數宿
王華若有發心欲得阿耨多羅三藐三菩提
者能燃手指乃至足一指供養佛塔勝以國
城妻子及三千大千國土山林河池諸珍寶
物而供養者若復有人以七寶滿三千大千
世界供養於佛及大菩薩辟支佛阿羅漢是
人所得功德不如受持此法華經乃至一四
句偈其福最多宿王華譬如一切川流江河
諸水之中海為第一此法華經亦復如是於
諸如來所說經中最為深大又如土山黑山
小鐵圍山大鐵圍山及十寶山衆山之中須
彌山為第一此法華經亦復如是於諸經中
最為其上又如衆星之中月天子最為第一
此法華經亦復如是於千万億種諸經法中
最為照明又如日天子能除諸闇此經亦復
如是能破一切不善之闇又如諸小王中轉
輪聖王最為第一此經亦復如是於衆經中
最為其尊又如帝釋於三十三天中王此經
亦復如是諸經中王又如大梵天王一切衆
生之父此經亦復如是一切賢聖學無學及
發菩薩心者之父又如一切凡夫人中須陁
洹斯陁含阿那含阿羅漢辟支佛為第一此
經亦復如是一切如來所說若菩薩所說若
聲聞所說諸經法中最為第一有能受持是
經典者亦復如是於一切衆生中亦為第一

BD01262 號　妙法蓮華經卷六　　（23–20）

經亦復如是一切如來所說若菩薩所說若
聲聞所說諸經法中最為第一有能受持是
經典者亦復如是於一切衆生中亦為第一
一切聲聞辟支佛中菩薩為第一此經亦復
如是於一切諸經法中最為第一如佛為諸
法王此經亦復如是諸經中王宿王華此經
能救一切衆生者此經能令一切衆生離諸
苦惱此經能大饒益一切衆生充滿其願如
清涼池能滿一切諸渴乏者如寒者得火如
裸者得衣如商人得主如子得母如渡得船
如病得醫如闇得燈如貧得寶如民得王如
賈客得海如炬除闇此法華經亦復如是能
令衆生離一切苦一切病痛能解一切生死
之縛若人得聞此法華經若自書若使人書
所得功德以佛智慧籌量多少不得其邊若
書是經卷華香瓔珞燒香末香塗香幡蓋衣
服種種之燈蘇燈油燈諸香油燈瞻蔔華油
燈須曼那油燈波羅羅油燈婆利師迦油燈那
婆摩利油燈供養所得功德亦復无量宿
王華若有人聞是藥王菩薩本事品者亦得无
量无邊功德若有女人聞是藥王菩薩本事
品能受持者盡是女身後不復受若如來滅
後後五百歲中若有女人聞是經典如說修
行於此命終即往安樂世界阿彌陀佛大菩
薩衆圍遶住處生蓮華中寶座之上不復為
貪欲所惱亦復不為瞋恚愚癡所惱亦復不

BD01262號　妙法蓮華經卷六　（23–21）

後後五百歲中若有女人聞是經典如說修
行於此命終即往安樂世界阿彌陀佛大菩
薩衆圍遶住處生蓮華中寶座之上不復為
貪欲所惱亦復不為瞋恚愚癡所惱亦復不
為憍慢嫉妬諸垢所惱得菩薩神通无生法
忍得是忍已眼根清淨以是清淨眼根見七
百万二千億那由他恒河沙等諸佛如來是
時諸佛遥共讚言善哉善哉善男子汝能於
釋迦牟尼佛法中受持讀誦思惟是經為他
人說所得福德无量无邊火不能燒水不能
漂汝之功德千佛共說不能令盡汝今已能
破諸魔賊壞生死軍諸餘怨敵皆悉摧滅善
男子百千諸佛以神通力共守護汝於一切
世間天人之中无如汝者唯除如來其諸聲
聞辟支佛乃至菩薩智慧禪定无有與汝等
者宿王華此菩薩成就如是功德智慧之力
若有人聞是藥王菩薩本事品能隨喜讚善
者是人現世口中常出青蓮華香身毛孔中
常出牛頭栴檀之香所得功德如上所說是
故宿王華以此藥王菩薩本事品囑累於汝
我滅度後後五百歲中廣宣流布於閻浮提
无令斷絶惡魔魔民諸天龍夜叉鳩槃荼等
得其便也宿王華汝當以神通之力守護是
經所以者何此經則為閻浮提人病之良藥
若人有病得聞是經病即消滅不老不死宿
王華汝若見有受持是經者應以青蓮華盛

BD01262號　妙法蓮華經卷六　（23–22）

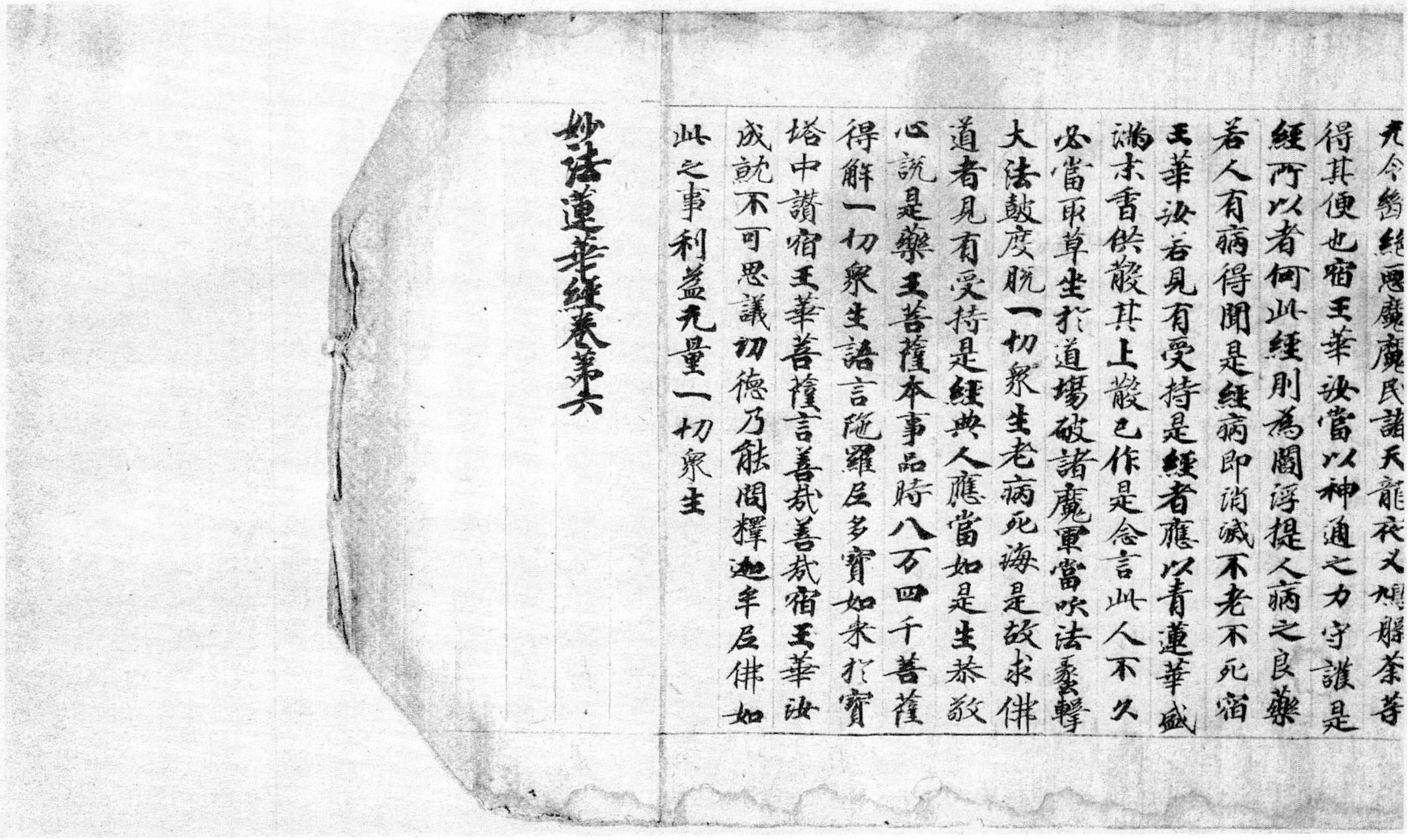
无令斷絶惡魔魔民諸天龍夜叉鳩槃荼等
得其便也宿王華汝當以神通之力守護是
經所以者何此經則為閻浮提人病之良藥
若人有病得聞是經病即消滅不老不死宿
王華汝若見有受持是經者應以青蓮華盛
滿末香供散其上散已作是念言此人不久
必當取草坐於道場破諸魔軍當吹法螺擊
大法鼓度脫一切眾生老病死海是故求佛
道者見有受持是經典人應當如是生恭敬
心說是藥王菩薩本事品時八万四千菩薩
得解一切眾生語言陀羅尼多寶如來於寶
塔中讚宿王華菩薩言善哉善哉宿王華汝
成就不可思議功德乃能問釋迦牟尼佛如
此之事利益无量一切眾生

妙法蓮華經卷第六

BD01262號　妙法蓮華經卷六　　（23–23）

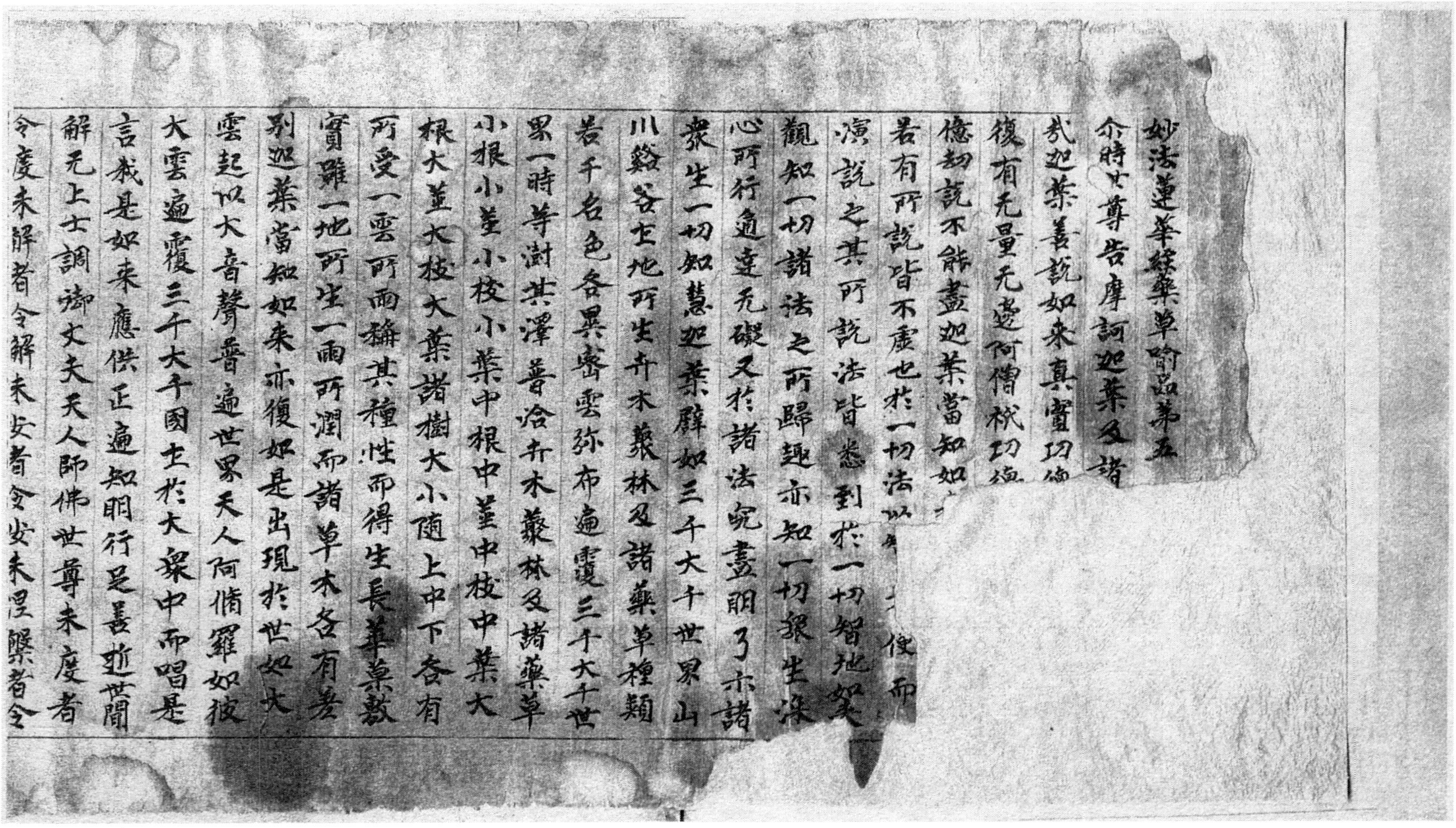
妙法蓮華經藥草喻品第五
尒時世尊告摩訶迦葉及諸
哉迦葉善說如來真實功德
復有无量无邊阿僧祇功[illegible]
億劫說不能盡迦葉當知如[illegible]
若有所說皆不虛也於一切法以[illegible]而
演說之其所說法皆悉到於一切智地如[illegible]
觀知一切諸法之所歸趣亦知一切眾生深
心所行通達无礙又於諸法究盡明了示諸
眾生一切智慧迦葉譬如三千大千世界山
川谿谷土地所生卉木藂林及諸藥草種類
若干名色各異密雲弥布遍覆三千大千世
界一時等澍其澤普洽卉木藂林及諸藥草
小根小莖小枝小葉中根中莖中枝中葉大
根大莖大枝大葉諸樹大小隨上中下各有
所受一雲所雨稱其種性而得生長華菓敷
實雖一地所生一雨所潤而諸草木各有差
別迦葉當知如來亦復如是出現於世如大
雲起以大音聲普遍世界天人阿脩羅如彼
大雲遍覆三千大千國土於大眾中而唱是
言我是如來應供正遍知明行足善逝世間
解无上士調御丈夫天人師佛世尊未度者
令度未解者令解未安者令安未涅槃者令

BD01263號　妙法蓮華經卷三　　（24–1）

別迦葉當知如來亦復如是出現於世如大
雲起以大音聲普遍世界天人阿脩羅如彼
大雲遍覆三千大千國土於大衆中而唱是
言我是如來應供正遍知明行足善逝世間
解无上士調御丈夫天人師佛世尊未度者
令度未解者令解未安者令安未涅槃者令
得涅槃今世後世如實知之我是一切知者
一切見者知道者開道者說道者汝等天人
阿脩羅衆皆應到此為聽法故尒時无數千
万億種衆生來至佛所而聽法如來于時觀
是衆生諸根利鈍精進懈怠隨其所堪而為
說法種種无量皆令歡喜快得善利是諸衆
生聞是法已現世安隱後生善處以道受樂
亦得聞法既聞法已離諸障礙於諸法中任
力所能漸得入道如彼大雲雨於一切卉木
藂林及諸藥草如其種性具足蒙潤各得生
長如來說法一相一味所謂解脫相離相滅
相究竟至於一切種智其有衆生聞如來法
若持讀誦如說脩行所得功德不自覺知所
以者何唯有如來知此衆生種相體性念何
事思何事脩何事云何念云何思云何脩以
何法念以何法思以何法脩以何法得何法
衆生住於種種之地唯有如來如實見之明
了无礙如彼卉木藂林諸藥草等而不自知
上中下性如來知是一相一味之法所謂解
脫相離相滅相究竟涅槃常寂滅相終歸於
空佛知是已觀衆生心欲而將護之是故不

BD01263號　妙法蓮華經卷三　（24–2）

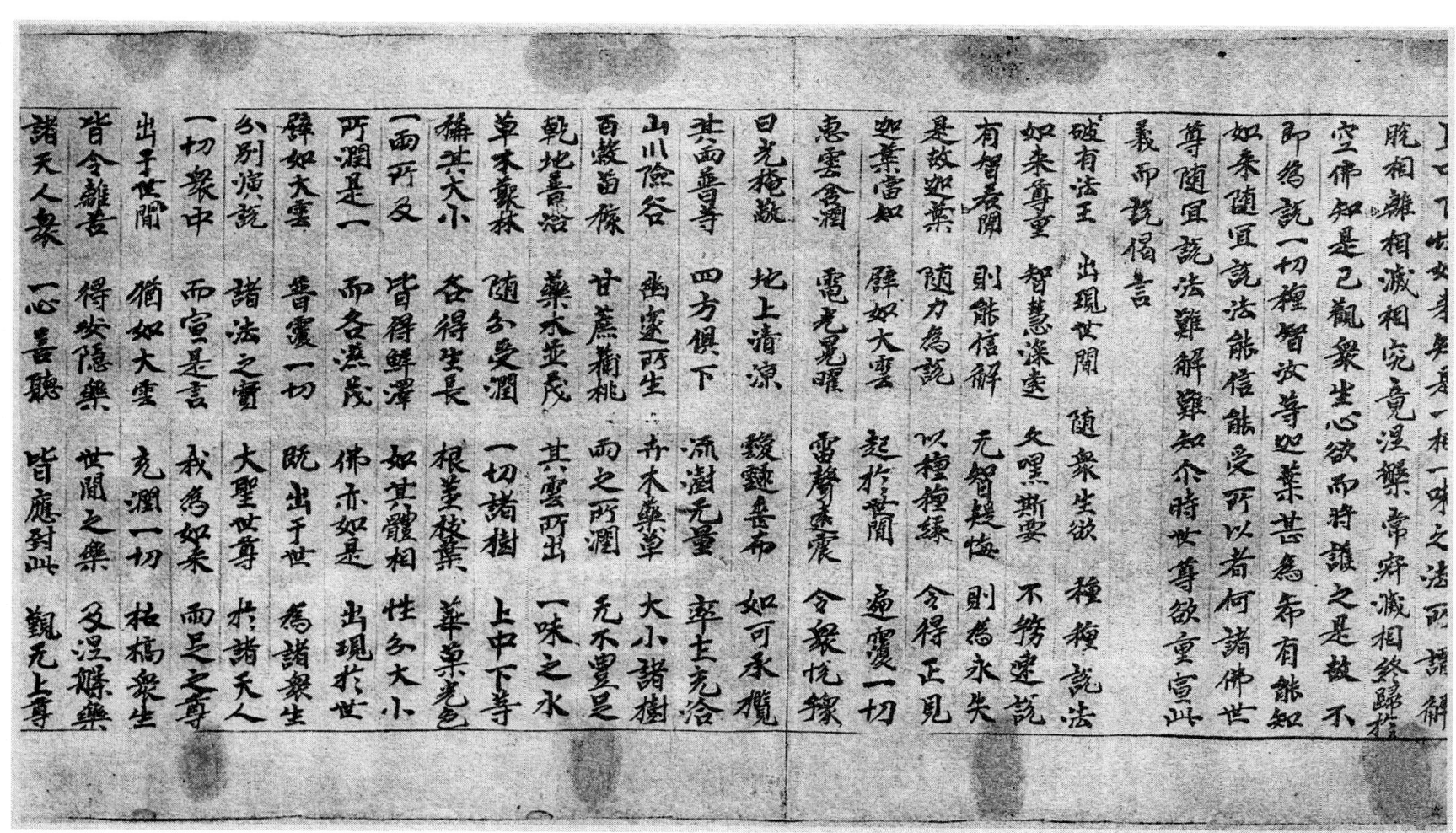

脫相離相滅相究竟涅槃常寂滅相終歸於
空佛知是已觀衆生心欲而將護之是故不
即為說一切種智汝等迦葉甚為希有能知
如來隨宜說法能信能受所以者何諸佛世
尊隨宜說法難解難知尒時世尊欲重宣此
義而說偈言

破有法王　出現世間　隨衆生欲　種種說法
如來尊重　智慧深遠　久嘿斯要　不務速說
有智若聞　則能信解　无智疑悔　則為永失
是故迦葉　隨力為說　以種種緣　令得正見
迦葉當知　譬如大雲　起於世間　遍覆一切
惠雲含潤　電光晃曜　雷聲遠震　令衆悅豫
日光掩蔽　地上清涼　靉靆垂布　如可承攬
其雨普等　四方俱下　流澍无量　率土充洽
山川險谷　幽邃所生　卉木藥草　大小諸樹
百穀苗稼　甘蔗蒲桃　雨之所潤　无不豐足
乾地普洽　藥木並茂　其雲所出　一味之水
草木藂林　隨分受潤　一切諸樹　上中下等
稱其大小　各得生長　根莖枝葉　華菓光色
一雨所及　皆得鮮澤　如其體相　性分大小
所潤是一　而各滋茂　佛亦如是　出現於世
譬如大雲　普覆一切　既出于世　為諸衆生
分別演說　諸法之實　大聖世尊　於諸天人
一切衆中　而宣是言　我為如來　兩足之尊
出于世間　猶如大雲　充潤一切　枯槁衆生
皆令離苦　得安隱樂　世間之樂　及涅槃樂
諸天人衆　一心善聽　皆應到此　覲无上尊

BD01263號　妙法蓮華經卷三　（24–3）

出于世間　猶如大雲　充潤一切　枯槁衆生
皆令離苦　得安隱樂　世間之樂　及涅槃樂
諸天人衆　一心善聽　皆應到此　覲无上尊
我為世尊　无能及者　安隱衆生　故現於世
為大衆說　甘露淨法　其法一味　解脫涅槃
以一妙音　演暢斯義　常為大乘　而作因緣
我觀一切　普皆平等　无有彼此　愛憎之心
我无貪著　亦无限礙　恒為一切　平等說法
如為一人　衆多亦然　常演說法　曾无他事
去來坐立　終不疲猒　充足世間　如雨普潤
貴賤上下　持戒毀戒　威儀具足　及不具足
正見邪見　利根鈍根　等雨法雨　而无懈惓
一切衆生　聞我法者　隨力所受　住於諸地
或處人天　轉輪聖王　釋梵諸王　是小藥草
知无漏法　能得涅槃　起六神通　及得三明
獨處山林　常行禪定　得緣覺證　是中藥草
求世尊處　我當作佛　行精進定　是上藥草
又諸佛子　專心佛道　常行慈悲　自知作佛
決定无疑　是名小樹　安住神通　轉不退輪
度无量億　百千衆生　如是菩薩　名為大樹
佛平等說　如一味雨　隨衆生性　所受不同
如彼草木　所稟各異　佛以此喻　方便開示
種種言辭　演說一法　於佛智慧　如海一渧
我雨法雨　充滿世間　一味之法　隨力修行
如彼叢林　藥草諸樹　隨其大小　漸增茂好
諸佛之法　常以一味　令諸世間　普得具足
漸次修行　皆得道果　聲聞緣覺　處於山林
住最後身　聞法得果　是名藥草　各得增長

BD01263號　妙法蓮華經卷三　（24–4）

諸佛之法　常以一味　令諸世間　普得具足
漸次修行　皆得道果　聲聞緣覺　處於山林
住最後身　聞法得果　是名藥草　各得增長
若諸菩薩　智慧堅固　了達三界　求最上乘
是名小樹　而得增長　復有住禪　得神通力
聞諸法空　心大歡喜　放无數光　度諸衆生
是名大樹　而得增長　如是迦葉　佛所說法
譬如大雲　以一味雨　潤於人華　各得成實
迦葉當知　以諸因緣　種種譬喻　開示佛道
是我方便　諸佛亦然　今為汝等　說最實事
諸聲聞衆　皆非滅度　汝等所行　是菩薩道
漸漸修學　悉當成佛

妙法蓮華經授記品第六

尒時世尊說是偈已，告諸大衆，唱如是言：我此弟子摩訶迦葉，於未來世當得奉覲三百万億諸佛世尊，供養恭敬，尊重讚歎，廣宣諸佛无量大法，於最後身得成為佛，名曰光明如來、應供、正遍知、明行足、善逝、世間解、无上士、調御丈夫、天人師、佛世尊。國名光德，劫名大莊嚴。佛壽十二小劫，正法住世二十小劫，像法亦住二十小劫。國界嚴飾，无諸穢惡瓦礫荊棘便利不淨，其土平正，无有高下坑坎堆阜，琉璃為地，寶樹行列，黃金為繩以界道側，散諸寶華，周遍清淨。其國菩薩无量千億，諸聲聞衆亦无數，无有魔事，雖有魔及魔民，皆護佛法。尒時世尊欲重宣此義而說偈言

BD01263號　妙法蓮華經卷三　（24–5）

民皆護佛法　尒時世尊欲重宣此義而說偈
言
告諸比丘　我以佛眼　見是迦葉　於未來世
過无數劫　當得作佛　而於來世　供養奉覲
三百万億　諸佛世尊　為佛智慧　淨脩梵行
供養最上　二足尊已　脩習一切　无上之慧
於最後身　得成為佛　其土清淨　琉璃為地
多諸寶樹　行列道側　金繩界道　見者歡喜
常出好香　散衆名華　種種奇妙　以為莊嚴
其地平正　无有丘坑　諸菩薩衆　不可稱計
其心調柔　逮大神通　奉持諸佛　大乘經典
諸聲聞衆　无漏後身　法王之子　亦不可計
乃以天眼　不能數知　其佛當壽　十二小劫
正法住世　二十小劫　像法亦住　二十小劫
光明世尊　其事如是
尒時大目揵連須菩提摩訶迦栴延等皆悉
悚慄一心合掌瞻仰世尊目不暫捨即共同
聲而說偈言
大雄猛世尊　諸釋之法王　哀愍我等故　而賜佛音聲
若知我深心　見為授記者　如以甘露灑　除熱得清涼
如從飢國來　忽遇大王饍　心猶懷疑懼　未敢即便食
若復得王教　然後乃敢食　我等亦如是　每惟小乘過
不知當云何　得佛无上慧　雖聞佛音聲　言我等作佛
心尚懷憂懼　如未敢便食　若蒙佛授記　尒乃快安樂
大雄猛世尊　常欲安世間　願賜我等記　如飢須教食
尒時世尊知諸大弟子心之所念告諸比丘
是須菩提於當來世奉覲三百万億那由他

BD01263號　妙法蓮華經卷三　（24-6）

尒時世尊知諸大弟子心之所念告諸比丘
是須菩提於當來世奉覲三百万億那由他
佛供養恭敬尊重讚歎常脩梵行具菩薩道
於最後身得成為佛号曰名相如來應供正
遍知明行足善逝世間解无上士調御丈夫
天人師佛世尊劫名有寶國名寶生其土平
正頗梨為地寶樹莊嚴无諸丘坑沙礫荊棘
便利之穢寶華覆地周遍清淨其土人民皆
處寶臺珍妙樓閣聲聞弟子无量无邊筭數
譬喻所不能知諸菩薩衆无數千万億那由
他佛壽十二小劫正法住世二十小劫像法
亦住二十小劫其佛常處虛空為衆說法度
脫无量菩薩及聲聞衆尒時世尊欲重宣此
義而說偈言
諸比丘衆　今告汝等　皆當一心　聽我所說
我大弟子　須菩提者　當得作佛　号曰名相
當供无數　万億諸佛　隨佛所行　漸具大道
最後身得　三十二相　端正姝妙　猶如寶山
其佛國土　嚴淨第一　衆生見者　无不愛樂
佛於其中　度无量衆　其佛法中　多諸菩薩
皆悉利根　轉不退輪　彼國常以　菩薩莊嚴
諸聲聞衆　不可稱數　皆得三明　具六神通
住八解脫　有大威德　其佛說法　現於无量
神通變化　不可思議　諸天人民　數如恒沙
皆共合掌　聽受佛語　其佛當壽　十二小劫
正法住世　二十小劫　像法亦住　二十小劫
尒時世尊復告諸比丘衆我今語汝是大迦

BD01263號　妙法蓮華經卷三　（24-7）

正法住世 二十小劫 像法亦住 二十小劫
尒時世尊復告諸比丘衆我今語汝是大迦
栴延於當來世以諸供具供養奉事八千億
佛恭敬尊重諸佛滅度後各起塔廟高千由旬
縦廣正等五百由旬以金銀琉璃車𤦲馬瑙
真珠玫瑰七寳合成衆華瓔珞塗香末香燒
香繒蓋幢幡供養塔廟過是已後當復供養
二万億佛亦復如是供養是諸佛已具菩薩
道當得作佛号曰閻浮那提金光如來應供
正遍知明行足善逝世間解无上士調御丈
夫天人師佛世尊其土平正頗梨為地寳樹
莊嚴黄金為繩以界道側妙華覆地周遍清
浄見者歡喜无四悪道地獄餓鬼畜生阿脩
羅道多有天人諸聲聞衆及諸菩薩无量万
億莊嚴其國佛壽十二小劫正法住世二十
小劫像法亦住二十小劫尒時世尊欲重宣
此義而說偈言
諸比丘衆 皆一心聽 如我所說 真實无異
是迦栴延 當以種種 妙好供具 供養諸佛
諸佛滅度 起七寳塔 亦以華香 供養舎利
其冣後身 得佛智慧 成等正覺 國土清浄
度脱无量 万億衆生 皆為十方 之所供養
佛之光明 无能勝者 其佛号曰 閻浮金光
菩薩聲聞 斷一切有 无量无數 莊嚴其國
尒時世尊復告大衆我今語汝是大目揵連
當以種種供具供養八千諸佛恭敬尊重諸
佛滅後各起塔廟高千由旬縦廣正等五百

BD01263號 妙法蓮華經卷三 （24–8）

當以種種供具供養八千諸佛恭敬尊重諸
佛滅後各起塔廟高千由旬縦廣正等五百
由旬以金銀琉璃車𤦲馬瑙真珠玫瑰七寳
合成衆華瓔珞塗香末香燒香繒蓋幢幡以
用供養過是已後當復供養二百万億諸佛
亦復如是當得成佛号曰多摩羅跋栴檀香
如來應供正遍知明行足善逝世間解无上
士調御丈夫天人師佛世尊劫名喜滿國名
意樂其土平正頗梨為地寳樹莊嚴散真珠
華周遍清浄見者歡喜多諸天人菩薩聲聞
其數无量佛壽二十四小劫正法住世四十
小劫像法亦住四十小劫尒時世尊欲重宣
此義而說偈言
我此弟子 大目揵連 捨是身已 得見八千
二百万億 諸佛世尊 為佛道故 供養恭敬
於諸佛所 常脩梵行 於无量劫 奉持佛法
諸佛滅後 起七寳塔 長表金刹 華香伎樂
而以供養 諸佛塔廟 漸漸具足 菩薩道已
於意樂國 而得作佛 号多摩羅 栴檀之香
其佛壽命 二十四劫 常為天人 演說佛道
聲聞无量 如恒河沙 三明六通 有大威德
菩薩无數 志固精進 於佛智慧 皆不退轉
佛滅度後 正法當住 四十小劫 像法亦尒
我諸弟子 威德具足 其數五百 皆當授記
於未來世 咸得成佛 我及汝等 宿世因緣
吾今當說 汝等善聽
妙法蓮華經化城喩品第七
佛告諸比丘乃往過去无量无邊不可思議

BD01263號 妙法蓮華經卷三 （24–9）

於未來世　咸得成佛　我及汝等　宿世因緣
吾今當說　汝等善聽
妙法蓮華經化城喻品第七
佛告諸比丘乃往過去无量无邊不可思議
阿僧祇劫尒時有佛名大通智勝如來應供
正遍知明行足善逝世間解无上士調御丈
夫天人師佛世尊其國名好成劫名大相諸
比丘彼佛滅度已來甚大久遠譬如三千大
千世界所有地種假使有人磨以為墨過於
東方千國土乃下一點大如微塵又過千國
土復下一點如是展轉盡地種墨於汝等意
云何是諸國土若筭師若筭師弟子能得邊
際知其數不不也世尊諸比丘是人所經國
土若點不點盡末為塵一塵一劫彼佛滅度
已來復過是數无量无邊百千万億阿僧祇
劫我以如來知見力故觀彼久遠猶若今日
尒時世尊欲重宣此義而說偈言
我念過去世　无量无邊劫　有佛兩足尊　名大通智勝
如人以力磨　三千大千土　盡此諸地種　皆悉以為墨
過於千國土　乃下一塵點　如是展轉點　盡此諸塵墨
如是諸國土　點與不點等　復盡末為塵　一塵為一劫
此諸微塵數　其劫復過是　彼佛滅度來　如是无量劫
如來无礙智　知彼佛滅度　及聲聞菩薩　如見今滅度
諸比丘當知　佛智淨微妙　无漏无所礙　通達无量劫
佛告諸比丘大通智勝佛壽五百四十万億
那由他劫其佛本坐道場破魔軍已垂得阿
耨多羅三藐三菩提而諸佛法不現在前如
是一小劫乃至十小劫結跏趺坐身心不動

BD01263號　妙法蓮華經卷三　（24–10）

那由他劫其佛本坐道場破魔軍已垂得阿
耨多羅三藐三菩提而諸佛法不現在前如
是一小劫乃至十小劫結跏趺坐身心不動
而諸佛法猶不在前尒時忉利諸天先為彼
佛於菩提樹下敷師子座高一由旬佛於此
座當得阿耨多羅三藐三菩提適坐此座時
諸梵天王雨衆天華面百由旬香風時來吹
去萎華更雨新者如是不絕滿十小劫供養
於佛乃至滅度常雨此華四王諸天為供養
佛常擊天鼓其餘諸天作天伎樂滿十小劫
至于滅度亦復如是諸比丘大通智勝佛過
十小劫諸佛之法乃現在前成阿耨多羅三
藐三菩提其佛未出家時有十六子其第一
者名曰智積諸子各有種種珍異玩好之具
聞父得成阿耨多羅三藐三菩提皆捨所珍
往詣佛所諸母涕泣而隨送之其祖轉輪聖
王與一百大臣及餘百千万億人民皆共圍
繞隨至道場咸欲親近大通智勝如來供養
恭敬尊重讚歎到已頭面礼足繞佛畢已一心
合掌瞻仰世尊以偈頌曰
大威德世尊　為度衆生故　於无量億歲　尒乃得成佛
諸願已具足　善哉吉无上　世尊甚希有　一坐十小劫
身體及手足　靜然安不動　其心常惔怕　未曾有散亂
究竟永寂滅　安住无漏法　今者見世尊　安隱成佛道
我等得善利　稱慶大歡喜　衆生常苦惱　盲瞑无導師
不識苦盡道　不知求解脫　長夜增惡趣　減損諸天衆
從冥入於冥　永不聞佛名　今佛得最上　安隱无漏法
我等及天人　為得最大利　是故咸稽首　歸命无上尊

BD01263號　妙法蓮華經卷三　（24–11）

不識苦盡道　不知求解脫　長夜增惡趣　減損諸天衆
從冥入於冥　永不聞佛名　今佛得最上　安隱无漏法
我等及天人　為得最大利　是故咸稽首　歸命无上尊
尒時十六王子偈讚佛已勸請世尊轉於法
輪咸作是言世尊說法多所安隱憐愍饒益
諸天人民重說偈言
世雄无等倫　百福自莊嚴　得无上智慧　願為世間說
度脫於我等　及諸衆生類　為分別顯示　令得是智慧
若我等得佛　衆生亦復然　世尊知衆生　深心之所念
亦知所行道　又知智慧力　欲樂及脩福　宿命所行業
世尊悉知已　當轉无上輪
佛告諸比丘大通智勝佛得阿耨多羅三藐
三菩提時十方各五百万億諸佛世界六種
震動其國中間幽冥之處日月威光所不能
照而皆大明其中衆生各得相見咸作是言
此中云何忽生衆生又其國界諸天宮殿乃
至梵宮六種震動大光普照遍滿世界勝諸
天光尒時東方五百万億諸國土中梵天宮
殿光明照曜倍於常明諸梵天王各作是念
今者宮殿光明昔所未有以何因緣而現此
相是時諸梵天王即各相詣共議此事而彼
衆中有一大梵天王名救一切為諸梵衆而
說偈言
我等諸宮殿　光明昔未有　此是何因緣　宜各共求之
為大德天生　為佛出世間　而此大光明　遍照於十方
尒時五百万億國土諸梵天王與宮殿俱各
以衣裓盛諸天華共詣西方推尋是相見大
通智勝如來處于道場菩提樹下坐師子座

為大德天生　為佛出世間　而此大光明　遍照於十方
尒時五百万億國土諸梵天王與宮殿俱各
以衣裓盛諸天華共詣西方推尋是相見大
通智勝如來處于道場菩提樹下坐師子座
諸天龍王乾闥婆緊那羅摩睺羅伽人非人
等恭敬圍繞及見十六王子請佛轉法輪即
時諸梵天王頭面礼佛繞百千帀即以天華
而散佛上其所散華如須弥山并以供養佛
菩提樹其菩提樹高十由旬華供養已各以
宮殿奉上彼佛而作是言唯見哀愍饒益我
等所獻宮殿願垂納處時諸梵天王即於佛
前一心同聲以偈頌曰
世尊甚希有　難可得值遇　具无量功德　能救護一切
天人之大師　哀愍於世間　十方諸衆生　普皆蒙饒益
我等所從來　五百万億國　捨深禪定樂　為供養佛故
我等先世福　宮殿甚嚴飾　今以奉世尊　唯願哀納受
尒時諸梵天王偈讚佛已各作是言唯願世
尊轉於法輪度脫衆生開涅槃道時諸梵天
王一心同聲而說偈言
世雄兩足尊　唯願演說法　以大慈悲力　度苦惱衆生
尒時大通智勝如來嘿然許之又諸比丘東
南方五百万億國土諸大梵王各自見宮殿
光明照曜昔所未有歡喜踊躍生希有心即
各相詣共議此事而彼衆中有一大梵天王
名曰大悲為諸梵衆而說偈言
是事何因緣　而現如此相　我等諸宮殿　光明昔未有
為大德天生　為佛出世間　未曾見此相　當共一心求

名曰大悲為諸梵衆而說偈言
是事何因緣　而現如此相　我等諸宮殿　光明昔未有
為大德天生　為佛出世間　未曾見此相　當共一心求
過千万億土　尋光共推之　多是佛出世　度脫苦衆生
尒時五百万億諸梵天王與宮殿俱各以衣
裓盛諸天華共詣西北方推尋是相見大通
智勝如来處于道場菩提樹下坐師子座諸
天龍王乾闥婆緊那羅摩睺羅伽人非人等
恭敬圍繞及見十六王子請佛轉法輪時諸
梵天王頭面礼佛繞百千迊即以天華而散
佛上所散之華如須弥山并以供養佛菩提
樹華供養已各以宮殿奉上彼佛而作是言
唯見哀愍饒益我等所獻宮殿願垂納處尒
時諸梵天王即於佛前一心同聲以偈頌曰
聖主天中王　迦陵頻伽聲　哀愍衆生者　我等今敬礼
世尊甚希有　久遠乃一現　一百八十劫　空過无有佛
三惡道充滿　諸天衆減少　今佛出於世　為衆生作眼
世間所歸趣　救護於一切　為衆生之父　哀愍饒益者
我等宿福慶　今得值世尊
尒時諸梵天王偈讚佛已各作是言唯願世
尊哀愍一切轉於法輪度脫衆生時諸梵天
王一心同聲而說偈言
大聖轉法輪　顯示諸法相　度苦惱衆生　令得大歡喜
衆生聞此法　得道若生天　諸惡道減少　忍善者增益
尒時大通智勝如来嘿然許之又諸比丘南
方五百万億國土諸大梵王各自見宮殿光
明照曜昔所未有歡喜踊躍生希有心即各

BD01263號　妙法蓮華經卷三　　（24–14）

尒時大通智勝如来嘿然許之又諸比丘南
方五百万億國土諸大梵王各自見宮殿光
明照曜昔所未有歡喜踊躍生希有心即各
相詣共議此事以何因緣我等宮殿有此光
曜而彼衆中有一大梵天王名曰妙法為諸
梵衆而說偈言
我等諸宮殿　光明甚威曜　此非无因緣　是相宜求之
過於百千劫　未曾見是相　為大德天生　為佛出世間
尒時五百万億諸梵天王與宮殿俱各以衣
裓盛諸天華共詣北方推尋是相見大通智
勝如来處于道場菩提樹下坐師子座諸天
龍王乾闥婆緊那羅摩睺羅伽人非人等恭
敬圍繞及見十六王子請佛轉法輪時諸梵
天王頭面礼佛繞百千匝即以天華而散佛
上所散之華如須弥山并以供養佛菩提樹
華供養已各以宮殿奉上彼佛而作是言唯
見哀愍饒益我等所獻宮殿願垂納處尒時
諸梵天王即於佛前一心同聲以偈頌曰
世尊甚難見　破諸煩惱者　過百三十劫　今乃得一見
諸飢渴衆生　以法雨充滿　昔所未曾覩　无量智慧者
如優曇波羅　今日乃值遇　我等諸宮殿　蒙光故嚴飾
世尊大慈愍　唯願垂納受
尒時諸梵天王偈讚佛已各作是言唯願世尊
轉於法輪令一切世間諸天魔梵沙門婆
羅門皆獲安隱而得度脫時諸梵天王一心
同聲以偈頌曰
唯願天人尊　轉无上法輪　擊于大法鼓　而吹大法螺

BD01263號　妙法蓮華經卷三　　（24–15）

同聲以偈頌曰
唯願天人尊　轉无上法輪　擊于大法鼓　而吹大法螺
普雨大法雨　度无量衆生　我等咸歸請　當演深遠音
尒時大通智勝如來嘿然許之西南方乃至
下方亦復如是尒時上方五百万億國土諸
大梵王皆悉自覩所止宮殿光明威曜昔所
未有歡喜踊躍生希有心即各相詣共議此
事以何因緣我等宮殿有斯光明而彼衆中
有一大梵天王名曰尸棄為諸梵衆而說偈
言
今以何因緣　我等諸宮殿　威德光明曜　嚴飾未曾有
如是之妙相　昔所未聞見　為大德天生　為佛出世間
尒時五百万億諸梵天王與宮殿俱各以衣
裓盛諸天華共詣下方推尋是相見大通智
勝如來處于道場菩提樹下坐師子座諸天
龍王乾闥婆緊那羅摩睺羅伽人非人等恭
敬圍繞及見十六王子請佛轉法輪時諸梵
天王頭面礼佛繞百千帀即以天華而散佛
上所散之華如須弥山并以供養佛菩提樹
華供養已各以宮殿奉上彼佛而作是言唯
見哀愍饒益我等所獻宮殿願垂納處時諸
梵天王即於佛前一心同聲以偈頌曰
善哉見諸佛　救世之聖尊　能於三界獄　勉出諸衆生
普智天人尊　哀愍群萌類　能開甘露門　廣度於一切
於昔无量劫　空過无有佛　世尊未出時　十方常暗瞑
三惡道增長　阿脩羅亦盛　諸天衆轉減　死多墮惡道
不從佛聞法　常行不善事　色力及智慧　斯等皆減少

BD01263號　妙法蓮華經卷三　（24–16）

三惡道增長　阿脩羅亦盛　諸天衆轉減　死多墮惡道
不從佛聞法　常行不善事　色力及智慧　斯等皆減少
罪業因緣故　失樂及樂想　住於邪見法　不識善儀則
不蒙佛所化　常墮於惡道　佛為世間眼　久遠時乃出
哀愍諸衆生　故現於世間　超出成正覺　我等甚欣慶
及餘一切衆　喜歎未曾有　我等諸宮殿　蒙光故嚴飾
今以奉世尊　唯垂哀納受　願以此功德　普及於一切
我等與衆生　皆共成佛道
尒時五百万億諸梵天王偈讚佛已各白佛
言唯願世尊轉於法輪多所安隱多所度脫
時諸梵天王而說偈言
世尊轉法輪　擊甘露法鼓　度苦惱衆生　開示涅槃道
唯願受我請　以大微妙音　哀愍而敷演　无量劫習法
尒時大通智勝如來受十方諸梵天王及十
六王子請即時三轉十二行法輪若沙門婆
羅門若天魔梵及餘世間所不能轉謂是苦
是苦集是苦滅是苦滅道及廣說十二因緣
法无明緣行行緣識識緣名色名色緣六入六
入緣觸觸緣受受緣愛愛緣取取緣有有
緣生生緣老死憂悲苦惱无明滅則行滅行
滅則識滅識滅則名色滅名色滅則六入滅
六入滅則觸滅觸滅則受滅受滅則愛滅愛
滅則取滅取滅則有滅有滅則生滅生滅則
老死憂悲苦惱滅佛於天人大衆之中說是
法時六百万億那由他人以不受一切法故
而於諸漏心得解脫皆得深妙禪定三明六
通具八解脫第二第三第四說法時千万億

BD01263號　妙法蓮華經卷三　（24–17）

而於諸漏心得解脫皆得深妙禪定三明六
通具八解脫第二第三第四說法時千万億
恒河沙那由他等衆生亦以不受一切法故
而於諸漏心得解脫從是已後諸聲聞衆无
量无邊不可稱數尒時十六王子皆以童子
出家而為沙弥諸根通利智慧明了已曾供
養百千万億諸佛淨脩梵行求阿耨多羅三
藐三菩提俱白佛言世尊是諸无量千万億
大德聲聞皆已成就世尊亦當為我等說阿
耨多羅三藐三菩提法我等聞已皆共脩學
世尊我等志願如來知見深心所念佛自證
知尒時轉輪聖王所將衆中八万億人見十
六王子出家亦求出家王即聽許尒時彼佛
受沙弥請過二万劫已乃於四衆之中說是
大乘經名妙法蓮華教菩薩法佛所護念說
是經已十六沙弥為阿耨多羅三藐三菩提
故皆共受持諷誦通利說是經時十六菩薩
沙弥皆悉信受聲聞衆中亦有信解其餘衆
生千万億種皆生疑惑佛說是經於八千劫
未曾休廢說此經已即入靜室住於禪定八
万四千劫是時十六菩薩沙弥知佛入室寂
然禪定各昇法座亦於八万四千劫為四部
衆廣說分別妙法華經一一皆度六百万億
那由他恒河沙等衆生示教利喜令發阿耨
多羅三藐三菩提心大通智勝佛過八万四
千劫已從三昧起往詣法座安詳而坐普告
大衆是十六菩薩沙弥甚為希有諸根通利

BD01263號　妙法蓮華經卷三　（24–18）

千劫已從三昧起往詣法座安詳而坐普告
大衆是十六菩薩沙弥甚為希有諸根通利
智慧明了已曾供養无量千万億數諸佛於
諸佛所常脩梵行受持佛智開示衆生令入
其中汝等皆當數數親近而供養之所以者
何若聲聞辟支佛及諸菩薩能信是十六菩
薩所說經法受持不毀者是人皆當得阿耨
多羅三藐三菩提如來之慧佛告諸比丘是
十六菩薩常樂說是妙法蓮華經一一菩薩
所化六百万億那由他恒河沙等衆生世世
所生與菩薩俱從其聞法悉皆信解以此因
緣得值四万億諸佛世尊于今不盡諸比丘
我今語汝彼佛弟子十六沙弥今皆得阿耨
多羅三藐三菩提於十方國土現在說法有
无量百千万億菩薩聲聞以為眷屬其二沙
弥東方作佛一名阿閦在歡喜國二名須弥
頂東南方二佛一名師子音二名師子相南
方二佛一名虛空住二名常滅西南方二佛
一名帝相二名梵相西方二佛一名阿弥陀
二名度一切世間苦惱西北方二佛一名多
摩羅跋栴檀香神通二名須弥相北方二佛
一名雲自在二名雲自在王東北方佛名壞
一切世間怖畏第十六我釋迦牟尼佛於娑
婆國土成阿耨多羅三藐三菩提諸比丘我
等為沙弥時各各教化无量百千万億恒河
沙等衆生從我聞法為阿耨多羅三藐三菩
提此諸衆生于今有住聲聞地者我常教化

BD01263號　妙法蓮華經卷三　（24–19）

婆國土成阿耨多羅三藐三菩提諸比丘我
等為沙弥時各各教化无量百千万億恒河
沙等衆生從我聞法為阿耨多羅三藐三菩
提此諸衆生于今有住聲聞地者我常教化
阿耨多羅三藐三菩提是諸人等應以是法
漸入佛道所以者何如來智慧難信難解尒
時所化无量恒河沙等衆生者汝等諸比丘
及我滅度後未來世中聲聞弟子是也我滅
度後復有弟子不聞是經不知不覺菩薩所
行自於所得功德生滅度想當入涅槃我於
餘國作佛更有異名是人雖生滅度之想入
於涅槃而於彼土求佛智慧得聞是經唯以
佛乘而得滅度更无餘乘除諸如來方便說
法諸比丘若如來自知涅槃時到衆又清淨
信解堅固了達空法深入禪定便集諸菩薩
及聲聞衆為說是經世間无有二乘而得滅
度唯一佛乘得滅度耳比丘當知如來方便
深入衆生之性知其志樂小法深著五欲為
是等故說於涅槃是人若聞則便信受譬如
五百由旬險難惡道曠絕无人怖畏之處若
有多衆欲過此道至珎寶處有一導師聰慧
明達善知險道通塞之相將導衆人欲過此
難所將人衆中路懈退白導師言我等疲極
而復怖畏不能復進前路猶遠今欲退還導
師多諸方便而作是念此等可愍云何捨大
珎寶而欲退還作是念已以方便力於險道
中過三百由旬化作一城告衆人言汝等勿
怖莫得退還今此大城可於中止隨意所作

BD01263 號　妙法蓮華經卷三　（24–20）

師多諸方便而作是念此等可愍云何捨大
珎寶而欲退還作是念已以方便力於險道
中過三百由旬化作一城告衆人言汝等勿
怖莫得退還今此大城可於中止隨意所作
若入是城快得安隱若能前至寶所亦可得
去是時疲極之衆心大歡喜歎未曾有我等
今者免斯惡道快得安隱於是衆人前入化
城生已度想生安隱想尒時導師知此人衆
既得止息无復疲惓即滅化城語衆人言汝
等去來寶處在近向者大城我所化作為止
息耳諸比丘如來亦復如是今為汝等作大
導師知諸生死煩惱惡道險難長遠應去應
度若衆生但聞一佛乘者則不欲見佛不欲
親近便作是念佛道長遠久受勤苦乃可得
成佛知是心怯弱下劣以方便力而於中道
為止息故說二涅槃若衆生住於二地如來
尒時即便為說汝等所作未辦汝所住地近
於佛慧當觀察籌量所得涅槃非真實也但
是如來方便之力於一佛乘分別說三如彼
導師為止息故化作大城既知息已而告之
言寶處在近此城非實我化作耳尒時世尊
欲重宣此義而說偈言
大通智勝佛　十劫坐道場　佛法不現前　不得成佛道
諸天神龍王　阿脩羅衆等　常雨於天華　以供養彼佛
諸天擊天鼓　并作衆伎樂　香風吹萎華　更雨新好者
過十小劫已　乃得成佛道　諸天及世人　心皆懷踊躍
彼佛十六子　皆與其眷屬　千万億圍繞　俱行至佛所
頭面禮佛足　而請轉法輪　聖師子法雨　充我及一切

BD01263 號　妙法蓮華經卷三　（24–21）

諸天神龍王　阿修羅衆等　常雨於天華　以供養彼佛
諸天擊天鼓　并作衆伎樂　香風吹萎華　更雨新好者
過十小劫已　乃得成佛道　諸天及世人　心皆懷踊躍
彼佛十六子　皆與其眷屬　千万億圍繞　俱行至佛所
頭面礼佛足　而請轉法輪　聖師子法雨　充我及一切
世尊甚難值　久遠時一現　為覺悟群生　震動於一切
東方諸世界　五百万億國　梵宮殿光曜　昔所未曾有
諸梵見此相　尋來至佛所　散華以供養　并奉上宮殿
請佛轉法輪　以偈而讚歎　佛知時未至　受請嘿然坐
三方及四維　上下亦復尒　散華奉宮殿　請佛轉法輪
世尊甚難值　願以大慈悲　廣開甘露門　轉无上法輪
无量慧世尊　受彼衆人請　為宣種種法　四諦十二緣
无明至老死　皆從生緣有　如是衆過患　汝等應當知
宣暢是法時　六百万億姟　得盡諸苦際　皆成阿羅漢
第二說法時　千万恒沙衆　於諸法不受　亦得阿羅漢
從是後得道　其數无有量　万億劫筭數　不能得其邊
時十六王子　出家作沙弥　皆共請彼佛　演說大乘法
我等及營從　皆當成佛道　願得如世尊　慧眼第一淨
佛知童子心　宿世之所行　以无量因緣　種種諸譬喻
說六波羅蜜　及諸神通事　分別真實法　菩薩所行道
說是法華經　如恒河沙偈　彼佛說經已　靜室入禪定
一心一處坐　八万四千劫　是諸沙弥等　知佛禪未出
為无量億衆　說佛无上慧　各各坐法座　說是大乘經
於佛宴寂後　宣揚助法化　一一沙弥等　所度諸衆生
有六百万億　恒河沙等衆　彼佛滅度後　是諸聞法者
在在諸佛土　常與師俱生　是十六沙弥　具足行佛道
今現在十方　各得成正覺　尒時聞法者　各在諸佛所
其有住聲聞　漸教以佛道　我在十六數　曾亦為汝說

BD01263號　妙法蓮華經卷三　（24–22）

為无量億衆　說佛无上慧　各各坐法座　說是大乘經
於佛宴寂後　宣揚助法化　一一沙弥等　所度諸衆生
有六百万億　恒河沙等衆　彼佛滅度後　是諸聞法者
在在諸佛土　常與師俱生　是十六沙弥　具足行佛道
今現在十方　各得成正覺　尒時聞法者　各在諸佛所
其有住聲聞　漸教以佛道　我在十六數　曾亦為汝說
是故以方便　引汝趣佛慧　以是本因緣　今說法華經
令汝入佛道　慎勿懷驚懼　譬如險惡道　迥絕多毒獸
又復无水草　人所怖畏處　无數千万衆　欲過此險道
其路甚曠遠　經五百由旬　時有一導師　強識有智慧
明了心決定　在險濟衆難　衆人皆疲惓　而白導師言
我等今頓乏　於此欲退還　導師作是念　此輩甚可愍
如何欲退還　而失大珍寶　尋時思方便　當設神通力
化作大城郭　莊嚴諸舍宅　周帀有園林　渠流及浴池
重門高樓閣　男女皆充滿　即作是化已　慰衆言勿懼
汝等入此城　各可隨所樂　諸人既入城　心皆大歡喜
皆生安隱想　自謂已得度　導師知息已　集衆而告言
汝等當前進　此是化城耳　我見汝疲極　中路欲退還
故以方便力　權化作此城　汝今勤精進　當共至寶所
我亦復如是　為一切導師　見諸求道者　中路而懈廢
不能度生死　煩惱諸險道　故以方便力　為息說涅槃
言汝等苦滅　所作皆已辦　既知到涅槃　皆得阿羅漢
尒乃集大衆　為說真實法　諸佛方便力　分別說三乘
唯有一佛乘　息處故說二　今為汝說實　汝所得非滅
為佛一切智　當發大精進　汝證一切智　十力等佛法
具三十二相　乃是真實滅　諸佛之導師　為息說涅槃
既知是息已　引入於佛慧

BD01263號　妙法蓮華經卷三　（24–23）

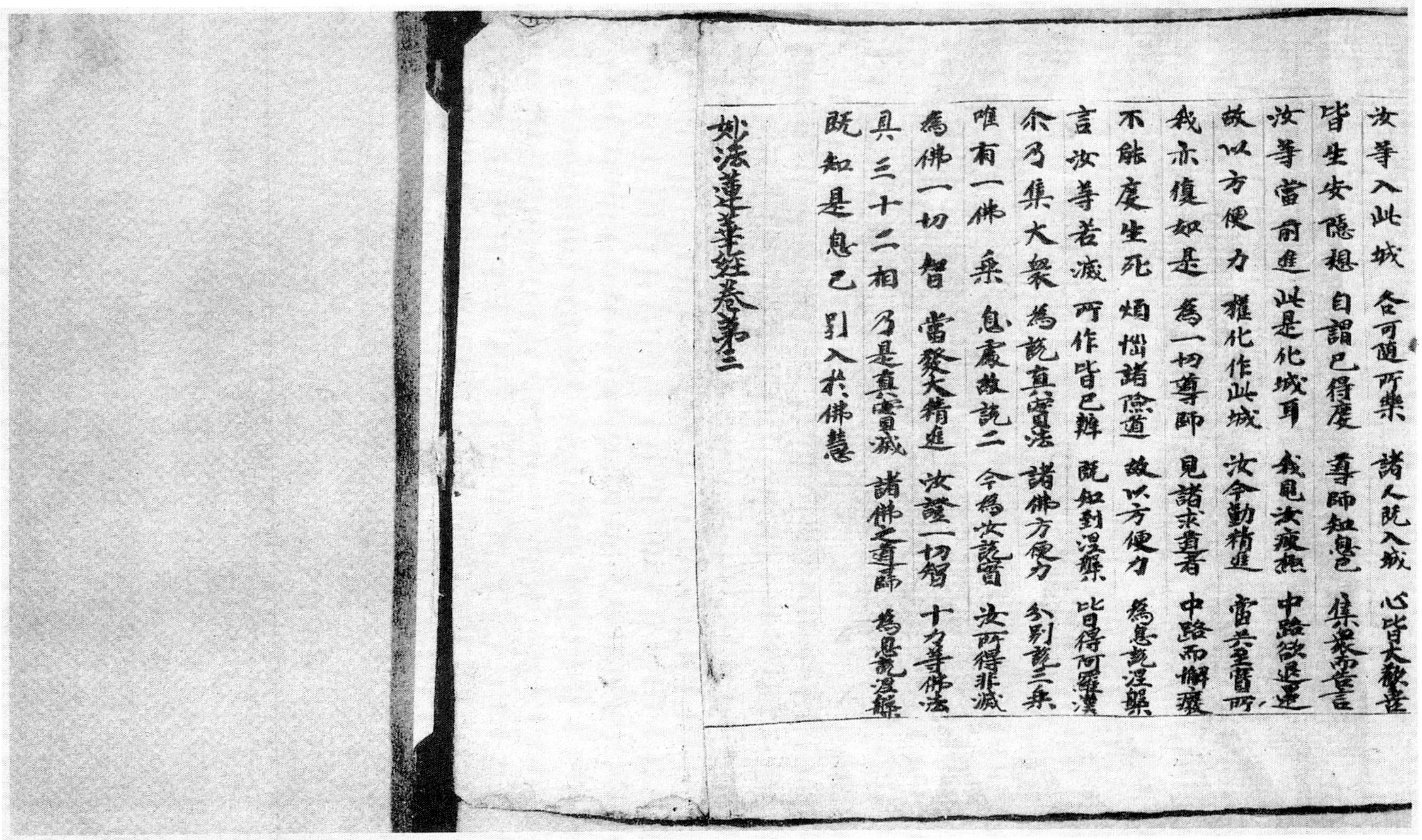
汝等入此城 各可隨所樂 諸人既入城 心皆大歡喜
皆生安隱想 自謂已得度 導師知息已 集衆而告言
汝等當前進 此是化城耳 我見汝疲極 中路欲退還
故以方便力 權化作此城 汝今勤精進 當共至寶所
我亦復如是 為一切導師 見諸求道者 中路而懈廢
不能度生死 煩惱諸險道 故以方便力 為息說涅槃
言汝等苦滅 所作皆已辦 既知到涅槃 皆得阿羅漢
尒乃集大衆 為說真實法 諸佛方便力 分別說三乘
唯有一佛乘 息處故說二 今為汝說實 汝所得非滅
為佛一切智 當發大精進 汝證一切智 十力等佛法
具三十二相 乃是真實滅 諸佛之導師 為息說涅槃
既知是息已 引入於佛慧

妙法蓮華經卷第三

BD01263號 妙法蓮華經卷三 （24–24）

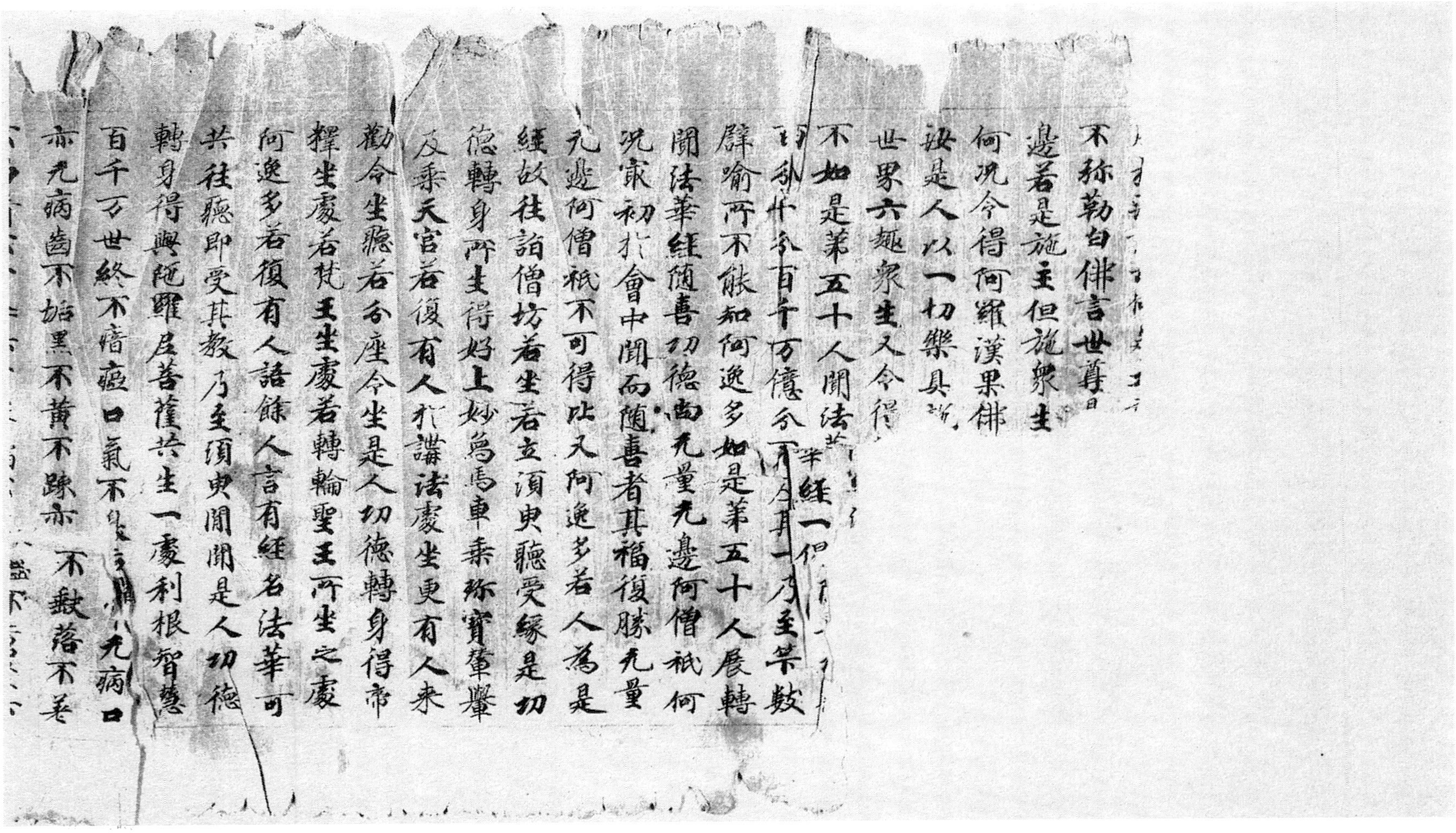
不弥勒白佛言世尊
邊若是施主但施衆生
何況令得阿羅漢果佛
汝是人以一切樂具施
世界六趣衆生又令得
不如是第五十人聞法
分千分百千万億分不及其一
譬喻所不能知阿逸多如是第五十人展轉
聞法華經隨喜功德尚无量无邊阿僧祇何
況最初於會中聞而隨喜者其福復勝无量
无邊阿僧祇不可得比又阿逸多若人為是
經故往詣僧坊若坐若立須臾聽受緣是功
德轉身所生得好上妙象馬車乘珍寶輦輿
及乘天宮若復有人於講法處坐更有人來
勸令坐聽若分座令坐是人功德轉身得帝
釋坐處若梵王坐處若轉輪聖王所坐之處
阿逸多若復有人語餘人言有經名法華可
共往聽即受其教乃至須臾間聞是人功德
轉身得與陀羅尼菩薩共生一處利根智慧
百千万世終不瘖瘂口氣不臭舌常无病口
亦无病齒不垢黑不黃不疎亦不缺落不差

BD01264號 妙法蓮華經卷六 （4–1）

共往聽即受其教乃至須臾間聞是人功德
轉身得與陀羅尼菩薩共生一處利根智慧
百千万世終不瘖瘂口氣不臭舌常无病口
亦无病齒不垢黑不黃不踈亦不缺落不差
不曲脣不下垂亦不褰縮不麁澀不瘡胗亦
不缺壞亦不喎斜不厚不大亦不黧黑无諸
可惡鼻不匾㔸亦不曲戾面色不黑亦不狹
長亦不窊曲无有一切不可喜相脣舌牙齒
悉皆嚴好鼻脩高直面貌圓滿眉高而長額
廣平正人相具足世世所生見佛聞法信受
教誨阿逸多汝且觀是勸於一人令往聽法
功德如此何况一心聽說讀誦而於大衆為
人分別如說脩行尒時世尊欲重宣此義而
說偈言
若人於法會　得聞是經典　乃至於一偈　隨喜為他說
如是展轉教　至于第五十　㝡後人獲福　今當分別之
如有大施主　供給无量衆　具滿八十歲　隨意之所欲
見彼衰老相　髮白而面皺　齒踈形枯竭　念其死不久
我今應當教　令得於道果　即為方便說　涅槃真實法
世皆不牢固　如水沫泡焰　汝等咸應當　疾生厭離心
諸人聞是法　皆得阿羅漢　具足六神通　三明八解脫
㝡後第五十　聞一偈隨喜　是人福勝彼　不可為譬喻
如是展轉聞　其福尚无量　何况於法會　初聞隨喜者
若有勸一人　將引聽法華　言此經深妙　千万劫難遇
即受教往聽　乃至須臾聞　斯人之福報　今當分別說
世世无口患　齒不踈黃黑　脣不厚褰缺　无有可惡相
舌不乾黑短　鼻高脩且直　額廣而平正　面目悉端嚴

BD01264 號　妙法蓮華經卷六　（4–2）

若有勸一人　將引聽法華　言此經深妙　千万劫難遇
即受教往聽　乃至須臾聞　斯人之福報　今當分別說
世世无口患　齒不踈黃黑　脣不厚褰缺　无有可惡相
舌不乾黑短　鼻高脩且直　額廣而平正　面目悉端嚴
為人所喜見　口氣无臭穢　優鉢華之香　常從其口出
若故詣僧坊　欲聽法華經　須臾聞歡喜　今當說其福
後生天人中　得妙象馬車　珍寶之輦轝　及乘天宮殿
若於講法處　勸人坐聽經　是福因緣得　釋梵轉輪座
何况一心聽　解說其義趣　如說而脩行　其福不可量
妙法蓮華經法師功德品第十九
尒時佛告常精進菩薩摩訶薩若善男子善
女人受持是法華經若讀若誦若解說若書
寫是人當得八百眼功德千二百耳功德八
百鼻功德千二百舌功德八百身功德千二
百意功德以是功德莊嚴六根皆令清淨是
善男子善女人父母所生清淨肉眼見於三
千大千世界內外所有山林河海下至阿鼻
地獄上至有頂亦見其中一切衆生及業因
緣果報生處悉見悉知尒時世尊欲重宣此
義而說偈言
若於大衆中　以无所畏心　說是法華經　汝聽其功德
是人得八百　功德殊勝眼　以是莊嚴故　其目甚清淨
父母所生眼　悉見三千界　內外弥樓山　須弥及鐵圍
并諸餘山林　大海江河水　下至阿鼻獄　上至有頂處
其中諸衆生　一切皆悉見　雖未得天眼　肉眼力如是
復次常精進若善男子善女人受持此經若
讀若誦若解說若書寫得千二百耳功德以

BD01264 號　妙法蓮華經卷六　（4–3）

百意功德以是功德莊嚴六根皆令清淨是
善男子善女人父母所生清淨肉眼見於三
千大千世界內外所有山林河海下至阿鼻
地獄上至有頂亦見其中一切衆生及業因
緣果報生處悉見悉知尒時世尊欲重宣此
義而說偈言
若於大衆中　以無所畏心　說是法華經　汝聽其功德
是人得八百　功德殊勝眼　以是莊嚴故　其目甚清淨
父母所生眼　悉見三千界　內外彌樓山　須彌及鐵圍
并諸餘山林　大海江河水　下至阿鼻獄　上至有頂處
其中諸衆生　一切皆悉見　雖未得天眼　肉眼力如是
復次常精進若善男子善女人受持此經若
讀若誦若解說若書寫得千二百耳功德以
是清淨耳聞三千大千世界下至阿鼻地獄
上至有頂其中內外種種語言音聲為聲馬
聲牛聲車聲啼哭聲愁歎聲螺聲
鈴聲咲聲語聲男聲女聲童子
聲非法聲苦聲樂聲凡夫
喜聲天聲龍聲夜叉聲

BD01264 號　妙法蓮華經卷六　（4–4）

何以故若一切智智清淨若法
界乃至不思議界清淨若虛空界清淨無二
無二分無別無斷故善現一切智智清淨故
苦聖諦清淨苦聖諦清淨故虛空界清淨何
以故若一切智智清淨若苦聖諦清淨若虛
空界清淨無二無二分無別無斷故一切智智
清淨故集滅道聖諦清淨集滅道聖諦清淨
故虛空界清淨何以故若一切智智清淨若
集滅道聖諦清淨若虛空界清淨無二無二
分無別無斷故
善現一切智智清淨故四靜慮清淨四靜慮
清淨故虛空界清淨何以故若一切智智清淨
若四靜慮清淨若虛空界清淨無二無二分
無別無斷故一切智智清淨故四無量四無
色定清淨四無量四無色定清淨故虛空
界清淨何以故若一切智智清淨若四無量四
無色定清淨若虛空界清淨無二無二分
無別無斷故善現一切智智清淨故八解脫
清淨八解脫清淨故虛空界清淨何以故若
一切智智清淨若八解脫清淨若虛空界清

BD01265 號　大般若波羅蜜多經卷二六二　（8–1）

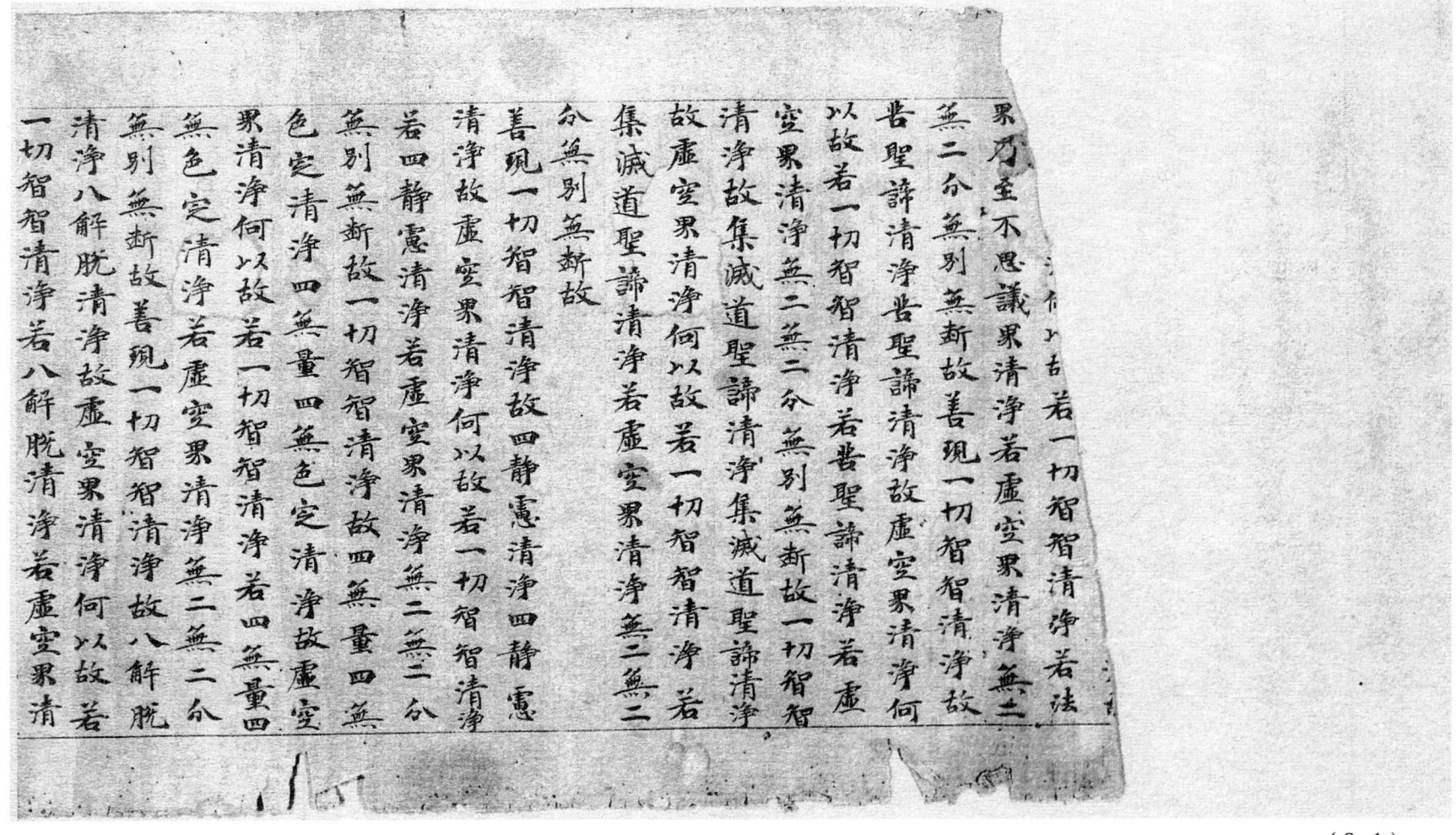

無色定清淨若虛空界清淨無二無二分
無別無斷故善現一切智智清淨故八解脫
清淨八解脫清淨故虛空界清淨何以故若
一切智智清淨若八解脫清淨若虛空界清
淨無二無二分無別無斷故一切智智清淨故
八勝處九次第定十遍處清淨八勝處九次
第定十遍處清淨故虛空界清淨何以故
若一切智智清淨若八勝處九次第定十遍
處清淨若虛空界清淨無二無二分無別無
斷故善現一切智智清淨故四念住清淨四
念住清淨故虛空界清淨何以故若一切智
智清淨若四念住清淨若虛空界清淨無二
無二分無別無斷故一切智智清淨故四正
斷四神足五根五力七等覺支八聖道支清
淨四正斷乃至八聖道支清淨故虛空界清
淨何以故若一切智智清淨若四正斷乃至
八聖道支清淨若虛空界清淨無二無二分
無別無斷故善現一切智智清淨故空解脫
門清淨空解脫門清淨故虛空界清淨何以
故若一切智智清淨若空解脫門清淨若虛
空界清淨無二無二分無別無斷故一切智智
清淨故無相無願解脫門清淨無相無願解
脫門清淨故虛空界清淨何以故若一切智
智清淨若無相無願解脫門清淨若虛空界
清淨無二無二分無別無斷故善現一切智
智清淨故菩薩十地清淨菩薩十地清淨故

BD01265號　大般若波羅蜜多經卷二六二　（8–2）

智清淨若無相無願解脫門清淨若虛空界
清淨無二無二分無別無斷故善現一切智
智清淨故菩薩十地清淨菩薩十地清淨故
虛空界清淨何以故若一切智智清淨若菩
薩十地清淨若虛空界清淨無二無二分無
別無斷故
善現一切智智清淨故五眼清淨五眼清淨
故虛空界清淨何以故若一切智智清淨若
五眼清淨若虛空界清淨無二無二分無別
無斷故一切智智清淨故六神通清淨六神
通清淨故虛空界清淨何以故若一切智智
清淨若六神通清淨若虛空界清淨無二無
二分無別無斷故善現一切智智清淨故佛
十力清淨佛十力清淨故虛空界清淨何以
故若一切智智清淨若佛十力清淨若虛空
界清淨無二無二分無別無斷故一切智智
清淨故四無所畏四無礙解大慈大悲大喜
大捨十八佛不共法清淨四無所畏乃至十
八佛不共法清淨故虛空界清淨何以故若
一切智智清淨若四無所畏乃至十八佛不
共法清淨若虛空界清淨無二無二分無別
無斷故善現一切智智清淨故無忘失法清
淨無忘失法清淨故虛空界清淨何以故若
一切智智清淨若無忘失法清淨若虛空界
清淨無二無二分無別無斷故一切智智清
淨故恒住捨性清淨恒住捨性清淨故虛空
界清淨何以故若一切智智清淨若恒住捨

BD01265號　大般若波羅蜜多經卷二六二　（8–3）

一切智智清淨若無忘失法清淨若虛空界
清淨無二無二分無別無斷故一切智智清
淨故恒住捨性清淨恒住捨性清淨故虛空
界清淨何以故若一切智智清淨若恒住捨
性清淨若虛空界清淨無二無二分無別無
斷故善現一切智智清淨故一切智清淨一
切智清淨故虛空界清淨何以故若一切智智
清淨若一切智清淨若虛空界清淨無二無
二分無別無斷故一切智智清淨故道相智
一切相智清淨道相智一切相智清淨故虛
空界清淨何以故若一切智智清淨若道相
智一切相智清淨若虛空界清淨無二無二
分無別無斷故善現一切智智清淨故一切陁
羅尼門清淨一切陁羅尼門清淨故虛空界
清淨何以故若一切智智清淨若一切陁羅尼
門清淨若虛空界清淨無二無二分無別無
斷故一切智智清淨故一切三摩地門清淨
一切三摩地門清淨故虛空界清淨何以故
若一切智智清淨若一切三摩地門清淨
若虛空界清淨無二無二分無別無斷故
善現一切智智清淨故預流果清淨預流果
清淨故虛空界清淨何以故若一切智智清
淨若預流果清淨若虛空界清淨無二無二
分無別無斷故一切智智清淨故一來不還
阿羅漢果清淨一來不還阿羅漢果清淨故
虛空界清淨何以故若一切智智清淨若
一來不還阿羅漢果清淨若虛空界清淨無

BD01265號　大般若波羅蜜多經卷二六二　（8–4）

分無別無斷故一切智智清淨故一來不還
阿羅漢果清淨一來不還阿羅漢果清淨故
虛空界清淨何以故若一切智智清淨若
一來不還阿羅漢果清淨若虛空界清淨無
二無二分無別無斷故善現一切智智清淨
故獨覺菩提清淨獨覺菩提清淨故虛空界
清淨何以故若一切智智清淨若獨覺菩提
清淨若虛空界清淨無二無二分無別無斷
故善現一切智智清淨故一切菩薩摩訶薩
行清淨一切菩薩摩訶薩行清淨故虛空界
清淨何以故若一切智智清淨若一切菩薩
摩訶薩行清淨若虛空界清淨無二無二分
無別無斷故善現一切智智清淨故諸佛無
上正等菩提清淨諸佛無上正等菩提清
淨故虛空界清淨何以故若一切智智清淨若
諸佛無上正等菩提清淨若虛空界清淨無
二無二分無別無斷故
復次善現一切智智清淨故色清淨色清淨
故不思議界清淨何以故若一切智智清淨
若色清淨若不思議界清淨無二無二分無
別無斷故一切智智清淨故受想行識清淨
受想行識清淨故不思議界清淨何以故若
一切智智清淨若受想行識清淨若不思議
界清淨無二無二分無別無斷故善現一切
智智清淨故眼處清淨眼處清淨故不思議
界清淨何以故若一切智智清淨若眼處清
淨若不思議界清淨無二無二分無別無斷

BD01265號　大般若波羅蜜多經卷二六二　（8–5）

界清淨無二無二分無別無斷故善現一切
智智清淨故眼處清淨眼處清淨故不思議
界清淨何以故若一切智智清淨若眼處清
淨若不思議界清淨無二無二分無別無斷
故一切智智清淨故耳鼻舌身意處清淨耳
鼻舌身意處清淨故不思議界清淨何以故
若一切智智清淨若耳鼻舌身意處清淨若
不思議界清淨無二無二分無別無斷故善
現一切智智清淨故色處清淨色處清淨故
不思議界清淨何以故若一切智智清淨若
色處清淨若不思議界清淨無二無二分無
別無斷故一切智智清淨故聲香味觸法處
清淨聲香味觸法處清淨故不思議思清淨
何以故若一切智智清淨若聲香味觸法處
清淨若不思議界清淨無二無二分無別無
斷故善現一切智智清淨故眼界清淨眼界
清淨故不思議界清淨何以故若一切智智
清淨若眼界清淨若不界議界清淨無二無
二分無別無斷故一切智智清淨故色界眼
識界及眼觸眼觸為緣所生諸受清淨色界
乃至眼觸為緣所生諸受清淨故不思議界
清淨何以故若一切智智清淨若色界乃至眼
觸為緣所生諸受清淨若不思議界清淨
無二無二分無別無斷故善現一切智智清
淨故耳界清淨耳界清淨故不思議界清淨
何以故若一切智智清淨若耳界清淨若不

BD01265號　大般若波羅蜜多經卷二六二　（8–6）

二分無別無斷故一切智智清淨故色界眼
識界及眼觸眼觸為緣所生諸受清淨色界
乃至眼觸為緣所生諸受清淨故不思議界
清淨何以故若一切智智清淨若色界乃至眼
觸為緣所生諸受清淨若不思議界清淨
無二無二分無別無斷故善現一切智智清
淨故耳界清淨耳界清淨故不思議界清淨
何以故若一切智智清淨若耳界清淨若不
思議界清淨無二無二分無別無斷故一切
智智清淨故聲界耳識界及耳觸耳觸為緣
所生諸受清淨聲界乃至耳觸為緣所生諸
受清淨故不思議界清淨何以故若一切智
智清淨若聲界乃至耳觸為緣所生諸受清
淨若不思議界清淨無二無二分無別無斷
故
善現一切智智清淨故鼻界清淨鼻界清淨
故不思議界清淨何以故若一切智智清淨
若鼻界清淨若不思議界清淨無二無二分
無別無斷故一切智智清淨故香界鼻識界
及鼻觸鼻觸為緣所生諸受清淨香界乃至
鼻觸為緣所生諸受清淨故不思議界清淨
何以故若一切智智清淨若香界乃至鼻觸
為緣所生諸受清淨若不思議界清淨無二
無二分無別無斷故善現一切智智清淨故
舌界清淨舌界清淨故不思議界清淨何以
故若一切智智清淨若舌界清淨若不思
議界清淨無二無二分無別無斷故一切智智

BD01265號　大般若波羅蜜多經卷二六二　（8–7）

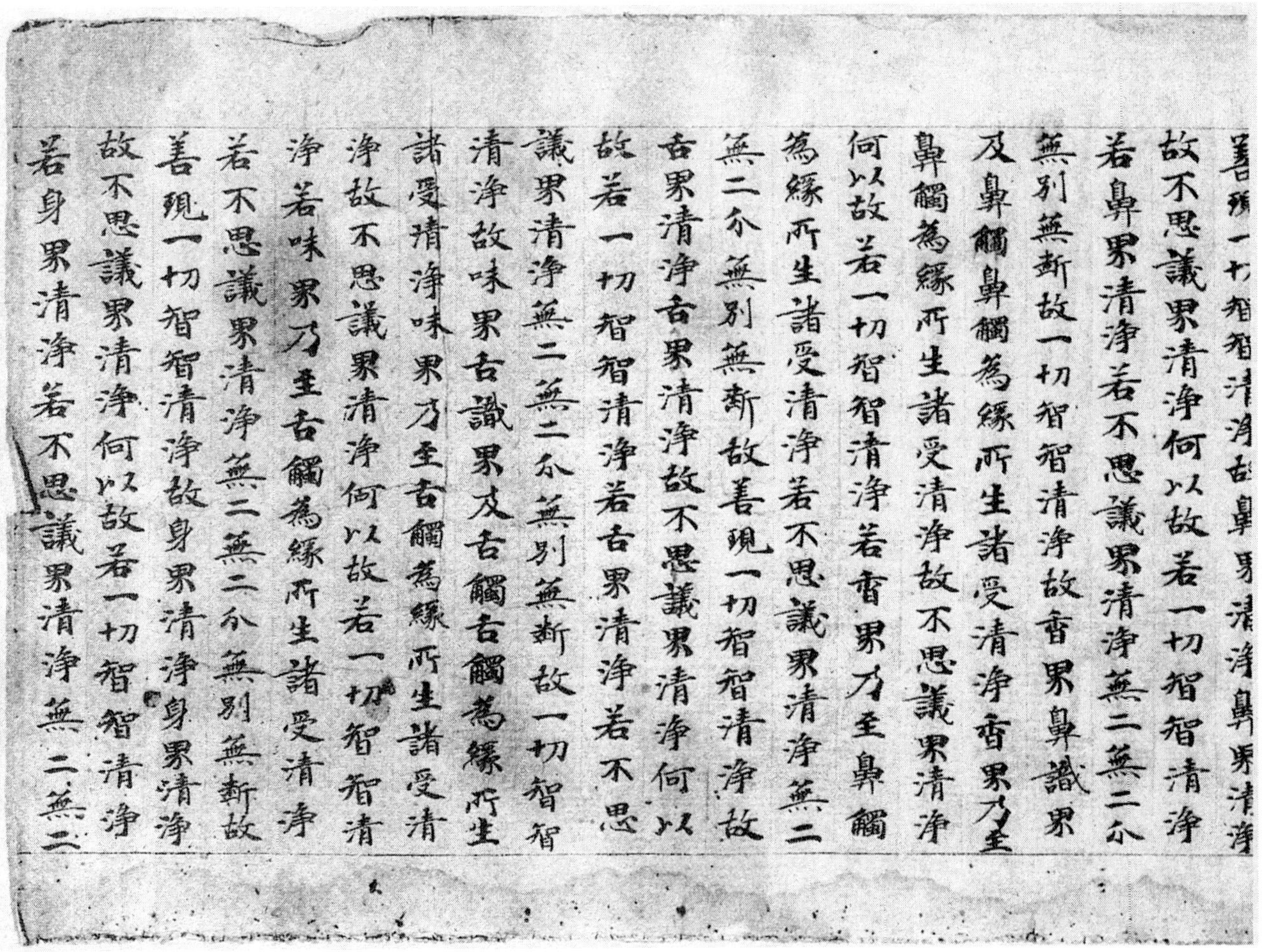
善現一切智智清淨故鼻界清淨鼻界清淨
故不思議界清淨何以故若一切智智清淨
若鼻界清淨若不思議界清淨無二無二分
無別無斷故一切智智清淨故香界鼻識界
及鼻觸鼻觸為緣所生諸受清淨香界乃至
鼻觸為緣所生諸受清淨故不思議界清淨
何以故若一切智智清淨若香界乃至鼻觸
為緣所生諸受清淨若不思議界清淨無二
無二分無別無斷故善現一切智智清淨故
舌界清淨舌界清淨故不思議界清淨何以
故若一切智智清淨若舌界清淨若不思
議界清淨無二無二分無別無斷故一切智智
清淨故味界舌識界及舌觸舌觸為緣所生
諸受清淨味界乃至舌觸為緣所生諸受清
淨故不思議界清淨何以故若一切智智清
淨若味界乃至舌觸為緣所生諸受清淨
若不思議界清淨無二無二分無別無斷故
善現一切智智清淨故身界清淨身界清淨
故不思議界清淨何以故若一切智智清淨
若身界清淨若不思議界清淨無二無二

BD01265 號　大般若波羅蜜多經卷二六二　（8–8）

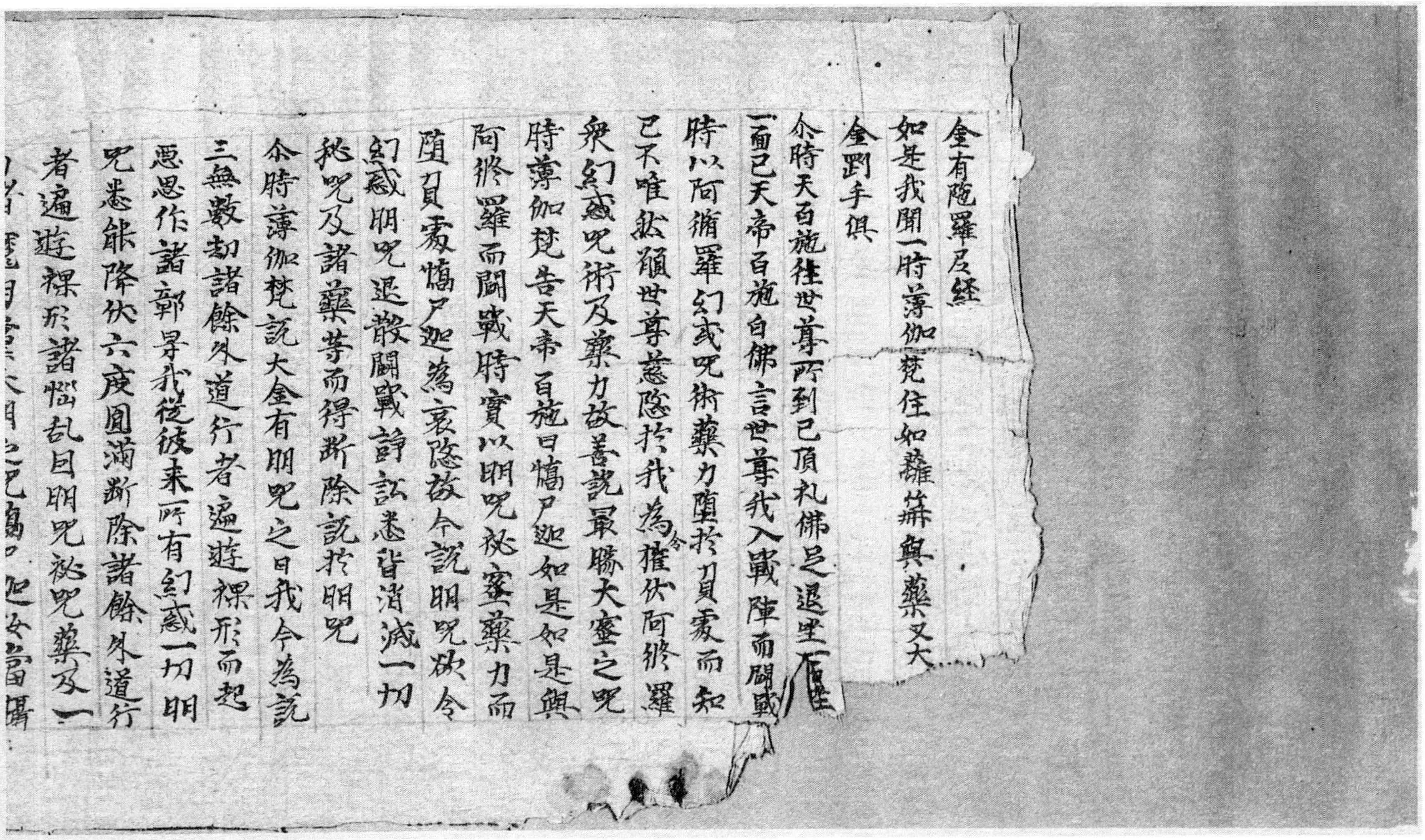
金有陁羅尼經
如是我聞一時薄伽梵住如蘿蕪與藥叉大
金剛手俱
尒時天帝百施往世尊所到已頂禮佛足退坐一面坐
一面已天帝百施白佛言世尊我入戰陣而鬪戰
時以阿脩羅幻惑呪術藥力墮於刀貝處而知
已不唯然願世尊慈愍於我為令摧伏阿修羅
衆幻惑呪術及藥力故善說最勝大蜜之呪
時薄伽梵告天帝百施曰憍尸迦如是如是與
阿修羅而鬪戰時實以明呪秘蜜藥力而
墮負處憍尸迦為哀愍故今說明呪欲令
幻惑明呪退散鬪戰諍訟悉皆消滅一切
秘呪及諸藥等而得斷除說於明呪
尒時薄伽梵說大金有明呪之日我今為說
三無數劫諸餘外道行者遍遊裸形而起
惡思作諸鄣㝵我從彼來所有幻惑一切明
呪悉能降伏六度圓滿斷除諸餘外道行
者遍遊裸形諸惱乱目明呪秘呪藥及一
[illegible]迦汝當囑

BD01266 號　金有陀羅尼經　（4–1）

三無數劫諸餘外道行者遍遊裸形而起
惡思作諸鄣𢀸我從彼來所有幻惑一切明
咒悉能降伏六度圓滿斷除諸餘外道行
者遍遊裸形諸惱乱曰明咒秘咒藥及一
切諸魔用黨大明之咒憍尸迦汝當攝
受諸有情故受持最勝大祕密咒天帝白
言如是世尊唯然受教尒時世尊即說
金有大明咒曰
怛也他唵 希你希 希離希離 命離命離
希眀離 你希你希 你希羅㧊 軌佐那波羅
哺羅拖哆 滿怛羅 阿地訖梨羯 門羅門羅
門哆滿怛羅 阿地迦羅羅 訶那訶那 訶婆
訶波 親馱親馱 頻那頻那 薄迦䟦羅
佐戉祕佐曳 攢波你 悉談波你 畔馱你牟訶
你 阿牟伽 欒羅馱羅你 訖梨那訖梨 那迦
多捺磨婆那 攢婆也 畔佐也畔佐也 悉㗚婆
也 畔馱也畔馱也 牟訶也牟訶也
所有一切若天幻惑若龍幻惑若藥叉幻惑若
羅剎幻惑若緊那羅幻惑若乾闥婆幻惑
若阿循羅幻惑若莫呼洛迦幻惑若大腹行
幻惑若持明咒幻惑若持明咒成就王幻惑若
仙幻惑若持一切明咒幻惑若羣幻生惑若
一切幻惑 囉羅囉羅 囉佐也 囉佐也 鉊磨
鉊磨 鉊鉊磨 囉婆囉婆 囉波那佐訶蘭單
伽蘭他你 訶那訶那 薩婆鞞哆 奢啸盧難
[illegible]

仙幻惑若持一切明咒幻惑若羣幻生惑若
一切幻惑 囉羅囉羅 囉佐也 囉佐也 鉊磨
鉊磨 鉊鉊磨 囉婆囉婆 囉波那佐訶蘭單
伽蘭他你 訶那訶那 薩婆鞞哆 奢啸盧難
悉談婆也 婆尸悉談婆也 秀迦悉談婆也
蘇南悉談婆也 婆盧難悉談婆也 惡你宙悉談
婆也 欝乾哆梨哆 梨馱囉羅惟 馱囉寧波奢
訶悉羅 鞞奢他婆世那 若有於我能為惡
設諸瞋恚具興惡心鬬諍擬諍欲作一切无利
益者 訶那訶那 哆訶哆訶 婆佐婆佐半佐也
半佐也 攢婆也攢婆也 悉談婆也悉談婆也
半馱也 半馱也 牟訶也 牟訶也摩訶 牟訶你
薄伽䟦羅婆訶
於一切怖畏嬈惱疾疫嶺守護我以馱薩訶
憍尸迦若善男子若善女人若王若王大臣能
憶此金有明咒者彼无他怖畏於彼部黨他
所設軍不能侵惱亦非天亦非龍亦非藥叉亦
非乾闥婆亦非阿循羅亦非緊那羅亦非莫
呼洛迦亦非持明咒者亦非飛空女等亦不非
時而捨壽命明咒祕咒一切諸藥不能為害
他所設軍不侵逃他所設軍而不傷命刀不能
害水火毒藥明咒祕咒一切諸藥而不能侵還
著於彼自作教他隨喜造罪較之處所憍尸迦
是淨故信𦱤茙𦱤茙尼烏波索迦烏斯迦善男子
善女人等以此明咒呪水七遍自洗其身能護於
身若有欲令於一切怖畏一切嬈惱一切疾疫一切

者於彼自作教他隨喜造罪報定處所僑尸迦
是淨故信苾芻苾芻尼烏波索迦烏斯迦善男子
善女人等以此明呪呪水七遍自洗其身能護於
身若有欲令於一切怖畏一切憂惱一切疾疫一切
明呪一切祕呪一切諸藥一切獸蠱而超過者當
念此金有明呪若王若王大臣若欲摧他軍衆伏
他軍衆亦當念此金有明呪若呪線七遍作七
結已繫於身上若呪水七遍能護自身若有
書寫於一切怖畏无部是陀羅尼咸能受持咸
繫臂下若置高幢入軍陣者善安得勝以此明
呪威神之力而族眷屬善安超過未成能成若欲
摧伏諸明呪者於白線上呪七遍已作七結者能
繫摧伏若欲摧伏諸幻惑者取塚間土呪七遍
已而散擲者能摧幻惑論競之時欲禁其口取
秦艽藥呪七遍已而嚼嚼者一切言論悉能對
若受持讀誦而稱讚者一切諸罪悉皆消滅
却往於彼造作之者及思惟所惑繫於繩及
永自護者於彼身上一切明呪祕呪諸藥不
能為害亦成辦者悉能成辦彼所求事一
切明呪祕呪諸藥不能為害嫉從勝讚
伽梵說是語已天帝百施聞佛所說信受奉
行
金有陀羅尼經一卷

BD01266 號　金有陀羅尼經　（4–4）

有因緣須獨入時但一心念佛若為女人說法
不露齒咲不現胷臆乃至為法猶不親厚況
復餘事不樂畜年少弟子沙弥小兒亦不樂
與同師常好坐禪在於閑處脩攝其心文殊
師利是名初親近處復次菩薩摩訶薩觀
一切法空如實相不顛倒不動不退不轉如
虛空无所有性一切語言道斷不生不出不起
无名无相實无所有无量无邊无礙无障但
以因緣有從顛倒生故說常樂觀如是法相
是名菩薩摩訶薩第二親近處尒時世尊欲
重宣此義而說偈言
若有菩薩　於後惡世　无怖畏心　欲說是經
應入行處　及親近處　常離國王　及國王子
大臣官長　凶險戲者　及旃陀羅　外道梵志
亦不親近　增上慢人　貪著小乘　三藏學者
破戒比丘　名字羅漢　及比丘尼　好戲咲者
深著五欲　求現滅度　諸優婆夷　皆勿親近
若是人等　以好心來　到菩薩所　為聞佛道
菩薩則以　无所畏心　不懷悕望　而為說法
寡女處女　及諸不男　皆勿親近　以為親厚
亦莫親近　屠兒魁膾　畋獵漁捕　為利殺害

BD01267 號　妙法蓮華經卷五　（26–1）

深著五欲 求現滅度 諸優婆夷 皆勿親近
若是人等 以好心來 到菩薩所 爲聞佛道
菩薩則以 无所畏心 不懷悕望 而爲說法
寡女處女 及諸不男 皆勿親近 以爲親厚
亦莫親近 屠兒魁膾 田獵魚捕 爲利殺害
販肉自活 衒賣女色 如是之人 皆勿親近
凶險相撲 種種嬉戲 諸婬女等 盡勿親近
莫獨屏處 爲女說法 若說法時 无得戲咲
入里乞食 將一比丘 若无比丘 一心念佛
是則名爲 行處近處 以此二處 能安樂說
又復不行 上中下法 有爲无爲 實不實法
亦不分別 是男是女 不得諸法 不知不見
是則名爲 菩薩行處 一切諸法 空无所有
无有常住 亦无起滅 是名智者 所親近處
顛倒分別 諸法有无 是實非實 是生非生
在於閑處 脩攝其心 安住不動 如須弥山
觀一切法 皆无所有 猶如虛空 无有堅固
不生不出 不動不退 常住一相 是名近處
若有比丘 於我滅後 入是行處 及親近處
說斯經時 无有怯弱 菩薩有時 入於靜室
以正憶念 隨義觀法 從禪定起 爲諸國王
王子臣民 婆羅門等 開化演暢 說斯經典
其心安隱 无有怯弱 文殊師利 是名菩薩
安住初法 能於後世 說法華經
又文殊師利 如來滅後 於末法中 欲說是經
應住安樂行 若口宣說 若讀經時 不樂說

BD01267號　妙法蓮華經卷五　（26–2）

又文殊師利 如來滅後 於末法中 欲說是經
應住安樂行 若口宣說 若讀經時 不樂說
人及經典過 亦不輕慢 諸餘法師 不說他人
好惡長短 於聲聞人 亦不稱名 說其過惡 亦
不稱名讚歎其美 又亦不生 怨嫌之心 善脩如
是安樂心故 諸有聽者 不逆其意 有所難問
不以小乘法荅 但以大乘 而爲解說 令得一
切種智 尒時世尊 欲重宣此義 而說偈言
菩薩常樂 安樂說法 於清淨地 而施床座
以油塗身 澡浴塵穢 著新淨衣 內外俱淨
安處法座 隨問爲說 若有比丘 及比丘尼
諸優婆塞 及優婆夷 國王王子 群臣士民
以微妙義 和顏爲說 若有難問 隨義而荅
因緣譬喻 敷演分別 以是方便 皆使發心
漸漸增益 入於佛道 除嬾惰意 及懈怠想
離諸憂惱 慈心說法 晝夜常說 无上道教
以諸因緣 无量譬喻 開示衆生 咸令歡喜
衣服卧具 飲食醫藥 而於其中 无所悕望
但一心念 說法因緣 願成佛道 令衆亦尒
是則大利 安樂供養 我滅度後 若有比丘
能演說斯 妙法華經 心无嫉恚 諸惱障礙
亦无憂愁 及罵詈者 又无怖畏 加刀杖等
亦无擯出 安住忍故 智者如是 善脩其心
能住安樂 如我上說 其人功德 千万億劫
筭數譬喻 說不能盡
又文殊師利 菩薩摩訶薩 於後末世 法欲滅
時受持讀誦 斯經典者 无懷嫉妬 諂誑之心

BD01267號　妙法蓮華經卷五　（26–3）

又文殊師利菩薩摩訶薩於後末世法欲滅
時受持讀誦斯經典者无懷嫉妬諂誑之心
亦勿輕罵學佛道者求其長短若比丘比丘
尼優婆塞優婆夷求聲聞者求辟支佛者
求菩薩道者无得惱之令其疑悔語其人言汝
等去道甚遠終不能得一切種智所以者何
汝是放逸之人於道懈怠故又亦不應戲論
諸法有所諍競當於一切衆生起大悲想於
諸如來起慈父想於諸菩薩起大師想於十
方諸大菩薩常應深心恭敬禮拜於一切衆
生平等說法以順法故不多不少乃至深愛
法者亦不為多說文殊師利是菩薩摩訶薩
於後末世法欲滅時有成就是第三安樂行
者說是法時无能惱亂得好同學共讀誦是
經亦得大衆而來聽受聽已能持持已能誦
誦已能說說已能書若使人書供養經卷恭
敬尊重讚歎尒時世尊欲重宣此義而說偈言
若欲說是經　當捨嫉恚慢　諂誑耶偽心　常脩質直行
不輕蔑於人　亦不戲論法　不令他疑悔　云汝不得佛
是佛子說法　常柔和能忍　慈悲於一切　不生懈怠心
十方大菩薩　愍衆故行道　應生恭敬心　是則我大師
於諸佛世尊　生无上父想　破於憍慢心　說法无障礙
第三法如是　智者應守護　一心安樂行　无量衆所敬
又文殊師利菩薩摩訶薩於後末世法欲滅
時有持法華經者於在家出家人中生大慈
心於非菩薩人中生大悲心應作是念如是

BD01267號　妙法蓮華經卷五　（26–4）

心於非菩薩人中生大悲心應作是念如是
之人則為大失如來方便隨宜說法不聞不
知不覺不問不信不解其人雖不問不信不
解是經我得阿耨多羅三藐三菩提時隨在
何地以神通力智慧力引之令得住是法中
文殊師利是菩薩摩訶薩於如來滅後有成
就此第四法者說是法時无有過失常為比
丘比丘尼優婆塞優婆夷國王王子大臣人
民婆羅門居士等供養恭敬尊重讚歎虛
空諸天為聽法故亦常隨侍若在聚落城邑
空閑林中有人來欲難問者諸天晝夜常為
法故而衛護之能令聽者皆得歡喜所以者何
此經是一切過去未來現在諸佛神力所護
故文殊師利是法華經於无量國中乃至名
字不可得聞何況得見受持讀誦文殊師利
譬如強力轉輪聖王欲以威勢降伏諸國而
諸小王不順其命時轉輪王起種種兵而往
討伐王見兵衆戰有功者即大歡喜隨功賞
賜或與田宅聚落城邑或與衣服嚴身之具
或與種種珍寶金銀琉璃車𤦲馬瑙珊瑚虎
珀象馬車乘奴婢人民唯髻中明珠不以與
之所以者何獨王頂上有此一珠若以與之
王諸眷屬必大驚怪文殊師利如來亦復如
是以禪定智慧力得法國土王於三界而諸
魔王不肯順伏如來賢聖諸將與之共戰其
有功者心亦歡喜於四衆中為說諸經令其

BD01267號　妙法蓮華經卷五　（26–5）

魔王不肯順伏如來賢聖諸將與之共戰其
有功者心亦歡喜於四衆中為說諸經令其
心悅賜以禪定解脫无漏根力諸法之財又
復賜與涅槃之城言得滅度引導其心令得
歡喜而不為說是法華經文殊師利如轉輪
王見諸兵衆有大功者心甚歡喜以此難信
之珠久在髻中不妄與人而今與之如來亦
復如是於三界中為大法王以法教化一切
衆生見賢聖軍與五陰魔煩惱魔死魔共
戰有大功勳滅三毒出三界破魔網尒時如來
亦大歡喜此法華經能令衆生至一切智一
切世間多怨難信先所未說而今說之文殊
師利此法華經是諸如來第一之說於諸說
中最為甚深末後賜與如彼强力之王久護
明珠今乃與之文殊師利此法華經諸佛如
來秘密之藏於諸經中最在其上長夜守護
不妄宣說始於今日乃與汝等而敷演之尒
時世尊欲重宣此義而說偈言
常行忍辱 哀愍一切 乃能演說 佛所讚經
後末世時 持此經者 於家出家 及非菩薩
應生慈悲 斯等不聞 不信是經 則為大失
我得佛道 以諸方便 為說此經 令住其中
譬如强力 轉輪之王 兵戰有功 賞賜諸物
象馬車乘 嚴身之具 及諸田宅 聚落城邑
或與衣服 種種珍寶 奴婢財物 歡喜賜與
如有勇健 能為難事 王解髻中 明珠賜之

譬如强力 轉輪之王 兵戰有功 賞賜諸物
象馬車乘 嚴身之具 及諸田宅 聚落城邑
或與衣服 種種珍寶 奴婢財物 歡喜賜與
如有勇健 能為難事 王解髻中 明珠賜之
如來亦尒 為諸法王 忍辱大力 智慧寶藏
以大慈悲 如法化世 見一切人 受諸苦惱
欲求解脫 與諸魔戰 為是衆生 說種種法
以大方便 說此諸經 既知衆生 得其力已
末後乃為 說是法華 如王解髻 明珠與之
此經為尊 衆經中上 我常守護 不妄開示
今正是時 為汝等說 我滅度後 求佛道者
欲得安隱 演說斯經 應當親近 如是四法
讀是經者 常无憂惱 又无病痛 顏色鮮白
不生貧窮 卑賤醜陋 衆生樂見 如慕賢聖
天諸童子 以為給使 刀杖不加 毒不能害
若人惡罵 口則閉塞 遊行无畏 如師子王
智慧光明 如日之照 若於夢中 但見妙事
見諸如來 坐師子座 諸比丘衆 圍繞說法
又見龍神 阿脩羅等 數如恒沙 恭敬合掌
自見其身 而為說法 又見諸佛 身相金色
放无量光 照於一切 以梵音聲 演說諸法
佛為四衆 說无上法 見身處中 合掌讚佛
聞法歡喜 而為供養 得陁羅尼 證不退智
佛知其心 深入佛道 即為授記 成最正覺
汝善男子 當於來世 得无量智 佛之大道
國土嚴淨 廣大无比 亦有四衆 合掌聽法
又見自身 在山林中 脩習善法 證諸實相

汝善男子 當於来世 得无量智 佛之大道
國土嚴淨 廣大无比 亦有四衆 合掌聽法
又見自身 在山林中 脩習善法 證諸實相
深入禪定 見十方佛
諸佛身金色 百福相莊嚴 聞法為人說 常有是好夢
又夢作國王 捨宮殿眷屬 及上妙五欲 行詣於道場
在菩提樹下 而處師子座 求道過七日 得諸佛之智
成无上道已 起而轉法輪 為四衆說法 經千万億劫
說无漏妙法 度无量衆生 後當入涅槃 如烟盡燈滅
若後惡世中 說是第一法 是人得大利 如上諸功德

妙法蓮華經從地踊出品第十五

尒時他方國土諸来菩薩摩訶薩過八恒河
沙數於大衆中起立合掌作礼而白佛言世尊
若聽我等於佛滅後在此娑婆世界勤加精
進護持讀誦書寫供養是經典者當於此土
而廣說之尒時佛告諸菩薩摩訶薩衆止善
男子不須汝等護持此經所以者何我娑婆
世界自有六万恒河沙等菩薩摩訶薩一一
菩薩各有六万恒河沙眷屬是諸人等能於
我滅後護持讀誦廣說此經佛說是時娑
婆世界三千大千國土地皆震裂而於其中
有无量千万億菩薩摩訶薩同時踊出是諸
菩薩身皆金色三十二相无量光明先盡在此
娑婆世界之下此界虛空中住是諸菩薩聞
釋迦牟尼佛所說音聲從下發来一一菩薩
皆是大衆唱導之首各將六万恒河沙眷屬
況將五万四万三万二万一万恒河沙等眷

BD01267號　妙法蓮華經卷五　（26–8）

釋迦牟尼佛所說音聲從下發来一一菩薩
皆是大衆唱導之首各將六万恒河沙眷屬
況將五万四万三万二万一万恒河沙等眷
屬者況復乃至一恒河沙半恒河沙四分之
一乃至千万億那由他分之一況復千万億
那由他眷屬況復億万眷屬況復千万百万
乃至一万況復一千一百乃至一十況復將
五四三二一弟子者況復單已樂遠離行如
是等比无量无邊筭數譬喻所不能知是諸
菩薩從地出已各詣虛空七寶妙塔多寶如
来釋迦牟尼佛所到已向二世尊頭面礼足
及至諸寶樹下師子座上佛所亦皆作礼右
繞三帀合掌恭敬以諸菩薩種種讚法而以
讚歎住在一面欣樂瞻仰於二世尊是諸菩
薩摩訶薩從初踊出以諸菩薩種種讚法而
讚於佛如是時間經五十小劫是時釋迦牟
尼佛嘿然而坐及諸四衆亦皆嘿然五十小
劫佛神力故令諸大衆謂如半日尒時四衆
亦以佛神力故見諸菩薩遍滿无量百千万
億國土虛空是菩薩衆中有四導師一名上
行二名无邊行三名淨行四名安立行是四
菩薩於其衆中最為上首唱導之師在大衆
前各共合掌觀釋迦牟尼佛而問訊言世尊
少病少惱安樂行不所應度者受教易不不
令世尊生疲勞耶尒時四大菩薩而說偈言
世尊安樂 少病少惱 教化衆生 得无疲惓
……令世尊 生疲勞耶

BD01267號　妙法蓮華經卷五　（26–9）

少病少惱安樂行不所應度者受教易不不
令世尊生疲勞耶尒時四大菩薩而說偈言
世尊安樂 少病少惱 教化衆生 得无疲惓
又諸衆生 受化易不 不令世尊 生疲勞耶
尒時世尊於菩薩大衆中而作是言如是如
是諸善男子如来安樂少病少惱諸衆生等
易可化度无有疲勞所以者何是諸衆生世
世已来常受我化亦於過去諸佛供養尊
重種諸善根此諸衆生始見我身聞我所說
即皆信受入如来慧除先脩習學小乘者如
是之人我今亦令得聞是經入於佛慧尒時
諸大菩薩而說偈言
善哉善哉 大雄世尊 諸衆生等 易可化度
能問諸佛 甚深智慧 聞已信行 我等隨喜
於時世尊讚歎上首諸大菩薩善哉善哉善
男子汝等能於如来發隨喜心尒時弥勒菩
薩及八千恒河沙諸菩薩衆皆作是念我等
從昔已来不見不聞如是大菩薩摩訶薩衆
從地踊出住世尊前合掌供養問訊如来時
弥勒菩薩摩訶薩知八千恒河沙諸菩薩等
心之所念并欲自決所疑合掌向佛以偈問
曰
无量千万億 大衆諸菩薩 昔所未曾見 願兩足尊說
是從何所来 以何因緣集 巨身大神通 智慧叵思議
其志念堅固 有大忍辱力 衆生所樂見 為從何所来
一一諸菩薩 所將諸眷屬 其數无有量 如恒河沙等
或有大菩薩 將六万恒沙 如是諸大衆 一心求佛道

BD01267號 妙法蓮華經卷五 （26–10）

是從何所来 以何因緣集 巨身大神通 智慧叵思議
其志念堅固 有大忍辱力 衆生所樂見 為從何所来
一一諸菩薩 所將諸眷屬 其數无有量 如恒河沙等
或有大菩薩 將六万恒沙 如是諸大衆 一心求佛道
是諸大師等 六万恒河沙 俱来供養佛 及護持此經
將五万恒沙 其數過於是 四万及三万 二万至一万
一千一百等 乃至一恒沙 半及三四分 億万分之一
千万那由他 万億諸弟子 乃至於半億 其數復過上
百万至一万 一千及一百 五十與一十 乃至三二一
單已无眷屬 樂於獨處者 俱来至佛所 其數轉過上
如是諸大衆 若人行籌數 過於恒沙劫 猶不能盡知
是諸大威德 精進菩薩衆 誰為其說法 教化而成就
從誰初發心 稱揚何佛法 受持行誰經 脩習何佛道
如是諸菩薩 神通大智力 四方地震裂 皆從中踊出
世尊我昔来 未曾見是事 願說其所從 國土之名号
我常遊諸國 未曾見是衆 我於此衆中 乃不識一人
忽然從地出 願說其因緣 今此之大會 无量百千億
是諸菩薩等 皆欲知此事 是諸菩薩衆 本末之因緣
无量德世尊 唯願決衆疑
尒時釋迦牟尼佛分身諸佛從无量千万億
他方國土来者在於八方諸寶樹下師子座
上結加趺坐其佛侍者各各見是菩薩大衆
於三千大千世界四方從地踊出住於虛空
各白其佛言世尊此諸无量无邊阿僧祇菩
薩大衆從何所来尒時諸佛各告侍者諸善
男子且待須臾有菩薩摩訶薩名曰弥勒釋迦
牟尼佛之所授記次後作佛已問斯事佛今

BD01267號 妙法蓮華經卷五 （26–11）

陀大衆從何所來爾時諸佛各告侍者諸善
男子且待須臾有菩薩摩訶薩名曰彌勒釋迦
牟尼佛之所授記次後作佛已問斯事佛今
答之汝等自當因是得聞爾時釋迦牟尼佛
告彌勒菩薩善哉善哉阿逸多乃能問佛如
是大事汝等當共一心被精進鎧發堅固意
如來今欲顯發宣示諸佛智慧諸佛自在神
通之力諸佛師子奮迅之力諸佛威猛大勢
之力爾時世尊欲重宣此義而說偈言
當精進一心　我欲說此事　勿得有疑悔　佛智叵思議
汝今出信力　住於忍善中　昔所未聞法　今皆當得聞
我今安慰汝　勿得懷疑懼　佛无不實語　智慧不可量
所得第一法　甚深叵分別　如是今當說　汝等一心聽
爾時世尊說此偈已告彌勒菩薩我今於此
大衆宣告汝等阿逸多是諸大菩薩摩訶薩
无量无數阿僧祇從地踊出汝等昔所未見
者我於是娑婆世界得阿耨多羅三藐三菩
提已教化示導是諸菩薩調伏其心令發道
意此諸菩薩皆於是娑婆世界之下此界虛
空中住於諸經典讀誦通利思惟分別正憶
念阿逸多是諸善男子等不樂在衆多有所
說常樂靜處勤行精進未曾休息亦不依止
人天而住常樂深智无有障礙亦常樂於諸
佛之法一心精進求无上慧爾時世尊欲重
宣此義而說偈言
阿逸汝當知　是諸大菩薩　從无數劫來　脩習佛智慧
悉是我所化　令發大道心　此等是我子　依止是世界
常行頭陀事　志樂於靜處　捨大衆憒閙　不樂多所說

BD01267號　妙法蓮華經卷五　（26–12）

宣此義而說偈言
阿逸汝當知　是諸大菩薩　從无數劫來　脩習佛智慧
悉是我所化　令發大道心　此等是我子　依止是世界
常行頭陀事　志樂於靜處　捨大衆憒閙　不樂多所說
如是諸子等　學習我道法　晝夜常精進　為求佛道故
在娑婆世界　下方空中住　志念力堅固　常勤求智慧
說種種妙法　其心无所畏　我於伽耶城　菩提樹下坐
得成最正覺　轉无上法輪　爾乃教化之　令初發道心
今皆住不退　悉當得成佛　我今說實語　汝等一心信
我從久遠來　教化是等衆
爾時彌勒菩薩摩訶薩及无數諸菩薩等心
生疑惑怪未曾有而作是念云何世尊於少
時間教化如是无量无邊阿僧祇諸大菩薩
令住阿耨多羅三藐三菩提即白佛言世尊
如來為太子時出於釋宮去伽耶城不遠坐
於道場得成阿耨多羅三藐三菩提從是已
來始過四十餘年世尊云何於此少時大作
佛事以佛勢力以佛功德教化如是无量大
菩薩衆當成阿耨多羅三藐三菩提世尊此
大菩薩衆假使有人於千万億劫數不能盡
不得其邊斯等久遠已來於无量无邊諸佛
所殖諸善根成就菩薩道常脩梵行世尊如
此之事世所難信譬如有人色美髮黑年二
十五指百歲人言是我子其百歲人亦指年
少言是我父生育我等是事難信佛亦如是
得道已來其實未久而此大衆諸菩薩等已
於无量千万億劫為佛道故勤行精進善入

BD01267號　妙法蓮華經卷五　（26–13）

少言是我父生育我等是事難信佛亦如是
得道已来其實未久而此大衆諸菩薩等已
於无量千万億劫為佛道故勤行精進善入
出住无量百千万億三昧得大神通久脩梵
行善能次第習諸善法巧於問荅人中之寶
一切世間甚為希有今日世尊方云得佛道
時初令發心教化示導令向阿耨多羅三藐
三菩提世尊得佛未久乃能作此大功德事
我等雖復信佛隨宜所說佛所出言未曾
虛妄佛所知者皆悉通達然諸新發意菩薩
於佛滅後若聞是語或不信受而起破法罪業
因緣唯然世尊願為解說除我等疑及未来
世諸善男子聞此事已亦不生疑尒時弥勒
菩薩欲重宣此義而說偈言
佛昔從釋種　出家近伽耶　坐於菩提樹　尒来尚未久
此諸佛子等　其數不可量　久已行佛道　住神通智力
善學菩薩道　不染世間法　如蓮華在水　從地而踊出
皆起恭敬心　住於世尊前　是事難思議　云何而可信
佛得道甚近　所成就甚多　願為除衆疑　如實分別說
譬如少壯人　年始二十五　示人百歲子　髮白而面皺
是等我所生　子亦說是父　父少而子老　舉世所不信
世尊亦如是　得道来甚近　是諸菩薩等　志固无怯弱
從无量劫来　而行菩薩道　巧於難問荅　其心无所畏
忍辱心決定　端正有威德　十方佛所讚　善能分別說
不樂在人衆　常好在禪定　為求佛道故　於下空中住
我等從佛聞　於此事无疑　願佛為未来　演說令開解

BD01267號　妙法蓮華經卷五　（26–14）

忍辱心決定　端正有威德　十方佛所讚　善能分別說
不樂在人衆　常好在禪定　為求佛道故　於下空中住
我等從佛聞　於此事无疑　願佛為未来　演說令開解
若有於此經　生疑不信者　即當墮惡道　願今為解說
是无量菩薩　云何於少時　教化令發心　而住不退地

妙法蓮華經如来壽量品第十六

尒時佛告諸菩薩及一切大衆諸善男子汝
等當信解如来誠諦之語復告大衆汝等當
信解如来誠諦之語又復告諸大衆汝等當
信解如来誠諦之語是時菩薩大衆弥勒為
首合掌白佛言世尊唯願說之我等當信受
佛語如是三白已復言唯願說之我等當信
受佛語尒時世尊知諸菩薩三請不止而告
之言汝等諦聽如来秘密神通之力一切世
間天人及阿脩羅皆謂今釋迦牟尼佛出釋
氏宮去伽耶城不遠坐於道場得阿耨多羅
三藐三菩提然善男子我實成佛已来无量
无邊百千万億那由他劫譬如五百千万億
那由他阿僧祇三千大千世界假使有人末
為微塵過於東方五百千万億那由他阿僧
祇國乃下一塵如是東行盡是微塵諸善男
子於意云何是諸世界可得思惟挍計知其
數不弥勒菩薩等俱白佛言世尊是諸世界
无量无邊非筭數所知亦非心力所及一切
聲聞辟支佛以无漏智不能思惟知其限數
我等住阿惟越致地於是事中亦所不達世

BD01267號　妙法蓮華經卷五　（26–15）

无邊非算數所知亦非心力所及一切
聲聞辟支佛以无漏智不能思惟知其限數
我等住阿惟越致地於是事中亦所不達世
尊如是諸世界无量无邊尒時佛告大菩薩
衆諸善男子今當分明宣語汝等是諸世
界若著微塵及不著者盡以為塵一塵一劫我
成佛已来復過於此百千万億那由他阿僧
祇劫自從是来我常在此娑婆世界說法教
化亦於餘處百千万億那由他阿僧祇國導
利衆生諸善男子於是中間我說然燈佛等
又復言其入於涅槃如是皆以方便分別諸
善男子若有衆生来至我所我以佛眼觀其
信等諸根利鈍隨所應度處處自說名字不
同年紀大小亦復現言當入涅槃又以種種
方便說微妙法能令衆生發歡喜心諸善男
子如来見諸衆生樂於小法德薄垢重者為
是人說我少出家得阿耨多羅三藐三菩提
然我實成佛已来久遠若斯但以方便教化
衆生令入佛道作如是說諸善男子如来所
演經典皆為度脫衆生或說己身或說他身
或示己身或示他身或示己事或示他事諸
所言說皆實不虛所以者何如来如實知見
三界之相无有生死若退若出亦无在世及
滅度者非實非虛非如非異不如三界見於
三界如斯之事如来明見无有錯謬以諸衆
生有種種性種種欲種種行種種憶想分別
故欲令生諸善根以若干因緣譬喻言辭種

BD01267號　妙法蓮華經卷五　（26–16）

生有種種性種種欲種種行種種憶想分別
故欲令生諸善根以若干因緣譬喻言辭種
種說法所作佛事未曾暫廢如是我成佛已
来甚大久遠壽命无量阿僧祇劫常住不滅
諸善男子我本行菩薩道所成壽命今猶未
盡復倍上數然今非實滅度而便唱言當取
滅度如来以是方便教化衆生所以者何若
佛久住於世薄德之人不種善根貧窮下賤
貪著五欲入於憶想妄見網中若見如来常
在不滅便起憍恣而懷猒怠不能生難遭之
想恭敬之心是故如来以方便說比丘當知
諸佛出世難可值遇所以者何諸薄德人過
无量百千万億劫或有見佛或不見者以此
事故我作是言諸比丘如来難可得見斯衆
生等聞如是語必當生於難遭之想心懷戀
慕渴仰於佛便種善根是故如来雖不實滅
而言滅度又善男子諸佛如来法皆如是為
度衆生皆實不虛譬如良醫智慧聦達明練
方藥善治衆病其人多諸子息若十二十乃
至百數以有事緣遠至餘國諸子於後飲他
毒藥藥發悶亂宛轉于地是時其父還来歸
家諸子飲毒或失本心或不失者遥見其父
皆大歡喜拜跪問訊善安隱歸我等愚癡
誤服毒藥願見救療更賜壽命父見子等苦惱
如是依諸經方求好藥草色香美味皆悉具
足擣簁和合與子令服而作是言此大良藥色

BD01267號　妙法蓮華經卷五　（26–17）

皆大歡喜拜跪問訊善安隱歸我等愚癡
誤服毒藥願見救療更賜壽命父見子等苦惱
如是依諸經方求好藥草色香美味皆悉具
足擣篩和合與子令服而作是言此大良藥色
香美味皆悉具足汝等可服速除苦惱无復
衆患其諸子中不失心者見此良藥色香
俱好即便服之病盡除愈餘失心者見其父
來雖亦歡喜問訊求索治病然與其藥而不
肯服所以者何毒氣深入失本心故於此好
色香藥而謂不美父作是念此子可愍為毒
所中心皆顛倒雖見我喜求索救療如是好
藥而不肯服我今當設方便令服此藥即作
是言汝等當知我今衰老死時已至是好良
藥今留在此汝可取服勿憂不差作是教已
復至他國遣使還告汝父已死是時諸子聞
父背喪心大憂惱而作是念若父在者慈愍
我等能見救護今者捨我遠喪他國自惟孤
露无復恃怙常懷悲感心遂醒悟乃知此藥
色味香美即取服之毒病皆愈其父聞子悉
已得差尋便來歸咸使見之諸善男子於意
云何頗有人能說此良醫虛妄罪不不也世
尊佛言我亦如是成佛已來无量无邊百千
万億那由他阿僧祇劫為衆生故以方便力
言當滅度亦无有能如法說我虛妄過者
尒時世尊欲重宣此義而說偈言
自我得佛來　所經諸劫數　无量百千万　億載阿僧祇
常說法教化　无數億衆生　令入於佛道　尒來无量劫

BD01267號　妙法蓮華經卷五　（26–18）

言當滅度亦无有能如法說我虛妄過者
尒時世尊欲重宣此義而說偈言
自我得佛來　所經諸劫數　无量百千万　億載阿僧祇
常說法教化　无數億衆生　令入於佛道　尒來无量劫
為度衆生故　方便現涅槃　而實不滅度　常住此說法
我常住於此　以諸神通力　令顛倒衆生　雖近而不見
衆見我滅度　廣供養舍利　咸皆懷戀慕　而生渴仰心
衆生既信伏　質直意柔軟　一心欲見佛　不自惜身命
時我及衆僧　俱出靈鷲山　我時語衆生　常在此不滅
以方便力故　現有滅不滅　餘國有衆生　恭敬信樂者
我復於彼中　為說无上法　汝等不聞此　但謂我滅度
我見諸衆生　沒在於苦惱　故不為現身　令其生渴仰
因其心戀慕　乃出為說法　神通力如是　於阿僧祇劫
常在靈鷲山　及餘諸住處　衆生見劫盡　大火所燒時
我此土安隱　天人常充滿　園林諸堂閣　種種寶莊嚴
寶樹多華菓　衆生所遊樂　諸天擊天鼓　常作衆伎樂
雨曼陁羅華　散佛及大衆　我淨土不毀　而衆見燒盡
憂怖諸苦惱　如是悉充滿　是諸罪衆生　以惡業因緣
過阿僧祇劫　不聞三寶名　諸有脩功德　柔和質直者
則皆見我身　在此而說法　或時為此衆　說佛壽无量
久乃見佛者　為說佛難值　我智力如是　慧光照无量
壽命无數劫　久脩業所得　汝等有智者　勿於此生疑
當斷令永盡　佛語實不虛　如醫善方便　為治狂子故
實在而言死　无能說虛妄　我亦為世父　救諸苦患者
為凡夫顛倒　實在而言滅　以常見我故　而生憍恣心
放逸著五欲　墮於惡道中　我常知衆生　行道不行道
隨應所可度　為說種種法　每自作是意　以何令衆生

BD01267號　妙法蓮華經卷五　（26–19）

放逸著五欲　墮於惡道中　我常知衆生　行道不行道
隨應所可度　爲說種種法　每自作是意　以何令衆生
得入无上道　速成就佛身

妙法蓮華經分別功德品第十七

尒時大會聞佛說壽命劫數長遠如是无量
无邊阿僧祇衆生得大饒益於時世尊告弥
勒菩薩摩訶薩阿逸多我說是如來壽命長
遠時六百八十万億那由他恒河沙衆生得
无生法忍復千倍菩薩摩訶薩得聞持陁羅
尼門復有一世界微塵數菩薩摩訶薩得樂
說无礙辯才復有一世界微塵數菩薩摩訶
薩得百千万億无量旋陁羅尼復有三千大千
世界微塵數菩薩摩訶薩能轉不退法輪復
有二千中國土微塵數菩薩摩訶薩能轉清
淨法輪復有小千國土微塵數菩薩摩訶薩
八生當得阿耨多羅三藐三菩提復有四四
天下微塵數菩薩摩訶薩四生當得阿耨多
羅三藐三菩提復有三四天下微塵數菩
薩摩訶薩三生當得阿耨多羅三藐三菩提
復有二四天下微塵數菩薩摩訶薩二生當
得阿耨多羅三藐三菩提復有一四天下微
塵數菩薩摩訶薩一生當得阿耨多羅三藐
三菩提復有八世界微塵數衆生皆發阿耨
多羅三藐三菩提心佛說是諸菩薩摩訶薩
得大法利時於虛空中雨曼陁羅華摩訶曼
陁羅華以散无量百千万億寶樹下師子座

陁羅華以散无量百千万億寶樹下師子座
上諸佛并散七寶塔中師子座上釋迦牟尼
佛及久滅度多寶如來亦散一切諸大菩薩
及四部衆又雨細末栴檀沉水香等於虛空
中天鼓自鳴妙聲深遠又雨千種天衣垂諸
瓔珞真珠瓔珞摩尼珠瓔珞如意珠瓔珞遍
於九方衆寶香爐燒无價香自然周至供養
大會一一佛上有諸菩薩執持幡蓋次第而
上至于梵天是諸菩薩以妙音聲歌无量頌
讚歎諸佛尒時弥勒菩薩從座而起偏袒右
肩合掌向佛而說偈言

佛說希有法　昔所未曾聞　世尊有大力　壽命不可量
无數諸佛子　聞世尊分別　說得法利者　歡喜充遍身
或住不退地　或得陁羅尼　或无礙樂說　万億旋摠持
或有大千界　微塵數菩薩　各各皆能轉　不退之法輪
或有中千界　微塵數菩薩　各各皆能轉　清淨之法輪
或有小千界　微塵數菩薩　餘各八生在　當得成佛道
復有四三二　如是四天下　微塵諸菩薩　隨數生成佛
或一四天下　微塵數菩薩　餘有一生在　當成一切智
如是等衆生　聞佛壽長遠　得无量无漏　清淨之果報
復有八世界　微塵數衆生　聞佛說壽命　皆發无上心
世尊說无量　不可思議法　多有所饒益　如虛空无邊
雨天曼陁羅　摩訶曼陁羅　釋梵如恒沙　无數佛土來
雨栴檀沉水　繽紛而亂墜　如鳥飛空下　供散於諸佛
天鼓虛空中　自然出妙聲　天衣千万種　旋轉而來下
衆寶妙香爐　燒无價之香　自然悉周遍　供養諸世尊

雨栴檀沉水　繽紛而亂墜　如鳥飛空下　供散於諸佛
天鼓虛空中　自然出妙聲　天衣千万種　旋轉而來下
眾寶妙香爐　燒无價之香　自然悉周遍　供養諸世尊
其大菩薩眾　執七寶幡蓋　高妙万億種　次第至梵天
一一諸佛前　寶幢懸勝幡　亦以千万偈　歌詠諸如來
如是種種事　昔所未曾有　聞佛壽无量　一切皆歡喜
佛名聞十方　廣饒益眾生　一切具善根　以助无上心
尒時佛告彌勒菩薩摩訶薩　阿逸多　其有眾
生聞佛壽命長遠如是　乃至能生一念信解
所得功德无有限量　若有善男子善女人　為
阿耨多羅三藐三菩提　於八十万億那由他
劫行五波羅蜜　檀波羅蜜　尸羅波羅蜜　羼提
波羅蜜　毗梨耶波羅蜜　禪波羅蜜　除般若波
羅蜜　以是功德比前功德　百分千分百千万
億分不及其一　乃至筭數譬喻所不能知　若
善男子　有如是功德　於阿耨多羅三藐三菩
提退者　无有是處　尒時世尊欲重宣此義
而說偈言
若人求佛慧　於八十万億　那由他劫數　行五波羅蜜
於是諸劫中　布施供養佛　及緣覺弟子　并諸菩薩眾
珍異之飲食　上服與卧具　栴檀立精舍　以園林莊嚴
如是等布施　種種皆微妙　盡此諸劫數　以迴向佛道
若復持禁戒　清淨无缺漏　求於无上道　諸佛之所歎
若復行忍辱　住於調柔地　設眾惡來加　其心不傾動
諸有得法者　懷於增上慢　為此所輕惱　如是亦能忍
若復勤精進　志念常堅固　於无量億劫　一心不懈息

BD01267號　妙法蓮華經卷五　(26–22)

若復行忍辱　住於調柔地　設眾惡來加　其心不傾動
諸有得法者　懷於增上慢　為此所輕惱　如是亦能忍
若復勤精進　志念常堅固　於无量億劫　一心不懈息
又於无數劫　住於空閑處　若坐若經行　除睡常攝心
以是因緣故　能生諸禪定　八十億万劫　安住心不亂
持此一心福　願求无上道　我得一切智　盡諸禪定際
是人於百千　万億劫數中　行此諸功德　如上之所說
有善男女等　聞我說壽命　乃至一念信　其福過於彼
若人悉无有　一切諸疑悔　深心須臾信　其福為如此
其有諸菩薩　无量劫行道　聞我說壽命　是則能信受
如是諸人等　頂受此經典　願我於未來　長壽度眾生
如今日世尊　諸釋中之王　道場師子吼　說法无所畏
我等未來世　一切所尊敬　坐於道場時　說壽亦如是
若有深心者　清淨而質直　多聞能總持　隨義解佛語
如是諸人等　於此无有疑
又阿逸多　若有聞佛壽命長遠　解其義趣　是
人所得功德无有限量　能起如來无上之慧
何況廣聞是經　若教人聞　若自持　若教人持
若自書　若教人書　若以華香瓔珞　幢幡繒蓋
香油蘇燈　供養經卷　是人功德无量无邊　能
生一切種智　阿逸多　若善男子善女人　聞我
說壽命長遠　深心信解　則為見佛常在耆闍
崛山　共大菩薩　諸聲聞眾圍繞說法　又見此
娑婆世界　其地瑠璃　坦然平正　閻浮檀金以
界八道　寶樹行列　諸臺樓觀皆悉寶成　其菩
薩眾咸處其中　若有能如是觀者　當知是為
深信解相　又復如來滅後　若聞是經而不毀

BD01267號　妙法蓮華經卷五　(26–23)

果八道寶樹行列諸臺樓觀皆悉寶成其菩
薩衆咸處其中若有能如是觀者當知是為
深信解相又復如來滅後若聞是經而不毀
呰起隨喜心當知已為深信解相何況讀誦
受持之者斯人則為頂戴如來阿逸多是善
男子善女人不須為我復起塔寺及作僧坊
以四事供養衆僧所以者何是善男子善女
人受持讀誦是經典者為已起塔造立僧坊
供養衆僧則為以佛舍利起七寶塔高廣漸
小至于梵天懸諸幡蓋及衆寶鈴華香瓔珞
末香塗香燒香衆鼓伎樂簫笛箜篌種種
儛戲以妙音聲歌唄讚頌則為於无量千万億
劫作是供養已阿逸多若我滅後聞是經典
有能受持若自書若教人書則為起立僧坊
以赤栴檀作諸殿堂三十有二高八多羅樹
高廣嚴好百千比丘於其中止園林浴池經
行禪窟衣服飲食床褥湯藥一切樂具充滿
其中如是僧坊堂閣若干百千万億其數无
量以此現前供養於我及比丘僧是故我說
如來滅後若有受持讀誦為他人說若自書
若教人書供養經卷不須復起塔寺及造僧
坊供養衆僧況復有人能持是經兼行布施
持戒忍辱精進一心智慧其德最勝无量
无邊譬如虛空東西南北四維上下无量无邊
是人功德亦復如是无量无邊疾至一切種
智若人讀誦受持是經為他人說若自書若
教人書復能起塔及造僧坊供養讚歎聲聞

BD01267號　妙法蓮華經卷五　（26–24）

是人功德亦復如是无量无邊疾至一切種
智若人讀誦受持是經為他人說若自書若
教人書復能起塔及造僧坊供養讚歎聲聞
衆僧亦以百千万億讚歎之法讚歎菩薩功
德又為他人種種因緣隨義解說此法華經
復能清淨持戒與柔和者而共同止忍辱
无瞋志念堅固常貴坐禪得諸深定精進勇
猛攝諸善法利根智慧善答問難阿逸多若
我滅後諸善男子善女人受持讀誦是經典
者復有如是諸善功德當知是人已趣道場
近阿耨多羅三藐三菩提坐道樹下阿逸多是
善男子若坐若立若行處此中便應起塔一
切天人皆應供養如佛之塔尒時世尊欲重
宣此義而說偈言
若我滅度後　能奉持此經　斯人福无量　如上之所說
是則為具足　一切諸供養　以舍利起塔　七寶而莊嚴
表剎甚高廣　漸小至梵天　寶鈴千万億　風動出妙音
又於无量劫　而供養此塔　華香諸瓔珞　天衣衆伎樂
燃香油蘇燈　周帀常照明　惡世法末時　能持是經者
則為已如上　具足諸供養　若能持此經　則如佛現在
以牛頭栴檀　起僧坊供養　堂有三十二　高八多羅樹
上饌妙衣服　床臥皆具足　百千衆住處　園林諸浴池
經行及禪窟　種種皆嚴好　若有信解心　受持讀誦書
若復教人書　及供養經卷　散華香末香　以須曼瞻蔔
阿提目多伽　薰油常燃之　如是供養者　得无量功德
如虛空无邊　其福亦如是　況復持此經　兼布施持戒
忍辱樂禪定　不瞋不惡口　恭敬於塔廟　謙下諸比丘

BD01267號　妙法蓮華經卷五　（26–25）

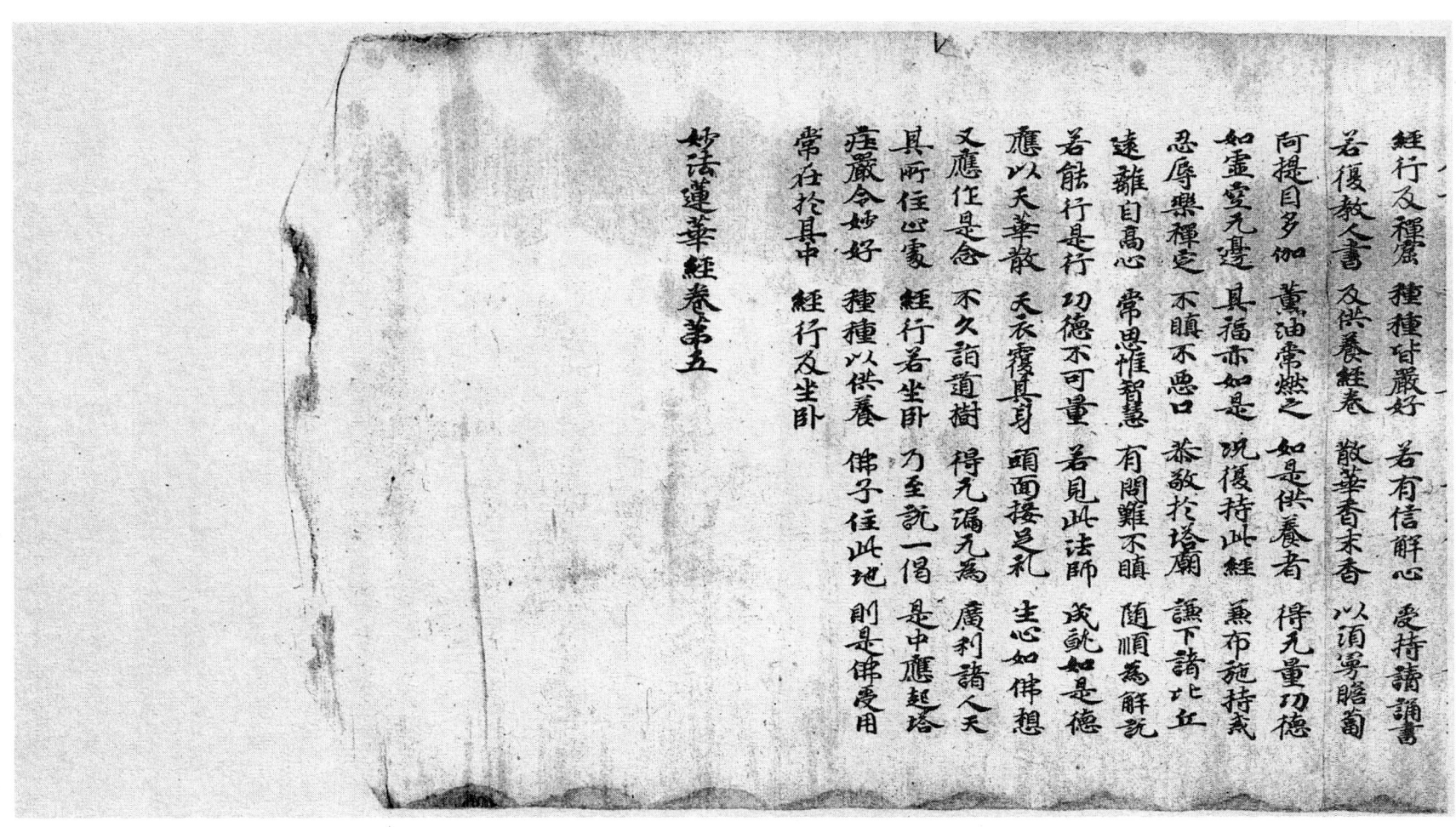

經行及禪窟 種種皆嚴好 若有信解心 受持讀誦書
若復教人書 及供養經卷 散華香末香 以須曼瞻蔔
阿提目多伽 薰油常燃之 如是供養者 得无量功德
如虛空无邊 其福亦如是 況復持此經 兼布施持戒
忍辱樂禪定 不瞋不惡口 恭敬於塔廟 謙下諸比丘
遠離自高心 常思惟智慧 有問難不瞋 隨順為解說
若能行是行 功德不可量 若見此法師 成就如是德
應以天華散 天衣覆其身 頭面接足禮 生心如佛想
又應作是念 不久詣道樹 得无漏无為 廣利諸人天
其所住止處 經行若坐臥 乃至說一偈 是中應起塔
莊嚴令妙好 種種以供養 佛子住此地 則是佛受用
常在於其中 經行及坐臥

妙法蓮華經卷第五

BD01267號　妙法蓮華經卷五　（26–26）

業故亦无善業稻[illegible]
及无盡誑語故諸佛所說皆為利樂一切有
情大慈悲心所流出故所見聞者定是惡
所作所說善現若成就如是諸行狀相
是為不退轉菩薩摩訶薩復次善現菩薩
轉位菩薩摩訶薩設有惡魔作沙門像來
其所唱如是言汝先所聞應修布施波羅蜜
多究竟圓滿應修淨戒安忍精進靜慮般
波羅蜜多究竟圓滿當證无上正等菩提
是所聞皆為邪說應疾棄捨又汝先聞應於
過去未來現在一切如來應正等覺及諸弟
子從初發心乃至法住其中所有功德善根
皆生隨喜一切合集與諸有情迴向无上正
等菩提如是所聞亦為邪說應疾棄捨若
汝棄捨所聞邪法我當教汝真實佛法令汝
學速證无上正等菩提汝先所聞非真佛語
是文頌者虛妄撰集我之所說是真佛語
現若菩薩摩訶薩聞如是語心動驚疑當知
未得諸佛為受不退轉記彼於无上正等
提猶未決定善現若菩薩摩訶薩聞如是
其心不動亦不驚疑但隨无作无相无生法
住而住善現是菩薩摩訶薩諸有所作不
隨他語不隨他教而脩布施波羅蜜多不隨他

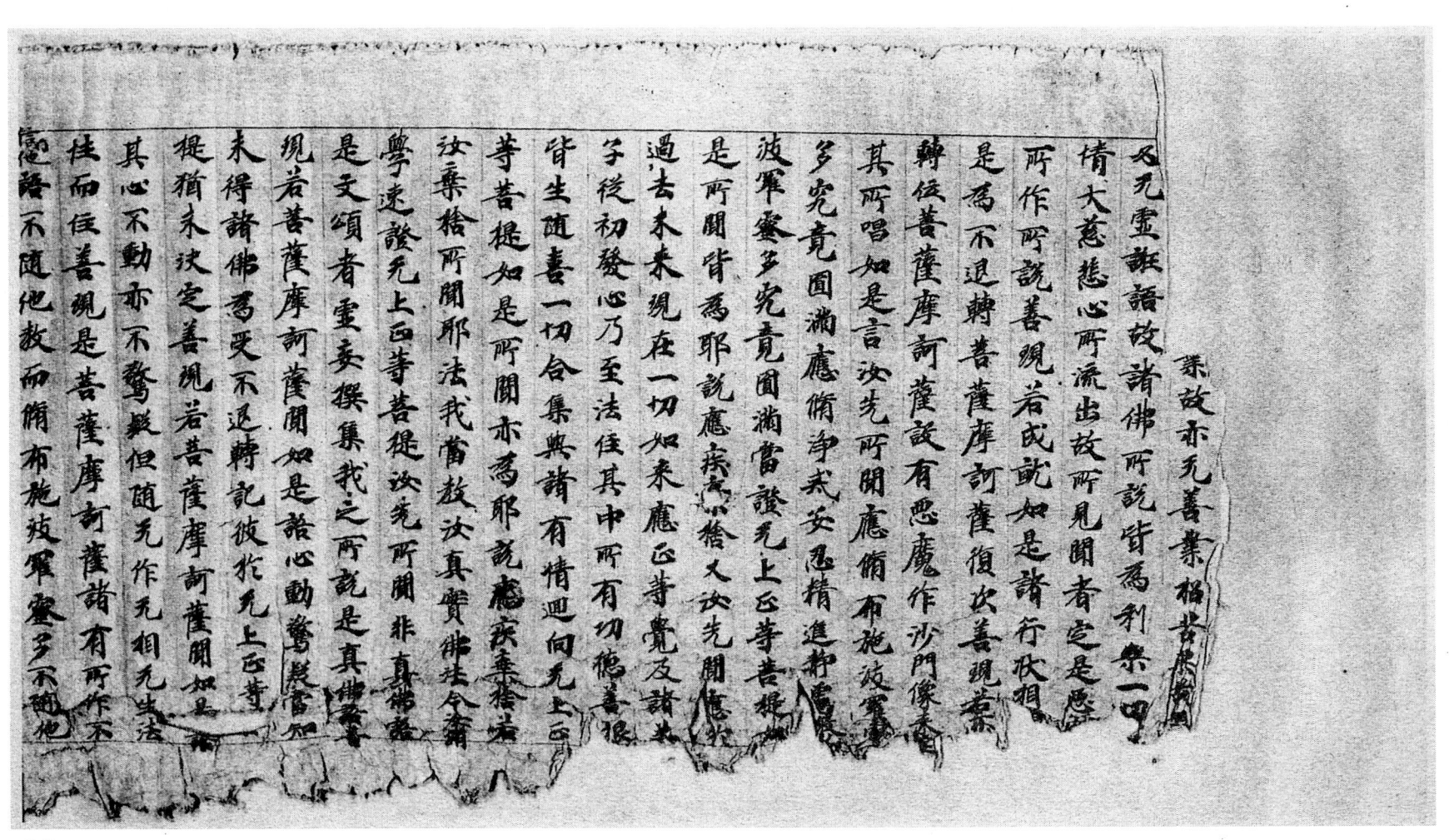

BD01268號　大般若波羅蜜多經卷三二六　（2–1）

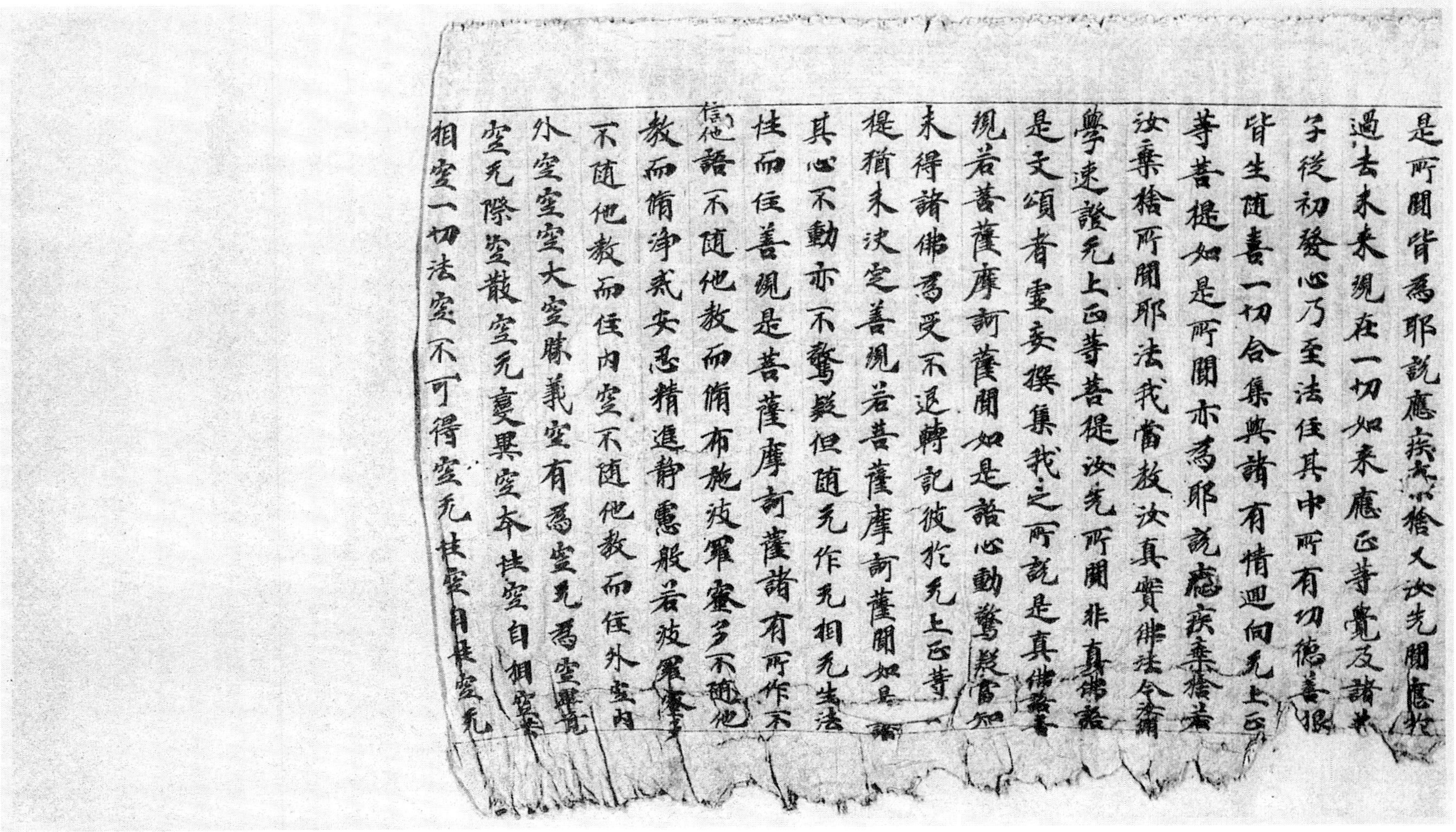
是所聞皆為耶說應疾棄捨又汝先聞應於
過去未來現在一切如來應正等覺及諸弟
子從初發心乃至法住其中所有功德善根
皆生隨喜一切合集與諸有情迴向无上正
等菩提如是所聞亦為耶說應疾棄捨若
汝棄捨所聞耶法我當教汝真實佛法令汝
學速證无上正等菩提汝先所聞非真佛語
是文頌者虛妄撰集我之所說是真佛語善
現若菩薩摩訶薩聞如是語心動驚疑當知
未得諸佛為受不退轉記彼於无上正等菩
提猶未決定善現若菩薩摩訶薩聞如是語
其心不動亦不驚疑但隨无作无相无生法
性而住善現是菩薩摩訶薩有所作不
信他語不隨他教而脩布施波羅蜜多不隨他
教而脩淨戒安忍精進靜慮般若波羅蜜多
不隨他教而住內空不隨他教而住外空內
外空空空大空勝義空有為空无為空畢竟
空无際空散空无變異空本性空自相空共
相空一切法空不可得空无性空自性空无

BD01268 號　大般若波羅蜜多經卷三二六　（2–2）

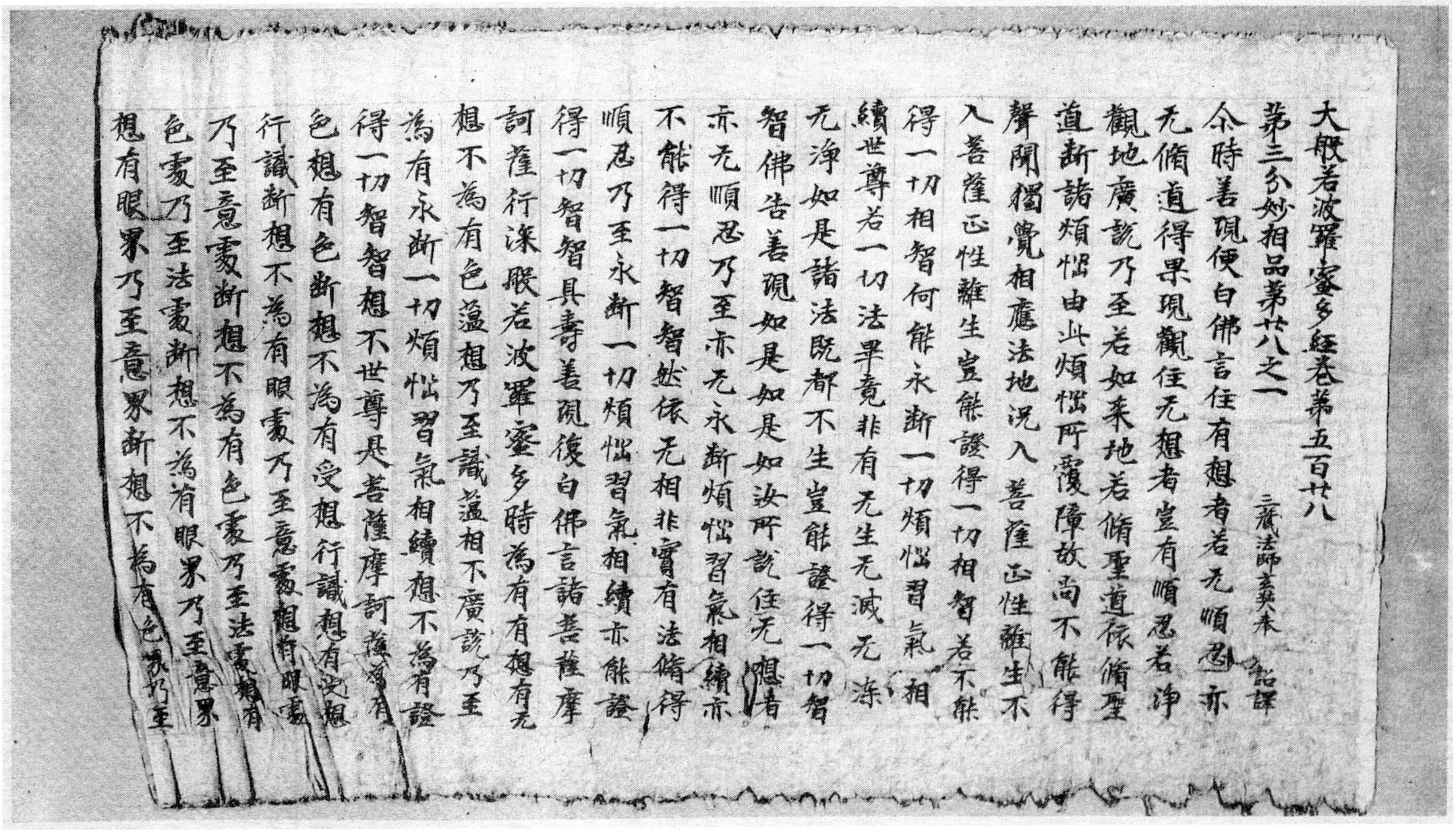
大般若波羅蜜多經卷第五百廿八
第三分妙相品第廿八之一　三藏法師玄奘奉　詔譯
尒時善現便白佛言住有想者若无順忍亦
无脩道得果現觀住无想者豈有順忍若淨
觀地廣說乃至若如來地若脩聖道依脩聖
道斷諸煩惱由此煩惱所覆障故尚不能得
聲聞獨覺相應法地況入菩薩正性離生不
入菩薩正性離生豈能證得一切相智若不能
得一切相智何能永斷一切煩惱習氣相
續世尊若一切法畢竟非有无生无滅无染
无淨如是諸法既都不生豈能證得一切智
智佛告善現如是如是如汝所說住无想者
亦无順忍乃至亦无永斷煩惱習氣相續亦
不能得一切智智然依无相非實有法脩得
順忍乃至永斷一切煩惱習氣相續亦能證
得一切智智具壽善現復白佛言諸菩薩摩
訶薩行深般若波羅蜜多時為有有想有无
想不為有色蘊想乃至識蘊想不廣說乃至
為有永斷一切煩惱習氣相續想不為有證
得一切智智想不世尊是菩薩摩訶薩為有
色想有色斷想不為有受想行識想有受想
行識斷想不為有眼處乃至意處想有眼處
乃至意處斷想不為有色處乃至法處想有
色處乃至法處斷想不為有眼界乃至意界
想有眼界乃至意界斷想不為有色界乃至

BD01269 號　大般若波羅蜜多經卷五二八　（1–1）

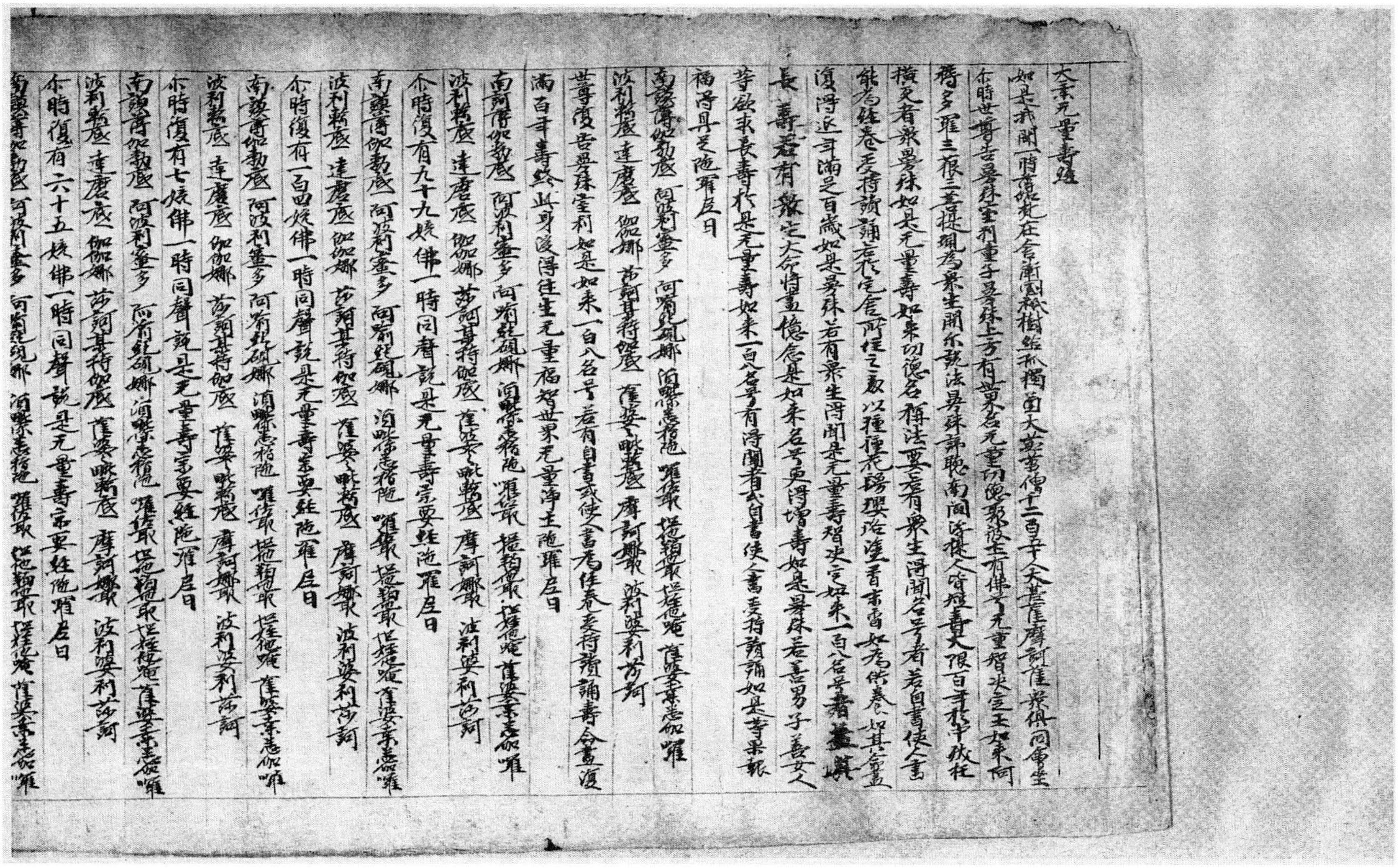

大乘無量壽經
如是我聞。一時佛在舍衛國祇樹給孤獨園，與大比丘僧千二百五十人俱，大菩薩摩訶薩眾俱，同會坐。
爾時世尊告文殊師利童子：上方有世界，名無量功德聚，彼土有佛，名無量智決定王如來、阿
羅訶三藐三菩提，現為眾生開示說法。文殊師利諦聽，南閻浮提人命短壽，大限百年，於中夭枉
橫死者眾多。文殊師利，如是無量壽如來功德名稱法要，若有眾生得聞名號者，若自書，使人書，
能為經卷，受持讀誦，於舍宅所住之處，以種種花鬘瓔珞塗香末香而為供養，如其命盡，
復得延年，滿足百歲。如是，文殊師利，若有眾生得聞是無量壽智決定如來一百八名號者，益其壽
長。若有眾生大命將盡，憶念是如來名號，更得增壽。如是，文殊師利，若善男子善女人
等欲求長壽，於是無量壽如來一百八名號，有得聞者，若自書，使人書，受持讀誦，如是等果報
福德具足。陀羅尼曰：
南謨薄伽勃底 阿波利蜜多 阿喻紇硯娜 須毗你悉指陀 囉佐耶 怛他揭他耶 怛姪他 唵 薩婆桑悉迦囉
波利輸底 達磨底 伽伽娜 莎訶摩揭伽底 莎婆毗秫底 摩訶娜耶 波利婆利莎訶
世尊復告文殊室利：如是如來一百八名號，若有自書或使人書，為經卷受持讀誦，壽命盡，復
滿百年壽。終此身後，得往生無量福智世界無量淨土。陀羅尼曰：
南謨薄伽勃底 阿波利蜜多 阿喻紇硯娜 須毗你悉指陀 囉佐耶 怛他揭他耶 怛姪他 唵 薩婆桑悉迦囉
波利輸底 達磨底 伽伽娜 莎訶摩揭伽底 莎婆毗秫底 摩訶娜耶 波利婆利莎訶
爾時復有九十九姟佛一時同聲說是無量壽宗要經陀羅尼曰：
南謨薄伽勃底 阿波利蜜多 阿喻紇硯娜 須毗你悉指陀 囉佐耶 怛他揭他耶 怛姪他 唵 薩婆桑悉迦囉
波利輸底 達磨底 伽伽娜 莎訶摩揭伽底 莎婆毗秫底 摩訶娜耶 波利婆利莎訶
爾時復有一百四姟佛一時同聲說是無量壽宗要經陀羅尼曰：
南謨薄伽勃底 阿波利蜜多 阿喻紇硯娜 須毗你悉指陀 囉佐耶 怛他揭他耶 怛姪他 唵 薩婆桑悉迦囉
波利輸底 達磨底 伽伽娜 莎訶摩揭伽底 莎婆毗秫底 摩訶娜耶 波利婆利莎訶
爾時復有七姟佛一時同聲說是無量壽宗要經陀羅尼曰：
南謨薄伽勃底 阿波利蜜多 阿喻紇硯娜 須毗你悉指陀 囉佐耶 怛他揭他耶 怛姪他 唵 薩婆桑悉迦囉
波利輸底 達磨底 伽伽娜 莎訶摩揭伽底 莎婆毗秫底 摩訶娜耶 波利婆利莎訶
爾時復有六十五姟佛一時同聲說是無量壽宗要經陀羅尼曰：
南謨薄伽勃底 阿波利蜜多 阿喻紇硯娜 須毗你悉指陀 囉佐耶 怛他揭他耶 怛姪他 唵 薩婆桑悉迦囉

BD01270 號　無量壽宗要經　（4–1）

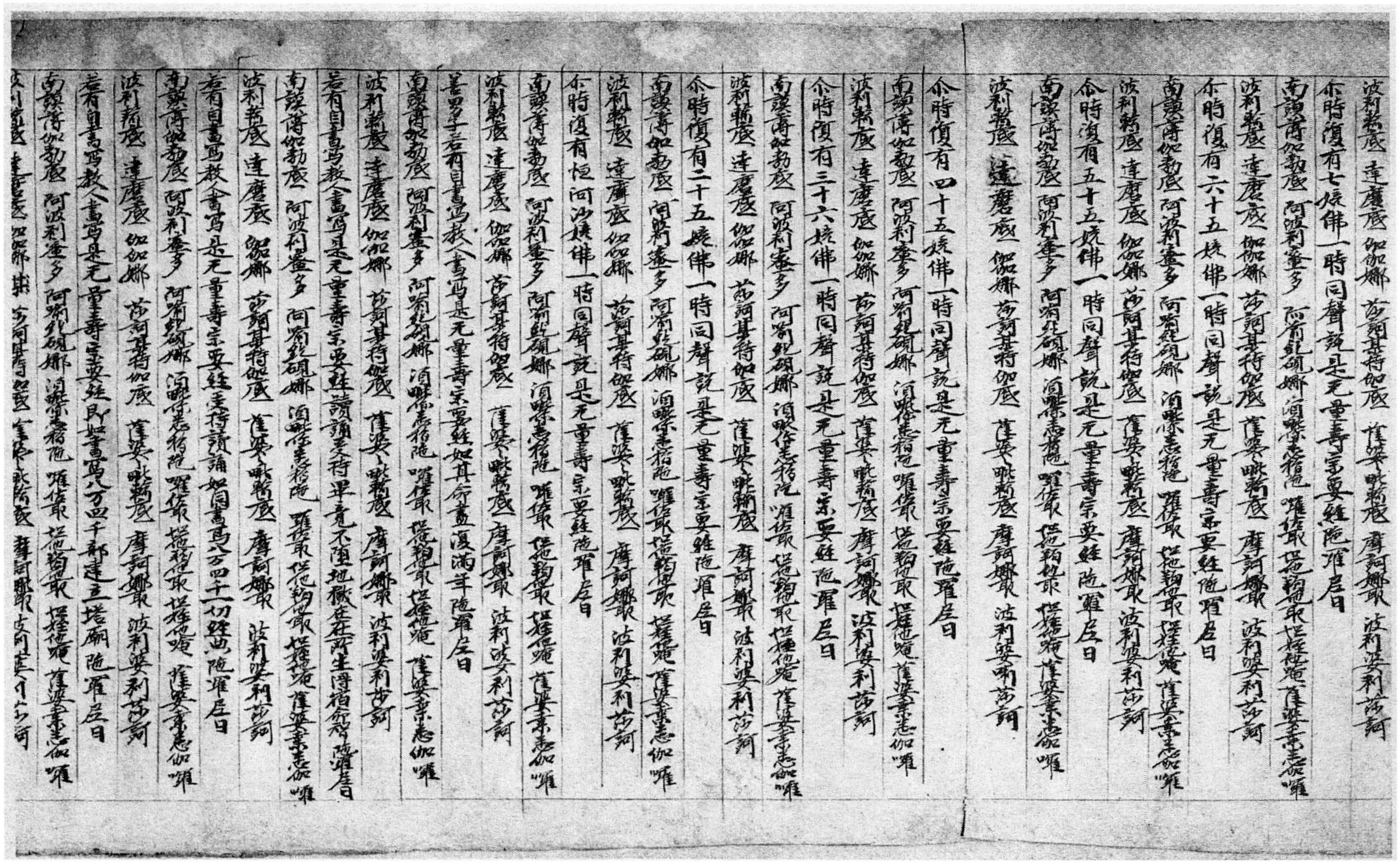

波利輸底 達磨底 伽伽娜 莎訶摩揭伽底 莎婆毗秫底 摩訶娜耶 波利婆利莎訶
爾時復有七姟佛一時同聲說是無量壽宗要經陀羅尼曰：
南謨薄伽勃底 阿波利蜜多 阿喻紇硯娜 須毗你悉指陀 囉佐耶 怛他揭他耶 怛姪他 唵 薩婆桑悉迦囉
波利輸底 達磨底 伽伽娜 莎訶摩揭伽底 莎婆毗秫底 摩訶娜耶 波利婆利莎訶
爾時復有六十五姟佛一時同聲說是無量壽宗要經陀羅尼曰：
南謨薄伽勃底 阿波利蜜多 阿喻紇硯娜 須毗你悉指陀 囉佐耶 怛他揭他耶 怛姪他 唵 薩婆桑悉迦囉
波利輸底 達磨底 伽伽娜 莎訶摩揭伽底 莎婆毗秫底 摩訶娜耶 波利婆利莎訶
爾時復有五十五姟佛一時同聲說是無量壽宗要經陀羅尼曰：
南謨薄伽勃底 阿波利蜜多 阿喻紇硯娜 須毗你悉指陀 囉佐耶 怛他揭他耶 怛姪他 唵 薩婆桑悉迦囉
波利輸底 達磨底 伽伽娜 莎訶摩揭伽底 莎婆毗秫底 摩訶娜耶 波利婆利莎訶
爾時復有四十五姟佛一時同聲說是無量壽宗要經陀羅尼曰：
南謨薄伽勃底 阿波利蜜多 阿喻紇硯娜 須毗你悉指陀 囉佐耶 怛他揭他耶 怛姪他 唵 薩婆桑悉迦囉
波利輸底 達磨底 伽伽娜 莎訶摩揭伽底 莎婆毗秫底 摩訶娜耶 波利婆利莎訶
爾時復有三十六姟佛一時同聲說是無量壽宗要經陀羅尼曰：
南謨薄伽勃底 阿波利蜜多 阿喻紇硯娜 須毗你悉指陀 囉佐耶 怛他揭他耶 怛姪他 唵 薩婆桑悉迦囉
波利輸底 達磨底 伽伽娜 莎訶摩揭伽底 莎婆毗秫底 摩訶娜耶 波利婆利莎訶
爾時復有二十五姟佛一時同聲說是無量壽宗要經陀羅尼曰：
南謨薄伽勃底 阿波利蜜多 阿喻紇硯娜 須毗你悉指陀 囉佐耶 怛他揭他耶 怛姪他 唵 薩婆桑悉迦囉
波利輸底 達磨底 伽伽娜 莎訶摩揭伽底 莎婆毗秫底 摩訶娜耶 波利婆利莎訶
爾時復有恒河沙姟佛一時同聲說是無量壽宗要經陀羅尼曰：
南謨薄伽勃底 阿波利蜜多 阿喻紇硯娜 須毗你悉指陀 囉佐耶 怛他揭他耶 怛姪他 唵 薩婆桑悉迦囉
波利輸底 達磨底 伽伽娜 莎訶摩揭伽底 莎婆毗秫底 摩訶娜耶 波利婆利莎訶
善男子若有自書寫教人書寫是無量壽宗要經，如其命盡，復滿年。陀羅尼曰：
南謨薄伽勃底 阿波利蜜多 阿喻紇硯娜 須毗你悉指陀 囉佐耶 怛他揭他耶 怛姪他 唵 薩婆桑悉迦囉
波利輸底 達磨底 伽伽娜 莎訶摩揭伽底 莎婆毗秫底 摩訶娜耶 波利婆利莎訶
若有自書寫教人書寫是無量壽宗要經，讀誦受持，畢竟不墮地獄，在在所生得宿命智。陀羅尼曰：
南謨薄伽勃底 阿波利蜜多 阿喻紇硯娜 須毗你悉指陀 囉佐耶 怛他揭他耶 怛姪他 唵 薩婆桑悉迦囉
波利輸底 達磨底 伽伽娜 莎訶摩揭伽底 莎婆毗秫底 摩訶娜耶 波利婆利莎訶
若有自書寫教人書寫是無量壽宗要經，受持讀誦，如同書寫八萬四千一切經典。陀羅尼曰：
南謨薄伽勃底 阿波利蜜多 阿喻紇硯娜 須毗你悉指陀 囉佐耶 怛他揭他耶 怛姪他 唵 薩婆桑悉迦囉
波利輸底 達磨底 伽伽娜 莎訶摩揭伽底 莎婆毗秫底 摩訶娜耶 波利婆利莎訶
若有自書寫教人書寫是無量壽宗要經，則如書寫八萬四千部建立塔廟。陀羅尼曰：
南謨薄伽勃底 阿波利蜜多 阿喻紇硯娜 須毗你悉指陀 囉佐耶 怛他揭他耶 怛姪他 唵 薩婆桑悉迦囉
波利輸底 達磨底 伽伽娜 莎訶摩揭伽底 莎婆毗秫底 摩訶娜耶 波利婆利莎訶

BD01270 號　無量壽宗要經　（4–2）

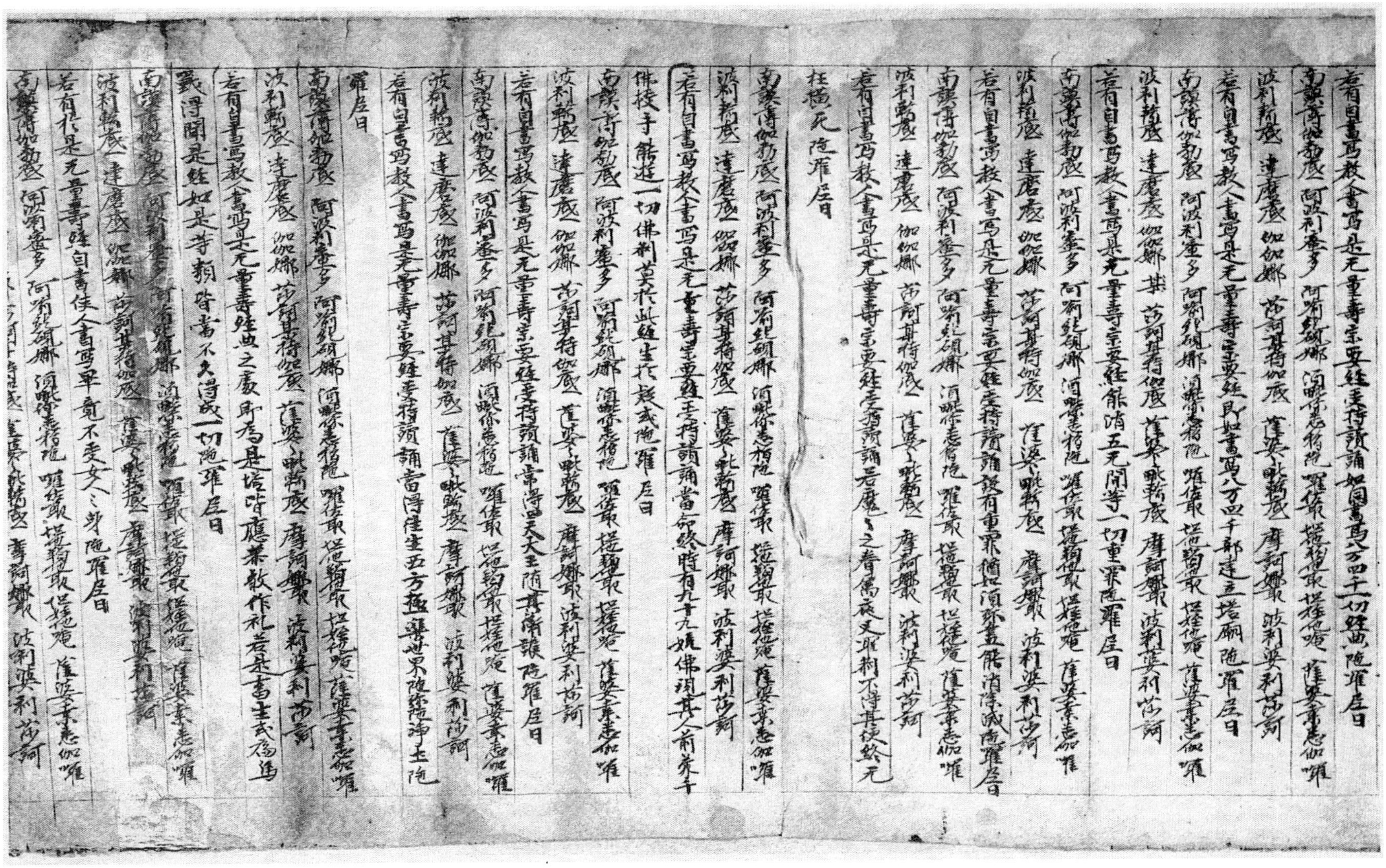

BD01270 號　無量壽宗要經　（4–3）

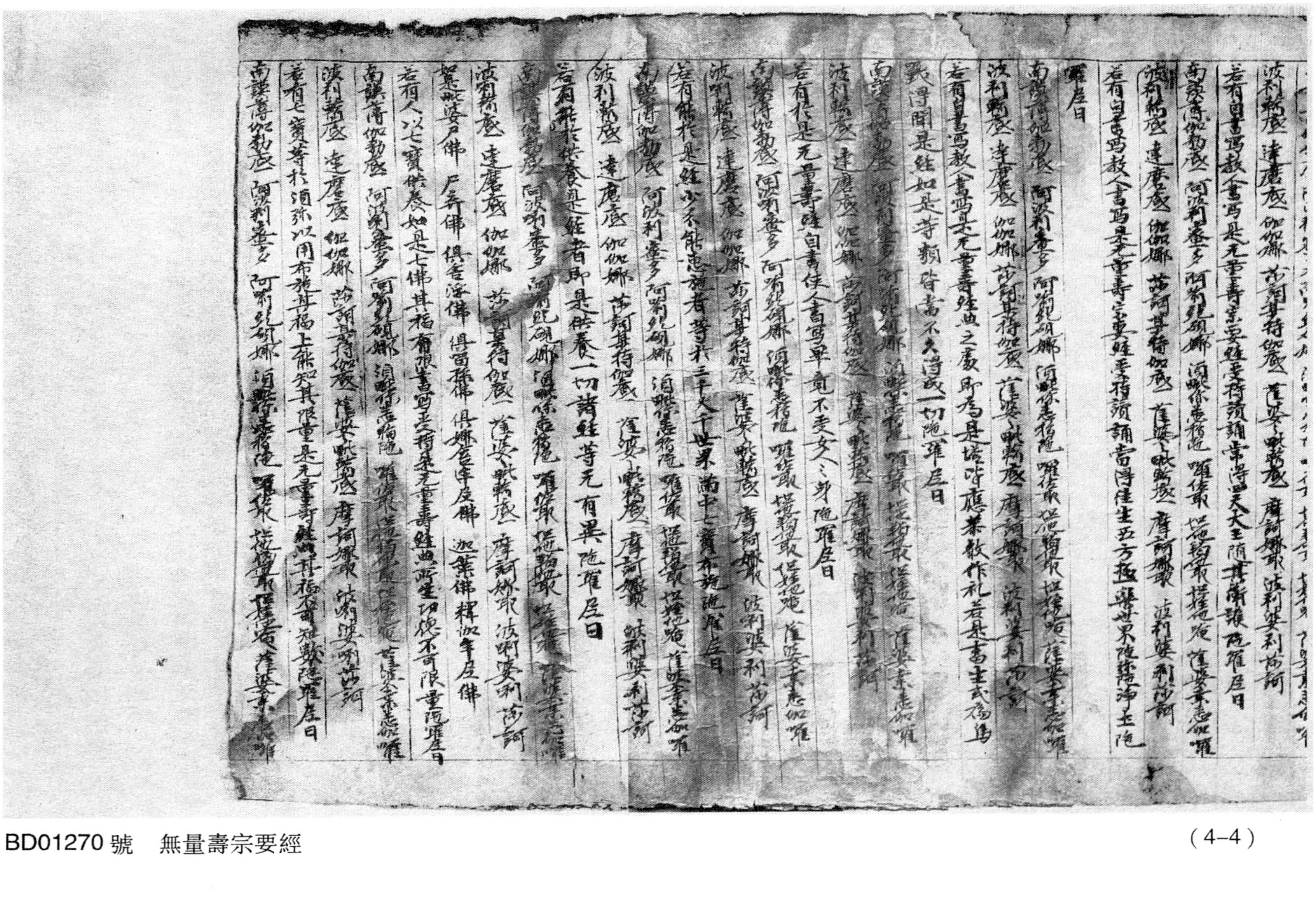

BD01270 號　無量壽宗要經　（4–4）

書
若得……
有所言說　人……所著
貧窮下賤　為人所使　多病痟瘦　無所依怙
雖親附人　人不在意　若有所得　尋復忘失
若脩醫道　順方治病　更增他疾　或復致死
若自有病　無人救療　設服良藥　而復增劇
若他反逆　抄劫竊盜　如是等罪　橫罹其殃
如斯罪人　永不見佛　衆聖之王　說法教化
如斯罪人　常生難處　狂聾心亂　永不聞法
於無數劫　如恒河沙　生輒聾瘂　諸根不具
常處地獄　如遊園觀　在餘惡道　如己舍宅
駝驢猪狗　是其行處　謗斯經故　獲罪如是
若得為人　聾盲瘖瘂　貧窮諸衰　以自莊嚴
水腫乾痟　疥癩癰疽　如是等病　以為衣服
身常臭處　垢穢不淨　深著我見　增益瞋恚
婬欲熾盛　不擇禽獸　謗斯經故　獲罪如是
告舍利弗　謗斯經者　若說其罪　窮劫不盡
以是因緣　我故語汝　無智人中　莫說此經
若有利根　智慧明了　多聞強識　求佛道者
如是之人　乃可為說　若人曾見　億百千佛
植諸善本　深心堅固　如是之人　乃可為說
若人精進　常脩慈心　不惜身命　乃可為說
若人恭敬　無有異心　離諸凡愚　獨處山澤

BD01271號　妙法蓮華經卷二　（11–1）

告舍利弗　謗斯經者　若說其罪　窮劫不盡
以是因緣　我故語汝　無智人中　莫說此經
若有利根　智慧明了　多聞強識　求佛道者
如是之人　乃可為說　若人曾見　億百千佛
植諸善本　深心堅固　如是之人　乃可為說
若人精進　常脩慈心　不惜身命　乃可為說
若人恭敬　無有異心　離諸凡愚　獨處山澤
如是之人　乃可為說　又舍利弗　若見有人
捨惡知識　親近善友　如是之人　乃可為說
若見佛子　持戒清潔　如淨明珠　求大乘經
如是之人　乃可為說　若人無瞋　質直柔軟
常愍一切　恭敬諸佛　如是之人　乃可為說
復有佛子　於大衆中　以清淨心　種種因緣
譬喻言辭　說法無礙　如是之人　乃可為說
若有比丘　為一切智　四方求法　合掌頂受
但樂受持　大乘經典　乃至不受　餘經一偈
如是之人　乃可為說　如人至心　求佛舍利
如是求經　得已頂受　其人不復　志求餘經
亦未曾念　外道典籍　如是之人　乃可為說
告舍利弗　我說是相　求佛道者　窮劫不盡
如是等人　則能信解　汝當為說　妙法華經
妙法蓮華經信解品第四
尒時慧命須菩提摩訶迦栴延摩訶迦葉摩
訶目揵連從佛所聞未曾有法世尊授舍利
弗阿耨多羅三藐三菩提記發希有心歡喜
踊躍即從座起整衣服偏袒右肩右膝著地
一心合掌曲躬恭敬瞻仰尊顏而白佛言

BD01271號　妙法蓮華經卷二　（11–2）

弗阿耨多羅三藐三菩提記發希有心歡喜
踊躍即從座起整衣服偏袒右肩右膝著地
一心合掌曲躬恭敬瞻仰尊顏而白佛言我
等居僧之首年並朽邁自謂已得涅槃無所
堪任不復進求阿耨多羅三藐三菩提世尊
往昔說法既久我時在座身體疲懈但念空
無相無作於菩薩法遊戲神通淨佛國土成
就衆生心不喜樂所以者何世尊令我等出
於三界得涅槃證又今我等年已朽邁於佛
教化菩薩阿耨多羅三藐三菩提不生一念
好樂之心我等今於佛前聞授聲聞阿耨
多羅三藐三菩提記心甚歡喜得未曾有不
謂於今忽然得聞希有之法深自慶幸獲大
善利無量珎寶不求自得世尊我等今者樂
說譬喻以明斯義譬若有人年既幼稚捨父
逃逝久住他國或十二十至五十歲年既長
大加復窮困馳騁四方以求衣食漸漸遊行
遇向本國其父先來求子不得中止一城其
家大富財寶無量金銀琉璃珊瑚虎珀頗梨
珠等其諸倉庫悉皆盈溢多有僮僕臣佐吏
民象馬車乘牛羊無數出入息利乃遍他國
商估賈客亦甚衆多時貧窮子遊諸聚落
經歷國邑遂到其父所止之城父每念子與
子離別五十餘年而未曾向人說如此事但
自思惟心懷悔恨自念老朽多有財物金銀
珎寶倉庫盈溢無有子息一旦終沒財物散失

BD01271 號　妙法蓮華經卷二　（11–3）

子離別五十餘年而未曾向人說如此事但
自思惟心懷悔恨自念老朽多有財物金銀
珎寶倉庫盈溢無有子息一旦終沒財物散失
無所委付是以殷勤每憶其子復作是念我
若得子委付財物坦然快樂無復憂慮世尊
尒時窮子傭賃展轉遇到父舍住立門側遙
見其父踞師子床寶几承足諸婆羅門剎利
居士皆恭敬圍繞以真珠瓔珞價直千万莊
嚴其身吏民僮僕手執白拂侍立左右覆以
寶帳垂諸華幡香水灑地散衆名華羅列寶
物出內取與有如是等種種嚴飾威德特尊
窮子見父有大力勢即懷恐怖悔來至此竊
作是念此或是王或是王等非我傭力得
物之處不如往至貧里肆力有地衣食易得
若久住此或見逼迫強使我作作是念已疾
走而去時富長者於師子座見子便識心大歡喜
即作是念我財物庫藏今有所付我常思念
此子無由見之而忽自來甚適我願我雖年
朽猶故貪惜即遣傍人急追將還尒時使者
疾走往捉窮子驚愕稱怨大喚我不相犯何
為見捉使者執之愈急強牽將還于時窮子
自念無罪而被囚執此必定死轉更惶怖悶
絕躃地父遙見之而語使言不須此人勿強
將來以冷水灑面令得醒悟莫復與語所以
者何父知其子志意下劣自知豪貴為子所
難審知是子而以方便不語他人云是我子
使者語之我今放汝隨意所趣窮子歡喜得

BD01271 號　妙法蓮華經卷二　（11–4）

難審知是子而以方便不語他人云是我子
使者語之我今放汝隨意所趣窮子歡喜得
未曾有従地而起往至貧里以求衣食尒時
長者將欲誘引其子而設方便密遣二人形
色憔悴無威德者汝可詣彼徐語窮子此有
作處倍與汝直窮子若許將來使作若言欲
何所作便可語之雇汝除糞我等二人亦共
汝作時二使人即求窮子既已得之具陳上
事尒時窮子先取其價尋與除糞其父見子
愍而怪之又以他日於窻牖中遥見子身羸
瘦憔悴糞土塵坌汙穢不淨即脫瓔珞細軟
上服嚴飾之具更著麁弊垢膩之衣塵土坌
身右手執持除糞之器狀有所畏語諸作人
汝等勤作勿得懈息以方便故得近其子後
復告言咄男子汝常此作勿復餘去當加汝
價諸有所須瓮器米麵塩酢之屬莫自疑難
亦有老弊使人須者相給好自安意我如汝
父勿復憂慮所以者何我年老大而汝少壯
汝常作時無有欺怠瞋恨怨言都不見汝有
此諸惡如餘作人自今已後如所生子即時
長者更與作字名之為兒尒時窮子雖欣此
遇猶故自謂客作賤人由是之故於二十年
中常令除糞過是已後心相體信入出無難
然其所止猶在本處世尊尒時長者有疾自
知將死不久語窮子言我今多有金銀珎寶
倉庫盈溢其中多少所應取與汝悉知之我

BD01271號　妙法蓮華經卷二　（11–5）

然其所止猶在本處世尊尒時長者有疾自
知將死不久語窮子言我今多有金銀珎寶
倉庫盈溢其中多少所應取與汝悉知之我
心如是當體此意所以者何今我與汝便為
不異宜加用心無令漏失尒時窮子即受教
勑領知衆物金銀珎寶及諸庫藏而無悕取
一飡之意然其所止故在本處下劣之心亦
未能捨復經少時父知子意漸已通泰成就
大志自鄙先心臨欲終時而命其子并會親
族國王大臣剎利居士皆悉已集即自宣言
諸君當知此是我子我之所生於某城中捨
吾逃走跉跰辛苦五十餘年其本字某我名
某甲昔在本城懷憂推覓忽於此間遇會得
之此實我子我實其父今我所有一切財物
皆是子有先所出內是子所知世尊是時窮
子聞父此言即大歡喜得未曾有而作是念
我本無心有所悕求今此寶藏自然而至世
尊大富長者則是如來我等皆似佛子如來
常說我等為子世尊我等以三苦故於生死
中受諸熱惱迷惑無知樂著小法今日世尊
令我等思惟蠲除諸法戲論之糞我等於中
勤加精進得至涅槃一日之價既得此已心
大歡喜自以為足便自謂於佛法中勤精進
故所得弘多然世尊先知我等心著弊欲樂
於小法便見縱捨不為分別汝等當有如來
知見寶藏之分世尊以方便力說如來智慧
我等從佛得涅槃一日之價以為大得於此

BD01271號　妙法蓮華經卷二　（11–6）

於小法便見縱捨不為分別汝等當有如來
知見寶藏之分世尊以方便力說如來智慧
我等從佛得涅槃一日之價以為大得於此
大乘無有志求我等又因如來智慧為諸菩
薩開示演說而自於此無有志願所以者何
佛知我等心樂小法以方便力隨我等說而
我等不知真是佛子今我等方知世尊於佛
智慧無所悋惜所以者何我等昔來真是
佛子而但樂小法若我等有樂大之心佛則為
我說大乘法此經中唯說一乘而昔於菩薩
前毀呰聲聞樂小法者然佛實以大乘教化
是故我等說本無心有所悕求今法王大寶
自然而至如佛子所應得者皆已得之尒時
摩訶迦葉欲重宣此義而說偈言
我等今日　聞佛音教　歡喜踊躍　得未曾有
佛說聲聞　當得作佛　無上寶聚　不求自得
譬如童子　幼稚無識　捨父逃逝　遠到他土
周流諸國　五十餘年　其父憂念　四方推求
求之既疲　頓止一城　造立舍宅　五欲自娛
其家巨富　多諸金銀　車𤦲馬瑙　真珠琉璃
象馬牛羊　輦輿車乘　田業僮僕　人民衆多
出入息利　乃遍他國　商估賈人　無處不有
千万億衆　圍繞恭敬　常為王者　之所愛念
羣臣豪族　皆共宗重　以諸緣故　往來者衆
豪富如是　有大力勢　而年朽邁　益憂念子
夙夜惟念　死時將至　癡子捨我　五十餘年
庫藏諸物　當如之何　尒時窮子　求索衣食

BD01271號　妙法蓮華經卷二　（11-7）

豪富如是　有大力勢　而年朽邁　益憂念子
夙夜惟念　死時將至　癡子捨我　五十餘年
庫藏諸物　當如之何　尒時窮子　求索衣食
從邑至邑　從國至國　或有所得　或無所得
飢餓羸瘦　體生瘡癬　漸次經歷　到父住城
傭賃展轉　遂至父舍　尒時長者　於其門內
施大寶帳　處師子座　眷屬圍繞　諸人侍衛
或有計筭　金銀寶物　出內財產　注記券疏
窮子見父　豪貴尊嚴　謂是國王　若是王等
驚怖自怪　何故至此　覆自念言　我若久住
或見逼迫　強驅使作　思惟是已　馳走而去
借問貧里　欲往傭作　長者是時　在師子座
遙見其子　默而識之　即勑使者　追捉將來
窮子驚喚　迷悶躄地　是人執我　必當見殺
何用衣食　使我至此　長者知子　愚癡狹劣
不信我言　不信是父　即以方便　更遣餘人
眇目矬陋　無威德者　汝可語之　云當相雇
除諸糞穢　倍與汝價　窮子聞之　歡喜隨來
為除糞穢　淨諸房舍　長者於牖　常見其子
念子愚劣　樂為鄙事　於是長者　著弊垢衣
執除糞器　往到子所　方便附近　語令勤作
既益汝價　并塗足油　飲食充足　薦席厚煖
如是苦言　汝當勤作　又以軟語　若如我子
長者有智　漸令入出　經二十年　執作家事
示其金銀　真珠頗梨　諸物出入　皆使令知
猶處門外　止宿草菴　自念貧事　我無此物
父知子心　漸已曠大　欲與財物　即聚親族

BD01271號　妙法蓮華經卷二　（11-8）

長者有智　漸令入出　經二十年　執作家事
示其金銀　真珠頗梨　諸物出入　皆使令知
猶處門外　止宿草菴　自念貧事　我無此物
父知子心　漸已曠大　欲與財物　即聚親族
國王大臣　刹利居士　於此大眾　說是我子
捨我他行　經五十歲　自見子來　已二十年
昔於某城　而失是子　周行求索　遂來至此
凡我所有　舍宅人民　悉以付之　恣其所用
子念昔貧　志意下劣　今於父所　大獲珍寶
并及舍宅　一切財物　甚大歡喜　得未曾有
佛亦如是　知我樂小　未曾說言　汝等作佛
而說我等　得諸無漏　成就小乘　聲聞弟子
佛勅我等　說最上道　修習此者　當得成佛
我承佛教　為大菩薩　以諸因緣　種種譬喻
若干言辭　說無上道　諸佛子等　從我聞法
日夜思惟　精勤修習　是時諸佛　即授其記
汝於來世　當得作佛　一切諸佛　祕藏之法
但為菩薩　演其實事　而不為我　說斯真要
如彼窮子　得近其父　雖知諸物　心不悕取
我等雖說　佛法寶藏　自無志願　亦復如是
我等內滅　自謂為足　唯了此事　更無餘事
我等若聞　淨佛國土　教化眾生　都無欣樂
所以者何　一切諸法　皆悉空寂　無生無滅
無大無小　無漏無為　如是思惟　不生喜樂
我等長夜　於佛智慧　無貪無著　無復志願
而自於法　謂是究竟　我等長夜　修習空法

BD01271號　妙法蓮華經卷二　（11-9）

無大無小　無漏無為　如是思惟　不生喜樂
我等長夜　於佛智慧　無貪無著　無復志願
而自於法　謂是究竟　我等長夜　修習空法
得脫三界　苦惱之患　住最後身　有餘涅槃
佛所教化　得道不虛　則為已得　報佛之恩
我等雖為　諸佛子等　說菩薩法　以求佛道
而於是法　永無願樂　導師見捨　觀我心故
初不勸進　說有實利　如富長者　知子志劣
以方便力　柔伏其心　然後乃付　一切財物
佛亦如是　現希有事　知樂小者　以方便力
調伏其心　乃教大智　我等今日　得未曾有
非先所望　而今自得　如彼窮子　得無量寶
世尊我今　得道得果　於無漏法　得清淨眼
我等長夜　持佛淨戒　始於今日　得其果報
法王法中　久修梵行　今得無漏　無上大果
我等今者　真是聲聞　以佛道聲　令一切聞
我等今者　真阿羅漢　於諸世間　天人魔梵
普於其中　應受供養　世尊大恩　以希有事
憐愍教化　利益我等　無量億劫　誰能報者
手足供給　頭頂禮敬　一切供養　皆不能報
若以頂戴　兩肩荷負　於恒沙劫　盡心恭敬
又以美饍　无量寶衣　及諸臥具　種種湯藥
牛頭栴檀　及諸珍寶　以起塔廟　寶衣布地
如斯等事　以用供養　於恒沙劫　亦不能報
諸佛希有　無量無邊　不可思議　大神通力
無漏無為　諸法之王　能為下劣　忍于斯事
取相凡夫　隨宜為說　諸佛於法　得最自在

BD01271號　妙法蓮華經卷二　（11-10）

法王法中　久脩梵行　今得無漏　無上大果
我等今者　真是聲聞　以佛道聲　令一切聞
我等今者　真阿羅漢　於諸世間　天人魔梵
普於其中　應受供養　世尊大恩　以希有事
憐愍教化　利益我等　無量億劫　誰能報者
手足供給　頭頂礼敬　一切供養　皆不能報
若以頂戴　兩肩荷負　於恒沙劫　盡心恭敬
又以美饍　无量寶衣　及諸卧具　種種湯藥
牛頭栴檀　及諸珎寶　以起塔廟　寶衣布地
如斯等事　以用供養　於恒沙劫　亦不能報
諸佛希有　無量無邊　不可思議　大神通力
無漏無為　諸法之王　能為下劣　忍于斯事
取相凡夫　隨宜為說　諸佛於法　得最自在
知諸衆生　種種欲樂　及其志力　隨所堪任
以無量喻　而為說法　隨諸衆生　宿世善根
又知成熟　未成熟者　種種籌量　分別知已
於一乘道　隨宜說三

妙法蓮華經卷第二

BD01271號　妙法蓮華經卷二　（11–11）

一念生淨信者須
生得如是无量
福德何以故是諸衆生无復我相人相衆生相
壽者相无法相亦无非法相何以故是諸
衆生若心取相則為著我人衆生壽者若
取法相即著我人衆生壽者何以故若取非法
相即著我人衆生壽者是故不應取法不應取
非法以是義故如来常說汝等比丘知我說
法如筏喻者法尚應捨何况非法
須菩提於意云何如来得阿耨多羅三藐三
菩提耶如来有所說法耶須菩提言如我解
佛所說義无有定法名阿耨多羅三藐三菩
提亦无有定法如来可說何以故如来所說
法皆不可取不可說非法非非法所以者何
一切賢聖皆以无為法而有差別
須菩提於意云何若人滿三千大千世界七
寶以用布施是人所得福德寧為多不須菩
提言甚多世尊何以故是福德即非福德性
是故如来說福德多若復有人於此經中受持
乃至四句偈等為他人說其福勝彼何以

BD01272號　金剛般若波羅蜜經　（13–1）

須菩提於意云何若人滿三千大千世界七
寶以用布施是人所得福德寧為多不須菩
提言甚多世尊何以故是福德即非福德性
是故如來說福德多若復有人於此經中受持
乃至四句偈等為他人說其福勝彼何以
故須菩提一切諸佛及諸佛阿耨多羅三藐
三菩提法皆從此經出須菩提所謂佛法者
即非佛法
須菩提於意云何須陀洹能作是念我得須
陀洹果不須菩提言不也世尊何以故須菩
洹名為入流而无所入不入色聲香味觸法
是名須陀洹須菩提於意云何斯陀含能作
是念我得斯陀含果不須菩提言不也世尊
何以故斯陀含名一往來而實无往來是名
斯陀含須菩提於意云何阿那含能作是念
我得阿那含果不須菩提言不也世尊何以
故阿那含名為不來而實无來是故名阿那
含須菩提於意云何阿羅漢能作是念我得
阿羅漢道不須菩提言不也世尊何以故實
无有法名阿羅漢世尊若阿羅漢作是念我
得阿羅漢道即為著我人衆生壽者世尊佛
說我得无諍三昧人中最為第一是第一離
欲阿羅漢我不作是念我是離欲阿羅漢世
尊我若作是念我得阿羅漢道世尊則不說
須菩提是樂阿蘭那行者以須菩提實无所
行而名須菩提是樂阿蘭那行

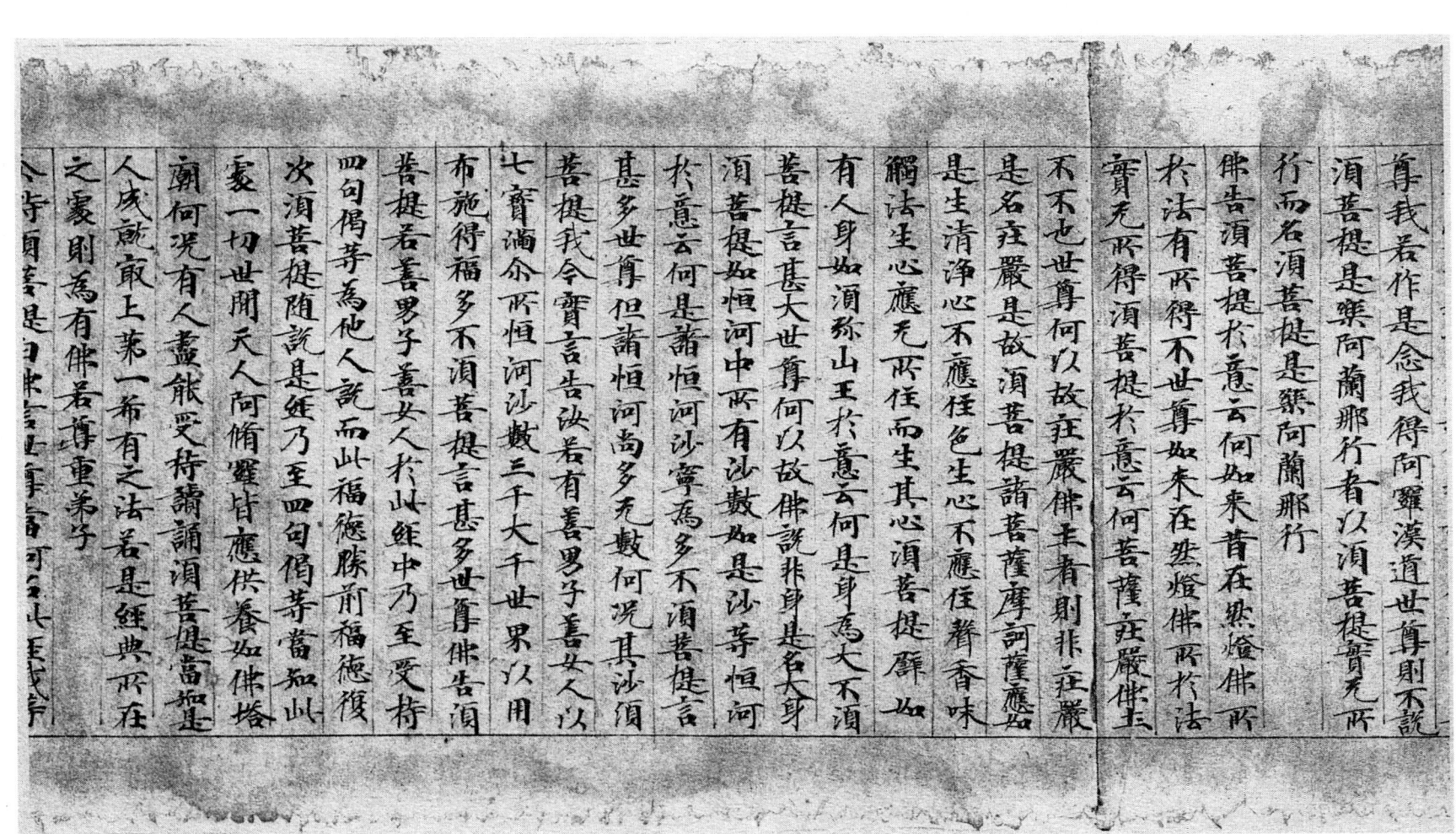

BD01272 號　金剛般若波羅蜜經　（13–2）

尊我若作是念我得阿羅漢道世尊則不說
須菩提是樂阿蘭那行者以須菩提實无所
行而名須菩提是樂阿蘭那行
佛告須菩提於意云何如來昔在然燈佛所
於法有所得不世尊如來在然燈佛所於法
實无所得須菩提於意云何菩薩莊嚴佛土
不不也世尊何以故莊嚴佛土者則非莊嚴
是名莊嚴是故須菩提諸菩薩摩訶薩應如
是生清淨心不應住色生心不應住聲香味
觸法生心應无所住而生其心須菩提譬如
有人身如須弥山王於意云何是身為大不須
菩提言甚大世尊何以故佛說非身是名大身
須菩提如恒河中所有沙數如是沙等恒河
於意云何是諸恒河沙寧為多不須菩提言
甚多世尊但諸恒河尚多无數何況其沙須
菩提我今實言告汝若有善男子善女人以
七寶滿尒所恒河沙數三千大千世界以用
布施得福多不須菩提言甚多世尊佛告須
菩提若善男子善女人於此經中乃至受持
四句偈等為他人說而此福德勝前福德復
次須菩提隨說是經乃至四句偈等當知此
處一切世間天人阿脩羅皆應供養如佛塔
廟何況有人盡能受持讀誦須菩提當知是
人成就最上第一希有之法若是經典所在
之處則為有佛若尊重弟子
尒時須菩提白佛言世尊當何名此經我等

BD01272 號　金剛般若波羅蜜經　（13–3）

廟何况有人盡能受持讀誦須菩提當知是
人成就最上苐一希有之法若是經典所在
之處則為有佛若尊重弟子
尒時須菩提白佛言世尊當何名此經我等
云何奉持佛告須菩提是經名為金剛般若
波羅蜜以是名字汝當奉持所以者何須菩
提佛說般若波羅蜜則非般若波羅蜜須菩
提於意云何如來有所說法不須菩提白佛
言世尊如來无所說須菩提於意云何三千
大千世界所有微塵是為多不須菩提言甚
多世尊須菩提諸微塵如來說非微塵是名
微塵如來說世界非世界是名世界須菩提
於意云何可以三十二相見如來不不也世
尊何以故如來說三十二相即是非相是名
三十二相須菩提若有善男子善女人以恒
河沙等身命布施若復有人於此經中乃至
受持四句偈等為他人說其福甚多
尒時須菩提聞說是經深解義趣涕淚悲泣
而白佛言希有世尊佛說如是甚深經典我
從昔來所得慧眼未曾得聞如是之經世尊
若復有人得聞是經信心清淨則生實相當
知是人成就苐一希有功德世尊是實相者
則是非相是故如來說名實相世尊我今得
聞如是經典信解受持不足為難若當來世
後五百歲其有眾生得聞是經信解受持是
人則為苐一希有何以故此人无我相人相

BD01272 號　金剛般若波羅蜜經　（13–4）

聞如是經典信解受持不足為難若當來世
後五百歲其有眾生得聞是經信解受持是
人則為苐一希有何以故此人无我相人相
眾生相壽者相所以者何我相即是非相人
相眾生相壽者相即是非相何以故離一切
諸相則名諸佛佛告須菩提如是如是若復
有人得聞是經不驚不怖不畏當知是人甚
為希有何以故須菩提如來說苐一波羅蜜
非苐一波羅蜜是名苐一波羅蜜
須菩提忍辱波羅蜜如來說非忍辱波羅蜜
何以故須菩提如我昔為歌利王割截身體
我於尒時无我相无人相无眾生相无壽者
相何以故我於往昔節節支解時若有我相
人相眾生相壽者相應生瞋恨須菩提又念
過去於五百世作忍辱仙人於尒所世无我
相无人相无眾生相无壽者相是故須菩提
菩薩應離一切相發阿耨多羅三藐三菩提
心不應住色生心不應住聲香味觸法生心
應生无所住心若心有住則為非住是故佛
說菩薩心不應住色布施須菩提菩薩為利
益一切眾生應如是布施如來說一切諸相
即是非相又說一切眾生則非眾生須菩提
如來是真語者實語者如語者不誑語者不
異語者須菩提如來所得法此法无實无虛
須菩提若菩薩心住於法而行布施如人入
闇則无所見若菩薩心不住法而行布施如

BD01272 號　金剛般若波羅蜜經　（13–5）

異語者須菩提如來所得法此法无實无虛
須菩提若菩薩心住於法而行布施如人入
闇則无所見若菩薩心不住法而行布施如
人有目日光明照見種種色須菩提當來之
世若有善男子善女人能於此經受持讀誦
則為如來以佛智慧悉知是人悉見是人皆
得成就无量无邊功德
須菩提若有善男子善女人初日分以恒河
沙等身布施中日分復以恒河沙等身布施
後日分亦以恒河沙等身布施如是无量百
千萬億劫以身布施若復有人聞此經典信
心不逆其福勝彼何況書寫受持讀誦為人
解說須菩提以要言之是經有不可思議不
可稱量无邊功德如來為發大乘者說為發
最上乘者說若有人能受持讀誦廣為人說
如來悉知是人悉見是人皆得成就不可量
不可稱无有邊不可思議功德如是人等則
為荷擔如來阿耨多羅三藐三菩提何以故
須菩提若樂小法者著我見人見衆生見壽
者見則於此經不能聽受讀誦為人解說須
菩提在在處處若有此經一切世間天人阿
脩羅所應供養當知此處則為是塔皆應
恭敬作禮圍繞以諸華香而散其處
復次須菩提善男子善女人受持讀誦此經
若為人輕賤是人先世罪業應墮惡道以今
世人輕賤故先世罪業則為消滅當得阿耨

BD01272 號　金剛般若波羅蜜經　（13–6）

復次須菩提善男子善女人受持讀誦此經
若為人輕賤是人先世罪業應墮惡道以今
世人輕賤故先世罪業則為消滅當得阿耨
多羅三藐三菩提須菩提我念過去无量阿
僧祇劫於然燈佛前得值八百四千萬億那
由他諸佛悉皆供養承事无空過者若復有
人於後末世能受持讀誦此經所得功德於
我所供養諸佛功德百分不及一千萬億分
乃至算數譬喻所不能及須菩提若善男子
善女人於後末世有受持讀誦此經所得功
德我若具說者或有人聞心則狂亂狐疑不
信須菩提當知是經義不可思議果報亦不
可思議
尒時須菩提白佛言世尊善男子善女人發
阿耨多羅三藐三菩提心云何應住云何降
伏其心佛告須菩提善男子善女人發阿耨
多羅三藐三菩提者當生如是心我應滅度
一切衆生滅度一切衆生已而无有一衆生
實滅度者何以故若菩薩有我相人相衆生
相壽者相則非菩薩所以者何須菩提實无
有法發阿耨多羅三藐三菩提者須菩提於
意云何如來於然燈佛所有法得阿耨多羅
三藐三菩提不不也世尊如我解佛所說義
佛於然燈佛所无有法得阿耨多羅三藐三
菩提佛言如是如是須菩提實无有法如來
得阿耨多羅三藐三菩提須菩提若有法如

BD01272 號　金剛般若波羅蜜經　（13–7）

三藐三菩提不不也世尊如我解佛所說義
佛於然燈佛所无有法得阿耨多羅三藐三
菩提佛言如是如是須菩提實无有法如來
得阿耨多羅三藐三菩提須菩提若有法如
來得阿耨多羅三藐三菩提者然燈佛則不
與我受記汝於來世當得作佛号釋迦牟尼
以實无有法得阿耨多羅三藐三菩提是故
然燈佛與我受記作是言汝於來世當得作
佛号釋迦牟尼何以故如來者即諸法如義
若有人言如來得阿耨多羅三藐三菩提須
菩提實无有法佛得阿耨多羅三藐三菩提
須菩提如來所得阿耨多羅三藐三菩提於
是中无實无虛是故如來說一切法皆是佛
法須菩提所言一切法者即非一切法是故
名一切法須菩提譬如人身長大須菩提言
世尊如來說人身長大則為非大身是名大
身須菩提菩薩亦如是若作是言我當滅度
无量衆生則不名菩薩何以故須菩提實无
有法名為菩薩是故佛說一切法无我无人
无衆生无壽者須菩提若菩薩作是言我當
莊嚴佛土者不名菩薩何以故如來說莊嚴
佛土者即非莊嚴是名莊嚴須菩提若菩薩
通達无我法者如來說名真是菩薩
須菩提於意云何如來有肉眼不如是世尊
如來有肉眼須菩提於意云何如來有天眼
不如是世尊如來有天眼須菩提於意云何

BD01272號　金剛般若波羅蜜經　（13–8）

通達无我法者如來說名真是菩薩
須菩提於意云何如來有肉眼不如是世尊
如來有肉眼須菩提於意云何如來有天眼
不如是世尊如來有天眼須菩提於意云何
如來有慧眼不如是世尊如來有慧眼須菩
提於意云何如來有法眼不如是世尊如來
有法眼須菩提於意云何如來有佛眼不如
是世尊如來有佛眼須菩提於意云何恒河
中所有沙佛說是沙不如是世尊如來說是
沙須菩提於意云何如一恒河中所有沙有
如是等恒河是諸恒河所有沙數佛世界如
是寧為多不甚多世尊佛告須菩提尒所國
土中所有衆生若干種心如來悉知何以故
如來說諸心皆為非心是名為心所以者何
須菩提過去心不可得現在心不可得未來
心不可得須菩提於意云何若有人滿三千
大千世界七寶以用布施是人以是因緣得
福多不如是世尊此人以是因緣得福甚多
須菩提若福德有實如來不說得福德多以
福德无故如來說得福德多
須菩提於意云何佛可以具足色身見不不
也世尊如來不應以具足色身見何以故如來
說具足色身即非具足色身是名具足色身
須菩提於意云何如來可以具足諸相見不不
也世尊如來不應以具足諸相見何以故如
來說諸相具足即非具足是名諸相具足須

BD01272號　金剛般若波羅蜜經　（13–9）

須菩提於意云何如來可以具足諸相見不
也世尊如來不應以具足諸相見何以故如
來說諸相具足即非具足是名諸相具足須
菩提汝勿謂如來作是念我當有所說法莫
作是念何以故若人言如來有所說法即為
謗佛不能解我所說故須菩提說法者無法
可說是名說法須菩提白佛言世尊佛得阿
耨多羅三藐三菩提為無所得耶如是如是
須菩提我於阿耨多羅三藐三菩提乃至無
有少法可得是名阿耨多羅三藐三菩提復
次須菩提是法平等無有高下是名阿耨多
羅三藐三菩提以無我無人無衆生無壽者
脩一切善法則得阿耨多羅三藐三菩提須
菩提所言善法者如來說非善法是名善法
須菩提若三千大千世界中所有諸須弥山
王如是等七寶聚有人持用布施若人以此般
若波羅蜜經乃至四句偈等受持讀誦為他
人說於前福德百分不及一百千萬億分乃至
筭數譬喻所不能及
須菩提於意云何汝等勿謂如來作是念我
當度衆生須菩提莫作是念何以故實無有
衆生如來度者若有衆生如來度者如來則
有我人衆生壽者須菩提如來說有我者則
非有我而凡夫之人以為有我須菩提凡夫
者如來說則非凡夫須菩提於意云何可以
三十二相觀如來不須菩提言如是如是以

BD01272號　金剛般若波羅蜜經　（13-10）

者如來說則非凡夫須菩提於意云何可以
三十二相觀如來不須菩提言如是如是以
三十二相觀如來佛言須菩提若以三十二
相觀如來者轉輪聖王則是如來須菩提白
佛言世尊如我解佛所說義不應以三十二
相觀如來尒時世尊而說偈言
若以色見我　以音聲求我　是人行邪道　不能見如來
須菩提汝若作是念如來不以具足相故得
阿耨多羅三藐三菩提須菩提莫作是念如
來不以具足相故得阿耨多羅三藐三菩提
須菩提汝若作是念發阿耨多羅三藐三菩
提者說諸法斷滅相莫作是念何以故發阿
耨多羅三藐三菩提者於法不說斷滅相須
菩提若菩薩以滿恒河沙等世界七寶布施
若復有人知一切法無我得成於忍此菩薩
勝前菩薩所得功德須菩提以諸菩薩不受
福德故須菩提白佛言世尊云何菩薩不受
福德須菩提菩薩所作福德不應貪著是故
說不受福德須菩提若有人言如來若來若
去若坐若卧是人不解我所說義何以故如
來者無所從來亦無所去故名如來
須菩提若善男子善女人以三千大千世界
碎為微塵於意云何是微塵衆寧為多不甚
多世尊何以故若是微塵衆實有者佛則不
說是微塵衆所以者何佛說微塵衆則非微

BD01272號　金剛般若波羅蜜經　（13-11）

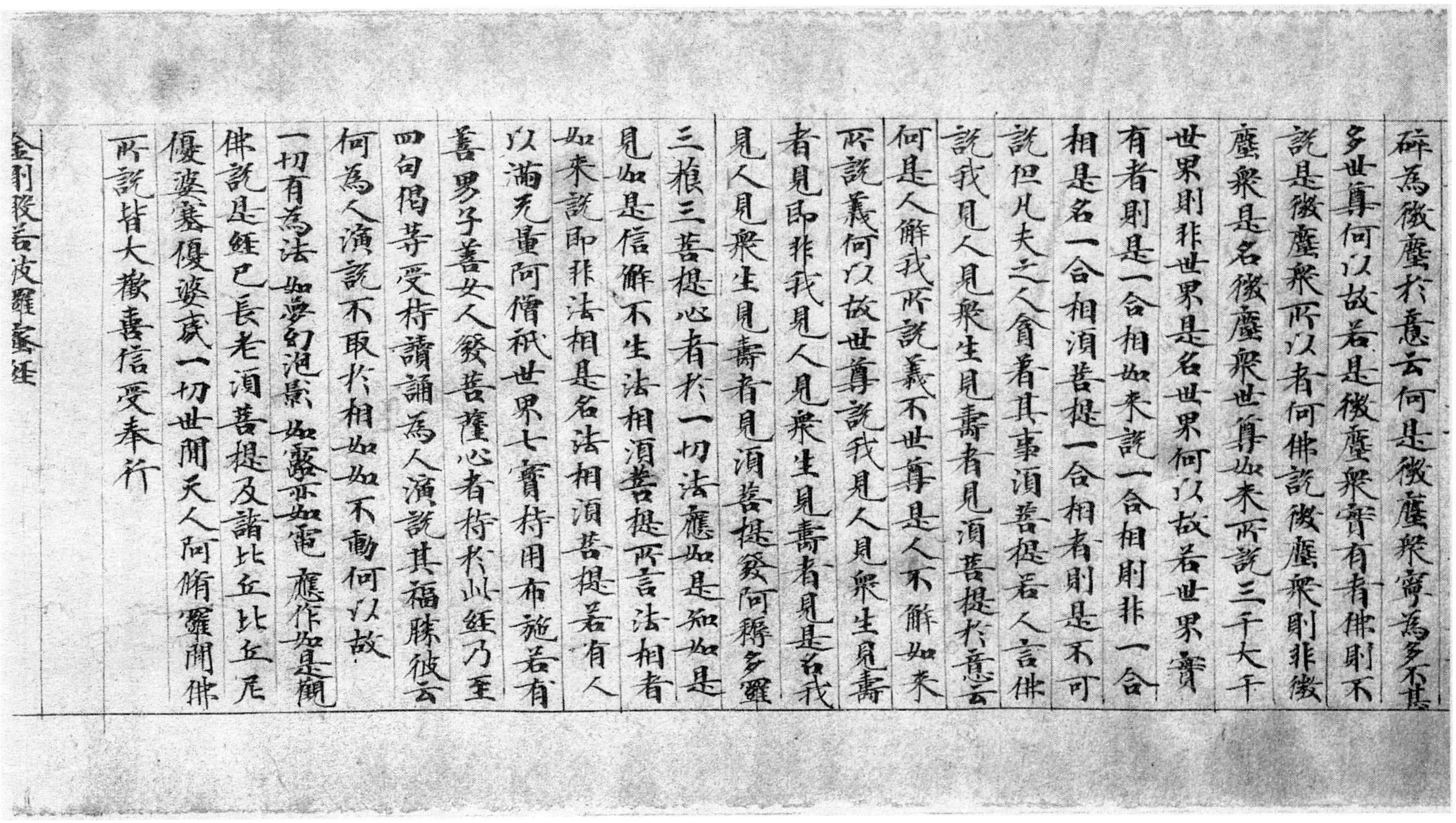

碎為微塵於意云何是微塵衆寧為多不甚
多世尊何以故若是微塵衆實有者佛則不
說是微塵衆所以者何佛說微塵衆則非微
塵衆是名微塵衆世尊如來所說三千大千
世界則非世界是名世界何以故若世界實
有者則是一合相如來說一合相則非一合
相是名一合相須菩提一合相者則是不可
說但凡夫之人貪著其事須菩提若人言佛
說我見人見衆生見壽者見須菩提於意云
何是人解我所說義不世尊是人不解如來
所說義何以故世尊說我見人見衆生見壽
者見即非我見人見衆生見壽者見是名我
見人見衆生見壽者見須菩提發阿耨多羅
三藐三菩提心者於一切法應如是知如是
見如是信解不生法相須菩提所言法相者
如來說即非法相是名法相須菩提若有人
以滿无量阿僧祇世界七寶持用布施若有
善男子善女人發菩薩心者持於此經乃至
四句偈等受持讀誦為人演說其福勝彼云
何為人演說不取於相如如不動何以故
一切有為法 如夢幻泡影 如露亦如電 應作如是觀
佛說是經已長老須菩提及諸比丘比丘尼
優婆塞優婆夷一切世間天人阿脩羅聞佛
所說皆大歡喜信受奉行
金剛般若波羅蜜經

BD01272 號　金剛般若波羅蜜經　（13–12）

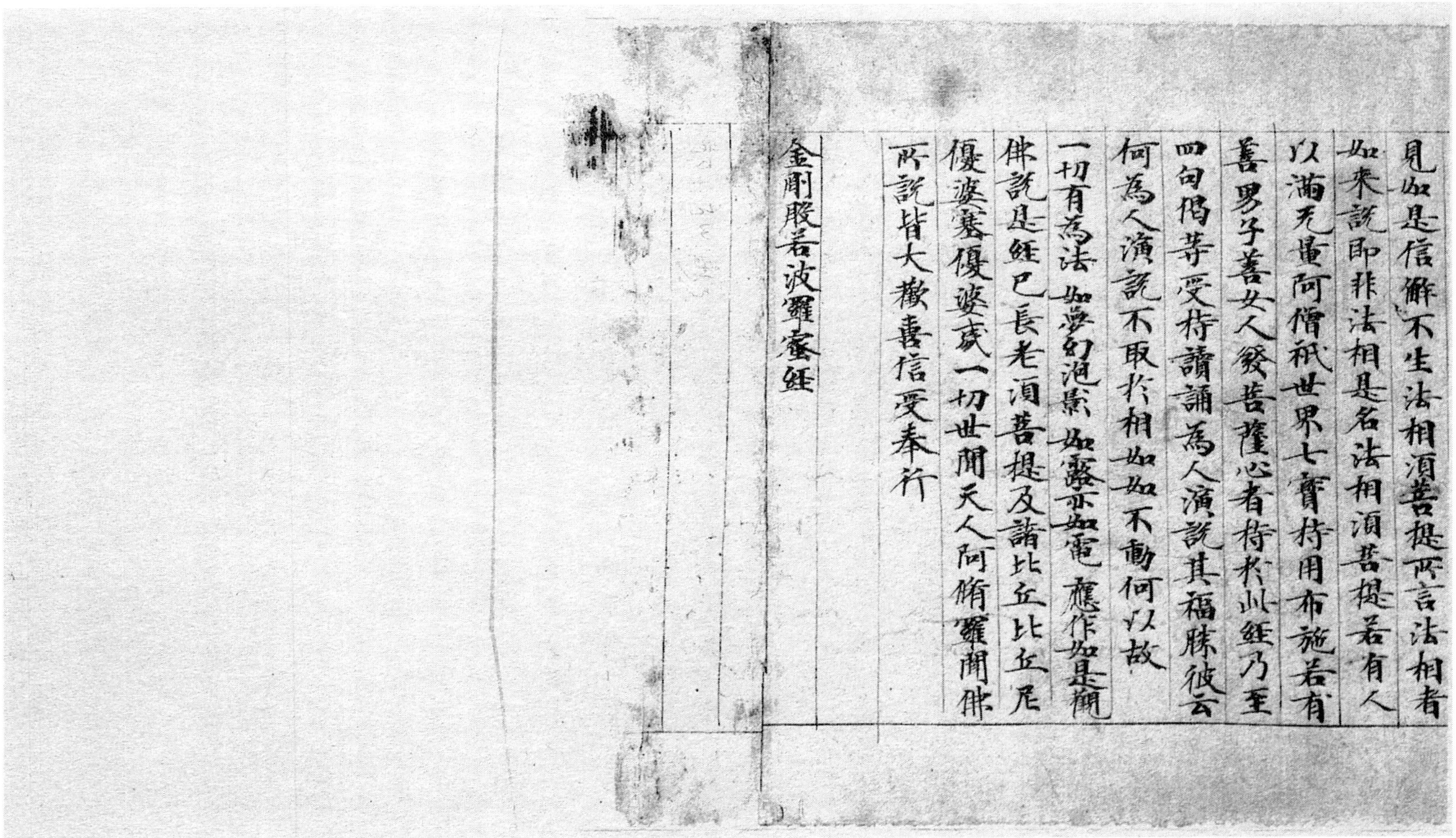

見如是信解不生法相須菩提所言法相者
如來說即非法相是名法相須菩提若有人
以滿无量阿僧祇世界七寶持用布施若有
善男子善女人發菩薩心者持於此經乃至
四句偈等受持讀誦為人演說其福勝彼云
何為人演說不取於相如如不動何以故
一切有為法 如夢幻泡影 如露亦如電 應作如是觀
佛說是經已長老須菩提及諸比丘比丘尼
優婆塞優婆夷一切世間天人阿脩羅聞佛
所說皆大歡喜信受奉行
金剛般若波羅蜜經

BD01272 號　金剛般若波羅蜜經　（13–13）

剎一切若有
應當策勵晝夜六時
合掌恭敬一心專念口自
十方一切諸佛已得阿耨多羅三藐三菩
者轉妙法輪持照法輪雨大法雨擊大
吹大法螺建大法幢秉大法炬為欲利益安
樂諸衆生故常行法施誘進群迷令得大果
證常樂故如是等諸佛世尊以身語意稽首
歸誠至心禮敬彼諸世尊以真實慧以真實
眼真實證明真實平等悉知悉見一切衆
善惡之業我從无始生死以來隨惡流轉
諸衆生造業障罪為貪瞋癡之所纏縛未
佛時未識法時未識僧時未識善惡由身語
意造无閒罪惡心出佛身血誹謗正法破和合
僧殺阿羅漢殺害父母身三語四意三種行造
十惡業自作教他見作隨喜於諸善人橫生
毀謗斗稱欺誑以偽為真不淨飲食施與一
切於六道中所有父母更相惱害或盜窣覩
波物四方僧物現前僧物自在而用世尊法律
不樂奉行師長教示不順相順見行聲聞獨
覺大乘行者喜生罵辱令諸行人心生悔惱
見有勝己便懷嫉妬法施財施常生慳惜无

BD01273號　金光明最勝王經卷三

（13–1）

切於六道中所有父母更相惱害或盜窣覩
波物四方僧物現前僧物自在而用世尊法律
不樂奉行師長教示不順相順見行聲聞獨
覺大乘行者喜生罵辱令諸行人心生悔惱
見有勝己便懷嫉妬法施財施常生慳惜无
明所覆邪見惑心不修善因令惡增長於諸
佛所而起誹謗法說非法非法說法如是衆
罪佛以真實慧真實眼真實證明真實平
等悉知悉見我今歸命對諸佛前皆悉發露
不敢覆藏未作之罪更不復作已作之罪今
皆懺悔所作業障應墮惡道地獄傍生餓鬼
之中阿蘇羅衆及八難處願我此生所有業
障皆得消滅所有惡報未來不受亦如過去
諸大菩薩脩菩提行所有業障悉已懺悔我
之業障今亦懺悔皆悉發露不敢覆藏已作
之罪願得除滅未來之惡更不敢造亦如未
來諸大菩薩脩菩提行所有業障悉已懺悔
我之業障今亦懺悔皆悉發露不敢覆藏
已作之罪願得除滅未來之惡更不敢造亦
如現在十方世界諸大菩薩脩菩提行所有
業障悉已懺悔我之業障今亦懺悔皆悉發
露不敢覆藏已作之罪願得除滅未來之惡
更不敢造
善男子以是因緣若有造罪一剎那中不得
覆藏何況一日一夜乃至多時若有犯罪欲求
清淨心懷愧恥信於未來必有惡報生大恐
怖應如是懺如人被火燒頭燒衣救令速滅
火若未滅心不得安若人犯罪亦復如是即
應懺悔令速除滅若有願生富樂之家多
饒財寶復欲發意脩習大乘亦應懺悔滅除

BD01273號　金光明最勝王經卷三

（13–2）

[illegible]
火若未滅心不得安若人犯罪亦復如是即
應懺悔令速除滅若有願生富樂之家多
饒財寶復欲發意脩習大乘亦應懺悔滅除
業障欲生豪貴婆羅門種刹帝利家及轉
輪王七寶具足亦應懺悔滅除業障
善男子若有欲生四天王眾三十三天夜摩天
覩史多天樂變化天他化自在天亦應懺悔
滅除業障若欲生梵眾梵輔大梵天少光无
量光極光淨天少淨无量淨遍淨天无雲福
生廣果无煩无熱善現天善見色究竟天
亦應懺悔滅除業障若欲求預流果一來果
不還果阿羅漢果亦應懺悔滅除業障若欲
願求三明六通聲聞獨覺自在菩提至究竟
地求一切智智淨不思議智不動智三藐三
菩提正遍智者亦應懺悔滅除業障何以故
善男子一切諸法從因緣生如來所說異相
生異相滅因緣異故如是過去諸法皆已
滅盡所有業障无復遺餘是諸行法未得現
生而今得生未來業障更不復起何以故善
男子一切法空如來所說无有我人眾生壽
者亦无生滅亦无行法善男子一切諸法皆
依於本亦不可說何以故過一切相故若有
善男子善女人如是入於微妙真理生信敬
心是名无眾生而有於本以是義故說於懺悔
滅除業障
善男子若人成就四法能除業障永得清淨
云何為四一者不起邪心正念成就二者於甚
深理不生誹謗三者於初行菩薩起一切
智心四者於諸眾生起慈无量是謂四亦時

BD01273號　金光明最勝王經卷三　（13–3）

滅除業障
善男子若人成就四法能除業障永得清淨
云何為四一者不起邪心正念成就二者於甚
深理不生誹謗三者於初行菩薩起一切
智心四者於諸眾生起慈无量是謂四亦時
世尊而說頌言
專心護三業　不誹謗深法　作一切智相　慈心淨業障
善男子有四業障難可滅除云何為四一者
於菩薩律儀犯極重惡二者於大乘經心生
誹謗三者於自善根不能增長四者貪著三
有无出離心復有四種對治業障云何為四
一者於十方世界一切如來至心親近說一切
罪二者為一切眾生勸請諸佛說深妙法
三者隨喜一切眾生所有功德四者所有一
切功德善根悉皆迴向阿耨多羅三藐三菩
提亦時天帝釋白佛言世尊世間所有男子
女人於大乘行有能行者有不行者云何能
得隨喜一切眾生功德善根佛言善男子若
有眾生雖於大乘未能脩習然於晝六夜
時偏袒右肩右膝著地合掌恭敬一心專念
作隨喜時得福无量應作是言十方世界一切
眾生現在脩行施戒心慧我今皆悉深生隨
喜由作如是隨喜福故必當獲得尊重殊勝
無上無等最妙之果如是過去未來一切眾
生所有善根皆悉隨喜又於現在初行菩薩
發菩提心所有功德過百大劫行菩薩行有
大功德獲無生忍至不退轉一切補處如是
一切功德之蘊皆悉至心隨喜讚嘆過去未
來一切菩薩所有功德隨喜讚嘆亦復如是
復於現在十方世界一切諸佛應正遍知證

BD01273號　金光明最勝王經卷三　（13–4）

未來一切菩薩所有功德隨喜讚歎亦復如是
復於現在十方世界一切諸佛應正遍知證
妙菩提為度无邊諸衆生故轉无上法輪行
无礙法施擊法鼓吹法螺建法幢雨法雨哀
愍勸化一切衆生咸令信受皆蒙法施悉得
充足无盡安樂又復所有菩薩聲聞獨覺
功德積集善根若有衆生未具如是諸功德者
悉令具足我皆隨喜如是過去未來諸佛菩
薩聲聞獨覺所有功德亦皆至心隨喜讚歎
善男子如是隨喜當得无量功德之聚如恒
河沙三千大千世界所有衆生皆斷煩惱成阿
羅漢若有善男子善女人盡其形壽常以上
妙衣服飲食臥具醫藥而為供養如是功德
不及如前隨喜功德千分之一何以故供養
功德有數有量不攝一切諸功德故隨喜功
德无量无數能攝三世一切功德是故若人欲
求增長勝善根者應修如是隨喜功德若
有女人願轉女身為男子者亦應修習隨喜
功德必得隨心現成男子尒時天帝釋白佛言
世尊已知隨喜功德勸請功德唯願為說欲
令未來一切菩薩當轉法輪在現菩薩正修行
故佛告帝釋若有善男子善女人願求阿耨
多羅三藐三菩提者應當修行聲聞獨覺
大乘之道是人當於晝夜六時如前威儀一
心專念作如是言我今歸依十方一切諸佛
世尊已得阿耨多羅三藐三菩提未轉无上
法輪欲捨報身入涅槃者我皆至誠頂禮勸
請轉大法輪雨大法雨然大法燈照明理趣施
无礙法莫般涅槃久住於世度脫安樂一切

BD01273號　金光明最勝王經卷三　（13–5）

世尊已得阿耨多羅三藐三菩提未轉无上
法輪欲捨報身入涅槃者我皆至誠頂禮勸
請轉大法輪雨大法雨然大法燈照明理趣施
无礙法莫般涅槃久住於世度脫安樂一切
衆生如前所說乃至无盡安樂我今以此勸
請功德迴向阿耨多羅三藐三菩提如過去
未來現在諸大菩薩勸請功德迴向菩提
我亦如是勸請功德迴向无上正等菩提善
男子假使有人三千大千世界滿中七寶供
養如來若復有人勸請如來轉不退輪所得
功德其福勝彼何以故彼是財施此是法施
善男子且置三千大千世界七寶布施若
人以滿恒河沙數大千世界七寶供養一切諸
佛勸請功德亦勝於彼由其法施有五勝利
云何為五一者法施兼利自他財施不尒二
者法施能令衆生出於三界財施之福不出
欲界三者法施能淨法身財施但唯增長於
色四者法施无窮財施有盡五者法施能斷
无明財施唯伏貪愛是故善男子勸請功德
无量无邊難可譬喻如我昔行菩薩道時
勸請諸佛轉大法輪由彼善根是故今日一
切帝釋諸梵王等勸請於我轉大法輪善男
子請轉法輪為欲度勝安樂諸衆生故我於
往昔為菩提行勸請如來久住於世莫般涅槃
依此善根我得十力四无所畏四无礙辯大慈
大悲證得无數不共之法我當入於无餘涅
槃我之正法久住於世我法身者清淨无比
種種妙相无量智慧无量自在无量功德難
可思議一切衆生皆蒙利益百千萬劫說
不能盡法身攝藏一切諸法一切諸法不攝

BD01273號　金光明最勝王經卷三　（13–6）

依此善根我得十方四无所畏四无礙辯大慈
大悲證得无數不共之法我當入於无餘涅
槃我之正法久住於世我法身者清淨无比
種種妙相无量智慧无量自在无量功德難
可思議一切衆生皆蒙利益百千万劫說
不能盡法身攝藏一切諸法一切諸法不攝
法身法身常住不墮常見雖斷滅亦復斷見
能破衆生種種異見能生衆生種種真見
能解一切衆生之縛无縛可解能植衆生
諸善根本未成熟者令成熟已成就者令解
脫无作无動遠離閙閙寂靜无為自在安樂
過於三世能現三世出於聲聞獨覺之境諸
大菩薩之所修行一切如來體无有異此等皆
由勸請功德善根力故如是法身我今已得
是故若有欲得阿耨多羅三藐三菩提者於
諸經中一句一頌為人解說功德善根尚无限
量何況勸請如來轉大法輪久住於世莫般涅槃
時天帝釋復白佛言世尊若善男子善女人之
為求阿耨多羅三藐三菩提故修三乘道所
有善根云何迴向一切智智佛告天帝善男子
若衆生欲求菩提修三乘道所有善根願
迴向者當於晝夜六時慇重至心作如是說
我從无始生死以來於三寶所修行成就所
有善根乃至施与傍生一摶之食或以善
言和解諍訟或受三歸及諸學處或復懺悔
勸請隨喜所有善根我今作意悉皆攝取迴
施一切衆生无悔悋心是解脫分善攝所如
佛世尊之所知見不可稱量无礙清淨如
是所有功德善根悉以迴施一切衆生不住
相心不捨相心我亦如是功德善根悉以迴

BD01273號　金光明最勝王經卷三　（13–7）

勸請隨喜所有善根我今作意悉皆攝取迴
施一切衆生无悔悋心是解脫分善攝所如
佛世尊之所知見不可稱量无礙清淨如
是所有功德善根悉以迴施一切衆生不住
相心不捨相心我亦如是功德善根悉以迴
施一切衆生願皆獲得如意之手搖空出寶
滿衆生願富樂无盡智慧无窮妙法辯才
悉皆无滯共諸衆生同證阿耨多羅三藐三
菩提得一切智因此善根更復出生无量善法
亦皆迴向无上菩提又如過去諸大菩薩修行
之時功德善根悉皆迴向一切種智現在未
來亦復如是然我所有功德善根亦皆迴向
阿耨多羅三藐三菩提是諸善根願與一切
衆生俱成正覺如餘諸佛坐於道場菩提
樹下不可思議无礙清淨住於无盡法藏陁
羅尼首楞嚴定破魔波旬无量兵衆應見
覺知應可通達如是一切一剎那中悉皆照
了於後夜中獲甘露法證甘露義我及衆生
願皆同證如是妙覺猶如
无量壽佛　勝光佛　妙光佛　阿閦佛
功德善光佛　師子光明佛　百光明佛　網光明佛
寶相佛　焰明佛　焰盛光明吉祥上王佛
微妙聲佛　妙莊嚴佛　法幢佛　上勝身佛
可愛色身佛　光明遍照佛　梵淨王佛　上性佛
如是等如來應正遍知過去未來及以現在
示現應化得阿耨多羅三藐三菩提轉无上法
輪為度衆生我亦如是廣說如上
善男子若有淨信男子女人於此金光明最勝
經王滅業障品受持讀誦憶念不忘為他廣
說得无量无邊大功德聚譬如三千大千

BD01273號　金光明最勝王經卷三　（13–8）

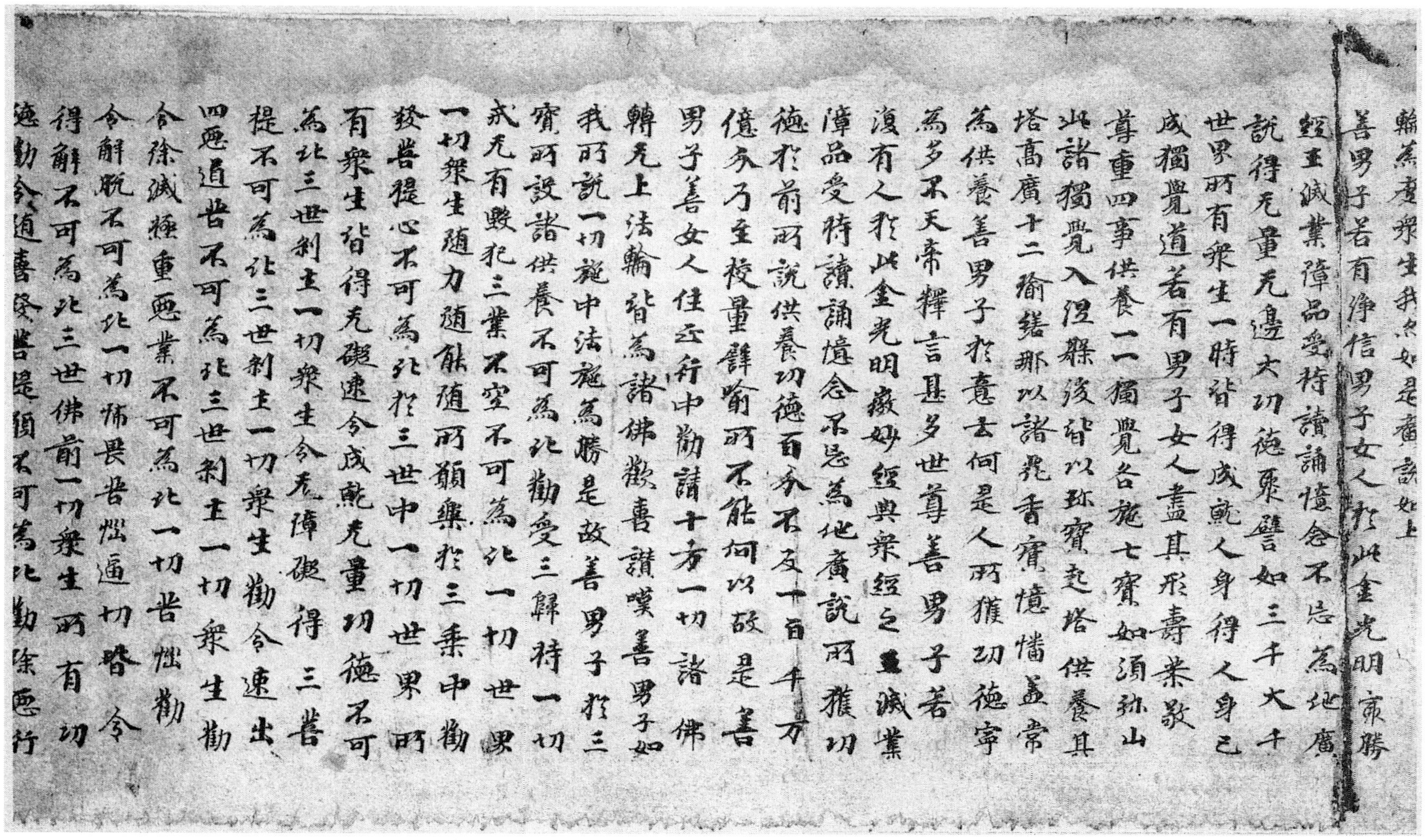
轉為廣衆生我亦如是廣說如上
善男子若有淨信男子女人於此金光明最勝
經王滅業障品受持讀誦憶念不忘為他廣
說得无量无邊大功德聚譬如三千大千
世界所有衆生一時皆得成就人身得人身已
成獨覺道若有男子女人盡其形壽恭敬
尊重四事供養一一獨覺各施七寶如須彌山
此諸獨覺入涅槃後皆以珎寶起塔供養其
塔高廣十二踰繕那以諸花香寶幢幡蓋常
為供養善男子於意云何是人所獲功德寧
為多不天帝釋言甚多世尊善男子若
復有人於此金光明微妙經典衆經之王滅業
障品受持讀誦憶念不忘為他廣說所獲功
德於前所說供養功德百分不及一百千万
億分乃至校量譬喻所不能及何以故是善
男子善女人住正行中勸請十方一切諸佛
轉无上法輪皆為諸佛歡喜讚歎善男子如
我所說一切施中法施為勝是故善男子於三
寶所設諸供養不可為比勸受三歸持一切
戒无有毀犯三業不空不可為比一切世界
一切衆生隨力隨能隨所願樂於三乘中勸
發菩提心不可為比於三世中一切世界所
有衆生皆得无礙速令成就无量功德不可
為比三世剎土一切衆生令无障礙得三菩
提不可為比三世剎土一切衆生勸令速出
四惡道苦不可為比三世剎土一切衆生勸
令除滅極重惡業不可為比一切苦惱勸
令解脫不可為比一切怖畏苦惱逼切皆令
得解不可為比三世佛前一切衆生所有功
德勸令隨喜發菩提願不可為比勸除惡行

BD01273號　金光明最勝王經卷三　（13–9）

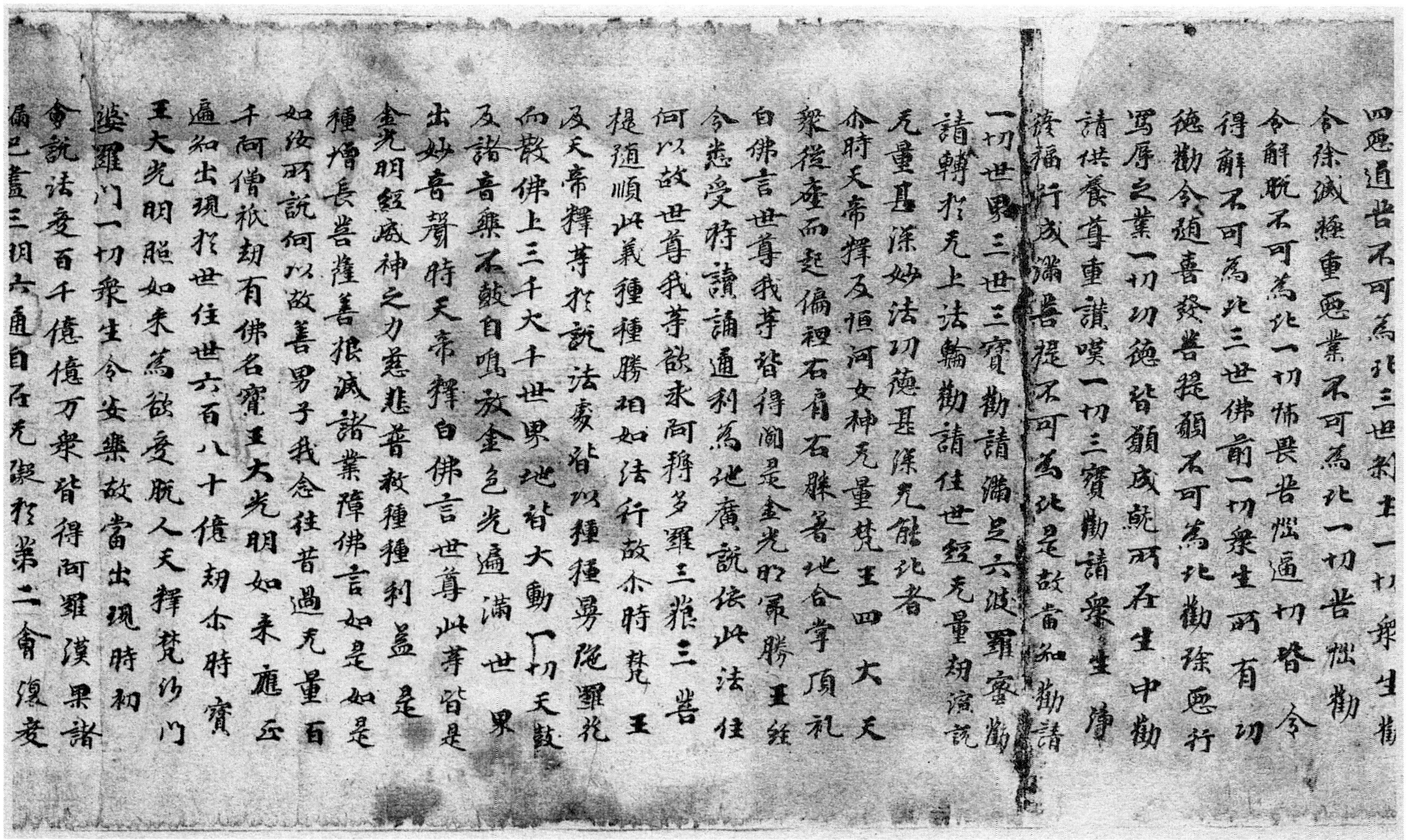
四惡道苦不可為比三世剎土一切衆生勸
令除滅極重惡業不可為比一切苦惱勸
令解脫不可為比一切怖畏苦惱逼切皆令
得解不可為比三世佛前一切衆生所有功
德勸令隨喜發菩提願不可為比勸除惡行
罵辱之業一切功德皆願成就所在生中勸
請供養尊重讚歎一切三寶勸請衆生淨
修福行成滿菩提不可為比是故當知勸請
一切世界三世三寶勸請滿足六波羅蜜勸
請轉於无上法輪勸請住世經无量劫演說
无量甚深妙法功德甚深无能比者
尒時天帝釋及恒河女神无量梵王四大天
衆從座而起偏袒右肩右膝著地合掌頂礼
白佛言世尊我等皆得聞是金光明最勝王經
今悉受持讀誦通利為他廣說依此法住
何以故世尊我等欲求阿耨多羅三藐三菩
提隨順此義種種勝相如法行故尒時梵王
及天帝釋等於說法處皆以種種曼陀羅花
而散佛上三千大千世界地皆大動一切天鼓
及諸音樂不鼓自鳴放金色光遍滿世界
出妙音聲時天帝釋白佛言世尊此等皆是
金光明經威神之力慈悲普救種種利益
種增長菩薩善根滅諸業障佛言如是如是
如汝所說何以故善男子我念往昔過无量百
千阿僧祇劫有佛名寶王大光明如來應正
遍知出現於世住世六百八十億劫尒時寶
王大光明佛如來為欲度脫人天釋梵沙門
婆羅門一切衆生令安樂故當出現時初
會說法度百千億億万衆皆得阿羅漢果諸
漏已盡三明六通自在无礙於第二會復度

BD01273號　金光明最勝王經卷三　（13–10）

王大光明照如來爲欲度脫人天釋梵沙門
婆羅門一切衆生令安樂故當出現時初
會說法度百千億億万衆皆得阿羅漢果諸
漏已盡三明六通自在无礙於第二會復度
九十千億億万衆皆得阿羅漢果諸漏已
盡三明六通无礙於第三會復度九十八千
億億万衆皆得阿羅漢果圓滿如上
善男子我於尒時作女人身名福寶光明於
第三會親近世尊受持讀誦是金光明經爲
他廣說求阿耨多羅三藐三菩提故時彼
世尊爲我授記此福寶光明女於未來世當
得作佛号釋迦牟尼如來應正遍智明行足
善逝世間解无上士調御丈夫天人師佛世尊
捨女身後從是以來越四惡道生人天中受
上妙樂八十四百千生作轉輪王至于今日得成
正覺名稱普聞遍滿世界時會大衆忽
然皆見寶王大光照如來轉无上法輪說微
妙法善男子去此索訶世界東方過百千恒
河沙數佛土有世界名寶莊嚴其寶王大
光照如來今現在彼未般涅槃說微妙法廣
化羣生汝等見者即是彼佛
善男子若有善男子善女人聞是寶王大
光照如來名号者於菩薩地得不退轉至大
涅槃若有女人聞是佛名者臨命終時得見
彼佛來至其所既見佛已究竟不復更受女身
善男子是金光明微妙經典種種利益種種增
長菩薩善根滅諸業障善男子若有苾芻
苾芻尼鄔波索迦鄔波斯迦隨所何處爲人講
說是金光明微妙經典於其國土皆獲四種

BD01273號　金光明最勝王經卷三　（13-11）

苾芻尼鄔波索迦鄔波斯迦隨所何處爲人講
說是金光明微妙經典於其國土皆獲四種
福利善根云何爲四一者國王无病離諸灾
厄二者壽命長遠无有障礙三者无諸怨敵
兵衆勇健四者安隱豐樂正法流通何以故
如是人王常爲釋梵四王藥叉之衆共守護故
尒時世尊告大衆曰善男子是事實不是時
無量釋梵四王及藥叉衆俱時同聲答世尊
言如是如是若有國土講說讀誦此妙經王是
諸國主我等四王常來擁護行住共俱其王
若有一切灾障及諸怨敵我等四王皆使消
殄憂愁疾疫亦令除差增長壽命感應禎
祥所願遂心恒生歡喜我等亦能令其國
中所有軍兵悉皆勇健佛言善哉善哉善男
子如汝所說汝當修行何以故是諸國主如法
行時一切人民隨王修習如法行者汝等皆
蒙色力勝利宮殿光明眷屬强盛時釋梵等
白佛言如是世尊佛言若有講讀此妙經典
流通之處於其國中大臣輔相有四種益云
何爲四一者更相親穆尊重愛念二者常爲人
王心所愛重亦爲沙門婆羅門大國小國之
所尊敬三者輕財重法不求世利嘉名普暨
衆所欽仰四者壽命延長安隱快樂是名
四益若有國土宣說是經沙門婆羅門得四
種勝利云何爲四一者衣服飲食卧具醫藥无
所乏少二者皆得安心思惟讀誦三者依於
山林得安樂住四者隨心所願皆得滿足是
名四種勝利若有國土宣說是經一切人民
皆得豐樂无諸疾疫商估往還多獲寶貨

BD01273號　金光明最勝王經卷三　（13-12）

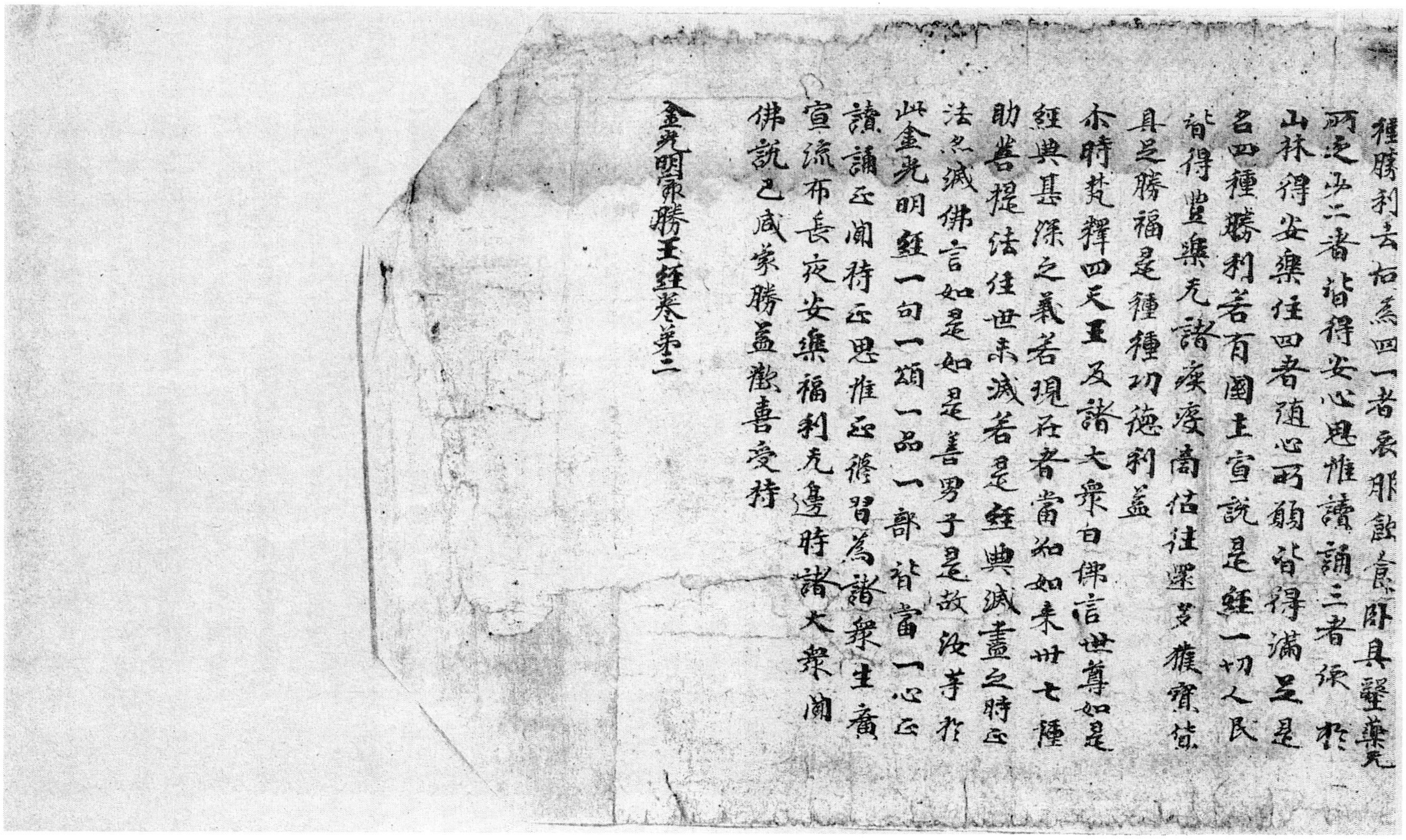

種勝利云何爲四一者衣服飲食卧具醫藥无
所乏少二者皆得安心思惟讀誦三者依於
山林得安樂住四者隨心所願皆得滿足是
名四種勝利若有國主宣說是經一切人民
皆得豐樂无諸疾疫商估往還多獲寶貨
具足勝福是種種功德利益
尒時梵釋四天王及諸大衆白佛言世尊如是
經典甚深之義若現在者當知如來卅七種
助菩提法住世未滅若是經典滅盡之時正
法亦滅佛言如是如是善男子是故汝等於
此金光明經一句一頌一品一部皆當一心正
讀誦正聞持正思惟正修習爲諸衆生廣
宣流布長夜安樂福利无邊時諸大衆聞
佛說已咸蒙勝益歡喜受持
金光明最勝王經卷第三

BD01273號　金光明最勝王經卷三　　(13–13)

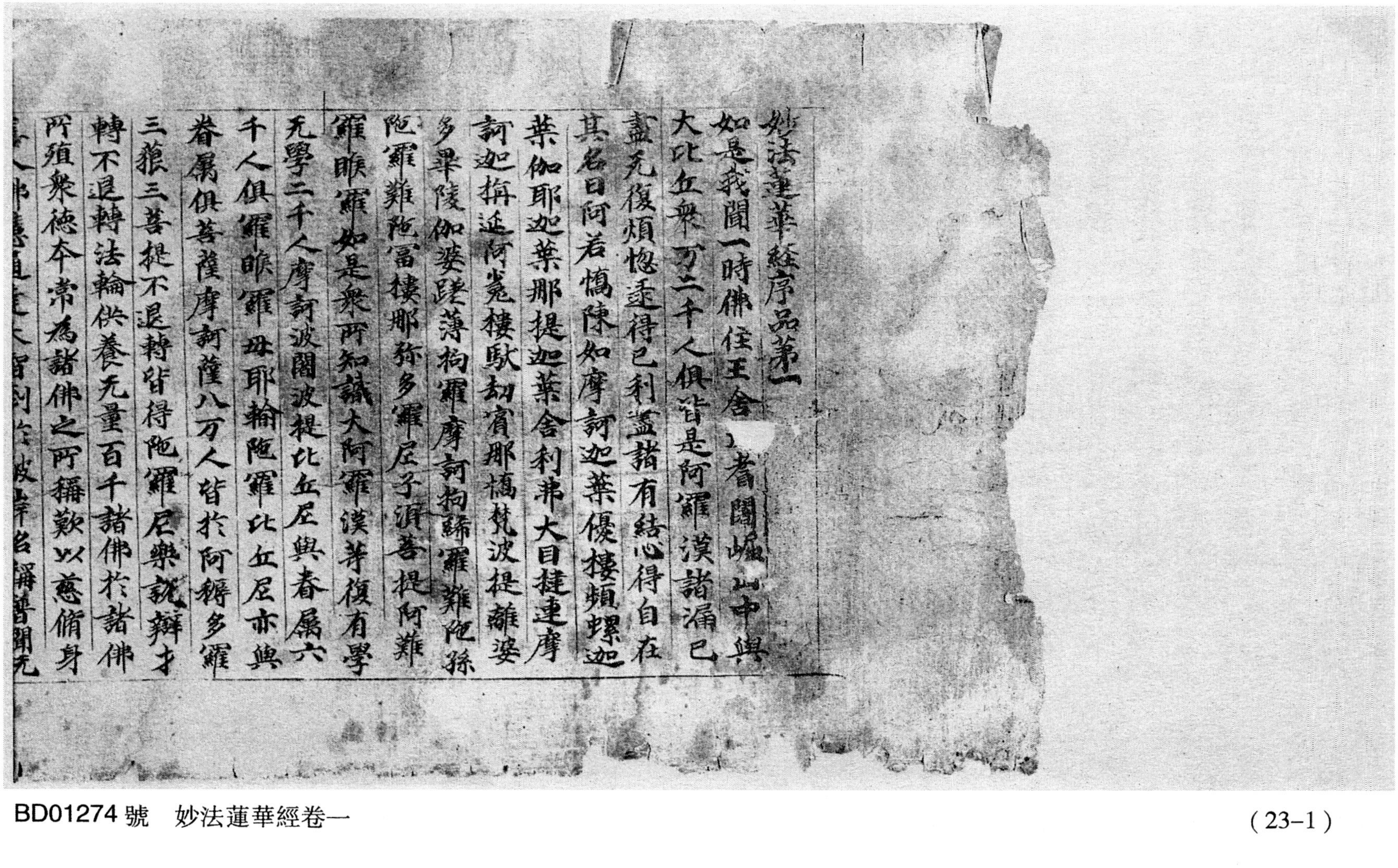

妙法蓮華經序品第一
如是我聞一時佛住王舍城耆闍崛山中與
大比丘衆万二千人俱皆是阿羅漢諸漏已
盡无復煩惱逮得己利盡諸有結心得自在
其名曰阿若憍陳如摩訶迦葉優樓頻螺迦
葉伽耶迦葉那提迦葉舍利弗大目揵連摩
訶迦旃延阿㝹樓馱劫賓那憍梵波提離婆
多畢陵伽婆蹉薄拘羅摩訶拘絺羅難陀孫
陀羅難陀富樓那彌多羅尼子須菩提阿難
羅睺羅如是衆所知識大阿羅漢等復有學
无學二千人摩訶波闍波提比丘尼與眷屬六
千人俱羅睺羅母耶輸陀羅比丘尼亦與
眷屬俱菩薩摩訶薩八万人皆於阿耨多羅
三藐三菩提不退轉皆得陀羅尼樂說辯才
轉不退轉法輪供養无量百千諸佛於諸佛
所殖衆德本常爲諸佛之所稱歎以慈修身
善入佛慧通達大智到於彼岸名稱普聞无

BD01274號　妙法蓮華經卷一　　(23–1)

千人俱羅睺羅母耶輸陁羅比丘尼亦與
眷屬俱菩薩摩訶薩八万人皆於阿耨多羅
三藐三菩提不退轉皆得陁羅尼樂說辯才
轉不退轉法輪供養无量百千諸佛於諸佛
所殖衆德本常為諸佛之所稱歎以慈脩身
善入佛慧通達大智到於彼岸名稱普聞无
量世界能度无數百千衆生其名曰文殊師
利菩薩觀世音菩薩得大勢菩薩常精進菩
薩不休息菩薩寶掌菩薩藥王菩薩勇施菩
薩寶月菩薩月光菩薩滿月菩薩大力菩薩
无量力菩薩越三界菩薩跋陁婆羅菩薩弥
勒菩薩寶積菩薩導師菩薩如是等菩薩摩
訶薩八万人俱尒時釋提桓因與其眷屬二
万天子俱復有名月天子普香天子寶光天
子四大天王與其眷屬万天子俱自在天子
大自在天子與其眷屬三万天子俱娑婆世
界主梵天王尸棄大梵光明大梵等與其眷
屬万二千天子俱有八龍王難陁龍王跋難
陁龍王娑伽羅龍王和脩吉龍王德叉迦龍
王阿那婆達多龍王摩那斯龍王優鉢羅龍
王等各與若干百千眷屬俱有四緊那羅王
法緊那羅王妙法緊那羅王大法緊那羅王
持法緊那羅王各與若干百千眷屬俱有四
乾闥婆王樂乾闥婆王樂音乾闥婆王美乾
闥婆王美音乾闥婆王各與若干百千眷屬
俱有四阿脩羅王婆稚阿脩羅王佉羅騫大
阿脩羅王毗摩質多羅阿脩羅王羅睺阿脩
羅王各與若干百千眷屬俱有四迦樓羅王

BD01274號　妙法蓮華經卷一　（23–2）

乾闥婆王樂乾闥婆王樂音乾闥婆王美乾
闥婆王美音乾闥婆王各與若干百千眷屬
俱有四阿脩羅王婆稚阿脩羅王佉羅騫大
阿脩羅王毗摩質多羅阿脩羅王羅睺阿脩
羅王各與若干百千眷屬俱有四迦樓羅王
大威德迦樓羅王大身迦樓羅王大滿迦樓
羅王如意迦樓羅王各與若干百千眷屬俱
韋提希子阿闍世王與若干百千眷屬俱各
礼佛足退坐一面尒時世尊四衆圍繞供養
恭敬尊重讃歎為諸菩薩說大乘經名无量
義教菩薩法佛所護念佛說此經已結跏趺
坐入於无量義處三昧身心不動是時天雨
曼陁羅華摩訶曼陁羅華曼殊沙華摩
訶曼殊沙華而散佛上及諸大衆普佛世界六種
震動尒時會中比丘比丘尼優婆塞優婆夷
天龍夜叉乾闥婆阿脩羅迦樓羅緊那羅
摩睺羅伽人非人等及諸小王轉輪聖王是諸大
衆得未曾有歡喜合掌一心觀佛尒時佛放
眉間白豪相光照于東方万八千世界靡不周
遍下至阿鼻地獄上至阿迦尼吒天於此世界
盡見彼土六趣衆生又見彼土現在諸佛
及聞諸佛所說經法并見彼諸比丘比丘尼
優婆塞優婆夷諸脩行得道者復見諸菩薩
摩訶薩種種因緣種種信解種種相貌行菩
薩道復見諸佛般涅槃者復見諸佛般涅槃
後以佛舍利起七寶塔尒時弥勒菩薩作是
念今者世尊現神變相以何因緣而有此瑞
今佛世尊入于三昧是不可思議現希有事

BD01274號　妙法蓮華經卷一　（23–3）

摩訶薩種種因緣種種信解種種相貌行菩
薩道復見諸佛般涅槃者復見諸佛般涅槃
後以佛舍利起七寶塔尒時弥勒菩薩作是
念今者世尊現神變相以何因緣而有此瑞
今佛世尊入于三昧是不可思議現希有事
當以問誰誰能荅者復作此念是文殊師利
法王之子已曾親近供養過去无量諸佛必
應見此希有之相我今當問尒時比丘比丘
尼優婆塞優婆夷及諸天龍鬼神等咸作此
念是佛光明神通之相今當問誰尒時弥勒
菩薩欲自決疑又觀四衆比丘比丘尼優婆
塞優婆夷及諸天龍鬼神等衆會之心而問
文殊師利言以何因緣而有此瑞神通之相
放大光明照于東方万八千土悉見彼佛國
界莊嚴於是弥勒菩薩欲重宣此義以偈問
曰
文殊師利　導師何故　眉間白豪　大光普照
雨曼陁羅　曼殊沙華　栴檀香風　悅可衆心
以是因緣　地皆嚴淨　而此世界　六種震動
時四部衆　咸皆歡喜　身意快然　得未曾有
眉間光明　照于東方　万八千土　皆如金色
從阿鼻獄　上至有頂　諸世界中　六道衆生
生死所趣　善惡業緣　受報好醜　於此悉見
又覩諸佛　聖主師子　演說經典　微妙第一
其聲清淨　出柔軟音　教諸菩薩　无數億万
梵音深妙　令人樂聞　各於世界　講說正法
種種因緣　以无量喻　照明佛法　開悟衆生
若人遭苦　猒老病死　為說涅槃　盡諸苦際

其聲清淨　出柔軟音　教諸菩薩　无數億万
梵音深妙　令人樂聞　各於世界　講說正法
種種因緣　以无量喻　照明佛法　開悟衆生
若人遭苦　猒老病死　為說涅槃　盡諸苦際
若人有福　曾供養佛　志求勝法　為說緣覺
若有佛子　脩種種行　求无上慧　為說淨道
文殊師利　我住於此　見聞若斯　及千億事
如是衆多　今當略說　我見彼土　恒沙菩薩
種種因緣　而求佛道　或有行施　金銀珊瑚
真珠摩尼　車𤦲馬瑙　金剛諸珎　奴婢車乘
寶飾輦轝　歡喜布施　迴向佛道　願得是乘
三界第一　諸佛所歎　或有菩薩　駟馬寶車
欄楯華蓋　軒飾布施　復見菩薩　身肉手足
及妻子施　求无上道　又見菩薩　頭目身體
欣樂施與　求佛智慧　文殊師利　我見諸王
往詣佛所　問无上道　便捨樂土　宮殿臣妾
剃除鬚髮　而被法服　或見菩薩　而作比丘
獨處閑靜　樂誦經典　又見菩薩　勇猛精進
入於深山　思惟佛道　又見離欲　常處空閑
深脩禪定　得五神通　又見菩薩　安禪合掌
以千万偈　讚諸法王　復見菩薩　智深志固
能問諸佛　聞悉受持　又見佛子　定慧具足
以无量喻　為衆講法　欣樂說法　化諸菩薩
破魔兵衆　而擊法鼓　又見菩薩　寂然宴嘿
天龍恭敬　不以為喜　又見菩薩　處林放光
濟地獄苦　令入佛道　又見佛子　未嘗睡眠
經行林中　勤求佛道　又見具戒　威儀无缺

天龍恭敬　不以為喜　又見菩薩　處林放光
濟地獄苦　令入佛道　又見佛子　未嘗睡眠
經行林中　勤求佛道　又見具戒　威儀无缺
淨如寶珠　以求佛道　又見佛子　住忍辱力
增上慢人　惡罵捶打　皆悉能忍　以求佛道
又見菩薩　離諸戲咲　及癡眷屬　親近智者
一心除亂　攝念山林　億千万歲　以求佛道
或見菩薩　餚饍飲食　百種湯藥　施佛及僧
名衣上服　價直千万　或无價衣　施佛及僧
千万億種　栴檀寶舍　衆妙卧具　施佛及僧
清淨園林　華菓茂盛　流泉浴池　施佛及僧
如是等施　種種微妙　歡喜无猒　求无上道
或有菩薩　說寂滅法　種種教詔　无數衆生
或見菩薩　觀諸法性　无有二相　猶如虛空
又見佛子　心无所着　以此妙慧　求无上道
文殊師利　又有菩薩　佛滅度後　供養舍利
又見佛子　造諸塔廟　无數恒沙　嚴飾國界
寶塔高妙　五千由旬　縱廣正等　二千由旬
一一塔廟　各千幢幡　珠交露幔　寶鈴和鳴
諸天龍神　人及非人　香華伎樂　常以供養
文殊師利　諸佛子等　為供舍利　嚴飾塔廟
國界自然　殊特妙好　如天樹王　其華開敷
佛放一光　我及衆會　見此國界　種種殊妙
諸佛神力　智慧希有　放一淨光　照无量國
我等見此　得未曾有　佛子文殊　願決衆疑
四衆欣仰　瞻仁及我　世尊何故　放斯光明
佛子時荅　決疑令喜　何所饒益　演斯光明
佛坐道場　所得妙法　為欲說此　為當授記

BD01274 號　妙法蓮華經卷一　（23–6）

我等見此　得未曾有　佛子文殊　願決衆疑
四衆欣仰　瞻仁及我　世尊何故　放斯光明
佛子時荅　決疑令喜　何所饒益　演斯光明
佛坐道場　所得妙法　為欲說此　為當授記
示諸佛土　衆寶嚴淨　及見諸佛　此非小緣
文殊當知　四衆龍神　瞻察仁者　為說何等
尒時文殊師利語彌勒菩薩摩訶薩及諸
大士善男子等如我惟忖今佛世尊欲說大法
雨大法雨吹大法螺擊大法鼓演大法義諸
善男子我於過去諸佛曾見此瑞放斯光已
即說大法是故當知今佛現光亦復如是欲
令衆生咸得聞知一切世間難信之法故現
斯瑞諸善男子如過去无量无邊不可思議
阿僧祇劫尒時有佛号日月燈明如來應供
正遍知明行足善逝世間解无上士調御丈
夫天人師佛世尊演說正法初善中善後善
其義深遠其語巧妙純一无雜具足清白梵
行之相為求聲聞者說應四諦法度生老病
死究竟涅槃為求辟支佛者說應十二因緣
法為諸菩薩說應六波羅蜜令得阿耨多羅
三藐三菩提成一切種智次復有佛亦名日
月燈明次復有佛亦名日月燈明如是二万
佛皆同一字号日月燈明又同一姓頗羅
墮彌勒當知初佛後佛皆同一字名日月燈
明十号具足所可說法初中後善其最後佛
未出家時有八子一名有意二名善意三名
无量意四名寶意五名增意六名除疑意七
名響意八名法意是八王子威德自在各領

BD01274 號　妙法蓮華經卷一　（23–7）

未出家時有八子一名有意二名善意三名
无量意四名寶意五名增意六名除疑意七
名響意八名法意是八王子威德自在各領
四天下是諸王子聞父出家得阿耨多羅三
藐三菩提悉捨王位亦隨出家發大乘意常
脩梵行皆為法師已於千万佛所殖諸善本
是時日月燈明佛說大乘經名无量義教菩
薩法佛所護念說是經已即於大衆中結加
趺坐入於无量義處三昧身心不動是時天
雨曼陁羅華摩訶曼陁羅華曼殊沙華摩
訶曼殊沙華而散佛上及諸大衆普佛世界六
種震動尒時會中比丘比丘尼優婆塞優婆
夷天龍夜叉乾闥婆阿脩羅迦樓羅緊那羅
摩睺羅伽人非人及諸小王轉輪聖王等是
諸大衆得未曾有歡喜合掌一心觀佛尒時
如来放眉間白豪相光照東方万八千佛土
靡不周遍如今所見是諸佛土弥勒當知尒
時會中有二十億菩薩樂欲聽法是諸菩薩
見此光明普照佛土得未曾有欲知此光所
為因緣時有菩薩名曰妙光有八百弟子是
時日月燈明佛從三昧起因妙光菩薩說大
乘經名妙法蓮華教菩薩法佛所護念六十
小劫不起于座時會聽者亦坐一處六十小
劫身心不動聽佛所說謂如食頃是時衆中
无有一人若身若心而生懈惓日月燈明佛
於六十小劫說是經已即於梵魔沙門婆羅
門及天人阿脩羅衆中而宣此言如来於今

於六十小劫說是經已即於梵魔沙門婆羅
門及天人阿脩羅衆中而宣此言如来於今
日中夜當入无餘涅槃時有菩薩名曰德藏
日月燈明佛即授其記告諸比丘是德藏菩
薩次當作佛号曰淨身多陁阿伽度阿羅訶
三藐三佛陁佛授記已便於中夜入无餘涅
槃佛滅度後妙光菩薩持妙法蓮華經滿八
十小劫為人演說日月燈明佛八子皆師妙
光妙光教化令其堅固阿耨多羅三藐三菩
提是諸王子供養无量百千万億佛已皆成
佛道其最後成佛者名曰然燈八百弟子中
有一人号曰求名貪著利養雖復讀誦衆經
而不通利多所忘失故号求名是人亦以種
諸善根因緣故得值无量百千万億諸佛供
養恭敬尊重讚歎弥勒當知尒時妙光菩薩
豈異人乎我身是也求名菩薩汝身是也今
見此瑞與本无異是故惟忖今日如来當說
大乘經名妙法蓮華教菩薩法佛所護念
尒時文殊師利於大衆中欲重宣此義而
說偈言
我念過去世　无量无數劫　有佛人中尊　号日月燈明
世尊演說法　度无量衆生　无數億菩薩　令入佛智慧
佛未出家時　所生八王子　見大聖出家　亦隨脩梵行
時佛說大乘　經名无量義　於諸大衆中　而為廣分別
佛說此經已　即於法座上　跏趺坐三昧　名无量義處
天雨曼陁華　天鼓自然鳴　諸天龍鬼神　供養人中尊
一切諸佛土　即時大震動　佛放眉間光　現諸希有事

時佛說大乘　經名无量義　於諸大衆中　而為廣分別
佛說此經已　即於法座上　加趺坐三昧　名无量義處
天雨曼陁華　天鼓自然鳴　諸天龍鬼神　供養人中尊
一切諸佛土　即時大震動　佛放眉間光　現諸希有事
此光照東方　万八千佛土　示一切衆生　生死業報處
有見諸佛土　以衆寶莊嚴　琉璃頗梨色　斯由佛光照
及見諸天人　龍神夜叉衆　乾闥緊那羅　各供養其佛
又見諸如來　自然成佛道　身色如金山　端嚴甚微妙
如淨琉璃中　內現真金像　世尊在大衆　敷演深法義
一一諸佛土　聲聞衆无數　因佛光所照　悉見彼大衆
或有諸比丘　在於山林中　精進持淨戒　猶如護明珠
又見諸菩薩　行施忍辱等　其數如恒沙　斯由佛光照
又見諸菩薩　深入諸禪定　身心寂不動　以求无上道
又見諸菩薩　知法寂滅相　各於其國土　說法求佛道
尒時四部衆　見日月燈佛　現大神通力　其心皆歡喜
各各自相問　是事何因緣　天人所奉尊　適從三昧起
讚妙光菩薩　汝為世間眼　一切所歸信　能奉持法藏
如我所說法　唯汝能證知　世尊既讚歎　令妙光歡喜
說是法華經　滿六十小劫　不起於此座　所說上妙法
是妙光法師　悉皆能受持　佛說是法華　令衆歡喜已
尋即於是日　告於天人衆　諸法實相義　已為汝等說
我今於中夜　當入於涅槃　汝一心精進　當離於放逸
諸佛甚難值　億劫時一遇　世尊諸子等　聞佛入涅槃
各各懷悲惱　佛滅一何速　聖主法之王　安慰无量衆
我若滅度時　汝等勿憂怖　是德藏菩薩　於无漏實相
心已得通達　其次當作佛　号曰為淨身　亦度无量衆
佛此夜滅度　如薪盡火滅　分布諸舍利　而起无量塔
比丘比丘尼　其數如恒沙　倍復加精進　以求无上道

BD01274號　妙法蓮華經卷一　（23–10）

心已得通達　其次當作佛　号曰為淨身　亦度无量衆
佛此夜滅度　如薪盡火滅　分布諸舍利　而起无量塔
比丘比丘尼　其數如恒沙　倍復加精進　以求无上道
是妙光法師　奉持佛法藏　八十小劫中　廣宣法華經
是諸八王子　妙光所開化　堅固无上道　當見无數佛
供養諸佛已　隨順行大道　相繼得成佛　轉次而授記
最後天中天　号曰燃燈佛　諸仙之導師　度脫无量衆
是妙光法師　時有一弟子　心常懷懈怠　貪著於名利
求名利无猒　多遊族姓家　棄捨所習誦　廢忘不通利
以是因緣故　号之為求名　亦行衆善業　得見无數佛
供養於諸佛　隨順行大道　具六波羅蜜　今見釋師子
其後當作佛　号名曰彌勒　廣度諸衆生　其數无有量
彼佛滅度後　懈怠者汝是　妙光法師者　今則我身是
我見燈明佛　本光瑞如此　以是知今佛　欲說法華經
今相如本瑞　是諸佛方便　今佛放光明　助發實相義
諸人今當知　合掌一心待　佛當雨法雨　充足求道者
諸求三乘人　若有疑悔者　佛當為除斷　令盡无有餘

妙法蓮華經方便品第二

尒時世尊從三昧安詳而起告舍利弗諸佛
智慧甚深无量其智慧門難解難入一切聲
聞辟支佛所不能知所以者何佛曾親近百
千万億无數諸佛盡行諸佛无量道法勇猛
精進名稱普聞成就甚深未曾有法隨宜所
說意趣難解舍利弗吾從成佛已來種種因
緣種種譬喻廣演言教无數方便引導衆生
令離諸著所以者何如來方便知見波羅蜜
皆已具足舍利弗如來知見廣大深遠无量

BD01274號　妙法蓮華經卷一　（23–11）

說意趣難解舍利弗吾從成佛已來種種因
緣種種譬喻廣演言教无數方便引導衆生
令離諸著所以者何如來方便知見波羅蜜
皆已具足舍利弗如來知見廣大深遠无量
无礙力无所畏禪定解脫三昧深入无際成
就一切未曾有法舍利弗如來能種種分別
巧說諸法言辭柔軟悅可衆心舍利弗取要
言之无量无邊未曾有法佛悉成就止舍利
弗不須復說所以者何佛所成就第一希有
難解之法唯佛與佛乃能究盡諸法實相所謂
諸法如是相如是性如是體如是力如是作
如是因如是緣如是果如是報如是本末
究竟等尒時世尊欲重宣此義而說偈言
世雄不可量　諸天及世人　一切衆生類　无能知佛者
佛力无所畏　解脫諸三昧　及佛諸餘法　无能測量者
本從无數佛　具足行諸道　甚深微妙法　難見難可了
於无量億劫　行此諸道已　道場得成果　我已悉知見
如是大果報　種種性相義　我及十方佛　乃能知是事
是法不可示　言辭相寂滅　諸餘衆生類　无有能得解
除諸菩薩衆　信力堅固者　諸佛弟子衆　曾供養諸佛
一切漏已盡　住是最後身　如是諸人等　其力所不堪
假使滿世間　皆如舍利弗　盡思共度量　不能測佛智
正使滿十方　皆如舍利弗　及餘諸弟子　亦滿十方刹
盡思共度量　亦復不能知　辟支佛利智　无漏最後身
亦滿十方界　其數如竹林　斯等共一心　於億无量劫
欲思佛實智　莫能知少分　新發意菩薩　供養无數佛
了達諸義趣　又能善說法　如稻麻竹葦　充滿十方刹

BD01274號　妙法蓮華經卷一　（23–12）

亦滿十方界　其數如竹林　斯等共一心　於億无量劫
欲思佛實智　莫能知少分　新發意菩薩　供養无數佛
了達諸義趣　又能善說法　如稻麻竹葦　充滿十方刹
一心以妙智　於恒河沙劫　咸皆共思量　不能知佛智
不退諸菩薩　其數如恒沙　一心共思求　亦復不能知
又告舍利弗　无漏不思議　甚深微妙法　我今已具得
唯我知是相　十方佛亦然　舍利弗當知　諸佛語无異
於佛所說法　當生大信力　世尊法久後　要當說真實
告諸聲聞衆　及求緣覺乘　我令脫苦縛　逮得涅槃者
佛以方便力　示以三乘教　衆生處處著　引之令得出
尒時大衆中有諸聲聞漏盡阿羅漢阿若憍
陳如等千二百人及發聲聞辟支佛心比丘
比丘尼優婆塞優婆夷各作是念今者世尊
何故慇懃稱歎方便而作是言佛所得法甚
深難解有所言說意趣難知一切聲聞辟支
佛所不能及佛說一解脫義我等亦得此法
到於涅槃而今不知是義所趣尒時舍利弗
知四衆心疑自亦未了而白佛言世尊何因
何緣慇懃稱歎諸佛第一方便甚深微妙難
解之法我自昔來未曾從佛聞如是說今者
四衆咸皆有疑唯願世尊敷演斯事世尊何
故慇懃稱歎甚深微妙難解之法尒時舍利
弗欲重宣此義而說偈言
慧日大聖尊　久乃說是法　自說得如是　力无畏三昧
禪定解脫等　不可思議法　道場所得法　无能發問者
我意難可測　亦无能問者　无問而自說　稱歎所行道
智慧甚微妙　諸佛之所得　无漏諸羅漢　及求涅槃者

BD01274號　妙法蓮華經卷一　（23–13）

慧日大聖尊 久乃説是法 自説得如是 力无畏三昧
禪定解脫等 不可思議法 道塲所得法 无能發問者
我意難可測 亦无能問者 无問而自説 稱歎所行道
智慧甚微妙 諸佛之所得 无漏諸羅漢 及求涅槃者
今皆墮疑網 佛何故説是 其求緣覺者 比丘比丘尼
諸天龍鬼神 及乾闥婆等 相視懷猶豫 瞻仰兩足尊
是事爲云何 願佛爲解説 於諸聲聞衆 佛説我第一
我今自於智 疑惑不能了 爲是究竟法 爲是所行道
佛口所生子 合掌瞻仰待 願出微妙音 時爲如實説
諸天龍神等 其數如恒沙 求佛諸菩薩 大數有八万
又諸万億國 轉輪聖王至 合掌以敬心 欲聞具足道
尒時佛告舍利弗止止不須復説若説是事
一切世間諸天及人皆當驚疑舍利弗重白
佛言世尊唯願説之唯願説之所以者何是
會无數百千万億阿僧祇衆生曾見諸佛
諸根猛利智慧明了聞佛所説則能敬信尒
時舍利弗欲重宣此義而説偈言
法王无上尊 唯説願勿慮 是會无量衆 有能敬信者
佛復止舍利弗若説是事一切世間天人阿
脩羅皆當驚疑增上慢比丘將墜於大坑
尒時世尊重説偈言
止止不須説 我法妙難思 諸增上慢者 聞必不敬信
尒時舍利弗重白佛言世尊唯願説之唯願
説之今此會中如我等比丘百千万億世世
已曾從佛受化如此人等必能敬信長夜安隱
多所饒益尒時舍利弗欲重宣此義而説偈
言
无上兩足尊 願説第一法 我爲佛長子 唯垂分別説

已曾從佛受化如此人等必能敬信長夜安隱
多所饒益尒時舍利弗欲重宣此義而説偈
言
无上兩足尊 願説第一法 我爲佛長子 唯垂分別説
是會无量衆 能敬信此法 佛已曾世世 教化如是等
皆一心合掌 欲聽受佛語 我等千二百 及餘求佛者
願爲此衆故 唯垂分別説 是等聞此法 則生大歡喜
尒時世尊告舍利弗汝已慇懃三請豈得不
説汝今諦聽善思念之吾當爲汝分別解説
説此語時會中有比丘比丘尼優婆塞優婆
夷五千人等即從座起禮佛而退所以者何
此輩罪根深重及增上慢未得謂得未證謂
證有如此失是以不住世尊嘿然而不制止
尒時佛告舍利弗我今此衆无復枝葉純有
貞實舍利弗如是增上慢人退亦佳矣汝今
善聽當爲汝説舍利弗言唯然世尊願樂欲
聞佛告舍利弗如是妙法諸佛如來時乃説
之如優曇鉢華時一現耳舍利弗汝等當信
佛之所説言不虛妄舍利弗諸佛隨宜説法
意趣難解所以者何我以无數方便種種因
緣譬喻言辭演説諸法是法非思量分別之
所能解唯有諸佛乃能知之所以者何諸佛
世尊唯以一大事因緣故出現於世舍利弗
云何名諸佛世尊唯以一大事因緣故出現
於世諸佛世尊欲令衆生開佛知見使得清
淨故出現於世欲示衆生佛知見故出現於
世欲令衆生悟佛知見故出現於世欲令衆
生入佛知見道故出現於世舍利弗是爲諸

去何名諸佛世尊唯以一大事因緣故出現
於世諸佛世尊欲令衆生開佛知見使得清
淨故出現於世欲示衆生佛知見故出現於
世欲令衆生悟佛知見故出現於世欲令衆
生入佛知見道故出現於世舍利弗是為諸
佛以一大事因緣故出現於世佛告舍利弗
諸佛如來但教化菩薩諸有所作常為一事
唯以佛之知見示悟衆生舍利弗如來但以
一佛乘故為衆生說法无有餘乘若二若三
舍利弗一切十方諸佛法亦如是舍利弗過
去諸佛以无量无數方便種種因緣譬喻言
辭而為衆生演說諸法是法皆為一佛乘故
是諸衆生從諸佛聞法究竟皆得一切種智
舍利弗未來諸佛當出於世亦以无量无數
方便種種因緣譬喻言辭而為衆生演說諸
法是法皆為一佛乘故是諸衆生從佛聞法
究竟皆得一切種智舍利弗現在十方无量
百千万億佛土中諸佛世尊多所饒益安樂
衆生是諸佛亦以无量无數方便種種因緣
譬喻言辭而為衆生演說諸法是法皆為一
佛乘故是諸衆生從佛聞法究竟皆得一切
種智舍利弗是諸佛但教化菩薩欲以佛之
知見示衆生故欲以佛之知見悟衆生故欲
令衆生入佛之知見故舍利弗我今亦復如
是知諸衆生有種種欲深心所著隨其本性
以種種因緣譬喻言辭方便力故而為說法
舍利弗如此皆為得一佛乘一切種智故舍
利弗十方世界中尚无二乘何況有三舍利

BD01274號　妙法蓮華經卷一　（23-16）

是知諸衆生有種種欲深心所著隨其本性
以種種因緣譬喻言辭方便力故而為說法
舍利弗如此皆為得一佛乘一切種智故舍
利弗十方世界中尚无二乘何況有三舍利
弗諸佛出於五濁惡世所謂劫濁煩惱濁衆
生濁見濁命濁如是舍利弗劫濁亂時衆生
垢重慳貪嫉妬成就諸不善根故諸佛以方
便力於一佛乘分別說三舍利弗若我弟子
自謂阿羅漢辟支佛者不聞不知諸佛如來
但教化菩薩事此非佛弟子非阿羅漢非辟
支佛又舍利弗是諸比丘比丘尼自謂已得
阿羅漢是最後身究竟涅槃便不復志求阿
耨多羅三藐三菩提當知此輩皆是增上慢
人所以者何若有比丘實得阿羅漢若不信
此法无有是處除佛滅度後現前无佛所以
者何佛滅度後如是等經受持讀誦解義
者是人難得若遇餘佛於此法中便得決了
舍利弗汝等當一心信解受持佛語諸佛如來
言无虛妄无有餘乘唯一佛乘尒時世尊欲
重宣此義而說偈言
比丘比丘尼　有懷增上慢　優婆塞我慢　優婆夷不信
如是四衆等　其數有五千　不自見其過　於戒有缺漏
護惜其瑕疵　是小智已出　衆中之糟糠　佛威德故去
斯人尠福德　不堪受是法　此衆无枝葉　唯有諸貞實
舍利弗善聽　諸佛所得法　无量方便力　而為衆生說
衆生心所念　種種所行道　若干諸欲性　先世善惡業
佛悉知是已　以諸緣譬喻　言辭方便力　令一切歡喜
或說修多羅　伽陀及本事　本生未曾有　亦說於因緣

BD01274號　妙法蓮華經卷一　（23-17）

舍利弗善聽 諸佛所得法 无量方便力 而為眾生說
眾生心所念 種種所行道 若干諸欲性 先世善惡業
佛悉知是已 以諸緣譬喻 言辭方便力 令一切歡喜
或說脩多羅 伽陁及本事 本生未曾有 亦說於因緣
譬喻并祇夜 優波提舍經 鈍根樂小法 貪著於生死
於諸无量佛 不行深妙道 眾苦所惱亂 為是說涅槃
我設是方便 令得入佛慧 未曾說汝等 當得成佛道
所以未曾說 說時未至故 今正是其時 決定說大乘
我此九部法 隨順眾生說 入大乘為本 以故說是經
有佛子心淨 柔軟亦利根 无量諸佛所 而行深妙道
為此諸佛子 說是大乘經 我記如是人 來世成佛道
以深心念佛 脩持淨戒故 此等聞得佛 大喜充遍身
佛知彼心行 故為說大乘 聲聞若菩薩 聞我所說法
乃至於一偈 皆成佛无疑 十方佛土中 唯有一乘法
无二亦无三 除佛方便說 但以假名字 引導於眾生
說佛智慧故 諸佛出於世 唯此一事實 餘二則非真
終不以小乘 濟度於眾生 佛自住大乘 如其所得法
定慧力莊嚴 以此度眾生 自證无上道 大乘平等法
若以小乘化 乃至於一人 我則墮慳貪 此事為不可
若人信歸佛 如來不欺誑 亦无貪嫉意 斷諸法中惡
故佛於十方 而獨无所畏 我以相嚴身 光明照世間
无量眾所尊 為說實相印 舍利弗當知 我本立誓願
欲令一切眾 如我等无異 如我昔所願 今者已滿足
化一切眾生 皆令入佛道 若我遇眾生 盡教以佛道
无智者錯亂 迷惑不受教 我知此眾生 未曾脩善本
堅著於五欲 癡愛故生惱 以諸欲因緣 墜墮三惡道
輪迴六趣中 備受諸苦毒 受胎之微形 世世常增長
薄德少福人 眾苦所逼迫 入邪見稠林 若有若无等

BD01274號　妙法蓮華經卷一　（23–18）

无智者錯亂 迷惑不受教 我知此眾生 未曾脩善本
堅著於五欲 癡愛故生惱 以諸欲因緣 墜墮三惡道
輪迴六趣中 備受諸苦毒 受胎之微形 世世常增長
薄德少福人 眾苦所逼迫 入邪見稠林 若有若无等
依止此諸見 具足六十二 深著虛妄法 堅受不可捨
我慢自矜高 諂曲心不實 於千万億劫 不聞佛名字
亦不聞正法 如是人難度 是故舍利弗 我為設方便
說諸盡苦道 示之以涅槃 我雖說涅槃 是亦非真滅
諸法從本來 常自寂滅相 佛子行道已 來世得作佛
我有方便力 開示三乘法 一切諸世尊 皆說一乘道
今此諸大眾 皆應除疑惑 諸佛語无異 唯一无二乘
過去无數劫 无量滅度佛 百千万億種 其數不可量
如是諸世尊 種種緣譬喻 无數方便力 演說諸法相
是諸世尊等 皆說一乘法 化无量眾生 令入於佛道
又諸大聖主 知一切世間 天人群生類 深心之所欲
更以異方便 助顯第一義 若有眾生類 值諸過去佛
若聞法布施 或持戒忍辱 精進禪定等 種種脩福慧
如是諸人等 皆已成佛道 諸佛滅度已 若人善軟心
如是諸眾生 皆已成佛道 諸佛滅度已 供養舍利者
起万億眾塔 金銀及頗梨 車𤦲與馬瑙 玫瑰瑠璃珠
清淨廣嚴飾 莊校於諸塔 或有起石廟 栴檀及沈水
木櫁并餘材 塼瓦泥土等 若於曠野中 積土成佛廟
乃至童子戲 聚沙為佛塔 如是諸人等 皆已成佛道
若人為佛故 建立諸形像 刻雕成眾相 皆已成佛道
或以七寶成 鍮石赤白銅 白鑞及鉛錫 鐵木及與泥
或以膠漆 嚴飾作佛像 如是諸人等 皆已成佛道
彩畫作佛像 百福莊嚴相 自作若使人 皆已成佛道
[illegible] 若草木及筆 或以指爪甲 而畫作佛像

BD01274號　妙法蓮華經卷一　（23–19）

或以七寶成　鍮石赤白銅　白鑞及鉛錫　鐵木及與泥
或以膠漆布　嚴飾作佛像　如是諸人等　皆已成佛道
綵畫作佛像　百福莊嚴相　自作若使人　皆已成佛道
乃至童子戲　若草木及筆　或以指爪甲　而畫作佛像
如是諸人等　漸漸積功德　具足大悲心　皆已成佛道
但化諸菩薩　度脫无量衆　若人於塔廟　寶像及畫像
以華香幡蓋　敬心而供養　若使人作樂　擊鼓吹角貝
簫笛琴箜篌　琵琶鐃銅鈸　如是衆妙音　盡持以供養
或以歡喜心　歌唄頌佛德　乃至一小音　皆已成佛道
若人散亂心　乃至以一華　供養於畫像　漸見无數佛
或有人礼拜　或復但合掌　乃至舉一手　或復小低頭
以此供養像　漸見无量佛　自成无上道　廣度无數衆
入无餘涅槃　如薪盡火滅　若人散亂心　入於塔廟中
一稱南无佛　皆已成佛道　於諸過去佛　在世或滅後
若有聞是法　皆已成佛道　未來諸世尊　其數无有量
是諸如來等　亦方便說法　一切諸如來　以无量方便
度脫諸衆生　入佛无漏智　若有聞法者　无一不成佛
諸佛本誓願　我所行佛道　普欲令衆生　亦同得此道
未來世諸佛　雖說百千億　无數諸法門　其實為一乘
諸佛兩足尊　知法常无性　佛種從緣起　是故說一乘
是法住法位　世間相常住　於道場知已　導師方便說
天人所供養　現在十方佛　其數如恒沙　出現於世間
安隱衆生故　亦說如是法　知第一寂滅　以方便力故
雖示種種道　其實為佛乘　知衆生諸行　深心之所念
過去所習業　欲性精進力　及諸根利鈍　以種種因緣
譬喻亦言辭　隨應方便說　今我亦如是　安隱衆生故
以種種法門　宣示於佛道　我以智慧力　知衆生性欲

BD01274 號　妙法蓮華經卷一　(23–20)

過去所習業　欲性精進力　及諸根利鈍　以種種因緣
譬喻亦言辭　隨應方便說　今我亦如是　安隱衆生故
以種種法門　宣示於佛道　我以智慧力　知衆生性欲
方便說諸法　皆令得歡喜　舍利弗當知　我以佛眼觀
見六道衆生　貧窮无福慧　入生死險道　相續苦不斷
深著於五欲　如犛牛愛尾　以貪愛自蔽　盲瞑无所見
不求大勢佛　及與斷苦法　深入諸邪見　以苦欲捨苦
為是衆生故　而起大悲心　我始坐道場　觀樹亦經行
於三七日中　思惟如是事　我所得智慧　微妙最第一
衆生諸根鈍　著樂癡所盲　如斯之等類　云何而可度
爾時諸梵王　及諸天帝釋　護世四天王　及大自在天
并餘諸天衆　眷屬百千万　恭敬合掌礼　請我轉法輪
我即自思惟　若但讚佛乘　衆生沒在苦　不能信是法
破法不信故　墜於三惡道　我寧不說法　疾入於涅槃
尋念過去佛　所行方便力　我今所得道　亦應說三乘
作是思惟時　十方佛皆現　梵音慰喻我　善哉釋迦文
第一之導師　得是无上法　隨諸一切佛　而用方便力
我等亦皆得　最妙第一法　為諸衆生類　分別說三乘
少智樂小法　不自信作佛　是故以方便　分別說諸果
雖復說三乘　但為教菩薩　舍利弗當知　我聞聖師子
深淨微妙音　喜稱南无佛　復作如是念　我出濁惡世
如諸佛所說　我亦隨順行　思惟是事已　即趣波羅柰
諸法寂滅相　不可以言宣　以方便力故　為五比丘說
是名轉法輪　便有涅槃音　及以阿羅漢　法僧差別名
從久遠劫來　讚示涅槃法　生死苦永盡　我常如是說
舍利弗當知　我見佛子等　志求佛道者　无量千万億
咸以恭敬心　皆來至佛所　曾從諸佛聞　方便所說法

BD01274 號　妙法蓮華經卷一　(23–21)

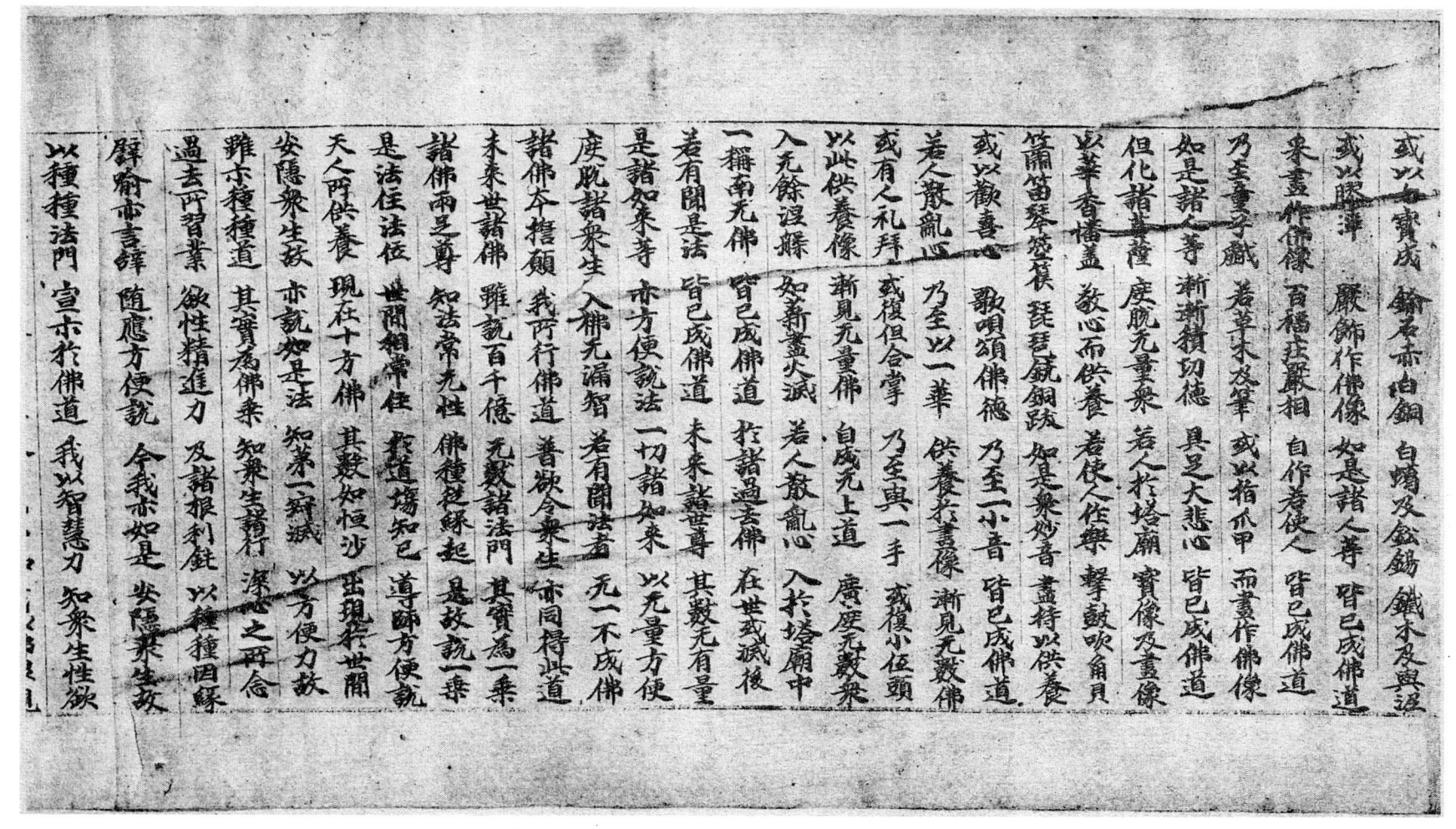

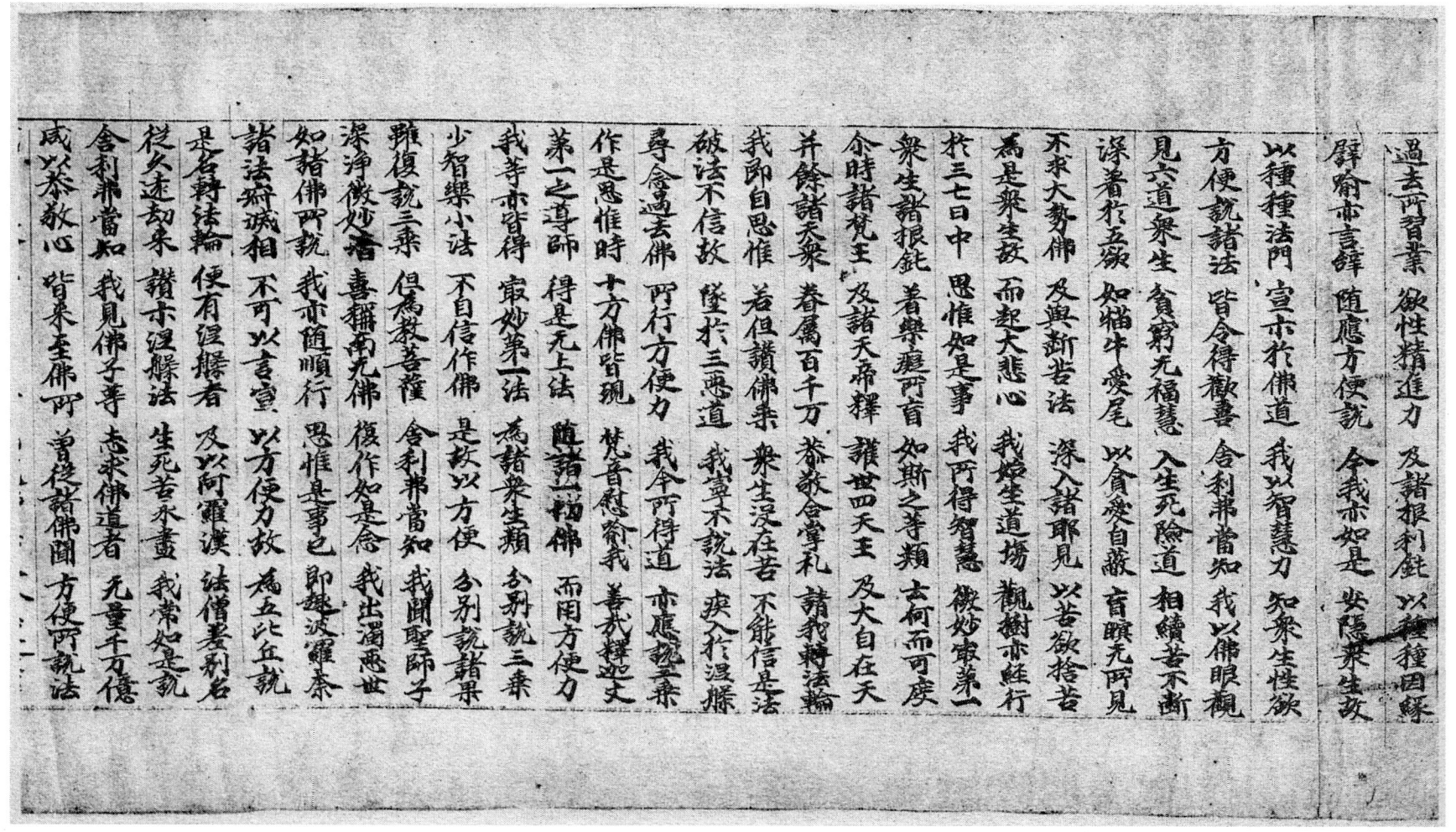

是名轉法輪　便有涅槃音　及以阿羅漢　法僧差別名
從久遠劫來　讚示涅槃法　生死苦永盡　我常如是說
舍利弗當知　我見佛子等　志求佛道者　无量千万億
咸以恭敬心　皆來至佛所　曾從諸佛聞　方便所說法
我即作是念　所以出於世　為說佛慧故　今正是其時
舍利弗當知　鈍根小智人　著相憍慢者　不能信是法
今我喜无畏　於諸菩薩中　正直捨方便　但說无上道
菩薩聞是法　疑網皆已除　千二百羅漢　悉亦當作佛
如三世諸佛　說法之儀式　我今亦如是　說无分別法
諸佛興出世　懸遠值遇難　正使出于世　說是法復難
无量无數劫　聞是法亦難　能聽是法者　斯人亦復難
譬如優曇華　一切皆愛樂　天人所希有　時時乃一出
聞法歡喜讚　乃至發一言　則為已供養　一切三世佛
是人甚希有　過於優曇華　汝等勿有疑　我為諸法王
普告諸大衆　但以一乘道　教化諸菩薩　无聲聞弟子
汝等舍利弗　聲聞及菩薩　當知是妙法　諸佛之秘要
以五濁惡世　但樂著諸欲　如是等衆生　終不求佛道
當來世惡人　聞佛說一乘　迷惑不信受　破法墮惡道
有慚愧清淨　志求佛道者　當為如是等　廣讚一乘道
舍利弗當知　諸佛法如是　以万億方便　隨宜而說法
其不習學者　不能曉了此　汝等既已知　諸佛世之師
隨宜方便事　无復諸疑惑　心生大歡喜　自知當作佛

妙法蓮華經卷第一

BD01274號　妙法蓮華經卷一　（23–22）

諸佛興出世　懸遠值遇難　正使出于世　說是法復難
无量无數劫　聞是法亦難　能聽是法者　斯人亦復難
譬如優曇華　一切皆愛樂　天人所希有　時時乃一出
聞法歡喜讚　乃至發一言　則為已供養　一切三世佛
是人甚希有　過於優曇華　汝等勿有疑　我為諸法王
普告諸大衆　但以一乘道　教化諸菩薩　无聲聞弟子
汝等舍利弗　聲聞及菩薩　當知是妙法　諸佛之秘要
以五濁惡世　但樂著諸欲　如是等衆生　終不求佛道
當來世惡人　聞佛說一乘　迷惑不信受　破法墮惡道
有慚愧清淨　志求佛道者　當為如是等　廣讚一乘道
舍利弗當知　諸佛法如是　以万億方便　隨宜而說法
其不習學者　不能曉了此　汝等既已知　諸佛世之師
隨宜方便事　无復諸疑惑　心生大歡喜　自知當作佛

妙法蓮華經卷第一

BD01274號　妙法蓮華經卷一　（23–23）

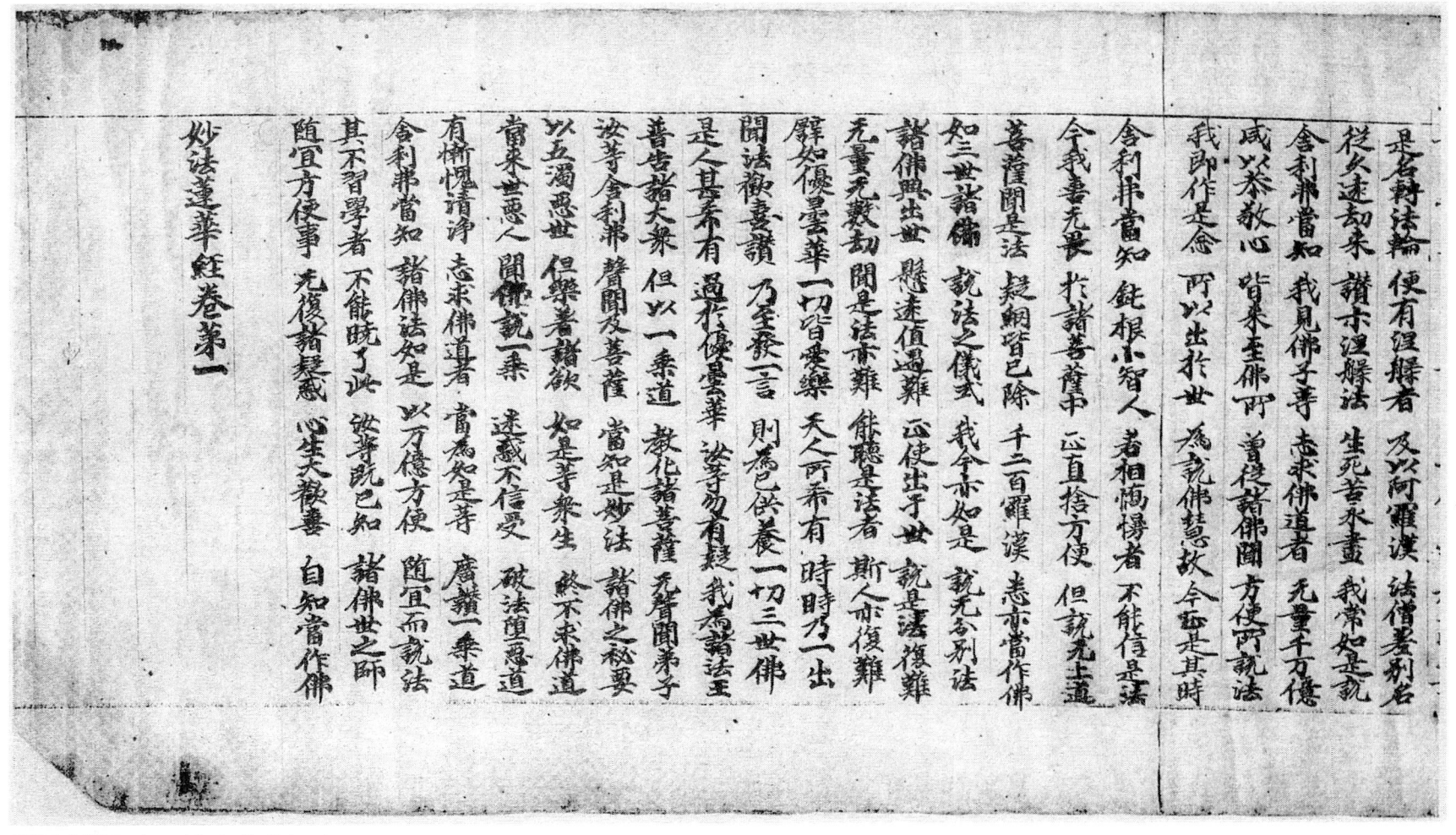

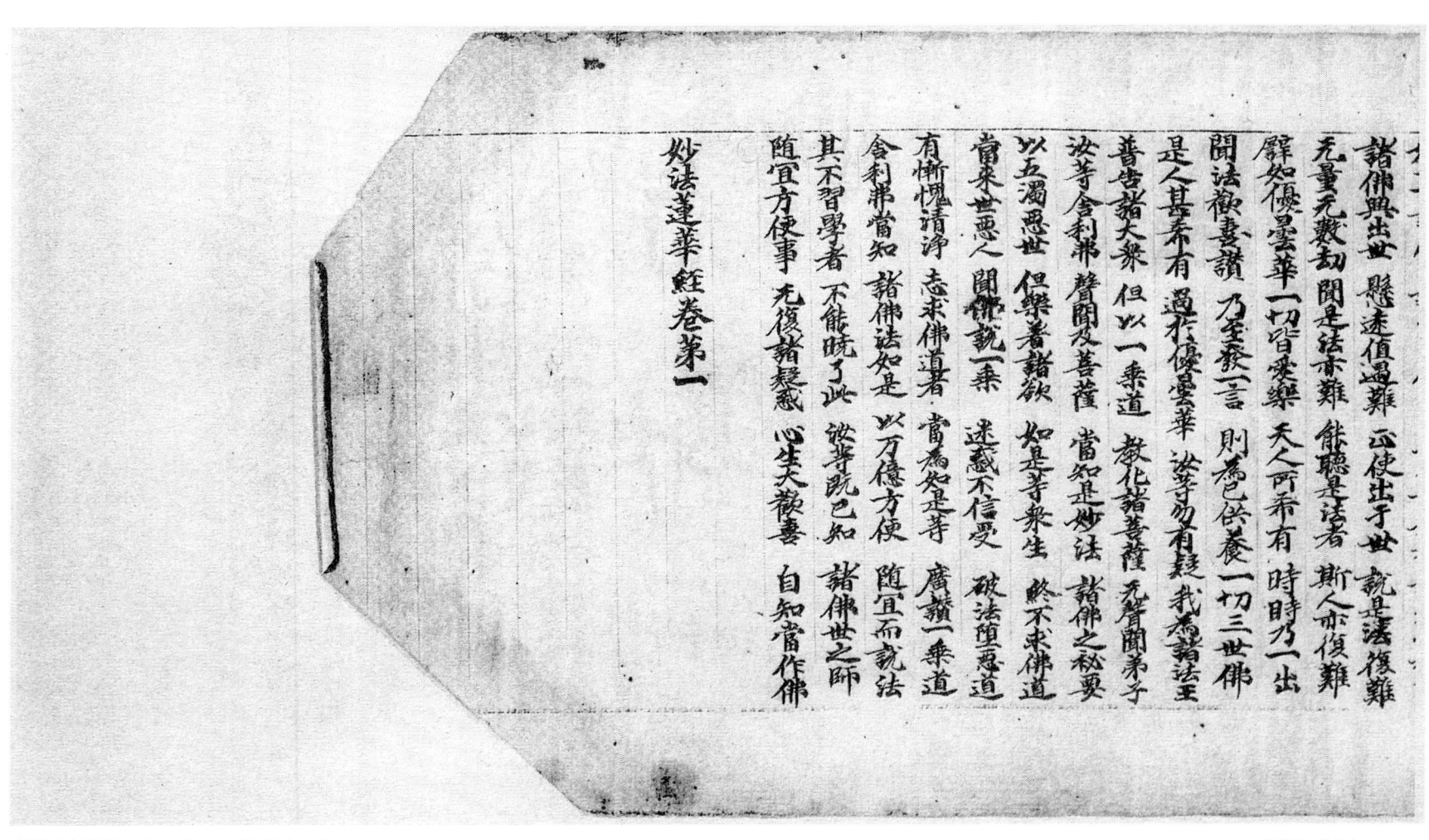

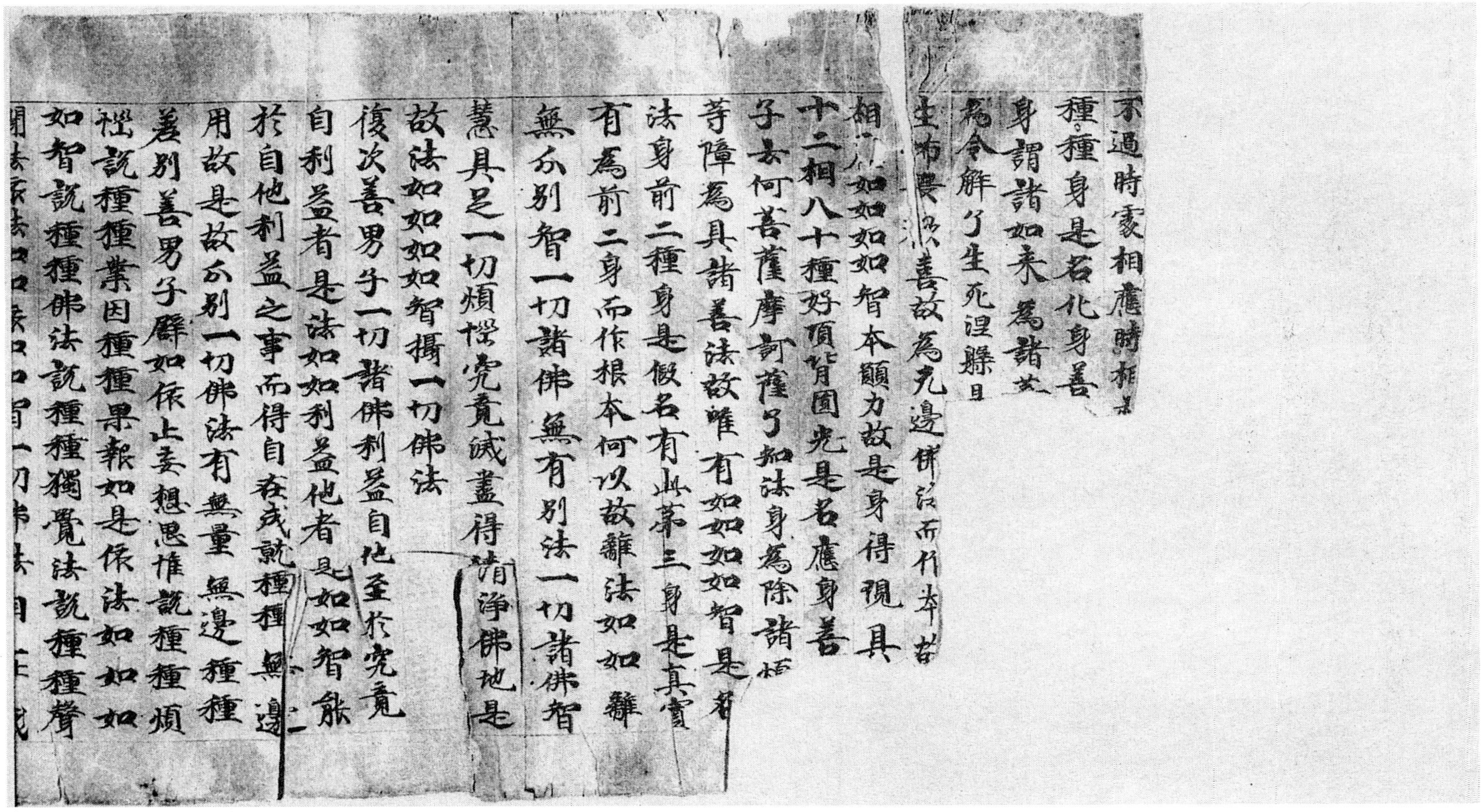

不過時處相應時相
種種身是名化身善
身謂諸如來爲諸菩
爲令解了生死涅槃
生怖畏及以善故爲无邊佛法而作本若
相□如如如如智本願力故是身得現具
十二相八十種好項背圓光是名應身善
子云何菩薩摩訶薩了知法身爲除諸煩
等障爲具諸善法故唯有如如如如智是名
法身前二種身是假名有此第三身是真實
有爲前二身而作根本何以故離法如如離
無分別智一切諸佛無有別法一切諸佛智
慧具足一切煩惱究竟滅盡得清淨佛地是
故法如如如如智攝一切佛法
復次善男子一切諸佛利益自他至於究竟
自利益者是法如如利益他者是如如智能
於自他利益之事而得自在成就種種無邊
用故是故分別一切佛法有無量無邊種種
差別善男子譬如依止妄想思惟說種種煩
惱說種種業因種種果報如是依法如如依如
如智說種種佛法說種種獨覺法說種種聲
聞法依法如如依如如智一切佛法自在成

BD01275號　金光明最勝王經卷二　（17–1）

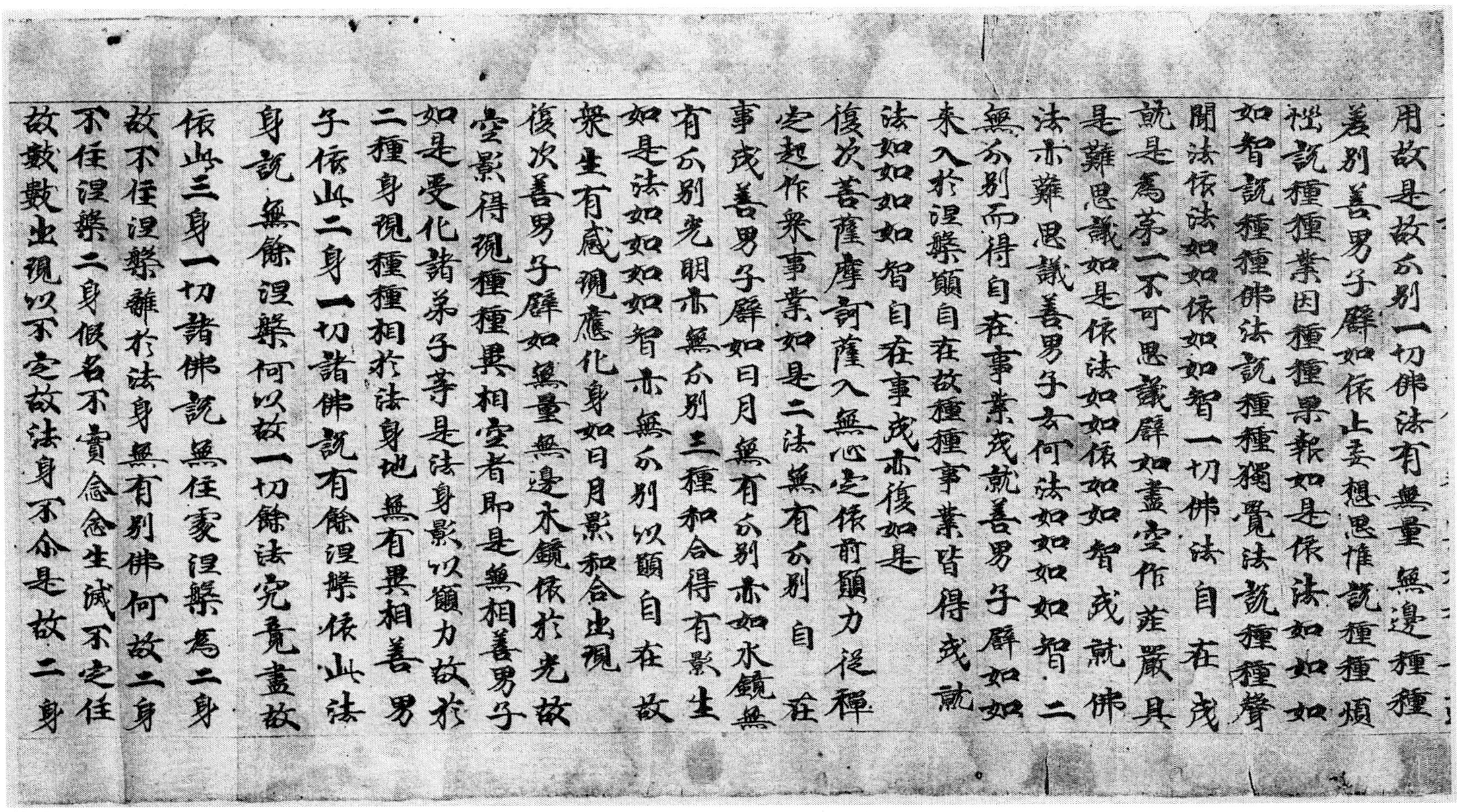

用故是故分別一切佛法有無量無邊種種
差別善男子譬如依止妄想思惟說種種煩
惱說種種業因種種果報如是依法如如依如
如智說種種佛法說種種獨覺法說種種聲
聞法依法如如依如如智一切佛法自在成
就是爲第一不可思議譬如畫空作莊嚴具
是難思議如是依法如如依如如智成就佛
法亦難思議善男子云何法如如如如智二
無分別而得自在事業成就善男子譬如如
來入於涅槃願自在故種種事業皆得成就
法如如如如智自在事成亦復如是
復次菩薩摩訶薩入無心定依前願力從禪
定起作衆事業如是二法無有分別自在
事成善男子譬如日月無有分別亦如水鏡無
有分別光明亦無分別三種和合得有影生
如是法如如如如智亦無分別以願自在故
衆生有感現應化身如日月影和合出現
復次善男子譬如無量無邊水鏡依於光故
空影得現種種異相空者即是無相善男子
如是受化諸弟子等是法身影以願力故於
二種身現種種相於法身地無有異相善男
子依此二身一切諸佛說有餘涅槃依此法
身說無餘涅槃何以故一切餘法究竟盡故
依此三身一切諸佛說無住處涅槃爲二身
故不住涅槃離於法身無有別佛何故二身
不住涅槃二身假名不實念念生滅不定住
故數數出現以不定故法身不尒是故二身

BD01275號　金光明最勝王經卷二　（17–2）

依此三身一切諸佛說無住處涅槃爲二身
故不住涅槃離於法身無有別佛何故二身
不住涅槃二身假名不實念念生滅不定住
故數數出現以不定故法身不尒是故二身
不住涅槃法身不二是故不住涅槃故依三
身說無住涅槃
善男子一切凡夫爲三相故有縛有障遠離
三身不至三身何者爲三一者遍計所執相
二者依他起相三者成就相如是諸相不能解
故不能滅故不能淨故是故不得至於三
身如是三相能解能滅能淨故是故諸佛具
足三身善男子諸凡夫人未能除遣此三心
故遠離三身不能得至何者爲三一者起事
心二者依根本心三者根本心依諸伏道起
事心盡依法斷道依根本心盡依最勝道根
本心盡起事心滅故得現化身依根本心滅
故得顯應身根本心滅故得至法身是故一
切如來具足三身
善男子一切諸佛於第一身與諸佛同事於
第二身與諸佛同意於第三身與諸佛同體
善男子是初佛身隨衆生意有多種故現種
種相是故說多第二佛身弟子一意故現一
相是故說一第三佛身過一切種相非執相
境界是故說名不一不二善男子是第一身
依於應身得顯現故是第二身依於法身得
顯現故是法身者是真實有無依處故善男
子如是三身以有義故而說於常以有義故
說於無常化身者恒轉法輪處處隨緣方便

BD01275 號　金光明最勝王經卷二

（17–3）

依於應身得顯現故是第二身依於法身得
顯現故是法身者是真實有無依處故善男
子如是三身以有義故而說於常以有義故
說於無常化身者恒轉法輪處處隨緣方便
相續不斷絶故是故說常非是本故具足大用
不顯現故說爲無常應身者從无始來相
續不斷一切諸佛不共之法能攝持故衆生
無盡用亦无盡是故說常非是本故以具足
用不顯現故說爲无常法身者非是行法无
有異相是根本故猶如虛空是故說常善男
子離無分別智更无勝智離法如如無勝境
界是法如如是慧如如是二種如如如如不一
不異是故法身慧清淨故滅清淨故是二
清淨是故法身具足清淨
復次善男子分別三身有四種異有化身非
應身有應身非化身有化身亦應身有非化
身亦非應身何者化身非應身謂諸如來般
涅槃後以願自在故隨緣利益是名化身何
者應身非化身是地前身何者化身亦應身
謂住有餘涅槃之身何者非化身非應身謂
是法身善男子是法身者二無所有所顯現
故何者名爲二無所有於此法身相及相處
二皆是無非有非無非一非異非數非非數
非明非闇如是如如智不見相及相處不見
非有非无不見非一非異不見非數非非數
不見非明非闇是故當知境界清淨智慧清
淨不可分別無有中間爲滅道本故於此法
身能顯如來種種事業

BD01275 號　金光明最勝王經卷二

（17–4）

非有非无不見非一非異不見非數非非數
不見非明非闇是故當知境界清淨智慧清
淨不可分別無有中間爲滅道本故於此法
身能顯如來種種事業
善男子是身因緣境界處所果依於本難思
議故若了此義是身即是大乘是如來性是
如來藏依於此身得發初心修行地心而得顯
現不退地心亦皆得現一生補處心金剛
之心如來之心而悉顯現無量无邊如來妙
法皆悉顯現依此法身不可思議摩訶三昧
而得顯現依此法身得現一切大智是故二
身依於三昧依於智慧而得顯現如此法身
依於自體說常說我依大三昧故說於樂依
於大智故說清淨是故如來常住自在安樂
清淨依大三昧一切禪定首楞嚴等一切念
處大法念等大慈大悲一切陁羅尼一切神
通一切自在一切法平等攝受如是佛法悉
皆出現依此大智十力四无所畏四無礙辯
一百八十不共之法一切希有不可思議法悉
皆顯現譬如依如意寶珠无量無邊種種
珎寶悉皆得現如是依大三昧寶依大智慧
寶能出種種無量无邊諸佛妙法善男子如
是法身三昧智慧過一切相不著於相不可
分別非常非斷是名中道雖有分別體无分
別雖有三數而无三體不增不減猶如夢幻
亦無所執亦無能執法體如如是解脫處過
死王境越生死闇一切衆生不能修行所不

分別非常非斷是名中道雖有分別體无分
別雖有三數而无三體不增不減猶如夢幻
亦無所執亦無能執法體如如是解脫處過
死王境越生死闇一切衆生不能修行所不
能至一切諸佛菩薩之所住處善男子譬如
有人願欲得金處處求覓遂得金鑛既得鑛
已即便碎之擇取精者爐中銷鍊得清淨金
隨意迴轉作諸鐶釧種種嚴具雖有諸用金
性不改
復次善男子若善男子善女人求勝解脫修
行世善得見如來及弟子衆得親近已白佛
言世尊何者爲善何者不善何者正修得清
淨行諸佛如來及弟子衆見彼問時如是思
惟是善男子善女人欲求清淨欲聽正法即
便爲說令其開悟彼既聞已一心憶持發心
修行得精進力除嬾惰障滅一切罪於諸學
處離不尊重息掉悔心入於初地依初地心
除利有情障得入二地於此地中除不逼惱
障入於三地於此地中除心歎淨障入於四
地於此地中除善方便障入於五地於此地
中除見真俗障入於六地於此地中除見行
相障入於七地於此地中除不見滅相障入
於八地於此地中除不見生相障入於九地
於此地中除六通障入於十地於此地中除
所知障除根本心入如來地如來地者由三
淨故名極清淨云何爲三一者煩惱淨二者
苦淨三者相淨譬如真金鎔銷冶鍊既燒打
已無復塵垢爲顯金性本清淨故金體清淨

所知障除根本心入如來地如來地者由三
淨故名極清淨云何為三一者煩惱淨二者
苦淨三者相淨譬如真金鎔銷冶鍊既燒打
已無復塵垢為顯金性本清淨故金體清淨
非謂无金譬如濁水澄渟清淨無復滓穢為
顯水性本清淨故非謂无水如是法身與煩
惱雜苦集除已無復餘習為顯佛性本清淨
故非謂無體譬如虛空烟雲塵霧之所障蔽
若除屏已是空界淨非謂無空如是法身一
切衆苦悉皆盡故說為清淨非謂無體譬如
有人於睡夢中見大河水漂泛其身運手動
足截流而渡得至彼岸由彼身心不懈退故
從夢覺已不見有水彼此岸別非謂無心生
死妄想既滅盡已是覺清淨非謂无覺如是
法界一切妄想不復生故說為清淨非是諸
佛無其實體
復次善男子是法身者惑障清淨能現應身
業障清淨能現化身智障清淨能現法身譬
如依空出電依電出光如是依法身故能現
應身依應身故能現化身由性淨故能現法
身智慧清淨能現應身三昧清淨能現化身
此三清淨是法如如不異如如一味如如 解
脫如如究竟如如是故諸佛體無有異善 男
子若有善男子善女人說於如來是我大師
若作如是決定信者此人即應深心解了如
來之身無有別異善男子以是義故於諸境
界不去思惟悉皆除斷即知彼法無有 二 相

BD01275號　金光明最勝王經卷二　（17–7）

若作如是決定信者此人即應深心解了如
來之身無有別異善男子以是義故於諸境
界不去思惟悉皆除斷即知彼法無有二相
亦無分別聖所修行如如於彼無有二相正
脩行故如是如是一切諸障悉皆除滅如一切
障滅如是如是法如如如如智得最清淨如
如法界正智清淨如是如是一切自在具
足攝受皆得成就一切諸障悉皆除滅一
切諸障得清淨故是名真如正智真實之相
如是見者是名聖見是則名為真實見佛何
以故如實得見法真如故是故諸佛悉能普
見一切如來何以故聲聞獨覺已出三界求
真實境不能知見如是聖人所不知見一切
凡夫皆生疑惑顛倒分別不能得度如兔浮
海必不能過所以者何力微劣故凡夫之人
亦復如是不能通達法如如故然諸如來无
分別心於一切法得大自在具足清淨智慧
故是自境界不共他故是故諸佛如來於
無量無邊阿僧祇劫不惜身命難行苦行方
得此身最上無比不可思議過言說境是妙
寂靜離諸怖畏
善男子如是知見法真如者無生老死壽命
無限無有睡眠亦無飢渴心常在定無有散
動若於如來起諍論心是則不能見於如來
諸佛所說皆能利益有聽聞者無不解脫諸
惡禽獸惡人惡鬼不相逢值由聞法故果報
無盡然諸如來無无記事一切境界無欲知
心生死涅槃无有異想如來所說無不決定

BD01275號　金光明最勝王經卷二　（17–8）

惡禽獸惡人惡鬼不相逢值由聞法故果報
無盡然諸如來无記事一切境界無欲知
心生死涅槃无有異想如來所說無不決定
諸佛如來四威儀中無非智攝一切諸法无
有不為慈悲所攝無有不為利益安樂諸衆
生者善男子若有善男子善女人於此金光
明經聽聞信解不墮地獄餓鬼傍生阿蘇羅
道常處人天不生下賤恒得親近諸佛如來聽
受正法常生諸佛清淨國土所以者何由得
聞此甚深法故是善男子善女人則為如
來已知已記當得不退阿耨多羅三藐三菩
提若善男子善女人於此甚深微妙之法一
經耳者當知是人不謗如來不毀正法不輕
聖衆一切衆生未種善根令得種故已種善
根令增長成熟故一切世界所有衆生皆勸
修行六波羅蜜多
爾時虛空藏菩薩梵釋四王諸天衆等即從
座起偏袒右肩合掌恭敬頂禮佛足白佛言
世尊若所在處講說如是金光明王微妙經
典於其國土有四種利益何者為四一者國
王軍衆強盛無諸怨敵離於疾病壽命延長
吉祥安樂正法興顯二者中宮妃后王子諸
臣和悅無諍離於諂佞王所愛重三者沙門
婆羅門及諸國人修行正法無病安樂無枉
死者於諸福田悉皆修立四者於三時中四
大調適常為諸天增加守護慈悲平等無傷
害心令諸衆生歸敬三寶皆願修習菩提之

BD01275號　金光明最勝王經卷二　（17–9）

死者於諸福田悉皆修立四者於三時中四
大調適常為諸天增加守護慈悲平等無傷
害心令諸衆生歸敬三寶皆願修習菩提之
行是為四種利益之事世尊我等亦常為弘
經故隨逐如是持經之人所在住處為作利益
佛言善哉善哉善男子如是如是汝等應
當勤心流布此妙經王則令正法久住於世

金光明最勝王經夢見懺悔品第四

爾時妙幢菩薩親於佛前聞妙法已歡喜踊
躍一心思惟還至本處於夜夢中見大金鼓光
明晃耀猶如日輪於此光中得見十方無量
諸佛於寶樹下坐瑠璃座無量百千大衆
圍繞而為說法見一婆羅門桴擊金鼓出大
音聲聲中演說微妙伽他明懺悔法妙幢聞
已皆悉憶持繫念而住至天曉已與無量百
千大衆圍繞持諸供具出王舍城詣鷲峯山
至世尊所禮佛足已布設香花右繞三帀退
坐一面合掌恭敬瞻仰尊顏白佛言世尊我
於夢中見婆羅門以手執桴擊妙金鼓出大
音聲聲中演說微妙伽他明懺悔法我皆憶
持唯願世尊降大慈悲聽我所說即於佛前
而說頌曰

我於昨夜中　夢見大金鼓　其形極姝妙　周遍有金光
猶如盛日輪　光明皆普耀　充滿十方界　咸見於諸佛
在於寶樹下　各處瑠璃座　無量百千衆　恭敬而圍繞
有一婆羅門　以杖擊金鼓　於其鼓聲內　說此妙伽他
金光明鼓出妙聲　遍至三千大千界
能滅三塗極重罪　及以人中諸苦厄

BD01275號　金光明最勝王經卷二　（17–10）

有一婆羅門，以杖擊金鼓，於其鼓聲內，說此妙伽他：
金光明鼓出妙聲　遍至三千大千界
能滅三塗極重罪　及以人中諸苦厄
由此金鼓聲威力　永滅一切煩惱障
斷除怖畏令安隱　譬如自在牟尼尊
佛於生死大海中　積行修成一切智
能令眾生覺品具　究竟咸歸功德海
由此金鼓出妙聲　普令聞者獲梵響
證得無上菩提果　常轉清淨妙法輪
住壽不可思議劫　隨機說法利群生
能斷煩惱眾苦流　貪瞋癡等皆除滅
若有眾生處惡趣　大火猛焰周遍身
若得聞是妙鼓音　即能離苦歸依佛
皆得成就宿命智　能憶過去百千生
悉皆正念牟尼尊　得聞如來甚深教
由聞金鼓勝妙音　常得親近於諸佛
悉能捨離諸惡業　純修清淨諸善品
一切天人有情類　慇重至誠祈願者
得聞金鼓妙音聲　能令所求皆滿足
眾生墮在無間獄　猛火炎熾苦焚身
無有救護處輪迴　聞者能令苦除滅
人天餓鬼傍生中　所有現受諸苦難
得聞金鼓發妙響　皆蒙離苦得解脫
現在十方界　常住兩足尊　願以大悲心　哀愍憶念我
眾生無歸依　亦無有救護　為如是等類　能作大歸依
我先所作罪　極重諸惡業　今對十方前　至心皆懺悔
我不信諸佛　亦不敬尊親　不務修眾善　常造諸惡業
或自恃尊高　種姓及財位　盛年行放逸　常造諸惡業

BD01275號　金光明最勝王經卷二　（17–11）

眾生無歸依　亦無有救護　為如是等類　能作大歸依
我先所作罪　極重諸惡業　今對十方前　至心皆懺悔
我不信諸佛　亦不敬尊親　不務修眾善　常造諸惡業
或自恃尊高　種姓及財位　盛年行放逸　常造諸惡業
心恒起邪念　口陳於惡言　不見於過罪　常造諸惡業
恒作愚夫行　無明闇覆心　隨順不善友　常造諸惡業
或因諸戲樂　或復懷憂惱　為貪瞋所纏　故我造諸惡
親近不善人　及由慳嫉意　貧窮行諂誑　故我造諸惡
雖不樂眾過　由有怖畏故　及不得自在　故我造諸惡
或為躁動心　或因瞋恚恨　及以飢渴惱　故我造諸惡
由飲食衣服　及貪愛女人　煩惱火所燒　故我造諸惡
於佛法僧眾　不生恭敬心　作如是眾罪　我今悉懺悔
於獨覺菩薩　亦无恭敬心　作如是眾罪　我今悉懺悔
無知謗正法　不孝於父母　作如是眾罪　我今悉懺悔
由愚癡憍慢　及以貪瞋力　作如是眾罪　我今悉懺悔
我於十方界　供養無數佛　當願拔眾生　令離諸苦難
願一切有情　皆令住十地　福智圓滿已　成佛導群迷
我為諸眾生　苦行百千劫　以大智慧力　皆令出苦海
我為諸含識　演說甚深經　最勝金光明　能除諸惡業
若人百千劫　造諸極重罪　暫時能發露　眾惡盡消除
依此金光明　作如是懺悔　由斯能速盡　一切諸苦業
勝定百千種　不思議總持　根力覺道支　修習常无倦
我當至十地　具足珍寶處　圓滿佛功德　濟度生死流
我於諸佛海　甚深功德藏　妙智難思議　皆令得具足
唯願十方佛　觀察護念我　皆以大悲心　哀受我懺悔
我於多劫中　所造諸惡業　由斯生苦惱　哀愍願消除
我造諸惡業　常生憂怖心　於四威儀中　曾无歡樂想
諸佛具大悲　能除眾生怖　願受我懺悔　令得離憂苦

BD01275號　金光明最勝王經卷二　（17–12）

我於多劫中　所造諸惡業　由斯生苦惱　哀愍願消除
我造諸惡業　常生憂怖心　於四威儀中　曾無歡樂想
諸佛具大悲　能除衆生怖　願受我懺悔　令得離憂苦
我有煩惱障　及以諸報業　願以大悲水　洗濯令清淨
我先作諸罪　及現造惡業　至心皆發露　咸願得蠲除
未來諸惡業　防護令不起　設令有違者　終不敢覆藏
身三語四種　意業復有三　繫縛諸有情　無始恒相續
由斯三種行　造作十惡業　如是衆多罪　我今皆懺悔
我造諸惡業　苦報當自受　今於諸佛前　至誠皆懺悔
於此贍部洲　及他方世界　所有諸善業　今我皆隨喜
願離十惡業　修行十善道　安住十地中　常見十方佛
我以身語意　所修福智業　願以此善根　速成無上慧
我今親對十力前　發露衆多苦難事
凡愚迷惑三有難　恒造極重惡業難
我所積集欲邪難　常起貪愛流轉難
於此世間耽著難　一切愚夫煩惱難
狂心散動顛倒難　及以親近惡友難
於生死中貪染難　瞋癡闇鈍造罪難
生八無暇惡處難　未曾積集功德難
我今皆於最勝前　懺悔無邊罪惡業
我今歸依諸善逝　我禮德海無上尊
如大金山照十方　唯願慈悲哀攝受
身色金光淨無垢　目如清淨紺琉璃
吉祥威德名稱尊　大悲慧日除衆闇
佛日光明常普遍　善淨無垢離諸塵
牟尼月照極清涼　能除衆生煩惱熱
三十二相遍莊嚴　八十隨好皆圓滿

BD01275 號　金光明最勝王經卷二　（17–13）

佛日光明常普遍　善淨無垢離諸塵
牟尼月照極清涼　能除衆生煩惱熱
三十二相遍莊嚴　八十隨好皆圓滿
福德難思無與等　如日流光照世間
色如琉璃淨無垢　猶如滿月處虛空
妙頗梨網映金軀　種種光明以嚴飾
於生死苦暴流內　老病憂愁水所漂
如是苦海難堪忍　佛日舒光令永竭
我今稽首一切智　三千世界希有尊
光明晃耀紫金身　種種妙好皆嚴飾
如大海水量難知　大地微塵不可數
如妙高山巨稱量　亦如虛空無有際
諸佛功德亦如是　一切有情不能知
於無量劫諦思惟　無有能知德海岸
盡此大地諸山岳　析如微塵能算知
毛端渧海尚可量　佛之功德無能數
一切有情皆共讚　世尊名稱諸功德
清淨相好妙莊嚴　不可稱量知分齊
我之所有衆善業　願得速成無上尊
廣說正法利群生　悉令解脫於衆苦
降伏大力魔軍衆　當轉無上正法輪
久住劫數難思議　充足衆生甘露味
猶如過去諸最勝　六波羅蜜皆圓滿
滅諸貪欲及瞋癡　降伏煩惱除衆苦
願我常得宿命智　能憶過去百千生
亦常憶念牟尼尊　得聞諸佛甚深法
願我以斯諸善業　奉事無邊最勝尊

BD01275 號　金光明最勝王經卷二　（17–14）

滅諸貪欲及瞋癡　降伏煩惱除衆苦
願我常得宿命智　能憶過去百千生
亦常憶念牟尼尊　得聞諸佛甚深法
願我以斯諸善業　奉事無邊最勝尊
遠離一切不善因　恒得修行真妙法
一切世界諸衆生　悉皆離苦得安樂
所有諸根不具足　令彼身相皆圓滿
若有衆生遭病苦　身形羸瘦無所依
咸令病苦得消除　諸根色力皆充滿
若犯王法當刑戮　衆苦逼迫生憂惱
彼受如斯極苦時　無有歸依能救護
若受鞭杖枷鎖繫　種種苦具切其身
無量百千憂惱時　逼迫身心無暫樂
皆令得免於繫縛　及以鞭杖苦楚事
將臨刑者得命全　衆苦皆令永除盡
若有衆生飢渴逼　令得種種殊勝味
盲者得視聾者聞　跛者能行瘂能語
貧窮衆生獲寶藏　倉庫盈溢無所乏
皆令得受上妙樂　無一衆生受苦惱
一切人天皆樂見　容儀溫雅甚端嚴
悉皆現受無量樂　受用豐饒福德具
隨彼衆生念伎樂　衆妙音聲皆現前
念水即現清涼池　金色蓮花泛其上
隨彼衆生心所念　飲食衣服及牀敷
金銀珎寶妙瑠璃　瓔珞莊嚴皆具足
勿令衆生聞惡響　亦復不見有相違
所受容貌悉端嚴　各各慈心相愛樂
世間資生諸樂具　隨心念時皆滿足

BD01275號　金光明最勝王經卷二　（17–15）

金銀珎寶妙瑠璃　瓔珞莊嚴皆具足
勿令衆生聞惡響　亦復不見有相違
所受容貌悉端嚴　各各慈心相愛樂
世間資生諸樂具　隨心念時皆滿足
所得珎財無悋惜　分布施與諸衆生
燒香末香及塗香　衆妙雜花非一色
每日三時從樹墮　隨心受用生歡喜
普願衆生咸供養　十方一切最勝尊
三乘清淨妙法門　菩薩獨覺聲聞衆
常願勿處於卑賤　不墮無暇八難中
生在有暇人中尊　恒得親承十方佛
願得常生富貴家　財寶倉庫皆盈滿
顔貌名稱無與等　壽命延長經劫數
悉願女人變為男　勇健聰明多智慧
一切常行菩薩道　勤修六度到彼岸
常見十方無量佛　寶王樹下而安處
處妙瑠璃師子座　恒得親承轉法輪
若於過去及現在　輪迴三有造諸業
能招可猒不善趣　願得消滅永無餘
一切衆生於有海　生死羂網堅牢縛
願以智劒為斷除　離苦速證菩提處
衆生於此贍部内　或於他方世界中
所作種種勝福因　我今皆悉生隨喜
以此隨喜福德事　及身語意造衆善
願此勝業常增長　速證無上大菩提
所有禮讚佛功德　深心清淨無瑕穢
迴向發願福無邊　當超惡趣六十劫
若有男子及女人　婆羅門等諸勝族

BD01275號　金光明最勝王經卷二　（17–16）

所有礼讚佛功德　淨心清淨無瑕穢
迴向發願福無邊　當超惡趣六十劫
若有男子及女人　婆羅門等諸勝族
合掌一心讚歎佛　生生常憶宿世事
諸根清淨身圓滿　殊勝功德皆成就
願於未來所生處　常得人天共瞻仰
非於一佛十佛所　脩諸善根今得聞
百千佛所種善根　方得聞斯懺悔法
尒時世尊聞此說已讚妙幢菩薩言善哉善
哉善男子如汝所夢金鼓出聲讚歎如来真
實功德并懺悔法若有聞者獲福甚多廣利
有情滅除罪障汝今應知此之勝業皆是過
去讚歎發願宿習因緣及由諸佛威力加護
此之因緣當為汝說時諸大眾聞是法已咸
皆歡喜信受奉行

金光明最勝王經卷第二

礦古猛 鍊蓮見 鎔欲鍾 渟大丁 桴震于 鎖蘇果 鑷古勝

BD01275號　金光明最勝王經卷二　（17–17）

彌陀佛去
國淨業成者我今
世一切凡夫欲脩
國土欲生彼國者當
養父母奉事師長慈心不殺
二者受持三歸具足眾戒不犯威
儀三者發菩提心深信因果讀誦大乘勸進
行者如此三事名為淨業佛告韋提希汝今
知不此三種業過去未來現在三世諸佛淨
業正因
佛告阿難及韋提希諦聽諦聽善思念之如
来今者為未来世一切眾生為煩惱賊之所
害者說清淨業善哉韋提希快問此事阿難
汝當受持廣為多眾宣說佛語如来今者教
韋提希及未来世一切眾生觀於西方極樂
世界以佛力故當得見彼清淨國土如執明
鏡自見面像見彼國土極妙樂事心歡喜故
應時即得无生法忍
佛告韋提希汝是凡夫心想羸劣未得天眼

BD01276號　觀無量壽佛經　（17–1）

世界以佛力故當得見彼清淨國土如執明
鏡自見面像見彼國土極妙樂事心歡喜故
應時即得无生法忍
佛告韋提希汝是凡夫心想羸劣未得天眼
不能遠觀諸佛如來有異方便令汝得見時
韋提希白佛言世尊如我今者以佛力故見
彼國土若佛滅後諸衆生等濁惡不善五苦
所逼云何當見阿弥陁佛極樂世界佛告韋
提希汝及衆生應當專心繫念一處想於西
方云何作想凡作想者一切衆生自非生盲
有目之徒皆見日沒當起想念正坐西向諦
觀於日令心堅住專想不移見日欲沒狀如
懸鼓既見日已閉目開目皆令明了是爲日
想名曰初觀
次作水想見水澄清亦令明了无分散意既
見水已當起氷想見氷暎徹作瑠璃想此想
成已見瑠璃地內外暎徹下有金剛七寶金
幢擎瑠璃地其幢八方八楞具足一一方面百
寶所成一一寶珠有千光明一一光明八万四
千色暎瑠璃地如億千日不可具見瑠璃地上
以黃金繩雜廁間錯以七寶界分齊分
明一一寶中有五百色光其光如華又似星
月懸處虛空成光明臺樓閣千万百寶
合成於臺兩邊各有百億華幢无量樂器以
爲莊嚴八種清風從光明出鼓此樂器演說
苦空无常无我之音是爲水想名第二觀

BD01276號　觀無量壽佛經　（17–2）

合成於臺兩邊各有百億華幢无量樂器以
爲莊嚴八種清風從光明出鼓此樂器演說
苦空无常无我之音是爲水想名第二觀
此想成時一一觀之極令了了閉目開目不
令散失唯除食時恒憶此事如此想者名爲
粗見極樂國土若得三昧見國地地了了分
明不可具說是爲地想名第三觀
佛告阿難汝持佛語爲未來世一切大衆欲
脫苦者說是觀地法若觀是地者除八十億
劫生死之罪捨身他世必生淨國心得无疑
作是觀者名爲正觀若他觀者名爲邪觀佛
告阿難及韋提希地想成已次觀寶樹觀寶
樹者一一觀之作七重行樹想一一樹高八
千由旬其諸寶樹七寶華葉无不具足一一
華葉作異寶色瑠璃色中出金色光頗梨色
中出五色光馬瑙色中出車渠光車渠色中
出緑真珠光珊瑚虎珀一切衆寶以爲暎飾
妙真珠網弥覆樹上一一樹上有七重網一
一網間有五百億妙華宮殿如梵王宮諸天
童子自然在中一一童子五百億釋迦毗楞
伽摩尼以爲瓔珞其摩尼光照百由旬如和
合百億日月不可具名衆寶間錯色中上者
此諸寶林行行相當葉葉相次於衆葉間生
諸妙華華上自然有七寶菓一一樹葉縱廣
正等廿五由旬其葉千色有百種畫如天瓔
珞有衆妙華作閻浮檀金色如旋火輪婉轉
葉間踴生諸菓如帝釋瓶有大光明化成幢

BD01276號　觀無量壽佛經　（17–3）

正等廿五由旬其葉千色有百種畫如天瓔
珞有衆妙華作閻浮檀金色如旋火輪婉轉
葉間踊生諸菓如帝釋瓶有大光明化成幢
幡无量寶蓋是寶蓋中映現三千大千世界
一切佛事十方佛國亦於中現見此樹已亦
當次第一一觀之觀見樹莖枝葉華菓皆令
分明是為樹想名第四觀
次當想水想水者極樂國土有八池水一一
池水七寶所成其寶柔濡從如意珠王生分
為十四支一一支作七寶色黃金為渠渠下
皆以雜色金剛以為底沙一一水中有六十
億七寶蓮華一一蓮華團圓正等十二由旬
其摩尼水流注華間尋樹上下其聲微妙演
說苦空无常无我諸波羅蜜復有讚嘆諸佛
相好者如意珠王踊出金色微妙光明其光
化為百寶色鳥和鳴哀雅常讚念佛念法念
僧是為八功德水想名第五觀
衆寶國土一一界上五百億寶樓其樓閣中
有无量諸天作天伎樂人有樂器懸處虛空
如天寶幢不鼓自鳴此衆音中皆說念佛念
法念比丘僧此想成已名為粗見極樂世界
寶樹寶地寶池是為總觀想名第六觀若見
此者除无量億劫極重惡業命終之後必生
彼國作是觀者名為正觀若他觀者名為觀
佛告阿難及韋提希諦聽諦聽善思念之佛
當為汝分別解說除苦惱法汝等憶持廣為

BD01276 號　觀無量壽佛經　（17–4）

佛告阿難及韋提希諦聽諦聽善思念之佛
當為汝分別解說除苦惱法汝等憶持廣為
大衆分別解說說是語時无量壽佛住立空
中觀世音大勢至是二大士侍立左右光明
熾盛不可具見百千閻浮檀金色不得為比
時韋提希見无量壽佛已接足作礼白佛言
世尊我今因佛力故得見无量壽佛及二菩
薩未来衆生當云何觀无量壽佛及二菩薩
佛告韋提希欲觀彼佛者當起想念於七寶
地上作蓮華想令其蓮華一一葉作百寶色
有八万四千脉猶如天畫脉有八万四千光
了了分明皆令得見華葉小者縱廣二百五
十由旬如是華有八万四千葉一一葉間有
百億摩尼珠王以為映飾一一摩尼放千光
明其光如蓋七寶合成遍覆地上釋迦毗楞
伽寶以為其臺此蓮華臺八万金剛甄叔迦
寶梵摩尼寶妙真珠網以為交飾於其臺上
自然而有四柱寶幢一一寶幢如百千万億
須弥山幢上寶縵如夜摩天宮有五百億微
妙寶珠以為映飾一一寶珠有八万四千光
一一光作八万四千異種金色一一金光遍
其寶土處處變化各作異相或為金剛臺或
作真珠網或作雜華雲於十方面隨意變現
施作佛事是為華想名第七觀佛告阿難如
此妙華是本法藏比丘願力所成若欲念彼
佛者當先作此華坐想作此想時不得雜觀

BD01276 號　觀無量壽佛經　（17–5）

施作佛事是為華想名第七觀佛告阿難如
此妙華是本法藏比丘願力所成若欲念彼
佛者當先作此華坐想作此想時不得雜觀
皆應一一觀之一一葉一一珠一一光一一
臺一一幢皆令分明如於鏡中自見面像此
想成者滅除五万劫生死之罪必定當生極
樂世界作是觀者名為正觀若他觀者名為
耶觀
佛告阿難及韋提希見此事已次當想佛所
以者何諸佛如來是法界身入一切衆生心
想中是故汝等心想佛時是心即是卅二相
八十隨形好是心作佛是心是佛諸佛正遍
知海從心想生是故應當一心繫念諦觀彼
佛多陁阿伽度阿羅呵三藐三佛陁想彼佛
者先當想像閉目開目見一寶像如閻浮檀
金色坐彼華上既見坐已心眼得開了了分
明見極樂國七寶莊嚴寶地寶池寶樹行列
諸天寶縵弥覆其上衆寶羅網滿虛空中見
如此事極令明了如觀掌中見此事已復當
更作一大蓮華在佛左邊如前蓮華等无有
異復作一大蓮華在佛右邊想一觀世音菩
薩像坐左華坐亦放金光如前无異想一大
勢至菩薩像坐右華坐此想成時佛菩薩像
皆放金色光其光金色照諸寶樹一一樹下
亦有三蓮華諸蓮華上各有一佛二菩薩像
遍滿彼國此想成時行者當聞水流光明及
諸寶樹鳬鴈鴛鴦皆說妙法出定入定恒聞

BD01276號　觀無量壽佛經　（17–6）

亦有三蓮華諸蓮華上各有一佛二菩薩像
遍滿彼國此想成時行者當聞水流光明及
諸寶樹鳬鴈鴛鴦皆說妙法出定入定恒聞
妙法行者所聞出定之時憶持不捨令與脩
多羅合若不合者名為妄想若合者名為麤
想見極樂世界是為像想名第八觀作是觀
者除无量億劫生死之罪於現身中得念佛
三昧
佛告阿難此想成已次當更觀无量壽佛身
相光明阿難當知无量壽佛身如百千万億
摩摩天閻浮檀金色佛身高六十万億那由
他恒河沙由旬眉間白毫右旋婉轉如五須
弥山佛眼如四大海水清白分明身諸毛孔
演出光明如須弥山彼佛圓光如百億三千
大千世界於圓光中有百万億那由他恒河
沙化佛一一化佛亦有衆多无數化菩薩以
為侍者无量壽佛有八万四千相一一相各
有八万四千隨形好一一好復有八万四千
光明一一光明遍照十方世界念佛衆生攝
取不捨其光相好及與化佛不可具說但當
憶想令心眼見見此事者即見十方一切諸
佛以見諸佛故名念佛三昧作是觀者名觀
一切佛身以觀佛身故亦見佛心佛心者大
慈悲是以无緣慈攝諸衆生作此觀者捨身
他世生諸佛前得无生法忍是故智者應當
繫心諦觀无量壽佛觀无量壽佛者從一相
[illegible]

BD01276號　觀無量壽佛經　（17–7）

他世生諸佛前得无生法忍是故智者應當
繫心諦觀无量壽佛觀无量壽佛者從一相
好入但觀眉間白豪極令明了見眉間白豪
者八万四千相好自然當見見无量壽佛者
即見十方无量諸佛得見无量諸佛故諸佛
現前授記是為遍觀一切色想名第九觀作
此觀者名為正觀若他觀者名為耶觀
佛告阿難及韋提希見无量壽佛了了分明
已次應觀觀世音菩薩此菩薩身長八十億
那由他由旬身紫金色頂有肉髻項有圓光
面各有百千由旬其圓光中有五百化佛如
釋迦牟尼佛一一化佛有五百菩薩无量諸
天以為侍者舉身光中五道眾生一切色相
皆於中現頂上毗楞伽摩尼以為天冠其
天冠中有一立化佛高廿五由旬觀世音菩
薩面如閻浮檀金色眉間豪相備七寶色流
出八万四千種光明一一光明有无量无數
百千化佛一一化佛无數菩薩以為侍者變
現自在滿十方世界譬如紅蓮華色有八十
億光明以為瓔珞其瓔珞中普現一切諸莊
嚴事手掌作五百億雜蓮華色手十指端一
一指端有八万四千畫猶如印文一一畫有
八万四千色一一色有八万四千光其光柔
潤普照一切以此寶手接引眾生舉足之時足
下有千輻輪相自然化成五百億光明臺下
足之時有金剛摩尼華布散一切莫不彌滿其

BD01276號　觀無量壽佛經　（17–8）

潤普照一切以此寶手接引眾生舉足之時足
下有千輻輪相自然化成五百億光明臺下
足之時有金剛摩尼華布散一切莫不彌滿其
餘身相眾好具足如佛无異唯頂上肉髻及
无見頂相不及世尊是為觀觀世音菩薩真
實色身想名第十觀佛告阿難若欲觀觀世
音菩薩當作是觀作是觀者不遇諸禍淨除
業鄣除无數劫生死之罪如此菩薩但聞其
名獲无量福何況諦觀若有欲觀觀世音菩
薩者先觀頂上肉髻次觀天冠其餘眾相亦
次第觀之亦令明了如觀掌中作是觀者名
為正觀若他觀者名為耶觀
次觀大勢至菩薩此菩薩身量大小亦如觀
世音圓光面各百廿五由旬照二百五十由
旬舉身光明照十方國作紫金色有緣眾生
皆悉得見但見此菩薩一毛孔光即見十方
无量諸佛淨妙光明是故號此菩薩名无邊
光以智慧光普照一切令離三塗得无上力
是故號此菩薩名大勢至此菩薩天冠有五
百寶華一一寶華有五百寶臺一一臺中十
方諸佛淨妙國土廣長之相皆於中現頂上肉髻
如鉢頭摩華於肉髻上有一寶瓶盛諸光明
普現佛事餘諸身相如觀世音等无有異此
菩薩行時十方世界一切震動當地動處有
五百億寶華一一寶華莊嚴高顯如極樂世
界此菩薩坐時七寶國土一時動搖從下方

BD01276號　觀無量壽佛經　（17–9）

菩薩行時十方世界一切震動當地動處有
五百億寶華一一寶華莊嚴高顯如極樂世
界此菩薩坐時七寶國土一時動搖從下方
金光佛刹乃至上方光明王佛刹於其中間
无量塵數分身无量壽佛分身觀世音大勢
至皆悉雲集極樂國土側塞空中坐蓮華坐
演說妙法度苦衆生作此觀者名爲正觀大
勢至菩薩是爲觀大勢至色身相觀此菩薩
者名第十一觀除无量阿僧祇劫生死之罪作
是觀者不處胞胎常遊諸佛淨妙國土此觀
成已名爲具足觀觀世音大勢至
見此事時當起自心生於西方極樂世界於
蓮華中結跏趺坐作蓮華合想作蓮華開想
蓮華開時有五百色光來照身想眼目開想
見佛菩薩滿虛空中水鳥樹林及與諸佛所
出音聲皆演妙法與十二部經合出定之時
憶持不失見此事已名見无量壽佛極樂世
界是爲普觀想名第十二觀无量壽佛化身
无數與觀世音大勢至常來至此行人之所
佛告阿難及韋提希若欲至心生西方者先
當觀於一丈六像在池水上如先所說无量
壽佛身量无邊非是凡夫心力所及然彼如
來宿願力故有憶想者必得成就但想佛像
得无量福況復觀佛具足身相阿弥陁佛神
通如意於十方國變現自在或現大身滿虛
空中或現小身丈六八尺所現之形皆真金
色圓光化佛及寶蓮華如上所說觀世音菩

來宿願力故有憶想者必得成就但想佛像
得无量福況復觀佛具足身相阿弥陁佛神
通如意於十方國變現自在或現大身滿虛
空中或現小身丈六八尺所現之形皆真金
色圓光化佛及寶蓮華如上所說觀世音菩
薩及大勢至於一切處身同衆生但觀首相
知是觀世音菩薩知是大勢至此二菩薩
助阿弥陁佛普化一切是爲雜觀想名第十三觀
佛告阿難及韋提希上品上生者若有衆生
願生彼國者發三種心即便往生何等爲三
一者至誠心二者深心三者迴向發願心具
三心者必生彼國復有三種衆生當得往生
何等爲三一者慈心不殺具諸戒行二者讀
誦大乘方等經典三者脩行六念迴向發願
願生彼國具此功德一日乃至七日即得往
生生彼國時此人精進勇猛故阿弥陁如來
與觀世音大勢至无數化佛百千比丘聲聞
大衆无量諸天七寶宮殿觀世音菩薩執金
剛臺與大勢至菩薩至行者前阿弥陁佛放
大光明照行者身與諸菩薩授手迎接觀世
音大勢至與无數菩薩讚歎行者勸進其心
行者見已歡喜踊躍自見其身乘金剛臺隨
從佛後如彈指頃往生彼國生彼國已見佛
色身衆相具足見諸菩薩色相具足光明寶
林演說妙法聞已即悟无生法忍經須臾間
歷事諸佛遍十方界於諸佛前次第受記還
至本國得无量百千陁羅尼門是名上品上

色身衆相具足見諸菩薩色相具足光明寶
林演說妙法聞已即悟无生法忍經須臾間
歷事諸佛遍十方界於諸佛前次第授記還
至本國得无量百千陁羅尼門是名上品上
生者
上品中生者不必受持讀誦方等經典善解
義趣於第一義心不驚動深信因果不謗大
乘以此功德迴向願求生極樂國行此行者
命欲終時阿弥陁佛與觀世音大勢至无量
大衆眷屬圍遶持紫金臺至行者前讚言法
子汝行大乘解第一義是故我今來迎接汝
與千化佛一時授手行者自見坐紫金臺合
掌叉手讚嘆諸佛如一念頃即生彼國七寶
池中紫紫金臺如大寶華經宿即開行者身
作紫磨金色足下亦有七寶蓮華佛及菩薩
俱時放光照行者身目即開明因前宿習普
聞衆聲純說甚深第一義諦即下金臺礼佛
合掌讚嘆世尊經於七日應時即於阿耨多
羅三藐三菩提得不退轉應時即能飛至十
方歷事諸佛於諸佛所脩諸三昧經一小劫
得无生忍現前授記是名上品中生者
上品下生者亦信因果不謗大乘但發无上
道心以此功德迴向願求生極樂國行者命
欲終時阿弥陁佛及觀世音大勢至與諸眷
屬持金蓮華化作五百化佛來迎此人五百化
佛一時授手讚言法子汝今清淨發无上道

BD01276號　觀無量壽佛經　（17–12）

屬持金蓮華化作五百化佛來迎此人五百化
佛一時授手讚言法子汝今清淨發无上道
心我來迎汝見此事時即自見身坐金蓮華
坐已華合隨世尊後即得往生七寶池中一
日一夜蓮華乃開七日之中乃得見佛雖見
佛身於衆相好心不明了於三七日後乃了
了見聞衆音聲皆演妙法遊歷十方供養諸
佛於諸佛前聞甚深法經三小劫得百法明
門住歡喜地是名上品下生者是名上輩生
想名第十四觀
復次阿難及韋提希中品上生者若有衆生
受持五戒持八戒齋脩行諸戒不造五逆无
衆過惡以此善根迴向願求生於西方極樂
世界臨命終時阿弥陁佛與諸比丘眷屬圍
遶放金色光至其人所演說苦空无常无我
讚嘆出家得離衆苦行者見已心大歡喜自
見已身坐蓮華臺長跪合掌為佛作礼未舉
頭頃即得往生極樂世界蓮華尋開當華敷
時聞衆音聲讚嘆四諦應時即得阿羅漢道
三明六通具八解脫是名中品上生者
中品中生者若有衆生若一日一夜受持八
戒齋若一日一夜持沙弥戒若一日一夜持具
足戒威儀无缺以此功德迴向願求生極樂
國戒香熏脩如此行者命欲終時見阿弥陁
佛與諸眷屬放金光光持七寶蓮華至行者
前行者自見空中有聲讚言善男子汝汝善
[illegible]

BD01276號　觀無量壽佛經　（17–13）

國戒香熏脩如此行者命欲終時見阿弥陁
佛與諸眷屬放金光光持七寶蓮華至行者
前行者自見空中有聲讚言善男子汝汝善
人隨順三世諸佛教故我來迎汝行者自見
坐蓮華上蓮華即合生於西方極樂世界在
寶池中經於七日蓮華開敷華既敷已開目
合掌讚嘆世尊聞法歡喜得須陁洹經半劫
已成阿羅漢是名中品中生者
中品下生者若有善男子善女人孝養父母
行世仁慈此人命欲終時遇善知識為其廣
說阿弥陁佛國土樂事亦說法藏比丘卌八
大願聞此事已尋即命終譬如壯士屈申臂
頃即生西方極樂世界生經七日遇觀世音
及大勢至聞法歡喜過一小劫成阿羅漢是
名中品下生者是名中輩生想名第十五觀
復次阿難及韋提希下品上生者或有衆生
作衆惡業雖不誹謗方等經典如此愚人多
造衆惡无有慚愧命欲終時遇善知識為讚
大乘十二部經首題名字以聞如是諸經名
故除却千劫極重惡業智者復教合掌叉手
稱南无阿弥陁佛稱佛名故除五十億劫生
死之罪尒時彼佛即遣化佛化觀世音化大
勢至至行者前讚言善男子汝稱佛名故諸
罪消滅我來迎汝作是語已行者即見化佛
光明遍滿其室見已歡喜即便命終乘寶蓮
華隨化佛後生寶池經七七日蓮蓮乃敷
當華敷時大悲觀世音菩薩放大光明住其

BD01276號　觀無量壽佛經

(17–14)

光明遍滿其室見已歡喜即便命終乘寶蓮
華隨化佛後生寶池經七七日蓮蓮乃敷
當華敷時大悲觀世音菩薩放大光明住其
人前為說甚深十二部經聞已信解發无上
道心經十小劫具百法明門得入初地是名
下品上生者得聞佛名法名及聞僧名聞三
寶名即得往生
復次阿難及韋提希下品中生者或有衆生
毀犯五戒八戒及具足戒如此愚人偷僧祇
物盜現前僧物不淨說法无有慚愧以諸惡
業而自莊嚴如此罪人以惡業故應墮地獄
命欲終時地獄衆火一時俱至遇善知識以
大慈悲為說阿弥陁佛十力威德廣說彼佛
光明神力亦讚戒定慧解脫解脫知見此人
聞已除八十億劫生死之罪地獄猛火化為
清涼風吹諸天華華上皆有化佛菩薩迎接
此人如一念頃即得往生七寶池中蓮華之
內經於六劫蓮華乃敷觀世音大勢至以梵
音聲安慰彼人為說大乘甚深經典聞此法
已應時即發无上道心是名下品中生者
佛告阿難及韋提希下品下生者或有衆生
作不善業五逆十惡具諸不善如此愚人以
惡業故應墮惡道經歷多劫受苦无窮如此
愚人臨命終時遇善知識種種安慰為說妙
法教令念佛彼人苦逼不遑念佛善友告言
汝若不能念者應稱无量壽佛如是至心令

BD01276號　觀無量壽佛經

(17–15)

愚人臨命終時遇善知識種種安慰為說妙
法教令念佛彼人苦逼不遑念佛善友告言
汝若不能念者應稱无量壽佛如是至心令
聲不絕具足十念稱南无佛稱佛名故於念
念中除八十億劫生死之罪命終之後見金
蓮華猶如日輪住其人前如一念頃即得往
生極樂世界於蓮華中滿十二大劫蓮華方
開觀世音大勢至以大悲音聲為其廣說諸
法實相除滅罪法聞已歡喜應時即發菩提
之心是名下品下生者是名下輩生想名第
十六觀
說是語時韋提希與五百侍女聞佛所說應
時即見極樂世界廣長之相得見佛身及二
菩薩心生歡喜嘆未曾有廓然大悟逮无
生忍五百侍女發阿耨多羅三藐三菩提心
願生彼國世尊悉記皆當往生生彼國已得諸
佛現前三昧无量諸天發无上道心
尒時阿難即從坐起前白佛言世尊當何名
此經此法之要當云何受持佛告阿難此經
名觀極樂國土无量壽佛觀世音菩薩大勢
至菩薩亦名淨除業鄣生諸佛前汝當受持
无令忘失行此三昧者現身得見无量壽佛
及二大士若善男子善女人但聞佛名二菩
薩名除无量劫生死之罪何況憶念若念佛
當當知此人是人中分陀利華觀世音菩薩
大勢至菩薩為其勝友當坐道場生諸佛家

BD01276 號　觀無量壽佛經　（17–16）

至菩薩亦名淨除業鄣生諸佛前汝當受持
无令忘失行此三昧者現身得見无量壽佛
及二大士若善男子善女人但聞佛名二菩
薩名除无量劫生死之罪何況憶念若念佛
當當知此人是人中分陀利華觀世音菩薩
大勢至菩薩為其勝友當坐道場生諸佛家
佛告阿難汝好持是語持是語者即是持无
量壽佛名佛說此語時尊者目揵連阿難及
韋提希等聞佛所說皆大歡喜
尒時世尊足步虛空還耆闍崛山尒時阿難
廣為大眾說如上事无量諸天龍夜叉聞佛
所說皆大歡喜礼佛而退

佛說无量壽觀經

BD01276 號　觀無量壽佛經　（17–17）

若持讀誦如說脩行所得功德不自覺知所
以者何唯有如来知此衆生種相體性念何
事思何事脩何事云何念云何思云何脩以
何法念以何法思以何法脩以何法得何法
衆生住於種種之地唯有如来如實見之明
了无礙如彼卉木叢林諸藥草等而不自知
上中下性如来知是一相一味之法所謂解
脫相離相滅相究竟涅槃常寂滅相終歸於
空佛知是已觀衆生心欲而將護之是故不
即為說一切種智汝等迦葉甚為希有能知
如来隨宜說法能信能受所以者何諸佛世
尊隨宜說法難解難知尒時世尊欲重宣此
義而說偈言
破有法王　出現世間　隨衆生欲　種種說法
如来尊重　智慧深遠　久嘿斯要　不務速說
有智若聞　則能信解　无智疑悔　則為永失
是故迦葉　隨力為說　以種種緣　令得正見
迦葉當知　譬如大雲　起於世間　遍覆一切

BD01277號　妙法蓮華經卷三　（24–1）

破有法王　出現世間　隨衆生欲　種種說法
如来尊重　智慧深遠　久嘿斯要　不務速說
有智若聞　則能信解　无智疑悔　則為永失
是故迦葉　隨力為說　以種種緣　令得正見
迦葉當知　譬如大雲　起於世間　遍覆一切
恵雲含潤　電光晃曜　雷聲遠震　令衆悅豫
日光掩蔽　地上清涼　靉靆垂布　如可承攬
其雨普等　四方俱下　流澍无量　率土充洽
山川險谷　幽邃所生　卉木藥草　大小諸樹
百穀苗稼　甘蔗蒲桃　雨之所潤　无不豐足
乾地普洽　藥木並茂　其雲所出　一味之水
草木叢林　隨分受潤　一切諸樹　上中下等
稱其大小　各得生長　根莖枝葉　華菓光色
一雨所及　皆得鮮澤　如其體相　性分大小
所潤是一　而各滋茂　佛亦如是　出現於世
譬如大雲　普覆一切　既出于世　為諸衆生
分別演說　諸法之實　大聖世尊　於諸天人
一切衆中　而宣是言　我為如来　兩足之尊
出于世間　猶如大雲　充潤一切　枯槁衆生
皆令離苦　得安隱樂　世間之樂　及涅槃樂
諸天人衆　一心善聽　皆應到此　覲无上尊
我為世尊　无能及者　安隱衆生　故現於世
為大衆說　甘露淨法　其法一味　解脫涅槃
以一妙音　演暢斯義　常為大乘　而作因緣
我觀一切　普皆平等　无有彼此　愛憎之心
我无貪著　亦无限礙　恒為一切　平等說法

BD01277號　妙法蓮華經卷三　（24–2）

為大衆說 甘露淨法 其法一味 解脫涅槃
以一妙音 演暢斯義 常為大乘 而作因緣
我觀一切 普皆平等 无有彼此 愛憎之心
我无貪著 亦无限礙 恒為一切 平等說法
如為一人 衆多亦然 常演說法 曾无他事
去來坐立 終不疲猒 充足世間 如雨普潤
貴賤上下 持戒毀戒 威儀具足 及不具足
正見邪見 利根鈍根 等雨法雨 而无懈惓
一切衆生 聞我法者 隨力所受 住於諸地
或處人天 轉輪聖王 釋梵諸王 是小藥草
知无漏法 能得涅槃 起六神通 及得三明
獨處山林 常行禪定 得緣覺證 是中藥草
求世尊處 我當作佛 行精進定 是上藥草
又諸佛子 專心佛道 常行慈悲 自知作佛
決定无疑 是名小樹 安住神通 轉不退輪
度无量億 百千衆生 如是菩薩 名為大樹
佛平等說 如一味雨 隨衆生性 所受不同
如彼草木 所稟各異 佛以此喻 方便開示
種種言辭 演說一法 於佛智慧 如海一渧
我雨法雨 充滿世間 一味之法 隨力脩行
如彼叢林 藥草諸樹 隨其大小 漸增茂好
諸佛之法 常以一味 令諸世間 普得具足
漸次脩行 皆得道果 聲聞緣覺 處於山林
住冣後身 聞法得果 是名藥草 各得增長
若諸菩薩 智慧堅固 了達三界 求冣上乘
是名小樹 而得增長 復有住禪 得神通力

BD01277 號　妙法蓮華經卷三　（24–3）

諸佛之法 常以一味 令諸世間 普得具足
漸次脩行 皆得道果 聲聞緣覺 處於山林
住冣後身 聞法得果 是名藥草 各得增長
若諸菩薩 智慧堅固 了達三界 求冣上乘
是名小樹 而得增長 復有住禪 得神通力
聞諸法空 心大歡喜 放无數光 度諸衆生
是名大樹 而得增長 如是迦葉 佛所說法
譬如大雲 以一味雨 潤於人華 各得成實
迦葉當知 以諸因緣 種種譬喻 開示佛道
是我方便 諸佛亦然 今為汝等 說冣實事
諸聲聞衆 皆非滅度 汝等所行 是菩薩道
漸漸脩學 悉當成佛

妙法蓮華經授記品第六

尒時世尊說是偈已告諸大衆唱如是言我
此弟子摩訶迦葉於未來世當得奉覲三百
万億諸佛世尊供養恭敬尊重讚歎廣宣諸
佛无量大法於冣後身得成為佛名曰光明
如來應供正遍知明行足善逝世間解无上
士調御丈夫天人師佛世尊國名光德劫名
大莊嚴佛壽十二小劫正法住世二十小劫
像法亦住二十小劫國界嚴飾无諸穢惡瓦
礫荊棘便利不淨其土平正无有高下坑坎
堆阜琉璃為地寶樹行列黃金為繩以界道
側散諸寶華周遍清淨其國菩薩无量千億
諸聲聞衆亦復无數无有魔事雖有魔及魔
民皆護佛法尒時世尊欲重宣此義而說偈

BD01277 號　妙法蓮華經卷三　（24–4）

埏埠瑠璃為地寶樹行列黃金為繩以界道
側散諸寶華周遍清淨其國菩薩无量千億
諸聲聞衆亦復无數无有魔事雖有魔及魔
民皆護佛法尒時世尊欲重宣此義而說偈
言
告諸比丘 我以佛眼 見是迦葉 於未來世
過无數劫 當得作佛 而於來世 供養奉覲
三百万億 諸佛世尊 為佛智慧 淨脩梵行
供養㝡上 二足尊已 脩習一切 无上之慧
於㝡後身 得成為佛 其土清淨 瑠璃為地
多諸寶樹 行列道側 金繩界道 見者歡喜
常出好香 散衆名華 種種奇妙 以為莊嚴
其地平正 无有丘坑 諸菩薩衆 不可稱計
其心調柔 逮大神通 奉持諸佛 大乘經典
諸聲聞衆 无漏後身 法王之子 亦不可計
乃以天眼 不能數知 其佛當壽 十二小劫
正法住世 二十小劫 像法亦住 二十小劫
光明世尊 其事如是
尒時大目揵連須菩提摩訶迦栴延等皆悉
悚慄一心合掌瞻仰尊顏目不暫捨即共同
聲而說偈言
大雄猛世尊 諸釋之法王 哀愍我等故 而賜佛音聲
若知我深心 見為授記者 如以甘露灑 除熱得清涼
如從飢國來 忽遇大王饍 心猶懷疑懼 未敢即便食
若復得王教 然後乃敢食 我等亦如是 每惟小乘過
不知當云何 得佛无上慧 雖聞佛音聲 言我等作佛

BD01277 號　妙法蓮華經卷三　（24–5）

若知我深心 見為授記者 如以甘露灑 除熱得清涼
如從飢國來 忽遇大王饍 心猶懷疑懼 未敢即便食
若復得王教 然後乃敢食 我等亦如是 每惟小乘過
不知當云何 得佛无上慧 雖聞佛音聲 言我等作佛
心尚懷憂懼 如未敢便食 若蒙佛授記 尒乃快安樂
大雄猛世尊 常欲安世間 願賜我等記 如飢須教食
尒時世尊知諸大弟子心之所念告諸比丘
是須菩提於當來世奉覲三百万億那由他
佛供養恭敬尊重讚歎常脩梵行具菩薩道
於㝡後身得成為佛号曰名相如來應供正
遍知明行足善逝世間解无上士調御丈夫
天人師佛世尊劫名有寶國名寶生其土平
正頗梨為地寶樹莊嚴无諸丘坑沙礫荊棘
便利之穢寶華覆地周遍清淨其土人民皆
處寶臺珎妙樓閣聲聞弟子无量无邊筭數
譬喻所不能知諸菩薩衆无數千万億那由
他佛壽十二小劫正法住世二十小劫像法
亦住二十小劫其佛常處虛空為衆說法度
脫无量菩薩及聲聞衆尒時世尊欲重宣此
義而說偈言
諸比丘衆 今告汝等 皆當一心 聽我所說
我大弟子 須菩提者 當得作佛 号曰名相
當供无數 万億諸佛 隨佛所行 漸具大道
㝡後身得 三十二相 端正姝妙 猶如寶山
其佛國土 嚴淨第一 衆生見者 无不愛樂
佛於其中 度无量衆 其佛法中 多諸菩薩

BD01277 號　妙法蓮華經卷三　（24–6）

當供无數　万億諸佛　隨佛所行　漸具大道
㝡後身得　三十二相　端正殊妙　猶如寶山
其佛國土　嚴淨第一　衆生見者　无不愛樂
佛於其中　度无量衆　其佛法中　多諸菩薩
皆悉利根　轉不退輪　彼國常以　菩薩莊嚴
諸聲聞衆　不可稱數　皆得三明　具六神通
住八解脫　有大威德　其佛說法　現於无量
神通變化　不可思議　諸天人民　數如恒沙
皆共合掌　聽受佛語　其佛當壽　十二小劫
正法住世　二十小劫　像法亦住　二十小劫
尒時世尊復告諸比丘衆我今語汝是大迦
旃延於當來世以諸供具供養奉事八千億
佛恭敬尊重諸佛滅後各起塔廟高千由旬
縱廣正等五百由旬以金銀瑠璃車𤦲馬瑙
真珠玫瑰七寶合成衆華瓔珞塗香末香燒
香繒蓋幢幡供養塔廟過是已後當復供養
二万億佛亦復如是供養是諸佛已具菩薩
道當得作佛号曰閻浮那提金光如來應供
正遍知明行足善逝世間解无上士調御丈
夫天人師佛世尊其土平正頗梨為地寶樹
莊嚴黃金為繩以界道側妙華覆地周遍清
淨見者歡喜无四惡道地獄餓鬼畜生阿脩
羅道多有天人諸聲聞衆及諸菩薩无量万
億莊嚴其國佛壽十二小劫正法住世二十
小劫像法亦住二十小劫尒時世尊欲重宣
此義而說偈言

BD01277號　妙法蓮華經卷三　(24–7)

億莊嚴其國佛壽十二小劫正法住世二十
小劫像法亦住二十小劫尒時世尊欲重宣
此義而說偈言
諸比丘衆　皆一心聽　如我所說　真實无異
是迦旃延　當以種種　妙好供具　供養諸佛
諸佛滅後　起七寶塔　亦以華香　供養舍利
其㝡後身　得佛智慧　成等正覺　國土清淨
度脫无量　万億衆生　皆為十方　之所供養
佛之光明　无能勝者　其佛号曰　閻浮金光
菩薩聲聞　斷一切有　无量无數　莊嚴其國
尒時世尊復告大衆我今語汝是大目揵連
當以種種供具供養八千諸佛恭敬尊重諸
佛滅後各起塔廟高千由旬縱廣正等五百
由旬以金銀瑠璃車𤦲馬瑙真珠玫瑰七寶
合成衆華瓔珞塗香末香燒香繒蓋幢幡以
用供養過是已後當復供養二百万億諸佛
亦復如是當得成佛号曰多摩羅跋旃檀香
如來應供正遍知明行足善逝世間解无上
士調御丈夫天人師佛世尊劫名喜滿國名
意樂其土平正頗梨為地寶樹莊嚴散真珠
華周遍清淨見者歡喜多諸天人菩薩聲聞
其數无量佛壽二十四小劫正法住世四十
小劫像法亦住四十小劫尒時世尊欲重宣
此義而說偈言
我此弟子　大目揵連　捨是身已　得見八十

BD01277號　妙法蓮華經卷三　(24–8)

小劫像法亦住四十小劫尒時世尊欲重宣
此義而說偈言
我此弟子　大目揵連　捨是身已　得見八十
二百万億　諸佛世尊　為佛道故　供養恭敬
於諸佛所　常脩梵行　於无量劫　奉持佛法
諸佛滅後　起七寶塔　長表金剎　華香伎樂
而以供養　諸佛塔廟　漸漸具足　菩薩道已
於意樂國　而得作佛　号多摩羅　栴檀之香
其佛壽命　二十四劫　常為天人　演說佛道
聲聞无量　如恒河沙　三明六通　有大威德
菩薩无數　志固精進　於佛智慧　皆不退轉
佛滅度後　正法當住　四十小劫　像法亦尒
我諸弟子　威德具足　其數五百　皆當授記
於未來世　咸得成佛　我及汝等　宿世因緣
吾今當說　汝等善聽

妙法蓮華經化城喻品第七

佛告諸比丘乃往過去无量无邊不可思議
阿僧祇劫尒時有佛名大通智勝如來應供
正遍知明行足善逝世間解无上士調御丈
夫天人師佛世尊其國名好成劫名大相諸
比丘彼佛滅度已來甚大久遠譬如三千大
千世界所有地種假使有人磨以為墨過於
東方千國土乃下一點大如微塵又過千國
土復下一點如是展轉盡地種墨於汝等意
云何是諸國土若算師若算師弟子能得邊
際知其數不不也世尊諸比丘是人所經國

BD01277號　妙法蓮華經卷三　（24–9）

東方千國土乃下一點大如微塵又過千國
土復下一點如是展轉盡地種墨於汝等意
云何是諸國土若算師若算師弟子能得邊
際知其數不不也世尊諸比丘是人所經國
土若點不點盡末為塵一塵一劫彼佛滅度
已來復過是數无量无邊百千万億阿僧祇
劫我以如來知見力故觀彼久遠猶若今日
尒時世尊欲重宣此義而說偈言
我念過去世　无量无邊劫　有佛兩足尊　名大通智勝
如人以力磨　三千大千土　盡此諸地種　皆悉以為墨
過於千國土　乃下一塵點　如是展轉點　盡此諸塵墨
如是諸國土　點與不點等　復盡末為塵　一塵為一劫
此諸微塵數　其劫復過是　彼佛滅度來　如是无量劫
如來无礙智　知彼佛滅度　及聲聞菩薩　如見今滅度
諸比丘當知　佛智淨微妙　无漏无所礙　通達无量劫
佛告諸比丘大通智勝佛壽五百四十万億
那由他劫其佛本坐道場破魔軍已垂得阿
耨多羅三藐三菩提而諸佛法不現在前如
是一小劫乃至十小劫結跏趺坐身心不動
而諸佛法猶不在前尒時忉利諸天先為彼
佛於菩提樹下敷師子座高一由旬佛於此
座當得阿耨多羅三藐三菩提適坐此座時
諸梵天王雨眾天華面百由旬香風時來吹
去萎華更雨新者如是不絕滿十小劫供養
於佛乃至滅度常雨此華四王諸天為供養
佛常擊天鼓其餘諸天作天伎樂滿十小劫

BD01277號　妙法蓮華經卷三　（24–10）

於佛乃至滅度常雨此華四王諸天為供養
佛常擊天鼓其餘諸天作天伎樂滿十小劫
至于滅度亦復如是諸比丘大通智勝佛過
十小劫諸佛之法乃現在前成阿耨多羅三
藐三菩提其佛未出家時有十六子其第一
者名曰智積諸子各有種種珎異玩好之具
聞父得成阿耨多羅三藐三菩提皆捨所珎
往詣佛所諸母涕泣而隨送之其祖轉輪聖
王與一百大臣及餘百千万億人民皆共圍
繞隨至道場咸欲親近大通智勝如來供養
恭敬尊重讚歎到已頭面礼足繞佛畢一心
合掌瞻仰世尊以偈頌曰
大威德世尊　為度衆生故　於无量億歲　尒乃得成佛
諸願已具足　善哉吉无上　世尊甚希有　一坐十小劫
身體及手足　靜然安不動　其心常惔怕　未曾有散亂
究竟永寂滅　安住无漏法　今者見世尊　安隱成佛道
我等得善利　稱慶大歡喜　衆生常苦惱　盲瞑无導師
不識苦盡道　不知求解脫　長夜增惡趣　減損諸天衆
從瞑入於瞑　永不聞佛名　今佛得最上　安隱无漏法
我等及天人　為得最大利　是故咸稽首　歸命无上尊
尒時十六王子偈讚佛已勸請世尊轉於法
輪咸作是言世尊說法多所安隱憐愍饒益
諸天人民重說偈言
世雄无等倫　百福自莊嚴　得无上智慧　願為世間說
度脫於我等　及諸衆生類　為分別顯示　令得是智慧

BD01277號　妙法蓮華經卷三　（24–11）

諸天人民重說偈言
世雄无等倫　百福自莊嚴　得无上智慧　願為世間說
度脫於我等　及諸衆生類　為分別顯示　令得是智慧
若我等得佛　衆生亦復然　世尊知衆生　深心之所念
亦知所行道　又知智慧力　欲樂及脩福　宿命所行業
世尊悉知已　當轉无上輪
佛告諸比丘大通智勝佛得阿耨多羅三藐
三菩提時十方各五百万億諸佛世界六種
震動其國中間幽瞑之處日月威光所不能
照而皆大明其中衆生各得相見咸作是言
此中云何忽生衆生又其國界諸天宮殿乃
至梵宮六種震動大光普照遍滿世界勝諸
天光尒時東方五百万億諸國土中梵天宮
殿光明照曜倍於常明諸梵天王各作是念
今者宮殿光明昔所未有以何因緣而現此
相是時諸梵天王即各相詣共議此事而彼
衆中有一大梵天王名救一切為諸梵衆而
說偈言
我等諸宮殿　光明昔未有　此是何因緣　宜各共求之
為大德天王　為佛出世間　而此大光明　遍照於十方
尒時五百万億國土諸梵天王與宮殿俱各
以衣祴盛諸天華共詣西方推尋是相見大
通智勝如來處于道場菩提樹下坐師子座
諸天龍王乾闥婆緊那羅摩睺羅伽人非人
等恭敬圍繞及見十六王子請佛轉法輪即
時諸梵天王頭面礼佛繞百千帀即以天華

BD01277號　妙法蓮華經卷三　（24–12）

諸天龍王乾闥婆緊那羅摩睺羅伽人非人
等恭敬圍繞及見十六王子請佛轉法輪即
時諸梵天王頭面礼佛繞百千帀即以天華
而散佛上其所散華如須弥山并以供養佛
菩提樹其菩提樹高十由旬華供養已各以
宮殿奉上彼佛而作是言唯見哀愍饒益我
等所獻宮殿願垂納處時諸梵天王即於佛
前一心同聲以偈頌曰
世尊甚希有　難可得值遇　具无量功德　能救護一切
天人之大師　哀愍於世間　十方諸衆生　普皆蒙饒益
我等所從來　五百万億國　捨深禪定樂　為供養佛故
我等先世福　宮殿甚嚴飾　今以奉世尊　唯願哀納受
尒時諸梵天王偈讚佛已各作是言唯願世
尊轉於法輪度脫衆生開涅槃道時諸梵天
王一心同聲而說偈言
世雄兩足尊　唯願演說法　以大慈悲力　度苦惱衆生
尒時大通智勝如來嘿然許之又諸比丘東
南方五百万億國土諸大梵王各自見宮殿
光明照曜昔所未有歡喜踊躍生希有心即
各相詣共議此事而彼衆中有一大梵天王
名曰大悲為諸梵衆而說偈言
是事何因緣　而現如此相　我等諸宮殿　光明昔未有
為大德天生　為佛出世間　未曾見此相　當共一心求
過千万億土　尋光共推之　多是佛出世　度脫苦衆生
尒時五百万億諸梵天王與宮殿俱各以衣
裓盛諸天華共詣西北方推尋是相見大通

BD01277號　妙法蓮華經卷三　（24–13）

過千万億土　尋光共推之　多是佛出世　度脫苦衆生
尒時五百万億諸梵天王與宮殿俱各以衣
裓盛諸天華共詣西北方推尋是相見大通
智勝如來處于道場菩提樹下坐師子座諸
天龍王乾闥婆緊那羅摩睺羅伽人非人等
恭敬圍繞及見十六王子請佛轉法輪時諸
梵天王頭面礼佛繞百千帀即以天華而散
佛上所散之華如須弥山并以供養佛菩提
樹華供養已各以宮殿奉上彼佛而作是言
唯見哀愍饒益我等所獻宮殿願垂納處尒
時諸梵天王即於佛前一心同聲以偈頌曰
聖主天中王　迦陵頻伽聲　哀愍衆生者　我等今敬礼
世尊甚希有　久遠乃一現　一百八十劫　空過无有佛
三惡道充滿　諸天衆減少　今佛出於世　為衆生作眼
世間所歸趣　救護於一切　為衆生之父　哀愍饒益者
我等宿福慶　今得值世尊
尒時諸梵天王偈讚佛已各作是言唯願世
尊哀愍一切轉於法輪度脫衆生時諸梵天
王一心同聲而說偈言
大聖轉法輪　顯示諸法相　度苦惱衆生　令得大歡喜
衆生聞此法　得道若生天　諸惡道減少　忍善者增益
尒時大通智勝如來嘿然許之又諸比丘南
方五百万億國土諸大梵王各自見宮殿光
明照曜昔所未有歡喜踊躍生希有心即各
相詣共議此事以何因緣我等宮殿有此光
曜而彼衆中有一大梵天王名曰妙法為諸

BD01277號　妙法蓮華經卷三　（24–14）

明照曜昔所未有歡喜踊躍生希有心即各
相詣共議此事以何因緣我等宮殿有此光
曜而彼衆中有一大梵天王名曰妙法為諸
梵衆而説偈言

我等諸宮殿　光明甚威曜　此非无因緣　是相宜求之
過於百千劫　未曾見是相　為大德天生　為佛出世間

尒時五百万億諸梵天王與宮殿俱各以衣
裓盛諸天華共詣北方推尋是相見大通智
勝如來處于道場菩提樹下坐師子座諸天
龍王乾闥婆緊那羅摩睺羅伽人非人等恭
敬圍繞及見十六王子請佛轉法輪時諸梵
天王頭面礼佛繞百千帀即以天華而散佛
上所散之華如須弥山并以供養佛菩提樹
華供養已各以宮殿奉上彼佛而作是言唯
見哀愍饒益我等所獻宮殿願垂納處尒時
諸梵天王即於佛前一心同聲以偈頌曰

世尊甚難見　破諸煩惱者　過百三十劫　今乃得一見
諸飢渴衆生　以法雨充滿　昔所未曾覩　无量智慧者
如優曇波羅　今日乃值遇　我等諸宮殿　蒙光故嚴飾
世尊大慈愍　唯願垂納受

尒時諸梵天王偈讚佛已各作是言唯願世
尊轉於法輪令一切世間諸天魔梵沙門婆
羅門皆獲安隱而得度脫時諸梵天王一心
同聲以偈頌曰

唯願天人尊　轉无上法輪　擊于大法鼓　而吹大法螺
普雨大法雨　度无量衆生　我等咸歸請　當演深遠音

BD01277號　妙法蓮華經卷三　（24–15）

同聲以偈頌曰

唯願天人尊　轉无上法輪　擊于大法鼓　而吹大法螺
普雨大法雨　度无量衆生　我等咸歸請　當演深遠音

尒時大通智勝如來嘿然許之西南方乃至
下方亦復如是尒時上方五百万億國土諸
大梵王皆悉自覩所止宮殿光明威曜昔所
未有歡喜踊躍生希有心即各相詣共議此
事以何因緣我等宮殿有斯光明而彼衆中
有一大梵天王名曰尸棄為諸梵衆而説偈
言

今以何因緣　我等諸宮殿　威德光明曜　嚴飾未曾有
如是之妙相　昔所未聞見　為大德天生　為佛出世間

尒時五百万億諸梵天王與宮殿俱各以衣
裓盛諸天華共詣下方推尋是相見大通智
勝如來處于道場菩提樹下坐師子座諸天
龍王乾闥婆緊那羅摩睺羅伽人非人等恭
敬圍繞及見十六王子請佛轉法輪時諸梵
天王頭面礼佛繞百千帀即以天華而散佛
上所散之華如須弥山并以供養佛菩提樹
華供養已各以宮殿奉上彼佛而作是言唯
見哀愍饒益我等所獻宮殿願垂納處時諸
梵天王即於佛前一心同聲以偈頌曰

善哉見諸佛　救世之聖尊　能於三界獄　勉出諸衆生
普智天人尊　哀愍群萌類　能開甘露門　廣度於一切
於昔无量劫　空過无有佛　世尊未出時　十方常暗瞑
三惡道增長　阿脩羅亦盛　諸天衆轉減　死多墮惡道

BD01277號　妙法蓮華經卷三　（24–16）

普智天人尊　哀愍群萌類　能開甘露門　廣度於一切
於昔无量劫　空過无有佛　世尊未出時　十方常暗暝
三惡道增長　阿脩羅亦盛　諸天眾轉減　死多墮惡道
不從佛聞法　常行不善事　色力及智慧　斯等皆減少
罪業因緣故　失樂及樂想　住於邪見法　不識善儀則
不蒙佛所化　常墮於惡道　佛為世間眼　久遠時乃出
哀愍諸眾生　故現於世間　超出成正覺　我等甚欣慶
及餘一切眾　喜歎未曾有　我等諸宮殿　蒙光故嚴飾
今以奉世尊　唯垂哀納受　願以此功德　普及於一切
我等與眾生　皆共成佛道
尒時五百万億諸梵天王偈讚佛已各白佛
言唯願世尊轉於法輪多所安隱多所度脫
時諸梵天王而說偈言
世尊轉法輪　擊甘露法鼓　度苦惱眾生　開示涅槃道
唯願受我請　以大微妙音　哀愍而敷演　无量劫習法
尒時大通智勝如來受十方諸梵天王及十
六王子請即時三轉十二行法輪若沙門婆
羅門若天魔梵及餘世間所不能轉謂是苦
是苦集是苦滅是苦滅道及廣說十二因緣
法无明緣行行緣識識緣名色名色緣六入
六入緣觸觸緣受受緣愛愛緣取取緣有有
緣生生緣老死憂悲苦惱无明滅則行滅行
滅則識滅識滅則名色滅名色滅則六入滅
六入滅則觸滅觸滅則受滅受滅則愛滅愛
滅則取滅取滅則有滅有滅則生滅生滅則
老死憂悲苦惱滅佛於天人大眾之中說是

BD01277號　妙法蓮華經卷三　（24–17）

六入滅則觸滅觸滅則受滅受滅則愛滅愛
滅則取滅取滅則有滅有滅則生滅生滅則
老死憂悲苦惱滅佛於天人大眾之中說是
法時六百万億那由他人以不受一切法故
而於諸漏心得解脫皆得深妙禪定三明六
通具八解脫第二第三第四說法時千万億
恒河沙那由他等眾生亦以不受一切法故
而於諸漏心得解脫從是已後諸聲聞眾无
量无邊不可稱數尒時十六王子皆以童子
出家而為沙弥諸根通利智慧明了已曾供
養百千万億諸佛淨脩梵行求阿耨多羅三
藐三菩提俱白佛言世尊是諸无量千万億
大德聲聞皆已成就世尊亦當為我等說阿
耨多羅三藐三菩提法我等聞已皆共脩學
世尊我等志願如來知見深心所念佛自證
知尒時轉輪聖王所將眾中八万億人見十
六王子出家亦求出家王即聽許尒時彼佛
受沙弥請過二万劫已乃於四眾之中說是
大乘經名妙法蓮華教菩薩法佛所護念說
是經已十六沙弥為阿耨多羅三藐三菩提
故皆共受持諷誦通利說是經時十六菩薩
沙弥皆悉信受聲聞眾中亦有信解其餘眾
生千万億種皆生疑惑佛說是經於八千劫
未曾休廢說此經已即入靜室住於禪定八
万四千劫是時十六菩薩沙弥知佛入室寂
然禪定各昇法座亦於八万四千劫為四部

BD01277號　妙法蓮華經卷三　（24–18）

未曾休癈說此經已即入靜室住於禪定八
万四千劫是時十六菩薩沙弥知佛入室寂
然禪定各昇法座亦於八万四千劫為四部
衆廣說分別妙法華經一一皆度六百万億
那由他恒河沙等衆生示教利喜令發阿耨
多羅三藐三菩提心大通智勝佛過八万四
千劫已從三昧起往詣法座安詳而坐普告
大衆是十六菩薩沙弥甚為希有諸根通利
智慧明了已曾供養无量千万億數諸佛於
諸佛所常脩梵行受持佛智開示衆生令入
其中汝等皆當數數親近而供養之所以者
何若聲聞辟支佛及諸菩薩能信是十六菩
薩所說經法受持不毀者是人皆當得阿耨
多羅三藐三菩提如來之慧佛告諸比丘是
十六菩薩常樂說是妙法蓮華經一一菩薩
所化六百万億那由他恒河沙等衆生世世
所生與菩薩俱從其聞法悉皆信解以此因
緣得值四万億諸佛世尊于今不盡諸比丘
我今語汝彼佛弟子十六沙弥今皆得阿耨
多羅三藐三菩提於十方國土現在說法有
无量百千万億菩薩聲聞以為眷屬其二沙
弥東方作佛一名阿閦在歡喜國二名須弥
頂東南方二佛一名師子音二名師子相南
方二佛一名虛空住二名常滅西南方二佛
一名帝相二名梵相西方二佛一名阿弥陁
二名度一切世間苦惱西北方二佛一名多

方二佛一名虛空住二名常滅西南方二佛
一名帝相二名梵相西方二佛一名阿弥陁
二名度一切世間苦惱西北方二佛一名多
摩羅跋栴檀香神通二名須弥相北方二佛
一名雲自在二名雲自在王東北方佛名壞
一切世間怖畏第十六我釋迦牟尼佛於娑
婆國土成阿耨多羅三藐三菩提諸比丘我
等為沙弥時各各教化无量百千万億恒河
沙等衆生從我聞法為阿耨多羅三藐三菩
提此諸衆生于今有住聲聞地者我常教化
阿耨多羅三藐三菩提是諸人等應以是法
漸入佛道所以者何如來智慧難信難解尒
時所化无量恒河沙等衆生者汝等諸比丘
及我滅度後未來世中聲聞弟子是也我滅
度後復有弟子不聞是經不知不覺菩薩所
行自於所得功德生滅度想當入涅槃我於
餘國作佛更有異名是人雖生滅度之想入
於涅槃而於彼土求佛智慧得聞是經唯以
佛乘而得滅度更无餘乘除諸如來方便說
法諸比丘若如來自知涅槃時到衆又清淨
信解堅固了達空法深入禪定便集諸菩薩
及聲聞衆為說是經世間无有二乘而得滅
度唯一佛乘得滅度耳比丘當知如來方便
深入衆生之性知其志樂小法深著五欲為
是等故說於涅槃是人若聞則便信受譬如
五百由旬險難惡道曠絕无人怖畏之處若

度唯一佛乘得滅度耳比丘當知如來方便
深入衆生之性知其志樂小法深著五欲為
是等故說於涅槃是人若聞則便信受譬如
五百由旬險難惡道曠絕无人怖畏之處若
有多衆欲過此道至珎寶處有一導師聰慧
明達善知險道通塞之相將導衆人欲過此
難所將人衆中路懈退白導師言我等疲極
而復怖畏不能復進前路猶遠今欲退還導
師多諸方便而作是念此等可愍云何捨大
珎寶而欲退還作是念已以方便力於險道
中過三百由旬化作一城告衆人言汝等勿
怖莫得退還今此大城可於中止隨意所作
若入是城快得安隱若能前至寶所亦可得
去是時疲極之衆心大歡喜歎未曾有我等
今者免斯惡道快得安隱於是衆人前入化
城生已度想生安隱想尒時導師知此人衆
既得止息无復疲惓即滅化城語衆人言汝
等去來寶處在近向者大城我所化作為止
息耳諸比丘如來亦復如是今為汝等作大
導師知諸生死煩惱惡道險難長遠應去應
度若衆生但聞一佛乘者則不欲見佛不欲
親近便作是念佛道長遠久受勤苦乃可得
成佛知是心怯弱下劣以方便力而於中道
為止息故說二涅槃若衆生住於二地如來
尒時即便為說汝等所作未辦汝所住地近
於佛慧當觀察籌量所得涅槃非真實也但

BD01277號　妙法蓮華經卷三　（24–21）

為止息故說二涅槃若衆生住於二地如來
尒時即便為說汝等所作未辦汝所住地近
於佛慧當觀察籌量所得涅槃非真實也但
是如來方便之力於一佛乘分別說三如彼
導師為止息故化作大城既知息已而告之
言寶處在近此城非實我化作耳尒時世尊
欲重宣此義而說偈言
大通智勝佛　十劫坐道場　佛法不現前　不得成佛道
諸天神龍王　阿脩羅衆等　常雨於天華　以供養彼佛
諸天擊天鼓　并作衆伎樂　香風吹萎華　更雨新好者
過十小劫已　乃得成佛道　諸天及世人　心皆懷踊躍
彼佛十六子　皆與其眷屬　千万億圍遶　俱行至佛所
頭面禮佛足　而請轉法輪　聖師子法雨　充我及一切
世尊甚難值　久遠時一現　為覺悟群生　震動於一切
東方諸世界　五百万億國　梵宮殿光曜　昔所未曾有
諸梵見此相　尋來至佛所　散華以供養　并奉上宮殿
請佛轉法輪　以偈而讚歎　佛知時未至　受請嘿然坐
三方及四維　上下亦復尒　散華奉宮殿　請佛轉法輪
世尊甚難值　願以大慈悲　廣開甘露門　轉无上法輪
无量慧世尊　受彼衆人請　為宣種種法　四諦十二緣
无明至老死　皆從生緣有　如是衆過患　汝等應當知
宣暢是法時　六百万億姟　得盡諸苦際　皆成阿羅漢
第二說法時　千万恒沙衆　於諸法不受　亦得阿羅漢
從是後得道　其數无有量　万億劫算數　不能得其邊
時十六王子　出家作沙弥　皆共請彼佛　演說大乘法
我等及營從　皆當成佛道　願得如世尊　慧眼第一淨

BD01277號　妙法蓮華經卷三　（24–22）

第二說法時　千万恒沙衆　於諸法不受　亦得阿羅漢
從是後得道　其數无有量　万億劫筭數　不能得其邊
時十六王子　出家作沙弥　皆共請彼佛　演說大乘法
我等及營從　皆當成佛道　願得如世尊　慧眼第一淨
佛知童子心　宿世之所行　以无量因緣　種種諸譬喻
說六波羅蜜　及諸神通事　分別真實法　菩薩所行道
說是法華經　如恒河沙偈　彼佛說經已　靜室入禪定
一心一處坐　八万四千劫　是諸沙弥等　知佛禪未出
為无量億衆　說佛无上慧　各各坐法座　說是大乘經
於佛宴寂後　宣揚助法化　一一沙弥等　所度諸衆生
有六百万億　恒河沙等衆　彼佛滅度後　是諸聞法者
在在諸佛土　常與師俱生　是十六沙弥　具足行佛道
今現在十方　各得成正覺　尒時聞法者　各在諸佛所
其有住聲聞　漸教以佛道　我在十六數　曾亦為汝說
是故以方便　引汝趣佛慧　以是本因緣　今說法華經
令汝入佛道　慎勿懷驚懼　譬如險惡道　迥絕多毒獸
又復无水草　人所怖畏處　无數千万衆　欲過此險道
其路甚曠遠　經五百由旬　時有一導師　強識有智慧
明了心決定　在險濟衆難　衆人皆疲惓　而白導師言
我等今頓乏　於此欲退還　導師作是念　此輩甚可愍
如何欲退還　而失大珎寶　尋時思方便　當設神通力
化作大城郭　莊嚴諸舍宅　周帀有園林　渠流及浴池
重門高樓閣　男女皆充滿　即作是化已　慰衆言勿懼
汝等入此城　各可隨所樂　諸人既入城　心皆大歡喜
皆生安隱想　自謂已得度　導師知息已　集衆而告言
汝等當前進　此是化城耳　我見汝疲極　中路欲退還

又復无水草　人所怖畏處　无數千万衆　欲過此險道
其路甚曠遠　經五百由旬　時有一導師　強識有智慧
明了心決定　在險濟衆難　衆人皆疲惓　而白導師言
我等今頓乏　於此欲退還　導師作是念　此輩甚可愍
如何欲退還　而失大珎寶　尋時思方便　當設神通力
化作大城郭　莊嚴諸舍宅　周帀有園林　渠流及浴池
重門高樓閣　男女皆充滿　即作是化已　慰衆言勿懼
汝等入此城　各可隨所樂　諸人既入城　心皆大歡喜
皆生安隱想　自謂已得度　導師知息已　集衆而告言
汝等當前進　此是化城耳　我見汝疲極　中路欲退還
故以方便力　權化作此城　汝今勤精進　當共至寶所
我亦復如是　為一切導師　見諸求道者　中路而懈廢
不能度生死　煩惱諸險道　故以方便力　為息說涅槃
言汝等苦滅　所作皆已辦　既知到涅槃　皆得阿羅漢
尒乃集大衆　為說真實法　諸佛方便力　分別說三乘
唯有一佛乘　息處故說二　今為汝說實　汝所得非滅
為佛一切智　當發大精進　汝證一切智　十力等佛法
具三十二相　乃是真實滅　諸佛之導師　為息說涅槃
既知是息已　引入於佛慧

妙法蓮華經卷第三

量心
生常不
□行如是菩薩驗劫中當得阿
耨三菩提舍利弗有菩薩摩訶薩
至第四禪入慈心乃至捨入虛空
非有想非无想處以方便力故不隨
還生欲界若刹利大姓婆羅門大姓居
家爲成就衆生故舍利弗有菩薩摩訶
入初禪乃至第四禪入慈心乃至捨入虛
空處乃至非有想非无想處以方便力故不
隨禪生或生四天王天處或生卅三天夜摩
天兜率陁天化樂天他化自在天於是中成
就衆生不淨佛土常值諸佛舍利弗有菩薩
摩訶薩行般若波羅蜜以方便力故入初禪
此間終生梵天處作大梵王從梵王處遊一
佛國至一佛國在所有諸佛得阿耨多羅三
藐三菩提未轉法輪者勸請令轉舍利弗有
菩薩摩訶薩一生補處行般若波羅蜜以方
便力故入初禪乃至第四禪入慈心乃至捨
入虛空處乃至非有想非无想處脩四念處
乃至八聖道分入空三昧无相无作三昧不
隨禪生生有佛處脩梵行若生兜率天上隨
其壽終具足善根不失正念與无數百千億

BD01278 號　摩訶般若波羅蜜經卷二　（26–1）

菩薩摩訶薩一生補處行般若波羅蜜以方
便力故入初禪乃至第四禪入慈心乃至捨
入虛空處乃至非有想非无想處脩四念處
乃至八聖道分入空三昧无相无作三昧不
隨禪生生有佛處脩梵行若生兜率天上隨
其壽終具足善根不失正念與无數百千億
万諸天圍繞恭敬來生此間得阿耨多羅三
藐三菩提舍利弗有菩薩摩訶薩得六神通
不生欲界色界无色界從一佛國至一佛國
供養恭敬尊重讚嘆諸佛舍利弗有菩薩摩
訶薩遊戲神通從一佛國至一佛國所在處
无有聲聞辟支佛乘乃至无二乘之名舍利
弗有菩薩摩訶薩遊戲神通從一佛國至一
佛國所至到處其壽无量舍利弗有菩薩摩
訶薩遊戲神通從一國土至一國土所至到
處有无佛法僧處讚佛法僧功德諸衆生用
聞佛名法名僧名故於此命終生諸佛前舍
利弗有菩薩摩訶薩初發意時得初禪乃至
第四禪得四无量心得四无色定脩四念處
乃至十八不共法是菩薩不生欲界色界无
色界中常生有益衆生之處舍利弗有菩薩
摩訶薩初發意時行六波羅蜜上菩薩位得
阿惟越致地舍利弗有菩薩摩訶薩初發意
時便得阿耨多羅三藐三菩提轉法輪與无
量阿僧祇衆生作益厚已入无餘涅槃是佛
般涅槃後餘法若住一劫若減一劫舍利弗
有菩薩摩訶薩初發意時與般若波羅蜜相
應與无數百千億菩薩從一佛國至一佛國
爲淨佛國土故舍利弗有菩薩摩訶薩行般

BD01278 號　摩訶般若波羅蜜經卷二　（26–2）

般涅槃後餘法若住一劫若減一劫舍利弗
有菩薩摩訶薩初發意時與般若波羅蜜相
應與无數百千億菩薩從一佛國至一佛國
爲淨佛國土故舍利弗有菩薩摩訶薩行般
若波羅蜜時得四禪四无量心四无色定遊
戲其中入初禪從初禪起入滅盡定從滅盡
定起乃至入四禪從四禪起入滅盡定從滅
盡定起入虛空處從虛空處起入滅盡定從
滅盡定起乃至入非有想非无想處從非有
想非无想處起入滅盡定如是舍利弗菩薩
摩訶薩行般若波羅蜜以方便力故入超越
定舍利弗有菩薩摩訶薩行般若波羅蜜時
脩四念處乃至十八不共法不取須陁洹果
斯陁含果阿那含果阿羅漢果辟支佛道以
方便力爲度衆生故起八聖道分以是八聖
令得須陁洹果乃至辟支佛道佛告舍利弗
一切阿羅漢辟支佛果及智是菩薩摩訶薩
无生法忍舍利弗是菩薩摩訶薩如是行般
若波羅蜜當知是阿惟越致舍利弗有菩薩
摩訶薩住六波羅蜜莊嚴兜率天當知是賢
劫中菩薩舍利弗有菩薩摩訶薩脩四禪乃
至十八不共法未證四諦當知是菩薩一生
補處舍利弗有菩薩摩訶薩无量阿僧祇劫
作行得阿耨多羅三藐三菩提舍利弗有菩
薩摩訶薩住六波羅蜜常懃精進利益衆生
不說无益之事舍利弗有菩薩摩訶薩行六
波羅蜜常懃精進利益衆生從一佛國至一
佛國斷衆生三惡道舍利弗有菩薩摩訶薩

BD01278號　摩訶般若波羅蜜經卷二

（26-3）

薩摩訶薩住六波羅蜜常懃精進利益衆生
不說无益之事舍利弗有菩薩摩訶薩行六
波羅蜜常懃精進利益衆生從一佛國至一
佛國斷衆生三惡道舍利弗有菩薩摩訶薩
住六波羅蜜以檀爲首安樂一切衆生須飲
食與飲食衣服卧具瓔珞華香房舍燈燭隨
人所須盡給與之舍利弗有菩薩摩訶薩行
般若波羅蜜時變身如佛爲地獄中衆生說
法爲畜生餓鬼中衆生說法舍利弗有菩薩
摩訶薩行六波羅蜜時變身如佛遍至十方
如恒河沙等諸佛國土爲衆生說法亦供養
諸佛及淨佛國土聞諸佛說法觀採十方淨
妙國相而已自起殊勝國土其中菩薩摩訶
薩皆是一生補處舍利弗有菩薩摩訶薩行
六波羅蜜時成就卅二相諸根淨利諸根淨
利故衆人愛敬以愛敬故漸以三乘法而度
脫之如是舍利弗菩薩摩訶薩行般若波羅
蜜時應學身清淨口清淨舍利弗有菩薩摩
訶薩行六波羅蜜時得諸根淨以是淨根而
不自高亦不下他舍利弗有菩薩摩訶薩從
初發心住檀波羅蜜尸羅波羅蜜乃至阿惟越
致地終不墮惡道舍利弗有菩薩摩訶薩從
初發心乃至阿惟越致地常不捨十善行舍
利弗有菩薩摩訶薩住檀波羅蜜尸羅波羅
蜜中作轉輪聖王安立衆生於十善道亦以
財物布施衆生舍利弗有菩薩摩訶薩住檀
波羅蜜尸羅波羅蜜无量千万世作轉輪聖
王值遇无量百千諸佛供養恭敬尊重讚嘆
舍利弗有菩薩摩訶薩常爲衆生以法照明

BD01278號　摩訶般若波羅蜜經卷二

（26-4）

波羅蜜尸羅波羅蜜无量千万世作轉輪聖
王値遇无量百千諸佛供養恭敬尊重讚嘆
舍利弗有菩薩摩訶薩常爲衆生以法照明
亦以自照乃至阿耨多羅三藐三菩提終不
離照明舍利弗是菩薩摩訶薩於佛法中以
得尊重舍利弗以是故菩薩摩訶薩行般若
波羅蜜時身口意不淨不令妄起舍利弗白
佛言世尊云何菩薩身業不淨口業不淨意
業不淨佛告舍利弗若菩薩摩訶薩作是念
是身是口是意如是取相作緣舍利弗是名
身口意不淨舍利弗菩薩摩訶薩行般若波
羅蜜時不得身不得口不得意舍利弗菩薩
摩訶薩行般若波羅蜜時若得身若得口若
得意用是得身口意故能生慳心犯戒心瞋
心懈心亂心愚心當知是菩薩行六波羅蜜
時不能除身口意麁業舍利弗白佛言世尊
菩薩摩訶薩云何除身口意麁業佛告舍利
弗菩薩摩訶薩不得身口意如是菩薩摩訶
薩能除身口意麁業復次舍利弗若菩薩摩
訶薩從初發意行十善道不生聲聞心不生
辟支佛心如是菩薩摩訶薩能除身口意麁
業復次舍利弗菩薩摩訶薩行般若波羅蜜
淨佛道時行檀波羅蜜尸羅波羅蜜羼提波
羅蜜毗梨耶波羅蜜禪波羅蜜是名菩薩摩
訶薩除身口意麁業舍利弗白佛言世尊何
等菩薩摩訶薩佛道佛告舍利弗佛道者若
菩薩摩訶薩不得身不得口不得意不得檀
波羅蜜不得尸羅波羅蜜不得羼提波羅蜜
不得毗梨耶波羅蜜不得禪波羅蜜不得般

BD01278號　摩訶般若波羅蜜經卷二　（26–5）

等菩薩摩訶薩佛道佛告舍利弗佛道者若
菩薩摩訶薩不得身不得口不得意不得檀
波羅蜜不得尸羅波羅蜜不得羼提波羅蜜
不得毗梨耶波羅蜜不得禪波羅蜜不得般
若波羅蜜不得聲聞不得辟支佛不得菩薩
不得佛舍利弗是名菩薩摩訶薩佛道所謂
一切法不可得故舍利弗有菩薩摩訶薩行
六波羅蜜時无能壞者舍利弗白佛言世尊
云何菩薩摩訶薩行六波羅蜜時无能壞者
佛告舍利弗若菩薩摩訶薩行六波羅蜜時
不念有色乃至識不念有眼乃至意不念有
色乃至法不念有眼界乃至法界不念有四
念處乃至八聖道分不念有檀波羅蜜乃至
般若波羅蜜不念有佛十力乃至十八不共
法不念有須陁洹果乃至阿羅漢果不念有
辟支佛乃至阿耨多羅三藐三菩提舍利弗
菩薩摩訶薩如是行增益六波羅蜜无能壞
者舍利弗有菩薩摩訶薩住般若波羅蜜中
具足智慧用是智慧常不墮惡道不生弊惡
人中不作貧窮人所受身體不爲人天阿脩
羅所憎惡舍利弗白佛言世尊何等是菩薩
摩訶薩智慧佛告舍利弗菩薩摩訶薩用是
智慧成就見十方如恒河沙等諸佛聽法見
僧亦見嚴淨佛土菩薩摩訶薩以是智慧不
作佛想不作菩薩想不作聲聞辟支佛想不
作我想不作佛國想用是智慧行檀波羅蜜
亦不得檀波羅蜜乃至行般若波羅蜜亦不
得般若波羅蜜行四念處亦不得四念處乃
至十八不共法亦不得十八不共法舍利

BD01278號　摩訶般若波羅蜜經卷二　（26–6）

作佛想不作菩薩想不作聲聞辟支佛想不
作我想不作佛國想用是智慧行檀波羅蜜
亦不得檀波羅蜜乃至行般若波羅蜜亦不
得般若波羅蜜行四念處亦不得四念處乃
至行十八不共法亦不得十八不共法舍利
弗是名菩薩摩訶薩智慧用是智慧能具足
一切法亦不得一切法舍利弗有菩薩摩訶
薩行般若波羅蜜時淨五眼宍眼天眼慧眼
法眼佛眼舍利弗白佛言世尊云何菩薩摩
訶薩宍眼淨佛告舍利弗有菩薩宍眼見百
由旬有菩薩宍眼見二百由旬有菩薩宍眼
見一閻浮提有菩薩宍眼見二天下三天下
四天下有菩薩宍眼見小千國土有菩薩宍
眼見中千國土有菩薩宍眼見三千大千國
土舍利弗是為菩薩摩訶薩宍眼淨舍利弗
白佛言世尊云何菩薩摩訶薩天眼淨佛告
舍利弗有菩薩摩訶薩天眼見一切四天王
天所見見卅三天夜摩天兜率陁天化樂天
他化自在天所見見梵天王所見乃至阿迦尼
吒天所見菩薩天眼所見四天王天乃至阿
迦尼吒天所不知不見舍利弗是菩薩摩訶
薩天眼見十方如恒河沙等諸國土中衆生
死此生彼舍利弗是名菩薩摩訶薩天眼淨
舍利弗白佛言世尊云何菩薩摩訶薩慧眼
淨佛告舍利弗慧眼菩薩不作是念有法若
有為若无為若世間若出世間若有漏若无
漏是慧眼菩薩亦无法不見无法不聞无法
不知无法不識舍利弗是名菩薩摩訶薩慧
眼淨舍利弗白佛言世尊云何菩薩摩訶薩

漏是慧眼菩薩亦无法不見无法不聞无法
不知无法不識舍利弗是名菩薩摩訶薩慧
眼淨舍利弗白佛言世尊云何菩薩摩訶薩
法眼淨佛告舍利弗菩薩摩訶薩以法眼知
是人隨信行是人隨法行是人无相行是人
行空解脫門是人行无相解脫門是人行无
作解脫門得五根得五根故得无間三昧得
无間三昧故得解脫智得解脫智故斷三結
我見疑戒取是人名須陁洹是人得思惟道
薄婬恚癡當得斯陁含增進思惟道斷婬恚
癡得阿那含增進思惟道斷色染无色染无
明慢調得阿羅漢是人行空无相无作解脫
門得五根得五根故得无間三昧得无間三
昧故得解脫智得解脫智故知所有集法皆
是滅法作辟支佛是為菩薩摩訶薩法眼淨
復次舍利弗菩薩摩訶薩知是菩薩初發意
行檀波羅蜜乃至行般若波羅蜜成就信根
精進根善根純厚用方便力故為衆生受身
若生剎利大姓若生婆羅門大姓若生居士
大家若生四天王天處乃至他化自在天處
是菩薩於其中住成就衆生隨其所樂皆給
施之亦淨佛國土值遇諸佛供養恭敬尊重
讚嘆乃至阿耨多羅三藐三菩提亦不墮聲
聞辟支佛地是名菩薩摩訶薩法眼淨復次
舍利弗菩薩摩訶薩知是菩薩於阿耨多羅
三藐三菩提退知是菩薩於阿耨多羅三藐
三菩提不退知是菩薩受阿耨多羅三藐三
菩提記知是菩薩未受阿耨多羅三藐三菩

三藐三菩提退知是菩薩於阿耨多羅三藐
三菩提不退知是菩薩受阿耨多羅三藐三
菩提記知是菩薩未受阿耨多羅三藐三菩
提記知是菩薩到阿惟越致地知是菩薩未
到阿惟越致地知是菩薩具足神通知是菩
薩未具足神通知是菩薩以具足神通飛到
十方如恒河沙等世界見諸佛供養恭敬尊
重讚嘆知是菩薩未得神通當得神通是菩
薩當淨佛土不淨佛土是菩薩成就衆生未
成就衆生是菩薩爲諸佛所稱譽所不稱譽
是菩薩親近諸佛不親近諸佛是菩薩壽命
有量壽命无量是菩薩得佛時比丘衆有量
比丘衆无量是菩薩得阿耨多羅三藐三菩
提時以菩薩爲僧不以菩薩爲僧是菩薩當
脩苦行難行不脩苦行難行是菩薩一生補
處未一生補處是菩薩受冣後身未受冣後
身是菩薩能坐道場不能坐道場是菩薩有
魔无魔如是舍利弗是爲菩薩摩訶薩法眼
淨舍利弗白佛言世尊云何菩薩摩訶薩佛
眼淨佛告舍利弗有菩薩摩訶薩求佛道心
次第入如金剛三昧得一切種智尒時成就
十力四无所畏四无㝵智十八不共法大慈
大悲是菩薩摩訶薩用一切種一切法中无
法不見无法不聞无法不知无法不識舍利
弗是爲菩薩摩訶薩得阿耨多羅三藐三菩
提時佛眼淨如是舍利弗菩薩摩訶薩欲得
五眼當學六波羅蜜何以故舍利弗是六波
羅蜜中攝一切善法若聲聞法辟支佛法菩

五眼當學六波羅蜜何以故舍利弗是六波
羅蜜中攝一切善法若聲聞法辟支佛法菩
薩法佛法舍利弗若有實語能攝一切善法
者般若波羅蜜是舍利弗般若波羅蜜能生
五眼菩薩學五眼者得阿耨多羅三藐三菩
提舍利弗有菩薩摩訶薩行般若波羅蜜時
脩神通波羅蜜以是神通波羅蜜受種種如
意事能動大地變一身爲无數身无數身還
爲一身隱顯自在山壁樹木皆過无㝵如行
空中履水如地陵虛如鳥出沒地中如出入
水身出烟炎如大火聚身中出水如雪山水
流日月大德威力難當而能摩捫乃至梵天
身得自在之不著是如意神通事及已
身皆不可得自性空故自性離故自性无生
故不作是念我得如意神通除爲薩婆若心
如是舍利弗菩薩摩訶薩行般若波羅蜜時
得如意神通智證是菩薩以天耳淨過於人
耳聞二種聲天聲人聲之不著是天耳神通
天耳與聲及已身皆不可得自性空故自性
離故自性无生故不作是念我有是天耳除
爲薩婆若心如是舍利弗菩薩摩訶薩行般
若波羅蜜時得天耳神通智證是菩薩如實
知他衆生心若欲心如實知欲心離欲心如
實知離欲心瞋心如實知瞋心離瞋心如實
知離瞋心癡心如實知癡心離癡心如實知
離癡心渴愛心如實知渴愛心无渴愛心如
實知无渴愛心有受心如實知有受心无受
心如實知无受心攝心如實知攝心散心如

[illegible]
實知无渴愛心有受心如實知有受心无受
心如實知无受心攝心如實知攝心散心如
實知散心小心如實知小心大心如實知大
心定心如實知定心亂心如實知亂心解脫
心如實知解脫心不解脫心如實知不解脫
心有上心如實知有上心无上心如實知无
上心亦不著是心何以故是心非心相不可
思議故自性空故自性離故自性无生故不
作是念我得他心智除為薩婆若心如是舍
利弗菩薩摩訶薩行般若波羅蜜時得他心
神通智證是菩薩以宿命智證通念一心乃
至百心念一日乃至百日念一月乃至百月
念一歲乃至百歲念一劫乃至百劫无數百
劫无數千劫无數百千劫乃至无數百千万
億劫世我是處如是姓如是名如是生如是
食如是久住如是壽限如是長壽如是受苦
樂我是中死生彼處彼處死生是處有相有
因緣亦不著是宿命神通宿命神通事及已
身皆不可得自性空故自性離故自性无生
故不作是念我有是宿命神通除為薩婆若
心如是舍利弗菩薩摩訶薩行般若波羅蜜
時得宿命神通智證是菩薩以天眼見衆生
死時生時端政醜陋惡處好處若大若小知
衆生隨業因緣是諸衆生身惡業成就口惡
業成就意惡業成就故謗毀聖人受耶見因
緣故身壞墮惡道生地獄中是諸衆生身善
業成就口善業成就意善業成就不謗毀聖
人受正見因緣故命終入善道生天上亦不

緣故身壞墮惡道生地獄中是諸衆生身善
業成就口善業成就意善業成就不謗毀聖
人受正見因緣故命終入善道生天上亦不
著是天眼通天眼通事及已身皆不可得自
性空故自性離故自性无生故不作是念我
有是天眼神通除為薩婆若心如是舍利弗
菩薩摩訶薩行般若波羅蜜時得天眼神通
智證亦見十方如恒河沙等世界中衆生生
死乃至生天上四神通亦如是是菩薩摩訶
薩漏盡神通雖得漏盡神通不墮聲聞辟支
佛地乃至阿耨多羅三藐三菩提亦不依異
法亦不著是漏盡神通漏盡神通事及已身
皆不可得自性空故自性離故自性无生故
不作是念我得漏盡神通除為薩婆若心如
是舍利弗菩薩摩訶薩行般若波羅蜜時得
漏盡神通智證如是舍利弗菩薩摩訶薩行
般若波羅蜜時具足神通波羅蜜具足神通
波羅蜜已增益阿耨多羅三藐三菩提舍利
弗有菩薩摩訶薩行般若波羅蜜時住檀波
羅蜜淨薩婆若道畢竟空不生慳心故舍利
弗有菩薩摩訶薩行般若波羅蜜時住尸波
羅蜜淨薩婆若道畢竟空罪不罪不著故舍
利弗有菩薩摩訶薩行般若波羅蜜時住羼
提波羅蜜淨薩婆若道畢竟空不瞋故舍利
弗有菩薩摩訶薩行般若波羅蜜時住毗
梨耶波羅蜜淨薩婆若道畢竟空身心精進
不懈息故舍利弗有菩薩摩訶薩行般若波
羅蜜時住禪波羅蜜淨薩婆若道畢竟空不
亂不味故舍利弗有菩薩摩訶薩行般若波

弗有菩薩摩訶薩行般若波羅蜜時住檀波
羅蜜淨薩婆若道畢竟空不生慳心故舍利
弗有菩薩摩訶薩行般若波羅蜜時住尸波
羅蜜淨薩婆若道畢竟空罪不罪不著故舍
利弗有菩薩摩訶薩行般若波羅蜜時住羼
提波羅蜜淨薩婆若道畢竟空不瞋故舍利
弗有菩薩摩訶薩行般若波羅蜜時住毗
梨耶波羅蜜淨薩婆若道畢竟空身心精進
不懈息故舍利弗有菩薩摩訶薩行般若波
羅蜜時住禪波羅蜜淨薩婆若道畢竟空不
亂不味故舍利弗有菩薩摩訶薩行般若波
羅蜜時住般若波羅蜜淨薩婆若道畢竟空
不生癡心故如是舍利弗菩薩摩訶薩行般
若波羅蜜時住六波羅蜜淨薩婆若道畢竟
空故不來不去故不施不受故非戒非犯故
非忍非瞋故不進不怠故不定不亂故不智
不愚故尒時菩薩摩訶薩不分別布施不布
施持戒犯戒忍辱瞋恚精進懈怠定心亂心
智慧愚癡不分別毀害輕慢恭敬何以故舍
利弗无生法中无有受毀者无有受害者无
有受輕慢恭敬者舍利弗菩薩摩訶薩行般
若波羅蜜得如是諸功德聲聞辟支佛所无
有得是功德具足成就報生淨佛國土得一
切種智復次舍利弗菩薩摩訶薩行般若波
羅蜜時一切衆生中生等心一切衆生中生
等心已得一切諸法等一切諸法等已立一
切衆生於諸法等中是菩薩摩訶薩現世爲
十方諸佛所念亦爲一切菩薩一切聲聞辟

BD01278號　摩訶般若波羅蜜經卷二

(26–13)

等心已得一切諸法等一切諸法等已立一
切衆生於諸法等中是菩薩摩訶薩現世爲
十方諸佛所念亦爲一切菩薩一切聲聞辟
支佛所念是菩薩在所生處眼終不見不愛
色乃至意不覺不愛法如是舍利弗菩薩摩
訶薩行般若波羅蜜不減於阿耨多羅三藐
三菩提說是般若波羅蜜品時三百比丘從
座起以所著衣上佛發阿耨多羅三藐三菩
提心佛尒時微咲種種色光從口中出尒時
慧命阿難從座起整衣服合掌右膝著地白
佛言佛何因緣微咲佛告阿難是三百比丘
從是已後六十一劫當作佛皆号名大相是
三百比丘捨此身當生阿閦佛國及六万欲
天子皆發阿耨多羅三藐三菩提心於弥勒
佛法中出家行佛道是時佛之威神故此閒
四部衆見十方面各千佛是十方國土嚴淨
此娑婆國土所不及尒時十千人作願我等
脩淨願行脩淨願行故當生彼佛世界佛尒
時知是善男子深心而復微咲種種光從口
中出阿難整衣服合掌白佛佛何因緣微咲
佛告阿難汝見是十千人不阿難言見佛言
是十千人於此壽終當生彼世界終不離諸
佛後當作佛皆号莊嚴王佛
摩訶般若波羅蜜經无等品第五
尒時慧命舍利弗慧命目揵連慧命須菩提
慧命摩訶迦葉如是等諸多知識比丘及諸
菩薩摩訶薩諸優婆塞優婆夷從座起合掌
白佛言世尊摩訶波羅蜜是菩薩摩訶薩般
若波羅蜜尊波羅蜜第一波羅蜜勝波羅蜜

BD01278號　摩訶般若波羅蜜經卷二

(26–14)

尒時慧命舍利弗慧命目揵連慧命須菩提
慧命摩訶迦葉如是等諸多知識比丘及諸
菩薩摩訶薩諸優婆塞優婆夷從座起合掌
白佛言世尊摩訶波羅蜜是菩薩摩訶薩般
若波羅蜜尊波羅蜜第一波羅蜜勝波羅蜜
妙波羅蜜无上波羅蜜无等波羅蜜无等等
波羅蜜如虛空波羅蜜是菩薩摩訶薩般若
波羅蜜世尊自相空波羅蜜是菩薩摩訶薩
般若波羅蜜世尊自性空波羅蜜是菩薩摩
訶薩般若波羅蜜諸法空波羅蜜无法有法
空波羅蜜開一切功德波羅蜜成就一切功
德波羅蜜不可壞波羅蜜是諸菩薩摩訶薩
般若波羅蜜諸菩薩摩訶薩行是般若波羅
蜜无等等布施具足无等等檀波羅蜜得无
等等身得无等等法所謂阿耨多羅三藐三
菩提尸羅波羅蜜羼提波羅蜜毗梨耶波羅
蜜禪波羅蜜般若波羅蜜亦如是世尊本亦
復行此般若波羅蜜具足无等等六波羅蜜
得无等等法得无等等色无等等受想行識
佛轉无等等法輪過去佛亦如是行此般若
波羅蜜具足无等等布施乃至无等等法
輪未來世佛亦行此般若波羅蜜當作无等
等布施乃至當轉无等等法輪以是故世尊
菩薩摩訶薩欲度一切法彼岸當習行般若
波羅蜜世尊是行般若波羅蜜菩薩摩訶薩
一切世間天及人阿脩羅應當礼敬供養佛
告衆弟子及諸菩薩摩訶薩如是如是諸善
男子行般若波羅蜜者一切世間天及人阿

BD01278號　摩訶般若波羅蜜經卷二　（26–15）

一切世間天及人阿脩羅應當礼敬供養佛
告衆弟子及諸菩薩摩訶薩如是如是諸善
男子行般若波羅蜜者一切世間天及人阿
脩羅應當作礼恭敬供養何以故因菩薩
來故出生人道天道剎利大姓婆羅門大姓
居士大家轉輪聖王四天王天乃至阿迦尼
吒天出生須陁洹乃至阿羅漢辟支佛諸佛
因菩薩來故世間便有飲食衣服臥具房舍
燈燭摩尼真珠毗琉璃珊瑚金銀等諸寶物
生舍利弗世間所有樂具若人中若天上若
離欲樂是一切樂具皆由菩薩有何以故舍
利弗菩薩摩訶薩行菩薩道時住六波羅蜜
自行布施亦以布施成就衆生乃至自行般
若波羅蜜亦以般若波羅蜜成就衆生舍利
弗是故菩薩摩訶薩爲安樂一切衆生故出
現於世

摩訶般若波羅蜜經舌相品第六

尒時世尊出舌相遍覆三千大千世界從其
舌相出无數无量色光明普照十方如恒河
沙等諸佛世界是時東方如恒河沙等世界
中无量无數諸菩薩見是大光明各各白其
佛言世尊是誰力故有是大光明普照諸世
界諸佛告諸菩薩言諸善男子西方有世界
名娑婆是中有佛名釋迦文尼是其舌相出
大光明普照東方如恒河沙等諸佛世界南
西北方四維上下亦復如是爲諸菩薩摩訶
薩說般若波羅蜜故是時諸菩薩各白其佛
言我欲往供養釋迦文尼佛及諸菩薩摩訶

BD01278號　摩訶般若波羅蜜經卷二　（26–16）

西北方四維上下亦復如是爲諸菩薩摩訶
薩說般若波羅蜜故是時諸菩薩各白其佛
言我欲往供養釋迦文尼佛及諸菩薩摩訶
薩并欲聽般若波羅蜜諸佛告諸菩薩善男
子汝自知時是時諸菩薩摩訶薩持諸供養
具无量華蓋幢幡瓔珞衆香金銀寶華向娑
婆世界詣釋迦文尼佛所尒時四天王諸天
乃至阿迦尼吒諸天各持天上天香末香
塗香天樹香葉香天種種蓮華青紅赤白向釋
迦文尼佛所是諸菩薩摩訶薩及諸天所散
諸華於三千大千世界虛空中化成四柱寶
臺種種異色莊嚴分明是時釋迦文尼佛衆
中有十万億人皆從座起合掌白佛言世尊
我等於未來世中亦當得如是法如今釋迦
文尼佛弟子侍從大衆說法亦尒是時佛知
善男子至心於一切諸法不生不滅不出不
作得是法忍佛便微咲種種色光從口中出
阿難白佛言世尊何因緣故微咲佛告阿難
是衆中十万億人於諸法中得无生忍是諸
人於未來世過六十八億劫當作佛劫名華
積佛皆号覺華
摩訶般若波羅蜜經名字品第七
尒時佛告慧命須菩提汝當敎諸菩薩摩訶
薩般若波羅蜜如諸菩薩摩訶薩所應成就
般若波羅蜜即時諸菩薩摩訶薩及聲聞大
弟子諸天等作是念慧命須菩提自以智慧
力當爲諸菩薩摩訶薩說般若波羅蜜耶爲
是佛力慧命須菩提知諸菩薩摩訶薩大弟

BD01278號　摩訶般若波羅蜜經卷二　（26–17）

弟子諸天等作是念慧命須菩提自以智慧
力當爲諸菩薩摩訶薩說般若波羅蜜耶爲
是佛力慧命須菩提知諸菩薩摩訶薩大弟
子諸天心所念語慧命舍利弗敢佛弟子所
說法所敎授皆是佛力佛所說法法相不相
違背是善男子學是法得證此法佛說如燈
舍利弗一切聲聞辟支佛實无力能爲菩薩
摩訶薩說般若波羅蜜尒時慧命須菩提白
佛言世尊所說菩薩菩薩何等法名菩薩世
尊我等不見是法名菩薩云何敎菩薩般若
波羅蜜佛告須菩提般若波羅蜜亦但有名
字名爲般若波羅蜜菩薩菩薩字亦但有名
字是名字不在內不在外不在中間須菩提
譬如說我名和合故有是我名不生不滅但
以世間名字故說如衆生壽命生者養育衆
數人作者使作者起者使起者受者使受者
知者見者等和合法故有是諸名不生不滅
但以世間名字故說般若波羅蜜菩薩菩薩
字亦如是皆和合故有是亦不生不滅但以
世間名字故說須菩提譬如身和合故有是
亦不生不滅但以世間名字故說須菩提譬
如色受想行識亦和合故有是亦不生不滅
但以世間名字故說須菩提般若波羅蜜菩
薩菩薩字亦如是皆是和合故有是亦不生
不滅但以世間名字故說須菩提譬如眼和
合故有是亦不生不滅但以世間名字故說
是眼不在內不在外不在中間耳鼻舌身意
和合故有是亦不生不滅但以世間名字故

BD01278號　摩訶般若波羅蜜經卷二　（26–18）

是眼不在內不在外不在中間耳鼻舌身意
和合故有是亦不生不滅但以世間名字故
說色乃至法亦如是眼界和合故有是亦不
生不滅但以世間名字故說乃至意識界亦
如是須菩提般若波羅蜜菩薩菩薩字亦如
是皆和合故有是亦不生不滅但以名字故
說是名字不在內不在外不在中間須菩提
譬如內身名為頭但有名字項肩臂脊肋膝
膞腨是和合故有是法及名字亦不生不滅
但以名字故說是名字亦不在內亦不在外
不在中間須菩提般若波羅蜜菩薩菩薩字
亦如是皆和合故有但以名字故說是亦不
生不滅不在內不在外不在中間須菩提譬
如外物草木枝葉莖節是一切但以名字故
說是法及名字亦不生不滅非內非外非中
間住須菩提般若波羅蜜菩薩菩薩字亦如
是皆和合故有是法及名字亦不生不滅非
內非外非中間住須菩提譬如過去諸佛名
和合故有是亦不生不滅但以名字故說是
亦非內非外非中間住般若波羅蜜菩薩菩
薩字亦如是須菩提譬如夢響影幻焰佛所
化皆是和合故有但以名字說是法及名字
不生不滅非內非外非中間住般若波羅蜜
菩薩菩薩字亦如是如是須菩提菩薩摩訶
薩行般若波羅蜜名假施設受假施設法假
施設如是應當學復次須菩提菩薩摩訶薩
行般若波羅蜜時不見色名字是常不見受
想行識名字是常不見色名字无常不見受

BD01278號　摩訶般若波羅蜜經卷二　（26–19）

施設如是應當學復次須菩提菩薩摩訶薩
行般若波羅蜜時不見色名字是常不見受
想行識名字是常不見色名字无常不見受
想行識名字无常不見色名字樂不見色名
字苦不見色名字我不見色名字无我不見
色名字空不見色名字无相不見色名字无
作不見色名字寂滅不見色名字垢不見色
名字淨不見色名字生不見色名字滅不見
色名字內不見色名字外不見色名字中間
住受想行識亦如是眼色眼識眼觸眼觸因
緣生諸受乃至意法意識意觸意觸因緣生
諸受亦如是何以故菩薩摩訶薩行般若波
羅蜜般若波羅蜜字菩薩菩薩字有為性中
亦不見无為性中亦不見菩薩摩訶薩行般
若波羅蜜是法皆不作分別是菩薩行般若
波羅蜜任不壞法中脩四念處時不見般若
波羅蜜不見般若波羅蜜字不見菩薩不見
菩薩字乃至脩十八不共法時不見般若波
羅蜜不見般若波羅蜜字不見菩薩不見菩薩
字菩薩摩訶薩如是行般若波羅蜜時但
知諸法實相諸法實相者无垢无淨如是須
菩提菩薩摩訶薩行般若波羅蜜時當作是
知名字假施設知假名字已不著色不著受
想行識不著眼乃至意不著色乃至法不著
眼識乃至不著意識不著眼觸乃至不著意
觸不著眼觸因緣生受若苦若樂若不苦不
樂乃至不著意觸因緣生受若苦若樂若不
苦不樂不著有為性不著无為性不著檀波
羅蜜尸羅波羅蜜羼提波羅蜜毗梨耶波羅

BD01278號　摩訶般若波羅蜜經卷二　（26–20）

觸不著眼觸因緣生受若苦若樂若不苦不
樂乃至不著意觸因緣生受若苦若樂若不
苦不樂不著有為性不著无為性不著檀波
羅蜜尸羅波羅蜜羼提波羅蜜毗梨耶波羅
蜜禪波羅蜜般若波羅蜜不著卅二相不著
菩薩身不著菩薩宍眼乃至不著佛眼不著
智波羅蜜不著神通波羅蜜不著內空乃至
不著无法有法空不著成就衆生不著淨佛
國土不著方便法何以故是諸法无著者无
著法无著處皆无故如是須菩提菩薩摩訶
薩行般若波羅蜜時不著一切法便增益檀
波羅蜜尸羅波羅蜜羼提波羅蜜毗梨耶波
羅蜜禪波羅蜜般若波羅蜜入菩薩位得阿
惟越致地具足菩薩神通遊一佛國至一佛
國成就衆生恭敬尊重讚嘆諸佛為淨佛國
土為見諸佛供養供養之具善根成就故隨
意悉得〻聞諸佛所說法聞已乃至阿耨多
羅三藐三菩提終不忘得諸陁羅尼門諸三
昧門如是須菩提菩薩摩訶薩行般若波羅
蜜時當知諸法名假施設須菩提於汝意云
何色是菩薩不受想行識是菩薩不不也世
尊眼耳鼻舌身意是菩薩不不也世尊色聲
香味觸法是菩薩不不也世尊眼識乃至意
識是菩薩不不也世尊須菩提於汝意云何
地種是菩薩不不也世尊水火風空識種是
菩薩不不也世尊於須菩提意云何无明是
菩薩不不也世尊乃至老死是菩薩不不也
世尊於須菩提意云何離色乃至離老死是
菩薩不不也世尊須菩提[illegible]何色如

地種是菩薩不不也世尊水火風空識種是
菩薩不不也世尊於須菩提意云何无明是
菩薩不不也世尊乃至老死是菩薩不不也
世尊於須菩提意云何離色乃至離老死是
菩薩不不也世尊須菩提於汝意云何色如
相是菩薩不不也世尊乃至老死如相是菩
薩不不也世尊離色如相乃至離老死如相
是菩薩不不也世尊佛告須菩提汝觀何等
義言色非菩薩乃至老死非菩薩離色非菩
薩乃至離老死非菩薩色如相非菩薩乃至
老死如相非菩薩離色如相非菩薩乃至離
老死如相非菩薩須菩提言世尊衆生畢竟
不可得何況當是菩薩色不可得何況色離
色色如離色如是菩薩乃至老死不可得何
況老死離老死老死如離老死如是菩薩佛
告須菩提善哉善哉如是須菩提菩薩摩訶
薩衆生不可得故般若波羅蜜〻不可得當
作是學於須菩提意云何色是菩薩義不不
也世尊受想行識是菩薩義不不也世尊於
須菩提意云何色常是菩薩義不不也世尊
受想行識常是菩薩義不不也世尊色无常
是菩薩義不不也世尊受想行識无常是菩
薩義不不也世尊色樂是菩薩義不不也世
尊受想行識樂是菩薩義不不也世尊色苦
是菩薩義不不也世尊受想行識苦是菩薩
義不不也世尊色我是菩薩義不不也世尊
受想行識我是菩薩義不不也世尊色非我
是菩薩義不不也世尊受想行識非我是菩
薩義不不也世尊於須菩提意云何色空是

是菩薩義不不也世尊受想行識常是菩
薩義不不也世尊色樂是菩薩義不不也世尊色苦
尊受想行識樂是菩薩義不不也世尊受想行識苦是菩薩
義不不也世尊色我是菩薩義不不也世尊
受想行識我是菩薩義不不也世尊色非我
是菩薩義不不也世尊受想行識非我是菩
薩義不不也世尊於須菩提意云何色空是
菩薩義不不也世尊受想行識空是菩薩義
不不也世尊色非空是菩薩義不不也世尊
受想行識非空是菩薩義不不也世尊色相
是菩薩義不不也世尊受想行識相是菩薩
義不不也世尊色无相是菩薩義不不也世
尊受想行識无相是菩薩義不不也世尊色
作是菩薩義不不也世尊受想行識作是菩
薩義不不也世尊色无作是菩薩義不不也
世尊受想行識无作是菩薩義不不也世尊
乃至老死之如是佛告須菩提汝觀何等義
言色非菩薩義受想行識非菩薩義乃至色
受想行識无作非菩薩義乃至老死之如是
須菩提白佛言世尊色畢竟不可得何況色
是菩薩義受想行識之如是世尊色常畢竟
不可得何況色无常是菩薩義乃至識之如
是世尊色樂畢竟不可得何況色苦是菩薩
義乃至識之如是世尊色我畢竟不可得何
況色非我是菩薩義乃至識之如是世尊色
有畢竟不可得何況色空是菩薩義乃至識
之如是世尊色相畢竟不可得何況色无相
是菩薩義乃至識之如是世尊色作畢竟不

BD01278號　摩訶般若波羅蜜經卷二　（26–23）

況色非我是菩薩義乃至識之如是世尊色
有畢竟不可得何況色空是菩薩義乃至識
之如是世尊色相畢竟不可得何況色无相
是菩薩義乃至識之如是世尊色作畢竟不
可得何況色无作是菩薩義乃至識之如是佛
告須菩提善哉善哉如是須菩提菩薩摩
訶薩行般若波羅蜜色義不可得受想行識
義不可得乃至无作義不可得當作是學般
若波羅蜜須菩提汝言我不見是法名菩薩
須菩提諸法不見諸法諸法不見法性法性
不見諸法法性不見地種地種不見法性乃
至識種不見法性法性不見識種法性不見
眼色眼識性眼色眼識性不見法性乃至法
性不見意法意識性意法意識性不見法性
須菩提有為性不見无為性无為性不見有
為性何以故離有為不可說无為離无為不
可說有為如是須菩提菩薩摩訶薩行般若
波羅蜜於諸法无所見是時不驚不畏不怖
心之不沒不悔何以故是菩薩摩訶薩不見
色受想行識故不見眼乃至意不見色乃至
法不見婬怒癡不見无明乃至老死不見我
乃至知者見者不見欲界色界无色界不見
聲聞心辟支佛心不見菩薩不見菩薩法不
見佛不見佛法不見佛道是菩薩一切法不
見故不驚不畏不怖不沒不悔須菩提白佛
言世尊何因緣故是菩薩心不沒不悔佛告
須菩提菩薩摩訶薩一切心心數法不可得
不可見以是故菩薩摩訶薩心不沒不悔世
尊云何菩薩心不驚不畏不怖佛告須菩提

BD01278號　摩訶般若波羅蜜經卷二　（26–24）

是故不驚不畏不怖不沒不悔須菩提白佛
言世尊何因緣故是菩薩心不沒不悔佛告
須菩提菩薩摩訶薩一切心心數法不可得
不可見以是故菩薩摩訶薩心不沒不悔世
尊云何菩薩心不驚不畏不怖佛告須菩提
是菩薩意及意界不可得不可見以是故不
驚不畏不怖如是須菩提菩薩摩訶薩一切
法不可得故應行般若波羅蜜須菩提菩薩
摩訶薩一切行處不得般若波羅蜜不得菩
薩不得菩薩名亦不得菩薩心即是教菩薩

摩訶薩

摩訶般若波羅蜜經卷第二 往生品 舌相品 无等品 名字品

摩訶薩

摩訶般若波羅蜜經卷第二 往生品 舌相品 无等品 名字品

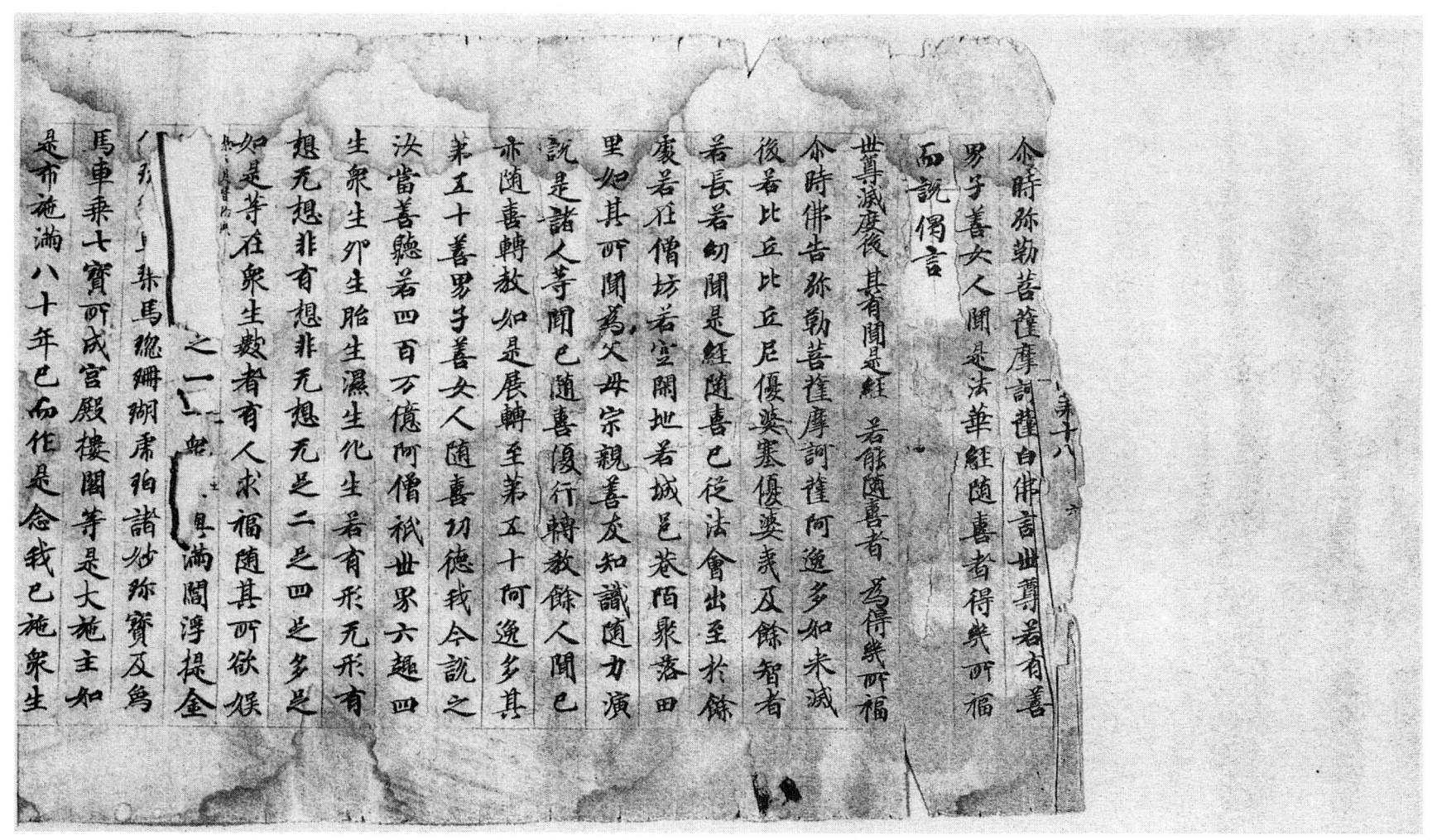

弟十八

尒時弥勒菩薩摩訶薩白佛言世尊若有善
男子善女人聞是法華經隨喜者得幾所福
而說偈言
世尊滅度後 其有聞是經 若能隨喜者 為得幾所福
尒時佛告弥勒菩薩摩訶薩阿逸多如來滅
後若比丘比丘尼優婆塞優婆夷及餘智者
若長若幼聞是經隨喜已從法會出至於餘
處若在僧坊若空閑地若城邑巷陌聚落田
里如其所聞為父母宗親善友知識隨力演
說是諸人等聞已隨喜復行轉教餘人聞已
亦隨喜轉教如是展轉至第五十阿逸多其
第五十善男子善女人隨喜功德我今說之
汝當善聽若四百万億阿僧祇世界六趣四
生衆生卵生胎生濕生化生若有形无形有
想无想非有想非无想无足二足四足多足
如是等在衆生數者有人求福隨其所欲娛
之一一衆生與滿閻浮提金
[illegible]車璖馬瑙珊瑚虎珀諸妙珍寶及為
馬車乘七寶所成宮殿樓閣等是大施主如
是布施滿八十年已而作是念我已施衆生

BD01279 號　妙法蓮華經卷六　　（27–1）

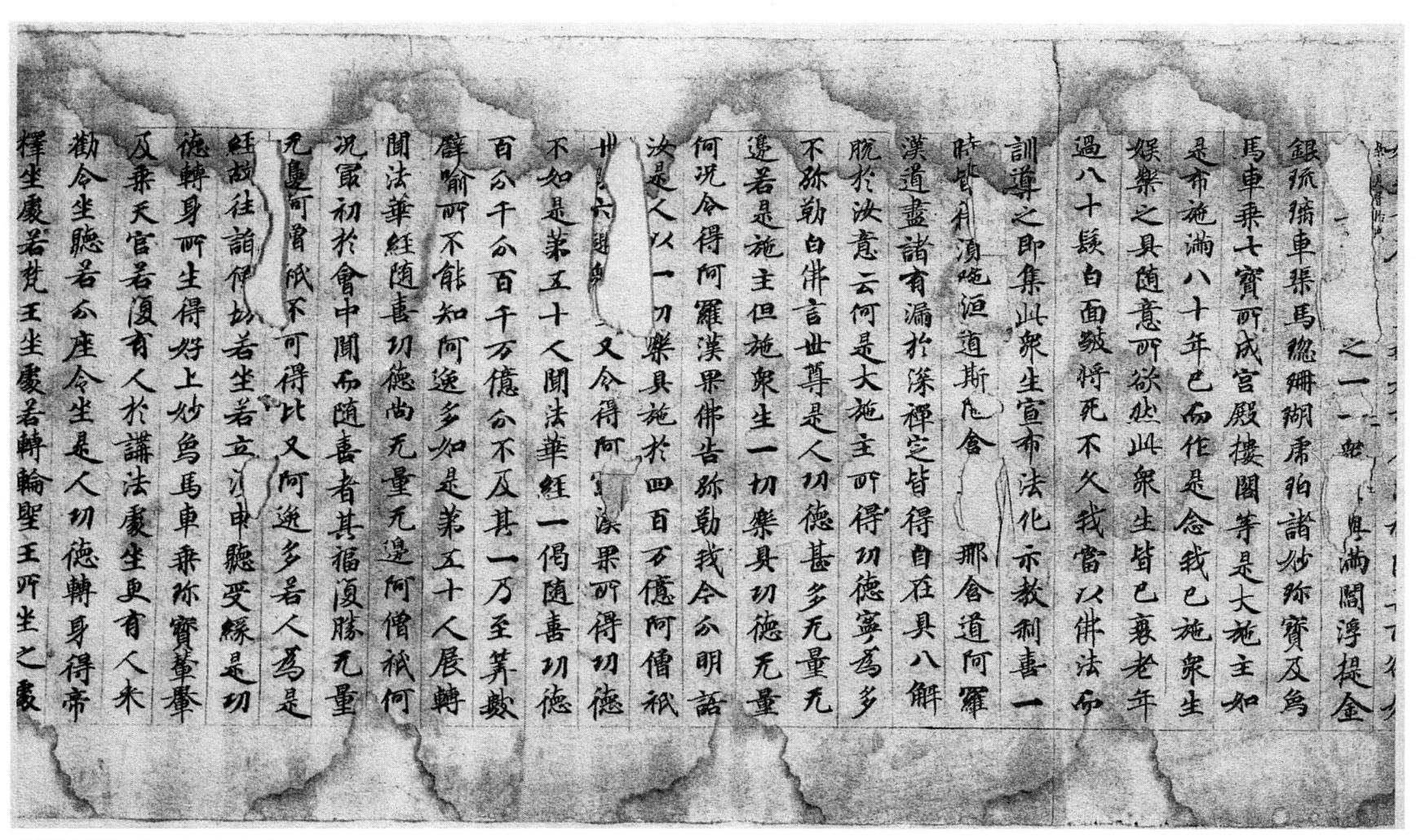

之一一衆生與滿閻浮提金
銀瑠璃車璖馬瑙珊瑚虎珀諸妙珍寶及為
馬車乘七寶所成宮殿樓閣等是大施主如
是布施滿八十年已而作是念我已施衆生
娛樂之具隨意所欲然此衆生皆已衰老年
過八十髮白面皺將死不久我當以佛法而
訓導之即集此衆生宣布法化示教利喜一
時皆得須陁洹道斯陁含道阿那含道阿羅
漢道盡諸有漏於深禪定皆得自在具八解
脫於汝意云何是大施主所得功德寧為多
不弥勒白佛言世尊是人功德甚多无量无
邊若是施主但施衆生一切樂具功德无量
何況令得阿羅漢果佛告弥勒我今分明語
汝是人以一切樂具施於四百万億阿僧祇
世界六趣衆生又令得阿羅漢果所得功德
不如是第五十人聞法華經一偈隨喜功德
百分千分百千万億分不及其一乃至筭數
譬喻所不能知阿逸多如是第五十人展轉
聞法華經隨喜功德尚无量无邊阿僧祇何
況最初於會中聞而隨喜者其福復勝无量
无邊阿僧祇不可得比又阿逸多若人為是
經故往詣僧坊若坐若立須臾聽受緣是功
德轉身所生得好上妙象馬車乘珍寶輦轝
及乘天宮若復有人於講法處坐更有人來
勸令坐聽若分座令坐是人功德轉身得帝
釋坐處若梵王坐處若轉輪聖王所坐之處

BD01279 號　妙法蓮華經卷六　　（27–2）

德轉身所生得好上妙象馬車乘珍寶輦
輿及乘天宮若復有人於講法處坐更有人來
勸令坐聽若分座令坐是人功德轉身得帝
釋坐處若梵王坐處若轉輪聖王所坐之處
阿逸多若復有人語餘人言有經名法華可
共往聽 即受其教乃至須臾間聞是人功德
轉身得與陀羅尼菩薩共生一處利根智慧
百千万世終不瘖瘂口氣不臭舌常无病口
亦无病齒不垢黑不黃不踈亦不缺落亦不
差曲脣不下垂亦不褰縮不麁澁不瘡胗亦不
缺壞亦不咼斜不厚不大亦不黧黑无諸可
惡鼻不匾㔸亦不曲戾面色不黑亦不狹長
亦不窊曲无有一切不可喜相脣舌牙齒悉
皆嚴好鼻脩高直面貌圓滿眉高而長額廣
平正人相具足世世所生見佛聞法信受教
誨阿逸多汝且觀是勸於一人令往聽法功
德如此何況一心聽說讀誦而於大衆為人
分別如說脩行尒時世尊欲重宣此義而說
偈言
若人於法會 得聞是經典 乃至於一偈 隨喜為他說
如是展轉教 至于第五十 最後人獲福 今當分別之
如有大施主 供給无量衆 具滿八十歲 隨意之所欲
見彼衰老相 髮白而面皺 齒踈形枯竭 念其死不久
我今應當教 令得於道果 即為方便說 涅槃真實法
世皆不牢固 如水沫泡焰 汝等咸應當 疾生猒離心
諸人聞是法 皆得阿羅漢 具足六神通 三明八解脫

BD01279號　妙法蓮華經卷六　（27–3）

我今應當教 令得於道果 即為方便說 涅槃真實法
世皆不牢固 如水沫泡焰 汝等咸應當 疾生猒離心
諸人聞是法 皆得阿羅漢 具足六神通 三明八解脫
最後第五十 聞一偈隨喜 是人福勝彼 不可為譬喻
如是展轉聞 其福尚无量 何況於法會 初聞隨喜者
若有勸一人 將引聽法華 言此經深妙 千万劫難遇
即受教往聽 乃至須臾聞 斯人之福報 今當分別說
世世無口患 齒不踈黃黑 脣不厚褰缺 无有可惡相
舌不乾黑短 鼻高脩且直 額廣而平正 面目悉端嚴
為人所憙見 口氣无臭穢 優鉢華之香 常從其口出
若故詣僧坊 欲聽法華經 須臾聞歡喜 今當說其福
後生天人中 得妙象馬車 珍寶之輦輿 及乘天宮殿
若於講法處 勸人坐聽經 是福因緣得 釋梵轉輪座
何況一心聽 解說其義趣 如說而脩行 其福不可限

妙法蓮華經法師功德品第十九

尒時佛告常精進菩薩摩訶薩若善男子善
女人受持是法華經若讀若誦若解說若書
寫是人當得八百眼功德千二百耳功德八
百鼻功德千二百舌功德八百身功德千二
百意功德以是功德莊嚴六根皆令清淨是
善男子善女人父母所生清淨肉眼見於三
千大千世界內外所有山林河海下至阿鼻
地獄上至有頂亦見其中一切衆生及業因
緣果報生處悉見悉知尒時世尊欲重宣此
義而說偈言
若於大衆中 以无所畏心 說是法華經 汝聽其功德

BD01279號　妙法蓮華經卷六　（27–4）

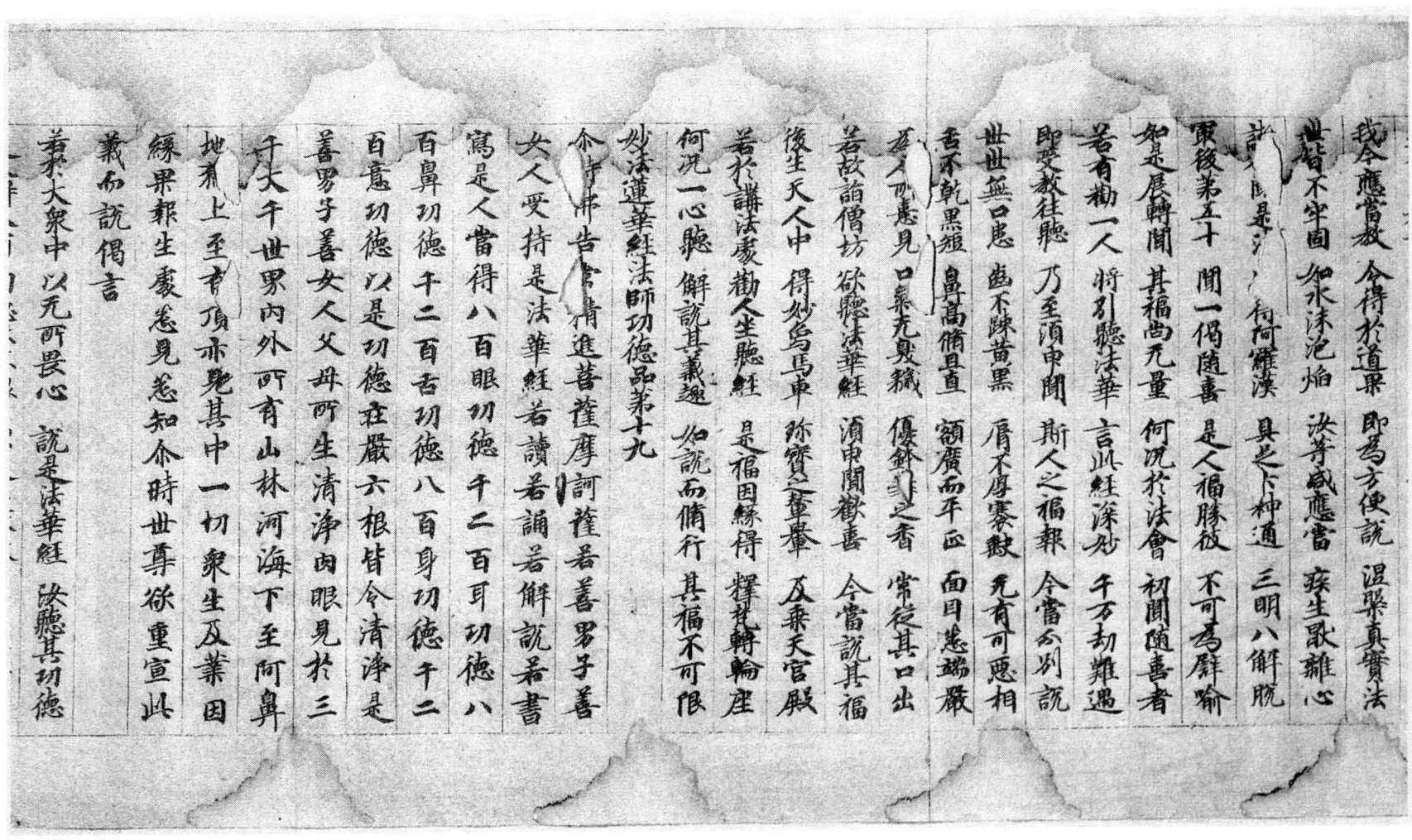

緣果報生處悉見悉知尒時世尊欲重宣此
義而說偈言
若於大衆中　以无所畏心　說是法華經　汝聽其功德
是人得八百　功德殊勝眼　以是莊嚴故　其目甚清淨
父母所生眼　悉見三千界　內外弥樓山　須弥及鐵圍
并諸餘山林　大海江河水　下至阿鼻獄　上至有頂處
其中諸衆生　一切皆悉見　雖未得天眼　肉眼力如是
復次常精進若善男子善女人受持此經若
讀若誦若解說若書寫得千二百耳功德以
是清淨耳聞三千大千世界下至阿鼻地獄
上至有頂其中內外種種語言音聲象聲馬
聲牛聲車聲啼哭聲愁歎聲螺聲鼓聲鍾聲鈴
聲笑聲語聲男聲女聲童子聲童女聲法聲
非法聲苦聲樂聲凡夫聲聖人聲喜聲不喜
聲天聲龍聲夜叉聲乾闥婆聲阿脩羅聲迦
樓羅聲緊那羅聲摩睺羅伽聲火聲水聲風
聲地獄聲畜生聲餓鬼聲比丘聲比丘尼聲
聲聞聲辟支佛聲菩薩聲佛聲以要言之三
千大千世界中一切內外所有諸聲雖未得
天耳以父母所生清淨常耳皆悉聞知如是
分別種種音聲而不壞耳根尒時世尊欲重
宣此義而說偈言
父母所生耳　清淨无濁穢　以此常耳聞　三千世界聲
象馬車牛聲　鍾鈴螺鼓聲　琴瑟箜篌聲　簫笛之音聲
清淨好歌聲　聽之而不著　无數種人聲　聞悉能解了
又聞諸天聲　微妙之歌音　及聞男女聲　童男童女聲
山川嶮谷中　迦陵頻伽聲　命命等諸鳥　悉聞其音聲

BD01279號　妙法蓮華經卷六　（27–5）

清淨好歌聲　聽之而不著　无數種人聲　聞悉能解了
又聞諸天聲　微妙之歌音　及聞男女聲　童男童女聲
山川嶮谷中　迦陵頻伽聲　命命等諸鳥　悉聞其音聲
地獄衆苦痛　種種楚毒聲　餓鬼飢渴逼　求索飲食聲
諸阿脩羅等　居在大海邊　自共語言時　出于大音聲
如是說法者　安住於此間　遙聞是衆聲　而不壞耳根
十方世界中　禽獸鳴相呼　其說法之人　於此悉聞之
其諸梵天上　光音及遍淨　乃至有頂天　言語之音聲
法師住於此　悉皆得聞之　一切比丘衆　及諸比丘尼
若讀誦經典　若為他人說　法師住於此　悉皆得聞之
復有諸菩薩　讀誦於經法　若為他人說　撰集解其義
如是諸音聲　悉皆得聞之　諸佛大聖尊　教化衆生者
於諸大衆中　演說微妙法　持此法華者　悉皆得聞之
三千大千界　內外諸音聲　下至阿鼻獄　上至有頂天
皆聞其音聲　而不壞耳根　其耳聰利故　悉能分別知
持是法華者　雖未得天耳　但用所生耳　功德已如是
復次常精進若善男子善女人受持是經若
讀若誦若解說若書寫成就八百鼻功德以
是清淨鼻根聞於三千大千世界上下內外
種種諸香須曼那華香闍提華香末利華香
瞻蔔華香波羅羅華香赤蓮華香青蓮華香
白蓮華香華樹香菓樹香栴檀香沉水香多
摩羅跋香多伽羅香及千万種和香若末若
丸若塗香持是經者於此間住悉能分別又
復別知衆生之香象香馬香牛羊等香男香
女香童子香童女香及草木叢林香若近若
遠所有諸香悉皆得聞分別不錯持是經者

BD01279號　妙法蓮華經卷六　（27–6）

復別知衆生之香 象香馬香牛羊等香男香
女香童子香童女香及草木叢林香 若近若
遠所有諸香悉皆得聞分別不錯 持是經者
雖住於此亦聞天上諸天之香 波利質多羅
拘鞞陀羅樹香及曼陀羅華香 摩訶曼陀羅
華香曼殊沙華香摩訶曼殊沙華香栴檀沉
水種種末香諸雜華香 如是等天香和合所
出之香无不聞知 又聞諸天身香釋提桓因
在勝殿上五欲娛樂嬉戲時香 若在妙法堂
上為忉利諸天說法時香 若於諸園遊戲時
香及餘天等男女身香皆悉遙聞 如是展轉
乃至梵世上至有頂諸天身香亦皆聞之 并
聞諸天所燒之香 及聲聞香辟支佛香菩薩
香諸佛身香亦皆遙聞知其所在 雖聞此香
然於鼻根不壞不錯 若欲分別為他人說憶
念不謬 尒時世尊欲重宣此義而說偈言
是人鼻清淨 於此世界中 若香若臭物 種種悉聞知
須曼那闍提 多摩羅栴檀 沉水及桂香 種種華菓香
及知衆生香 男子女人香 說法者遠住 聞香知所在
大勢轉輪王 小輪轉及子 群臣諸宮人 聞香知所在
身所著珍寶 及地中寶藏 轉輪王寶女 聞香知所在
諸人嚴身具 衣服及瓔珞 種種所塗香 聞香知其身
諸天若行坐 遊戲及神變 持是法華者 聞香悉能知
諸樹華菓實 及蘇油香氣 持經者住此 悉知其所在
諸山深嶮處 栴檀樹華敷 衆生在中者 聞香皆能知
鐵圍山大海 地中諸衆生 持經者聞香 悉知其所在

BD01279號　妙法蓮華經卷六　(27–7)

諸樹華菓實 及蘇油香氣 持經者住此 悉知其所在
諸山深嶮處 栴檀樹華敷 衆生在中者 聞香皆能知
鐵圍山大海 地中諸衆生 持經者聞香 悉知其所在
阿脩羅男女 及其諸眷屬 鬪諍遊戲時 聞香皆能知
曠野險隘處 師子象虎狼 野牛水牛等 聞香知所在
若有懷妊者 未辯其男女 无根及非人 聞香悉能知
以聞香力故 知其初懷妊 成就不成就 安樂産福子
以聞香力故 知男女所念 染欲癡恚心 亦知脩善者
地中衆伏藏 金銀諸珍寶 銅器之所盛 聞香悉能知
種種諸瓔珞 无能識其價 聞香知貴賤 出處及所在
天上諸華等 曼陀曼殊沙 波利質多樹 聞香悉能知
天上諸宮殿 上中下差別 衆寶華莊嚴 聞香悉能知
天園林勝殿 諸觀妙法堂 在中而娛樂 聞香悉能知
諸天若聽法 或受五欲時 來往行坐卧 聞香悉能知
天女所著衣 好華香莊嚴 周旋遊戲時 聞香悉能知
如是展轉上 乃至於梵世 入禪出禪者 聞香悉能知
光音遍淨天 乃至于有頂 初生及退沒 聞香悉能知
諸比丘衆等 於法常精進 若坐若經行 及讀誦經法
或在林樹下 專精而坐禪 持經者聞香 悉知其所在
菩薩志堅固 坐禪若讀經 或為人說法 聞香悉能知
在在方世尊 一切所恭敬 愍衆而說法 聞香悉能知
衆生在佛前 聞經皆歡喜 如法而脩行 聞香悉能知
雖未得菩薩 无漏法生鼻 而是持經者 先得此鼻相
復次常精進 若善男子善女人 受持是經 若
讀若誦若解說若書寫 得千二百舌功德 若
好若醜若美不美及諸苦澁物 在其舌根 皆

BD01279號　妙法蓮華經卷六　(27–8)

復次常精進若善男子善女人受持是經若
讀若誦若解說若書寫得千二百舌功德若
好若醜若美不美及諸苦澁物在其舌根皆
變成上味如天甘露无不美者若以舌根於
大衆中有所演說出深妙聲能入其心皆令
歡喜快樂又諸天子天女釋梵諸天聞是深
妙音聲有所演說言論次第皆悉來聽及諸
龍龍女夜叉夜叉女乾闥婆乾闥婆女阿脩
羅阿脩羅女迦樓羅迦樓羅女緊那羅緊那羅
女摩睺羅伽摩睺羅伽女為聽法故皆來親
近恭敬供養及比丘比丘尼優婆塞優婆夷
國王王子群臣眷屬小轉輪王大轉輪王七
寶千子內外眷屬乘其宮殿俱來聽法以是
菩薩善說法故婆羅門居士國內人民盡其
形壽隨侍供養又諸聲聞辟支佛菩薩諸佛
常樂見之是人所在方面諸佛皆向其處說
法悉能受持一切佛法又能出於深妙法音
尒時世尊欲重宣此義而說偈言
是人舌根淨　終不受惡味　其有所食噉　悉皆成甘露
以深淨妙音　於大衆說法　以諸因緣喻　引導衆生心
聞者皆歡喜　設諸上供養　諸天龍夜叉　及阿脩羅等
皆以恭敬心　而共來聽法　是說法之人　若欲以妙音
遍滿三千界　隨意即能至　大小轉輪王　及千子眷屬
合掌恭敬心　常來聽受法　諸天龍夜叉　羅刹毗舍闍
亦以歡喜心　常樂來供養　梵天王魔王　自在大自在

BD01279號　妙法蓮華經卷六　（27–9）

遍滿三千界　隨意即能至　大小轉輪王　及千子眷屬
合掌恭敬心　常來聽受法　諸天龍夜叉　羅刹毗舍闍
亦以歡喜心　常樂來供養　梵天王魔王　自在大自在
如是諸天衆　常來至其所　諸佛及弟子　聞其說法音
常念而守護　或時為現身
復次常精進若善男子善女人受持是經若
讀若誦若解說若書寫得八百身功德得清
淨身如淨琉璃衆生憙見其身淨故三千大
千世界衆生生時死時上下好醜生善處惡
處悉於中現及鐵圍山大鐵圍山彌樓山摩
訶彌樓山等諸山及其中衆生悉於中現下
至阿鼻地獄上至有頂所有及衆生悉於中
現若聲聞辟支佛菩薩諸佛說法皆於身中
現其色像尒時世尊欲重宣此義而說偈言
若持法華者　其身甚清淨　如彼淨琉璃　衆生皆憙見
又如淨明鏡　悉見諸色像　菩薩於淨身　皆見世所有
唯獨自明了　餘人所不見　三千世界中　一切諸群萌
天人阿脩羅　地獄鬼畜生　如是諸色像　皆於身中現
諸天等宮殿　乃至於有頂　鐵圍及彌樓　摩訶彌樓山
諸大海水等　皆於身中現　諸佛及聲聞　佛子菩薩等
若獨若在衆　說法悉皆現　雖未得无漏　法性之妙身
以清淨常體　一切於中現
復次常精進若善男子善女人如來滅後受
持是經若讀若誦若解說若書寫得千二百
意功德以是清淨意根乃至聞一偈一句通
達无量无邊之義解是義已能演說一句一

BD01279號　妙法蓮華經卷六　（27–10）

復次常精進若善男子善女人如來滅後受
持是經若讀若誦若解說若書寫得千二百
意功德以是清淨意根乃至聞一偈一句通
達无量无邊之義解是義已能演說一句一
偈至一月四月乃至一歲諸所說法隨其義
趣皆與實相不相違背若說俗間經書治世
語言資生等皆順正法三千大千世界六趣
衆生心之所行心所動作心所戲論皆悉知
之雖未得无漏智慧而其意根清淨如此是
人有所思惟籌量言說皆是佛法无不真實
亦是先佛經中所說尒時世尊欲重宣此義
而說偈言
是人意清淨　明利无穢濁　以此妙意根　知上中下法
乃至聞一偈　通達无量義　次第如法說　月四月至歲
是世界內外　一切諸衆生　若天龍及人　夜叉鬼神等
其在六趣中　所念若干種　持法華之報　一時皆悉知
十方无數佛　百福莊嚴相　為衆生說法　悉聞能受持
思惟无量義　說法亦无量　終始不忘錯　以持法華故
悉知諸法相　隨義識次第　達名字語言　如所知演說
此人有所說　皆是先佛法　以演此法故　於衆无所畏
持法華經者　意根淨若斯　雖未得无漏　先有如是相
是人持此經　安住希有地　為一切衆生　歡喜而愛敬
能以千万種　善巧之語言　分別而說法　持法華經故
妙法蓮華經常不輕菩薩品第二十
尒時佛告得大勢菩薩摩訶薩汝今當知若
比丘比丘尼優婆塞優婆夷持法華經者若

BD01279 號　妙法蓮華經卷六　　（27–11）

尒時佛告得大勢菩薩摩訶薩汝今當知若
比丘比丘尼優婆塞優婆夷持法華經者若
有惡口罵詈誹謗獲大罪報如前所說其所
得功德如向所說眼耳鼻舌身意清淨得大
勢乃往古昔過无量无邊不可思議阿僧祇
劫有佛名威音王如來應供正遍知明行足
善逝世間解无上士調御丈夫天人師佛世尊
劫名離衰國名大成其威音王佛於彼世中
為天人阿脩羅說法為求聲聞者說應四諦
法度生老病死究竟涅槃為求辟支佛者說
應十二因緣法為諸菩薩因阿耨多羅三藐
三菩提說應六波羅蜜法究竟佛慧得大勢
是威音王佛壽四十万億那由他恒河沙劫
正法住世劫數如一閻浮提微塵像法住世
劫數如四天下微塵其佛饒益衆生已然後
滅度正法像法滅盡之後於此國土復有佛
出亦号威音王如來應供正遍知明行足善
逝世間解无上士調御丈夫天人師佛世尊
如是次第有二万億佛皆同一号最初威音
王如來既已滅度正法滅後於像法中增上
慢比丘有大勢力尒時有一菩薩比丘名常
不輕得大勢以何因緣名常不輕是比丘凡
有所見若比丘比丘尼優婆塞優婆夷皆悉
礼拜讚歎而作是言我深敬汝等不敢輕慢
所以者何汝等皆行菩薩道當得作佛而是
比丘不專讀誦經典但行礼拜乃至遠見四

BD01279 號　妙法蓮華經卷六　　（27–12）

有所見若比丘比丘尼優婆塞優婆夷皆悉
礼拜讚歎而作是言我深敬汝等不敢輕慢
所以者何汝等皆行菩薩道當得作佛而是
比丘不專讀誦經典但行礼拜乃至遠見四
衆亦復故往礼拜讚歎而作是言我不敢輕
於汝等汝等皆當作佛故四衆之中有生瞋
恚心不淨者惡口罵詈言是无智比丘從何
所來自言我不輕汝而與我等授記當得作
佛我等不用如是虛妄授記如此經歷多年
常被罵詈不生瞋恚常作是言汝當作佛說
是語時衆人或以杖木瓦石而打擲之避走
遠住猶高聲唱言我不敢輕於汝等汝等皆當
作佛以其常作是語故增上慢比丘比丘尼
優婆塞優婆夷号之為常不輕是比丘臨欲
終時於虛空中具聞威音王佛先所說法華
經二十千万億偈悉能受持即得如上眼根
清淨耳鼻舌身意根清淨得是六根清淨已
更增壽命二百万億那由他歲廣為人說是
法華經於時增上慢四衆比丘比丘尼優婆
塞優婆夷輕賤是人為作不輕名者見其得
大神力通樂說辯力大善寂力聞其所說皆
信伏隨從是菩薩復化千万億衆令住阿耨多
羅三藐三菩提命終之後得值二千億佛皆
号日月燈明於其法中說是法華經以是因
緣復值二千億佛同号雲自在燈王於此諸

BD01279號　妙法蓮華經卷六　（27–13）

号日月燈明於其法中說是法華經以是因
緣復值二千億佛同号雲自在燈王於此諸
佛法中受持讀誦為諸四衆說此經典故得
是常眼清淨耳鼻舌身意諸根清淨於四衆
中說法心无所畏得大勢是常不輕菩薩摩
訶薩供養如是若干諸佛恭敬尊重讚歎種
諸善根於後復值千万億佛亦於諸佛法中
說是經典功德成就當得作佛大得勢於意
云何爾時常不輕菩薩豈異人乎則我身是
若我於宿世不受持讀誦此經為他人說者
不能疾得阿耨多羅三藐三菩提我於先佛
所受持讀誦此經為人說故疾得阿耨多羅
三藐三菩提得大勢彼時四衆比丘比丘尼
優婆塞優婆夷以瞋恚意輕賤我故二百億
劫常不值佛不聞法不見僧千劫於阿鼻地
獄受大苦惱畢是罪已復遇常不輕菩薩教
化阿耨多羅三藐三菩提得大勢於汝意云
何爾時四衆常輕是菩薩者豈異人乎今此
會中跋陁婆羅等五百菩薩師子月等五百
比丘尼思佛等五百優婆塞皆於阿耨多羅
三藐三菩提不退轉者是得大勢當知是法
華經大饒益諸菩薩摩訶薩能令至於阿耨
多羅三藐三菩提是故諸菩薩摩訶薩於如
來滅後常應受持讀誦解說書寫是經爾時
世尊欲重宣此義而說偈言

BD01279號　妙法蓮華經卷六　（27–14）

多羅三藐三菩提是故諸菩薩摩訶薩於如
来滅後常應受持讀誦解說書寫是經尒時
世尊欲重宣此義而說偈言
過去有佛　号威音王　神智无量　將導一切
天人龍神　所共供養　是佛滅後　法欲盡時
有一菩薩　名不常輕　時諸四衆　計著於法
不輕菩薩　往到其所　而語之言　我不輕汝
汝等行道　皆當作佛　諸人聞已　輕毀罵詈
不輕菩薩　能忍受之　其罪畢已　臨命終時
得聞此經　六根清淨　神通力故　增益壽命
復為諸人　廣說是經　諸著法衆　皆蒙菩薩
教化成就　令住佛道　不輕命終　值无數佛
說是經故　得无量福　漸具功德　疾成佛道
彼時不輕　則我身是　時四部衆　著法之者
聞不輕言　汝當作佛　以是因緣　值无數佛
此會菩薩　五百之衆　并及四部　清信士女
今於我前　聽法者是　我於前世　勸是諸人
聽受斯經　第一之法　開示教化　令住涅槃
世世受持　如是經典　億億萬劫　至不可議
時乃得聞　是法華經　億億萬劫　至不可議
諸佛世尊　時說是經　是故行者　於佛滅後
聞如是經　勿生疑惑　應當一心　廣說此經
世世值佛　疾成佛道

妙法蓮華經如來神力品第二十一

尒時千世界微塵等菩薩摩訶薩從地踊出

妙法蓮華經如來神力品第二十一
尒時千世界微塵等菩薩摩訶薩從地踊出
者皆於佛前一心合掌瞻仰尊顔而白佛言
世尊我等於佛滅後世尊分身所在國土滅
度之處當廣說此經所以者何我等亦自欲
得是真淨大法受持讀誦解說書寫而供養
之世尊於文殊師利等无量百千万億舊住
娑婆世界菩薩摩訶薩及諸比丘比丘尼優
婆塞優婆夷天龍夜叉乾闥婆阿脩羅迦樓
羅緊那羅摩睺羅伽人非人等一切衆前現
大神力出廣長舌上至梵世一切毛孔放於
无量无數色光皆悉遍照十方世界衆寶樹
下師子座上諸佛亦復如是出廣長舌放无
量光釋迦牟尼佛及寶樹下諸佛現神力時
滿百千歲然後還攝舌相一時謦欬俱共彈
指是二音聲遍至十方諸佛世界地皆六種
震動其中衆生天龍夜叉乾闥婆阿脩羅迦
樓羅緊那羅摩睺羅伽人非人等以佛神力
故皆見此娑婆世界无量无邊百千万億衆
寶樹下師子座上諸佛及見釋迦牟尼佛共
多寶如来在寶塔中坐師子座又見无量无
邊百千万億菩薩摩訶薩及諸四衆恭敬圍
繞釋迦牟尼佛既見是已皆大歡喜得未曾
有即時諸天於虛空中高聲唱言過此无量
无邊百千万億阿僧祇世界有國名娑婆是

有即時諸天於虚空中高聲唱言過此无量
无邊百千万億阿僧祇世界有國名娑婆是
中有佛名釋迦牟尼今為諸菩薩摩訶薩說
大乘經名妙法蓮華教菩薩法佛所護念汝
等當深心隨喜亦當礼拜供養釋迦牟尼佛
彼諸衆生聞虚空中聲已合掌向娑婆世界
作如是言南无釋迦牟尼佛南无釋迦牟尼
佛以種種華香瓔珞幡蓋及諸嚴身之具珎
寶妙物皆共遥散娑婆世界所散諸物從十
方辟如雲集變成寶帳遍覆此間諸佛之上
于時十方世界通達无礙如一佛土尒時佛
告上行等菩薩大衆諸佛神力如是无量无
邊不可思議若我以是神力於无量无邊百
千万億阿僧祇劫為囑累故說此經功德猶
不能盡以要言之如来一切所有之法如来
一切自在神力如来一切秘要之藏如来一
切甚深之事皆於此經宣示顯說是故汝等
於如来滅後應當一心受持讀誦解說書寫
如說修行所在國土若有受持讀誦解說書
寫如說修行若經卷所住之處若於園中若
於林中若於樹下若於僧坊若白衣舍若在
殿堂若山谷曠野是中皆應起塔供養所以
者何當知是處即是道場諸佛於此得阿耨
多羅三藐三菩提諸佛於此轉于法輪諸佛
於此而般涅槃尒時世尊欲重宣此義而說

多羅三藐三菩提諸佛於此轉于法輪諸佛
於此而般涅槃尒時世尊欲重宣此義而說
偈言
諸佛救世者　住於大神通　為悅衆生故　現无量神力
舌相至梵天　身放无數光　為求佛道者　現此希有事
諸佛謦欬聲　及彈指之聲　周聞十方國　地皆六種動
以佛滅度後　能持是經故　諸佛皆歡喜　現无量神力
囑累是經故　讚美受持者　於无量劫中　猶故不能盡
是人之功德　无邊无有窮　如十方虚空　不可得邊際
能持是經者　則為已見我　亦見多寶佛　及諸分身者
又見我今日　教化諸菩薩　能持是經者　令我及分身
滅度多寶佛　一切皆歡喜　十方現在佛　并過去未来
亦見亦供養　亦令得歡喜　諸佛坐道場　所得秘要法
能持是經者　不久亦當得　能持是經者　於諸法之義
名字及言辞　樂說无窮盡　如風於空中　一切无障礙
於如来滅後　知佛所說經　因緣及次第　隨義如實說
如日月光明　能除諸幽冥　斯人行世間　能滅衆生暗
教无量菩薩　畢竟住一乘　是故有智者　聞此功德利
於我滅度後　應受持斯經　是人於佛道　決定无有疑

妙法蓮華經屬累品第廿二

尒時釋迦牟尼佛從法座起現大神力以右
手摩无量菩薩摩訶薩頂而作是言我於无
量百千万億阿僧祇劫修習是難得阿耨多
羅三藐三菩提法今以付囑汝等汝等應當
一心流布此法廣令增益如是三摩諸菩薩

羅三藐三菩提法令以付囑汝等汝等應當
一心流布此法廣令增益如是三摩諸菩薩
摩訶薩頂而作是言我於无量百千万億阿
僧祇劫修習是難阿耨多羅三藐三菩提法
今以付囑汝等汝等當受持讀誦廣宣此法
令一切衆生普得聞知所以者何如來有大
慈悲无諸慳悋亦无所畏能與衆生佛之智
慧如來智慧自然智慧如來是一切衆生之
大施主汝等亦應隨學如來之法勿生慳悋
於未來世若有善男子善女人信如來智慧
者當為演說此法華經使得聞知為令其人
得佛慧故若有衆生不信受者當於如來餘
深法中示教利喜汝等若能如是則為已報
諸佛之恩時諸菩薩摩訶薩聞佛作是說已
皆大歡喜遍滿其身益加恭敬曲躬低頭合
掌向佛俱發聲言如世尊勅當具奉行唯然
世尊願不有慮諸菩薩摩訶薩衆如是三反
俱發聲言如世尊勅當具奉行唯然世尊願
不有慮尒時釋迦牟尼佛令十方來諸分身
佛各還本土而作是言諸佛各隨所安多寶
佛塔還可如故說是語時十方无量分身諸
佛坐寶樹下師子座上者及多寶佛并上行
無邊阿僧祇菩薩大衆舍利弗等聲聞四衆
及一切世間天人阿脩羅等聞佛所說皆大
歡喜

BD01279號　妙法蓮華經卷六　(27-19)

及一切世間天人阿脩羅等聞佛所說皆大
歡喜

妙法蓮華經藥王菩薩本事品第二十三

尒時宿王華菩薩白佛言世尊藥王菩薩云
何遊於娑婆世界世尊是藥王菩薩有若干
百千万億那由他難行苦行善哉世尊願少
解說諸天龍神夜叉乾闥婆阿脩羅迦樓羅
緊那羅摩睺羅伽人非人等又他國土諸來
菩薩及此聲聞衆聞皆歡喜尒時佛告宿王
華菩薩乃往過去无量恒河沙劫有佛号日
月淨明德如來應供正遍知明行足善逝世
間解无上士調御丈夫天人師佛世尊其佛
有八十億大菩薩摩訶薩七十二恒河沙大
聲聞衆佛壽四万二千劫菩薩壽命亦等彼
國无有女人地獄餓鬼畜生阿脩羅等及以
諸難地平如掌琉璃所成寶樹莊嚴寶帳覆
上垂寶華幡寶瓶香爐周遍國界七寶為臺
一樹一臺其樹去臺盡一箭道此諸寶樹皆
有菩薩聲聞而坐其下諸寶臺上各有百億
諸天作天伎樂歌歎於佛以為供養尒時彼
佛為一切衆生憙見菩薩及衆菩薩諸聲聞
衆說法華經是一切衆生憙見菩薩樂習苦
行於日月淨明德佛法中精進經行一心求
佛滿万二千歲已得現一切色身三昧得此
三昧已心大歡喜即作念言我得現一切色

BD01279號　妙法蓮華經卷六　(27-20)

衆說法華經是一切衆生憙見菩薩樂習苦
行於日月淨明德佛法中精進經行一心求
佛滿万二千歲已得現一切色身三昧得此
三昧已心大歡喜即作念言我得現一切色
身三昧皆是得聞法華經力我今當供養日
月淨明德佛及法華經即時入是三昧於虛
空中雨曼陁羅華摩訶曼陁羅華細末堅黑
栴檀滿虛空中如雲而下又雨海此岸栴檀
之香此香六銖價直娑婆世界以供養佛作
是供養已從三昧起而自念言我雖以神力
供養於佛不如以身供養即服諸香栴檀薰
陸兜樓婆畢力迦沉水膠香又飲瞻蔔諸華
香油滿千二百歲已香油塗身於日月淨明
德佛前以天寶衣而自纏身灌諸香油以神
通力願而自然身光明遍照八十億恒河沙
世界其中諸佛同時讚言善哉善哉善男子
是真精進是名真法供養如來若以華香瓔
珞燒香末香塗香天繒幡蓋及海此岸栴檀
之香如是等種種諸物供養所不能及假使
國城妻子布施亦所不及善男子是名第一
之施於諸施中最尊最上以法供養諸如來
故作是語已而各嘿然其身火然千二百歲
過是已後其身乃盡一切衆生憙見菩薩作
如是法供養已命終之後復生日月淨明德
佛國中於淨德王家結跏趺坐忽然化生即
為其父而說偈言

BD01279號　妙法蓮華經卷六

(27–21)

如是法供養已命終之後復生日月淨明德
佛國中於淨德王家結跏趺坐忽然化生即
為其父而說偈言
大王今當知　我經行彼處　即時得一切　現諸身三昧
勤行大精進　捨所愛之身
說是偈已而白父言日月淨明德佛今故現
在我先供養佛已得解一切衆生語言陁羅
尼復聞是法華經八百千万億那由他甄迦
羅頻婆羅阿閦婆等偈大王我今當還供養
此佛白已即坐七寶之臺上昇虛空高七多
羅樹往到佛所頭面禮足合十指爪以偈讚
佛
容顏甚奇妙　光明照十方　我適曾供養　今復還親覲
尒時一切衆生憙見菩薩說是偈已而白佛
言世尊世尊猶故在世尒時日月淨明德佛
告一切衆生憙見菩薩善男子我涅槃時到
滅盡時至汝可安施床座我於今夜當涅般
槃又勑一切衆生憙見菩薩善男子我以佛
法囑累於汝及諸菩薩大弟子幷阿耨多羅
羅三藐三菩提法亦以三千大千七寶世界
諸寶臺及給侍諸天悉付於汝我滅度後所
有舍利亦付囑汝當令流布廣設供養應起
若干千塔如是日月淨明德佛勑一切衆生
憙見菩薩已於夜後分入於涅槃尒時一切
衆生憙見菩薩見佛滅度悲感懊惱戀慕於
佛即以海此岸栴檀為積供養佛身而以燒

BD01279號　妙法蓮華經卷六

(27–22)

[illegible]
憙見菩薩已於夜後分入於涅槃。尒時一切
衆生憙見菩薩見佛滅度，悲感懊惱，戀慕於
佛，即以海此岸栴檀為𧂐，供養佛身，而以燒
之。火滅已後，收取舍利，作八万四千寶瓶，以
起八万四千塔，高三世界，表刹莊嚴，垂諸幡
蓋，懸衆寶鈴。尒時一切衆生憙見菩薩復自
念言：我雖作是供養，心猶未足，我今當更供
養舍利。便語諸菩薩大弟子及天龍夜叉等
一切大衆：汝等當一心念，我今當供養日月
淨明德佛舍利。作是語已，即於八万四千塔
前，然百福莊嚴臂七万二千歲而以供養，令
无數聲聞衆、无量阿僧祇人，發阿耨多羅三
藐三菩提心，皆使得住現一切色身三昧。尒
時諸菩薩、天、人、阿脩羅等，見其无臂，憂惱悲哀，
而作是言：此一切衆生憙見菩薩，是我等師，
教化我者，而今燒臂，身不具足。于時一切衆
生憙見菩薩於大衆中立此誓言：我捨兩臂，
必當得佛金色之身。若實不虛，令我兩臂還
復如故。作是誓已，自然還復，由斯菩薩福德
智慧淳厚所致。當尒之時，三千大千世界六
種震動，天雨寶華，一切人天得未曾有。佛告
宿王華菩薩：於汝意云何？一切衆生憙見菩
薩豈異人乎？今藥王菩薩是也。其所捨身布
施，如是無量百千万億那由他數。宿王華！若
有發心欲得阿耨多羅三藐三菩提者，能然

BD01279 號　妙法蓮華經卷六

（27–23）

宿王華菩薩：於汝意云何？一切衆生憙見菩
薩豈異人乎？今藥王菩薩是也。其所捨身布
施，如是無量百千万億那由他數。宿王華！若
有發心欲得阿耨多羅三藐三菩提者，能然
手指乃至足一指，供養佛塔，勝以國城妻子
及三千大千國土山林河池諸珎寶物而供
養者。若復有人以七寶滿三千大千世界，供
養於佛及大菩薩、辟支佛、阿羅漢，是人所得
功德，不如受持此法華經，乃至一四句偈，其
福最多。宿王華！譬如一切川流江河諸水之
中，海為第一，此法華經亦復如是，於諸如來
所說經中，最為深大。又如土山、黑山、小鐵圍
山、大鐵圍山及十寶山衆山之中，須弥山為
第一，此法華經亦復如是，於諸經中最為其
上。又如衆星之中，月天子最為第一，此法華
經亦復如是，於千万億種諸經法中，最為照
明。又如日天子能除諸闇，此經亦復如是，能
破一切不善之闇。又如諸小王中，轉輪聖王
最為第一，此經亦復如是，於衆經中最為其
尊。又如帝釋於三十三天中王，此經亦復如
是，諸經中王。又如大梵天王，一切衆生之父，
此經亦復如是，一切賢聖、學、无學及發菩薩
心者之父。又如一切凡夫人中，須陁洹、斯陁
含、阿那含、阿羅漢、辟支佛為第一，此經亦復
如是，一切如來所說，若菩薩所說，若聲聞所

BD01279 號　妙法蓮華經卷六

（27–24）

此經亦復如是一切賢聖學无學及發菩薩
心者之父又如一切凡夫人中須陁洹斯陁
含阿那含阿羅漢辟支佛爲第一此經亦復
如是一切如來所說若菩薩所說若聲聞所
說諸經法中最爲第一有能受持是經典者
亦復如是於一切衆生中亦爲第一一切聲
聞辟支佛中菩薩爲第一此經亦復如是於
一切諸經法中最爲第一如佛爲諸法王此
經亦復如是諸經中王宿王華此經能救一
切衆生者此經能令一切衆生離諸苦惱此
經能大饒益一切衆生充滿其願如清涼池
能滿一切諸渴乏者如寒者得火如裸者得
衣如商人得主如子得母如度得舩如病得
醫如暗得燈如貧得寶如民得王如賈客得
海如炬除暗此法華經亦復如是能令衆生
離一切苦一切病痛能解一切生死之縛若
人得聞此法華經若自書若使人書所得功
德以佛智慧籌量多少不得其邊若書經卷
華香瓔珞燒香末香塗香幡蓋衣服種種之
燈蘇燈油燈諸香油燈瞻蔔油燈須曼那油
燈波羅羅油燈婆利師迦油燈婆摩利油燈
供養所得功德亦復无量宿王華若有人聞
是藥王菩薩本事品者亦得无量无邊功德
若有女人聞藥王菩薩本事品能受持者盡
是女身後不復受若如來滅後後五百歲中
若有人女聞是經典如說修行於此命終即

BD01279號　妙法蓮華經卷六　（27–25）

若有女人聞藥王菩薩本事品能受持者盡
是女身後不復受若如來滅後後五百歲中
若有人女聞是經典如說修行於此命終即
往安樂世界阿弥陁佛大菩薩衆圍繞住處
生蓮華中寶座之上不復爲貪欲所惱亦復
不爲瞋恚愚癡所惱亦復不爲憍慢嫉妬諸
垢所惱得菩薩神通无生法忍得是忍已眼
根清淨以清淨眼根見七百万二千億那由
他恒河沙等諸佛如來是時諸佛遥共讚言
善哉善哉善男子汝能於釋迦牟尼佛法中
受持讀誦思惟是經爲他人說所得福德无
量无邊火不能燒水不能漂汝之功德千佛
共說不能令盡汝今已能破諸魔賊壞生死
軍諸餘怨敵皆悉摧滅善男子百千諸佛以
神通力共守護汝於一切世間天人之中无
如汝者唯除如來其諸聲聞辟支佛乃至菩
薩智慧禪定无有與汝等者宿王華此菩薩
成就如是功德智慧之力若有人聞是藥王
菩薩本事品能隨喜讚善者是人現世口中
常出青蓮華香身毛孔中常出牛頭栴檀之
香所得功德如上所說是故宿王華以此藥
王菩薩本事品屬累於汝我滅度後後五百
歲中廣宣流布於閻浮提无令斷絶惡魔魔
民諸天龍夜叉鳩槃荼等得其便也宿王華
汝當以神通之力守護是經所以者何此經
爲閻浮提病之良藥若人有病得聞是經病
即消滅不老不死宿王華汝若見有受持是

BD01279號　妙法蓮華經卷六　（27–26）

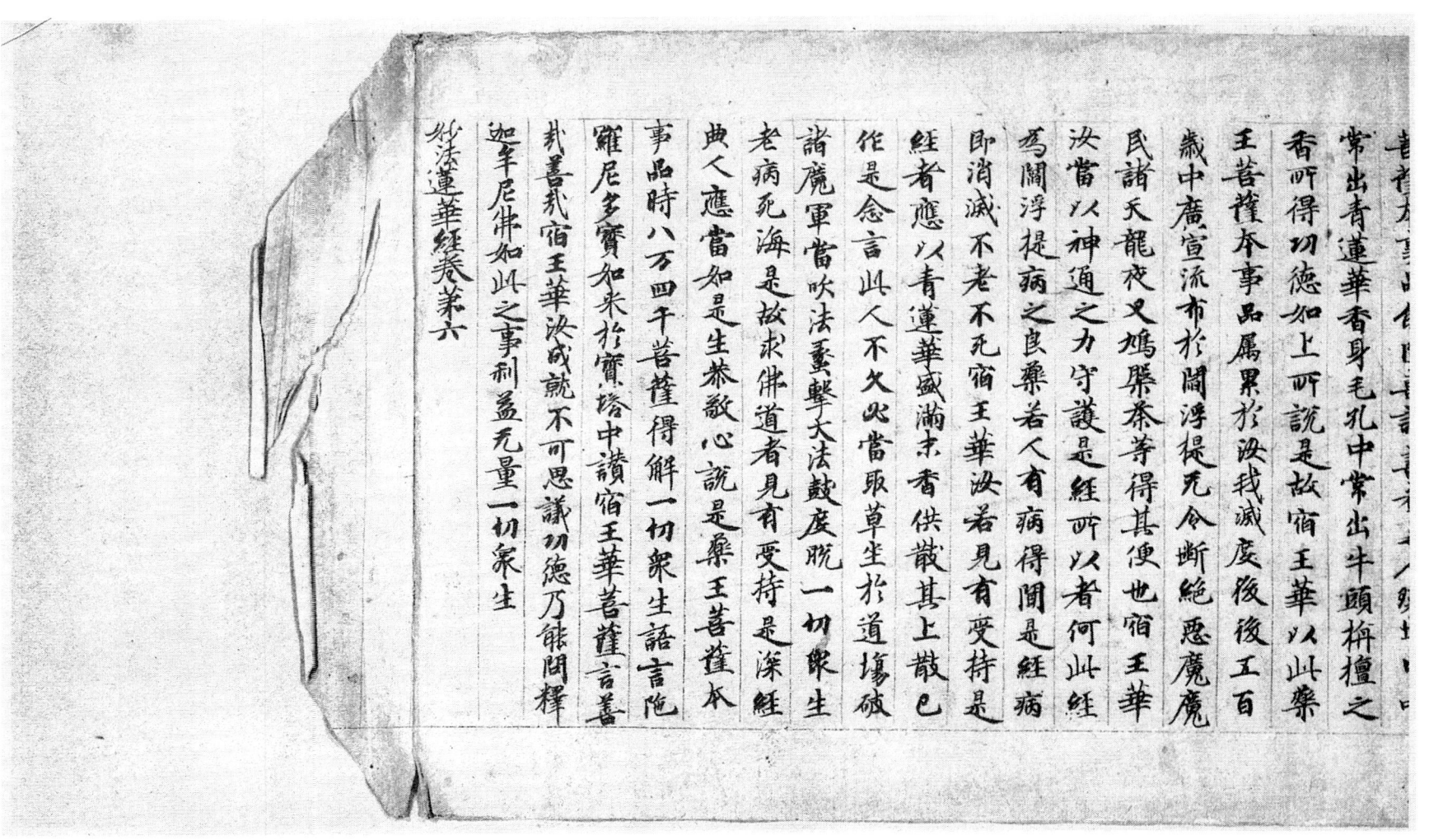

常出青蓮華香身毛孔中常出牛頭栴檀之
香所得功德如上所說是故宿王華以此藥
王菩薩本事品屬累於汝我滅度後後五百
歲中廣宣流布於閻浮提无令斷絶惡魔魔
民諸天龍夜叉鳩槃荼等得其便也宿王華
汝當以神通之力守護是經所以者何此經
為閻浮提病之良藥若人有病得聞是經病
即消滅不老不死宿王華汝若見有受持是
經者應以青蓮華盛滿末香供散其上散已
作是念言此人不久必當取草坐於道場破
諸魔軍當吹法螺擊大法鼓度脫一切衆生
老病死海是故求佛道者見有受持是深經
典人應當如是生恭敬心說是藥王菩薩本
事品時八万四千菩薩得解一切衆生語言陁
羅尼多寶如來於寶塔中讚宿王華菩薩言善
哉善哉宿王華汝成就不可思議功德乃能問釋
迦牟尼佛如此之事利益无量一切衆生

妙法蓮華經卷第六

BD01279號　妙法蓮華經卷六　（27–27）

到於空地　離諸苦難　長者見子　得出火宅
住於四衢　坐師子座　而自慶言　我今快樂
此諸子等　生育甚難　愚小无智　而入險宅
多諸毒虫　魑魅可畏　大火猛炎　四面俱起
而此諸子　貪著嬉戲　我以救之　令得脫難
是故諸人　我今快樂
尒時諸子　知父安坐　皆詣父所　而白父言
願賜我等　三種寶車　如前所許　諸子出來
當以三車　隨汝所欲　今正是時　唯垂給與
長者大富　庫藏衆多　金銀瑠璃　車𤦲馬瑙
以衆寶物　造諸大車　莊挍嚴飾　周匝欄楯
四面懸鈴　金繩絞絡　真珠羅網　張施其上
金華諸瓔　處處垂下　衆綵雜飾　周匝圍遶
柔濡繒纊　以為茵蓐　上妙細疊　價直千億
鮮白淨潔　以覆其上　有大白牛　肥壯多力
形體姝好　以駕寶車　多諸儐從　而侍衛之
以是妙車　等賜諸子　諸子是時　歡喜踊躍
乘是寶車　遊於四方　嬉戲快樂　自在无㝵
告舍利弗　我亦如是　衆聖中尊　世間之父

BD01280號　妙法蓮華經卷二　（3–1）

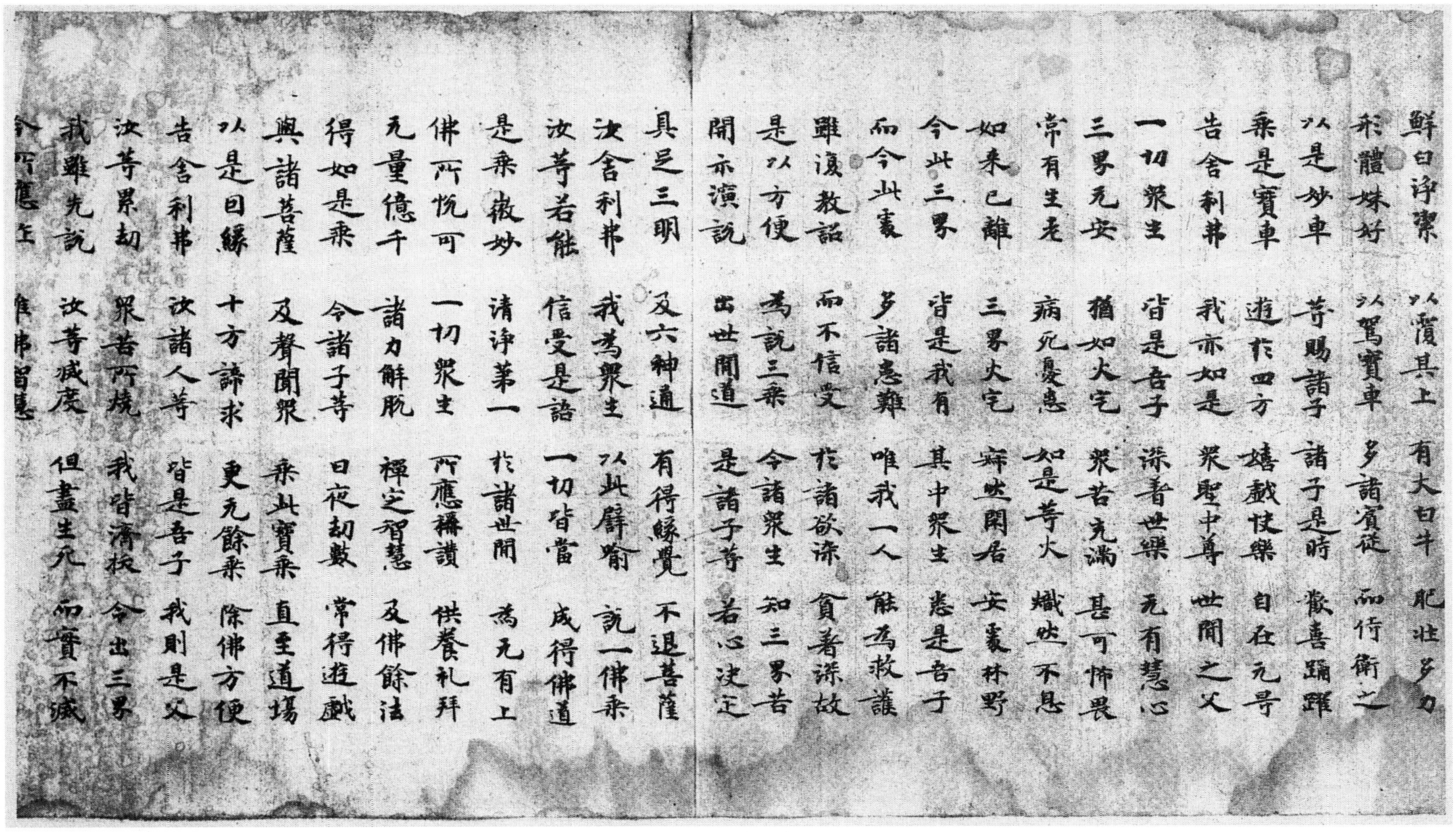
鮮白淨潔　以覆其上　有大白牛　肥壯多力
形體姝好　以駕寶車　多諸儐從　而侍衛之
以是妙車　等賜諸子　諸子是時　歡喜踊躍
乘是寶車　遊於四方　嬉戲快樂　自在无㝵
告舍利弗　我亦如是　衆聖中尊　世間之父
一切衆生　皆是吾子　深著世樂　无有慧心
三界无安　猶如火宅　衆苦充滿　甚可怖畏
常有生老　病死憂患　如是等火　熾然不息
如來已離　三界火宅　寂然閑居　安處林野
今此三界　皆是我有　其中衆生　悉是吾子
而今此處　多諸患難　唯我一人　能為救護
雖復教詔　而不信受　於諸欲染　貪著深故
是以方便　為說三乘　令諸衆生　知三界苦
開示演說　出世間道　是諸子等　若心決定
具足三明　及六神通　有得緣覺　不退菩薩
汝舍利弗　我為衆生　以此譬喻　說一佛乘
汝等若能　信受是語　一切皆當　成得佛道
是乘微妙　清淨第一　於諸世間　為无有上
佛所悅可　一切衆生　所應稱讚　供養礼拜
无量億千　諸力解脫　禪定智慧　及佛餘法
得如是乘　令諸子等　日夜劫數　常得遊戲
與諸菩薩　及聲聞衆　乘此寶乘　直至道場
以是因緣　十方諦求　更无餘乘　除佛方便
告舍利弗　汝諸人等　皆是吾子　我則是父
汝等累劫　衆苦所燒　我皆濟拔　令出三界
我雖先說　汝等滅度　但盡生死　而實不滅
今所應作　唯佛智慧

BD01280號　妙法蓮華經卷二　（3-2）

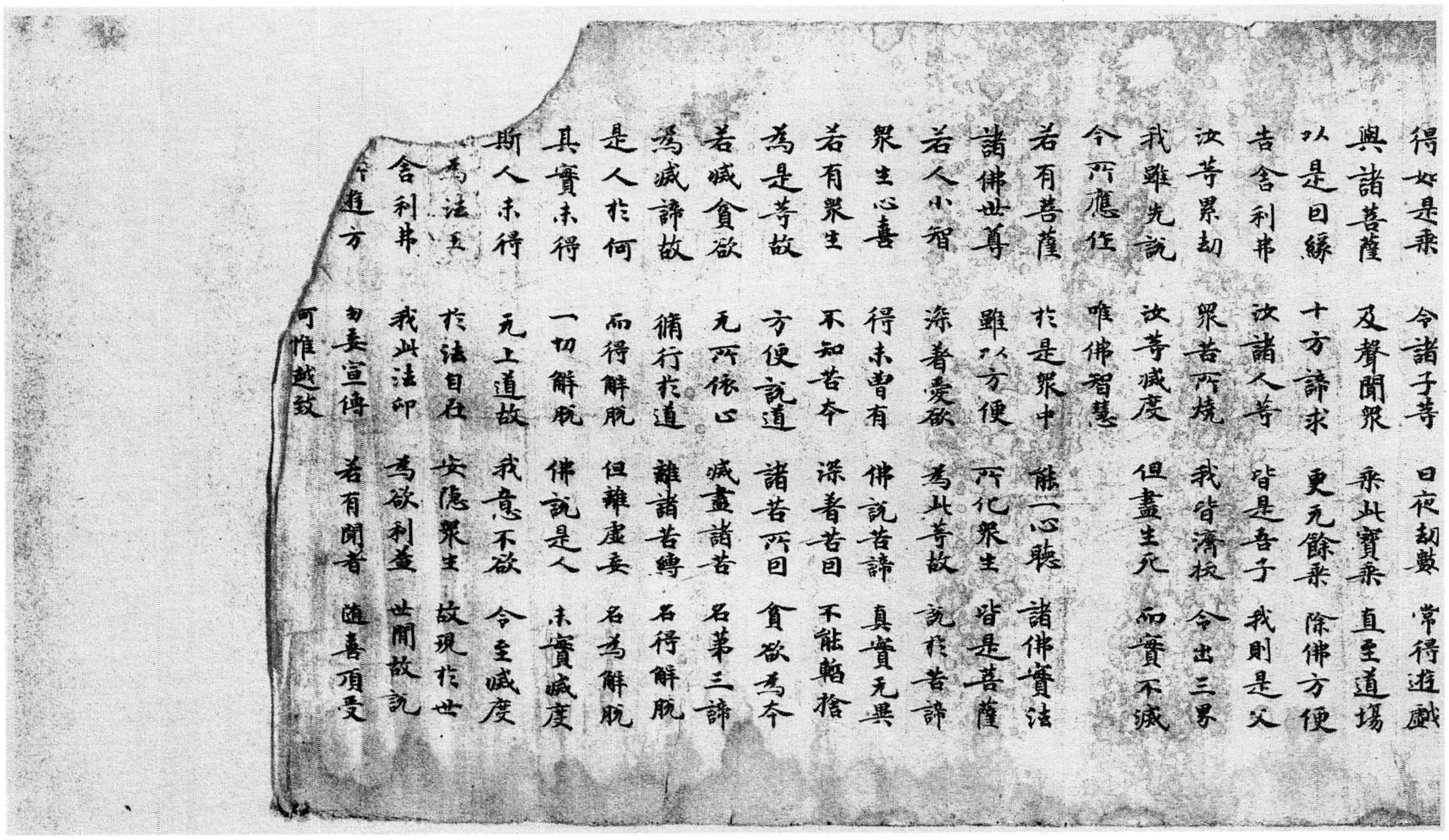
得如是乘　令諸子等　日夜劫數　常得遊戲
與諸菩薩　及聲聞衆　乘此寶乘　直至道場
以是因緣　十方諦求　更无餘乘　除佛方便
告舍利弗　汝諸人等　皆是吾子　我則是父
汝等累劫　衆苦所燒　我皆濟拔　令出三界
我雖先說　汝等滅度　但盡生死　而實不滅
今所應作　唯佛智慧
若有菩薩　於是衆中　能一心聽　諸佛實法
諸佛世尊　雖以方便　所化衆生　皆是菩薩
若人小智　深著愛欲　為此等故　說於苦諦
衆生心喜　得未曾有　佛說苦諦　真實无異
若有衆生　不知苦本　深著苦因　不能暫捨
為是等故　方便說道　諸苦所因　貪欲為本
若滅貪欲　无所依止　滅盡諸苦　名第三諦
為滅諦故　脩行於道　離諸苦縛　名得解脫
是人於何　而得解脫　但離虛妄　名為解脫
其實未得　一切解脫　佛說是人　未實滅度
斯人未得　无上道故　我意不欲　令至滅度
為法王　於法自在　安隱衆生　故現於世
舍利弗　我此法印　為欲利益　世間故說
遊方　勿妄宣傳　若有聞者　隨喜頂受
阿惟越致

BD01280號　妙法蓮華經卷二　（3-3）

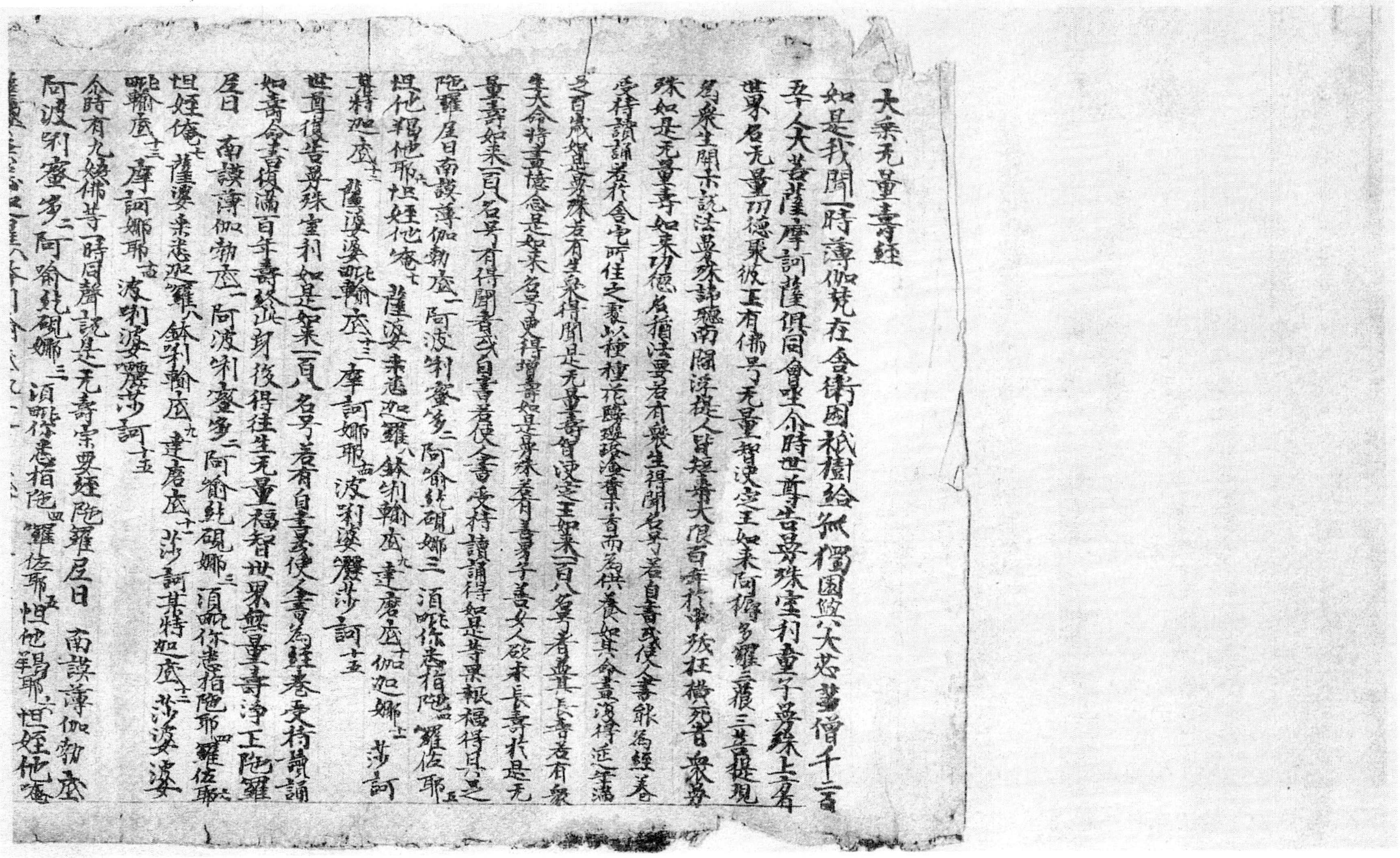

大乘无量壽經
如是我聞一時薄伽梵在舍衛國祇樹給孤獨園與大苾芻僧千二百
五十人大菩薩摩訶薩俱同會坐尒時世尊告曼殊室利童子曼殊上方有
世界名无量功德聚彼土有佛号无量智決定王如來阿耨多羅三藐三菩提現
為衆生開示說法曼殊師利聽南閻浮提人皆短壽大限百年於中夭枉横死者衆多
殊如是无量壽如來功德名稱法要若有衆生得聞名号若自書或使人書能為經卷
受持讀誦若於舍宅所住之處以種種花鬘瓔珞塗香末香而為供養如其命盡復得延年滿
足百歲如是曼殊若有衆生得聞是无量壽智決定王如來一百八名号者益其長壽若有衆
生大命將盡憶念是如來名号更得增壽如是曼殊若有善男子善女人欲求長壽於是无
量壽如來一百八名号有得聞者或自書若使人書受持讀誦得如是等果報福得具足之
陀羅尼曰南謨薄伽勃底一阿波唎蜜多二阿喻紇硯娜三須毗你悉指陀四囉佐耶五
怛他羯他耶六怛姪他唵七薩婆桑悉迦羅八鉢唎輸底九達磨底十伽迦娜十一莎訶
其特迦底十二 薩婆婆毗輸底十三 摩訶娜耶十四 波唎婆囉莎訶十五
世尊復告曼殊室利如是如來一百八名号若有自書若使人書為經卷受持讀誦
如壽命盡復滿百年壽終此身後得往生无量福智世界無量壽淨土陀羅
尼曰 南謨薄伽勃底一阿波唎蜜多二阿喻紇硯娜三須毗你悉指陀耶四囉佐耶五
怛姪他唵七 薩婆桑悉迦羅八鉢唎輸底九 達磨底十一 莎訶其特迦底十二 莎婆婆
毗輸底十三 摩訶娜耶十四 波唎婆囉莎訶十五
尒時有九億佛等一時同聲說是无壽宗要經陀羅尼曰 南謨薄伽勃底
阿波唎蜜多二阿喻紇硯娜三 須毗你悉指陀四 囉佐耶五 怛他羯耶六 怛姪他唵

BD01281 號　無量壽宗要經　（6–1）

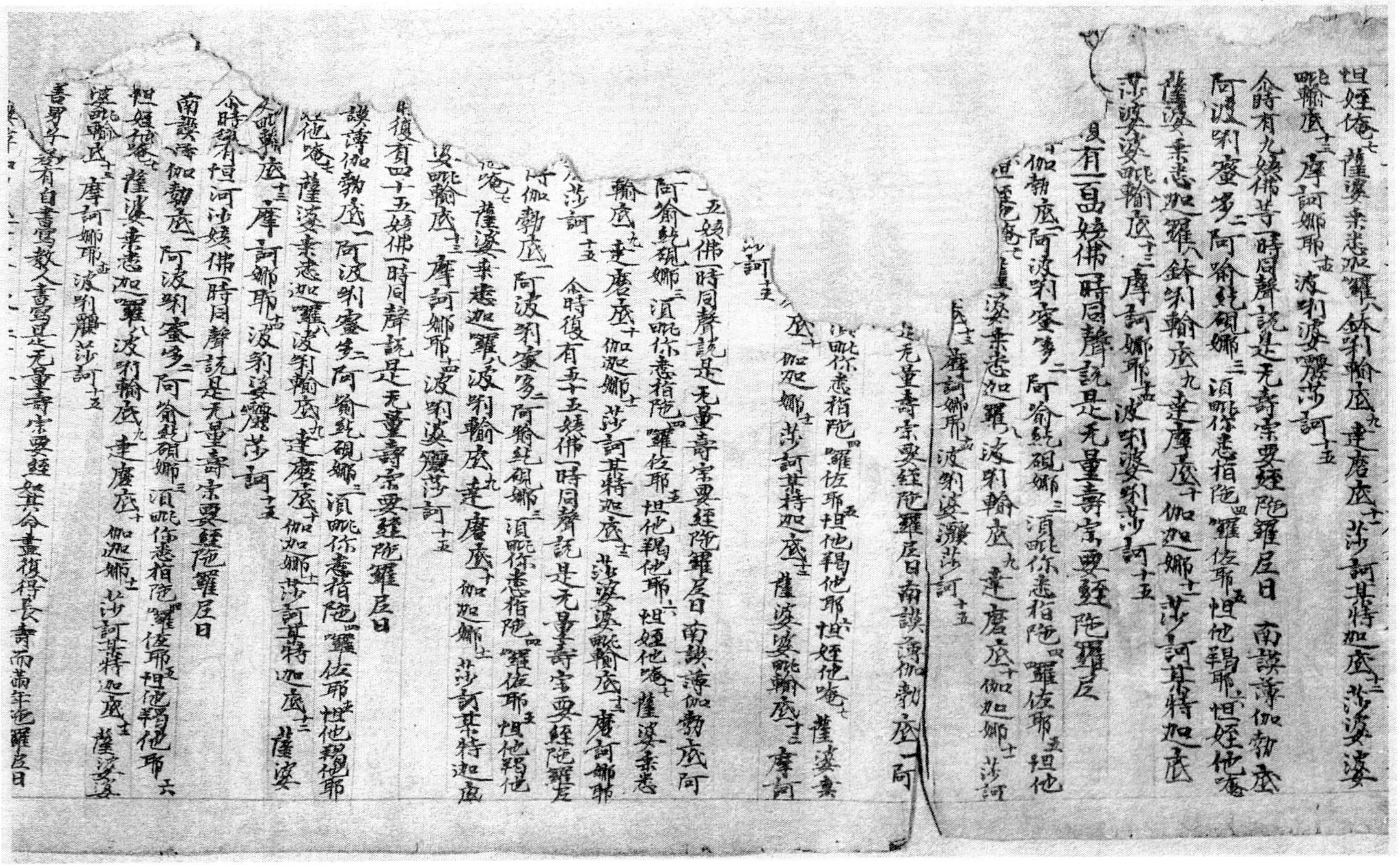

怛姪他唵七 薩婆桑悉迦羅八 鉢唎輸底九 達磨底十一 莎訶其特迦底十二 莎婆婆
毗輸底十三 摩訶娜耶十四 波唎婆囉莎訶十五
尒時有九億佛等一時同聲說是无壽宗要經陀羅尼曰 南謨薄伽勃底
阿波唎蜜多二阿喻紇硯娜三 須毗你悉指陀四 囉佐耶五 怛他羯耶六 怛姪他唵
薩婆桑悉迦羅八 鉢唎輸底九 達磨底十 伽迦娜十一 莎訶其特迦底
莎婆婆毗輸底十三 摩訶娜耶十四 波唎婆唎莎訶十五
復有一百億佛一時同聲說是无量壽宗要經陀羅尼
伽勃底一阿波唎蜜多二 阿喻紇硯娜三 須毗你悉指陀四 囉佐耶五 怛他
怛他羯他唵七 薩婆桑悉迦羅八 波唎輸底九 達磨底十 伽迦娜十一 莎訶
底十二 摩訶娜耶十四 波唎婆囉莎訶十五
是无量壽宗要經陀羅尼曰南謨薄伽勃底一阿
須毗你悉指陀四 囉佐耶五 怛他羯他耶六 怛姪他唵七 薩婆桑
底十 伽迦娜十一 莎訶其特迦底十二 薩婆婆毗輸底十三 摩訶
莎訶十五
五億佛一時同聲說是无量壽宗要經陀羅尼曰 南謨薄伽勃底阿
阿喻紇硯娜三 須毗你悉指陀四 囉佐耶五 怛他羯他耶六 怛姪他唵七 薩婆桑悉
輸底九 達磨底十 伽迦娜十一 莎訶其特迦底十二 莎婆婆毗輸底十三 摩訶娜耶
八莎訶十五 尒時復有五十五億佛一時同聲說是无量壽宗要經陀羅尼
時伽勃底一 阿波唎蜜多二 阿喻紇硯娜三 須毗你悉指陀四 囉佐耶五 怛他羯他
唵七 薩婆桑悉迦羅八 波唎輸底九 達磨底十 伽迦娜十一 莎訶其特迦底
婆毗輸底十三 摩訶娜耶十四 波唎婆囉莎訶十五
時復有四十五億佛一時同聲說是无量壽宗要經陀羅尼曰
謨薄伽勃底一 阿波唎蜜多二 阿喻紇硯娜三 須毗你悉指陀四 囉佐耶五 怛他羯他耶
他唵七 薩婆桑悉迦羅八 波唎輸底九 達磨底十 伽迦娜十一 莎訶其特迦底十二 薩婆
毗輸底十三 摩訶娜耶十四 波唎婆囉莎訶十五
尒時復有恒河沙億佛一時同聲說是无量壽宗要經陀羅尼曰
南謨薄伽勃底一 阿波唎蜜多二 阿喻紇硯娜三 須毗你悉指陀四 囉佐耶五 怛他羯他耶六
怛姪他唵七 薩婆桑悉迦羅八 波唎輸底九 達磨底十 伽迦娜十一 莎訶其特迦底十二 薩婆婆
婆毗輸底十三 摩訶娜耶十四 波唎婆囉莎訶十五
善男子若有自書寫教人書寫是无量壽宗要經 如其命盡復得長壽而滿年陀羅尼曰

BD01281 號　無量壽宗要經　（6–2）

南謨薄伽勃底一阿波唎蜜多二阿喻紇硯娜三須毗你悉指陀四囉佐耶五怛他羯他耶六
怛姪他唵七薩婆桑塞迦囉八波唎輸底九達磨底十伽迦娜十一莎訶其特迦底十二薩婆婆
毗輸底十三摩訶娜耶十四波唎婆囇莎訶十五
善男子若有自書寫教人書寫是无量壽宗要經，筭其命盡復得長壽而滿年陀羅尼曰
南謨薄伽勃底一阿波唎蜜多二阿喻紇硯娜三須毗你悉指陀四囉佐耶五怛他羯他耶六怛姪他唵七
薩婆桑塞迦囉八波唎輸底九達磨底十伽迦娜十一莎訶其特迦底十二薩婆婆毗輸底十三摩
訶娜耶十四波唎婆囇莎訶十五　若有自書寫教人書寫是无量壽宗要經讀誦受持
見不墮地獄在在所生得宿命智陀羅尼曰　南謨薄伽勃底一阿喻紇硯娜三須毗
囉佐耶五怛他羯他耶六怛姪他唵七薩婆桑塞迦囉八波唎輸底九
伽迦娜十一莎訶其特迦底十二薩婆婆毗輸底十三摩訶娜耶十四波唎婆
若有自書寫教人書寫是无量壽宗要經受持讀誦如同書
切經典陀羅尼曰　南謨薄伽勃底一阿波唎蜜多二阿喻紇硯娜三
囉佐耶五怛他羯他耶六怛姪他唵七薩婆桑塞迦囉八波唎輸底九
訶其特迦底十二薩婆婆毗輸底十三波訶娜耶十四波唎婆囇莎訶
量壽宗要經即是書寫八万四千部建立塔廟陀羅
波唎蜜多二阿喻紇硯娜三須毗你悉指陀四囉佐耶五怛他羯
囉八波唎輸底九達磨底十伽迦娜十一莎訶其特迦底十二薩
唎婆囇莎訶十五　若有自書寫教人書寫是无量
重罪陀羅尼曰　南謨薄伽勃底一阿波唎蜜多二
悉指陀四囉佐耶五怛他羯他耶六怛姪他唵七薩婆桑塞迦囉八波唎輸底
底十伽迦娜十一莎訶其特迦底十二薩婆婆毗輸底十三摩訶娜耶十四波唎婆囇莎訶
有自書寫教人書寫是无量壽宗要經受持讀誦設有重罪猶如須彌盡能
滅陀羅尼曰　南謨薄伽勃底一阿波唎蜜多二阿喻紇硯娜三須毗你悉指
陀四囉佐耶五怛他羯他耶六怛姪他唵七薩婆桑塞迦囉八波唎輸底九達磨底十莎訶
其特迦底十二薩婆婆毗輸底十三摩訶娜耶十四波唎婆囇莎訶十五
若有自書寫教人書寫是无量壽宗要經受持讀誦若魔之眷屬夜叉羅剎不
得其便終无枉死陀羅尼曰　南謨薄伽勃底一阿波唎蜜多二阿喻紇硯娜三須毗你悉
指陀四囉佐耶五怛他羯他耶六怛姪他唵七薩婆桑塞迦囉八波唎輸底九達磨底十伽迦娜十一
莎訶其特迦底十二薩婆婆毗輸底十三摩訶娜耶十四波唎婆囇莎訶十五
若有自書寫教人書寫是无量壽宗要經受持讀誦當命終時有九十九姟佛現其人前
蒙千佛授手能往一切佛剎莫於此經生於疑惑陀羅尼曰　南謨薄伽勃底一

BD01281號　無量壽宗要經

（6–3）

得其便終无枉死陀羅尼曰　南謨薄伽勃底一阿波唎蜜多二阿喻紇硯娜三須毗你悉
指陀四囉佐耶五怛他羯他耶六怛姪他唵七薩婆桑塞迦囉八波唎輸底九達磨底十伽迦娜十一
莎訶其特迦底十二薩婆婆毗輸底十三摩訶娜耶十四波唎婆囇莎訶十五
若有自書寫教人書寫是无量壽宗要經受持讀誦當命終時有九十九姟佛現其人前
蒙千佛授手能往一切佛剎莫於此經生於疑惑陀羅尼曰　南謨薄伽勃底一
阿波唎蜜多二阿喻紇硯娜三須毗你悉指陀四囉佐耶五怛他羯他耶六怛姪他唵七薩婆
桑塞迦囉八波唎輸底九達磨底十伽迦娜十一莎訶其特迦底十二薩婆婆毗輸底十三摩
訶娜耶十四波唎婆囇莎訶十五　若有自書寫教人書寫是无量壽宗要
經受持讀誦常得四天大王隨其衛護陀羅尼曰　南謨薄伽勃底一阿波
唎蜜多二阿喻紇硯娜三須毗你悉指陀四囉佐耶五怛他羯他耶六怛姪他唵七薩婆
桑塞迦囉八波唎輸底九達磨底十伽迦娜十一莎訶其特迦底十二薩婆婆毗輸底
摩訶娜耶十四波唎婆囇莎訶十五
若有自書寫教人書寫是无量壽宗要經受持讀誦者得往生西方極樂世
界阿彌陀淨土陀羅尼曰
南謨薄伽勃底一阿波唎蜜多二阿喻紇硯娜三須毗你悉指陀四囉佐耶五
怛他羯他耶六怛姪他唵七薩婆桑塞迦囉八波唎輸底九達磨底十伽迦娜十一
莎訶其特迦底十二薩婆婆毗輸底十三摩訶娜耶十四波唎婆囇莎訶十五
若有方所自書寫使人書寫是无量壽經典之處則為是塔皆應恭敬作禮若
是畜生或為獸得聞是經如是等類皆當不久得成一切種智陀羅尼曰
南謨薄伽勃底一阿波唎蜜多二阿喻紇硯娜三須毗你悉指陀四囉佐耶五怛他羯他耶
怛姪他唵七薩婆桑塞迦囉八波唎輸底九達磨底十伽迦娜十一莎訶其特迦底十二薩婆婆
毗輸底十三摩訶娜耶十四波唎婆囇莎訶十五　若有於是无量壽經自書寫若使
人書畢竟不受女人之身陀羅尼曰　南謨薄伽勃底一阿波唎蜜多二阿喻紇硯
娜三須毗你悉指陀四囉佐耶五怛他羯他耶六怛姪他唵七薩婆桑塞迦囉八波唎輸底
達磨底十伽迦娜十一莎訶其特迦底十二薩婆婆毗輸底摩訶娜耶十四波唎婆囇莎訶
若有能於是經少分布施者等於三千大千世界滿中七寶布施陀羅尼曰
南謨薄伽勃底一阿波唎蜜多二阿喻紇硯娜三須毗你悉指陀四囉佐耶五
怛他羯他耶六怛姪他唵七薩婆桑塞迦囉八波唎輸底九達磨底十伽迦娜十一
莎訶其特迦底十二薩婆婆毗輸底十三摩訶娜耶十四波唎婆囇莎訶十五
若有能供養是經者則是供養一切諸經等无有異陀羅尼曰
南謨薄伽勃底一阿波唎蜜多二阿喻紇硯娜三

BD01281號　無量壽宗要經

（6–4）

若有能於是經少分衆惠施者其於三千大千世界滿中七寶布施陁羅尼曰
南謨薄伽勃底一阿波唎蜜多二阿喻紇硯娜三須毗你志指陁四囉佐耶五
怛他羯他耶六怛姪他唵七薩婆桑悉迦羅八波唎輸底九達磨底十伽迦娜十一
莎訶某特迦底十二莎婆婆毗輸底十三摩訶娜耶十四波唎婆羅莎訶十五
若有能供養是經者則是供養一切諸經等无有異陁羅尼曰
南謨薄伽勃底一阿波唎蜜多二阿喻紇硯娜三須毗你志指陁四囉佐耶五怛他羯他耶六
怛姪他唵七薩婆桑悉迦羅八波唎輸底九達磨底十伽迦娜十一莎訶某特迦底十二薩婆
婆毗輸底十三摩訶娜耶十四波唎婆羅莎訶十五
如是毗婆尸佛尸棄佛毗舍浮佛俱留孫佛俱那含牟尼佛迦葉佛釋迦牟尼佛
若有人以七寶供養如是七佛其福有限書寫受持是无量壽經典所有功德不限量陁
羅尼曰　南謨薄伽勃底一阿波唎蜜多二阿喻紇硯娜三須毗你志指陁四囉佐耶五怛他羯他
耶六怛姪他唵七薩婆桑悉迦羅八波唎輸底九達磨底十伽迦娜十一莎訶某特迦底十二
薩婆婆毗輸底十三摩訶娜耶十四波唎婆羅莎訶十五
若有七寶等於須彌以用布施其福上能知其限量是无量壽經典其福不可知數陁羅
尼曰　南謨薄伽勃底一阿波唎蜜多二阿喻紇硯娜三須毗你志指陁四囉佐耶五
怛他羯他耶六怛姪他唵七薩婆桑悉迦羅八波唎輸底九達磨底十伽迦娜十一
莎訶某特迦底十二薩婆婆毗輸底十三摩訶娜耶十四波唎婆羅莎訶十五
如是四大海水可知滴數是无量壽經典所生果報不可數量陁羅尼曰
南謨薄伽勃底一阿波唎蜜多二阿喻紇硯娜三須毗你志指陁四囉佐耶五
怛他羯他耶六怛姪他唵七薩婆桑悉迦羅八波唎輸底九達磨底十
伽迦娜十一莎訶某特迦底十二薩婆婆毗輸底十三摩訶娜耶十四波唎婆
羅莎訶十五　若有自書使人書寫是无量壽經典又能讃持供養
即如恭敬供養一切十方佛土如來无有別異陁羅尼曰
南謨薄伽勃底一阿波唎蜜多二阿喻紇硯娜三須毗你志指陁四囉佐
耶五怛他羯他耶六怛姪他唵七薩婆桑悉迦羅八波唎輸底九
達磨底十伽迦娜十一莎訶某特迦底薩婆婆毗輸底十三摩訶娜耶
波唎婆羅莎訶十五
布施力能成正覺　悟布施力人師子　布施力能聲普聞　慈悲門漸最能入
持戒力能成正覺　悟持戒力人師子　持戒力能聲普聞　慈悲門漸最能入
忍辱力能成正覺　悟忍辱力人師子　忍辱力能聲普聞　慈悲門漸最能入

BD01281號　無量壽宗要經　（6–5）

莎訶某特迦底十二薩婆婆毗輸底十三摩訶娜耶十四波唎婆唎莎訶十五
如是四大海水可知滴數是无量壽經典所生果報不可數量陁羅尼曰
南謨薄伽勃底一阿波唎蜜多二阿喻紇硯娜三須毗你志指陁四囉佐耶五
怛他羯他耶六怛姪他唵七薩婆桑悉迦羅八波唎輸底九達磨底十
伽迦娜十一莎訶某特迦底十二薩婆婆毗輸底十三摩訶娜耶十四波唎婆
羅莎訶十五　若有自書使人書寫是无量壽經典又能讃持供養
即如恭敬供養一切十方佛土如來无有別異陁羅尼曰
南謨薄伽勃底一阿波唎蜜多二阿喻紇硯娜三須毗你志指陁四囉佐
耶五怛他羯他耶六怛姪他唵七薩婆桑悉迦羅八波唎輸底九
達磨底十伽迦娜十一莎訶某特迦底薩婆婆毗輸底十三摩訶娜耶
波唎婆羅莎訶十五
布施力能成正覺　悟布施力人師子　布施力能聲普聞　慈悲門漸最能入
持戒力能成正覺　悟持戒力人師子　持戒力能聲普聞　慈悲門漸最能入
忍辱力能成正覺　悟忍辱力人師子　忍辱力能聲普聞　慈悲門漸最能入
精進力能成正覺　悟精進力人師子　精進力能聲普聞　慈悲門漸最能入
禪定力能成正覺　悟禪定力人師子　禪定力能聲普聞　慈悲門漸最能入
智慧力能成正覺　悟智慧力人師子　智慧力能聲普聞　慈悲門漸最能入
爾時如來說是經已一切世間天人阿脩羅揵闥婆等聞佛所說皆大歡喜信受奉行

佛說无量壽宗要經

索卿

BD01281號　無量壽宗要經　（6–6）

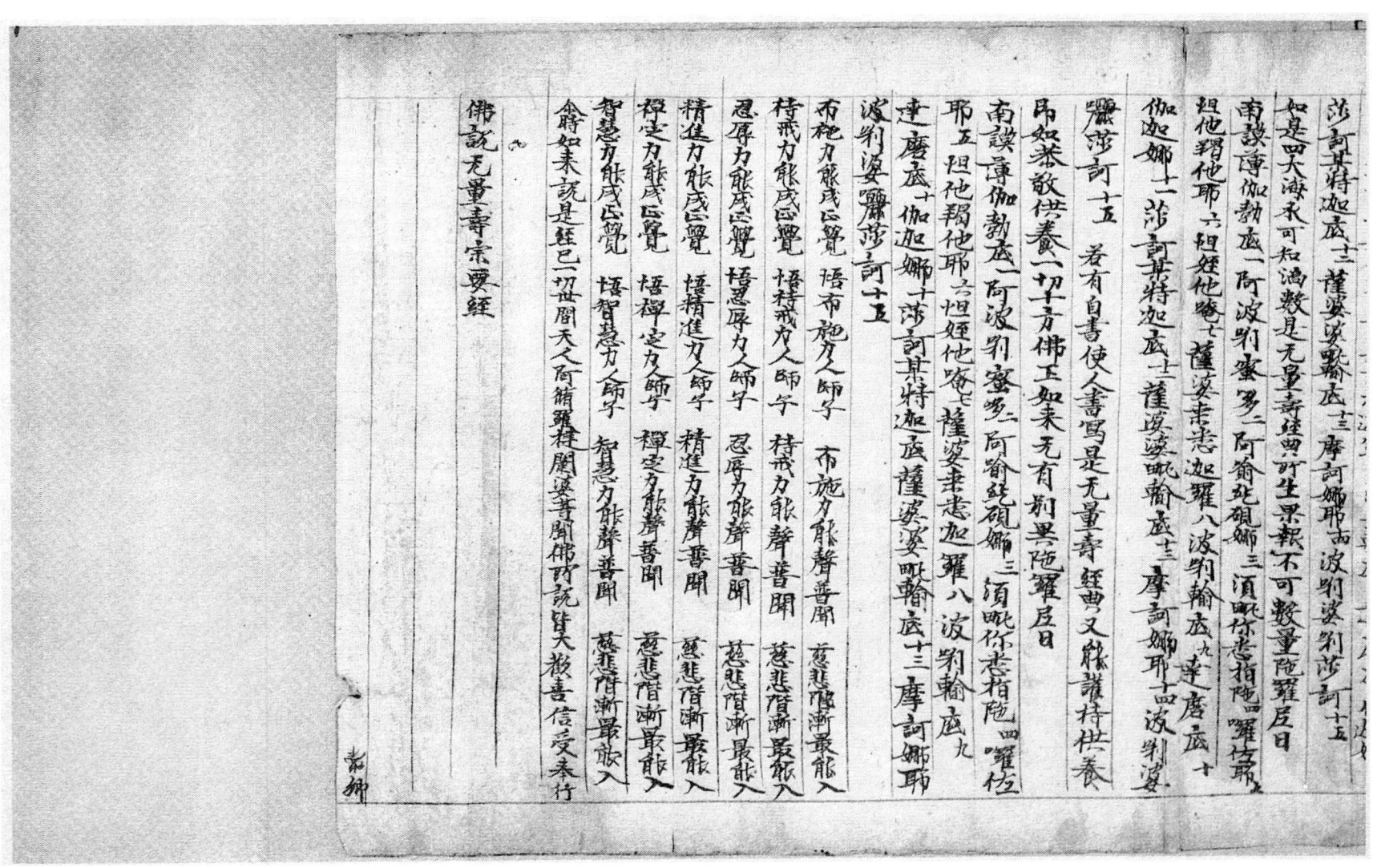

非化身非應身謂是
者二无所有所顯現故色
法身相及相處二皆
數非非數非明非闇如
不見非有非无不見非
不見非明非闇是故此
淨不可分別无有中
法身能顯如來種種
善男子是身因緣境界
議故若了此義是身即是大乘
如來藏依於此身得發初心修行地心
顯現不退地心亦皆得現一生補處心金剛之
心如來之心而悉顯現无量无邊如來妙
法皆悉顯現依此法身不可思議摩訶三昧
而得顯現依此法身得現一切大智是故二身
依於三昧依於智慧而得顯現如此法身依
於自體說常說我依大三昧故說於樂依於
大智故說清淨是故如來常住自在安樂清
淨依大三昧一切禪定首楞嚴等一切念處
大法念等大慈大悲一切陀羅尼一切神通

BD01282號　金光明最勝王經卷二　（15–1）

於自體說常說我依大三昧故說於樂依於
大智故說清淨是故如來常住自在安樂清
淨依大三昧一切禪定首楞嚴等一切念處
大法念等大慈大悲一切陀羅尼一切神通
一切自在一切法平等攝受如是佛法悉
皆出現依此大智十力四无所畏四无礙辯
一百八十不共之法一切希有不可思議法
悉皆顯現譬如依如意寶珠无量无邊種種
珎寶悉皆得現如是依大三昧寶依大智慧
寶能出種種无量无邊諸佛妙法善男子
如是法身三昧智慧過一切相不著於相不
可分別非常非斷是名中道雖有分別體无
分別雖有三數而无三體不增不減猶如夢
幻亦无所執亦无能執法體如如是解脫處
過死王境越生死闇一切衆生不能修行所不
能至一切諸佛菩薩之所住處善男子譬如
有人願欲得金處處求覓遂得金礦既得
礦已即便碎之擇取精者鑪中銷鍊得清
淨金隨意迴轉作諸鐶釧種種嚴具雖有
諸用金性不改
復次善男子若善男子善女人求勝解脫
修行世善得見如來及弟子衆得親近已
白佛言世尊何者爲善何者不善何者正修
得淨淨行諸佛如來及弟子衆見彼問時
如是思惟是善男子善女人欲求清淨欲聽正

BD01282號　金光明最勝王經卷二　（15–2）

得淨淨行諸佛如來及弟子衆見彼問時
如是思惟是善男子善女人欲求清淨欲聽正
法即便爲說令其開悟彼既聞已正念憶持
發心修行得精進力除嬾墮障滅一切罪於
諸學處離不尊重息掉悔心入於初地依初
地心除利有情障得入二地於此地中除不逼
惱障入於三地於此中除心軟淨障入於四
地於此地中除善方便障入於五地於此地
中除見真俗障入於六地於此地中除見行
相障入於七地於此地中除不見滅相障入
於八地於此地中除不見生相障入於九地
於此地中除六通障入於十地於此地中除所
知障除根本心入如來地如來地者由三淨
故名極清淨云何爲三一者煩惱淨二者
苦淨三者相淨譬如真金鎔銷治鍊既燒打
已无復塵垢爲顯金性本清淨故金體清
淨非謂无金譬如濁水澄渟清淨无復滓穢
爲顯水性本清淨故非謂无水如是法身與
煩惱雜苦集除已无復餘習爲顯佛性本清
淨故非謂无體譬如虛空烟雲塵霧之所障
蔽若除屏已是空界淨非謂无空如是法身
一切衆苦悉皆盡故說爲清淨非謂无體譬
如有人於睡夢中見大河水漂泛其身運手
動足截流而渡得至彼岸由彼身心不懈退
故從夢覺已不見有水彼此岸別非謂无心

BD01282號　金光明最勝王經卷二　（15–3）

如有人於睡夢中見大河水漂泛其身運手
動足截流而渡得至彼岸由彼身心不懈退
故從夢覺已不見有水彼此岸別非謂无心
生死妄想既滅盡已是覺清淨非謂无覺如
是法界一切妄想不復生故說爲清淨非是
諸佛无其實體
復次善男子是法身者惑障清淨能現應
身業障清淨能現化身智障清淨能現法
身譬如依空出電依電出光如是依法身故
能現應身依應身故能現化身由性淨故能
現法身智慧清淨能現應身三昧清淨能
現化身此三清淨是法如如不異如如一味如如
解脫如如究竟如如是故諸佛體无有異善男
子若有善男子善女人說於如來是我大
師若作如是決定信者此人即應深心解了
如來之身无有別異善男子以是義故於諸
境界不正思惟悉皆除斷即知彼法无有二
相亦无分別聖所修行如如於彼无有二相
正修行故如是如是一切諸障悉皆除滅如
如一切障滅如是如是法如如如如智得最清
淨如如法界正智清淨如是如是一切自在
具足攝受皆得成就一切諸障悉皆除滅一
切諸障得清淨故是名真如正智真實之
相如是見者是名聖見是則名爲真實見
佛何以故如實得見法真如故是故諸佛悉
能普見一切如來何以故聲聞獨覺已出三

BD01282號　金光明最勝王經卷二　（15–4）

切諸障得清淨故是名真如正智真實之
相如是見者是名聖見是則名爲真實見
佛何以故如實得見法真如故是故諸佛悉
能普見一切如來何以故聲聞獨覺已出三
界求真實境不能知見如是聖人所不知見
一切凡夫皆生疑惑顛倒分別不能得度如兔
浮海必不能過所以者何力微劣故凡夫之人
亦復如是不能通達法如如故然諸如來无
分別心於一切法得大自在具足清淨深智
慧故是自境界不共他故是故諸佛如來於
无量无邊阿僧祇劫不惜身命難行苦行
方得此身最上无比不可思議過言說境
是妙寂靜離諸怖畏
善男子如是知見法真如者无生老死壽命
无限无有睡眠亦无飢渴心常在定無有
散動若於如來起諍論心是則不能見於
如來諸佛所說皆能利益有聽聞者无不
解脫諸惡禽獸惡人惡鬼不相逢值由聞法故
果報无盡然諸如來无无記事一切境界无欲
知心生死涅槃无有異想如來所說无不決
定諸佛如來四威儀中无非智攝一切諸法无
有不爲慈悲所攝无有不爲利益安樂諸
衆生者善男子若有善男子善女人於此金
光明經聽聞信解不墮地獄餓鬼傍生阿
蘇羅道常處人天不生下賤恒得親近諸佛
如來聽受正法常生諸佛清淨國土所以者

衆生者善男子若有善男子善女人於此金
光明經聽聞信解不墮地獄餓鬼傍生阿
蘇羅道常處人天不生下賤恒得親近諸佛
如來聽受正法常生諸佛清淨國土所以者
何由得聞此甚深法故是善男子善女人則
爲如來已知已記當得不退阿耨多羅三藐
三菩提若善男子善女人於此甚深微妙之
法一經耳者當知是人不謗如來不毀正法一
不輕聖衆一切衆生未種善根令得種故已
種善根令增長成就故一切世界所有衆
生皆勸修行六波羅蜜多
尒時虛空藏菩薩梵釋四王諸天衆等即
從座起偏袒右肩合掌恭敬頂礼佛足白佛
言世尊若所在處講說如是金光明王微妙
經典於其國土有四種利益何者爲四一者國
王軍衆強盛无諸怨敵離於疾病壽命延
長吉祥安樂正法興顯二者中宮妃后王子
諸臣和悅无諍離於諂佞王所愛重三者沙
門婆羅門及諸國人修行正法无病安樂
无枉死者於諸福田悉皆修立四者於三時中
四大調適常爲諸天增加守護慈悲平等无
傷害心令諸衆生歸敬三寶皆願修習菩提
之行是爲四種利益之事世尊我等亦常
爲弘經故隨逐如是持經之人所在住處爲
作利益佛言善哉善哉善男子如是汝等
應當勤心流布此妙經王則令正法久住於世

之行是為四種利益之事世尊我等亦常
為如經故隨逐如是持經之人所在住處為
作利益佛言善哉善哉善男子如是汝等
應當勤心流布此妙經王則令正法久住於世
金光明最勝王經夢見懺悔品第四
尒時妙幢菩薩親於佛前聞妙法已歡喜
踊躍一心思惟還至本處於夜夢中見大
金鼓光明晃耀猶如日輪於此光中得見十方
无量諸佛於寶樹下坐瑠璃座无量百千
大衆圍繞而為說法見一婆羅門桴擊金鼓
出大音聲聲中演說微妙伽他明懺悔法妙
幢聞已皆悉憶持繫念而住至天曉已與无
量百千大衆圍繞持諸供具出王舍城詣鷲
峯山至世尊所礼佛足已布設香華右繞三
帀退坐一面合掌恭敬瞻仰尊顏白佛言世
尊我於夢中見婆羅門以手執桴擊妙金
鼓出大音聲聲中演說微妙伽他明懺悔法我
皆憶持唯願世尊降大慈悲聽我所說即於
佛前而說頌曰
我於昨夜中　夢見大金鼓　其形極姝妙　周遍有金光
猶如盛日輪　光明皆普耀　充滿十方界　咸見於諸佛
在於寶樹下　各處瑠璃座　无量百千衆　恭敬而圍繞
有一婆羅門　以桴擊金鼓　於其鼓聲內　說此妙伽他
金光明鼓出妙聲　遍至三千大千界
能滅三塗極重罪　及以人中諸苦厄
由此金鼓聲威力　永滅一切煩惱障

金光明鼓出妙聲　遍至三千大千界
能滅三塗極重罪　及以人中諸苦厄
由此金鼓聲威力　永滅一切煩惱障
斷除怖畏令安隱　譬如自在牟尼尊
佛於生死大海中　積行修成一切智
能令衆生覺品具　究竟咸歸功德海
由此金鼓出妙聲　普令聞者獲梵響
證得无上菩提果　常轉清淨妙法輪
住壽不可思議劫　隨機說法利群生
能斷煩惱衆苦流　貪瞋癡等皆除滅
若有衆生處惡趣　大火猛焰周遍身
若得聞是妙鼓音　即能離苦歸依佛
皆得成就宿命智　能憶過去百千生
悉皆正念牟尼尊　得聞如來甚深教
由聞金鼓勝妙音　常得親近於諸佛
悉能捨離諸惡業　純修清淨諸善品
一切天人有情類　慇重至誠祈願者
得聞金鼓妙音聲　能令所求皆滿足
衆生墮在无間獄　猛火炎熾苦焚身
无有救護處輪迴　聞者能令苦除滅
人天餓鬼傍生中　所有現受諸苦難
得聞金鼓發妙響　皆蒙離苦得解脫
現在十方界　常住兩足尊　願以大悲心　哀愍憶念我
衆生无歸依　亦无有救護　為如是等類　能作大歸依
我先所作罪　極重諸惡業　今對十力前　至心皆懺悔

[illegible]
現在十方界　常住兩足尊　願以大悲心　哀愍憶念我
衆生无歸依　亦无有救護　為如是等類　能作大歸依
我先所作罪　極重諸惡業　今對十力前　至心皆懺悔
我不信諸佛　亦不敬尊親　不務脩衆善　常造諸惡業
或自恃尊高　種姓及財位　盛年行放逸　常造諸惡業
心恒起邪念　口陳於惡言　不見於過罪　常造諸惡業
恒作愚夫行　无明闇覆心　隨順不善友　常造諸惡業
或因諸戲樂　或復懷憂惱　為貪瞋所纏　故我造諸惡
親近不善人　及由慳嫉意　貧窮行謟誑　故我造諸惡
雖不樂衆過　由有怖畏故　及不得自在　故我造諸惡
或為躁動心　或因瞋恚恨　及以飢渴惱　故我造諸惡
由飲食衣服　及貪愛女人　煩惱火所燒　故我造諸惡
於佛法僧衆　不生恭敬心　作如是衆罪　我今悉懺悔
於獨覺菩薩　亦无恭敬心　作如是衆罪　我今悉懺悔
无知謗正法　不孝於父母　作如是衆罪　我今悉懺悔
由愚癡憍慢　及以貪瞋力　作如是衆罪　我今悉懺悔
我於十方界　供養无數佛　當願拔衆生　令離諸苦難
願一切有情　皆令住十地　福智圓滿已　成佛導群迷
我為諸衆生　苦行百千劫　以大智慧力　皆令出苦海
我為諸含識　演說甚深經　最勝金光明　能除諸惡業
若人百千劫　造諸極重罪　暫時能發露　衆惡盡消除
依此金光明　作如是懺悔　由斯能速盡　一切諸苦業
勝定百千種　不思議揔持　根力覺道支　修習常无倦
我當至十地　具足珍寶處　圓滿佛功德　濟度生死流
我於諸佛海　甚深功德藏　妙智難思議　皆令得具足

BD01282號　金光明最勝王經卷二　（15–9）

勝定百千種　不思議揔持　根力覺道支　修習常无倦
我當至十地　具足珍寶處　圓滿佛功德　濟度生死流
我於諸佛海　甚深功德藏　妙智難思議　皆令得具足
唯願十方佛　觀察護念我　皆以大悲心　哀受我懺悔
我於多劫中　所造諸惡業　由斯生苦惱　哀愍願消除
我造諸惡業　常生憂惱心　於四威儀中　曾无歡樂想
諸佛具大悲　能除衆生怖　願受我懺悔　令得離憂苦
我有煩惱障　及以諸報業　願以大悲水　洗濯令清淨
我先作諸罪　及現造惡業　至心皆發露　咸願得蠲除
未來諸惡業　防護令不起　設令有違者　終不敢覆藏
身三語四種　意業復有三　繫縛諸有情　无始恒相續
由斯三種行　造作十惡業　如是衆多罪　我今皆懺悔
我造諸惡業　苦報當自受　今於諸佛前　至誠皆懺悔
於此贍部洲　及他方世界　所有諸善業　今我皆隨喜
願離十惡業　修行十善道　安住十地中　常見十方佛
我以身語意　所修福智業　願以此善根　速成无上慧
我今親對十力前　發露衆多苦難事
凡愚迷惑三有難　恒造極重惡業難
我所積集欲邪難　常起貪愛流轉難
於此世間耽著難　一切愚夫煩惱難
狂心散動顛倒難　及以親近惡友難
於生死中貪染難　瞋癡闇鈍造罪難
生八无暇惡處難　未曾積集功德難
我今皆於最勝前　懺悔无邊罪惡業
我今歸依諸善逝　我礼德海无上尊
如大金山照十方　唯願慈悲哀攝受

BD01282號　金光明最勝王經卷二　（15–10）

我今皆於衆勝前　懺悔无邊罪惡業
我今歸依諸善逝　我礼德海无上尊
如大金山照十方　唯願慈悲哀攝受
身色金光淨无垢　目如清淨紺琉璃
吉祥威德名稱尊　大悲慧日除衆闇
佛日光明常普遍　善淨无垢離諸塵
牟尼月照極清涼　能除衆生煩惱熱
三十二相遍莊嚴　八十隨好皆圓滿
福德難思无與等　如日流光照世間
色如琉璃淨无垢　猶如滿月處虛空
妙頗梨網映金軀　種種光明以嚴飾
於生死苦暴流內　老病憂愁水所漂
如是苦海難堪忍　佛日舒光令永竭
我今稽首一切智　三千世界希有尊
光明晃耀紫金身　種種妙好皆嚴飾
如大海水量難知　大地微塵不可數
如妙高山叵稱量　亦如虛空无有際
諸佛功德亦如是　一切有情不能知
於无量劫諦思惟　无有能知德海岸
盡此大地諸山岳　析如微塵能算知
毛端渧海尚可量　佛之功德无能數
一切有情皆共讚　世尊名稱諸功德
清淨相好妙莊嚴　不可稱量知分齊
我之所有衆善業　願得速成无上尊
廣說正法利群生　悉令解脫於衆苦

BD01282 號　金光明最勝王經卷二　（15–11）

清淨相好妙莊嚴　不可稱量知分齊
我之所有衆善業　願得速成无上尊
廣說正法利群生　悉令解脫於衆苦
降伏大力魔軍衆　當轉无上正法輪
久住劫數難思議　充足衆生甘露味
猶如過去諸最勝　六波羅蜜皆圓滿
滅諸貪欲及瞋癡　降伏煩惱除衆苦
願我常得宿命智　能憶過去百千生
亦常憶念牟尼尊　得聞諸佛甚深法
願我以斯諸善業　奉事无邊最勝尊
遠離一切不善因　恒得修行真妙法
一切世界諸衆生　悉皆離苦得安樂
所有諸根不具足　令彼身相皆圓滿
若有衆生遭病苦　身形羸瘦无所依
咸令病苦得消除　諸根色力皆充滿
若犯王法當刑戮　衆苦逼迫生憂惱
彼受如斯極苦時　无有歸依能救護
若受鞭杖枷鎖繫　種種苦具切其身
无量百千憂惱時　逼迫身心无暫樂
皆令得免於繫縛　及以鞭杖苦楚事
將臨刑者得命全　衆苦皆令永除盡
若有衆生飢渴逼　令得種種殊勝味
盲者得視聾者聞　跛者能行瘂能語
貧窮衆生獲寶藏　倉庫盈溢无所乏
皆令得受上妙樂　无一衆生受苦惱

BD01282 號　金光明最勝王經卷二　（15–12）

[illegible]道　令得種種殊勝味
盲者得視聾者聞　跛者能行瘂能語
貧窮衆生獲寶藏　倉庫盈溢无所乏
皆令得受上妙樂　无一衆生受苦惱
一切人天皆樂見　容儀溫雅甚端嚴
悉皆現受无量樂　受用豐饒福德具
隨彼衆生念伎樂　衆妙音聲皆現前
念水即現清涼池　金色蓮華汎其上
隨彼衆生心所念　飲食衣服及床敷
金銀珎寶妙琉璃　瓔珞莊嚴皆具足
勿令衆生聞惡響　亦復不見有相違
所受容貌悉端嚴　各各慈心相愛樂
世間資生諸樂具　隨心念時皆滿足
所得珎財无悋惜　分布施與諸衆生
燒香末香及塗香　衆妙襍華非一色
每日三時從樹墮　隨心受用生歡喜
普願衆生咸供養　十方一切最勝尊
三乘清淨妙法門　菩薩獨覺聲聞衆
常願勿處於卑賤　不墮无暇八難中
生在有暇人中尊　恒得親承十方佛
願得常生富貴家　財寶倉庫皆盈滿
顏貌名稱无與等　壽命延長經劫數
悉願女人變為男　勇健聰明多智慧
一切常行菩薩道　勤修六度到彼岸
常見十方无量佛　寶王樹下而安處

一切常行菩薩道　勤修六度到彼岸
常見十方无量佛　寶王樹下而安處
處妙琉璃師子座　恒得親承轉法輪
若於過去及現在　輪迴三有造諸業
能招可猒不善趣　願得消滅永无餘
一切衆生於有海　生死羂網堅牢縛
願以智劒為斷除　離苦速證菩提處
衆生於此贍部內　或於他方世界中
所作種種勝福因　我今皆悉生隨喜
以此隨喜福德事　及身語意造衆善
願此勝業常增長　速證无上大菩提
所有礼讚佛功德　深心清淨无瑕穢
迴向發願福无邊　當超惡趣六十劫
若有男子及女人　婆羅門等諸勝族
合掌一心讚歎佛　生生常憶宿世事
諸根清淨身圓滿　殊勝功德皆成就
願於未來所生處　常得人天共瞻仰
非於一佛十佛所　修諸善根今得聞
百千佛所種善根　方得聞斯懺悔法
尒時世尊聞此說已讚妙幢菩薩言善哉善
哉善男子如汝所夢金鼓出聲讚歎如來
真實功德并懺悔法若有聞者獲福甚
多廣利有情滅除罪障汝今應知此之勝業
皆是過去讚歎發願宿習因緣及由諸佛威
[illegible]

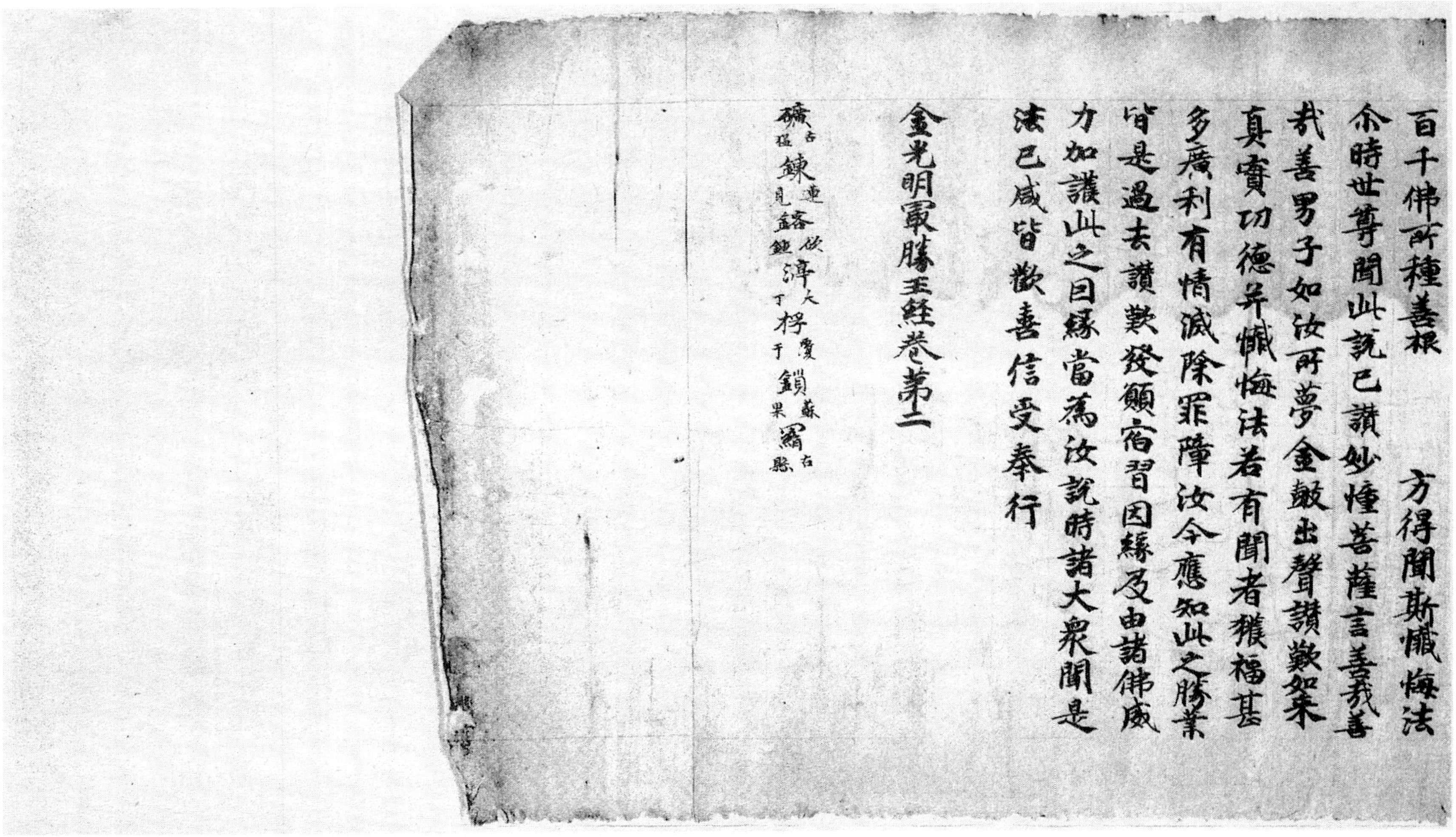

百千佛所種善根　　方得聞斯懺悔法
尒時世尊聞此說已讚妙幢菩薩言善哉善
哉善男子如汝所夢金鼓出聲讚歎如來
真實功德并懺悔法若有聞者獲福甚
多廣利有情滅除罪障汝今應知此之勝業
皆是過去讚歎發願宿習因緣及由諸佛威
力加護此之因緣當為汝說時諸大衆聞是
法已咸皆歡喜信受奉行

金光明最勝王經卷第二

礦古猛　鍊連見　鎔欲鍾　滓大丁　桴覆于　鎖蘇果　羂古縣

BD01282號　金光明最勝王經卷二　（15–15）

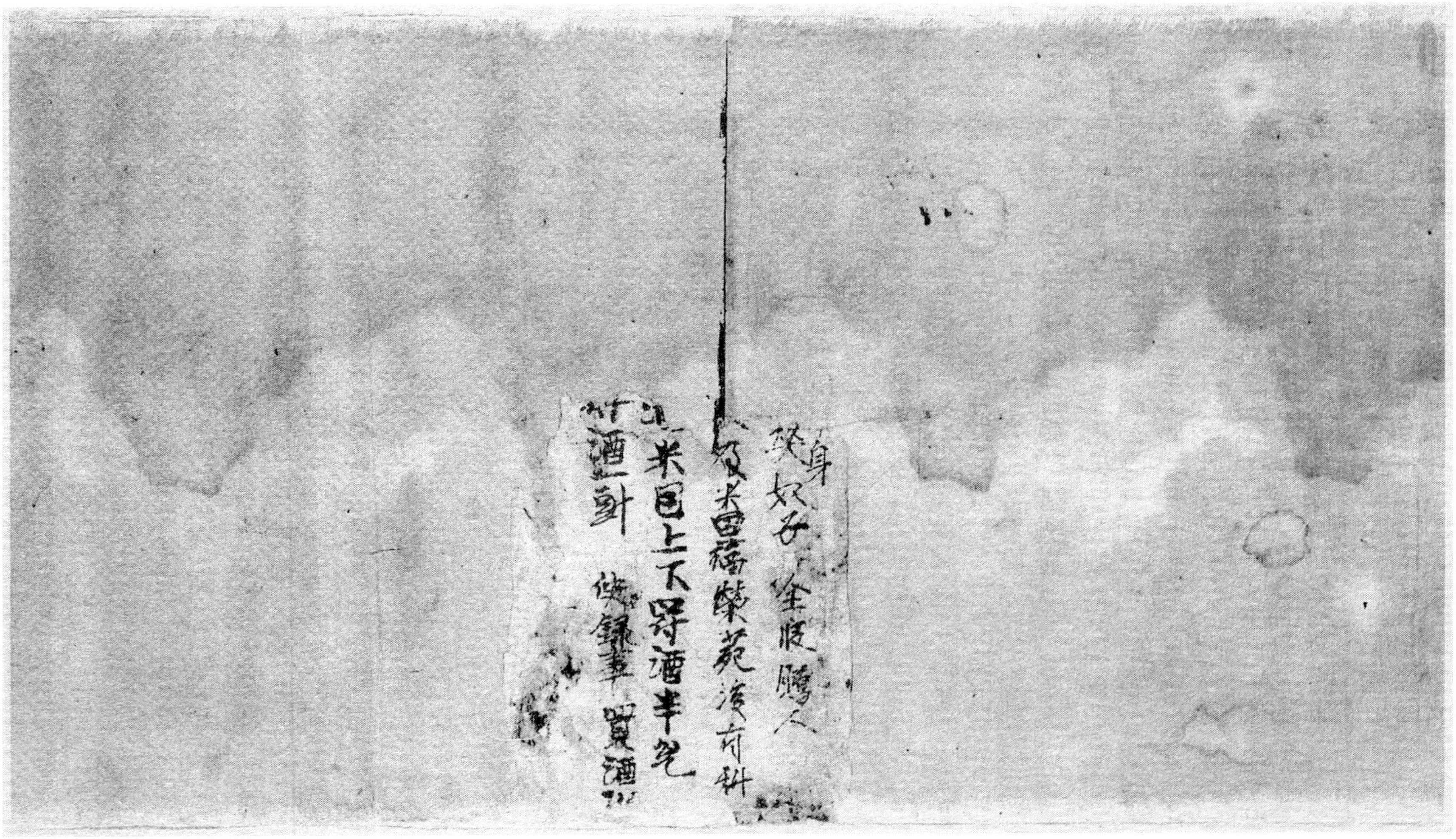

身
癸奴子　全[illegible]騰人
[illegible]米田福[illegible]苑[illegible]斗
米巳上下界酒半瓮
[illegible]酒一斗　[illegible]錄事　買酒

BD01282號背　社司文書（擬）　（1–1）

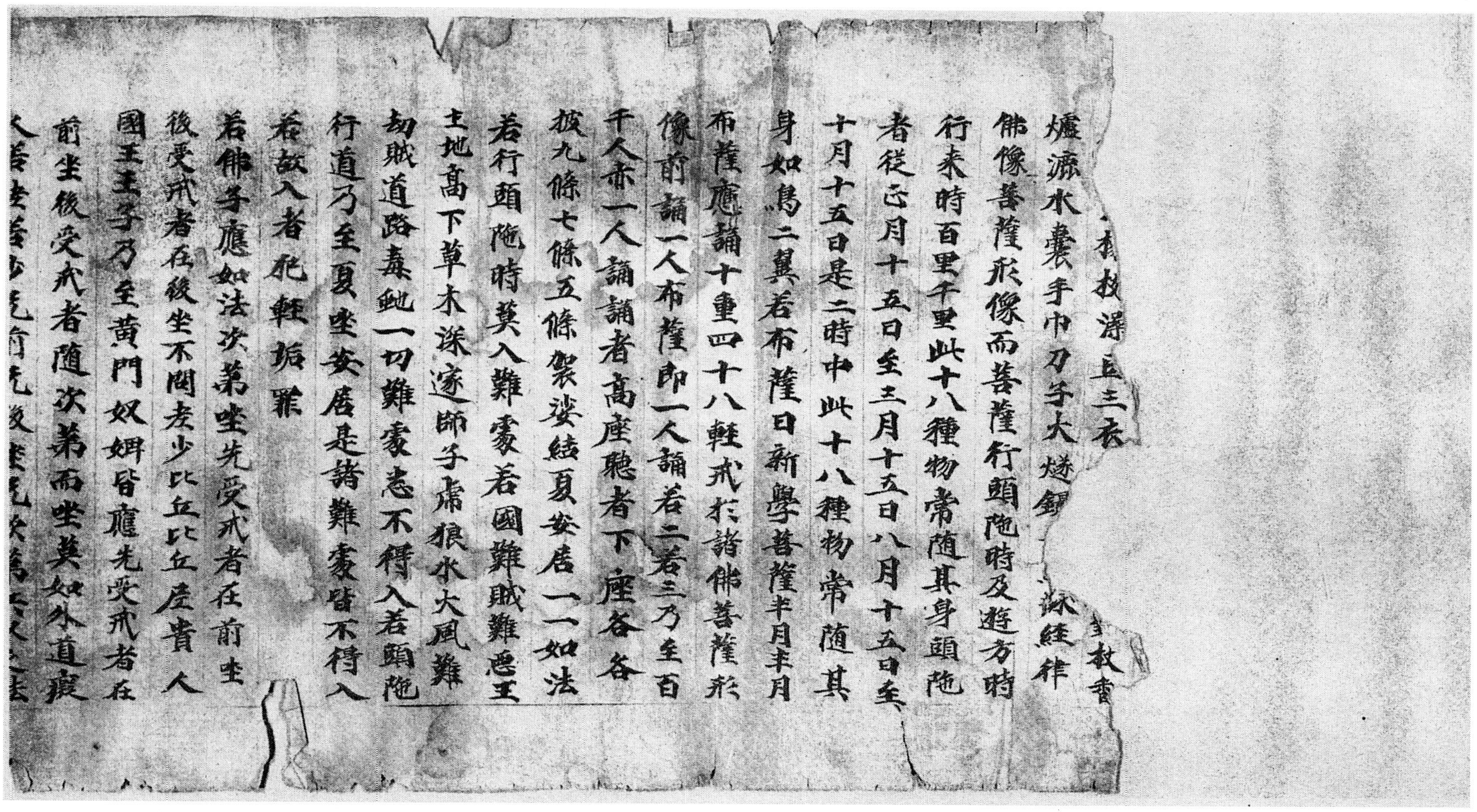
□枝澡豆三衣　□教書
爐漉水囊手巾刀子大燧鑷□繩經律
佛像菩薩形像而菩薩行頭陁時及遊方時
行來時百里千里此十八種物常隨其身頭陁
者從正月十五日至三月十五日八月十五日至
十月十五日是二時中此十八種物常隨其
身如鳥二翼若布薩日新學菩薩半月半月
布薩應誦十重四十八輕戒於諸佛菩薩形
像前誦一人布薩即一人誦若二若三乃至百
千人亦一人誦誦者高座聽者下座各各
披九條七條五條袈裟結夏安居一一如法
若行頭陁時莫入難處若國難賊難惡王
土地高下草木深邃師子虎狼水火風難
劫賊道路毒蛇一切難處悉不得入若頭陁
行道乃至夏坐安居是諸難處皆不得入
若故入者犯輕垢罪
若佛子應如法次第坐先受戒者在前坐
後受戒者在後坐不問老少比丘比丘尼貴人
國王王子乃至黃門奴婢皆應先受戒者在
前坐後受戒者隨次第而坐莫如外道癡
人若老若少无前无後坐无次第兵奴之法

BD01283 號　梵網經盧舍那佛說菩薩心地戒品第十卷下　（7–1）

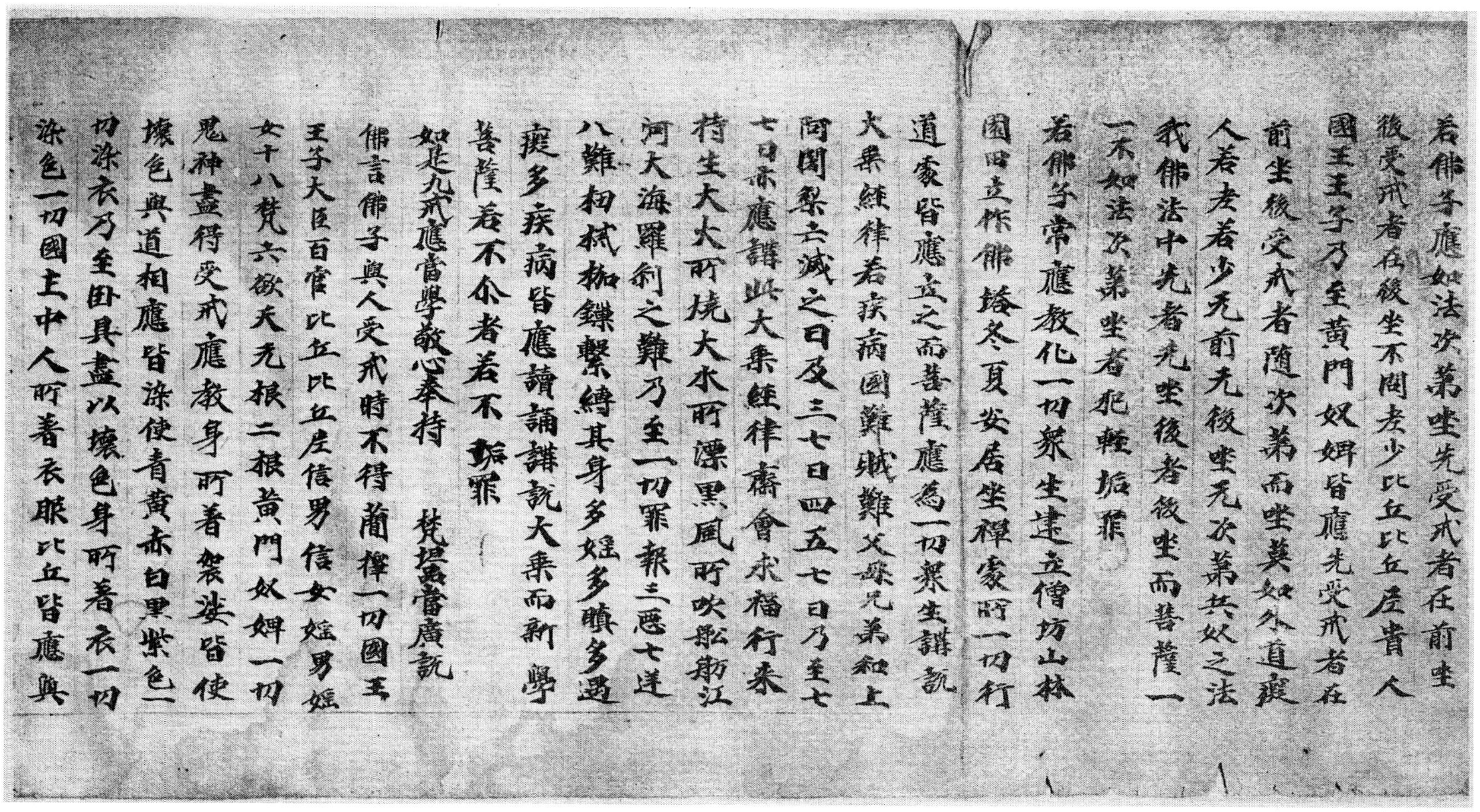
若佛子應如法次第坐先受戒者在前坐
後受戒者在後坐不問老少比丘比丘尼貴人
國王王子乃至黃門奴婢皆應先受戒者在
前坐後受戒者隨次第而坐莫如外道癡
人若老若少无前无後坐无次第兵奴之法
我佛法中先者先坐後者後坐而菩薩一
一不如法次第坐者犯輕垢罪
若佛子常應教化一切衆生建立僧坊山林
園田立作佛塔冬夏安居坐禪處所一切行
道處皆應立之而菩薩應為一切衆生講說
大乘經律若疾病國難賊難父母兄弟和上
阿闍梨亡滅之日及三七日四五七日乃至七
七日亦應講說大乘經律齋會求福行來
持生大火所燒大水所漂黑風所吹船舫江
河大海羅剎之難乃至一切罪報三惡七逆
八難杻械枷鎖繫縛其身多婬多瞋多愚
癡多疾病皆應讀誦講說大乘而新學
菩薩若不尒者若不輕垢罪
如是九戒應當學敬心奉持　梵壇品當廣說
佛言佛子與人受戒時不得簡擇一切國王
王子大臣百官比丘比丘尼信男信女婬男婬
女十八梵六欲天无根二根黃門奴婢一切
鬼神盡得受戒應教身所著袈裟皆使
壞色與道相應皆染使青黃赤白黑紫色一
切染衣乃至臥具盡以壞色身所著衣一切
染色一切國土中人所著衣服比丘皆應與

BD01283 號　梵網經盧舍那佛說菩薩心地戒品第十卷下　（7–2）

壞色與道相應皆染使青黃赤白黑紫色一
切染衣乃至卧具盡以壞色身所著衣一切
染色一切國土中人所著衣服比丘皆應與
其俗服有異若欲受戒時師應問言汝
現身不作七逆罪耶菩薩法師不得與七逆
人現身受戒七逆者出佛身血煞父煞母煞
和上煞阿闍梨破羯磨轉法輪僧煞聖人若
具七遮即現身不得戒餘一切人盡得受戒出家
人法不向國王礼拜不向父母礼拜六親不敬
鬼神不礼但解法師語有百里千里來求戒
者而菩薩法師以惡心瞋心而不即與授
一切衆生戒者犯輕垢罪
若佛子教化人起信心時菩薩與他人作教
戒法師者見欲受戒人應教請二師和上阿
闍梨二師應問言汝有七遮罪不若現身
有七遮師不應與受戒无七遮者得與受戒
又有犯十戒者應教懺悔在佛菩薩形像前
日日六時誦十重四十八輕戒苦到礼三世諸
佛須見好相若一七日二七日三七日乃至一
年要見好相好相者佛來摩頂見光見花種
種異相便得滅罪若無好相雖懺无益是人
現身亦不得戒而得增受戒若犯四十八輕戒
者對手懺悔不同七遮而教戒師於是法中
一一好解若不解大乘經律若輕若重是非之
相不解第一義諦習種性長養性不可壞性
道種性性種其中多少觀行出入十禪支

現身亦不得戒而得增受戒若犯四十八輕戒
者對手懺悔不同七遮而教戒師於是法中
一一好解若不解大乘經律若輕若重是非之
相不解第一義諦習種性長養性不可壞性
道種性性種其中多少觀行出入十禪支
一切行法一一不得此法中意而菩薩為利
養故為名聞故惡求多求貪利弟子而詐
現解一切經律是自欺誑亦欺誑他人故與
人受戒者犯輕垢罪
若佛子不得為利養故於未受菩薩戒者
前外道惡人前說此七佛大戒邪見人前亦
不得說唯除國王餘一切人不得說是惡人輩
不受佛戒者名為畜生生生不見三寶如木
石无心名為外道邪見人輩木頭无異而菩
薩於是惡人前說七佛教戒者犯輕垢罪
若佛子信心出家受佛正戒故起心毀犯聖
戒者不得受一切檀越供養亦不得國王地
上行不得飲國王水五千大鬼常遮其前鬼
言大賊若入房舍城邑宅中鬼復常掃其
脚跡一切世人罵言佛法中賊一切衆生眼不
欲見犯戒之人如畜无異木頭无異若毀正
戒者犯輕垢罪
若佛子常應一心受持讀誦大乘經律剥皮
為紙刺血為墨以髓為水析骨為筆書寫
佛戒木皮穀紙絹素竹帛亦應悉書持常以
七寶无價香華一切雜寶為箱盛經律卷若
不如法供養者犯輕垢罪

為紙刺血為墨以髓為水析骨為筆書寫
佛戒木皮穀紙絹素竹帛亦應悉書持常以
七寶无價香華一切雜寶為箱函盛經律卷若
不如法供養者犯輕垢罪
若佛子常起大悲心若入一切城邑舍宅見
一切衆生應唱言汝等衆生盡應受三歸十
戒若見牛馬猪羊一切畜生應心念口言汝是
畜生發菩提心而菩薩入一切處山川林野
皆使一切衆生發菩提心是菩薩若不發
教化衆生心者犯輕垢罪
若佛子常行教化起大悲心若入檀越貴人
家一切衆中不得立為白衣說法應白衣衆
前高座上坐法師比丘不得地立為四衆
白衣說法若說法時法師高座香華供養四
衆聽者下座而座如孝順父母敬順師教如
事火婆羅門其說法者當如法說若不如
法說者犯輕垢罪
若佛子皆以信心受戒（佛）者若國王太子百官
四部弟子自恃高貴破滅佛法戒律明作
制法制我四部弟子不聽出家行道亦復不
聽造立形像佛塔經律立統制衆案籍記僧
（比）比丘尼菩薩地立白衣高座廣行非法如兵奴
之法若國王百官信心受戒者破三寶之罪
而故作破法者犯輕垢罪
若佛子以好心出家而為名聞利養於國王
百官前說七佛戒橫與比丘比丘尼菩薩戒

BD01283號　梵網經盧舍那佛說菩薩心地戒品第十卷下　（7-5）

而故作破法者犯輕垢罪
若佛子以好心出家而為名聞利養於國王
百官前說七佛戒橫與比丘比丘尼菩薩戒
弟子作繫縛事如獄囚法如兵奴之法如師
子身中虫自食師子肉非餘外道如是佛子
自破佛法非外道天魔能破若受佛（法戒）戒者
應護佛戒如念一子如事父母而聞外道惡
人以惡言謗毀佛戒之時如三百鉾刺心
千刀万杖打拍其（身）等无有異寧自入地獄百
劫而不一聞惡言破佛法之聲而况自破佛
法教人破法因緣无孝順心若故作者犯輕
垢罪
如是九戒應當學敬心奉持
佛告諸佛子是十重四十八輕（戒）汝等受持
過去諸佛菩薩已誦現在諸佛菩薩今誦
未來諸佛菩薩當誦佛子諦聽（是）十重四十八
輕戒三世諸佛已誦今誦當誦我今亦如是
誦汝等一切大衆若國王王子百官比丘比丘尼
清信男女信受持菩薩者應受持讀誦
解說書寫佛性常住戒經流通三世一切衆
生化化不絕得見千佛佛佛授手世世不墮
惡道八難常生人道天中我今在此樹（菩提）下
略開七佛法戒汝等大衆當一心學波羅提木
叉歡喜奉行如无相天王品勸學中一一廣
明三千學士時座聽者聞佛自誦心心頂
戴喜躍受持

BD01283號　梵網經盧舍那佛說菩薩心地戒品第十卷下　（7-6）

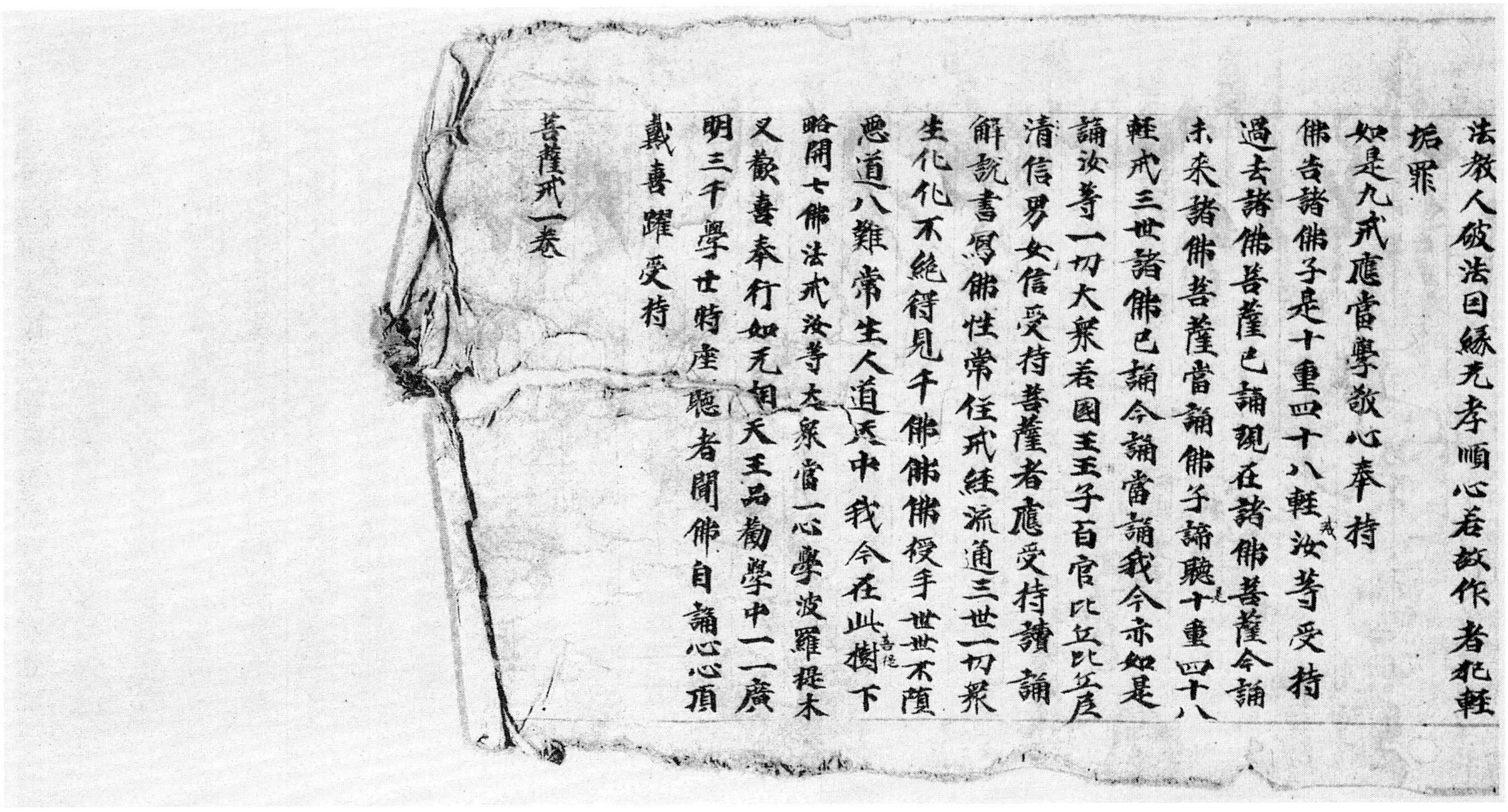
法教人破法因緣无孝順心若故作者犯輕
垢罪
如是九戒應當學敬心奉持
佛告諸佛子是十重四十八輕戒汝等受持
過去諸佛菩薩已誦現在諸佛菩薩今誦
未来諸佛菩薩當誦佛子諦聽十重四十八
輕戒三世諸佛已誦今誦當誦我今亦如是
誦汝等一切大衆若國王王子百官比丘比丘尼
清信男女信受持菩薩者應受持讀誦
解說書寫佛性常住戒經流通三世一切衆
生化化不絕得見千佛佛佛授手世世不墮
惡道八難常生人道天中我今在此樹下
略開七佛法戒汝等大衆當一心學波羅提木
叉歡喜奉行如无相天王品勸學中一一廣
明三千學士時坐聽者聞佛自誦心心頂
戴喜躍受持
菩薩戒一卷

BD01283 號　梵網經盧舍那佛說菩薩心地戒品第十卷下　（7–7）

BD01283 號背　騎縫數字、雜寫　（4–1）

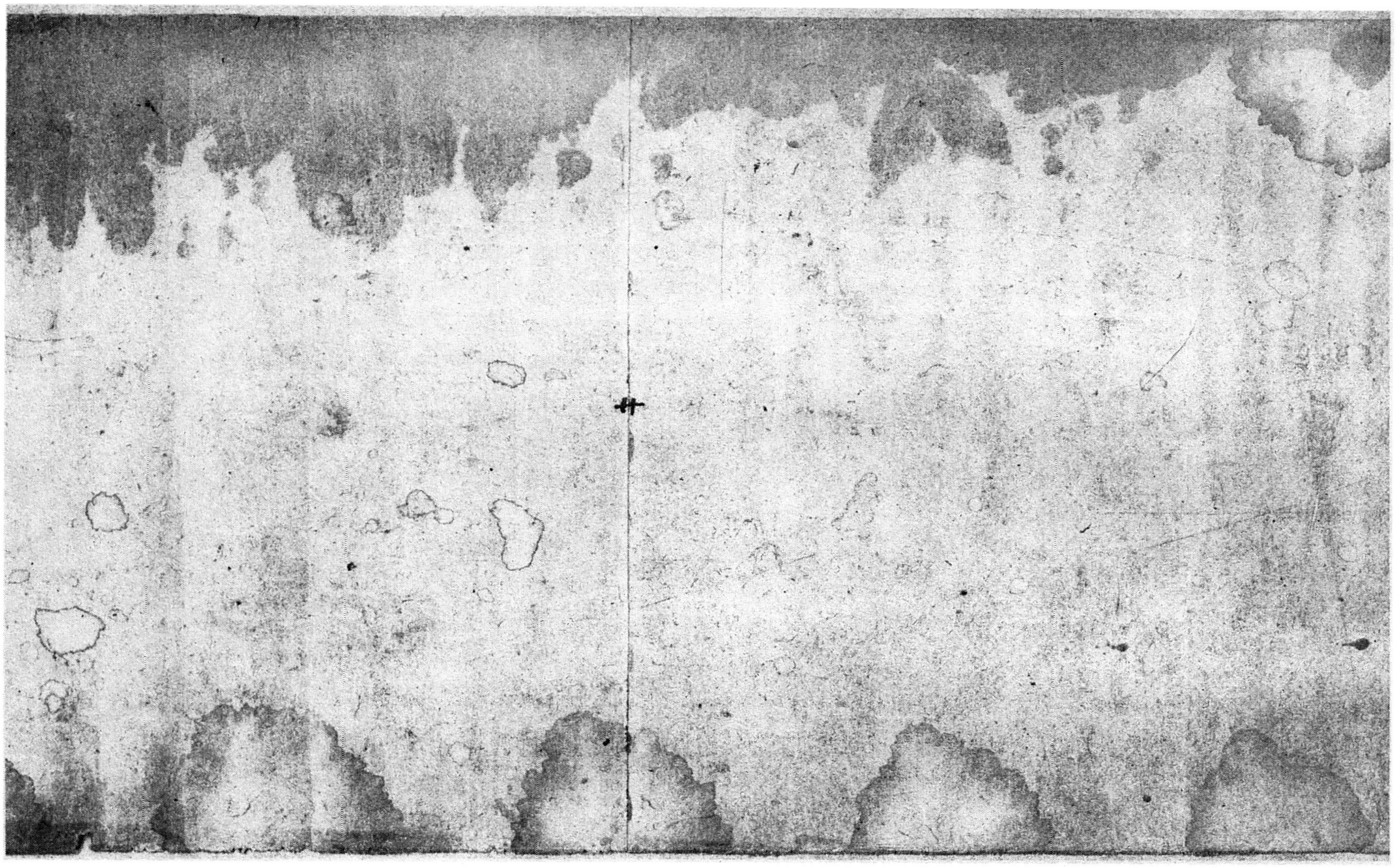

BD01283 號背　騎縫數字　（4–2）

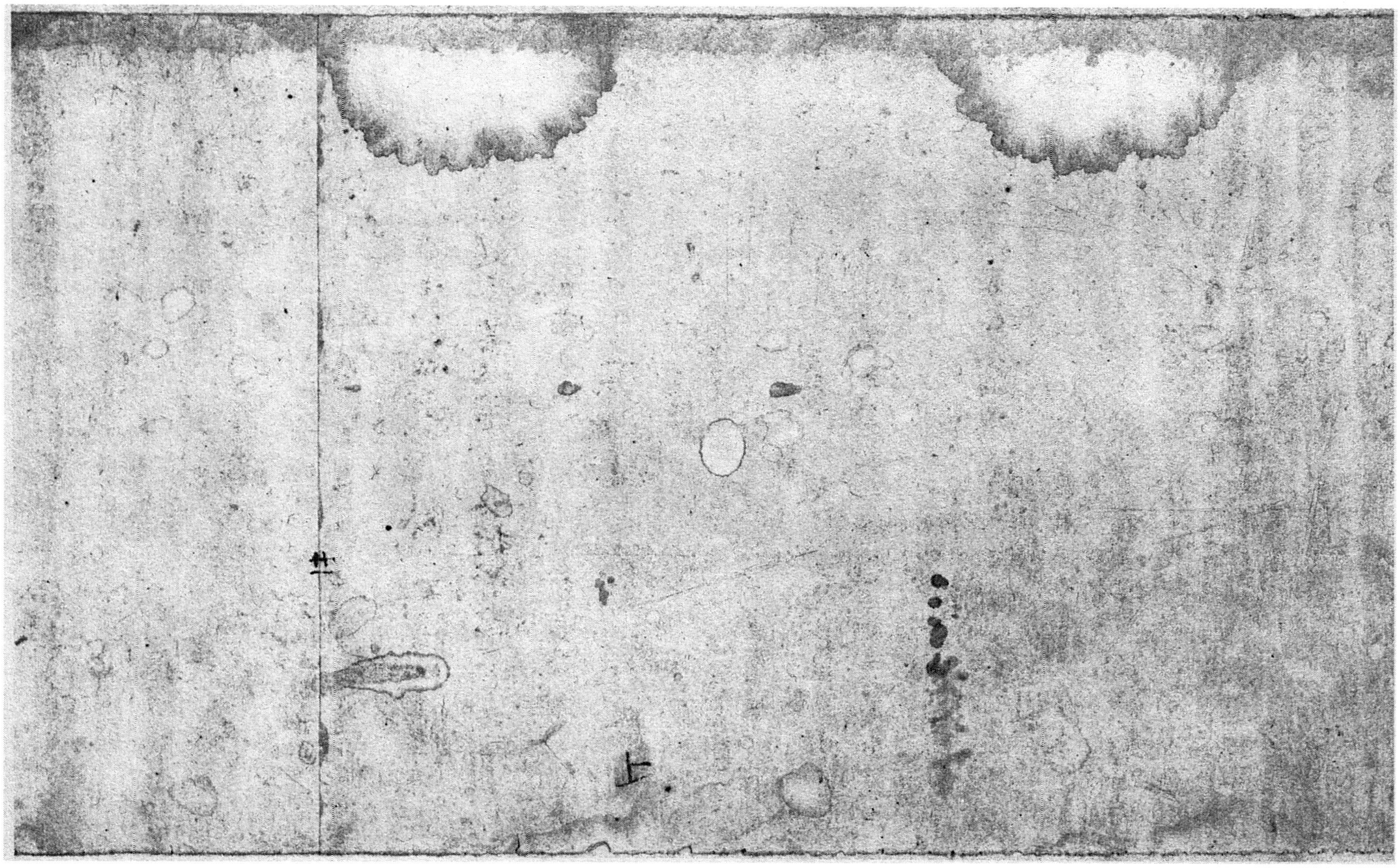

BD01283 號背　騎縫數字、雜寫　（4–3）

BD01283 號背　騎縫數字　　（4–4）

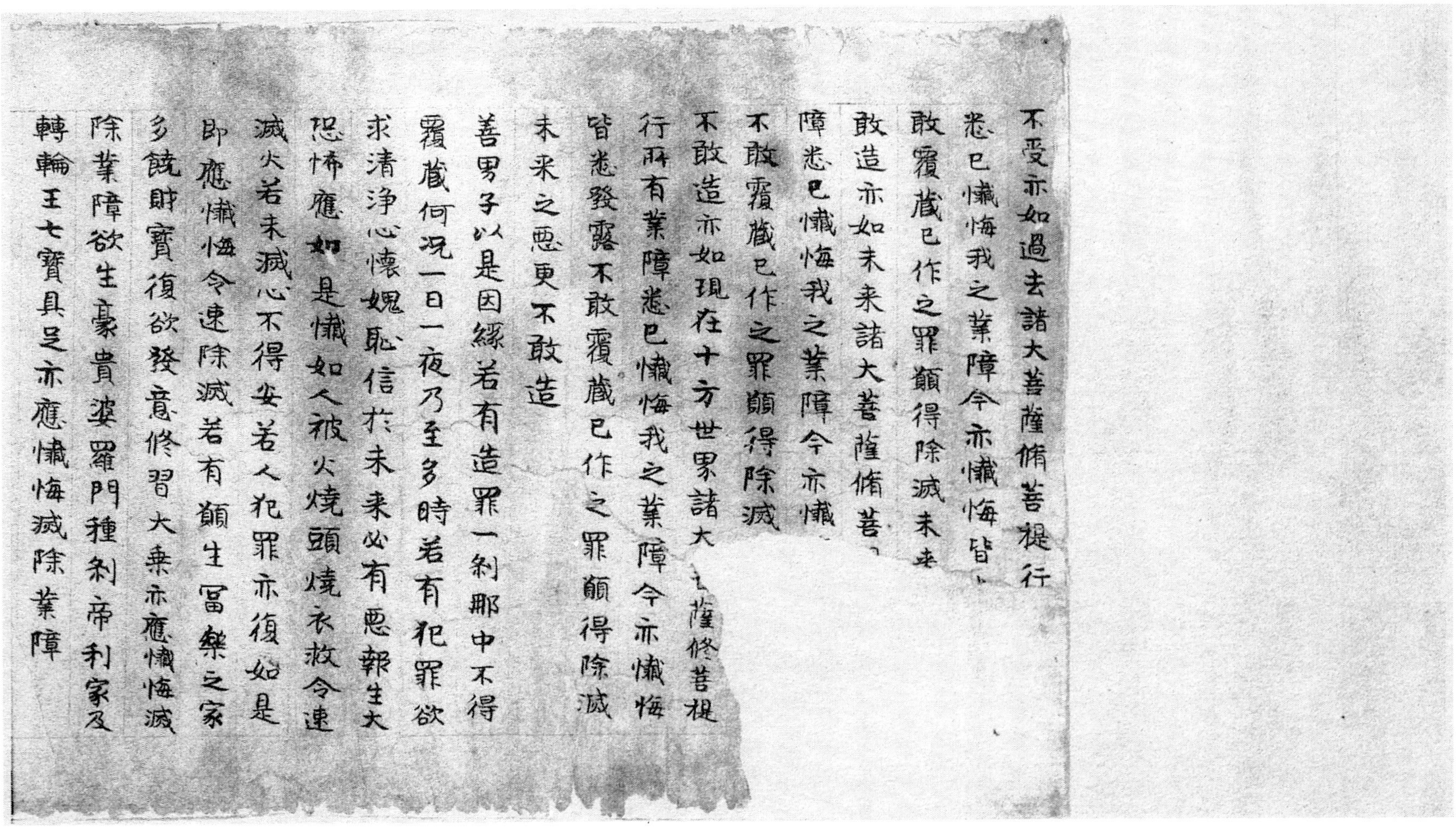

不受亦如過去諸大菩薩脩菩提行
悉已懺悔我之業障今亦懺悔皆
敢覆藏已作之罪願得除滅未來
敢造亦如未來諸大菩薩脩菩
障悉已懺悔我之業障今亦懺
不敢覆藏已作之罪願得除滅
不敢造亦如現在十方世界諸大菩薩脩菩提
行所有業障悉已懺悔我之業障今亦懺悔
皆悉發露不敢覆藏已作之罪願得除滅
未來之惡更不敢造
善男子以是因緣若有造罪一剎那中不得
覆藏何況一日一夜乃至多時若有犯罪欲
求清淨心懷慚恥信於未來必有惡報生大
恐怖應如是懺如人被火燒頭燒衣救令速
滅火若未滅心不得安若人犯罪亦復如是
即應懺悔令速除滅若有願生富樂之家
多饒財寶復欲發意修習大乘亦應懺悔滅
除業障欲生豪貴婆羅門種剎帝利家及
轉輪王七寶具足亦應懺悔滅除業障

BD01284 號　金光明最勝王經卷三　　（14–1）

即應懺悔令速除滅若有願生富樂之家
多饒財寶復欲發意修習大乘亦應懺悔滅
除業障欲生豪貴婆羅門種剎帝利家及
轉輪王七寶具足亦應懺悔滅除業障
善男子若有欲生四大王衆三十三天夜摩
天覩史多天樂變化天他化自在天亦應懺
悔滅除業障若欲生梵衆梵輔大梵天少光
无量光極光淨天少淨无量淨遍淨天无雲
福生廣果无煩无熱善現天善見色究竟天
亦應懺悔滅除業障若欲求預流果一來
果不還果阿羅漢果亦應懺悔滅除業障若
欲願求三明六通聲聞獨覺自在菩提至究
竟地求一切智智淨智不思議智不動智
三藐三菩提正遍智者亦應懺悔滅除業
障何以故善男子一切諸法從因緣生如來所
說異相生異相滅因緣異故如是過去諸法
皆已滅盡所有業障无復遺餘是諸行法未
得現生而今得生未來業障更不復起何以
故善男子一切法空如來所說无有我人衆生
壽者亦无生滅亦无行法善男子一切諸法皆
依於本亦不可說何以故過一切相故若有善
男子善女人如是入於微妙真理生信敬心是
名无衆生而有於本以是義故說於懺悔
滅除業障
善男子若人成就四法能除業障永得清淨
云何為四一者不起邪心正念成就二者於甚

BD01284號　金光明最勝王經卷三　（14–2）

滅除業障
善男子若人成就四法能除業障永得清淨
云何為四一者不起邪心正念成就二者於甚
深理不生誹謗三者於初行菩薩起一切智
心四者於諸衆生起慈无量是謂為四尒時
世尊而說頌言
專心護三業　不誹謗深法　作一切智想　慈心淨業障
善男子有四業障難可滅除云何為四一者於
菩薩律儀犯極重惡二者於大乘經心生誹
謗三者於自善根不能增長四者貪著三有
无出離心復有四種對治業障云何為四一者
於十方世界一切如來至心親近說一切罪
二者為一切衆生勸請諸佛說深妙法三者隨
喜一切衆生所有功德四者所有一切功德善
根悉皆迴向阿耨多羅三藐三菩提尒時天
帝釋白佛言世尊世間所有男子女人於
大乘行有能行者有不行者云何能得隨
喜一切衆生功德善根佛言善男子若有
有衆生雖於大乘未能修習然於晝夜六時
偏袒右肩右膝著地合掌恭敬一心專念作
隨喜時得福无量應作是言十方世界一切
衆生現在修行施戒心慧我今皆悉深生
隨喜由作如是隨喜福故必當獲得尊重
殊勝无上无等最妙之果如是過去未來一
切衆生所有善根皆悉隨喜又於現在初

BD01284號　金光明最勝王經卷三　（14–3）

隨喜由作如是隨喜福故必當獲得尊重
殊勝无上无等最妙之果如是過去未来一
切衆生所有善根皆悉隨喜又於現在初
行菩薩發菩提心所有功德過百大劫行菩
薩行有大功德獲无生忍至不退轉一生補處
如是一切功德之蘊皆悉至心隨喜讃歎過去
未来一切菩薩所有功德隨喜讃歎亦復如
是復於現在十方世界一切諸佛應正遍知證
妙菩提為度无邊諸衆生故轉无上法輪行
无礙法施擊法皷吹法螺建法幢雨法雨哀
愍勸化一切衆生咸令信受皆蒙法施悉得
充足无盡安樂又復所有菩薩聲聞獨覺
功德積集善根若有衆生未具如是諸功
德者悉令具足我皆隨喜如是過去未来
諸佛菩薩聲聞獨覺所有功德亦皆至心
隨喜讃歎善男子如是隨喜當得无量功德
之聚如恒河沙三千大千世界所有衆生皆
斷煩惱成阿羅漢若有善男子善女人盡其
形壽常以上妙衣服飲食卧具醫藥而為供
養如是功德不及如前隨喜功德千分之一何
以故供養功德有數有量不攝一切諸功德故
隨喜功德无量无數能攝三世一切功德是故
若人欲求增長勝善根者應修如是隨喜功德
若有女人願轉女身為男子者亦應修習隨喜
功德必得隨心現成男子尒時天帝釋白佛言
世尊已知隨喜功德勸請功德唯願為說

BD01284號　金光明最勝王經卷三

（14–4）

若人欲求增長勝善根者應修如是隨喜功德
若有女人願轉女身為男子者亦應修習隨喜
功德必得隨心現成男子尒時天帝釋白佛言
世尊已知隨喜功德勸請功德唯願為說
欲令未来一切菩薩當轉法輪現在菩薩
正修行故佛告帝釋若有善男子善女人願
求阿耨多羅三藐三菩提者應當修行聲
聞獨覺大乘之道是人當於晝夜六時如前
威儀一心專念作如是言我今歸依十方一切諸
佛世尊已得阿耨多羅三藐三菩提未轉无
上法輪欲捨報身入涅槃者我皆至誠頂礼
勸請轉大法輪雨大法雨然大法炬照明理趣
施无礙法莫般涅槃久住於世度脫安樂一
切衆生如前所說乃至无盡安樂我今以
此勸請功德迴向阿耨多羅三藐三菩提如
過去未来現在諸大菩薩勸請功德迴向菩
提我亦如是勸請功德迴向无上正等菩
提善男子假使有人以三千大千世界滿中七
寶供養如来若復有人勸請如来轉大法輪
所得功德其福勝彼何以故彼是財施此是
法施善男子且置三千大千世界七寶布施
若人以滿恒河沙數大千世界七寶供養一
切諸佛勸請功德亦勝於彼由其法施有
五勝利云何為五一者法施兼利自他財施
不尒二者法施能令衆生出於三界財施之福
不出欲界三者法施能淨法身財施但唯增

BD01284號　金光明最勝王經卷三

（14–5）

五勝利云何為五一者法施兼利自他財施
不尒二者法施能令衆生出於三界財施之福
不出欲界三者法施能淨法身財施但唯增
長於色四者法施无窮財施有盡五者法施
能斷无明財施唯伏貪愛是故善男子勸
請功德无量无邊難可辟喻如我昔行菩薩
道時勸請諸佛轉大法輪由彼善根是故今
日一切帝釋諸梵王等勸請於我轉大法輪
善男子請轉法輪爲欲度脫安樂諸衆生故
我於往昔為菩提行勸請如来久住於世莫
般涅槃依此善根我得十力四无所畏四无礙
辯大慈大悲證得无數不共之法我當入於
无餘涅槃我之正法久住於世我法身者清
淨无比種種妙相无量智慧无量自在无量
功德難可思議一切衆生皆蒙利益百千万
劫說不能盡法身攝藏一切諸法一切諸法
不攝法身法身常住不墮常見雖復斷滅亦
非斷見能破衆生種種異見能生衆生種
種真見能解一切衆生之縛无縛可解能植
衆生諸善根本未成熟者令成熟已成熟者
令解脫无作无動遠離闇閙寂靜无為自在安
樂過於三世能現三世出於聲聞獨覺之境
諸大菩薩之所修行一切如来體无有異此等
皆由勸請功德善根力故如是法身我今已
得是故若有欲得阿耨多羅三藐三菩提

BD01284 號　金光明最勝王經卷三　（14–6）

諸大菩薩之所修行一切如来體无有異此等
皆由勸請功德善根力故如是法身我今已
得是故若有欲得阿耨多羅三藐三菩提
者於諸經中一句之頌為人解說功德善根尚
无限量何況勸請如来轉大法輪久住於世
莫般涅槃
時天帝釋復白佛言世尊若善男子善女人
為求阿耨多羅三藐三菩提故脩三乘道
所有善根云何迴向一切智智佛告天帝善
男子若有衆生欲求菩提脩三乘道所有善
根願迴向者當於晝夜六時慇重至心作如是
說我從无始生死以来於三寶所脩行成就所
有善根乃至施與傍生一摶之食或以善言
和解諍訟或受三歸及諸學處或復懺悔
勸請隨喜所有善根我今作意悉皆攝
取迴施一切衆生无悔悋心是解脫分善根所
攝如佛世尊之所知見不可稱量无礙清淨
如是所有功德善根悉以迴施一切衆生不住
相心不捨相心我亦如是功德善根悉以迴施一
切衆生願皆獲得如意之手撝空出寶滿衆
生願富樂无盡智慧无窮妙法辯才悉皆
无滯共諸衆生同證阿耨多羅三藐三菩
提得一切智因此善根更復出生无量善法
亦皆迴向无上菩提又如過去諸大菩薩修
行之時功德善根悉皆迴向一切種智現在

BD01284 號　金光明最勝王經卷三　（14–7）

於行一十智因此善根見從出生无量善法[illegible]
亦皆迴向无上菩提之如過去諸大菩薩修
行之時功德善根悉皆迴向一切種智現在
未来亦復如是然我所有功德善根亦皆迴
向阿耨多羅三藐三菩提是諸善根願共一
切衆生俱成正覺如餘諸佛坐於道場菩提
樹下不可思議无礙清淨住於无盡法藏陁
羅尼首楞嚴定破魔波旬无量兵衆應見
覺知應可通達如是一切一刹那中悉皆照了
於後夜中獲甘露法證甘露義我及衆生
願皆同證如是妙覺猶如
無量壽佛　勝光佛　妙光佛　阿閦佛
功德善光佛　師子光明佛　百光明佛　網光明佛
寶相佛　寶燄佛　燄明佛　燄盛光明佛
吉祥上王佛　微妙聲佛　妙莊嚴佛　法幢佛
上勝身佛　可愛色身佛　光明遍照佛　梵淨王佛
上性佛
如是等如来應正遍知過去未来及以現在
亦現應化得阿耨多羅三藐三菩提轉无上
法輪為度衆生我亦如是廣說如上
善男子若有淨信男子女人於此金光明最
勝經王滅業障品受持讀誦憶念不忘為
他廣說得无量无邊大功德聚譬如三千大千
世界所有衆生一時皆得成就人身得人身
已成獨覺道若有男子女人盡其形壽恭
敬尊重四事供養一一獨覺各施七寶如須

BD01284 號　金光明最勝王經卷三　（14–8）

已成獨覺道若有男子女人盡其形壽恭
敬尊重四事供養一一獨覺各施七寶如須
弥山此諸獨覺入於涅槃後皆以珎寶起塔供
養其塔高廣十二瑜繕那以諸花香寶幢幡蓋
常為供養善男子於意云何是人所獲功德
寧為多不天帝釋言甚多世尊善男子若
復有人於此金光明微妙經典衆經之王滅
業障品受持讀誦憶念不忘為他廣說所
獲功德於前所說供養功德百分不及一百
千万億分乃至校量譬喻所不能及何以故是
善男子善女人住正行中勸請十方一切諸佛
轉无上法輪皆為諸佛歡喜讚歎善男子
如我所說一切施中法施為勝是故善男子於
三寶所設諸供養不可為比勸受三歸持一
切戒无有毀犯三業不空不可為比一切世界
一切衆生隨力隨能隨所願樂於三乘中勸
發菩提心不可為比於三世中一切世界所有
衆生皆得无礙速令成就无量功德不可為比
三世刹土一切衆生令无障礙得三菩提不可
為比三世刹土一切衆生勸令速出四惡道苦
不可為比三世刹土一切衆生勸令除滅
極重惡業不可為比一切苦惱勸令解
脫不可為比一切怖畏苦惱逼切皆令得解
不可為比三世佛前一切衆生所有功德
勸令隨喜發菩提願不可為比勸除惡行
[illegible]尊之業一切功德皆願成就[illegible]

BD01284 號　金光明最勝王經卷三　（14–9）

脫不可為比一切怖畏苦惱逼切皆令得解
不可為比三世佛前一切衆生所有功德
勸令隨喜發菩提願不可為比勸除惡行
罵辱之業一切功德皆願成就所在生中勸請
供養尊重讚歎一切三寶勸請衆生淨脩
福行成滿菩提不可為比是故當知勸請
一切世界三世三寶勸請滿足六波羅蜜勸
請轉於无上法輪勸請住世經无量劫演說
无量甚深妙法功德甚深无能比者
尒時天帝釋及恒河女神无量梵王四大天
衆從座而起偏袒右肩右膝著地合掌頂
礼白佛言世尊我等皆得聞是金光明最
勝王經今悉受持讀誦通利為他廣說依
此法住何以故世尊我等欲求阿耨多羅三藐
三菩提隨順此義種種勝相如法行故尒時
梵王及天帝釋等於說法處皆以種種曼陁
羅花而散佛上三千大千世界地皆大動一切
天鼓及諸音樂不鼓自鳴放金色光遍滿世
界出妙音聲時天帝釋白佛言世尊此等
皆是金光明經威神之力慈悲普救種種利益
種種增長菩薩善根滅諸業障佛言如是如
是如汝所說何以故善男子我念往昔過无量
百千阿僧祇劫有佛名寶王大光照如來應正
遍知出現於世住世六百八十億劫尒時寶王大
光照如來為欲度脫人天釋梵沙門婆羅
門一切衆生令安樂故當出現時初會說

BD01284號　金光明最勝王經卷三　（14–10）

百千阿僧祇劫有佛名寶王大光照如來應正
遍知出現於世住世六百八十億劫尒時寶王大
光照如來為欲度脫人天釋梵沙門婆羅
門一切衆生令安樂故當出現時初會說
法度百千億億万衆皆得阿羅漢果諸
漏已盡三明六通自在无礙於第二會復度
九十千億億万衆皆得阿羅漢果諸漏已盡
三明六通自在无礙於第三會復度九十八千
億億万衆皆得阿羅漢果圓滿如上
善男子我於尒時作女人身名福寶光明於
第三會親近世尊受持讀誦是金光明經
為他廣說求阿耨多羅三藐三菩提故時彼
世尊為我授記此福寶光明女於未來世當
得作佛号釋迦牟尼如來應正遍知明行足善
逝世間解无上士調御丈夫天人師佛世尊
捨女身後從是以來越四惡道生人天中受上
妙樂八十四百千生作轉輪王至于今日
得成正覺名稱普聞遍滿世界時會大衆
忽然皆見寶王大光照如來轉无上法輪說
微妙法善男子去此索訶世界東方過百千
恒河沙數佛土有世界名寶莊嚴其寶王大
光照如來今現在彼未般涅槃說微妙法廣化
群生汝等見者即是彼佛
善男子若有善男子善女人聞是寶王大光
照如來名号者於菩薩地得不退轉至大涅
槃若有女人聞是佛名臨命終時得見彼

BD01284號　金光明最勝王經卷三　（14–11）

善男子若有善男子善女人聞是寶王大光
照如來名号者於菩薩地得不退轉至大涅
槃若有女人聞是佛名者臨命終時得見彼
佛來至其所既見佛已究竟不復更受女身
善男子是金光明微妙經典種種利益種
種增長菩薩善根滅諸業障善男子若有
苾芻苾芻尼鄔波索迦鄔波斯迦隨在何處
為人講說是金光明微妙經典於其國土皆獲
四種福利善根云何為四一者國王无病離諸
灾厄二者壽命長遠无有障礙三者无諸怨
敵兵衆勇健四者安隱豐樂正法流通何以故
如是人王常為釋梵四王藥叉之衆共守護故
尒時世尊告天衆曰善男子是事實不是時
无量釋梵四王及藥叉衆俱時同聲荅世尊
言如是如是若有國土講宣讀誦此妙經王
是諸國主我等四王常來擁護行住共俱其
王若有一切灾障及諸怨敵我等四王皆使
消殄憂愁疾疫亦令除差增益壽命感應
禎祥所願遂心恒生歡喜我等亦能令其國
中所有軍兵悉皆勇健佛言善哉善哉善男
子如汝所說汝當脩行何以故是諸國主如法
行時一切人民隨王脩習如法行者汝等皆蒙色
力勝利宮殿光明眷屬強威時釋梵等白
佛言如是世尊佛言若有講讀此妙經典流
通之處於其國中大臣輔相有四種益云何
爲四一者更相親穆尊重愛念二者常爲

BD01284號　金光明最勝王經卷三　（14–12）

力勝利宮殿光明眷屬強威時釋梵等白
佛言如是世尊佛言若有講讀此妙經典流
通之處於其國中大臣輔相有四種益云何
為四一者更相親穆尊重愛念二者常為人
王心所愛重亦為沙門婆羅門大國小國之所
遵敬三者輕財重法不求世利嘉名普暨衆
所欽仰四者壽命延長安隱快樂是名四益
若有國土宣說是經沙門婆羅門得四種勝
利云何為四一者衣服飲食卧具醫藥无
所之少二者皆得安心思惟讀誦三者依於
山林得安樂住四者隨心所願皆得滿足是
名四種勝利若有國土宣說是經一切人民
皆得豐樂无諸疾疫商佑往還多獲寶貨
具足勝福是名種種功德利益
尒時梵釋四天王及諸大衆白佛言世尊如是
經典甚深之義若現在者當知如來卅七
種助菩提法住世未滅若是經典滅盡之時
正法亦滅佛言如是如是善男子是故汝等
於此金光明經一句一頌一品一部皆當一心正讀
誦正聞持正思惟正脩習為諸衆生廣宣流
布長夜安樂福利无邊時諸大衆聞佛說已
咸蒙勝益歡喜受持

金光明經卷第三

闇胡對　穆莫六　暨其器

BD01284號　金光明最勝王經卷三　（14–13）

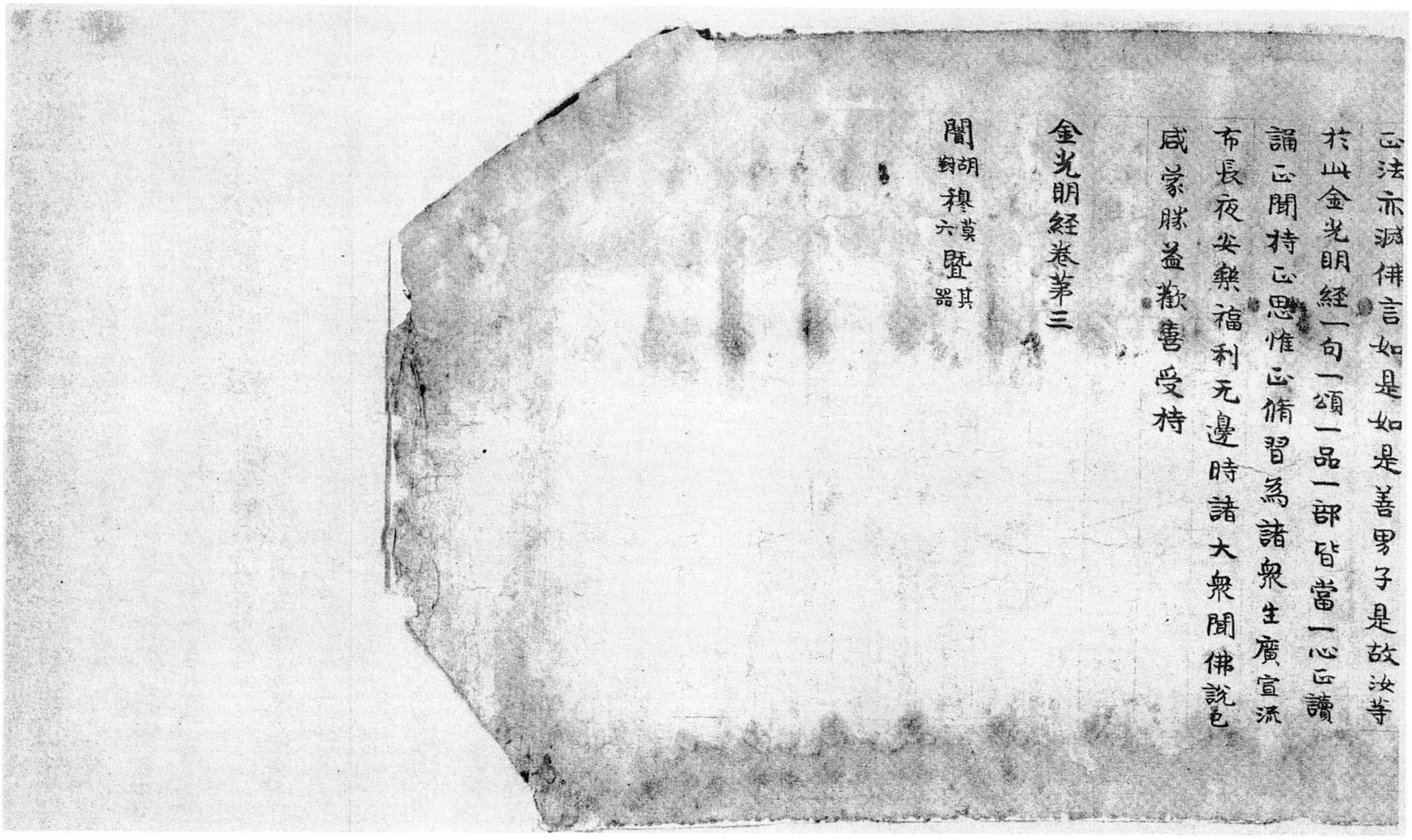

正法亦滅佛言如是如是善男子是故汝等
於此金光明經一句一頌一品一部皆當一心正讀
誦正聞持正思惟正脩習為諸衆生廣宣流
布長夜安樂福利无邊時諸大衆聞佛說已
咸蒙勝益歡喜受持

金光明經卷第三

闍胡對 穆莫六 暨其器

BD01284 號　金光明最勝王經卷三

（14–14）

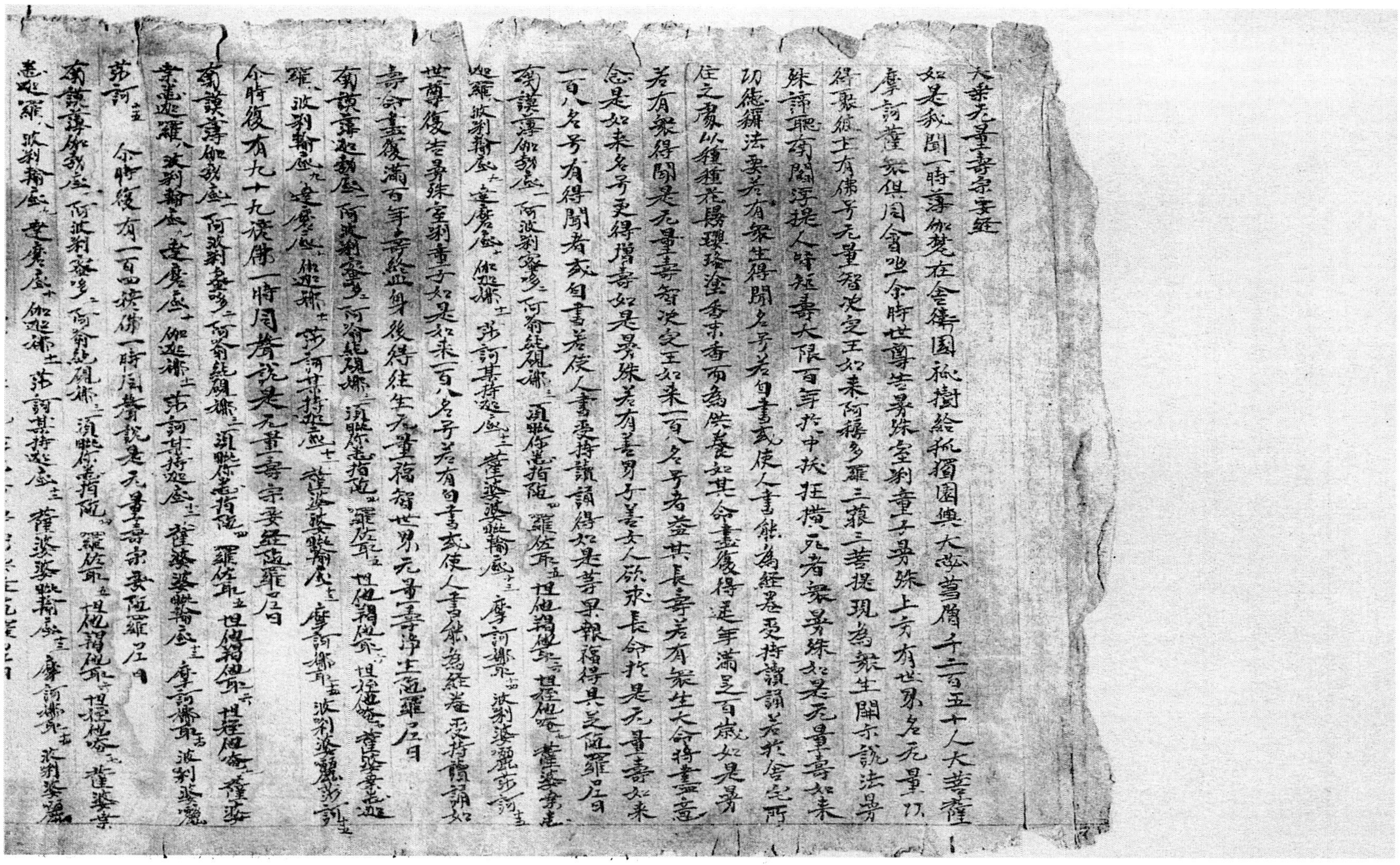

大乘无量壽宗要經
如是我聞一時薄伽梵在舍衛國祇樹給孤獨園與大比丘僧千二百五十人大菩薩
摩訶薩衆俱同會坐尒時世尊告曼殊室利童子曼殊上方有世界名无量功
德聚彼土有佛号无量智決定王如來阿耨多羅三藐三菩提現為衆生開示說法曼
殊師利聽南閻浮提人皆短壽大限百年於中夭狂橫死者衆曼殊如是无量壽如來
功德名稱法要若有衆生得聞名号若自書或使人書能為經卷受持讀誦若於舍宅所
住之處以種種花鬘瓔珞塗香末香而為供養如其命盡復得延年滿足百歲如是曼
殊若有衆得聞是无量壽智決定王如來一百八名号者益其長壽若有衆生大命將盡憶
念是如來名号更得增壽如是曼殊若有善男子善女人欲求長命於是无量壽如來
一百八名号有得聞者或自書若使人書受持讀誦得如是等果報福得具足陁羅尼曰
南謨薄伽勃底一 阿波唎蜜多二 阿喻紇硯那三 須毗你悉指陁四 羅佐耶五 怛他羯他耶六 怛姪他唵七 薩婆桑塞
迦羅八 波唎輸底九 達磨底十 伽伽那十一 莎訶某持娑底十二 薩婆婆毗輸底十三 摩訶那耶十四 波唎婆嚩莎訶十五
世尊復告曼殊室利童子如是如來一百八名号若有自書或使人書能為經卷受持讀誦如
壽命盡復滿百年壽終此身後得往生无量福智世界无量壽淨土陁羅尼曰
南謨薄伽勃底一 阿波唎蜜多二 阿喻紇硯那三 須毗你悉指陁四 羅佐耶五 怛他羯他耶六 怛姪他唵七 薩婆桑塞迦
羅八 波唎輸底九 達磨底十 伽伽那十一 莎訶某持娑底十二 薩婆婆毗輸底十三 摩訶那耶十四 波唎婆嚩莎訶十五
尒時復有九十九俱胝佛一時同聲說是无量壽宗要經陁羅尼曰
南謨薄伽勃底一 阿波唎蜜多二 阿喻紇硯那三 須毗你悉指陁四 羅佐耶五 怛他羯他耶六 怛姪他唵七 薩婆
桑塞迦羅八 波唎輸底九 達磨底十 伽伽那十一 莎訶某持娑底十二 薩婆婆毗輸底十三 摩訶那耶十四 波唎婆嚩
莎訶十五 尒時復有一百四俱胝佛一時同聲說是无量壽宗要陁羅尼曰
南謨薄伽勃底一 阿波唎蜜多二 阿喻紇硯那三 須毗你悉指陁四 羅佐耶五 怛他羯他耶六 怛姪他唵七 薩婆桑
塞迦羅八 波唎輸底九 達磨底十 伽伽那十一 莎訶某持娑底十二 薩婆婆毗輸底十三 摩訶那耶十四 波唎婆嚩

BD01285 號　無量壽宗要經

（4–1）

南謨薄伽勃底一阿波唎蜜多二阿喻紇硯娜三須毗你失指陀四羅佐耶五怛他羯他耶六怛姪他七薩婆
桑悉迦羅八波唎輸底九達摩底十伽伽娜十一莎訶某持迦底十二薩婆婆毗輸底十三摩訶娜耶十四波唎婆麗
莎訶十五 爾時復有一百四姟佛一時同聲說是無量壽宗要經陀羅尼曰
南謨薄伽勃底一阿波唎蜜多二阿喻紇硯娜三須毗你失指陀四羅佐耶五怛他羯他耶六怛姪他七薩婆
桑悉迦羅八波唎輸底九達摩底十伽伽娜十一莎訶某持迦底十二薩婆婆毗輸底十三摩訶娜耶十四波唎婆麗
莎訶十五 爾時復有九姟佛一時同聲說是無量壽宗要經陀羅尼曰
南謨薄伽勃底一阿波唎蜜多二阿喻紇硯娜三須毗你失指陀四羅佐耶五怛他羯他耶六怛姪他七薩婆桑
悉迦羅八波唎輸底九達摩底十伽伽娜十一莎訶某持迦底十二薩婆婆毗輸底十三摩訶娜耶十四波唎婆麗莎訶十五
爾時復有六十五姟佛一時同聲說是無量壽宗要經陀羅尼曰
南謨薄伽勃底一阿波唎蜜多二阿喻紇硯娜三須毗你失指陀四羅佐耶五怛他羯他耶六怛姪他七薩婆桑悉
迦羅八波唎輸底九達摩底十伽伽娜十一莎訶某持迦底十二薩婆婆毗輸底十三摩訶娜耶十四波唎婆麗莎訶十五
爾時復有五十五姟佛一時同聲說是無量壽宗要經陀羅尼曰
南謨薄伽勃底一阿波唎蜜多二阿喻紇硯娜三須毗你失指陀四羅佐耶五怛他羯他耶六怛姪他七薩婆桑悉
迦羅八波唎輸底九達摩底十伽伽娜十一莎訶某持迦底十二薩婆婆毗輸底十三摩訶娜耶十四波唎婆麗莎訶十五
爾時復有四十五姟佛一時同聲說是無量壽宗要經陀羅尼曰
南謨薄伽勃底一阿波唎蜜多二阿喻紇硯娜三須毗你失指陀四羅佐耶五怛他羯他耶六怛姪他七薩婆桑悉
迦羅八波唎輸底九達摩底十伽伽娜十一莎訶某持迦底十二薩婆婆毗輸底十三摩訶娜耶十四波唎婆麗
莎訶十五 爾時復有三十五姟佛一時同聲說是無量壽宗要經陀羅尼曰
南謨薄伽勃底一阿波唎蜜多二阿喻紇硯娜三須毗你失指陀四羅佐耶五怛他羯他耶六怛姪他七薩婆桑悉
迦羅八波唎輸底九達摩底十伽伽娜十一莎訶某持迦底十二薩婆婆毗輸底十三摩訶娜耶十四波唎婆麗
莎訶十五 爾時復有二十五姟佛一時同聲說是無量壽宗要經陀羅尼曰
南謨薄伽勃底一阿波唎蜜多二阿喻紇硯娜三須毗你失指陀四羅佐耶五怛他羯他耶六怛姪他七薩婆
桑悉迦羅八波唎輸底九達摩底十伽伽娜十一莎訶某持迦底十二薩婆婆毗輸底十三摩訶娜耶十四波唎
婆麗莎訶十五 爾時復有恒河沙姟佛一時同聲說是無量壽宗要經陀羅尼曰
南謨薄伽勃底一阿波唎蜜多二阿喻紇硯娜三須毗你失指陀四羅佐耶五怛他羯他耶六怛姪他七薩婆
桑悉迦羅八波唎輸底九達摩底十伽伽娜十一莎訶某持迦底十二薩婆婆毗輸底十三摩訶娜耶十四波唎
婆麗莎訶十五 若有自書寫教人書寫是無量壽宗要經於其命盡復得長
壽於滿百年陀羅尼曰
南謨薄伽勃底一阿波唎蜜多二阿喻紇硯娜三須毗你失指陀四羅佐耶五怛他羯他耶六怛姪他七薩婆桑悉迦羅八波唎輸底九達摩底十伽伽娜十一莎訶某持迦底十二薩婆婆毗輸底十三摩訶娜耶十四波唎婆麗莎訶十五

BD01285號　無量壽宗要經　（4–2）

南謨薄伽勃底一阿波唎蜜多二阿喻紇硯娜三須毗你失指陀四羅佐耶五怛他羯他耶六怛姪他七薩婆
桑悉迦羅八波唎輸底九達摩底十伽伽娜十一莎訶某持迦底十二薩婆婆毗輸底十三摩訶娜耶十四波唎
婆麗莎訶十五 若有自書寫教人書寫是無量壽宗要經於其命盡復得長
壽於滿百年陀羅尼曰
南謨薄伽勃底一阿波唎蜜多二阿喻紇硯娜三須毗你失指陀四羅佐耶五怛他羯他耶六怛姪他七薩婆桑悉迦羅八
波唎輸底九達摩底十伽伽娜十一莎訶某持迦底十二薩婆婆毗輸底十三摩訶娜耶十四波唎婆麗莎訶十五
若有自書寫教人書寫是無量壽宗要經受持讀誦畢竟不墮地獄在在所生得宿命智陀羅尼曰
南謨薄伽勃底一阿波唎蜜多二阿喻紇硯娜三須毗你失指陀四羅佐耶五怛他羯他耶六怛姪他七薩婆桑悉迦羅八波唎
輸底九達摩底十伽伽娜十一莎訶某持迦底十二薩婆婆毗輸底十三摩訶娜耶十四波唎婆麗莎訶十五
若有自書寫教人書寫是無量壽宗要經受持讀誦如同書寫八萬四千一切經典陀羅尼曰
南謨薄伽勃底一阿波唎蜜多二阿喻紇硯娜三須毗你失指陀四羅佐耶五怛他羯他耶六怛姪他七薩婆桑悉迦羅八波唎
輸底九達摩底十伽伽娜十一莎訶某持迦底十二薩婆婆毗輸底十三摩訶娜耶十四波唎婆麗莎訶十五
若有自書寫教人書寫是無量壽宗要經即是書寫八萬四千部建立塔廟陀羅尼曰
南謨薄伽勃底一阿波唎蜜多二阿喻紇硯娜三須毗你失指陀四羅佐耶五怛他羯他耶六怛姪他七薩婆桑悉迦羅八
波唎輸底九達摩底十伽伽娜十一莎訶某持迦底十二薩婆婆毗輸底十三摩訶娜耶十四波唎婆麗莎訶十五
若有自書寫教人書寫是無量壽宗要經能消五無間等一切重罪陀羅尼曰
南謨薄伽勃底一阿波唎蜜多二阿喻紇硯娜三須毗你失指陀四羅佐耶五怛他羯他耶六怛姪他七薩婆桑悉迦羅八
波唎輸底九達摩底十伽伽娜十一莎訶某持迦底十二薩婆婆毗輸底十三摩訶娜耶十四波唎婆麗莎訶十五
若有自書寫教人書寫是無量壽宗要經受持讀誦設有重罪猶如須彌盡能除滅陀羅尼曰
南謨薄伽勃底一阿波唎蜜多二阿喻紇硯娜三須毗你失指陀四羅佐耶五怛他羯他耶六怛姪他七薩婆桑悉迦羅八
波唎輸底九達摩底十伽伽娜十一莎訶某持迦底十二薩婆婆毗輸底十三摩訶娜耶十四波唎婆麗莎訶十五
若有自書寫教人書寫是無量壽宗要經受持讀誦若魔子之眷屬夜叉羅剎不得其便終無枉死陀羅尼曰
南謨薄伽勃底一阿波唎蜜多二阿喻紇硯娜三須毗你失指陀四羅佐耶五怛他羯他耶六怛姪他七薩婆桑悉迦羅八波唎
輸底九達摩底十伽伽娜十一莎訶某持迦底十二薩婆婆毗輸底十三摩訶娜耶十四波唎婆麗莎訶十五
若有自書寫教人書寫是無量壽宗要經受持讀誦當得命終時有九十九姟佛現其人前千
佛授手能往一切佛剎莫於此經生於疑惑陀羅尼曰
南謨薄伽勃底一阿波唎蜜多二阿喻紇硯娜三須毗你失指陀四羅佐耶五怛他羯他耶六怛姪他七薩婆桑悉迦羅八
波唎輸底九達摩底十伽伽娜十一莎訶某持迦底十二薩婆婆毗輸底十三摩訶娜耶十四波唎婆麗莎訶十五
若有自書寫教人書寫是無量壽宗要經受持讀誦常得四天大王隨其衛護陀羅尼曰
南謨薄伽勃底一阿波唎蜜多二阿喻紇硯娜三須毗你失指陀四羅佐耶五怛他羯他耶六怛姪他七薩婆桑悉迦羅八波唎輸底九達摩底十伽伽娜十一莎訶某持迦底十二薩婆婆毗輸底十三摩訶娜耶十四波唎婆麗莎訶十五

BD01285號　無量壽宗要經　（4–3）

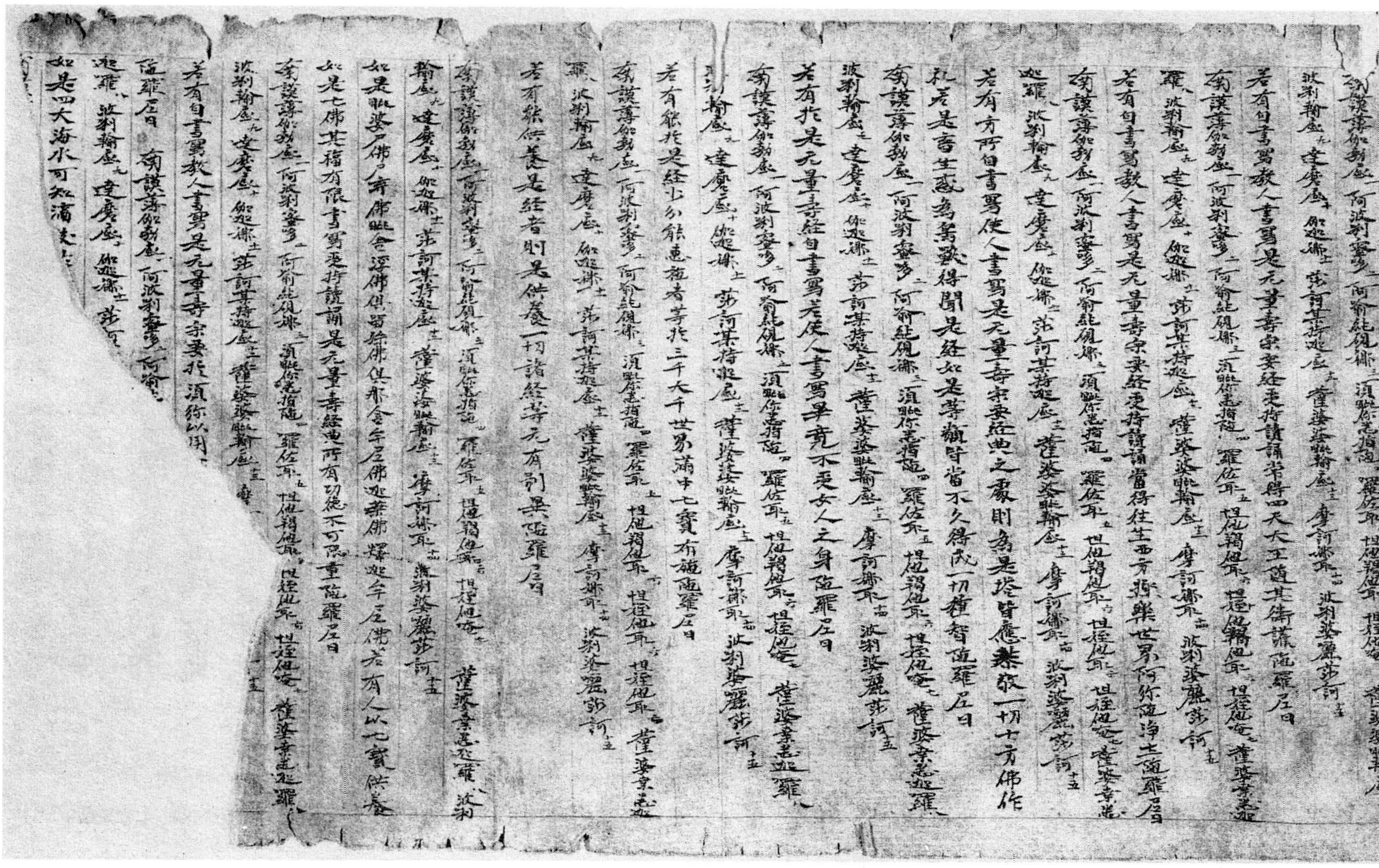
南謨薄伽勃底一 阿波唎蜜多二 阿喻紇硯那三 須毗你悉指陀四 囉佐耶五 怛他羯他耶六 怛姪他七 薩婆桑悉迦
波唎輸底九 達磨底十 伽伽娜十一 莎訶母特伽底十二 薩婆婆毗輸底十三 摩訶娜耶十四 波唎婆羅莎訶十五
若有自書寫教人書寫是无量壽宗要經受持讀誦常得四天大王隨其衛護陀羅尼曰
南謨薄伽勃底一 阿波唎蜜多二 阿喻紇硯那三 須毗你悉指陀四 囉佐耶五 怛他羯他耶六 怛姪他七 薩婆桑悉迦
囉八 波唎輸底九 達磨底十 伽伽娜十一 莎訶母特伽底十二 薩婆婆毗輸底十三 摩訶娜耶十四 波唎婆羅莎訶十五
若有自書寫教人書寫是无量壽宗要經受持讀誦當得往生西方極樂世界阿彌陀淨土陀羅尼曰
南謨薄伽勃底一 阿波唎蜜多二 阿喻紇硯那三 須毗你悉指陀四 囉佐耶五 怛他羯他耶六 怛姪他七 薩婆桑悉
迦囉八 波唎輸底九 達磨底十 伽伽娜十一 莎訶母特伽底十二 薩婆婆毗輸底十三 摩訶娜耶十四 波唎婆羅莎訶十五
若有方所自書寫使人書寫是无量壽宗要經典之處則為是塔皆應恭敬一切十方佛作
禮若是畜生惡鳥獸得聞是經如是等類皆當不久得成一切種智陀羅尼曰
南謨薄伽勃底一 阿波唎蜜多二 阿喻紇硯那三 須毗你悉指陀四 囉佐耶五 怛他羯他耶六 怛姪他七 薩婆桑悉迦囉八
波唎輸底九 達磨底十 伽伽娜十一 莎訶母特伽底十二 薩婆婆毗輸底十三 摩訶娜耶十四 波唎婆羅莎訶十五
若有於是无量壽經自書寫若使人書寫畢竟不受女人之身陀羅尼曰
南謨薄伽勃底一 阿波唎蜜多二 阿喻紇硯那三 須毗你悉指陀四 囉佐耶五 怛他羯他耶六 怛姪他七 薩婆桑悉迦囉八
波唎輸底九 達磨底十 伽伽娜十一 莎訶母特伽底十二 薩婆婆毗輸底十三 摩訶娜耶十四 波唎婆羅莎訶十五
若有能於是經少分能施者等於三千大千世界滿中七寶布施陀羅尼曰
南謨薄伽勃底一 阿波唎蜜多二 阿喻紇硯那三 須毗你悉指陀四 囉佐耶五 怛他羯他耶六 怛姪他七 薩婆桑悉迦
囉八 波唎輸底九 達磨底十 伽伽娜十一 莎訶母特伽底十二 薩婆婆毗輸底十三 摩訶娜耶十四 波唎婆羅莎訶十五
若有能供養是經者則是供養一切諸經等无有別異陀羅尼曰
南謨薄伽勃底一 阿波唎蜜多二 阿喻紇硯那三 須毗你悉指陀四 囉佐耶五 怛他羯他耶六 怛姪他七 薩婆桑悉迦囉八 波唎
輸底九 達磨底十 伽伽娜十一 莎訶母特伽底十二 薩婆婆毗輸底十三 摩訶娜耶十四 波唎婆羅莎訶十五
如是毗婆尸佛尸棄佛毗舍浮佛俱留孫佛俱那含牟尼佛迦葉佛釋迦牟尼佛若有人以七寶供養
如是七佛其福有限書寫受持讀誦是无量壽經典所有功德不可思量陀羅尼曰
南謨薄伽勃底一 阿波唎蜜多二 阿喻紇硯那三 須毗你悉指陀四 囉佐耶五 怛他羯他耶六 怛姪他七 薩婆桑悉迦囉八
波唎輸底九 達磨底十 伽伽娜十一 莎訶母特伽底十二 薩婆婆毗輸底十三 摩
若有自書寫教人書寫是无量壽宗要經於須弥以周
陀羅尼曰 南謨薄伽勃底一 阿波唎蜜多二 阿喻
迦囉八 波唎輸底九 達磨底十 莎
如是四大海水可知滴數

BD01285 號　無量壽宗要經　　（4–4）

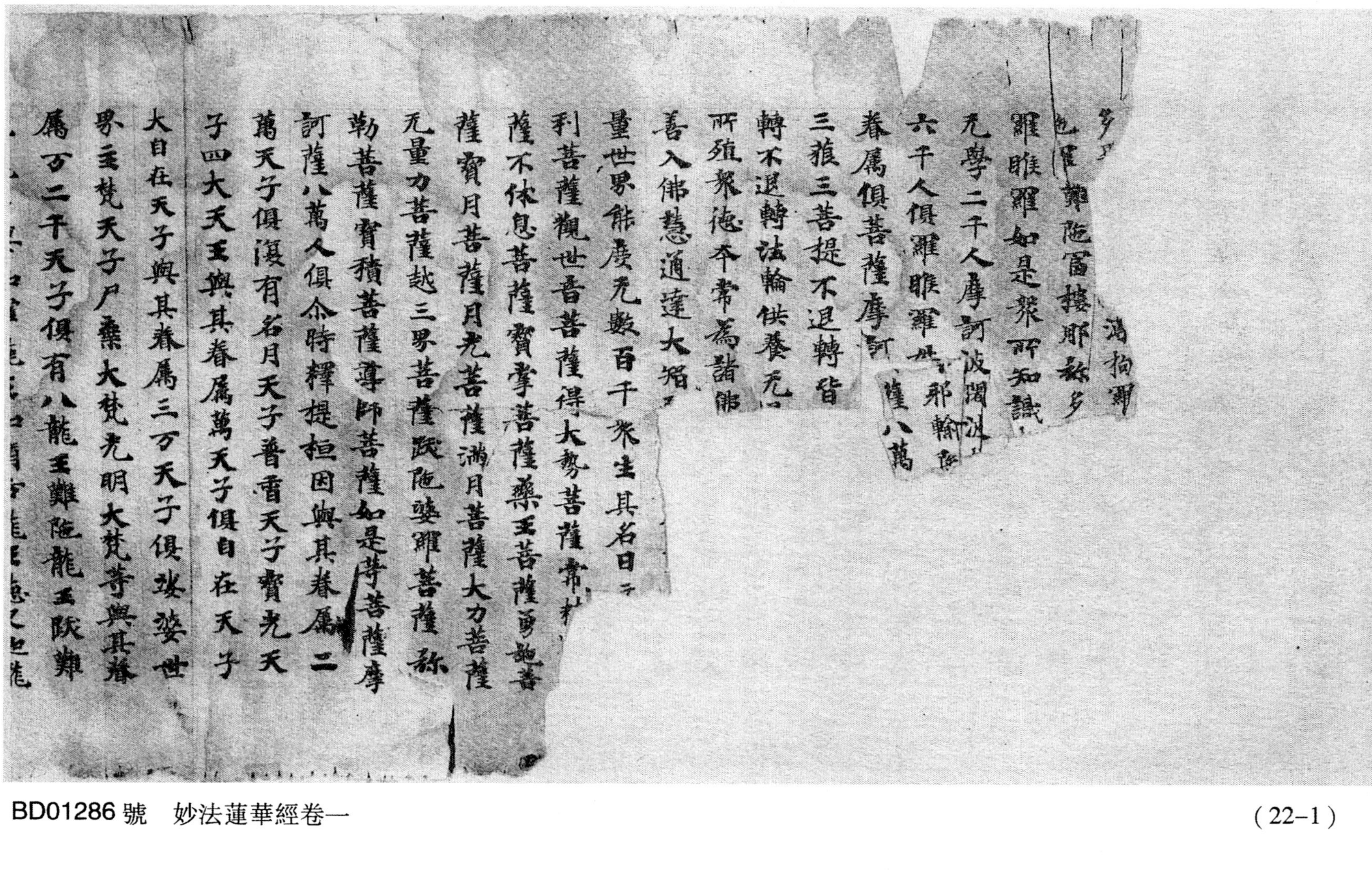
多 滿拘那
陀羅難陀富樓那彌多
羅睺羅如是衆所知識
无學二千人摩訶波闍波
六千人俱羅睺羅母耶輸陀
眷屬俱菩薩摩訶薩八萬
三藐三菩提不退轉皆
轉不退轉法輪供養无
所殖衆德本常為諸佛
善入佛慧通達大智
量世界能度无數百千衆生其名曰文
利菩薩觀世音菩薩得大勢菩薩常精
薩不休息菩薩寶掌菩薩藥王菩薩勇施菩
薩寶月菩薩月光菩薩滿月菩薩大力菩薩
无量力菩薩越三界菩薩跋陀婆羅菩薩彌
勒菩薩寶積菩薩導師菩薩如是等菩薩摩
訶薩八萬人俱尒時釋提桓因與其眷屬二
萬天子俱復有名月天子普香天子寶光天
子四大天王與其眷屬萬天子俱自在天子
大自在天子與其眷屬三万天子俱娑婆世
界主梵天子尸棄大梵光明大梵等與其眷
屬万二千天子俱有八龍王難陀龍王跋難

BD01286 號　妙法蓮華經卷一　　（22–1）

大自在天子與其眷屬三万天子俱娑婆世
界主梵天王尸棄大梵光明大梵等與其眷
屬万二千天子俱有八龍王難陀龍王䟦難
陀龍王娑伽羅龍王和脩吉龍王德叉迦龍
王阿那婆達多龍王摩那斯龍王優鉢羅龍
王等各與若干百千眷屬俱有四緊那羅王
法緊那羅王妙法緊那羅王大法緊那羅王
持法緊那羅王各與若干百千眷屬俱有四
乾闥婆王樂乾闥婆王樂音乾闥婆王美乾
闥婆王美音乾闥婆王各與若干百千眷屬
俱有四阿脩羅王婆稚阿脩羅王佉羅騫大
阿脩羅王毗摩質多羅阿脩羅王羅睺阿脩
羅王各與若干百千眷屬俱有四迦樓羅王
大威德迦樓羅王大身迦樓羅王大滿迦樓
羅王如意迦樓羅王各與若干百千眷屬俱
韋提希子阿闍世王與若干百千眷屬俱各
礼佛足退坐一面尒時世尊四衆圍繞供養
恭敬尊重讚嘆爲諸菩薩說大乘經名无量
義教菩薩法佛所護念佛說此經已結跏趺
坐入於无量義處三昧身心不動是時天雨
曼陁羅華摩訶曼陁羅華曼殊沙華摩訶曼
殊沙華而散佛上及諸大衆普佛世界六種
震動尒時會中比丘比丘尼優婆塞優婆夷
天龍夜叉乾闥婆阿脩羅迦樓羅緊那羅摩
睺羅伽人非人及諸小王轉輪聖王是諸大
衆得未曾有歡喜合掌一心觀佛尒時佛放
眉間白豪相光照東方万八千世界靡不周

BD01286號　妙法蓮華經卷一　（22–2）

睺羅伽人非人及諸小王轉輪聖王是諸大
衆得未曾有歡喜合掌一心觀佛尒時佛放
眉間白豪相光照東方万八千世界靡不周
遍下至阿鼻地獄上至阿迦尼吒天於此世
界盡見彼土六趣衆生又見彼土現在諸佛
及聞諸佛所說經法并見彼諸比丘比丘尼
優婆塞優婆夷諸脩行得道者復見諸菩薩
摩訶薩種種因緣種種信解種種相貌行菩
薩道復見諸佛般涅槃者復見諸佛般涅槃
後以佛舍利起七寶塔尒時弥勒菩薩作是
念今者世尊現神變相以何因緣而有此瑞
今佛世尊入于三昧是不可思議現希有事
當以問誰誰能荅者復作此念是文殊師利
法王之子已曾親近供養過去无量諸佛必
應見此希有之相我今當問尒時比丘比丘
尼優婆塞優婆夷及諸天龍鬼神等咸作此
念是佛光明神通之相今當問誰尒時弥勒
菩薩欲自決疑又觀四衆比丘比丘尼優婆
塞優婆夷及諸天龍鬼神等衆會之心而問
文殊師利言以何因緣而有此瑞神通之相
放大光明照于東方万八千土悉見彼佛國
界莊嚴於是弥勒菩薩欲重宣此義以偈問
曰
文殊師利　導師何故　眉間白豪　大光普照
雨曼陁羅　曼殊沙華　栴檀香風　悅可衆心
以是因緣　地皆嚴淨　而此世界　六種震動
時四部衆　咸皆歡喜　身意快然　得未曾有

BD01286號　妙法蓮華經卷一　（22–3）

而雨曼陀羅　曼殊沙華　栴檀香風　悅可衆心
以是因緣　地皆嚴淨　而此世界　六種震動
時四部衆　咸皆歡喜　身意快然　得未曾有
眉間光明　照于東方　万八千土　皆如金色
從阿鼻獄　上至有頂　諸世界中　六道衆生
生死所趣　善惡業緣　受報好醜　於此悉見
又覩諸佛　聖主師子　演說經典　微妙第一
其聲清淨　出柔軟音　教諸菩薩　无數億万
梵音深妙　令人樂聞　各於世界　講說正法
種種因緣　以无量喻　照明佛法　開悟衆生
若人遭苦　猒老病死　為說涅槃　盡諸苦際
若人有福　曾供養佛　志求勝法　為說緣覺
若有佛子　脩種種行　求无上慧　為說淨道
文殊師利　我住於此　見聞若斯　及千億事
如是衆多　今當略說　我見彼土　恒沙菩薩
種種因緣　而求佛道　或有行施　金銀珊瑚
真珠摩尼　車𤦲馬瑙　金剛諸珍　奴婢車乘
寶飾輦輿　歡喜布施　迴向佛道　願得是乘
三界第一　諸佛所嘆　或有菩薩　駟馬寶車
欄楯華蓋　軒飾布施　復見菩薩　身肉手足
及妻子施　求无上道　又見菩薩　頭目身體
欣樂施與　求佛智慧　文殊師利　我見諸王
往詣佛所　問无上道　便捨樂土　宮殿臣妾
剃除鬚髮　而被法服　或見菩薩　而作比丘
獨處閑靜　樂誦經典　又見菩薩　勇猛精進
入於深山　思惟佛道　又見離欲　常處空閑
深脩禪定　得五神通　又見菩薩　安禪合掌

獨處閑靜　樂誦經典　又見菩薩　勇猛精進
入於深山　思惟佛道　又見離欲　常處空閑
深脩禪定　得五神通　又見菩薩　安禪合掌
以千万偈　讚諸法王　復見菩薩　智深志固
能問諸佛　聞悉受持　又見佛子　定慧具足
以无量喻　為衆講法　欣樂說法　化諸菩薩
破魔兵衆　而擊法鼓　又見菩薩　寂然宴嘿
天龍恭敬　不以為喜　又見菩薩　處林放光
濟地獄苦　令入佛道　又見菩薩　未嘗睡眠
經行林中　勤求佛道　又見具戒　威儀无缺
淨如寶珠　以求佛道　又見佛子　住忍辱力
增上慢人　惡罵捶打　皆悉能忍　以求佛道
又見菩薩　離諸戲咲　及癡眷屬　親近智者
一心除亂　攝念山林　億千万歲　以求佛道
或見菩薩　餚饍飲食　百種湯藥　施佛及僧
名衣上服　價直千万　或无價衣　施佛及僧
千万億種　栴檀寶舍　衆妙卧具　施佛及僧
清淨園林　華菓茂盛　流泉浴池　施佛及僧
如是等施　種種微妙　歡喜无猒　求无上道
或有菩薩　說寂滅法　種種教詔　无數衆生
或有菩薩　觀諸法性　无有二相　猶如虛空
又見佛子　心无所著　以此妙慧　求无上道
文殊師利　又有菩薩　佛滅度後　供養舍利
又見佛子　造諸塔廟　无數恒沙　嚴飾國界
寶塔高妙　五千由旬　縱廣正等　二千由旬
一一塔廟　各千幢幡　珠交露幔　寶鈴和鳴
諸天龍神　人及非人　香華伎樂　常以供養

寶塔高妙　五千由旬　縱廣正等　二千由旬
一一塔廟　各千幢幡　珠交露幔　寶鈴和鳴
諸天龍神　人及非人　香華伎樂　常以供養
文殊師利　諸佛子等　為供舍利　嚴飾塔廟
國界自然　殊特妙好　如天樹王　其華開敷
佛放一光　我及衆會　見此國界　種種殊妙
諸佛神力　智慧希有　放一淨光　照无量國
我等見此　得未曾有　佛子文殊　願決衆疑
四衆欣仰　瞻仁及我　世尊何故　放斯光明
佛子時答　決疑令喜　何所饒益　演斯光明
佛坐道場　所得妙法　為欲說此　為當授記
示諸佛土　衆寶嚴淨　及見諸佛　此非小緣
文殊當知　四衆龍神　瞻察仁者　為說何等
是時文殊師利語彌勒菩薩摩訶薩及諸
大士善男子等如我惟忖今佛世尊欲說大法
雨大法雨吹大法螺擊大法鼓演大法義諸
善男子我於過去諸佛曾見此瑞放斯光已
即說大法是故當知今佛現光亦復如是欲
令衆生咸得聞知一切世間難信之法故現
斯瑞諸善男子如過去无量无邊不可思議
阿僧祇劫尒時有佛号日月燈明如來應供
正遍知明行足善逝世間解无上士調御丈
夫天人師佛世尊演說正法初善中善後善
其義深遠其語巧妙純一无雜具足清白梵
行之相為求聲聞者說應四諦法度生老病
死究竟涅槃為求辟支佛者說應十二因緣
法為諸菩薩說應六波羅蜜令得阿耨多羅

BD01286號　妙法蓮華經卷一　（22-6）

死究竟涅槃為求辟支佛者說應十二因緣
法為諸菩薩說應六波羅蜜令得阿耨多羅
三藐三菩提成一切種智次復有佛亦名日
月燈明次復有佛亦名日月燈明如是二万
佛皆同一字号日月燈明又同一姓姓頗羅
墮彌勒當知初佛後佛皆同一字名日月燈
明十号具足所可說法初中後善其最後佛
未出家時有八王子一名有意二名善意三
名无量意四名寶意五名增意六名除疑意
七名響意八名法意是八王子威德自在各
領四天下是諸王子聞父出家得阿耨多羅
三藐三菩提悉捨王位亦隨出家發大乘意
常脩梵行皆為法師已於千万佛所殖諸善
本是時日月燈明佛說大乘經名无量義教
菩薩法佛所護念說是經已即於大衆中結
跏趺坐入於无量義處三昧身心不動是時
天雨曼陁羅華摩訶曼陁羅華曼殊沙華摩
訶曼殊沙華而散佛上及諸大衆普佛世界
六種震動尒時會中比丘比丘尼優婆塞優
婆夷天龍夜叉乾闥婆阿脩羅迦樓羅緊那羅
摩睺羅伽人非人及諸小王轉輪聖王等
是諸大衆得未曾有歡喜合掌一心觀佛尒
時如來放眉間白毫相光照東方万八千佛
土靡不周遍如今所見是諸佛土彌勒當知
尒時會中有二十億菩薩樂欲聽法是諸菩
薩見此光明普照佛土得未曾有欲知此光
所為因緣時有菩薩名曰妙光有八百弟子

BD01286號　妙法蓮華經卷一　（22-7）

尒時會中有二十億菩薩樂欲聽法是諸菩
薩見此光明普照佛土得未曾有欲知此光
所為因緣時有菩薩名曰妙光有八百弟子
是時日月燈明佛從三昧起因妙光菩薩說
大乘經名妙法蓮華教菩薩法佛所護念六
十小劫不起于座時會聽者亦坐一處六十
小劫身心不動聽佛所說謂如食頃是時衆
中无有一人若身若心而生懈惓日月燈明
佛於六十小劫說是經已即於梵魔沙門婆
羅門及天人阿脩羅衆中而宣此言如來於
今日中夜當入无餘涅槃時有菩薩名曰德
藏日月燈明佛即授其記告諸比丘是德藏
菩薩次當作佛号曰淨身多陁阿伽度阿羅
訶三藐三佛陁佛授記已便於中夜入无餘
涅槃佛滅度後妙光菩薩持妙法蓮華經滿
八十小劫為人演說日月燈明佛八子皆師
妙光妙光教化令其堅固阿耨多羅三藐三
菩提是諸王子供養无量百千万億佛已皆
成佛道其最後成佛者名曰然燈八百弟子
中有一人号曰求名貪著利養雖復讀誦衆
經而不通利多所忘失故号求名是人亦以
種諸善根因緣故得值无量百千万億諸佛
供養恭敬尊重讚歎弥勒當知尒時妙光菩
薩豈異人乎我身是也求名菩薩汝身是也
今見此瑞與本无異是故惟忖今日如來當
說大乘經名妙法蓮華教菩薩法佛所護念
尒時文殊師利於大衆中欲重宣此義而說

BD01286號　妙法蓮華經卷一　（22-8）

今見此瑞與本无異是故惟忖今日如來當
說大乘經名妙法蓮華教菩薩法佛所護念
尒時文殊師利於大衆中欲重宣此義而說
偈言
我念過去世　无量无數劫　有佛人中尊　号日月燈明
世尊演說法　度无量衆生　无數億菩薩　令入佛智慧
佛未出家時　所生八王子　見大聖出家　亦隨脩梵行
時佛說大乘　經名无量義　於諸大衆中　而為廣分別
佛說此經已　即於法座上　跏趺坐三昧　名无量義處
天雨曼陁華　天鼓自然鳴　諸天龍鬼神　供養人中尊
一切諸佛土　即時大震動　佛放眉間光　現諸希有事
此光照東方　万八千佛土　示一切衆生　生死業報處
有見諸佛土　以衆寶莊嚴　琉璃頗梨色　斯由佛光照
及見諸天人　龍神夜叉衆　乾闥緊那羅　各供養其佛
又見諸如來　自然成佛道　身色如金山　端嚴甚微妙
如淨瑠璃中　內現真金像　世尊在大衆　敷演深法義
一一諸佛土　聲聞衆无數　因佛光所照　悉見彼大衆
或有諸比丘　在於山林中　精進持淨戒　猶如護明珠
又見諸菩薩　行施忍辱等　其數如恒沙　斯由佛光照
又見諸菩薩　深入諸禪定　身心寂不動　以求无上道
又見諸菩薩　知法寂滅相　各於其國土　說法求佛道
尒時四部衆　見日月燈佛　現大神通力　其心皆歡喜
各各自相問　是事何因緣　天人所奉尊　適從三昧起
讚妙光菩薩　汝為世間眼　一切所歸信　能奉持法藏
如我所說法　唯汝能證知　世尊既讚歎　令妙光歡喜
說是法華經　滿六十小劫　不起於此座　所說上妙法
是妙光法師　悉皆能受持　佛說是法華　令衆歡喜已

BD01286號　妙法蓮華經卷一　（22-9）

如我所說法　唯汝能證知　世尊既讚歎　令妙光歡喜
說是法華經　滿六十小劫　不起於此座　所說上妙法
是妙光法師　悉皆能受持　佛說是法華　令衆歡喜已
尋即於是日　告於天人衆　諸法實相義　已為汝等說
我今於中夜　當入於涅槃　汝一心精進　當離於放逸
諸佛甚難值　億劫時一遇　世尊諸子等　聞佛入涅槃
各各懷悲惱　佛滅一何速　聖主法之王　安慰无量衆
我若滅度時　汝等勿憂怖　是德藏菩薩　於无漏實相
心已得通達　其次當作佛　号曰為淨身　亦度无量衆
佛此夜滅度　如薪盡火滅　分布諸舍利　而起无量塔
比丘比丘尼　其數如恒沙　倍復加精進　以求无上道
是妙光法師　奉持佛法藏　八十小劫中　廣宣法華經
是諸八王子　妙光所開化　堅固无上道　當見无數佛
供養諸佛已　隨順行大道　相繼得成佛　轉次而授記
最後天中天　号曰然燈佛　諸仙之導師　度脫无量衆
是妙光法師　時有一弟子　心常懷懈怠　貪著於名利
求名利无猒　多遊族姓家　棄捨所習誦　廢忘不通利
以是因緣故　号之為求名　亦行衆善業　得見无數佛
供養於諸佛　隨順行大道　具六波羅蜜　今見釋師子
其後當作佛　号名曰弥勒　廣度諸衆生　其數无有量
彼佛滅度後　懈怠者汝是　妙光法師者　今則我身是
我見燈明佛　本光瑞如此　以是知今佛　欲說法華經
今相如本瑞　是諸佛方便　今佛放光明　助發實相義
諸人今當知　合掌一心待　佛當雨法雨　充足求道者
諸求三乘人　若有疑悔者　佛當為除斷　令盡无有餘

妙法蓮華經方便品第二

尒時世尊從三昧安詳而起告舍利弗諸佛

BD01286號　妙法蓮華經卷一　（22–10）

諸求三乘人　若有疑悔者　佛當為除斷　令盡无有餘

妙法蓮華經方便品第二

尒時世尊從三昧安詳而起告舍利弗諸佛智慧甚深无量其智慧門難解難入一切聲聞辟支佛所不能知所以者何佛曾親近百千万億无數諸佛盡行諸佛无量道法勇猛精進名稱普聞成就甚深未曾有法隨宜所說意趣難解舍利弗吾從成佛已來種種因緣種種譬喻廣演言教无數方便引導衆生令離諸著所以者何如來方便知見波羅蜜皆已具足舍利弗如來知見廣大深遠无量无礙力无所畏禪定解脫三昧深入无際成就一切未曾有法舍利弗如來能種種分別巧說諸法言辭柔軟悅可衆心舍利弗取要言之无量无邊未曾有法佛悉成就止舍利弗不須復說所以者何佛所成就第一希有難解之法唯佛與佛乃能究盡諸法實相所謂諸法如是相如是性如是體如是力如是作如是因如是緣如是果如是報如是本末究竟等尒時世尊欲重宣此義而說偈言

世雄不可量　諸天及世人　一切衆生類　无能知佛者
佛力无所畏　解脫諸三昧　及佛諸餘法　无能測量者
本從无數佛　具足行諸道　甚深微妙法　難見難可了
於无量億劫　行此諸道已　道場得成果　我已悉知見
如是大果報　種種性相義　我及十方佛　乃能知是事
是法不可示　言辭相寂滅　諸餘衆生類　无有能得解
除諸菩薩衆　信力堅固者　諸佛弟子衆　曾供養諸佛

BD01286號　妙法蓮華經卷一　（22–11）

如是大果報　種種性相義　我及十方佛　乃能知是事
是法不可示　言辭相寂滅　諸餘衆生類　无有能得解
除諸菩薩衆　信力堅固者　諸佛弟子衆　曾供養諸佛
一切漏已盡　住是最後身　如是諸人等　其力所不堪
假使滿世間　皆如舍利弗　盡思共度量　不能測佛智
正使滿十方　皆如舍利弗　及餘諸弟子　亦滿十方剎
盡思共度量　亦復不能知　辟支佛利智　无漏最後身
亦滿十方界　其數如竹林　斯等共一心　於億无量劫
欲思佛實智　莫能知少分　新發意菩薩　供養无數佛
了達諸義趣　又能善說法　如稻麻竹葦　充滿十方剎
一心以妙智　於恒河沙劫　咸皆共思量　不能知佛智
不退諸菩薩　其數如恒沙　一心共思求　亦復不能知
又告舍利弗　无漏不思議　甚深微妙法　我今已具得
唯我知是相　十方佛亦然　舍利弗當知　諸佛語无異
於佛所說法　當生大信力　世尊法久後　要當說真實
告諸聲聞衆　及求緣覺乘　我令脫苦縛　逮得涅槃者
佛以方便力　示以三乘教　衆生處處著　引之令得出
尒時大衆中有諸聲聞漏盡阿羅漢阿若憍
陳如等千二百人及發聲聞辟支佛心比丘
比丘尼優婆塞優婆夷各作是念今者世尊
何故慇懃稱歎方便而作是言佛所得法甚
深難解有所言說意趣難知一切聲聞辟支
佛所不能及佛說一解脫義我等亦得此法
到於涅槃而今不知是義所趣尒時舍利弗
知四衆心疑自亦未了而白佛言世尊何因
何緣慇懃稱歎諸佛第一方便甚深微妙難
解之法我自昔來未曾從佛聞如是說今者

BD01286號　妙法蓮華經卷一　（22–12）

知四衆心疑自亦未了而白佛言世尊何因
何緣慇懃稱歎諸佛第一方便甚深微妙難
解之法我自昔來未曾從佛聞如是說今者
四衆咸皆有疑唯願世尊敷演斯事世尊何
故慇懃稱歎甚深微妙難解之法尒時舍利
弗欲重宣此義而說偈言
慧日大聖尊　久乃說是法　自說得如是　力无畏三昧
禪定解脫等　不可思議法　道場所得法　无能發問者
我意難可測　亦无能問者　无問而自說　稱歎所行道
智慧甚深妙　諸佛之所得　无漏諸羅漢　及求涅槃者
今皆墮疑網　佛何故說是　其求緣覺者　比丘比丘尼
諸天龍鬼神　及乾闥婆等　相視懷猶豫　瞻仰兩足尊
是事為云何　願佛為解說　於諸聲聞衆　佛說我第一
我今自於智　疑惑不能了　為是究竟法　為是所行道
佛口所生子　合掌瞻仰待　願出微妙音　時為如實說
諸天龍神等　其數如恒沙　求佛諸菩薩　大數有八万
又說万億國　轉輪聖王至　合掌以敬心　欲聞具足道
尒時佛告舍利弗止止不須復說若說是事
一切世間諸天及人皆當驚疑舍利弗重白
佛言世尊唯願說之唯願說之所以者何是
會无數百千万億阿僧祇衆生曾見諸佛諸
根猛利智慧明了聞佛所說則能敬信尒時
舍利弗欲重宣此義而說偈言
法王无上尊　唯說願勿慮　是會无量衆　有能敬信者
佛復止舍利弗若說是事一切世間天人阿
修羅皆當驚疑增上慢比丘將墜於大坑尒
時世尊重說偈言

BD01286號　妙法蓮華經卷一　（22–13）

佛復止舍利弗若説是事一切世間天人阿
脩羅皆當驚疑增上慢比丘將墜於大坑尒
時世尊重説偈言
止止不須説　我法妙難思　諸增上慢者　聞必不敬信
尒時舍利弗重白佛言世尊唯願説之唯願
説之今此會中如我等比百千万億世世已
曾從佛受化如此人等必能敬信長夜安隱
多所饒益尒時舍利弗欲重宣此義而説偈
言
无上兩足尊　願説第一法　我為佛長子　唯垂分別説
是會无量衆　能敬信此法　佛已曾世世　教化如是等
皆一心合掌　欲聽受佛語　我等千二百　及餘求佛者
願為此衆故　唯垂分別説　是等聞此法　則生大歡喜
尒時世尊告舍利弗汝已慇懃三請豈得不
説汝今諦聽善思念之吾當為汝分別解説
説此語時會中有比丘比丘尼優婆塞優婆
夷五千人等即從座起礼佛而退所以者何
此輩罪根深重及增上慢未得謂得未證謂
證有如此失是以不住世尊嘿然而不制止
尒時佛告舍利弗我今此衆无復枝葉純有
貞實舍利弗如是增上慢人退亦佳矣汝今
善聽當為汝説舍利弗言唯然世尊願樂欲
聞佛告舍利弗如是妙法諸佛如來時乃説
之如優曇鉢華時一現耳舍利弗汝等當信
佛之所説言不虚妄舍利弗諸佛隨宜説法
意趣難解所以者何我以无數方便種種因
緣辟喻言辭演説諸法是法非思量分別之

BD01286號　妙法蓮華經卷一　（22–14）

之如優曇鉢華時一現耳舍利弗汝等當信
佛之所説言不虚妄舍利弗諸佛隨宜説法
意趣難解所以者何我以无數方便種種因
緣辟喻言辭演説諸法是法非思量分別之
所能解唯有諸佛乃能知之所以者何諸佛世
尊唯以一大事因緣故出現於世舍利弗
云何名諸佛世尊唯以一大事因緣故出現
於世諸佛世尊欲令衆生開佛知見使得清
淨故出現於世欲示衆生佛之知見故出現
於世欲令衆生悟佛知見故出現於世欲令
衆生入佛知見道故出現於世舍利弗是為
諸佛以一大事因緣故出現於世佛告舍利
弗諸佛如來但教化菩薩諸有所作常為一
事唯以佛之知見示悟衆生舍利弗如來但
以一佛乘故為衆生説法无有餘乘若二若
三舍利弗一切十方諸佛法亦如是舍利弗
過去諸佛以无量无數方便種種因緣辟喻
言辭而為衆生演説諸法是法皆為一佛乘
故是諸衆生從諸佛聞法究竟皆得一切種
智舍利弗未來諸佛當出於世亦以无量无
數方便種種因緣辟喻言辭而為衆生演説
諸法是法皆為一佛乘故是諸衆生從佛聞
法究竟皆得一切種智舍利弗現在十方无
量百千万億佛土中諸佛世尊多所饒益安
樂衆生是諸佛亦以无量无數方便種種因
緣辟喻言辭而為衆生演説諸法是法皆為
一佛乘故是諸衆生從佛聞法究竟皆得一
切種智舍利弗是諸佛但教化菩薩欲以佛

BD01286號　妙法蓮華經卷一　（22–15）

樂衆生是諸佛亦以无量无數方便種種因
緣譬喻言辭而為衆生演說諸法是法皆為
一佛乘故是諸衆生從佛聞法究竟皆得一
切種智舍利弗是諸佛但教化菩薩欲以佛
之知見示衆生故欲以佛之知見悟衆生故
欲令衆生入佛之知見故舍利弗我今亦復
如是知諸衆生有種種欲深心所著隨其本
性以種種因緣譬喻言辭方便力而為說法
舍利弗如此皆為得一佛乘一切種智故舍
利弗十方世界中尚无二乘何况有三舍利
弗諸佛出於五濁惡世所謂劫濁煩惱濁衆
生濁見濁命濁如是舍利弗劫濁亂時衆生
垢重慳貪嫉妬成就諸不善根故諸佛以方
便力於一佛乘分別說三舍利弗若我弟子
自謂阿羅漢辟支佛者不聞不知諸佛如來
但教化菩薩事此非佛弟子非阿羅漢非辟
支佛又舍利弗是諸比丘比丘尼自謂已得
阿羅漢是最後身究竟涅槃便不復志求阿
耨多羅三藐三菩提當知此輩皆是增上慢
人所以者何若有比丘實得阿羅漢若不信
此法无有是處除佛滅度後現前无佛所以
者何佛滅度後如是等經受持讀誦解義者
是人難得若遇餘佛於此法中便得決了舍
利弗汝等當一心信解受持佛語諸佛如來
言无虛妄无有餘乘唯一佛乘尒時世尊欲重
宣此義而說偈言
比丘比丘尼　有懷增上慢　優婆塞我慢　優婆夷不信

BD01286號　妙法蓮華經卷一　（22–16）

宣此義而說偈言
比丘比丘尼　有懷增上慢　優婆塞我慢　優婆夷不信
如是四衆等　其數有五千　不自見其過　於戒有缺漏
護惜其瑕疵　是小智已出　衆中之糟糠　佛威德故去
斯人尠福德　不堪受是法　此衆无枝葉　唯有諸貞實
舍利弗善聽　諸佛所得法　无量方便力　而為衆生說
衆生心所念　種種所行道　若干諸欲性　先世善惡業
佛悉知是已　以諸緣譬喻　言辭方便力　令一切歡喜
或說脩多羅　伽陀及本事　本生未曾有　亦說於因緣
譬喻并祇夜　優波提舍經　鈍根樂小法　貪著於生死
於諸无量佛　不行深妙道　衆苦所惱亂　為是說涅槃
我設是方便　令得入佛慧　未曾說汝等　當得成佛道
所以未曾說　說時未至故　今正是其時　決定說大乘
我此九部法　隨順衆生說　入大乘為本　以故說是經
有佛子心淨　柔軟亦利根　无量諸佛所　而行深妙道
為此諸佛子　說是大乘經　我記如是人　來世成佛道
以深心念佛　脩持淨戒故　此等聞得佛　大喜充遍身
佛知彼心行　故為說大乘　聲聞若菩薩　聞我所說法
乃至於一偈　皆成佛无疑　十方佛土中　唯有一乘法
无二亦无三　除佛方便說　但以假名字　引導於衆生
說佛智慧故　諸佛出於世　唯此一事實　餘二則非真
終不以小乘　濟度於衆生　佛自住大乘　如其所得法
定慧力莊嚴　以此度衆生　自證无上道　大乘平等法
若以小乘化　乃至於一人　我則墮慳貪　此事為不可
若人信歸佛　如來不欺誑　亦无貪嫉意　斷諸法中惡
故佛於十方　而獨无所畏　我以相嚴身　光明照世間
无量衆所尊　為說實相印　舍利弗當知　我本立誓願

BD01286號　妙法蓮華經卷一　（22–17）

若人信歸佛　如来不欺誑　亦无貪嫉意　斷諸法中惡
故佛於十方　而獨无所畏　我以相嚴身　光明照世間
无量衆所尊　為説實相印　舍利弗當知　我本立誓願
欲令一切衆　如我等无異　如我昔所願　今者已滿足
化一切衆生　皆令入佛道　若我遇衆生　盡教以佛道
无智者錯亂　迷惑不受教　我知此衆生　未曾脩善本
堅著於五欲　癡愛故生惱　以諸欲因縁　墜墮三惡道
輪迴六趣中　備受諸苦毒　受胎之微形　世世常增長
薄德少福人　衆苦所逼迫　入邪見稠林　若有若无等
依止此諸見　具足六十二　深著虚妄法　堅受不可捨
我慢自矜高　諂曲心不實　於千万億劫　不聞佛名字
亦不聞正法　如是人難度　是故舍利弗　我為設方便
説諸盡苦道　示之以涅槃　我雖説涅槃　是亦非真滅
諸法從本来　常自寂滅相　佛子行道已　来世得作佛
我有方便力　開示三乘法　一切諸世尊　皆説一乘道
今此諸大衆　皆應除疑惑　諸佛語无異　唯一无二乘
過去无數劫　无量滅度佛　百千万億種　其數不可量
如是諸世尊　種種縁譬喻　无數方便力　演説諸法相
是諸世尊等　皆説一乘法　化无量衆生　令入於佛道
又諸大聖主　知一切世間　天人群生類　深心之所欲
更以異方便　助顯第一義　若有衆生類　值諸過去佛
若聞法布施　或持戒忍辱　精進禪智等　種種脩福慧
如是諸人等　皆已成佛道　諸佛滅度已　若人善軟心
如是諸衆生　皆已成佛道　諸佛滅度已　供養舍利者
起万億種塔　金銀及頗梨　車𤦲與馬瑙　玫瑰瑠璃珠
清淨廣嚴飾　莊校於諸塔　或有起石廟　栴檀及沈水
木櫁并餘材　塼瓦泥土等　若於曠野中　積土成佛廟

BD01286號　妙法蓮華經卷一　（22–18）

起万億種塔　金銀及頗梨　車𤦲與馬瑙　玫瑰瑠璃珠
清淨廣嚴飾　莊校於諸塔　或有起石廟　栴檀及沈水
木櫁并餘材　塼瓦泥土等　若於曠野中　積土成佛廟
乃至童子戲　聚沙為佛塔　如是諸人等　皆已成佛道
若人為佛故　建立諸形像　刻雕成衆相　皆已成佛道
或以七寶成　鍮鉐赤白銅　白鑞及鉛錫　鐵木及與泥
或以膠漆布　嚴飾作佛像　如是諸人等　皆已成佛道
彩畫作佛像　百福莊嚴相　自作若使人　皆已成佛道
乃至童子戲　若草木及筆　或以指爪甲　而畫作佛像
如是諸人等　漸漸積功德　具足大悲心　皆已成佛道
但化諸菩薩　度脱无量衆　若人於塔廟　寶像及畫像
以華香幡蓋　敬心而供養　若使人作樂　擊鼓吹角貝
簫笛琴箜篌　琵琶鐃銅鈸　如是衆妙音　盡持以供養
或以歡喜心　歌唄頌佛德　乃至一小音　皆已成佛道
若人散亂心　乃至以一華　供養於畫像　漸見无數佛
或有人禮拜　或復但合掌　乃至舉一手　或復小低頭
以此供養像　漸見无量佛　自成无上道　廣度无數衆
入无餘涅槃　如薪盡火滅　若人散亂心　入於塔廟中
一稱南无佛　皆已成佛道　於諸過去佛　在世或滅後
若有聞是法　皆已成佛道　未来諸世尊　其數无有量
是諸如来等　亦方便説法　一切諸如来　以无量方便
度脱諸衆生　入佛无漏智　若有聞法者　无一不成佛
諸佛本誓願　我所行佛道　普欲令衆生　亦同得此道
未来世諸佛　雖説百千億　无數諸法門　其實為一乘
諸佛兩足尊　知法常无性　佛種從縁起　是故説一乘
是法住法位　世間相常住　於道場知已　導師方便説
天人所供養　現在十方佛　其數如恒沙　出現於世間

BD01286號　妙法蓮華經卷一　（22–19）

未來世諸佛　雖說百千億　无數諸法門　其實為一乘
諸佛兩足尊　知法常无性　佛種從緣起　是故說一乘
是法住法位　世間相常住　於道場知已　導師方便說
天人所供養　現在十方佛　其數如恒沙　出現於世間
安隱衆生故　亦說如是法　知第一寂滅　以方便力故
雖示種種道　其實為佛乘　知衆生諸行　深心之所念
過去所習業　欲性精進力　及諸根利鈍　以種種因緣
譬喻亦言辭　隨應方便說　今我亦如是　安隱衆生故
以種種法門　宣示於佛道　我以智慧力　知衆生性欲
方便說諸法　皆令得歡喜　舍利弗當知　我以佛眼觀
見六道衆生　貧窮无福慧　入生死嶮道　相續苦不斷
深著於五欲　如犛牛愛尾　以貪愛自蔽　盲瞑无所見
不求大勢佛　及與斷苦法　深入諸邪見　以苦欲捨苦
為是衆生故　而起大悲心　我始坐道場　觀樹亦經行
於三七日中　思惟如是事　我所得智慧　微妙最第一
衆生諸根鈍　著樂癡所盲　如斯之等類　云何而可度
尒時諸梵王　及諸天帝釋　護世四天王　及大自在天
并餘諸天衆　眷屬百千万　恭敬合掌礼　請我轉法輪
我即自思惟　若但讚佛乘　衆生沒在苦　不能信是法
破法不信故　墜於三惡道　我寧不說法　疾入於涅槃
尋念過去佛　所行方便力　我今所得道　亦應說三乘
作是思惟時　十方佛皆現　梵音慰喻我　善哉釋迦文
第一之導師　得是无上法　隨諸一切佛　而用方便力
我等亦皆得　最妙第一法　為諸衆生類　分別說三乘
少智樂小法　不自信作佛　是故以方便　分別說諸果
雖復說三乘　但為教菩薩　舍利弗當知　我聞聖師子
深淨微妙音　稱南无諸佛　復作如是念　我出濁惡世

BD01286號　妙法蓮華經卷一　（22–20）

我等亦皆得　最妙第一法　為諸衆生類　分別說三乘
少智樂小法　不自信作佛　是故以方便　分別說諸果
雖復說三乘　但為教菩薩　舍利弗當知　我聞聖師子
深淨微妙音　稱南无諸佛　復作如是念　我出濁惡世
如諸佛所說　我亦隨順行　思惟是事已　即趣波羅柰
諸法寂滅相　不可以言宣　以方便力故　為五比丘說
是名轉法輪　便有涅槃音　及以阿羅漢　法僧差別名
從久遠劫來　讚示涅槃法　生死苦永盡　我常如是說
舍利弗當知　我見佛子等　志求佛道者　无量千万億
咸以恭敬心　皆來至佛所　曾從諸佛聞　方便所說法
我即作是念　如來所以出　為說佛慧故　今正是其時
舍利弗當知　鈍根小智人　著相憍慢者　不能信是法
今我喜无畏　於諸菩薩中　正直捨方便　但說无上道
菩薩聞是法　疑網皆已除　千二百羅漢　悉亦當作佛
如三世諸佛　說法之儀式　我今亦如是　說无分別法
諸佛興出世　懸遠值遇難　正使出于世　說是法復難
无量无數劫　聞是法亦難　能聽是法者　斯人亦復難
譬如優曇華　一切皆愛樂　天人所希有　時時乃一出
聞法歡喜讚　乃至發一言　則為已供養　一切三世佛
是人甚希有　過於優曇華　汝等勿有疑　我為諸法王
普告諸大衆　但以一乘道　教化諸菩薩　无聲聞弟子
汝等舍利弗　聲聞及菩薩　當知是妙法　諸佛之秘要
以五濁惡世　但樂著諸欲　如是等衆生　終不求佛道
當來世惡人　聞佛說一乘　迷惑不信受　破法墮惡道
有慚愧清淨　志求佛道者　當為如是等　廣讚一乘道
舍利弗當知　諸佛法如是　以万億方便　隨宜而說法
其不習學者　不能曉了此　汝等既已知　諸佛世之師

BD01286號　妙法蓮華經卷一　（22–21）

菩薩聞是法　疑網皆已除　千二百羅漢　悉亦當作佛
如三世諸佛　說法之儀式　我今亦如是　說无分別法
諸佛興出世　懸遠值遇難　正使出于世　說是法復難
无量无數劫　聞是法亦難　能聽是法者　斯人亦復難
譬如優曇華　一切皆愛樂　天人所希有　時時乃一出
聞法歡喜讚　乃至發一言　則為已供養　一切三世佛
是人甚希有　過於優曇華　汝等勿有疑　我為諸法王
普告諸大眾　但以一乘道　教化諸菩薩　无聲聞弟子
汝等舍利弗　聲聞及菩薩　當知是妙法　諸佛之秘要
以五濁惡世　但樂著諸欲　如是等眾生　終不求佛道
當來世惡人　聞佛說一乘　迷惑不信受　破法墮惡道
有慚愧清淨　志求佛道者　當為如是等　廣讚一乘道
舍利弗當知　諸佛法如是　以万億方便　隨宜而說法
其不習學者　不能曉了此　汝等既已知　諸佛世之師
隨宜方便事　无復諸疑惑　心生大歡喜　自知當作佛

妙法蓮華經卷第一

BD01286號　妙法蓮華經卷一　（22–22）

國名光德劫
正法住世二十小劫
界嚴飾無諸穢惡瓦
淨其土平正無有高下坑坎
琉璃為地寶樹行列黃金為繩以界道
側散諸寶華周遍清淨　無量千億
諸聲聞眾亦復無數　魔事雖有魔及魔
民皆護佛法尒時世尊欲重宣此義而說偈
言
告諸比丘　我以佛眼　見是迦葉　於未來世
過無數劫　當得作佛　而於來世　供養奉覲
三百萬億　諸佛世尊　為佛智慧　淨脩梵行
供養最上　二足尊已　脩習一切　無上之慧
於最後身　得成為佛　其土清淨　琉璃為地
多諸寶樹　行列道側　金繩界道　見者歡喜
常出好香　散眾名華　種種奇妙　以為莊嚴
其地平正　無有丘坑　諸菩薩眾　不可稱計
其心調柔　逮大神通　奉持諸佛　大乘經典
諸聲聞眾　無漏後身　法王之子　亦不可計
乃以天眼　不能數知　其佛當壽　十二小劫
正法住世　二十小劫　像法亦住　二十小劫
光明世尊　其事如是
尒時大目揵連須菩提摩訶迦旃延等皆悉

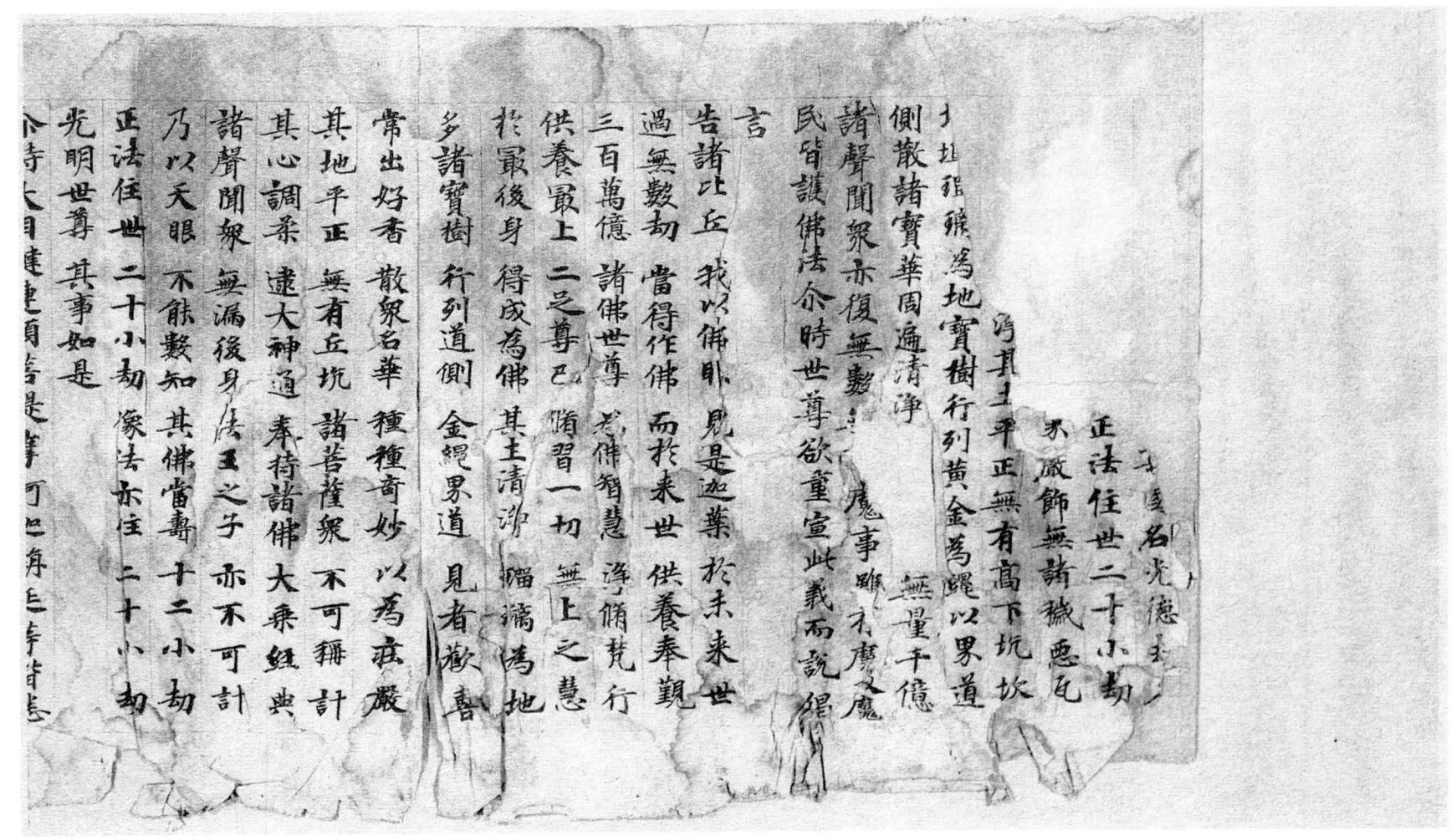

BD01287號　妙法蓮華經卷三　（20–1）

諸聲聞衆無漏後身法王之子亦不可言
乃以天眼不能數知其佛當壽十二小劫
正法住世二十小劫像法亦住二十小劫
光明世尊其事如是
尒時大目揵連須菩提摩訶迦旃延等皆悉
悚慄一心合掌瞻仰尊顔目不暫捨即共同
聲而說偈言
大雄猛世尊　諸釋之法王　哀愍我等故　而賜佛音聲
若知我深心　見為授記者　如以甘露灑　除熱得清涼
如從飢國來　忽遇大王饍　心猶懷疑懼　未敢即便食
若復得王教　然後乃敢食　我等亦如是　每惟小乘過
不知當云何　得佛無上慧　雖聞佛音聲　言我等作佛
心尚懷憂懼　如未敢便食　若蒙佛授記　尒乃快安樂
大雄猛世尊　常欲安世間　願賜我等記　如飢須教食
尒時世尊知諸大弟子心之所念告諸比丘
是須菩提於當來世奉覲三百萬億那由他
佛供養恭敬尊重讚歎常脩梵行具菩薩道
於㝡後身得成為佛号曰名相如來應供正
遍知明行足善逝世間解無上士調御丈夫
天人師佛世尊劫名有寶國名寶生其土平
正頗梨為地寶樹莊嚴無諸丘坑沙礫荊棘
便利之穢寶華覆地周遍清淨其土人民皆
處寶臺珎妙樓閣聲聞弟子無量無邊筭數
譬喻所不能知諸菩薩衆無數千萬億那由
他佛壽十二小劫正法住世二十小劫像法
亦住二十小劫其佛常處虛空為衆說法度
脫無量菩薩及聲聞衆尒時世尊欲重宣此
義而說偈言

BD01287號　妙法蓮華經卷三　（20–2）

譬喻所不能知諸菩薩衆無數千萬億那由
他佛壽十二小劫正法住世二十小劫像法
亦住二十小劫其佛常處虛空為衆說法度
脫無量菩薩及聲聞衆尒時世尊欲重宣此
義而說偈言
諸比丘衆　今告汝等　皆當一心　聽我所說
我大弟子　須菩提者　當得作佛　号曰名相
當供無數　萬億諸佛　隨佛所行　漸具大道
㝡後身得　三十二相　端正姝妙　猶如寶山
其佛國土　嚴淨第一　衆生見者　無不愛樂
佛於其中　度無量衆　其佛法中　多諸菩薩
皆悉利根　轉不退輪　彼國常以　菩薩莊嚴
諸聲聞衆　不可稱數　皆得三明　具六神通
住八解脫　有大威德　其佛說法　現於無量
神通變化　不可思議　諸天人民　數如恒沙
皆共合掌　聽受佛語　其佛當壽　十二小劫
正法住世　二十小劫　像法亦住　二十小劫
尒時世尊復告諸比丘衆我今語汝是大迦
旃延於當來世以諸供具供養奉事八千億
佛恭敬尊重諸佛滅後各起塔廟高千由旬
縱廣正等五百由旬以金銀瑠璃車𤦲馬瑙
真珠玫瑰七寶合成衆華瓔珞塗香抹香燒
香繒蓋幢幡供養塔廟過是已後當復供養
二萬億佛亦復如是供養是諸佛已具菩薩
道當得作佛号曰閻浮那提金光如來應供
正遍知明行足善逝世間解無上士調御丈
夫天人師佛世尊其土平正頗梨為地寶樹
莊嚴金為繩以界道側妙華覆地周遍清

BD01287號　妙法蓮華經卷三　（20–3）

道當得作佛号曰閻浮那提金光如來應供
正遍知明行足善逝世間解無上士調御丈
夫天人師佛世尊其土平正頗梨為地寶樹
莊嚴黃金為繩以界道側妙華覆地周遍清
淨見者歡喜無四惡道地獄餓鬼畜生阿脩
羅道多有天人諸聲聞衆及諸菩薩無量萬
億莊嚴其國佛壽十二小劫正法住世二十
小劫像法亦住二十小劫尒時世尊欲重宣
此義而説偈言
諸比丘衆　皆一心聽　如我所説　真實無異
是迦旃延　當以種種　妙好供具　供養諸佛
諸佛滅後　起七寶塔　亦以華香　供養舍利
其最後身　得佛智慧　成等正覺　國土清淨
度脫無量　萬億衆生　皆為十方　之所供養
佛之光明　無能勝者　其佛号曰　閻浮金光
菩薩聲聞　斷一切有　無量無數　莊嚴其國
尒時世尊復告大衆我今語汝是大目揵連
當以種種供具供養八千諸佛恭敬尊重諸
佛滅後各起塔廟高千由旬縱廣正等五百
由旬以金銀瑠璃車璖馬瑙真珠玫瑰七寶
合成衆華瓔珞塗香抹香燒香繒蓋幢幡以
用供養過是已後當復供養二百萬億諸佛
亦復如是當得成佛号曰多摩羅跋旃檀香
如來應供正遍知明行足善逝世間解無上
士調御丈夫天人師佛世尊劫名喜滿國名
意樂其土平正頗梨為地寶樹莊嚴散真
珠華周遍清淨見者歡喜多諸天人菩薩聲

BD01287號　妙法蓮華經卷三　（20–4）

如來應供正遍知明行足善逝世間解無上
士調御丈夫天人師佛世尊劫名喜滿國名
意樂其土平正頗梨為地寶樹莊嚴散真
珠華周遍清淨見者歡喜多諸天人菩薩聲
聞其數無量佛壽二十四小劫正法住世四十
小劫像法亦住四十小劫尒時世尊欲重宣
此義而説偈言
我此弟子　大目揵連　捨是身已　得見八千
二百萬億　諸佛世尊　為佛道故　供養恭敬
於諸佛所　常脩梵行　於無量劫　奉持佛法
諸佛滅後　起七寶塔　長表金剎　華香伎樂
而以供養　諸佛塔廟　漸漸具足　菩薩道已
於意樂國　而得作佛　号多摩羅　旃檀之香
其佛壽命　二十四劫　常為天人　演説佛道
聲聞無量　如恒河沙　三明六通　有大威德
菩薩無數　志固精進　於佛智慧　皆不退轉
佛滅度後　正法當住　四十小劫　像法亦尒
我諸弟子　威德具足　其數五百　皆當授記
於未來世　咸得成佛
我及汝等　宿世因緣　吾今當説　汝等善聽
妙法蓮華經化城喻品第七
佛告諸比丘乃往過去無量無邊不可思議
阿僧祇劫尒時有佛名大通智勝如來應供
正遍知明行足善逝世間解無上士調御丈
夫天人師佛世尊其國名好成劫名大相諸
比丘彼佛滅度已來甚大久遠譬如三千大
千世界所有地種假使有人磨以為墨過於

BD01287號　妙法蓮華經卷三　（20–5）

夫天人師佛世尊其國名好成劫名大相諸
比丘彼佛滅度已來甚大久遠譬如三千大
千世界所有地種假使有人磨以為墨過於
東方千國土乃下一點大如微塵又過千國
土復下一點如是展轉盡地種墨於汝等意
云何是諸國土若筭師若筭師弟子能得邊
際知其數不不也世尊諸比丘是人所經國土
若點不點盡末為塵一塵一劫彼佛滅度已
來復過是數無量無邊百千萬億阿僧祇
劫我以如來知見力故觀彼久遠猶若今日
尒時世尊欲重宣此義而說偈言
我念過去世　無量無邊劫　有佛兩足尊　名大通智勝
如人以力磨　三千大千土　盡此諸地種　皆悉以為墨
過於千國土　乃下一塵點　如是展轉點　盡此諸塵墨
如是諸國土　點與不點等　復盡抹為塵　一塵為一劫
此諸微塵數　其劫復過是　彼佛滅度來　如是無量劫
如來無礙智　知彼佛滅度　及聲聞菩薩　如見今滅度
諸比丘當知　佛智淨微妙　無漏無所礙　通達無量劫
佛告諸比丘大通智勝佛壽五百四十萬億
那由他劫其佛本坐道場破魔軍已垂得阿
耨多羅三藐三菩提而諸佛法不現在前如
是一小劫乃至十小劫結跏趺坐身心不動
而諸佛法猶不在前尒時忉利諸天先為彼
佛於菩提樹下敷師子座高一由旬佛於此
坐當得阿耨多羅三藐三菩提適坐此座時
諸梵天王雨眾天華面百由旬香風時來吹
去萎華更雨新者如是不絕滿十小劫供養

坐當得阿耨多羅三藐三菩提適坐此座時
諸梵天王雨眾天華面百由旬香風時來吹
去萎華更雨新者如是不絕滿十小劫供養
於佛乃至滅度常雨此華四王諸天為供養
佛常擊天鼓其餘諸天作天伎樂滿十小劫
至于滅度亦復如是諸比丘大通智勝佛過
十小劫諸佛之法乃現在前成阿耨多羅三
藐三菩提其佛未出家時有十六子其第一
者名曰智積諸子各有種種珍異玩好之具
聞父得成阿耨多羅三藐三菩提皆捨所珍
往詣佛所諸母涕泣而隨送之其祖轉輪聖
王與一百大臣及餘百千萬億人民皆共圍
繞隨至道場咸欲親近大通智勝如來供養
恭敬尊重讚歎到已頭面礼足繞佛畢已一
心合掌瞻仰世尊以偈頌曰
大威德世尊　為度眾生故　於無量億歲　尒乃得成佛
諸願已具足　善哉吉無上　世尊甚希有　一坐十小劫
身體及手足　靜然安不動　其心常惔怕　未曾有散亂
究竟永寂滅　安住無漏法　今者見世尊　安隱成佛道
我等得善利　稱慶大歡喜　眾生常苦惱　盲瞑無導師
不識苦盡道　不知求解脫　長夜增惡趣　減損諸天眾
從瞑入於瞑　永不聞佛名　今佛得最上　安隱無漏道
我等及天人　為得最大利　是故咸稽首　歸命無上尊
尒時十六王子偈讚佛已勸請世尊轉於法
輪咸作是言世尊說法多所安隱憐愍饒益
諸天人民重說偈言
世雄無等倫　百福自莊嚴　得無上智慧　願為世間說

尒時十六王子偈讚佛已勸請世尊轉於法
輪咸作是言世尊說法多所安隱憐愍饒益
諸天人民重說偈言
世雄無等倫　百福自莊嚴　得無上智慧　願為世間說
度脫於我等　及諸眾生類　為分別顯示　令得是智慧
若我等得佛　眾生亦復然　世尊知眾生　深心之所念
亦知所行道　又知智慧力　欲樂及脩福　宿命所行業
世尊悉知已　當轉無上輪
佛告諸比丘大通智勝佛得阿耨多羅三藐
三菩提時十方各五百萬億諸佛世界六種
震動其國中間幽冥之處日月威光所不能
照而皆大明其中眾生各得相見咸作是言
此中云何忽生眾生又其國界諸天宮殿乃
至梵宮六種震動大光普照遍滿世界勝諸
天光尒時東方五百萬億諸國土中梵天宮
殿光明照曜倍於常明諸梵天王各作是念
今者宮殿光明昔所未有以何因緣而現此
相是時諸梵天王即各相詣共議此事時彼眾
中有一大梵天王名救一切為諸梵眾而說
偈言
我等諸宮殿　光明昔未有　此是何因緣　宜各共求之
為大德天生　為佛出世間　而此大光明　遍照於十方
尒時五百萬億國土諸梵天王與宮殿俱各
以衣裓盛諸天華共詣西方推尋是相見大
通智勝如來處于道場菩提樹下坐師子座
諸天龍王乾闥婆緊那羅摩睺羅伽人非人
等恭敬圍繞及見十六王子請佛轉法輪即

BD01287號　妙法蓮華經卷三　（20–8）

通智勝如來處于道場菩提樹下坐師子座
諸天龍王乾闥婆緊那羅摩睺羅伽人非人
等恭敬圍繞及見十六王子請佛轉法輪即
時諸梵天王頭面礼佛繞百千帀即以天華
而散佛上其所散華如須弥山并以供養佛
菩提樹其菩提樹高十由旬華供養已各以
宮殿奉上彼佛而作是言唯見哀愍饒益我
等所獻宮殿願垂納處時諸梵天王即於佛
前一心同聲以偈頌曰
世尊甚希有　難可得值遇　具無量功德　能救護一切
天人之大師　哀愍於世間　十方諸眾生　普皆蒙饒益
我等所從來　五百萬億國　捨深禪定樂　為供養佛故
我等先世福　宮殿甚嚴飾　今以奉世尊　唯願哀納受
尒時諸梵天王偈讚佛已各作是言唯願世
尊轉於法輪度脫眾生開涅槃道時諸梵天
王一心同聲而說偈言
世雄兩足尊　唯願演說法　以大慈悲力　度苦惱眾生
尒時大通智勝如來默然許之又諸比丘東
南方五百萬億國土諸大梵王各自見宮殿
光明照曜昔所未有歡喜踊躍生希有心即
各相詣共議此事時彼眾中有一大梵天王
名曰大悲為諸梵眾而說偈言
是事何因緣　而現如此相　我等諸宮殿　光明昔未有
為大德天生　為佛出世間　未曾見此相　當共一心求
過千萬億土　尋光共推之　多是佛出世　度脫苦眾生
尒時五百萬億諸梵天王與宮殿俱各以衣
裓盛諸天華共詣西北方推尋是相見大通

BD01287號　妙法蓮華經卷三　（20–9）

是事何因緣　而現如此相　我等諸宮殿　光明昔未有
為大德天生　為佛出世間　未曾見此相　當共一心求
過千萬億土　尋光共推之　多是佛出世　度脫苦衆生
尒時五百萬億諸梵天王與宮殿俱各以衣
裓盛諸天華共詣西北方推尋是相見大通
智勝如來處于道場菩提樹下坐師子座諸
天龍王乾闥婆緊那羅摩睺羅伽人非人等
恭敬圍繞及見十六王子請佛轉法輪時諸
梵天王頭面禮佛繞百千帀即以天華而散
佛上所散之華如須弥山并以供養佛菩提
樹華供養已各以宮殿奉上彼佛而作是言
唯見哀愍饒益我等所獻宮殿願垂納受尒
時諸梵天王即於佛前一心同聲以偈頌曰
聖主天中王　迦陵頻伽聲　哀愍衆生者　我等今敬禮
世尊甚希有　久遠乃一現　一百八十劫　空過無有佛
三惡道充滿　諸天衆減少　今佛出於世　為衆生作眼
世間所歸趣　救護於一切　為衆生之父　哀愍饒益者
我等宿福慶　今得值世尊
尒時諸梵天王偈讚佛已各作是言唯願世
尊哀愍一切轉於法輪度脫衆生時諸梵天
王一心同聲而說偈言
大聖轉法輪　顯示諸法相　度苦惱衆生　令得大歡喜
衆生聞此法　得道若生天　諸惡道減少　忍善者增益
尒時大通智勝如來默然許之又諸比丘南
方五百萬億國土諸大梵王各自見宮殿光
明照曜昔所未有歡喜踊躍生希有心即各
相詣共議此事以何因緣我等宮殿有此光
曜而彼衆中有一大梵天王名曰妙法為諸

BD01287號　妙法蓮華經卷三　（20–10）

明照曜昔所未有歡喜踊躍生希有心即各
相詣共議此事以何因緣我等宮殿有此光
曜而彼衆中有一大梵天王名曰妙法為諸
梵衆而說偈言
我等諸宮殿　光明甚威曜　此非無因緣　是相宜求之
過於百千劫　未曾見是相　為大德天生　為佛出世間
尒時五百萬億諸梵天王與宮殿俱各以衣
裓盛諸天華共詣北方推尋是相見大通智
勝如來處于道場菩提樹下坐師子座諸天
龍王乾闥婆緊那羅摩睺羅伽人非人等恭
敬圍繞及見十六王子請佛轉法輪時諸梵
天王頭面禮佛繞百千帀即以天華而散佛
上所散之華如須弥山并以供養佛菩提樹
華供養已各以宮殿奉上彼佛而作是言唯
見哀愍饒益我等所獻宮殿願垂納受尒時
諸梵天王即於佛前一心同聲以偈頌曰
世尊甚難見　破諸煩惱者　過百三十劫　今乃得一見
諸飢渴衆生　以法雨充滿　昔所未曾見　無量智慧者
如優曇鉢羅　今日乃值遇　我等諸宮殿　蒙光故嚴飾
世尊大慈愍　唯願垂納受
尒時諸梵天王偈讚佛已各作是言唯願世
尊轉於法輪令一切世間諸天魔梵沙門婆
羅門皆獲安隱而得度脫時諸梵天王一心
同聲以偈頌曰
唯願天人尊　轉無上法輪　擊于大法鼓　而吹大法螺
普雨大法雨　度無量衆生　我等咸歸請　當演深遠音
尒時大通智勝如來默然許之西南方乃至

BD01287號　妙法蓮華經卷三　（20–11）

同聲以偈頌曰
唯願天人尊 轉無上法輪 擊于大法鼓 而吹大法螺
普雨大法雨 度無量衆生 我等咸歸請 當演深遠音
尒時大通智勝如來黙然許之西南方乃至
下方亦復如是尒時上方五百萬億國土諸
大梵王皆悉自覩所止宮殿光明威曜昔所
未有歡喜踊躍生希有心即各相詣共議此
事以何因緣我等宮殿有斯光明時彼衆中
有一大梵天王名曰尸棄為諸梵衆而說偈
言
今以何因緣 我等諸宮殿 威德光明曜 嚴飾未曾有
如是之妙相 昔所未聞見 為大德天生 為佛出世間
尒時五百萬億諸梵天王與宮殿俱各以衣
裓盛諸天華共詣下方推尋是相見大通智
勝如來處于道場菩提樹下坐師子座諸天
龍王乾闥婆緊那羅摩睺羅伽人非人等恭
敬圍遶及見十六王子請佛轉法輪時諸梵
天王頭面禮佛繞百千帀即以天華而散佛
上所散之華如須弥山并以供養佛菩提樹
華供養已各以宮殿奉上彼佛而作是言唯
見哀愍饒益我等所獻宮殿願垂納處時諸
梵天王即於佛前一心同聲以偈頌曰
善哉見諸佛 救世之聖尊 能於三界獄 勉出諸衆生
普智天人尊 哀愍群萌類 能開甘露門 廣度於一切
於昔無量劫 空過無有佛 世尊未出時 十方常暗瞑
三惡道增長 阿脩羅亦盛 諸天衆轉減 死多墮惡道
不從佛聞法 常行不善事 色力及智慧 斯等皆減少

BD01287號　妙法蓮華經卷三　(20–12)

於昔無量劫 空過無有佛 世尊未出時 十方常暗瞑
三惡道增長 阿脩羅亦盛 諸天衆轉減 死多墮惡道
不從佛聞法 常行不善事 色力及智慧 斯等皆減少
罪業因緣故 失樂及樂想 住於邪見法 不識善儀則
不蒙佛所化 常墮於惡道 佛為世間眼 久遠時乃出
哀愍諸衆生 故現於世間 超出成正覺 我等甚欣慶
及餘一切衆 喜歎未曾有 我等諸宮殿 蒙光故嚴飾
今以奉世尊 唯垂哀納受 願以此功德 普及於一切
我等與衆生 皆共成佛道
尒時五百萬億諸梵天王偈讚佛已各白佛
言唯願世尊轉於法輪多所安隱多所度脫
時諸梵天王而說偈言
世尊轉法輪 擊甘露法鼓 度苦惱衆生 開示涅槃道
唯願受我請 以大微妙音 哀愍而敷演 無量劫習法
尒時大通智勝如來受十方諸梵天王及十
六王子請即時三轉十二行法輪若沙門婆
羅門若天魔梵及餘世間所不能轉謂是苦
是苦集是苦滅是苦滅道及廣說十二因緣
法無明緣行行緣識識緣名色名色緣六入六
入緣觸觸緣受受緣愛愛緣取取緣有有
緣生生緣老死憂悲苦惱無明滅則行滅行
滅則識滅識滅則名色滅名色滅則六入滅六
入滅則觸滅觸滅則受滅受滅則愛滅愛
滅則取滅取滅則有滅有滅則生滅生滅則
老死憂悲苦惱滅佛於天人大衆之中說是
法時六百萬億那由他人以不受一切法故
而於諸漏心得解脫皆得深妙禪定三明六

BD01287號　妙法蓮華經卷三　(20–13)

老死憂悲苦惱滅佛於天人大衆之中說是
法時六百萬億那由他人以不受一切法故
而於諸漏心得解脫皆得深妙禪定三明六
通具八解脫第二第三第四說法時千萬億
恒河沙那由他等衆生亦以不受一切法故
而於諸漏心得解脫從是已後諸聲聞衆無
量無邊不可稱數爾時十六王子皆以童子
出家而為沙弥諸根通利智慧明了已曾供
養百千萬億諸佛淨脩梵行求阿耨多羅三
藐三菩提俱白佛言世尊是諸無量千萬億
大德聲聞皆已成就世尊亦當為我等說阿
耨多羅三藐三菩提法我等聞已皆共脩學
世尊我等志願如來知見深心所念佛自證
知爾時轉輪聖王所將衆中八萬億人見十
六王子出家亦求出家王即聽許爾時彼佛
受沙弥請過二萬劫已乃於四衆之中說是
大乘經名妙法蓮華教菩薩法佛所護念說
是經已十六沙弥為阿耨多羅三藐三菩提
故皆共受持諷誦通利說是經時十六菩薩
沙弥皆悉信受聲聞衆中亦有信解其餘衆
生千萬億種皆生疑惑佛說是經於八千劫
未曾休癈說此經已即入靜室住於禪定八
萬四千劫是時十六菩薩沙弥知佛入室寂
然禪定各昇法座亦於八萬四千劫為四部
衆廣說分別妙法華經一一皆度六百萬億
那由他恒河沙等衆生示教利喜令發阿耨
多羅三藐三菩提心大通智勝佛過八萬四
千劫已從三昧起往詣法座安詳而坐普告

BD01287號　妙法蓮華經卷三　（20–14）

衆廣說分別妙法華經一一皆度六百萬億
那由他恒河沙等衆生示教利喜令發阿耨
多羅三藐三菩提心大通智勝佛過八萬四
千劫已從三昧起往詣法座安詳而坐普告
大衆是十六菩薩沙弥甚為希有諸根通利
智慧明了已曾供養無量千萬億數諸佛於
諸佛所常脩梵行受持佛智開示衆生令入
其中汝等皆當數數親近而供養之所以者
何若聲聞辟支佛及諸菩薩能信是十六菩
薩所說經法受持不毀者是人皆當得阿耨
多羅三藐三菩提如來之慧佛告諸比丘是
十六菩薩常樂說是妙法蓮華經一一菩薩
所化六百萬億那由他恒河沙等衆生世世
所生與菩薩俱從其聞法悉皆信解以此因
緣得值四萬億諸佛世尊于今不盡諸比丘
我今語汝彼佛弟子十六沙弥今皆得阿耨
多羅三藐三菩提於十方國土現在說法有
無量百千萬億菩薩聲聞以為眷屬其二沙
弥東方作佛一名阿閦在歡喜國二名須弥
頂東南方二佛一名師子音二名師子相南
方二佛一名虛空住二名常滅西南方二佛
一名帝相二名梵相西方二佛一名阿弥陁
二名度一切世間苦惱西北方二佛一名多
摩羅跋栴檀香神通二名須弥相北方二佛
一名雲自在二名雲自在王東北方佛名壞
一切世間怖畏第十六我釋迦牟尼佛於娑
婆國土成阿耨多羅三藐三菩提諸比丘我

BD01287號　妙法蓮華經卷三　（20–15）

一名雲自在二名雲自在王東北方佛名壞
一切世間怖畏第十六我釋迦牟尼佛於娑
婆國土成阿耨多羅三藐三菩提諸比丘我
等為沙彌時各各教化無量百千萬億恒河
沙等衆生從我聞法為阿耨多羅三藐三菩
提此諸衆生于今有住聲聞地者我常教化
阿耨多羅三藐三菩提是諸人等應以是法
漸入佛道所以者何如來智慧難信難解尒
時所化無量恒河沙等衆生者汝等諸比丘
及我滅度後未來世中聲聞弟子是也我滅
度後復有弟子不聞是經不知不覺菩薩所
行自於所得功德生滅度想當入涅槃我於
餘國作佛更有異名是人雖生滅度之想入
於涅槃而於彼土求佛智慧得聞是經唯以
佛乘而得滅度更無餘乘除諸如來方便說
法諸比丘若如來自知涅槃時到衆又清淨
信解堅固了達空法深入禪定便集諸菩薩
及聲聞衆為說是經世間無有二乘而得滅
度唯一佛乘得滅度耳比丘當知如來方便
深入衆生之性知其志樂小法深著五欲為
是等故說於涅槃是人若聞則便信受譬如
五百由旬險難惡道曠絕無人怖畏之處若
有多衆欲過此道至珍寶處有一導師聰慧
明達善知險道通塞之相將導衆人欲過此
難所將人衆中路懈退白導師言我等疲極
而復怖畏不能復進前路猶遠今欲退還導
師多諸方便而作是念此等可愍云何捨大珍

BD01287號　妙法蓮華經卷三　（20–16）

難所將人衆中路懈退白導師言我等疲極
而復怖畏不能復進前路猶遠今欲退還導
師多諸方便而作是念此等可愍云何捨大珍
寶而欲退還作是念已以方便力於險道中
過三百由旬化作一城告衆人言汝等勿怖
莫得退還今此大城可於中止隨意所作
若入是城快得安隱若能前至寶所亦可得
去是時疲極之衆心大歡喜歎未曾有我等
今者免斯惡道快得安隱於是衆人前入化
城生已度想生安隱想尒時導師知此人衆
既得止息無復疲倦即滅化城語衆人言汝
等去來寶處在近向者大城我所化作為止
息耳諸比丘如來亦復如是今為汝等作大
導師知諸生死煩惱惡道險難長遠應去應
度若衆生但聞一佛乘者則不欲見佛不欲
親近便作是念佛道長遠久受勤苦乃可得
成佛知是心怯弱下劣以方便力而於中道為
止息故說二涅槃若衆生住於二地如來尒
時即便為說汝等所作未辦汝所住地近於
佛慧當觀察籌量所得涅槃非真實也但
是如來方便之力於一佛乘分別說三如彼
導師為止息故化作大城既知息已而告之
言寶處在近此城非實我化作耳尒時世尊
欲重宣此義而說偈言
大通智勝佛　十劫坐道場　佛法不現前　不得成佛道
諸天神龍王　阿修羅衆等　常雨於天華　以供養彼佛
諸天擊天鼓　并作衆伎樂　香風吹萎華　更雨新好者

BD01287號　妙法蓮華經卷三　（20–17）

欲重宣此義而說偈言
大通智勝佛 十劫坐道場 佛法不現前 不得成佛道
諸天神龍王 阿脩羅眾等 常雨於天華 以供養彼佛
諸天擊天鼓 并作眾伎樂 香風吹萎華 更雨新好者
過十小劫已 乃得成佛道 諸天及世人 心皆懷踊躍
彼佛十六子 皆與其眷屬 千萬億圍繞 俱行至佛所
頭面禮佛足 而請轉法輪 聖師子法雨 充我及一切
世尊甚難值 久遠時一現 為覺悟群生 震動於一切
東方諸世界 五百萬億國 梵宮殿光曜 昔所未曾有
諸梵見此相 尋來至佛所 散華以供養 并奉上宮殿
請佛轉法輪 以偈而讚歎 佛知時未至 受請默然坐
三方及四維 上下亦復尒 散華奉宮殿 請佛轉法輪
世尊甚難值 願以大慈悲 廣開甘露門 轉無上法輪
無量慧世尊 受彼眾人請 為宣種種法 四諦十二緣
無明至老死 皆從生緣有 如是眾過患 汝等應當知
宣暢是法時 六百萬億姟 得盡諸苦際 皆成阿羅漢
第二說法時 千萬恒沙眾 於諸法不受 亦得阿羅漢
從是後得道 其數無有量 萬億劫筭數 不能得其邊
時十六王子 出家作沙弥 皆共請彼佛 演說大乘法
我等及營從 皆當成佛道 願得如世尊 慧眼第一淨
佛知童子心 宿世之所行 以無量因緣 種種諸譬喻
說六波羅蜜 及諸神通事 分別真實法 菩薩所行道
說是法華經 如恒河沙偈 彼佛說經已 靜室入禪定
一心一處坐 八萬四千劫 是諸沙弥等 知佛禪未出
為無量億眾 說佛無上慧 各各坐法座 說是大乘經
於佛宴寂後 宣揚助法化 一一沙弥等 所度諸眾生
有六百萬億 恒河沙等眾 彼佛滅度後 是諸聞法者

BD01287號　妙法蓮華經卷三　（20–18）

為無量億眾 說佛無上慧 各各坐法座 說是大乘經
於佛宴寂後 宣揚助法化 一一沙弥等 所度諸眾生
有六百萬億 恒河沙等眾 彼佛滅度後 是諸聞法者
在在諸佛土 常與師俱生 是十六沙弥 具足行佛道
今現在十方 各得成正覺 尒時聞法者 各在諸佛所
其有住聲聞 漸教以佛道 我在十六數 曾亦為汝說
是故以方便 引汝趣佛慧 以是本因緣 今說法華經
今汝入佛道 慎勿懷驚懼 譬如險惡道 迥絕多毒獸
又復無水草 人所怖畏處 無數千萬眾 欲過此險道
其路甚曠遠 經五百由旬 時有一導師 強識有智慧
明了心決定 在險濟眾難 眾人皆疲惓 而白導師言
我等今頓乏 於此欲退還 導師作是念 此輩甚可愍
如何欲退還 而失大珍寶 尋時思方便 當設神通力
化作大城郭 莊嚴諸舍宅 周帀有園林 渠流及浴池
重門高樓閣 男女皆充滿 即作是化已 慰眾言勿懼
汝等入此城 各可隨所樂 諸人既入城 心皆大歡喜
皆生安隱想 自謂已得度 導師知息已 集眾而告言
汝等當前進 此是化城耳 我見汝疲極 中路欲退還
故以方便力 權化作此城 汝今勤精進 當共至寶所
我亦復如是 為一切導師 見諸求道者 中路而懈廢
不能度生死 煩惱諸險道 故以方便力 為息說涅槃
言汝等苦滅 所作皆已辦 既知到涅槃 皆得阿羅漢
尒乃集大眾 為說真實法 諸佛方便力 分別說三乘
唯有一佛乘 息處故說二 今為汝說實 汝所得非滅
為佛一切智 當發大精進 汝證一切智 十力等佛法
具三十二相 乃是真實滅 諸佛之導師 為息說涅槃
既知是息已 引入於佛慧

BD01287號　妙法蓮華經卷三　（20–19）

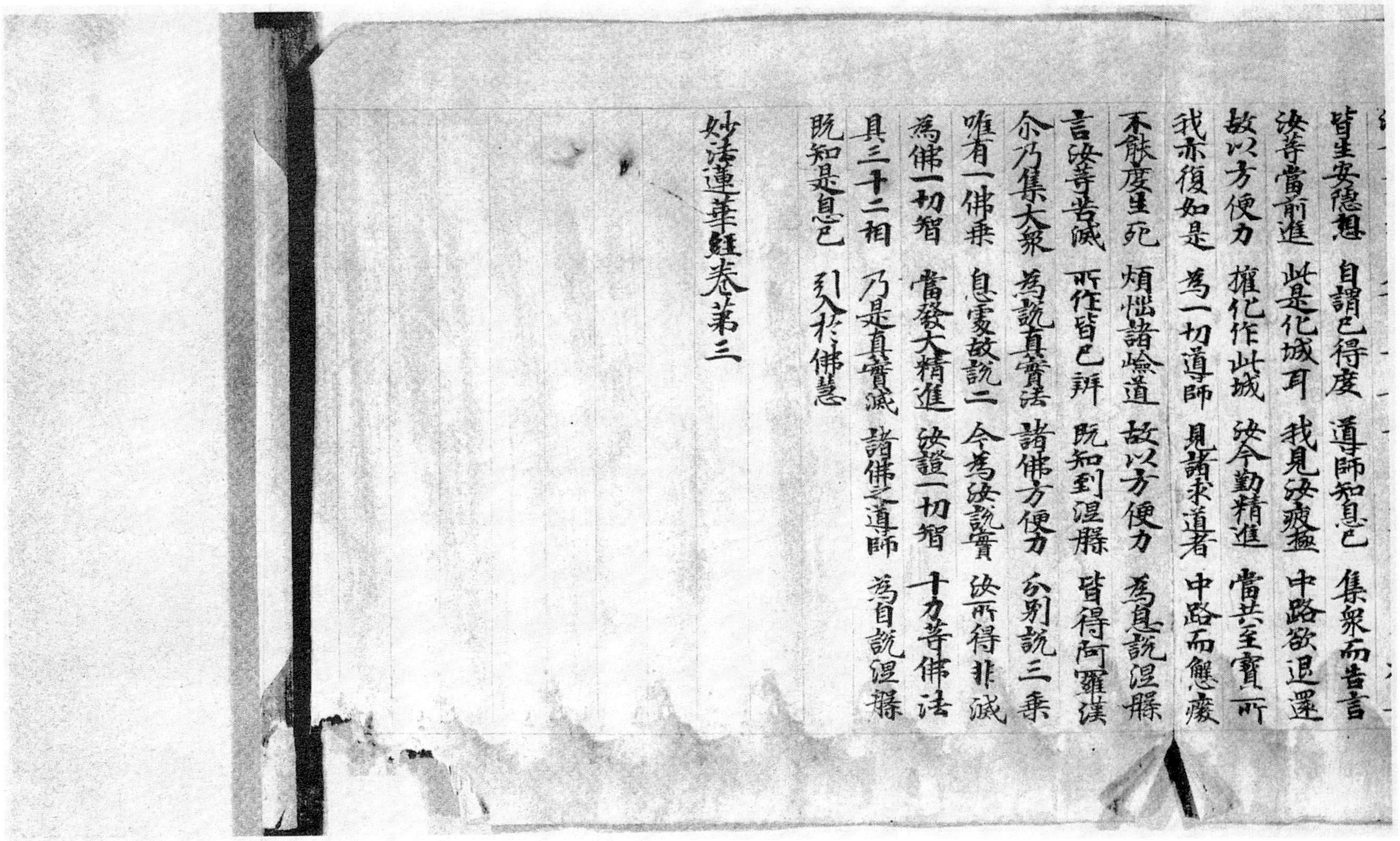

皆生安隱想　自謂已得度　導師知息已　集衆而告言
汝等當前進　此是化城耳　我見汝疲極　中路欲退還
故以方便力　權化作此城　汝今勤精進　當共至寶所
我亦復如是　為一切導師　見諸求道者　中路而懈廢
不能度生死　煩惱諸嶮道　故以方便力　為息說涅槃
言汝等苦滅　所作皆已辦　既知到涅槃　皆得阿羅漢
尒乃集大衆　為說真實法　諸佛方便力　分別說三乘
唯有一佛乘　息處故說二　今為汝說實　汝所得非滅
為佛一切智　當發大精進　汝證一切智　十力等佛法
具三十二相　乃是真實滅　諸佛之導師　為息說涅槃
既知是息已　引入於佛慧

妙法蓮華經卷第三

BD01287 號　妙法蓮華經卷三　　（20–20）

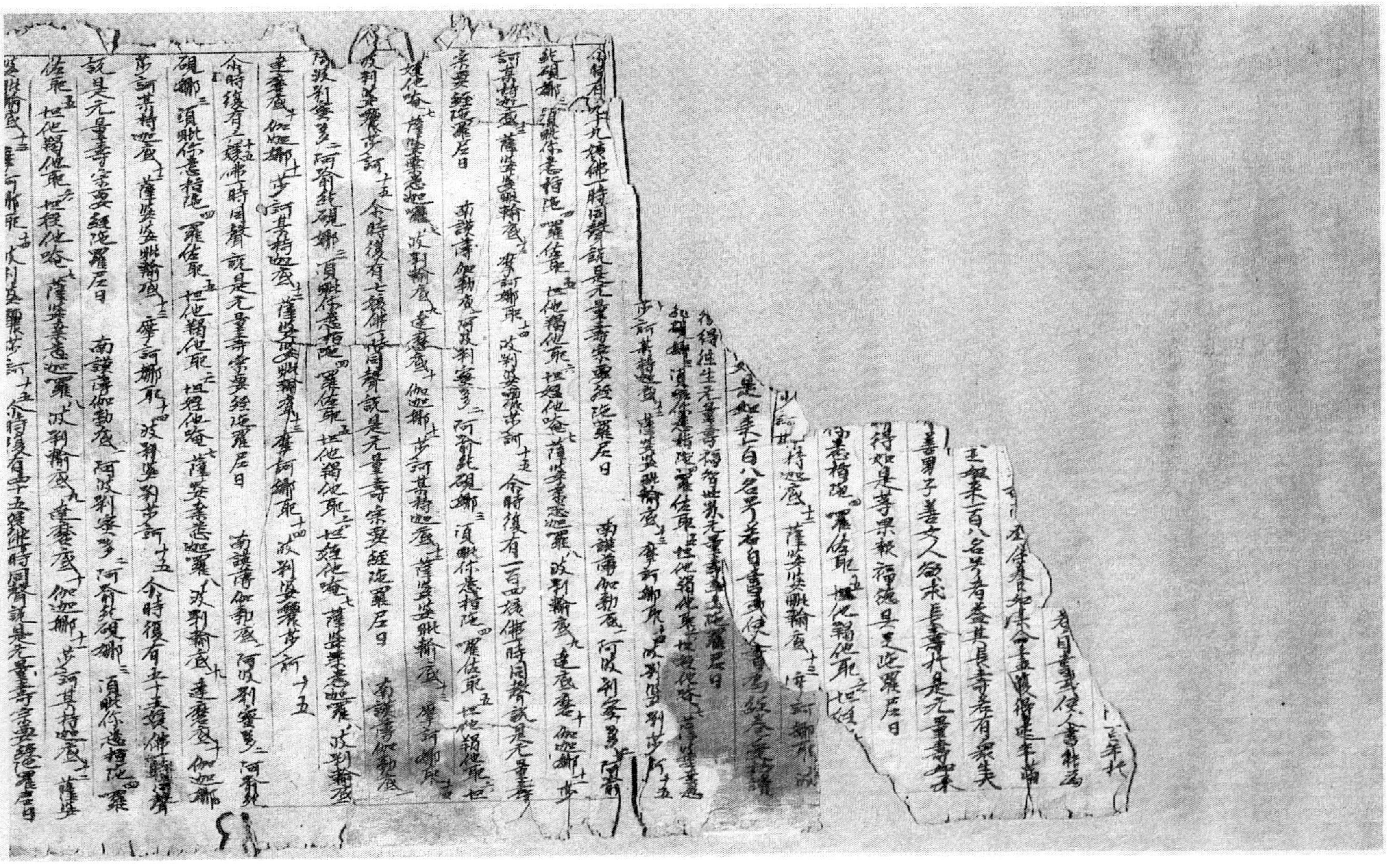

BD01288 號　無量壽宗要經　　（5–1）

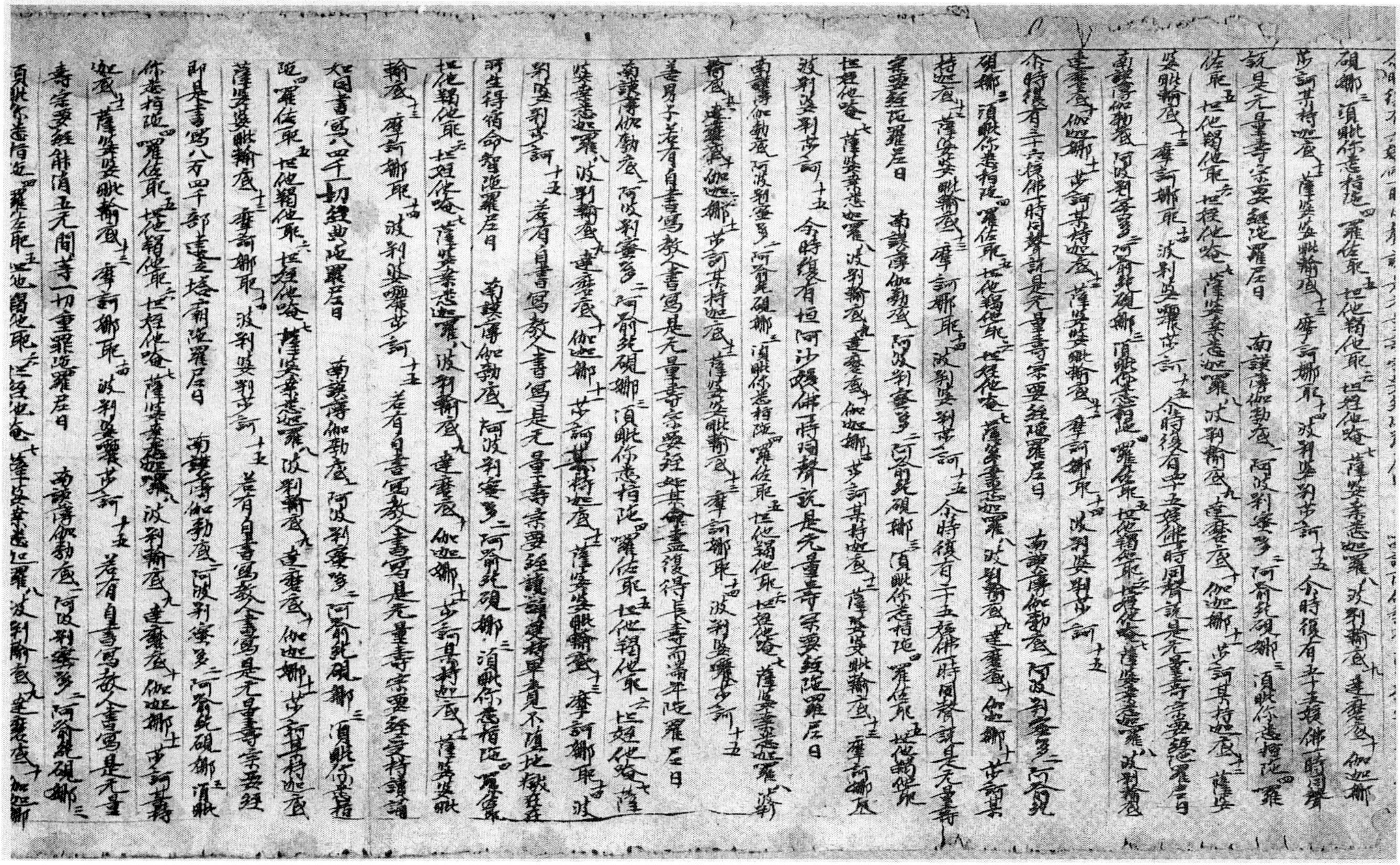

[illegible]
硯娜三 須毗你悉指陀四 羅佐耶五 怛他羯他耶六 怛姪他唵七 薩婆桑悉迦羅八 波利輸底九 達磨底十 伽迦娜
莎訶某持迦底十二 薩婆婆毗輸底十三 摩訶娜耶十四 波利婆囉莎訶十五 爾時復有五十五俱胝佛一時同聲
說是無量壽宗要經陀羅尼曰 南謨薄伽勒底一 阿波利蜜多二 阿喻紇硯娜三 須毗你悉指陀四 羅
佐耶五 怛他羯他耶六 怛姪他唵七 薩婆桑悉迦羅八 波利輸底九 達磨底十 伽迦娜十一 莎訶某持迦底十二 薩婆
婆毗輸底十三 摩訶娜耶十四 波利婆囉莎訶十五 爾時復有五十五殑伽佛一時同聲說是無量壽宗要經陀羅尼曰
南謨薄伽勒底一 阿波利蜜多二 阿喻紇硯娜三 須毗你悉指陀四 羅佐耶五 怛他羯他耶六 怛姪他唵七 薩婆桑悉迦羅八 波利輸底
達磨底十 伽迦娜十一 莎訶某持迦底十二 薩婆婆毗輸底十三 摩訶娜耶十四 波利婆囉莎訶十五
爾時復有三十六俱胝佛一時同聲說是無量壽宗要經陀羅尼曰 南謨薄伽勒底一 阿波利蜜多二 阿喻紇
硯娜三 須毗你悉指陀四 羅佐耶五 怛他羯他耶六 怛姪他唵七 薩婆桑悉迦羅八 波利輸底九 達磨底十 伽迦娜十一 莎訶某
持迦底十二 薩婆婆毗輸底十三 摩訶娜耶十四 波利婆囉莎訶十五 爾時復有十五殑伽佛一時同聲說是無量壽
宗要經陀羅尼曰 南謨薄伽勒底一 阿波利蜜多二 阿喻紇硯娜三 須毗你悉指陀四 羅佐耶五 怛他羯他耶六
怛姪他唵七 薩婆桑悉迦羅八 波利輸底九 達磨底十 伽迦娜十一 莎訶某持迦底十二 薩婆婆毗輸底十三 摩訶娜耶十四
波利婆囉莎訶十五 爾時復有恒河沙殑伽佛一時同聲說是無量壽宗要經陀羅尼曰
南謨薄伽勒底一 阿波利蜜多二 阿喻紇硯娜三 須毗你悉指陀四 羅佐耶五 怛他羯他耶六 怛姪他唵七 薩婆桑悉迦羅八 波利
輸底九 達磨底十 伽迦娜十一 莎訶某持迦底十二 薩婆婆毗輸底十三 摩訶娜耶十四 波利婆囉莎訶十五
善男子若有自書寫教人書寫是無量壽宗要經延其命盡復得長壽而滿年陀羅尼曰
南謨薄伽勒底一 阿波利蜜多二 阿喻紇硯娜三 須毗你悉指陀四 羅佐耶五 怛他羯他耶六 怛姪他唵七 薩
婆桑悉迦羅八 波利輸底九 達磨底十 伽迦娜十一 莎訶某持迦底十二 薩婆婆毗輸底十三 摩訶娜耶十四 波
利婆囉莎訶十五 若有自書寫教人書寫是無量壽宗要經讀誦受持畢竟不墮地獄在在
所生得宿命智陀羅尼曰 南謨薄伽勒底一 阿波利蜜多二 阿喻紇硯娜三 須毗你悉指陀四 羅佐耶
怛他羯他耶六 怛姪他唵七 薩婆桑悉迦羅八 波利輸底九 達磨底十 伽迦娜十一 莎訶某持迦底十二 薩婆婆毗
輸底十三 摩訶娜耶十四 波利婆囉莎訶十五 若有自書寫教人書寫是無量壽宗要經受持讀誦
如同書寫八四千一切經典陀羅尼曰 南謨薄伽勒底一 阿波利蜜多二 阿喻紇硯娜三 須毗你悉指
陀四 羅佐耶五 怛他羯他耶六 怛姪他唵七 薩婆桑悉迦羅八 波利輸底九 達磨底十 伽迦娜十一 莎訶某持迦底
薩婆婆毗輸底十三 摩訶娜耶十四 波利婆囉莎訶十五 若有自書寫教人書寫是無量壽宗要經
即是書寫八万四千部建立塔廟陀羅尼曰 南謨薄伽勒底一 阿波利蜜多二 阿喻紇硯娜三 須毗
你悉指陀四 羅佐耶五 怛他羯他耶六 怛姪他唵七 薩婆桑悉迦羅八 波利輸底九 達磨底十 伽迦娜十一 莎訶某持
迦底十二 薩婆婆毗輸底十三 摩訶娜耶十四 波利婆囉莎訶十五 若有自書寫教人書寫是無量
壽宗要經能消五無間等一切重罪陀羅尼曰 南謨薄伽勒底一 阿波利蜜多二 阿喻紇硯娜三
須毗你悉指陀四 羅佐耶五 怛他羯他耶六 怛姪他唵七 薩婆桑悉迦羅八 波利輸底九 達磨底十 伽迦娜

BD01288號　無量壽宗要經　（5–2）

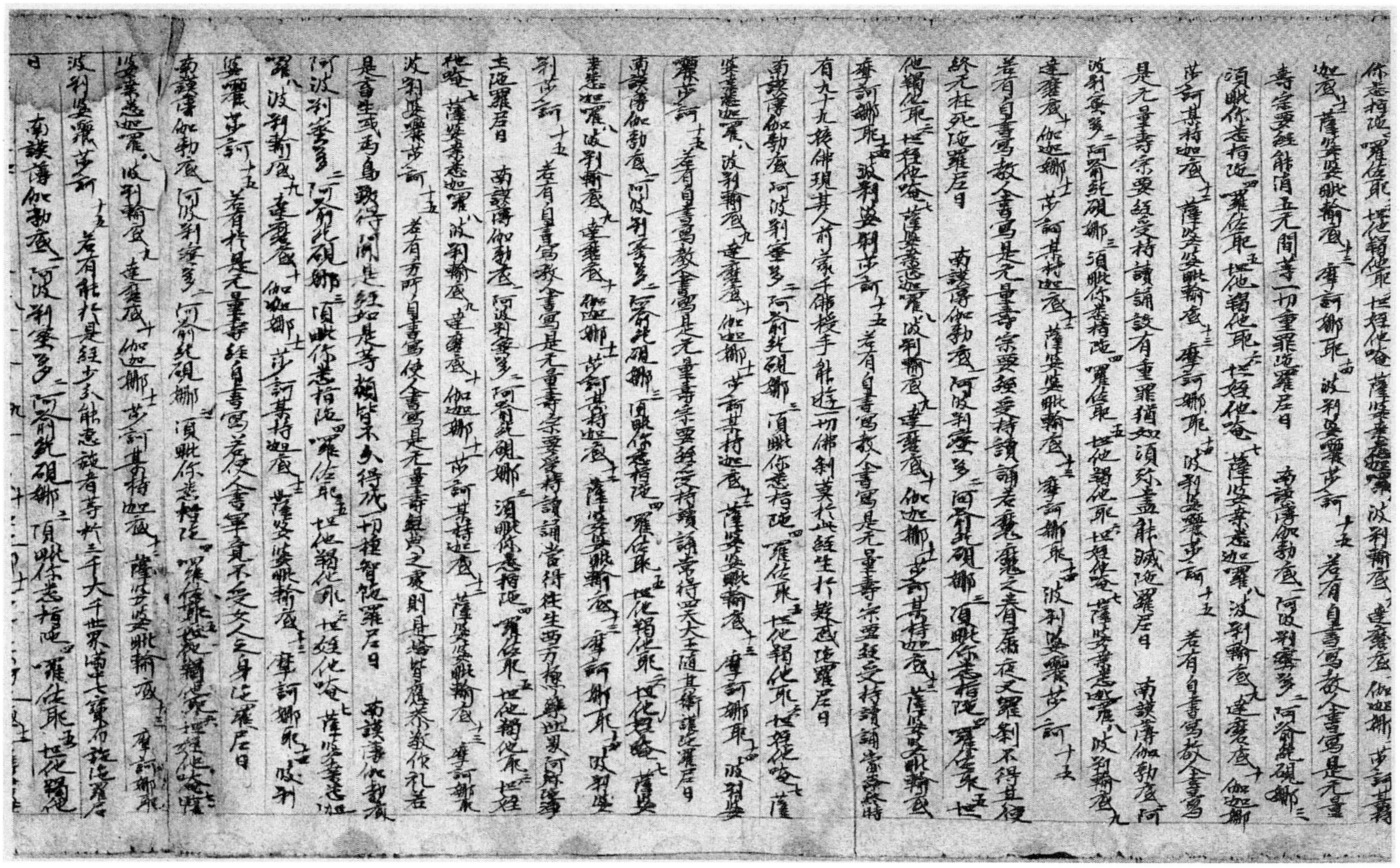

你悉指陀四 羅佐耶五 怛他羯他耶六 怛姪他唵七 薩婆桑悉迦羅八 波利輸底九 達磨底十 伽迦娜十一 莎訶某持
迦底十二 薩婆婆毗輸底十三 摩訶娜耶十四 波利婆囉莎訶十五 若有自書寫教人書寫是無量
壽宗要經能消五無間等一切重罪陀羅尼曰 南謨薄伽勒底一 阿波利蜜多二 阿喻紇硯娜三
須毗你悉指陀四 羅佐耶五 怛他羯他耶六 怛姪他唵七 薩婆桑悉迦羅八 波利輸底九 達磨底十 伽迦娜
莎訶某持迦底十二 薩婆婆毗輸底十三 摩訶娜耶十四 波利婆囉莎訶十五 若有自書寫教人書寫
是無量壽宗要經受持讀誦設有重罪猶如須弥盡能滅陀羅尼曰 南謨薄伽勒底一 阿
波利蜜多二 阿喻紇硯娜三 須毗你悉指陀四 羅佐耶五 怛他羯他耶六 怛姪他唵七 薩婆桑悉迦羅八 波利輸底九
達磨底十 伽迦娜十一 莎訶某持迦底十二 薩婆婆毗輸底十三 摩訶娜耶十四 波利婆囉莎訶十五
若有自書寫教人書寫是無量壽宗要經受持讀誦若魔魔之眷屬夜叉羅刹不得其便
終無枉死陀羅尼曰 南謨薄伽勒底一 阿波利蜜多二 阿喻紇硯娜三 須毗你悉指陀四 羅佐耶五 怛
他羯他耶六 怛姪他唵七 薩婆桑悉迦羅八 波利輸底九 達磨底十 伽迦娜十一 莎訶某持迦底十二 薩婆婆毗輸底
摩訶娜耶十四 波利婆囉莎訶十五 若有自書寫教人書寫是無量壽宗要經受持讀誦當命終時
有九十九殑伽佛現其人前家千佛授手能遊一切佛刹莫於此經生於疑惑陀羅尼曰
南謨薄伽勒底一 阿波利蜜多二 阿喻紇硯娜三 須毗你悉指陀四 羅佐耶五 怛他羯他耶六 怛姪他唵七 薩
婆桑悉迦羅八 波利輸底九 達磨底十 伽迦娜十一 莎訶某持迦底十二 薩婆婆毗輸底十三 摩訶娜耶十四 波利婆
囉莎訶十五 若有自書寫教人書寫是無量壽宗要經受持讀誦常得四天大王隨其衛護陀羅尼曰
南謨薄伽勒底一 阿波利蜜多二 阿喻紇硯娜三 須毗你悉指陀四 羅佐耶五 怛他羯他耶六 怛姪他唵七 薩婆
桑悉迦羅八 波利輸底九 達磨底十 伽迦娜十一 莎訶某持迦底十二 薩婆婆毗輸底十三 摩訶娜耶十四 波利婆
囉莎訶十五 若有自書寫教人書寫是無量壽宗要經受持讀誦當得往生西方極樂世界阿彌陀
土陀羅尼曰 南謨薄伽勒底一 阿波利蜜多二 阿喻紇硯娜三 須毗你悉指陀四 羅佐耶五 怛他羯他耶六 怛姪
他唵七 薩婆桑悉迦羅八 波利輸底九 達磨底十 伽迦娜十一 莎訶某持迦底十二 薩婆婆毗輸底十三 摩訶娜耶
波利婆囉莎訶十五 若有方所自書寫使人書寫是無量壽經典之處則是塔皆應恭敬作禮若
是畜生或為鳥獸得聞是經如是等類皆不久得成一切種智陀羅尼曰 南謨薄伽勒底
阿波利蜜多二 阿喻紇硯娜三 須毗你悉指陀四 羅佐耶五 怛他羯他耶六 怛姪他唵七 薩婆桑悉迦
羅八 波利輸底九 達磨底十 伽迦娜十一 莎訶某持迦底十二 薩婆婆毗輸底十三 摩訶娜耶十四 波利
婆囉莎訶十五 若有於是無量壽經自書寫若使人書寫畢竟不受女人之身陀羅尼曰
南謨薄伽勒底一 阿波利蜜多二 阿喻紇硯娜三 須毗你悉指陀四 羅佐耶五 怛他羯他耶六 怛姪他唵七 薩
婆桑悉迦羅八 波利輸底九 達磨底十 伽迦娜十一 莎訶某持迦底十二 薩婆婆毗輸底十三 摩訶娜耶
波利婆囉莎訶十五 若有能於是經少分能惠施者等於三千大千世界滿中七寶布施陀羅尼
曰 南謨薄伽勒底一 阿波利蜜多二 阿喻紇硯娜三 須毗你悉指陀四 羅佐耶五 怛他羯他

BD01288號　無量壽宗要經　（5–3）

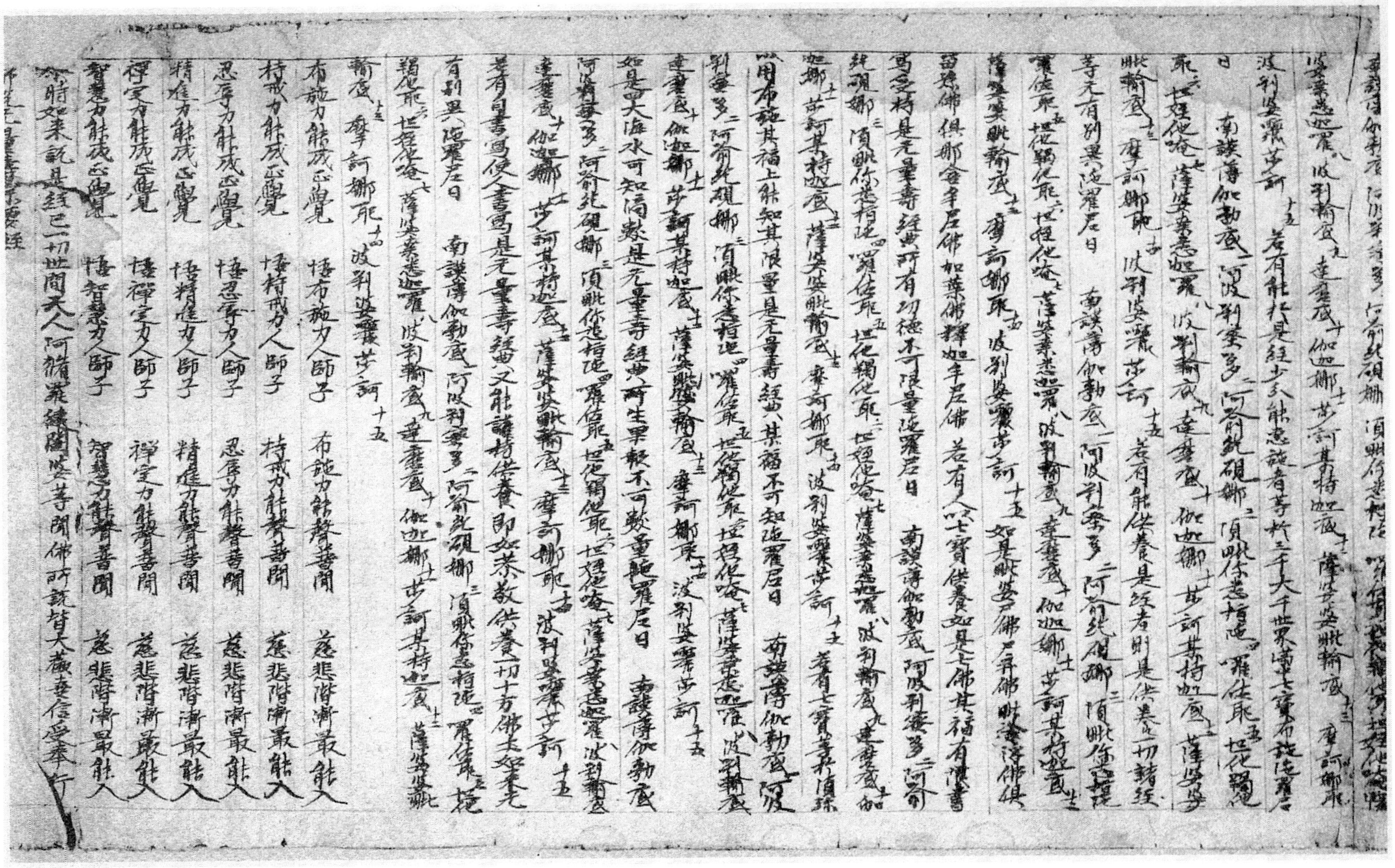

BD01288號　無量壽宗要經　（5–4）

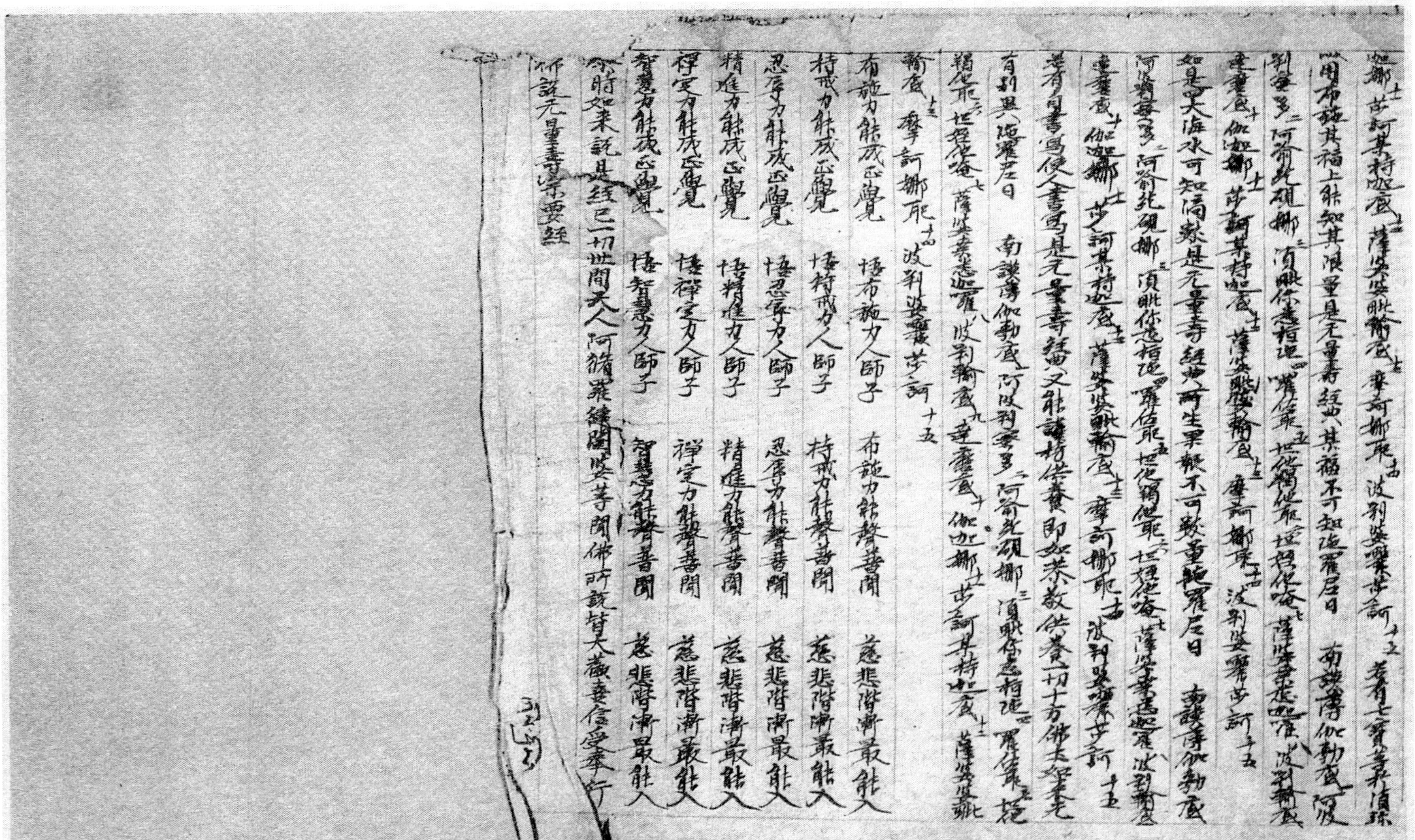

BD01288號　無量壽宗要經　（5–5）

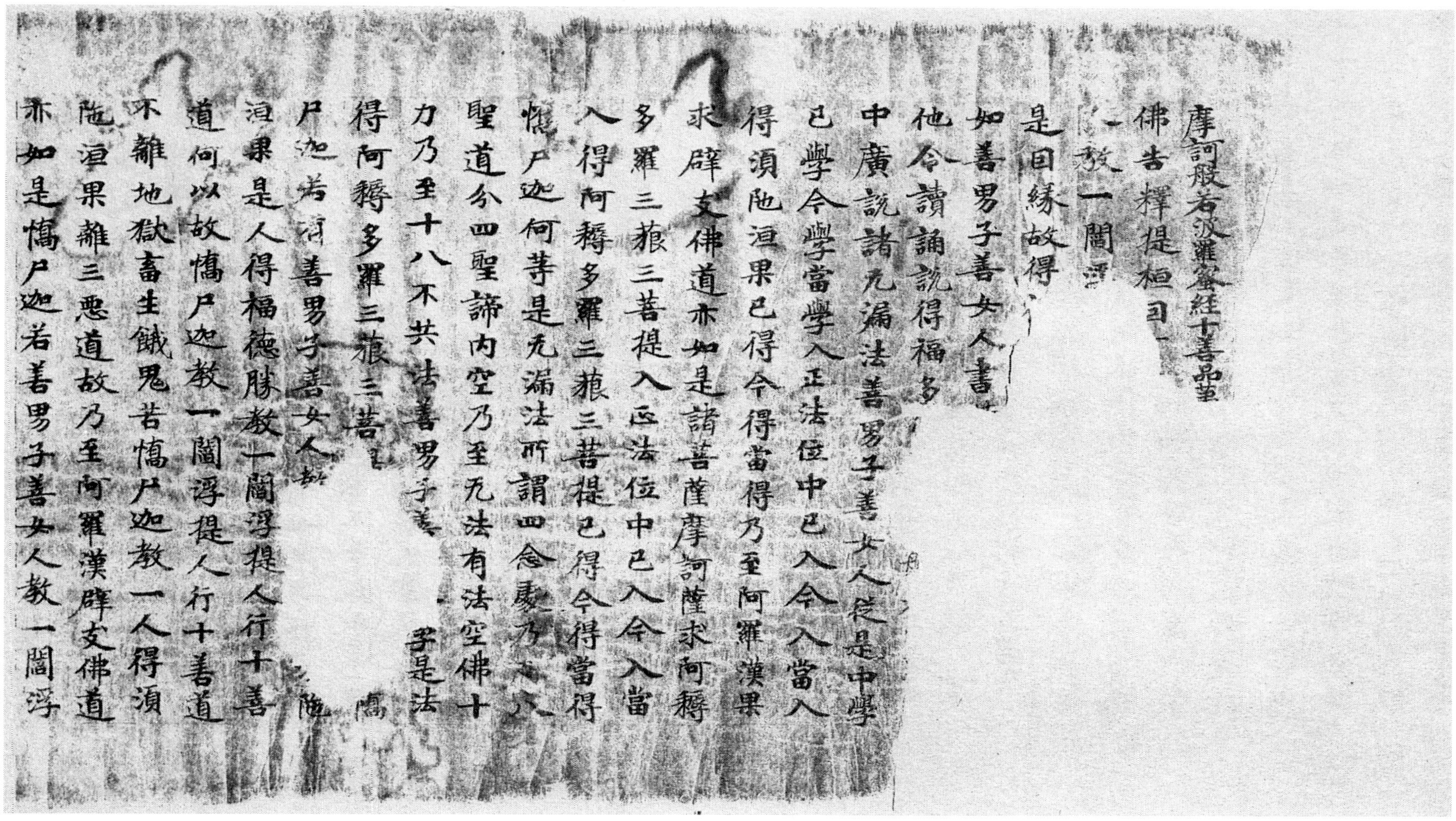

摩訶般若波羅蜜經十善品第
佛告釋提桓因
一教一閻浮
是因緣故得
如善男子善女人書
他令讀誦說得福多
中廣說諸无漏法善男子善女人從是中學
已學令學當學入正法位中已入今入當入
得須陁洹果已得今得當得乃至阿羅漢果
求辟支佛道亦如是諸菩薩摩訶薩求阿耨
多羅三藐三菩提入正法位中已入今入當
入得阿耨多羅三藐三菩提已得今得當得
憍尸迦何等是无漏法所謂四念處乃至八
聖道分四聖諦内空乃至无法有法空佛十
力乃至十八不共法善男子善　子是法
得阿耨多羅三藐三菩　憍
尸迦若河善男子善女人教　陁
洹果是人得福德勝教一閻浮提人行十善
道何以故憍尸迦教一閻浮提人行十善道
不離地獄畜生餓鬼若憍尸迦教一人得須
陁洹果離三惡道故乃至阿羅漢辟支佛道
亦如是憍尸迦若善男子善女人教一閻浮

BD01289號　摩訶般若波羅蜜經卷一〇　（5–1）

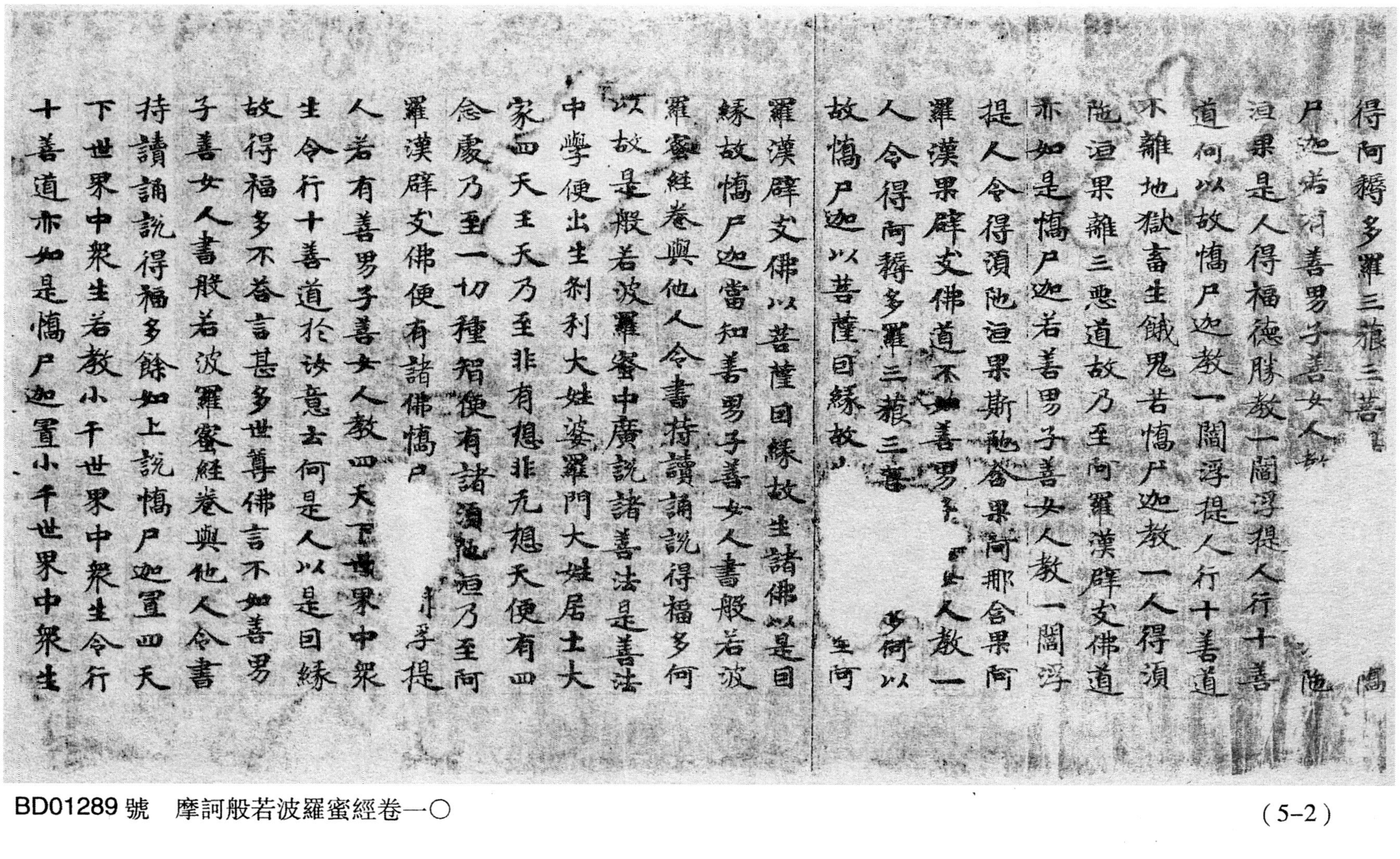

得阿耨多羅三藐三菩　憍
尸迦若河善男子善女人教　陁
洹果是人得福德勝教一閻浮提人行十善
道何以故憍尸迦教一閻浮提人行十善道
不離地獄畜生餓鬼若憍尸迦教一人得須
陁洹果離三惡道故乃至阿羅漢辟支佛道
亦如是憍尸迦若善男子善女人教一閻浮
提人令得須陁洹果斯陁含果阿那含果阿
羅漢果辟支佛道不如善男　人教一
人令得阿耨多羅三藐三菩　多何以
故憍尸迦以菩薩因緣故　生阿
羅漢辟支佛以菩薩因緣故生諸佛以是因
緣故憍尸迦當知善男子善女人書般若波
羅蜜經卷與他人令書持讀誦說得福多何
以故是般若波羅蜜中廣說諸善法是善法
中學便出生剎利大姓婆羅門大姓居士大
家四天王天乃至非有想非无想天便有四
念處乃至一切種智便有諸須陁洹乃至阿
羅漢辟支佛便有諸佛憍尸　菩提
人若有善男子善女人教四天下衆生中衆
生令行十善道於汝意云何是人以是因緣
故得福多不眷言甚多世尊佛言不如善男
子善女人書般若波羅蜜經卷與他人令書
持讀誦說得福多餘如上說憍尸迦置四天
下世界中衆生若教小千世界中衆生令行
十善道亦如是憍尸迦置小千世界中衆生

BD01289號　摩訶般若波羅蜜經卷一〇　（5–2）

持讀誦說得福多餘如上說憍尸迦置四天
下世界中衆生若教小千世界中衆生令行
十善道亦如是憍尸迦置小千世界中衆生
若教二千中世界中衆生令行十善道若有
善男子善女人書般若波羅蜜經卷與他人
令書持讀誦是人福德多餘如上說憍尸迦
置二千中國土中衆生若教三千大千世界
中所有衆生令行十善道復有人書般若波
羅蜜經卷与他人令書持讀誦是人福德多
憍尸迦置三千大千世界中衆生若教如恒
河沙等世界中所有衆生令行十善道若復
有人書般若波羅蜜經卷与[illegible]持讀
誦其福多餘如上說復次憍尸迦有人教一
閻浮提衆生令立四禪四无量心四无色定
五神通於汝意云何是善男子善女人福德
多不釋提桓因言甚多世尊佛言不如善男
子善女人書般若波羅蜜經卷与他人令書
持讀誦得福多何以故是般若波羅蜜
說諸善法餘如上說憍尸迦置閻浮提衆
復置四天下世界中衆生小千世界中衆生
二千世界中衆生三千大千世界中衆生憍
尸迦若有人教十方如恒河沙等世界中衆
生令立四禪四无量心四无色定五神通於
汝意云何是人福德多不荅言甚多世尊佛
言不如是善男子善女人書般若波羅蜜經
卷与他人令書持讀誦得福多何以故是般
若波羅蜜中廣說者善法餘如上說復次憍

BD01289號　摩訶般若波羅蜜經卷一〇　（5-3）

汝意云何是人福德多不荅言甚多世尊佛
言不如是善男子善女人書般若波羅蜜經
卷与他人令書持讀誦得福多何以故是般
若波羅蜜中廣說諸善法餘如上說復次憍
尸迦若有善男子善女人受是般若波羅蜜
持讀誦說正憶念是人福德勝教閻浮提人
行十善道立四禪四无量心四无色定五神
通正憶念者受持親近般若波羅蜜乃至正
憶念不以二法不以不二法受持親近禪波
羅蜜毗梨耶波羅蜜羼提波羅蜜尸羅波
羅蜜檀波羅蜜乃至正憶念不以二法不以
不二法爲阿耨多羅三藐三菩提正憶念內
空乃至一切種智不以二法不以不二法復
次憍尸迦若有善男子善女人爲他人種種
因緣演說般若波羅蜜義開示分別令易
解憍尸迦何等是般若波羅蜜義憍尸迦般
若波羅蜜義者不應以二相觀不應以不二
相觀非有相非无相不入不出不增不損不
垢不淨不生不滅不取不捨不住非不住非
實非虛非合非散非著非不著非因非不因
非法非不法非如非不如非實際非不實
憍尸迦若善男子善女人能以是般若波
蜜義爲他人種種因緣演說開示分別令
解是善男子善女人所得福德甚多勝自受
持般若波羅蜜親近讀誦說正憶念復次憍
尸迦善男子善女人自受持般若波羅蜜親

BD01289號　摩訶般若波羅蜜經卷一〇　（5-4）

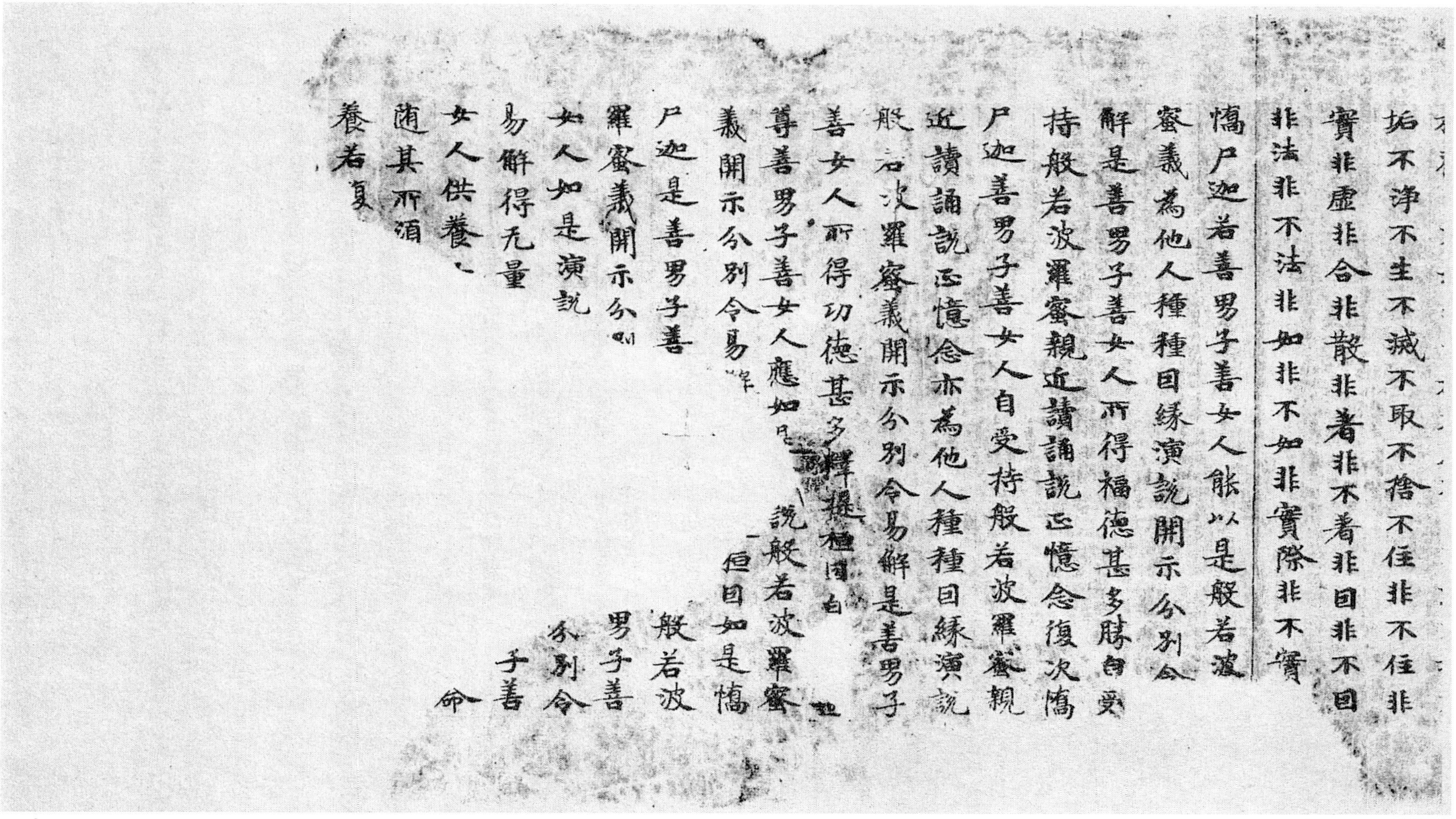

垢不淨不生不滅不取不捨不住非不住非
實非虛非合非散非着非不着非因非不因
非法非不法非如非不如非實際非不實
憍尸迦若善男子善女人能以是般若波
蜜義為他人種種因緣演說開示分別令
解是善男子善女人所得福德甚多勝自受
持般若波羅蜜親近讀誦說正憶念復次憍
尸迦善男子善女人自受持般若波羅蜜親
近讀誦說正憶念亦為他人種種因緣演說
般若波羅蜜義開示分別令易解是善男子
善女人所得功德甚多釋提桓因白 [illegible]
尊善男子善女人應如 [illegible] 說般若波羅蜜
義開示分別令易 [illegible] 桓因如是憍
尸迦是善男子善 [illegible] 般若波
羅蜜義開示分 [illegible] 男子善
如人如是演說 [illegible] 分別令
易解得无量 [illegible] 子善
女人供養 [illegible] 命
隨其所須
養若复

BD01289 號　摩訶般若波羅蜜經卷一〇　（5–5）

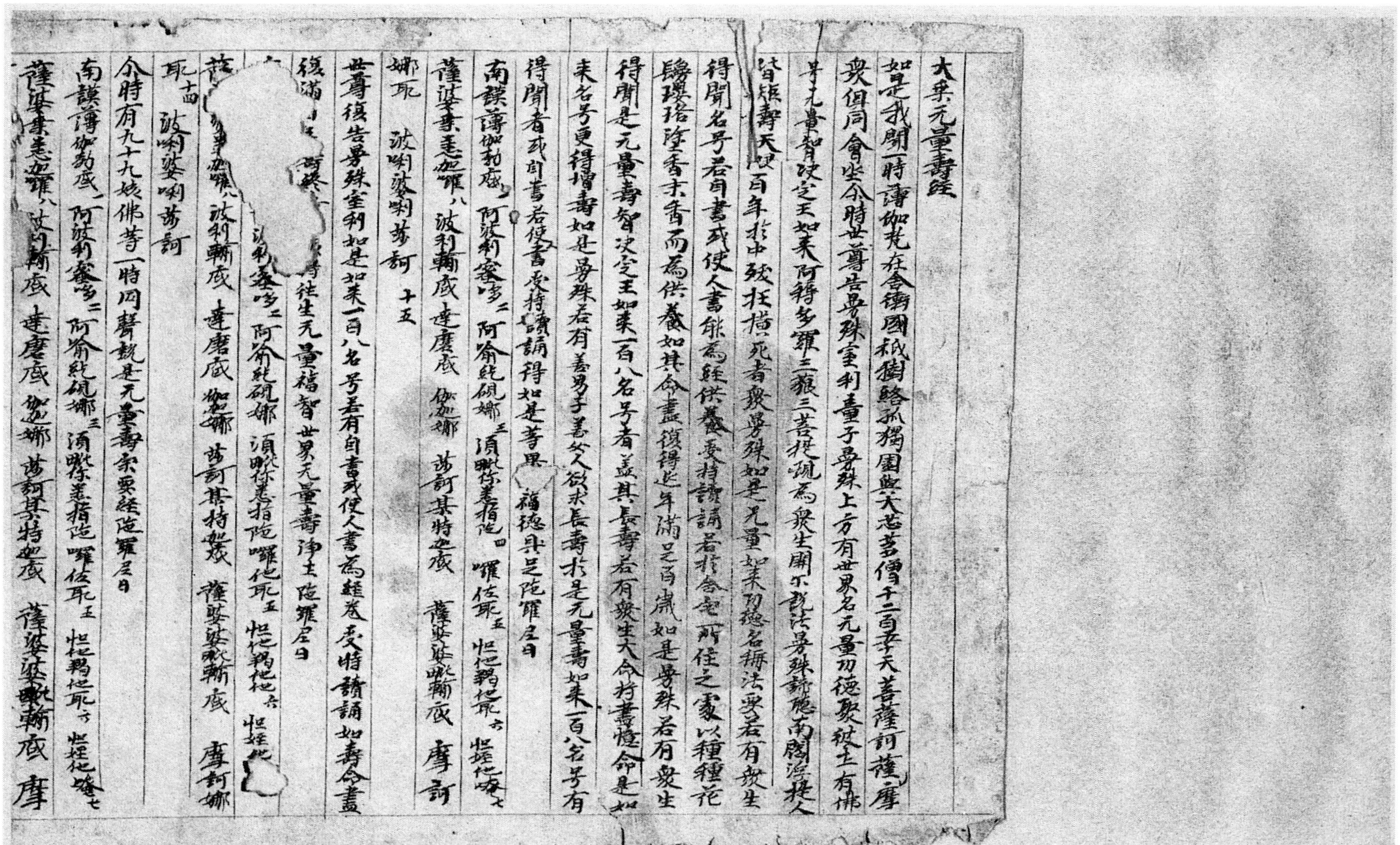

大乘无量壽經
如是我聞一時薄伽梵在舍衛國祇樹給孤獨園與大苾芻僧千二百五十人菩薩摩訶薩摩
衆俱同會坐尔時世尊告曼殊室利童子曼殊上方有世界名无量功德聚彼土有佛
號无量智決定王如來阿羅訶三藐三菩提現為衆生開示說法曼殊諦聽南閻浮提人
皆短壽大限百年於中殀枉橫死者衆曼殊如是无量壽如來功德名稱法要若有衆生
得聞名號若自書或使人書能為經供養受持讀誦若於舍宅所住之處以種種花
鬘瓔珞塗香末香而為供養如其命盡復得延年滿足百歲如是曼殊若有衆生
得聞是无量壽智決定王如來一百八名號者益其長壽若有衆生大命將盡憶念是如
來名號更得增壽如是曼殊若有善男子善女人欲求長壽於是无量壽如來一百八名號有
得聞者或自書若使書受持讀誦得如是善果福德具足陁羅尼曰
南謨薄伽勃底一 阿波唎蜜多二 阿喻紇硯娜三 須毗你失指陁四 囉佐耶五 怛他羯他耶六 怛姪他七
薩婆桑悉迦囉八 波唎輸底 達磨底 伽伽娜 莎訶某特迦底 薩婆婆毗輸底 摩訶
娜耶 波唎婆唎莎訶十五
世尊復告曼殊室利如是如來一百八名號若有自書或使人書為經卷受持讀誦如壽命盡
復滿 [illegible] 往生无量福智世界无量壽淨土陁羅尼曰
[illegible] 阿波唎蜜多二 阿喻紇硯娜三 須毗你失指陁四 囉佐耶五 怛他羯他耶六 怛姪他
[illegible] 波唎輸底 達磨底 伽伽娜 莎訶某特迦底 薩婆婆毗輸底 摩訶娜
耶十四 波唎婆唎莎訶
尔時有九十九姟佛等一時同聲說是无量壽宗要經陁羅尼曰
南謨薄伽勃底一 阿波唎蜜多二 阿喻紇硯娜三 須毗你失指陁四 囉佐耶五 怛他羯他耶六 怛姪他七
薩婆桑悉迦囉八 波唎輸底 達磨底 伽伽娜 莎訶某特迦底 薩婆婆毗輸底 摩

BD01290 號　無量壽宗要經　（6–1）

耶十四 波唎婆唎莎訶

尒時有九十九姟佛等一時同聲說是无量壽宗要經陀羅尼曰

南謨薄伽勃底一 阿波唎蜜哆二 阿喻紇硯娜三 須毗你悉指陀 囉佐耶五 怛他羯他耶六 怛姪他唵七

薩婆桑悉迦囉八 波[...]輸底 達磨底 伽伽娜 莎訶某特伽底 薩婆婆毗輸底 摩

訶[...]莎訶 十五

尒時[...]百四姟佛一時同聲說是无量壽宗要經陀羅尼曰

南謨薄伽勃底 阿波唎蜜哆 阿喻紇硯娜 須毗你悉指陀 囉佐耶五 怛他羯他耶六 怛姪他唵

薩婆桑悉迦囉八 波利輸底 達磨底 伽伽娜 莎訶某特伽底 薩婆婆毗輸底 摩訶

娜耶十四 波利婆唎莎訶 十五

尒時復有六姟佛一時同聲說是无量壽宗要經陀羅尼曰

南[...]蜜哆 阿喻紇硯娜 須毗你悉指陀 囉佐耶五 怛他羯他耶六 怛姪他唵七

薩婆桑悉迦囉八 波利輸底 達磨底 伽伽娜 莎訶某特伽底 薩婆婆毗輸底 摩訶

娜耶十四 波利婆唎莎訶 十五

尒時復有六十五姟佛一時同聲說是无量壽宗要經陀羅尼曰

南謨薄伽勃底一 阿波利蜜哆 阿喻紇硯娜 須毗你悉指陀 囉佐耶五 怛他羯他耶六 怛姪他唵七

薩婆桑悉迦囉八 [...]底 達磨底 伽伽娜 莎訶某特伽底 薩婆婆毗輸底 摩訶

娜耶[...] 波利婆利莎訶 十五

尒時復有五十五姟佛一時同聲說是无量壽宗要經陀羅尼曰

南謨薄伽勃底 阿波利蜜哆二 阿喻紇硯娜 須毗你悉指陀四 囉佐耶五 怛他羯他耶七 怛姪他唵

薩婆桑悉迦囉八 波利輸底 達磨底 伽伽娜 莎訶某特伽底 薩婆婆毗輸底 摩訶

娜耶十四 波利婆唎莎訶 十五

尒時復有四十五姟[...]同聲說是无量壽宗要經陀羅尼曰

南謨薄[...] 阿波利蜜哆二 阿喻紇硯娜三 須毗你悉指陀四 囉佐耶五 怛他羯他耶六 怛姪他唵七

薩婆桑悉迦囉八 波利輸底 達磨底 伽伽娜 莎訶某特伽底 薩婆婆毗輸底 摩訶娜耶十四

波唎婆唎莎訶 十五

尒時復有三十六姟佛一時同聲說是无量壽宗要經陀羅尼曰

南謨薄伽勃底一 阿波利蜜哆二 阿喻紇硯娜 須毗你悉指陀 囉佐耶五 怛他羯他耶六 怛姪他唵七

薩婆[...]底 達磨底 伽伽娜 莎訶訶某特伽底 薩婆婆毗輸底 摩訶娜

耶十四 波利婆唎莎訶 十五

尒時復有二十五姟佛一時同聲說是无量壽宗要經陀羅尼曰

BD01290 號　無量壽宗要經　（6–2）

南謨薄伽勃底一 阿波利蜜哆二 阿喻紇硯娜 須毗你悉指陀 囉佐耶五 怛他羯他耶六 怛姪他唵七

薩婆[...]輸底 達磨底 伽伽娜 莎訶訶某特伽底 薩婆婆毗輸底 摩訶娜

耶十四 波利婆唎莎訶 十五

尒時復有二十五姟佛一時同聲說是无量壽宗要經陀羅尼曰

南謨薄伽勃底一 阿波利蜜哆二 阿喻紇硯娜 須毗你悉指陀 囉佐耶五 怛他羯他耶六 怛姪他唵七

薩婆桑悉迦囉八 波利輸底 達磨底 伽伽娜 莎訶某特伽底 薩婆婆毗輸底 摩訶

娜耶十四 波利[...]莎訶 十五

尒時[...]河沙姟佛一時同聲說是无量壽宗經陀羅尼曰

南謨薄伽勃底一 阿波利蜜哆二 阿喻紇硯娜三 須毗你悉指陀 囉佐耶五 怛他羯他耶六 怛姪他唵七

薩婆桑悉迦囉八 波利輸底九 達磨底 婆伽娜 莎訶某特伽底 薩婆婆毗輸底十二

摩訶娜耶十四 波利婆唎莎訶 十五

善男子若有自書寫教人書寫是无量壽宗要經如其命盡復得長壽而滿年陀羅尼曰

南謨薄伽勃底一 阿[...]利蜜哆二 阿喻紇硯娜三 須毗你悉指陀四 囉佐耶五 怛他羯他耶六 怛姪他唵

薩婆桑悉迦囉八 波利輸底 達磨底 伽伽娜 莎訶某特伽底十二 薩婆婆毗輸底十三

摩訶娜耶十四 波唎婆唎莎訶 十五

若有自書寫教人書寫是无量壽宗要經受持取者不墮地獄在在所生得宿命智陀羅尼曰

南謨薄伽勃底一 阿波利蜜哆二 阿喻紇硯娜 須毗你悉指陀 囉佐耶五 怛他羯他耶六 怛姪他唵

薩婆桑悉迦囉八 波利輸底 達磨底 伽伽娜 莎訶某特伽底十二 薩婆婆毗輸底 摩訶娜耶十四

波利波唎[...]莎訶 十五

尒時復有恒河沙姟佛一時同聲說是无量壽宗要經陀羅尼曰

南謨薄伽勃底一 阿波唎蜜哆二 阿喻紇硯娜三 須毗你悉指陀四 囉佐耶五 怛他羯他

耶六 怛姪他唵七 薩婆桑悉迦囉八 波唎輸底九 達磨底十 伽伽娜十一 莎訶某特伽底十二

薩婆婆毗輸底十三 摩訶娜耶十四 波唎婆囉莎訶 十五

善男子若有自書寫是无量壽宗要經如其命盡復得長壽而滿年陀羅尼曰

南謨薄伽勃底一 阿波唎蜜哆二 阿喻紇硯娜三 須毗你指陀 囉佐耶五 怛他羯耶六

怛姪他唵七 薩婆桑悉迦囉八 波唎輸底九 達磨底十 伽伽娜十一 莎訶某迦底十二

薩婆婆毗輸底十三 摩訶娜耶十四 波唎婆囉莎訶 十五

若有自書寫教人書寫是无量壽宗要經讀誦受持畢竟不墮地獄在所生得宿命智陀羅尼曰

南謨薄伽勃底一 阿波唎蜜哆二 阿喻紇硯娜三 須毗你悉指陀四 囉佐耶五

怛他羯他耶六 怛姪他唵七 薩婆桑悉迦囉八 波唎輸底九 達磨底十 伽伽娜十一

BD01290 號　無量壽宗要經　（6–3）

[illegible]
薩婆婆毗輸底十三 摩訶娜耶十四 波唎婆囉莎訶十五
若有自書寫教人書寫是无量壽宗要經讀誦者當得畢竟得識在所生得宿命智陀羅尼曰
南謨薄伽勃底一 阿波唎蜜多二 阿喻紇硯娜三 須毗你悉指陀四 囉佐耶五
怛他羯他耶六 怛姪他唵七 薩婆桑悉迦囉八 波唎輸底九 達磨底十 伽迦娜十一
莎訶某特迦底十二 薩婆婆毗輸底十三 摩訶娜耶十四 波唎婆囉莎訶十五
若有自書寫教人書寫是无量壽宗要經受持讀誦如是書寫八萬四千一切經典陀羅尼曰
南謨薄伽勃底一 阿波唎蜜多二 阿喻紇硯娜三 須毗你悉指陀四 囉佐耶五 怛他羯
他耶六 怛姪他唵七 薩婆桑悉迦囉八 波唎輸底九 達磨底十 伽迦娜十一 莎訶
某特迦底十二 薩婆婆毗輸底十三 摩訶娜耶十四 波唎婆囉莎訶十五
若有自寫書教人書寫是无量壽宗要經即是書寫八萬四千部建立塔廟陀羅尼曰
南謨薄伽勃底一 阿波唎蜜多二 阿喻紇硯娜三 須毗你悉指陀四 囉佐耶五 怛他羯陀
他耶六 怛姪他唵七 薩婆桑悉迦囉八 波唎輸底九 達磨底十 伽迦娜十一 莎訶某
特迦底十二 薩婆婆毗輸底十三 摩訶娜耶十四 波唎婆囉莎訶十五
若有自書寫教人書寫是无量壽宗要經能消五无間等一切重罪陀羅尼曰
南謨薄伽勃底一 阿波唎蜜多二 阿喻紇硯娜三 須毗你悉指陀四 囉佐耶五 怛他羯他耶六
怛姪他唵七 薩婆桑悉迦囉八 婆唎輸底九 達磨底十 伽迦娜十一 莎訶某特迦底十二
薩婆婆毗輸底十三 摩訶娜耶十四 波唎婆囉莎訶十五
若有自書寫教人書寫是无量壽宗要經受持讀誦設有重罪猶如須彌能盡除滅
陀羅尼曰 南謨薄伽勃底一 阿波唎蜜多二 阿喻紇硯娜三 須毗你悉指陀四 囉佐耶五
怛他羯他耶六 怛姪他唵七 薩婆桑悉迦囉八 波唎輸底九 達磨底十 伽迦娜十一 莎訶
某特迦底十二 薩婆婆毗輸底十三 摩訶娜耶十四 波唎婆囉莎訶十五
若有自書寫教人書寫是无量壽宗要經受持讀誦若魔魔之眷屬藥叉羅
剎不得其便終无枉死陀羅尼曰
南謨薄伽勃底一 阿波利蜜多二 阿喻紇硯娜三 須毗你悉指陀四 囉佐耶五
怛他羯他耶六 怛姪他唵七 薩婆桑悉迦羅八 波唎輸底九 達磨底十 伽迦娜十一
莎訶某特迦底十二 薩婆婆毗輸底十三 摩訶娜耶十四 波唎婆囉莎訶十五
若有自書寫教人書寫是无量壽宗要經受持讀誦當命終時有九十九億佛現
其人前蒙千佛授手能遊一切剎莫於此經生於疑惑陀羅尼曰
南謨薄伽勃底一 阿波唎蜜多二 阿喻紇硯娜三 須毗你悉指陀四 囉佐耶五 怛他羯
他耶六 怛姪他唵七 薩婆桑悉迦囉八 波唎輸底九 達磨底十 伽迦娜十一 莎訶某特迦底十二

BD01290 號 無量壽宗要經 （6–4）

莎訶某特迦底十二 薩婆婆毗輸底十三 摩訶娜耶十四 波唎婆囉莎訶十五
若有自書寫教人書寫是无量壽宗要經受持讀誦當命終時有九十九億佛現
其人前蒙千佛授手能遊一切剎莫於此經生於疑惑陀羅尼曰
南謨薄伽勃底一 阿波唎蜜多二 阿喻紇硯娜三 須毗你指陀耶四 囉佐耶五 怛他羯
他耶六 怛姪他唵七 薩婆桑悉迦囉八 波唎輸底 達磨底 伽迦娜 莎訶某特迦底 薩婆
婆毗輸底 摩訶娜耶十四 波唎婆唎莎訶十五
若有自書寫教人書寫是无量壽宗要經受持讀誦常得四天大王隨其衛護陀
羅尼曰 南謨薄伽勃底 阿波唎蜜多 阿喻紇硯娜 須毗你悉指陀 囉佐耶五 怛他羯他
耶六 怛姪他唵七 薩婆桑悉迦囉八 波唎輸底 達磨底 伽迦娜 莎訶某特迦底
薩婆婆毗輸底 摩訶娜耶十四 波唎婆唎莎訶十五
若有自書寫教人書寫是无量壽宗要經受持讀誦當得往生西方極樂世界阿彌
陀淨土陀羅尼曰 南謨薄伽勃底 阿波唎蜜多二 阿喻紇硯娜 須毗你悉指陀四 囉佐耶五
怛他羯他耶 怛姪他唵七 薩婆桑悉羅八 波唎輸底 達磨底 伽迦娜 莎訶某特迦底
薩婆婆毗輸底 摩訶娜耶十四 波唎婆唎莎訶十五
若有方所自書寫使人書寫是无量壽經典之處則為是塔皆應恭敬作禮若是畜生
或為鳥獸得聞是經如是等類皆當不久得成一切種智陀羅尼曰
南謨薄伽勃底一 阿波唎蜜多二 阿喻紇硯娜三 須毗你悉指陀 囉佐耶五 怛他羯他耶六 怛姪
他唵七 薩婆桑悉迦囉八 波唎輸底 達磨底 伽迦娜 莎訶某特迦底 薩婆婆毗
輸底 摩訶娜耶十四 波唎婆唎莎訶十五
若有於是无量壽經自書寫若使人書畢竟不受女人之身陀羅尼曰
南謨薄伽勃底 阿波利蜜多 阿喻紇硯娜 須毗你悉指陀 囉佐耶 怛他羯他耶六
怛姪他唵七 薩婆桑悉迦囉 波唎輸底 達磨底 伽迦娜 莎訶某特迦底十二
薩婆婆毗輸底 摩訶娜耶十四 波利婆唎莎訶十五
若有能於是經少分能惠施者等於三千大千世界滿中七寶布施陀羅尼曰
南謨薄伽勃底一 阿波利蜜多二 阿喻紇硯娜 須毗你悉指陀 囉佐耶五 怛他羯他耶六 怛姪他唵七
薩婆桑悉迦羅八 波利輸底九 達磨底 伽迦娜 莎訶某特迦底 薩婆婆毗輸底十三
摩訶娜耶十四 波利婆唎莎訶十五
若有能供養是經者則是供養一切諸經等无有異陀羅尼曰
南謨薄伽勃底 阿波利蜜多二 阿喻紇硯娜 須毗你悉指陀四 囉佐耶五 怛他羯他耶六 怛姪他唵七
薩婆桑悉迦羅八 波利輸底 達磨底 伽迦娜 莎訶某特迦底 薩婆婆毗輸底十三 摩
娜耶十四

BD01290 號 無量壽宗要經 （6–5）

摩訶娜耶十四 波利婆唎莎訶十五
若有能供養是經者，則是供養一切諸經，等无有異。陁羅尼曰
南謨薄伽勃底一 阿波利蜜多二 阿喻紇硯娜三 須毗你悉指陁四 囉佐耶五 怛他羯他耶六 怛姪他唵七
薩婆桑悉迦羅八 波利輸底九 達磨底十 伽伽娜十一 莎訶其特迦底十二 薩婆婆毗輸底十三 摩
訶娜耶十四 波唎婆唎莎訶十五 如是毗婆尸佛、尸弃佛、毗舍浮佛、俱留孫佛、俱那含
牟尼佛、迦葉佛、釋迦牟尼佛，若有人以七寶供養，如是七佛其福有限，書寫受持是
无量壽經典，所有功德不可限量。陁羅尼曰 南謨薄伽勃底一 阿波利蜜多二 阿喻紇硯娜
須毗你悉指陁四 囉佐耶五 怛他羯他耶六 怛姪他唵七 薩婆桑悉迦羅八 波利輸底九 達磨底 伽伽娜
莎訶其特迦底 薩婆婆毗輸底 摩訶娜耶十四 波利婆唎莎訶十五 若有七寶等於須弥
用布施，其福上能知其限量，是无量壽經典，其福不可知數。陁羅尼曰 南謨薄伽勃底一 阿波
利蜜多二 阿喻紇硯娜 須毗你悉指陁 囉佐耶五 怛他羯他耶六 怛姪他唵七 薩婆桑悉迦羅
波利輸底 達磨底 伽伽娜 莎訶其特迦底 薩婆婆毗輸底 摩訶娜耶十四 波利婆唎莎訶十五
如是四大海水可知滴數，是无量壽經典所生果報不可數量。陁羅尼曰 南謨薄伽勃底一
阿波利蜜多二 阿喻紇硯娜三 須毗你悉指陁四 羅佐耶五 怛他羯他耶六 怛姪他唵七 薩婆桑悉迦羅八
波利輸底九 達磨底 伽伽娜 莎訶其特迦底 薩婆婆毗輸底 摩訶娜耶十四 波利婆唎莎訶十五
若有自書使人書寫是无量壽經典，又能讀持供養，即如恭敬供養一切十方佛土如來，无
有別異。陁羅尼曰 南謨薄伽勃底一 阿波利蜜多二 阿喻紇硯娜 須毗你悉指陁 羅佐耶五 怛他羯
他耶六 怛姪他唵七 薩婆桑悉迦羅八 波利輸底 達磨底 伽伽娜 莎訶其特迦底 薩婆婆毗
輸底 摩訶娜耶十四 波唎婆唎莎訶十五
布施力能成正覺 悟布施力人師子 布施力能聲普聞 慈悲階漸最能入
持戒力能成正覺 悟持戒力人師子 持戒力能聲普聞 慈悲階漸最能入
忍辱力能成正覺 悟忍辱力人師子 忍辱力能聲普聞 慈悲階漸最能入
精進力能成正覺 悟精進力人師子 精進力能聲普聞 慈悲階漸最能入
禪定力能成正覺 悟禪定力人師子 禪定力能聲普聞 慈悲階漸最能入
智慧力能成正覺 悟智慧力人師子 智慧力能聲普聞 慈悲階漸最能入
尒時如來說是經已，一切世間天人阿脩羅揵闥婆等，聞佛所說，皆大歡喜，信受奉行
佛說无量壽宗要經

BD01290 號　無量壽宗要經　（6–6）

輸底十三 摩訶娜耶十四 波唎婆唎莎訶十五
若有自書寫教人書寫是无量壽宗要經，受持讀誦，當得往生西方極樂世界阿
弥陁淨土。陁羅尼曰
南謨薄伽勃底一 阿喻紇硯娜三 阿波唎蜜多二 須毗你悉指陁四 囉佐耶五 怛他羯他耶六
怛姪他唵七 薩婆桑悉迦羅八 波利輸底九 達磨底十 伽迦娜十一 莎訶其特迦底十二 薩婆婆
毗輸底十三 摩訶娜耶十四 波利婆唎莎訶十五
若有自書寫使人書寫是无量壽經典之處，則為是塔，皆應恭敬作礼。若是畜
生、或為鳥獸，得聞是經，是等類皆當不久得成阿耨智。陁羅尼曰
南謨薄伽勃底一 阿波唎蜜多二 阿喻紇硯娜三 須毗你悉指陁四 囉佐耶五 怛他羯他耶六 怛姪
他唵七 薩婆桑悉迦羅八 波利輸底九 達磨底十 伽迦娜十一 莎訶其特迦底十二 薩婆婆毗
輸底十三 摩訶娜耶十四 波利婆唎莎訶十五
若有於是无量壽經自書寫若使人書寫，畢竟不受女人之身。陁羅尼曰
南謨薄伽勃底一 阿波羅蜜多二 阿喻紇硯娜三 須毗你悉指陁四 囉佐耶五 怛他羯他耶六
怛姪他唵七 薩婆桑悉迦羅八 波利輸底九 達磨底十 伽迦娜十一 莎訶其特迦底十二 薩婆
婆毗輸底十三 摩訶娜耶十四 波利婆唎莎訶十五
若有能於是經少分能惠施者，等於三千大千世界滿中七寶布施。陁羅尼曰
南謨薄伽勃底一 阿波利蜜多二 阿喻紇硯娜三 須毗你悉指陁四 囉佐耶五 怛他羯他耶六 怛姪
他唵七 薩婆桑悉迦羅八 波利輸底九 達磨底十 伽迦娜十一 莎訶其特迦底十二 薩婆婆毗輸底
十三 摩訶娜耶十四 波利婆唎莎訶十五
若有供養是經者，則是供養一切諸經，等无有別異。陁羅尼曰

BD01291 號 1　無量壽宗要經　（8–1）

若有能於是經少分能惠施者於三千大千世界滿中七寶布施陀羅尼曰

南謨薄伽勃底一 阿波唎蜜多二 阿喻紇硏那三 須毗你悉指多四 囉佐耶五 怛他羯他耶六 怛姪他七 薩婆桑悉迦囉八 波唎輸底九 達磨底十 伽迦娜十一 莎訶某特迦底十二 莎婆婆毗輸底十三 摩訶娜耶十四 波唎婆唎莎訶十五

若有供養是經者則是供養一切諸經等無有別異陀羅尼曰

南謨薄伽勃底一 阿波唎蜜多二 阿喻紇硏那三 須毗你悉指陀四 囉佐耶五 怛他羯他耶六 怛姪他唵七 薩婆桑悉迦囉八 波唎輸底九 達磨底十 伽迦娜十一 莎訶某特迦底十二 薩婆婆毗輸底十三 摩訶娜耶十四 波唎婆唎莎訶十五

如是毗婆尸佛 尸棄佛 毗舍浮佛 俱留孫佛 俱那含牟尼佛 迦葉佛 釋迦牟尼佛 若有人以七寶供養如是七佛其福有限書寫受持是無量壽經所有功德不可限量陀羅尼曰

南謨薄伽勃底一 阿波唎蜜多二 阿喻紇硏那三 須毗你悉指陀四 囉佐耶五 怛他羯他耶六 怛姪他唵七 薩婆桑悉迦囉八 波唎輸底九 達磨底十 伽迦娜十一 莎訶某特迦底十二 薩婆婆毗輸底十三 摩訶娜耶十四 波唎婆唎莎訶十五

若有七寶等於須彌山用布施其福上能智其限量是無量壽經典其福不可數陀羅尼曰

南謨薄伽勃底一 阿波唎蜜多二 阿喻紇硏那三 須毗你悉指陀四 囉佐耶五 怛他羯他耶六 怛姪他唵七 薩婆桑悉迦羅八 波唎輸底九 達磨底十 伽迦娜十一 莎訶某特迦底十二 薩婆婆毗輸底十三 摩訶娜耶十四 波唎婆唎莎訶十五

如是四大海水可知滴數是無量壽經典所生果報不可數量陀羅尼曰

南謨薄伽勃底一 阿波唎蜜多二 阿喻紇硏那三 須毗你悉指陀四 囉佐耶五 怛他羯他耶六 怛姪他唵七 薩婆桑悉迦囉八 波唎輸底九 達磨底十 伽迦娜十一 莎訶某特迦底十二 薩婆婆毗輸底十三 摩訶娜耶十四 波唎婆唎莎訶十五

若有人自書寫使人書是寫無量壽經典又能讀誦恭敬供養即如禮敬供養一切十方佛土如來無有別異陀羅尼曰

南謨薄伽勃底一 阿波唎蜜多二 阿喻紇硏那三 須毗你悉指陀四 囉佐耶五 怛他羯他耶六 怛姪他唵七 薩婆桑悉迦羅八 波唎輸底九 達磨底十 伽迦娜十一 莎訶某特迦底十二 薩婆婆毗輸底十三 摩訶娜耶十四 波唎婆唎莎訶十五

布施力能成正覺 悟布施力人師子 布施力能聲普聞 慈悲隨漸寂能入

BD01291號1　無量壽宗要經　（8–2）

南謨薄伽勃底一 阿波唎蜜多二 阿喻紇硏那三 須毗你悉指陀四 囉佐耶五 怛他羯他耶六 怛姪他唵七 薩婆桑悉迦囉八 波唎輸底九 達磨底十 伽迦娜十一 莎訶某特迦底十二 薩婆婆毗輸底十三 摩訶娜耶十四 波唎婆唎莎訶十五

布施力能成正覺 悟布施力人師子 布施力能聲普聞 慈悲隨漸寂能入

持戒力能成正覺 悟持戒力人師子 持戒力能聲普聞 慈悲隨漸寂能入

忍辱力能成正覺 悟忍辱力人師子 忍辱力能聲普聞 慈悲隨漸寂能入

精進力能成正覺 悟精進力人師子 精進力能聲普聞 慈悲隨漸寂能入

禪定力能成正覺 悟禪定力人師子 禪定力能聲普聞 慈悲隨漸寂能入

智慧力能成正覺 悟智慧力人師子 智慧力能聲普聞 慈悲隨漸寂能入

爾時如來說是經已一切世間天人阿脩羅揵闥婆等聞佛所說皆大歡喜信受奉行

佛說無量壽宗要經

大乘无量壽經

如是我聞一時薄伽梵在舍衛國祇樹給孤獨園與大苾蒭僧千二百五十人俱大菩薩摩訶薩衆俱同會坐爾時世尊告曼殊室利童子曼殊上方有世界名無量功德聚彼土有佛號无量智決定王如來阿耨多羅三藐三菩提現爲衆生開示說法曼殊諦聽南閻浮提人皆短壽大限百年於中殀枉橫死者衆曼殊如是無量壽如來功德名稱法要若有衆生得聞名号若自書或使人書能爲經卷受持讀誦舍宅所住之處以種種花鬘瓔珞塗香末香而爲供養如其命盡復得延年滿足百歲如是曼殊若有衆生得聞是無量壽決定王如來一百八名号者益其長壽若有衆生大命將盡憶念是如來名者更得增壽如是曼殊若有善男子善女人欲求長壽於是無量壽如來一百八名号有得聞者或自書若使人書受持讀誦得如是等果報福德具足陀羅尼曰

BD01291號1　無量壽宗要經　（8–3）
BD01291號2　無量壽宗要經

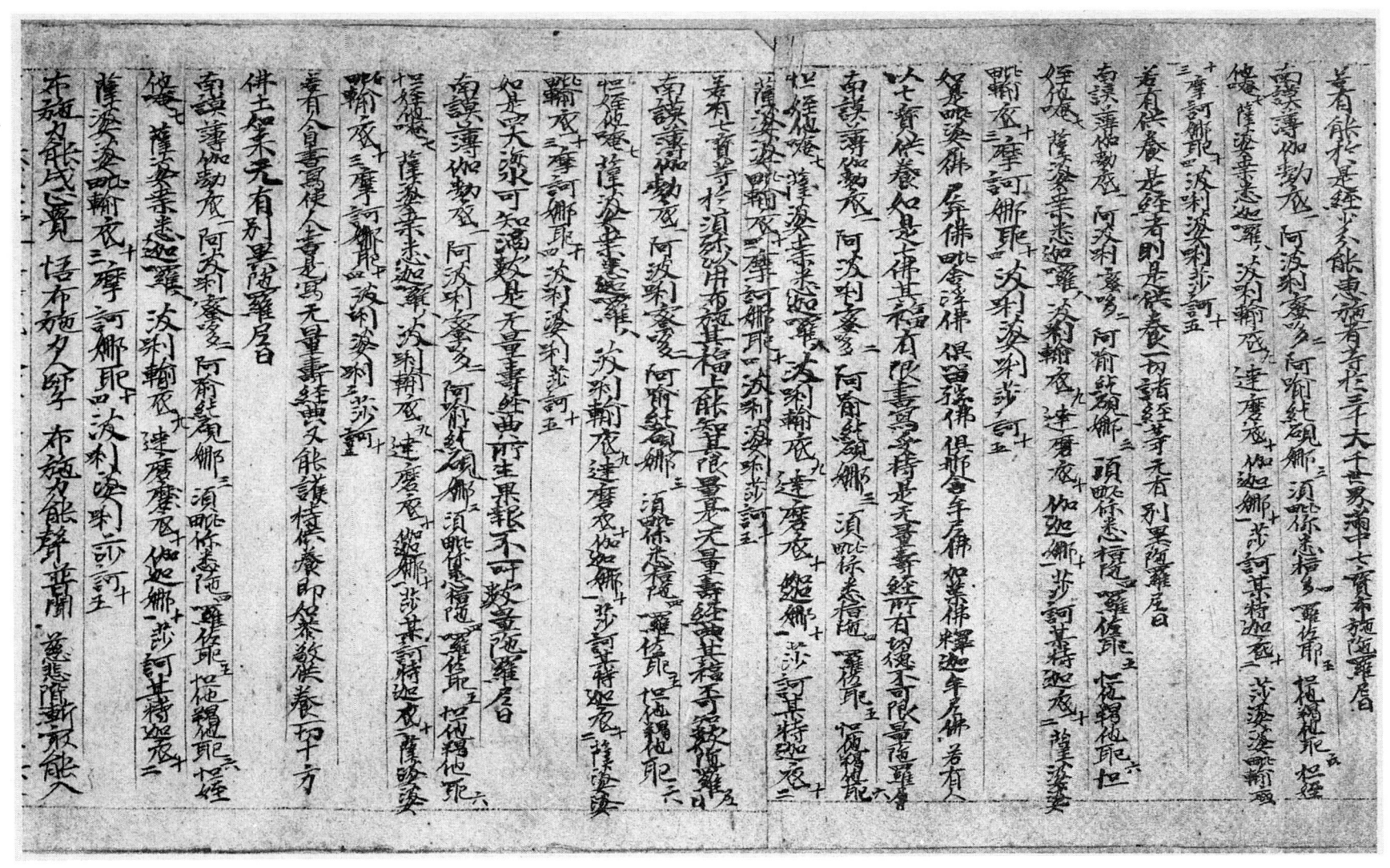

復令一百八名號使得增壽如是若復有善男子善女人欲求長壽於是無
量壽智一百八名号有得聞者或自書若使人書受持讀誦得如是等果報福德具
足陀羅尼曰
南謨薄伽勃底 阿波利蜜多 阿喻紇硯娜 須毗你失指陀 囉佐耶 怛他羯他耶 怛姪他
唵 薩婆桑塞迦羅 鉢唎輸底 達摩底 伽迦娜 莎訶某特迦底 莎婆婆毗輸底 摩
訶娜耶 波利婆唎莎訶
世尊復告曼殊室利如是如來一百八名號若有自書或使人書能為經卷受持讀誦如
壽命盡復滿百年壽終身後得往生無量福智世界無量壽淨土陀羅尼曰
南謨薄伽勃底 阿波利蜜多 阿喻紇硯娜 須毗你失指陀 囉佐耶 怛他羯他耶
怛姪他 唵 薩婆桑塞迦羅 鉢唎輸底 達摩底 伽迦娜 莎訶某特迦底 莎婆婆
毗輸底 摩訶娜耶 波利婆唎莎訶
爾時有九十九億佛等一時同聲說是無量壽宗要經陀羅尼曰
南謨薄伽勃底 阿波利蜜多 阿喻紇硯娜 須毗你失指陀 囉佐耶 怛他羯他耶
怛姪他 唵 薩婆桑塞迦羅 波利輸底 達摩底 伽迦娜 莎訶某特迦底 莎婆婆
毗輸底 摩訶娜耶 波利婆唎莎訶
爾時復有一百四億佛一時同聲說是無量壽宗要經陀羅尼曰
南謨薄伽勃底 阿波利蜜多 阿喻紇硯娜 須毗你失指陀 囉佐耶 怛他羯他耶 怛
姪他 唵 薩婆桑塞迦羅 波利輸底 達摩底 伽迦娜 莎訶某特迦底 莎婆婆
毗輸底 摩訶娜耶 波利婆唎莎訶
爾時復有七俱胝佛一時同聲說是無量壽宗要經陀羅尼曰 南謨薄伽勃底
阿波利蜜多 阿喻紇硯娜 須毗你失指陀 囉佐耶 怛他羯他耶 怛姪他 唵 薩婆桑
塞迦羅 波利輸底 達摩底 伽迦娜 莎訶某特迦底 莎婆婆毗輸底 摩訶娜耶 波利婆唎莎訶
爾時復有六十五俱胝佛一時同聲說是無量壽宗要經陀羅尼曰
南謨薄伽勃底 阿波利蜜多 阿喻紇硯娜 須毗你失指陀 囉佐耶 怛他羯他耶 怛姪他
薩婆桑塞迦羅 波利輸底 達摩底 伽迦娜 莎訶某特迦底 莎婆婆毗輸底 摩
訶娜耶 波利婆唎莎訶 爾時復有五十五俱胝佛一時同聲說是無量壽宗要經陀羅尼曰
南謨薄伽勃底 阿波利蜜多 阿喻紇硯娜 須毗你失指陀 囉佐耶 怛他羯他耶
怛姪他 唵 薩婆桑塞迦羅 波利輸底 達摩底 伽迦娜 莎訶某特迦底 薩
婆婆毗輸底 摩訶娜耶 波利婆唎莎訶
爾時復有四十五俱胝佛一時同聲說是無量壽宗要經陀羅尼曰

BD01291 號 2　無量壽宗要經　（8–4）

南謨薄伽勃底 阿波利蜜多 阿喻紇硯娜 須毗你失指陀 囉佐耶 怛他羯他耶
怛姪他 唵 薩婆桑塞迦羅 波利輸底 達摩底 伽迦娜 莎訶某特迦底 薩
婆婆毗輸底 摩訶娜耶 波利婆唎莎訶
爾時復有五十五俱胝佛一時同聲說是無量壽宗要經陀羅尼曰
南謨薄伽勃底 阿波利蜜多 阿喻紇硯娜 須弥你失指陀 囉佐耶 怛他羯他耶
怛姪他 唵 薩婆桑塞迦羅 波利輸底 達摩底 伽迦娜 莎訶某特伽底
薩婆婆毗輸底 摩訶娜耶 波利婆唎莎訶
爾時復有三十六俱胝佛一時同聲說是無量壽宗要經陀羅尼曰
南謨薄伽勃底 阿波利蜜多 阿喻紇硯娜 須弥你失指陀 囉佐耶 怛他羯他耶
怛姪他 唵 薩婆桑塞迦羅 波利輸底 達摩底 伽迦娜 莎訶某特迦底 莎婆
婆毗輸底 摩訶娜耶 波利婆唎莎訶
爾時復有二十五俱胝佛一時同聲說是無量壽宗要經陀羅尼曰
南謨薄伽勃底 阿波利蜜多 阿喻紇硯娜 須毗你失指陀 囉佐耶 怛他羯他耶
怛姪他 唵 薩婆桑塞迦羅 波利輸底 達摩底 伽迦娜 莎訶某特迦底
薩婆婆毗輸底 摩訶娜耶 波利婆唎莎訶
爾時復有恒河沙俱胝佛一時同聲說是無量壽宗要經陀羅尼曰
南謨薄伽勃底 阿波利蜜多 阿喻紇硯娜 須弥你失指陀 囉佐耶 怛他羯他
耶 怛姪他 唵 薩婆桑塞迦羅 波利輸底 達摩底 伽迦娜 莎訶某特迦底
薩婆婆毗輸底 摩訶娜耶 波利婆唎莎訶
善男子若有自書寫教人書寫是無量壽宗要經如其命盡後長壽滿百年陀羅尼曰
南謨薄伽勃底 阿波利蜜多 阿喻紇硯娜 須毗你失指陀 囉佐耶 怛他羯他耶 怛姪他 唵
薩婆桑塞迦羅 波利輸底 達摩底 伽迦娜 莎訶某特迦底 薩婆婆毗輸底
摩訶娜耶 波利婆唎莎訶
若有自書寫教人書寫是無量壽宗要經受持讀誦畢竟不墮地獄在在所生得宿命智陀羅尼曰
南謨薄伽勃底 阿波利蜜多 阿喻紇硯娜 須毗你失指陀 囉佐耶 怛他羯他耶
怛姪他 唵 薩婆桑塞迦羅 波利輸底 達摩底 伽迦娜 莎訶某特迦底 薩
婆婆毗輸底 摩訶娜耶 波利婆唎莎訶
若有自書寫教人書寫是無量壽宗要經受持讀誦如自書寫八萬四千一切經典陀羅尼曰
南謨薄伽勃底 阿波利蜜多 阿喻紇硯娜 須弥你失指陀 囉佐耶 怛他羯他耶 怛姪他
唵 薩婆桑塞迦羅 波利輸底 達摩底 伽迦娜 莎訶某特迦底 薩婆婆毗輸底
摩訶娜耶 波利婆唎莎訶
若有自書寫教人書寫是無量壽宗要經即是寫書八萬四千部建立塔廟陀羅尼曰

BD01291 號 2　無量壽宗要經　（8–5）

南謨薄伽勃底一 阿波唎蜜多二 阿喻紇硯那三 須毗你悉指陀四 囉佐耶五 怛他羯他耶六 怛姪他
唵七 薩婆桑悉迦囉八 波唎輸底九 達磨底十 伽伽那十一 莎訶牟特迦底十二 薩婆婆毗輸底
十三摩訶那耶十四 波唎婆唎莎訶十五
若有自書寫教人書寫是无量壽宗要經即是寫書八万四千部建立塔廟陁羅尼曰
南謨薄伽勃底一 阿波唎蜜多二 阿喻紇硯那三 須彌你悉指陀四 囉佐耶五 怛他羯他耶六 怛姪
他唵七 薩婆桑悉迦囉八 波唎輸底九 達磨底十 伽伽那十一 莎訶牟特迦底十二 薩婆婆毗
輸底十三 摩訶那耶十四 波唎婆唎莎訶十五
若有自書寫教人書寫是无量壽宗要經能消五无間等一切重罪陁羅尼曰
南謨薄伽勃底一 阿波唎蜜多二 阿喻紇硯那三 須毗你悉指陀四 囉佐耶五 怛他羯他耶六
怛姪他唵七 薩婆桑悉迦囉八 波唎輸底九 達磨底十 伽伽那十一 莎訶牟特迦底十二 薩婆婆毗輸
底十三 摩訶那耶十四 波唎婆唎莎訶十五
若有自書寫教人書寫是无量壽宗要經受持讀誦設有重罪猶如須彌盡能除滅陁羅尼曰
南謨薄伽勃底一 阿波唎蜜多二 阿喻紇硯那三 須彌你悉指陀四 囉佐耶五 怛他羯他耶六 怛姪他
唵七 薩婆桑悉迦囉八 波唎輸底九 達磨底十 伽伽那十一 莎訶牟特迦底十二 薩婆婆毗輸底十三
摩訶那耶十四 波唎婆唎莎訶十五
若有自書寫教人書寫是无量壽宗要經受持讀誦若魔魔眷屬夜叉羅剎不得其便終无枉死陁羅尼曰
南謨薄伽勃底一 阿波唎蜜多二 阿喻紇硯那三 須彌你悉指陀四 囉佐耶五 怛他羯他耶六 怛姪他
唵七 薩婆桑悉迦囉八 波唎輸底九 達磨底十 伽伽那十一 莎訶牟特迦底十二 薩婆婆毗輸底十三
摩訶那耶十四 波唎婆唎莎訶十五
若有自書寫教人書寫是无量壽宗要經受持讀誦當人命終時有九十九億佛而現其
人前衆千佛授手能遊一切佛刹莫於此經生於疑惑陁羅尼曰
南謨薄伽勃底一 阿波唎蜜多二 阿喻紇硯那三 須彌你悉指陀四 囉佐耶五 怛他羯他耶六
怛姪他唵七 薩婆桑悉迦囉八 波唎輸底九 達磨底十 伽伽那十一 莎訶牟特迦底十二 薩婆
婆毗輸底十三 摩訶那耶十四 波唎婆唎莎訶十五
若有自書寫教人書寫是无量壽宗要經受持讀誦當得四天大王隨其衛護陁羅尼曰
南謨薄伽勃底一 阿波唎蜜多二 阿喻紇硯那三 須彌你悉指陀四 囉佐耶五 怛他羯他耶六 怛姪他
唵七 薩婆桑悉迦囉八 波唎輸底九 達磨底十 伽伽那十一 莎訶牟特迦底十二 薩婆婆
毗輸底十三 摩訶那耶十四 波唎婆唎莎訶十五
若有自書寫教書寫是无量壽宗要經受持讀誦當得往生西方極樂世界阿彌
陁淨土陁羅尼曰
南謨薄伽勃底一 阿波唎蜜多二 阿喻紇硯那三 須毗你悉指陀四 囉佐耶五 怛他羯他耶六 怛姪他唵七

BD01291 號 2　無量壽宗要經　（8–6）

若有自書寫教書寫是无量壽宗要經受持讀誦當得往生西方極樂世界阿彌
陁淨土陁羅尼曰
南謨薄伽勃底一 阿波唎蜜多二 阿喻紇硯那三 須毗你悉指陀四 囉佐耶五 怛他羯他耶六 怛姪他唵七
薩婆桑悉迦囉八 波唎輸底九 達磨底十 伽伽那十一 莎訶牟特迦底十二 薩婆婆毗輸底十三
摩訶那耶十四 波唎婆唎莎訶十五
若有方所自書寫使人書寫是无量經典之處則為是塔皆應恭敬作禮若是畜生或
為鳥獸得聞是經如是等類皆當不久得成一切種智陁羅尼曰
南謨薄伽勃底一 阿波唎蜜多二 阿喻紇硯那三 須毗你悉指陀四 囉佐耶五 怛他羯他耶六 怛姪他
唵七 薩婆桑悉迦囉八 波唎輸底九 達磨底十 伽伽那十一 莎訶牟特迦底十二 薩婆婆毗輸底十
三摩訶那耶十四 波唎婆唎莎訶十五
若有自於是无量壽經自書寫若使人書寫畢竟不受女人之身陁羅尼曰
南謨薄伽勃底一 阿波唎蜜多二 阿喻紇硯那三 須彌你悉指陀四 囉佐耶五 怛他羯他耶六
怛姪他唵七 薩婆桑悉迦囉八 波唎輸底九 達磨底十 伽伽那十一 莎訶牟特迦底十二 薩婆
婆毗輸底十三 摩訶那耶十四 波唎婆唎莎訶十五
若有能於是經少分能惠施者等於三千大千世界滿中七寶布施陁羅尼曰
南謨薄伽勃底一 阿波唎蜜多二 阿喻紇硯那三 須彌你悉指陀四 囉佐耶五 怛他羯他耶六 怛
姪他唵七 薩婆桑悉迦囉八 波唎輸底九 達磨底十 伽伽那十一 莎訶牟特迦底十二 薩婆婆
毗輸底十三 摩訶那耶十四 波唎婆唎莎訶十五
若有供養是經者則是供養一切諸經等无有別異陁羅尼曰
南謨薄伽勃底一 阿波唎蜜多二 阿喻紇硯那三 須毗你悉指陀四 囉佐耶五 怛他羯他耶六 怛
姪他唵七 薩婆桑悉迦囉八 波唎輸底九 達磨底十 伽伽那十一 莎訶牟特迦底十二 薩婆婆
毗輸底十三 摩訶那耶十四 波唎婆唎莎訶十五
如是毗婆尸佛 尸棄佛 毗舍浮佛 俱留孫佛 俱那含牟尼佛 迦葉佛 釋迦牟尼佛
若有人以七寶供養如是七佛其福有限書寫受持是无量壽經所得福德不可
限量陁羅尼曰
南謨薄伽勃底一 阿波唎蜜多二 阿喻紇硯那三 須彌你悉指陀四 囉佐耶五 怛他羯他耶六
怛姪他唵七 薩婆桑悉迦囉八 波唎輸底九 達磨底十 伽伽那十一 莎訶牟特迦底十二
薩婆婆毗輸底十三 摩訶那耶十四 波唎婆唎莎訶十五
若有七寶等於須彌以用布施其福能知其限量是无量壽經其福不可數知陁羅尼曰
南謨薄伽勃底一 阿波唎蜜多二 阿喻紇硯那三 須毗你悉指陀四 囉佐耶五 怛他羯他耶六
怛姪他唵七 薩婆桑悉迦囉八 波唎輸底九 達磨底十 伽伽那十一 莎訶牟特迦底十二 薩婆婆毗輸

BD01291 號 2　無量壽宗要經　（8–7）

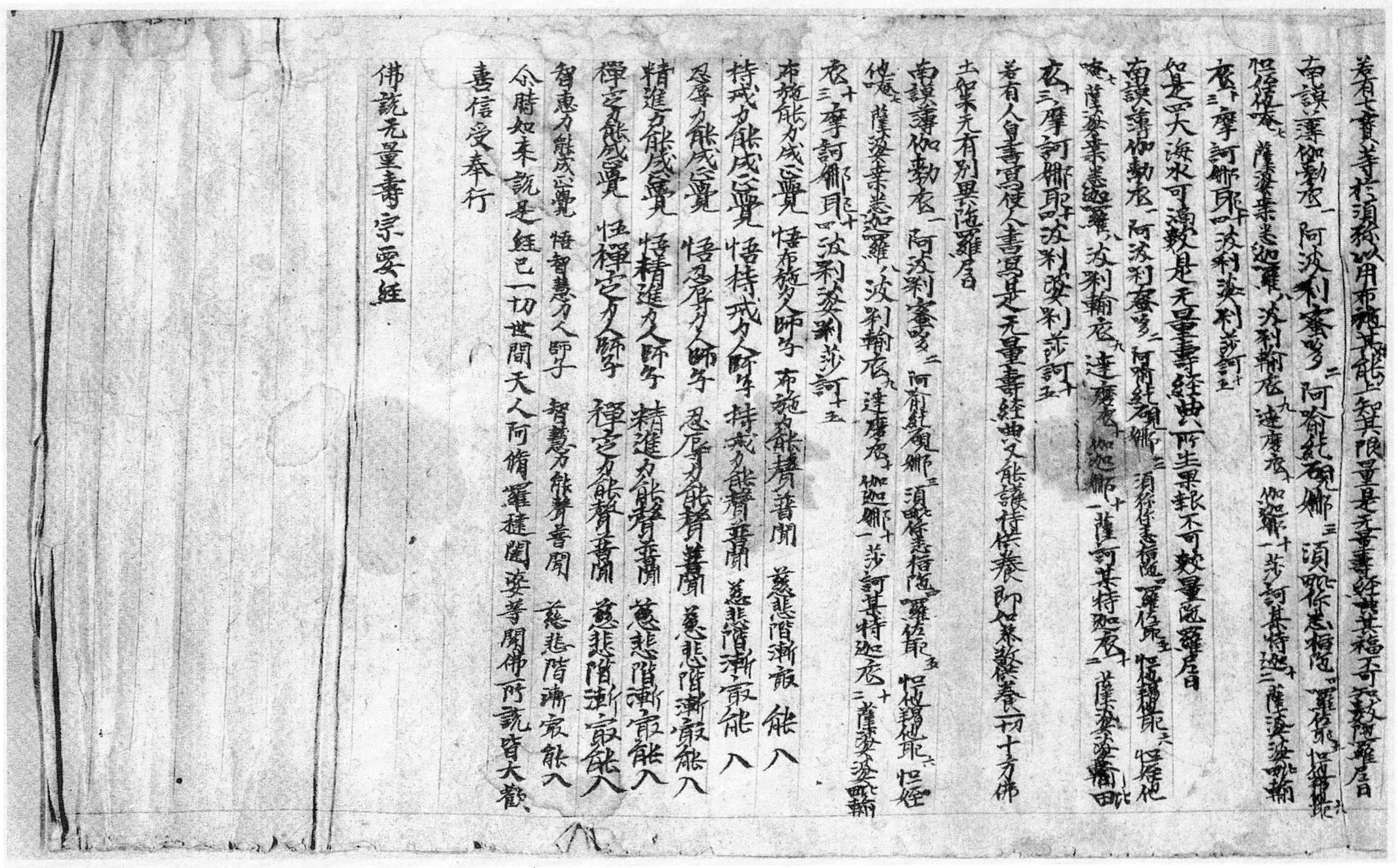

若有七寶等於須彌以用布施其能上知其限量是无量壽經其福不可知數陁羅尼曰
南謨薄伽勃底一 阿波利蜜多二 阿喻紇硯那三 須毗你悉指陀四 囉佐耶五 怛他揭他耶六
怛姪他唵七 薩婆桑悉迦囉八 波利輸底九 達摩底十 伽伽那十一 莎訶其特迦十二 薩婆婆毗輸
底十三 摩訶娜耶十四 波利婆利莎訶十五
如是四大海水可滴數是无量壽經典所生果報不可數量陁羅尼曰
南謨薄伽勃底一 阿波利蜜多二 阿喻紇硯那三 須毗你悉指陀四 囉佐耶五 怛他揭他耶六 怛姪他
唵七 薩婆桑悉迦羅八 波利輸底九 達摩底十 伽伽那十一 薩訶其特迦底十二 薩婆婆毗輸田比
底十三 摩訶娜耶十四 波利婆利莎訶十五
若有人自書寫使人書寫是无量壽經典又能讀持供養即如恭敬供養一切十方佛
土如來无有別異陁羅尼曰
南謨薄伽勃底一 阿波利蜜多二 阿喻紇硯那三 須毗你悉指陀四 囉佐耶五 怛他揭他耶六 怛姪
他唵七 薩婆桑悉迦羅八 波利輸底九 達摩底十 伽伽那十一 莎訶其特迦底十二 薩婆婆毗輸
底十三 摩訶娜耶十四 波利婆利莎訶十五
布施能力成正覺 悟布施力人師子 布施力能於善聞 慈悲階漸而能入
持戒力能成正覺 悟持戒力人師子 持戒力能於善聞 慈悲階漸而能入
忍辱力能成正覺 悟忍辱力人師子 忍辱力能於善聞 慈悲階漸而能入
精進力能成正覺 悟精進力人師子 精進力能於善聞 慈悲階漸而能入
禪定力能成正覺 悟禪定力人師子 禪定力能於善聞 慈悲階漸而能入
智惠力能成正覺 悟智慧力人師子 智慧力能於善聞 慈悲階漸而能入
尒時如來說是經已一切世間天人阿脩羅揵闥婆等聞佛所說皆大歡
喜信受奉行
佛說无量壽宗要經

BD01291 號 2　無量壽宗要經　（8–8）

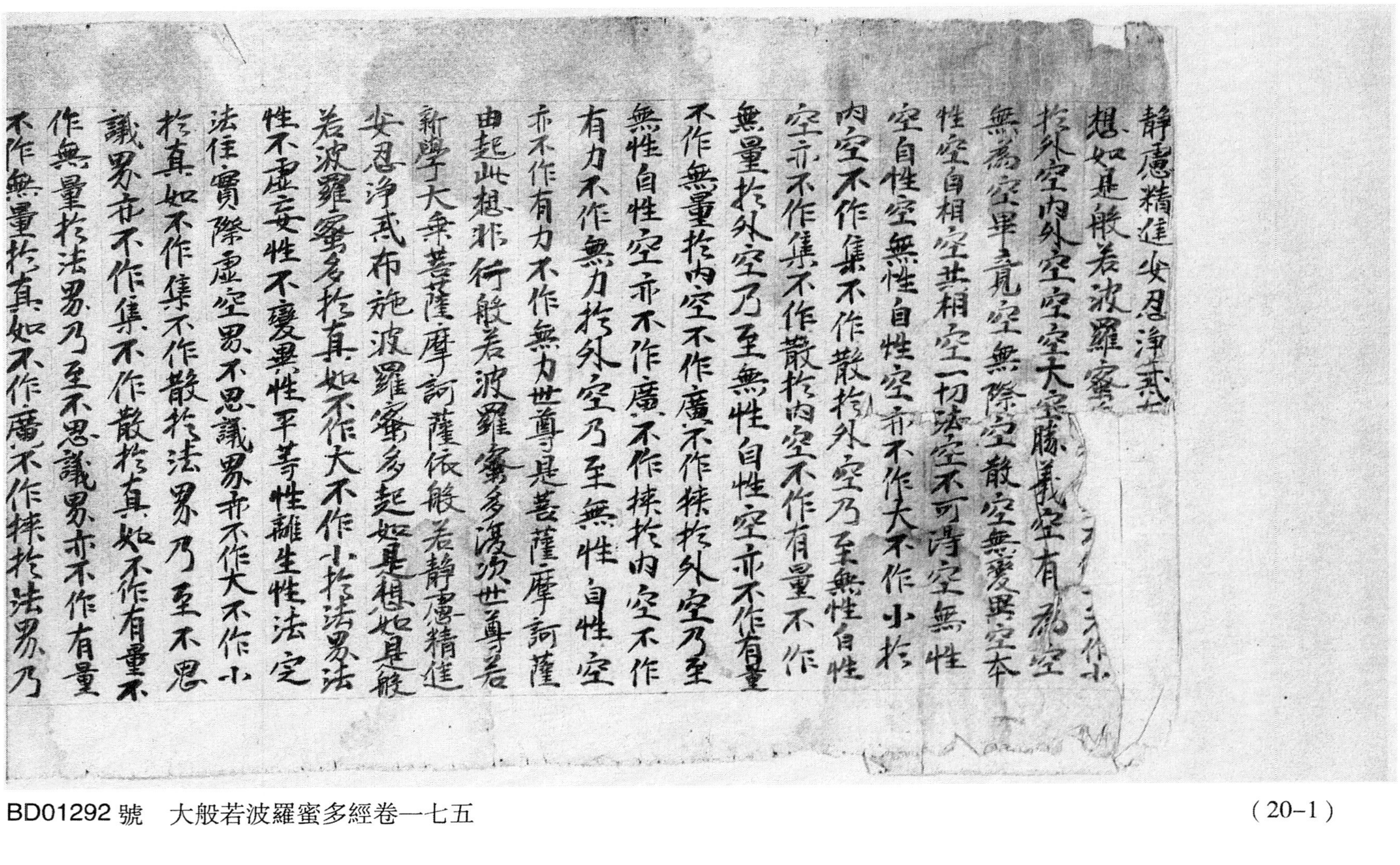

靜慮精進安忍淨戒
想如是般若波羅蜜多
於外空內外空空空大空勝義空有為空
無為空畢竟空無際空散空無變異空本
性空自相空共相空一切法空不可得空無性
空自性空無性自性空亦不作大不作小於
內空不作集不作散於外空乃至無性自性
空亦不作集不作散於內空不作有量不作
無量於外空乃至無性自性空亦不作有量
不作無量於內空不作廣不作狹於外空乃至
無性自性空亦不作廣不作狹於內空不作
有力不作無力於外空乃至無性自性空
亦不作有力不作無力世尊是菩薩摩訶薩
由起此想非行般若波羅蜜多復次世尊若
新學大乘菩薩摩訶薩依般若靜慮精進
安忍淨戒布施波羅蜜多起如是想如是般
若波羅蜜多於真如不作大不作小於法界法
性不虛妄性不變異性平等性離生性法定
法住實際虛空界不思議界亦不作大不作小
於真如不作集不作散於法界乃至不思
議界亦不作集不作散於真如不作有量不
作無量於法界乃至不思議界亦不作有量
不作無量於真如不作廣不作狹於法界乃

BD01292 號　大般若波羅蜜多經卷一七五　（20–1）

法住實際虛空界不思議界亦不作大不作小
於真如不作集不作散於法界乃至不思
議界亦不作集不作散於真如不作有量不
作無量於法界乃至不思議界亦不作有量
不作無量於真如不作廣不作狹於法界乃
至不思議界亦不作廣不作狹於真如不作
有力不作無力於法界乃至不思議界亦不
作有力不作無力世尊是菩薩摩訶薩由起
此想非行般若波羅蜜多復次世尊若新學
大乘菩薩摩訶薩依般若靜慮精進安忍
淨戒布施波羅蜜多起如是想如是般若波羅
蜜多於苦聖諦不作大不作小於集滅道聖
諦亦不作大不作小於苦聖諦不作集不作散於
集滅道聖諦亦不作集不作散於苦聖諦不
作有量不作無量於集滅道聖諦亦不
作有量不作無量於苦聖諦不作廣不作狹
於集滅道聖諦亦不作廣不作狹於苦聖諦
不作有力不作無力於集滅道聖諦亦不作
有力不作無力世尊是菩薩摩訶薩由起此
想非行般若波羅蜜多復次世尊若新學大
乘菩薩摩訶薩依般若靜慮精進安忍淨
戒布施波羅蜜多起如是想如是般若波羅
蜜多於四靜慮不作大不作小於四無量四無色
定亦不作大不作小於四靜慮不作集不作散
於四無量四無色定亦不作集不作散於
四靜慮不作有量不作無量於四無量四

BD01292號　大般若波羅蜜多經卷一七五　（20–2）

蜜多於四靜慮不作大不作小於四無量四無色
定亦不作大不作小於四靜慮不作集不作散
於四無量四無色定亦不作集不作散於
四靜慮不作有量不作無量於四無量四
無色定亦不作有量不作無量於四靜慮不
作廣不作狹於四無量四無色定亦不作廣
不作狹於四靜慮不作有力不作無力於四
無量四無色定亦不作有力不作無力世尊
是菩薩摩訶薩由起此想非行般若波羅蜜
多復次世尊若新學大乘菩薩摩訶薩依
般若靜慮精進安忍淨戒布施波羅蜜多起
如是想如是般若波羅蜜多於八解脫不作大
不作小於八勝處九次第定十遍處亦不作
大不作小於八解脫不作集不作散於八勝
處九次第定十遍處亦不作集不作散於八
解脫不作有量不作無量於八勝處九次第
定十遍處亦不作有量不作無量於八解脫
不作廣不作狹於八勝處九次第定十遍處
亦不作廣不作狹於八解脫不作有力不作
無力於八勝處九次第定十遍處亦不作有
力不作無力世尊是菩薩摩訶薩由起此想
非行般若波羅蜜多復次世尊若新學大
乘菩薩摩訶薩依般若靜慮精進安忍淨
戒布施波羅蜜多起如是想如是般若波羅
蜜多於四念住不作大不作小於四正斷四神足
五根五力七等覺支八聖道支亦不作大不作

BD01292號　大般若波羅蜜多經卷一七五　（20–3）

蜜多於四念住不作大不作小於四正斷四神足
五根五力七等覺支八聖道支亦不作大不作
小於四念住不作集不作散於四正斷乃至
八聖道支亦不作集不作散於四念住不
作有量不作無量於四正斷乃至八聖道支
亦不作有量不作無量於四念住不作廣不
作狹於四正斷乃至八聖道支亦不作廣不作
狹於四念住不作有力不作無力於四正斷
乃至八聖道支亦不作有力不作無力世
尊是菩薩摩訶薩由起此想非行般若波
羅蜜多復次世尊若新學大乘菩薩摩
訶薩依般若靜慮精進安忍淨戒布施波羅
蜜多起如是想如是般若波羅蜜多於空解
脫門不作大不作小於無相無願解脫門亦不作大
不作小於空解脫門不作集不作散於無相
無願解脫門亦不作集不作散於空解脫門不
作有量不作無量於無相無願解脫門亦
不作有量不作無量於空解脫門不作廣不
作狹於無相無願解脫門亦不作廣不作狹
於空解脫門不作有力不作無力於無相無
願解脫門亦不作有力不作無力世尊是菩
薩摩訶薩由起此想非行般若波羅蜜多
復次世尊若新學大乘菩薩摩訶薩依般若
靜慮精進安忍淨戒布施波羅蜜多起如是想
如是般若波羅蜜多於五眼不作大不作小於
六神通亦不作大不作小於五眼不作集

BD01292 號　大般若波羅蜜多經卷一七五　（20–4）

復次世尊若新學大乘菩薩摩訶薩依般若
靜慮精進安忍淨戒布施波羅蜜多起如是想
如是般若波羅蜜多於五眼不作大不作小於
六神通亦不作大不作小於五眼不作集
不作散於六神通亦不作集不作散於五眼
不作有量不作無量於六神通亦不作有量
不作無量於五眼不作廣不作狹於六神通
亦不作廣不作狹於五眼不作有力不作無
力於六神通亦不作有力不作無力世尊是
菩薩摩訶薩由起此想非行般若波羅蜜多
復次世尊若新學大乘菩薩摩訶薩依般
若靜慮精進安忍淨戒布施波羅蜜多起
如是想如是般若波羅蜜多於佛十力不作大不
作小於四無所畏四無礙解大慈大悲大喜大
捨十八佛不共法亦不作大不作小於佛十力
不作集不作散於四無所畏乃至十八佛不
共法亦不作集不作散於佛十力不作
有量不作無量於四無所畏乃至十八佛不
共法亦不作有量不作無量於佛十力不作
廣不作狹於四無所畏乃至十八佛不共法
亦不作廣不作狹於佛十力不作有力不作
無力於四無所畏乃至十八佛不共法亦不
作有力不作無力世尊是菩薩摩訶薩由起此
想非般若波羅蜜多復次世尊若新學
大乘菩薩摩訶薩依般若靜慮精進
安忍淨戒布施波羅蜜多起如是想如是般

BD01292 號　大般若波羅蜜多經卷一七五　（20–5）

想非般若波羅蜜多復次世尊若新學
大乘菩薩摩訶薩依般若靜慮精進
安忍淨戒布施波羅蜜多起如是想如是般
若波羅蜜多於無忘失法不作大不作小於恒住捨
性亦不作大不作小於無忘失法不作集不作
散於恒住捨性亦不作集不作散於無忘失
法不作有量不作無量於恒住捨性亦不作
有量不作無量於無忘失法不作廣不作
狹於恒住捨性亦不作廣不作狹於無忘失
法不作有力不作無力於恒住捨性亦不作
有力不作無力世尊是菩薩摩訶薩由起此
想非行般若波羅蜜多復次世尊若新學
大乘菩薩摩訶薩依般若靜慮精進安忍淨
戒布施波羅蜜多起如是想如是般若波羅蜜
多於一切智不作大不作小於道相智一切相智
亦不作大不作小於一切智不作集不作
散於道相智一切相智亦不作集不作散
於一切智不作有量不作無量於道相智一切
相智亦不作有量不作無量於一切智不
作廣不作狹於道相智一切相智亦不作廣
不作狹於一切智不作有力不作無力於道
相智一切相智亦不作有力不作無力世尊
是菩薩摩訶薩由起此想非行般若波羅
蜜多復次世尊若新學大乘菩薩摩訶薩
依般若靜慮精進安忍淨戒布施波羅蜜多起
如是想如是般若波羅蜜多於一切陀羅尼門
不作大不作小於一切三摩地門亦不作大不

BD01292號　大般若波羅蜜多經卷一七五　（20–6）

蜜多復次世尊若新學大乘菩薩摩訶薩
依般若靜慮精進安忍淨戒布施波羅蜜多起
如是想如是般若波羅蜜多於一切陀羅尼門
不作大不作小於一切三摩地門亦不作大不
作小於一切陀羅尼門不作集不作散於一
切三摩地門亦不作集不作散於一切陀羅尼
門不作有量不作無量於一切三摩地門
亦不作有量不作無量於一切陀羅尼門
不作廣不作狹於一切三摩地門亦不作廣
不作狹於一切陀羅尼門不作有力不作無力
於一切三摩地門亦不作有力不作無力
世尊是菩薩摩訶薩由起此想非行般若
波羅蜜多復次世尊若新學大乘菩薩摩訶
薩依般若靜慮精進安忍淨戒布施波羅
蜜多起如是想如是般若波羅蜜多於預流不
作大不作小於一來不還阿羅漢亦不作大不作
小於預流不作集不作散於一來不還阿
羅漢亦不作集不作散於預流不作有量
不作無量於一來不還阿羅漢亦不作有量不
作無量於預流不作廣不作狹於一來不還
阿羅漢亦不作廣不作狹於預流不作有力
不作無力於一來不還阿羅漢亦不作有力
不作無力世尊是菩薩摩訶薩由起此想非
行般若波羅蜜多復次世尊若學大乘菩
薩摩訶薩依般若靜慮精進安忍淨戒
布施波羅蜜多起如是想如是般若波羅蜜多於

BD01292號　大般若波羅蜜多經卷一七五　（20–7）

薩摩訶薩依般若靜慮精進安忍淨戒
布施波羅蜜多起如是想如是般若波羅蜜多於
預流向預流果不作大不作小於一來向一來
果不還向不還果阿羅漢向阿羅漢果亦
不作大不作小於預流向預流果不作集不
作散於一來向乃至阿羅漢果亦不作集不
作散於預流向預流果不作有量不作無量
於一來向乃至阿羅漢果亦不作有量不作
無量於預流向預流果不作廣不作挾於一來
向乃至阿羅漢果亦不作廣不作挾於預
流向預流果不作有力不作無力於一來向乃
至阿羅漢果亦不作有力不作無力世尊是
菩薩摩訶薩由起此想非行般若波羅
蜜多復次世尊若新學大乘菩薩摩訶薩依般
若靜慮精進安忍淨戒布施波羅蜜多起如
是想如是般若波羅蜜多於獨覺不作大不
作小於獨覺菩提亦不作大不作小於獨覺
不作集不作散於獨覺菩提亦不作集不作
散於獨覺不作有量不作無量於獨覺菩
提亦不作有量不作無量於獨覺不作廣不作
挾於獨覺菩提亦不作廣不作挾於獨覺不
作有力不作無力於獨覺菩提亦不作有力
不作無力世尊是菩薩摩訶薩由此想非
行般若波羅蜜多復次世尊若新學大乘
菩薩摩訶薩依般若靜慮精進安忍淨戒布
施波羅蜜多起如是想如是般若波羅蜜多於

行般若波羅蜜多復次世尊若新學大乘
菩薩摩訶薩依般若靜慮精進安忍淨戒布
施波羅蜜多起如是想如是般若波羅蜜多於
菩薩摩訶薩不作大不作小於菩薩摩訶薩
行亦不作大不作小於菩薩摩訶薩不作集
不作散於菩薩摩訶薩行亦不作集不作散
於菩薩摩訶薩不作有量不作無量於菩薩
摩訶薩行亦不作有量不作無量於菩薩摩
訶薩不作廣不作挾於菩薩摩訶薩行亦不
作廣不作挾於菩薩摩訶薩不作有力不作
無力於菩薩摩訶薩行亦不作有力不作無
力世尊是菩薩摩訶薩由起此想非行般若
波羅蜜多復次世尊若新學大乘菩薩
摩訶薩依般若靜慮精進安忍淨戒布施
波羅蜜多起如是想如是般若波羅蜜多於諸
如來應正等覺不作大不作小於佛無上正等菩
提亦不作大不作小於諸如來應正等覺不
作集不作散於佛無上正等菩提亦不作集
不作散於諸如來應正等覺不作有量不作
無量於佛無上正等菩提亦不作有量不作
無量於諸如來應正等覺不作廣不作挾於
佛無上正等菩提亦不作廣不作挾於諸如
來應正等覺不作有力不作無力於佛無上
正等菩提亦不作有力不作無力世尊是菩
薩摩訶薩由起此想非行般若波羅蜜多復
次世尊若新學大乘菩薩摩訶薩依般若靜

亦菩提亦不作有大不作無大世尊是菩
薩摩訶薩由起此想非行般若波羅蜜多復
次世尊若新學大乘菩薩摩訶薩依般若靜
慮精進安忍淨戒布施波羅蜜多起如是想
如是般若波羅蜜多於一切法不作大不作小
不作集不作散不作有量不作無量不作
廣不作狹不作有力不作無力世尊是菩薩
摩訶薩由起此想非行般若波羅蜜多世尊
若新學大乘菩薩摩訶薩依般若波羅蜜
多靜慮波羅蜜多精進波羅蜜多安忍波羅蜜
多淨戒波羅蜜多布施波羅蜜多起如是想
如是般若波羅蜜多於色作大作小於受想
行識亦作大作小於色作集作散於受想行
識亦作集作散於色作有量作無量於受想
行識亦作有量作無量於色作廣作狹於受
想行識亦作廣作狹於色作有力作無力於受
想行識亦作有力作無力世尊是菩薩摩
訶薩由起此想非行般若波羅蜜多復次世
尊若新學大乘菩薩摩訶薩依般若靜慮
精進安忍淨戒布施波羅蜜多起如是想如是
般若波羅蜜多於眼處作大作小於耳鼻舌
身意處亦作大作小於眼處作集作散於耳
鼻舌身意處亦作集作散於眼處作有量作
無量於耳鼻舌身意處亦作有量作無量於
眼處作廣作狹於耳鼻舌身意處亦作廣
作狹於眼處作有力作無力於耳鼻舌身意處
亦作有力作無力世尊是菩薩摩訶薩由起

眼處作廣作狹於耳鼻舌身意處亦作廣
作狹於眼處作有力作無力於耳鼻舌身意處
亦作有力作無力世尊是菩薩摩訶薩由起
此想非行般若波羅蜜多復次世尊若新學
大乘菩薩摩訶薩依般若靜慮精進安忍淨
戒布施波羅蜜多起如是想如是般若波羅
蜜多於色處作大作小於聲香味觸法處亦
作大作小於色處作集作散於聲香味觸法
處亦作集作散於色處作有量作無量於
聲香味觸法處亦作有量作無量於色處作廣
作狹於聲香味觸法處亦作廣作狹於色處
作有力作無力於聲香味觸法處亦作有力
作無力世尊是菩薩摩訶薩由起此想非行
般若波羅蜜多
復次世尊若新學大乘菩薩摩訶薩依般若
靜慮精進安忍淨戒布施波羅蜜多起如是
想如是般若波羅蜜多於眼界作大作小於
色界眼識界及眼觸眼觸為緣所生諸受亦
作大作小於眼界作集作散於色界乃至眼
觸為緣所生諸受亦作集作散於眼界作有
量作無量於色界乃至眼觸為緣所生諸受
亦作有量作無量於眼界作廣作狹於色界
乃至眼觸為緣所生諸受亦作廣作狹於眼
界作有力作無力於色界乃至眼觸為緣
所生諸受亦作有力作無力世尊是菩薩摩訶
薩由起此想非行般若波羅蜜多復次世尊

界作有力作無力於色界乃至眼觸爲緣
所生諸受亦作有力作無力世尊是菩薩摩訶
薩由起此想非行般若波羅蜜多復次世尊
若新學大乘菩薩摩訶薩依般若靜慮精
進安忍淨戒布施波羅蜜多起如是想如是般
若波羅蜜多於耳界作大作小於聲界耳識
界及耳觸耳觸爲緣所生諸受亦作大作小
於耳界作集作散於聲界乃至耳觸爲緣
所生諸受亦作集作散於耳界作有量作無量
於聲界乃至耳觸爲緣所生諸受亦作有量
作無量於耳界作廣作狹於聲界乃至耳觸
爲緣所生諸受亦作廣作狹於耳界作有力
作無力於聲界乃至耳觸爲緣所生諸受亦
作有力作無力世尊是菩薩摩訶薩由起此想
非行般若波羅蜜多復次世尊若新學大
乘菩薩摩訶薩依般若靜慮精進安忍淨
戒布施波羅蜜多起如是想如是般若波羅蜜
多於鼻界作大作小於香界鼻識界及鼻觸
鼻觸爲緣所生諸受亦作大作小於鼻界作
集作散於香界乃至鼻觸爲緣所生諸受亦
作集作散於鼻界作有量作無量於香界乃
至鼻觸爲緣所生諸受亦作有量作無量於
鼻界作廣作狹於香界乃至鼻觸爲緣所生
諸受亦作廣作狹於鼻界作有力作無力於
香界乃至鼻觸爲緣所生諸受亦作有力作
無力世尊是菩薩摩訶薩由起此想非行般

諸受亦作廣作狹於鼻界作有力作無力於
香界乃至鼻觸爲緣所生諸受亦作有力作
無力世尊是菩薩摩訶薩由起此想非行般
若波羅蜜多復次世尊若新學大乘菩薩
摩訶菩薩依般若靜慮精進安忍淨戒布施
波羅蜜多起如是想如是般若波羅蜜多於舌
界作大作小於味界舌識界及舌觸舌觸爲緣
所生諸受亦作大作小於舌界作集作散於
味界乃至舌觸爲緣所生諸受亦作集作散
於舌界作有量作無量於味界乃至舌觸爲
緣所生諸受亦作有量作無量於舌界作廣
作狹於味界乃至舌觸爲緣所生諸受亦作
廣作狹於舌界作有力作無力於味界乃至
舌觸爲緣所生諸受亦作有力作無力世尊
是菩薩摩訶薩由起此想非行般若波羅蜜
多復次世尊若新學大乘菩薩摩訶薩依
般若靜慮精進安忍淨戒布施波羅蜜多起
如是想如是般若波羅蜜多於身界作大作小
於觸界身識界及身觸身觸爲緣所生諸
受亦作大作小於身界作集作散於觸界乃至
身觸爲緣所生諸受亦作集作散於身界作
有量作無量於觸界乃至身觸爲緣所生
諸受亦作有量作無量於身界作廣作狹於
觸界乃至身觸爲緣所生諸受亦作廣作狹
於身界作有力作無力於觸界乃至身觸爲
緣所生諸受亦作有力作無力世尊是菩薩摩

觸界乃至身觸爲緣所生諸受亦作廣作狹
於身界作有力作無力於觸界乃至身觸爲
緣所生諸受亦作有力作無力世尊是菩薩摩
訶薩由起此想非行般若波羅蜜多復次世
尊若新學大乘菩薩摩訶薩依般若靜慮
精進安忍淨戒布施波羅蜜多起如是想如
是般若波羅蜜多於意界作大作小於法界
意識界及意觸意觸爲緣所生諸受亦作大
作小於意界作集作散於法界乃至意觸爲緣
所生諸受亦作集作散於意界作有量作無量
於法界乃至意觸爲緣所生諸受亦作
有量作無量於意界作廣作狹於法界乃至
意觸爲緣所生諸受亦廣作狹於意界作有
力作無力於法界乃至意觸爲緣所生諸受
亦作有力作無力世尊是菩薩摩訶薩由
起此想非行般若波羅蜜多
復次世尊若新學大乘菩薩摩訶薩依般
若靜慮精進安忍淨戒布施波羅蜜多起如是
想如是般若波羅蜜多於地界作大作小於
水火風空識界亦作大作小於地界作集作
散於水火風空識界亦作集作散於地界作
有量作無量於水火風空識界亦作有量作
無量於地界作廣作狹於水火風空識界亦
作廣作狹於地界作有力作無力於水火風
空識界亦作有力作無力世尊是菩薩摩訶
訶薩由起此想非行般若波羅蜜多復次世
尊若新學大乘菩薩摩訶薩依般若靜慮

BD01292號　大般若波羅蜜多經卷一七五　（20–14）

作廣作狹於地界作有力作無力於水火風
空識界亦作有力作無力世尊是菩薩摩訶
訶薩由起此想非行般若波羅蜜多復次世
尊若新學大乘菩薩摩訶薩依般若靜慮
精進安忍淨戒布施波羅蜜多起如是想如是
般若波羅蜜多於無明作大作小於行識名色
六處觸受愛取有生老死愁歎苦憂惱亦作
作大作小於無明作集作散於行乃至老死愁
歎苦憂惱亦作集作散於無明作有量作無
量於行乃至老死愁歎苦憂惱亦作有量作
無量於無明作廣作狹於行乃至老死愁歎
苦憂惱亦作廣作狹於無明作有力作無力
於行乃至老死愁歎苦憂惱亦作有力作無
力世尊是菩薩摩訶薩由起此想非行般若
波羅蜜多
復次世尊若新學大乘菩薩摩訶薩依般
若靜慮精進安忍淨戒布施波羅蜜多起如
是想如是般若波羅蜜多於布施波羅蜜多
作大作小於淨戒安忍精進靜慮般若波羅蜜
多亦作大作小於布施波羅蜜多作集作散
於淨戒乃至般若波羅蜜多亦作集作散作
布施波羅蜜多作有量無量於淨戒乃至
般若波羅蜜多作有量作無量於布施波
羅蜜多作廣作狹於淨戒乃至般若波羅蜜
多亦作廣作狹於布施波羅蜜多作有力作
無力於淨戒乃至般若波羅蜜多亦作有力

BD01292號　大般若波羅蜜多經卷一七五　（20–15）

羅蜜多作廣作狹於淨戒乃至般若波羅蜜
多亦作廣作狹於布施波羅蜜多作有力作
無力於淨戒乃至般若波羅蜜多亦作有力
作無力世尊是菩薩摩訶薩由起此想非行
般若波羅蜜多復次世尊若新學大乘菩
薩摩訶薩依般若靜慮精進安忍淨戒布
施波羅蜜多起如是想如是般若波羅蜜多於
內空作大作小於外空內外空空空大空勝義
空有為空無為空畢竟空無際空散空無
變異空本性空自相空共相空一切法空不可
得空無性空自性空無性自性空亦作大作
小於內空作集作散於外空乃至無性自性
空亦作集作散於內空作有量作無量於外
空乃至無性自性空亦作有量作無量於內
空作廣作狹於外空乃至無性自性空亦作
廣作狹於內空作有力作無力於外空乃至
無性自性空作有力作無力世尊是菩薩
摩訶薩由起此想非行般若波羅蜜多
復次世尊若新學大乘菩薩摩訶薩依般若
靜慮精進安忍淨戒布施波羅蜜多起如是想
如是般若波羅蜜多於真如作大作小於法界
法性不虛妄性不變異性平等性離生性法
定法住實際虛空界不思議界亦作大作小
於真如作集作散於法界乃至不思議界亦
作集作散於真如作有量作無量於法界乃
至不思議界亦作有量作無量於真如作廣作狹
於法界乃至不思議界亦作廣作狹於

BD01292號　大般若波羅蜜多經卷一七五　（20–16）

於真如作集作散於法界乃至不思議界亦
作集作散於真如作有量作無量於法界乃
至不思議界亦作有量作無量於真如作廣作狹
於法界乃至不思議界亦作廣作狹於
真如作有力作無力於法界乃至不思議界
亦作有力作無力世尊是菩薩摩訶薩由起
此想非行般若波羅蜜多復次世尊若新學
大乘菩薩摩訶薩依般若靜慮精進安忍淨
戒布施波羅蜜多起如是想如是般若波羅
蜜多於苦聖諦作大作小於集滅道聖諦亦
作大作小於苦聖諦作集作散於集滅道聖諦
亦作集作散於苦聖諦作有量作無量於
集滅道聖諦亦作有量作無量於苦聖諦作
廣作狹於集滅道聖諦亦作廣作狹於苦聖
諦作有力作無力於集滅道聖諦亦作有力
作無力世尊是菩薩摩訶薩由起此想非行
般若波羅蜜多復次世尊若新學大乘菩薩
摩訶薩依般若靜慮精進安忍淨戒布施
波羅蜜多起如是想如是般若波羅蜜多於四
靜慮作大作小於四無量四無色定亦作大
作小於四靜慮作集作散於四無量四無色
定亦作集作散於四靜慮作有量作無量於四
無量四無色定亦作有量作無量於四靜慮
作廣作狹於四無量四無色定亦不作廣作
狹於四靜慮作有力作無力於四無量四無
色定亦作有力作無力世尊是菩薩摩訶薩
由起此想非行般若波羅蜜多復次世尊若

BD01292號　大般若波羅蜜多經卷一七五　（20–17）

狹於四靜慮作有力作無力於四無量四無
色定亦作有力作無力世尊是菩薩摩訶薩
由起此想非行般若波羅蜜多復次世尊若
新學大乘菩薩摩訶薩依般若靜慮精進
安忍淨戒布施波羅蜜多起如是想如是般若
波羅蜜多於八解脫作大作小於八勝處九次
第定十遍處亦作大作小於八解脫作集作
散於八勝處九次第定十遍處亦作集作
散於八解脫作有量作無量於八勝處九次
第定十遍處亦作有量作無量於八解脫作
廣作狹於八勝處九次第定十遍處亦作廣
作狹於八解脫作有力作無力於八勝處九
次第定十遍處亦作有力作無力世尊是菩
菩薩摩訶薩由起此想非行般若波羅蜜多
復次世尊若新學大乘菩薩摩訶薩依般若
靜慮精進安忍淨戒布施波羅蜜多起如是想
如是般若波羅蜜多於四念住作大作小於四正斷四
神足五根五力七等覺支八聖道支亦
作大作小於四念住作集作散於四正斷乃
至八聖道支亦作集作散於四念住作
有量作無量於四正斷乃至八聖道支亦作
有量亦作無量於四念住作廣作狹於四正斷
乃至八聖道支亦作廣作狹於四念住作有力
作無力於四正斷乃至八聖道支亦作有力
作無力世尊是菩薩摩訶薩由起此想非行
般若波羅蜜多復次世尊若新學大乘菩

作無力於四正斷乃至八聖道支亦作有力
作無力世尊是菩薩摩訶薩由起此想非行
般若波羅蜜多復次世尊若新學大乘菩
薩摩訶薩依般若靜慮精進安忍淨戒
布施波羅蜜多起如是想如是般若波羅蜜多
於空解脫門作大作小於無相無願解脫門亦
作大作小於空解脫門作集作散於無相無願
解脫門亦作集作散於空解脫門作有量
作無量於無相無願解脫門亦作有量作無
量於空解脫門作廣作狹於無相無願解脫
門亦作廣作狹於空解脫門作有力作無力
於無相無願解脫門亦作有力作無力世尊
是菩薩摩訶薩由起此想非行般若波
羅蜜多復次世尊若新學大乘菩薩摩
訶薩依般若靜慮精進安忍淨戒布施波
羅蜜多起如是想如是般若波羅蜜多於五眼
作大作小於六神通亦作大作小於五眼作集作散
於六神通亦作集作散於五眼作有量作無量
於六神通亦作有量作無量於五眼作廣作
狹於六神通亦作廣作狹於五眼作有力作無
力於六神通亦作有力作無力世尊是菩薩
摩訶薩由起此想非行般若波羅蜜多復次
世尊若新學大乘菩薩摩訶薩依般若靜
慮精進安忍淨戒布施波羅蜜多起如是想
如是般若波羅蜜多於佛十力作大作小於四無
所畏四無礙解大慈大悲大喜大捨十八佛不
共法亦作大作小於佛十力作集作散於

慮精進安忍淨戒布施波羅蜜多起如是想
如是般若波羅蜜多於佛十力作大作小於四無
所畏四無礙解大慈大悲大喜大捨十八佛不
共法亦作大作小於佛十力作集作散於
四無所畏乃至十八佛不共法亦作集作
散於佛十力作有量作無量於四無所畏
乃至十八佛不共法亦作有量作無量於佛
十力作廣作狹於四無所畏乃至十八佛不共
法亦作廣作狹於佛十力作有力作無力於
四無所畏乃至十八佛不共法亦不作有力
作無力世尊是菩薩摩訶薩由起此想非行般
若波羅蜜多復世尊若新學大乘菩薩摩
訶薩依般若靜慮精進安忍淨戒布施波羅
蜜多起如是想如是般若波羅蜜多於無忘
失法作大作小於恒住捨性亦作大作小於
無忘失法作集作散於恒住捨性亦作集作
散於無忘失法作有量作無量於恒住捨性
亦作有量作無量於無忘失法作廣作狹於
恒住捨性亦作廣作狹於無忘失法作有力
作無力於恒住捨性亦作有力作無力世尊是
菩薩摩訶薩由起此想非行般若波羅蜜多

大般若波羅蜜多經卷第一百七十五

BD01292號　大般若波羅蜜多經卷一七五　（20–20）

王頭面禮佛遶百千帀即以天華而散佛上
所散之華如須彌山并以供養佛菩提樹
供養已各以宮殿奉上彼佛而作是言唯見
哀愍饒益我等所獻宮殿願垂納處時諸梵
天王即於佛前一心同聲以偈頌曰
善哉見諸佛　救世之聖尊　能於三界獄　勉出諸衆生
普智天人尊　哀愍群萌類　能開甘露門　廣度於一切
於昔无量劫　空過无有佛　世尊未出時　十方常暗瞑
三惡道增長　阿脩羅亦盛　諸天衆轉減　死多墮惡道
不從佛聞法　常行不善事　色力及智慧　斯等皆減少
罪業因緣故　失樂及樂想　住於邪見法　不識善儀則
不蒙佛所化　常墮於惡道　佛為世間眼　久遠時乃出
哀愍諸衆生　故現於世間　超出成正覺　我等甚欣慶
及餘一切衆　喜歎未曾有　我等諸宮殿　蒙光故嚴飾
今以奉世尊　唯垂哀納受　願以此功德　普及於一切
我等與衆生　皆共成佛道
尒時五百萬億諸梵天王偈讚佛已各白佛言
唯願世尊轉於法輪多所安隱多所度脫時諸
梵天王而說偈言
世尊轉法輪　擊甘露法鼓　度苦惱衆生　開示涅槃道
唯願受我請　以大微妙音　哀愍而敷演　无量劫習法

BD01293號　妙法蓮華經卷三　（8–1）

尒時五百萬億諸梵天王偈讚佛已各白佛言
唯願世尊轉於法輪多所安隱多所度脫時諸
梵天王而說偈言
世尊轉法輪　擊甘露法鼓　度苦惱衆生　開示涅槃道
唯願受我請　以大微妙音　哀愍而敷演　无量劫習法
尒時大通智勝如來受十方諸梵天王及十六
王子請即時三轉十二行法輪若沙門婆羅
門若天魔梵及餘世間所不能轉謂是苦是
苦集是苦滅是苦滅道及廣說十二因緣法
无明緣行行緣識識緣名色名色緣六入六入
緣觸觸緣受受緣愛愛緣取取緣有有緣生
生緣老死憂悲苦惱无明滅則行滅行滅則
識滅識滅則名色滅名色滅則六入滅六入
滅則觸滅觸滅則受滅受滅則愛滅愛滅則
取滅取滅則有滅有滅則生滅生滅則老死
憂悲苦惱滅佛於天人大衆之中說是法時
六百萬億那由他人以不受一切法故而於諸
漏心得解脫皆得深妙禪定三明六通具八
解脫第二第三第四說法時千萬億恒河沙
那由他等衆生亦以不受一切法故而於諸漏
心得解脫從是已後諸聲聞衆无量无邊不可
稱數尒時十六王子皆以童子出家而為沙弥
諸根通利智慧明了已曾供養百千萬億諸佛
淨脩梵行求阿耨多羅三藐三菩提俱白佛
言世尊是諸无量千萬億大德聲聞皆已
成就世尊亦當為我等說阿耨多羅三藐

BD01293號　妙法蓮華經卷三　（8–2）

言世尊是諸无量千萬億大德聲聞皆已
成就世尊亦當為我等說阿耨多羅三藐
三菩提法我等聞已皆共修學世尊我等
志願如來知見深心所念佛自證知尒時
轉輪聖王所將衆中八萬億人見十六王子
出家亦求出家王即聽許尒時彼佛受沙弥
請過二萬劫已乃於四衆之中說是大乘經
名妙法蓮華教菩薩法佛所護念說是經
已十六沙弥為阿耨多羅三藐三菩提故皆
共受持諷誦通利說是經時十六菩薩沙
弥皆悉信受聲聞衆中亦有信解其餘衆
生千萬億種皆生疑惑佛說是經於八千劫
未曾休廢說此經已即入靜室住於禪定八
萬四千劫是時十六菩薩沙弥知佛入室寂
然禪定各昇法座亦於八萬四千劫為四部
衆廣說分別妙法蓮華經一一皆度六百萬
億那由他恒河沙等衆生示教利喜令發阿
耨多羅三藐三菩提心大通智勝佛過八萬
四千劫已從三昧起往詣法座安詳而坐普
告大衆是十六菩薩沙弥甚為希有諸根通
利智慧明了已曾供養无量千萬億數諸
佛於諸佛所常脩梵行受持佛智開示衆生
令入其中汝等皆當數數親近而供養之所
以者何若聲聞辟支佛及諸菩薩能信是十
六菩薩所說經法受持不毀者是人皆當得
阿耨多羅三藐三菩提如來之慧佛告諸比

BD01293號　妙法蓮華經卷三　（8–3）

以者何若聲聞辟支佛及諸菩薩能信是十
六菩薩所說經法受持不毀者是人皆當得
阿耨多羅三藐三菩提如來之慧佛告諸比
丘是十六菩薩常樂說是妙法蓮華經一一
菩薩所化六百萬億那由他恒河沙等衆生世
世所生與菩薩俱從其聞法皆信解以此因緣
得值四萬億諸佛世尊于今不盡諸比丘
我今語汝彼佛弟子十六沙弥今皆得阿耨
多羅三藐三菩提於十方國土現在說法有
无量百千萬億菩薩聲聞以為眷屬其二沙
弥東方作佛一名阿閦在歡喜國二名須弥
頂東南方二佛一名師子音二名師子相南
方二佛一名虛空住二名常滅西南方二佛一
名帝相二名梵相西方二佛一名阿弥陀二名
度一切世間苦惱西北方二佛一名多摩羅
跋旃檀香神通二名須弥相北方二佛一名
雲自在二名雲自在王東北方佛名壞一切世
間怖畏第十六我釋迦牟尼佛於娑婆國土
成阿耨多羅三藐三菩提諸比丘我等為
沙弥時各各教化无量百千萬億恒河沙
等衆生從我聞法為阿耨多羅三藐三菩
提此諸衆生于今有住聲聞地者常教化阿
耨多羅三藐三菩提是諸人等應以是法漸
入佛道所以者何如来智慧難信難解尒時
所化无量恒河沙等衆生者汝等諸比丘及
我滅度後未来世中聲聞弟子是也我滅度

BD01293 號　妙法蓮華經卷三　(8–4)

所化无量恒河沙等衆生者汝等諸比丘及
我滅度後未来世中聲聞弟子是也我滅度
後復有弟子不聞是經不知不覺菩薩所行
自於所得功德生滅度想當入涅槃我於餘
國作佛更有異名是人雖生滅度之想入於
涅槃而於彼土求佛智慧得聞是經唯以佛
乘而得滅度更无餘乘除諸如来方便說法
諸比丘若如来自知涅槃時到衆又清淨信
解堅固了達空法深入禪定便集諸菩薩及
聲聞衆為說是經世間无有二乘而得滅度
唯一佛乘得滅耳比丘當知如来方便深入
衆生之性知其志樂小法深著五欲為是等
故說於涅槃是人若聞則便信受譬如五百
由旬險難惡道曠絶无人怖畏之處若有多
衆欲過此道至珍寶處有一導師聰慧明達
善知險道通塞之相將導衆人欲過此難所
將人衆中路懈退白導師言我等疲極而復
怖畏不能復進前路猶遠今欲退還導師
多諸方便而作是念此等可愍云何捨大珍寶
而欲退還作是念已以方便力於險道中過
三百由旬化作一城告衆人言汝等勿怖莫
得退還今此大城可於中止隨意所作若入
是城快得安隱若能前至寶所亦可得去是
時疲極之衆心大歡喜歎未曾有我等今者免
斯惡道快得安隱於是衆人前入化城生已度
想生安隱想尒時導師知此人衆既得止息

BD01293 號　妙法蓮華經卷三　(8–5)

斯惡道快得安隱於是衆人前入化城生已度
想生安隱想尒時導師知此人衆既得止息
无復疲惓即滅化城語衆人言汝等去來
寶處在近向者大城我所化作為止息耳
諸比丘如来亦復如是今為汝等作大導
師知諸生死煩惱惡道險難長遠應去應度
若衆生但聞一佛乘者則不欲見佛不欲親
近便作是念佛道長遠久受懃苦乃可得成
佛知是心怯弱下劣以方便力而於中道為
止息故說二涅槃若衆生住於二地如來尒
時即便為說汝等所作未辦汝所住地近於
佛慧當觀察籌量所得涅槃非真實也但
是如来方便之力於一佛乘分別說三如彼
導師為止息故化作大城既知息已而告之言
寶處在近此城非實我化作耳尒時世尊欲
重宣此義而說偈言
大通智勝佛　十劫坐道場　佛法不現前　不得成佛道
諸天神龍王　阿脩羅衆等　常雨於天華　以供養彼佛
諸天擊天鼓　并作衆伎樂　香風吹萎華　更雨新好者
過十小劫已　乃得成佛道　諸天及世人　心皆懷踊躍
彼佛十六子　皆與其眷屬　千萬億圍遶　俱行至佛所
頭面礼佛足　而請轉法輪　聖師子法雨　充我及一切
世尊甚難值　久遠時一現　為覺悟群生　震動於一切
東方諸世界　五百萬億國　梵宮殿光曜　昔所未曾有
諸梵見此相　尋來至佛所　散華以供養　并奉上宮殿
請佛轉法輪　以偈而讚歎　佛知時未至　受請默然坐

BD01293號　妙法蓮華經卷三　（8-6）

世尊甚難值　久遠時一現　為覺悟群生　震動於一切
東方諸世界　五百萬億國　梵宮殿光曜　昔所未曾有
諸梵見此相　尋來至佛所　散華以供養　并奉上宮殿
請佛轉法輪　以偈而讚歎　佛知時未至　受請默然坐
三方及四維　上下亦復尒　散華奉宮殿　請佛轉法輪
世尊甚難值　願以大慈悲　廣開甘露門　轉无上法輪
无量慧世尊　受彼衆人請　為宣種種法　四諦十二緣
无明至老死　皆從生緣有　如是衆過患　汝等應當知
宣暢是法時　六百萬億姟　得盡諸苦際　皆成阿羅漢
第二說法時　千萬恒沙衆　於諸法不受　亦得阿羅漢
從是後得道　其數无有量　萬億劫算數　不能得其邊
時十六王子　出家作沙弥　皆共請彼佛　演說大乘法
我等及營從　皆當成佛道　願得如世尊　慧眼第一淨
佛知童子心　宿世之所行　以无量因緣　種種諸譬喻
說六波羅蜜　及諸神通事　分別真實法　菩薩所行道
說是法華經　如恒河沙偈　彼佛說經已　靜室入禪定
一心一處坐　八萬四千劫　是諸沙弥等　知佛禪未出
為无量億衆　說佛无上慧　各各坐法座　說是大乘經
於佛宴寂後　宣揚助法化　一一沙弥等　所度諸衆生
有六百萬億　恒河沙等衆　彼佛滅度後　是諸聞法者
在在諸佛土　常與師俱生　是十六沙弥　具足行佛道
今現在十方　各得成正覺　尒時聞法者　各在諸佛所
其有住聲聞　漸教以佛道　我在十六數　曾亦為汝說
是故以方便　引汝趣佛慧　以是本因緣　今說法華經
令汝入佛道　慎勿懷驚懼　譬如險惡道　逈絕多毒獸
又復无水草　人所怖畏處　无數千萬衆　欲過此險道
其路甚曠遠　經五百由旬　時有一導師　強識有智慧

BD01293號　妙法蓮華經卷三　（8-7）

是故以方便　引汝趣佛慧　以是本因緣　今說法華經
令汝入佛道　慎勿懷驚懼　譬如險惡道　迥絕多毒獸
又復无水草　人所怖畏處　无數千萬衆　欲過此險道
其路甚曠遠　經五百由旬　時有一導師　強識有智慧
明了心決定　在險濟衆難　衆人皆疲倦　而白導師言
我等今頓乏　於此欲退還　導師作是念　此輩甚可愍
如何欲退還　而失大珍寶　尋時思方便　當設神通力
化作大城郭　莊嚴諸舍宅　周帀有園林　渠流及浴池
重門高樓閣　男女皆充滿　即作是化已　慰衆言勿懼
汝等入此城　各可隨所樂　諸人既入城　心皆大歡喜
皆生安隱想　自謂已得度　導師知息已　集衆而告言
汝等當前進　此是化城耳　我見汝疲極　中路欲退還
故以方便力　權化作此城　汝今勤精進　當共至寶所
我亦復如是　為一切導師　見諸求道者　中路而懈廢
不能度生死　煩惱諸險道　故以方便力　為息說涅槃
言汝等苦滅　所作皆已辦　既知到涅槃　皆得阿羅漢
尒乃集大衆　為說真實法　諸佛方便力　分別說三乘
唯有一佛乘　息處故說二　今為汝說實　汝所得非滅
為佛一切智　當發大精進　汝證一切智　十力等佛法
具三十二相　乃是真實滅　諸佛之導師　為息說涅槃
既知是息已　引入於佛慧

妙法蓮華經卷第三

BD01293 號　妙法蓮華經卷三　（8–8）

不住是故我
迦者名之為
轉識薰習故名之為空具足无漏薰習法故
名為不空大慧愚癡凡夫不覺不知執着
諸法刹那不住墮在邪見而作是言无漏之
法亦刹那不住破彼真如如來藏故大慧五
識身者不生六道不受苦樂不作涅槃因大
慧如來藏不受苦樂非生死因餘法者共生
共滅依於四種薰習醉故而諸凡夫不覺不
知邪見薰習言一切法刹那不住復次大慧金
剛金如來藏如來證法非刹那不住大慧如
來證法若刹那不住者一切聖人不成聖人
大慧非非聖人以聖人故大慧金剛金住於一
劫稱量等住不增不減大慧云何愚癡凡夫
分別諸法言刹那不住而諸凡夫不得我意
不覺不知內外諸法念念不住大慧復白佛言
世尊如來常說滿足六波羅蜜法得阿耨多
羅三藐三菩提世尊何等為六波羅蜜云
何滿足佛告大慧菩薩言大慧波羅蜜差別
有三種謂世間波羅蜜出世間波羅蜜出

BD01294 號　入楞伽經卷八　（20–1）

世尊如来常說滿足六波羅蜜法得阿耨多
羅三藐三菩提世尊何等為六波羅蜜云
何滿足佛告大慧菩薩言大慧波羅蜜差別
有三種謂世間波羅蜜出世間波羅蜜出
世間上上波羅蜜大慧言世間波羅蜜者
愚癡凡夫執著我我所法墮於二邊為於
種種勝妙境界行波羅蜜求於色等境界果報
大慧愚癡凡夫行尸波羅蜜羼提波羅蜜毗
梨耶波羅蜜禪波羅蜜般若波羅蜜乃至生
於梵天求五神通世間之法大慧是名世間諸
波羅蜜大慧言出世間波羅蜜者謂聲聞辟
支佛取聲聞辟支佛涅槃心脩行波羅蜜大
慧如彼世間愚癡凡夫為於自身求涅槃樂
而行世間波羅蜜行聲聞緣覺亦復如是為
自身故求涅槃樂行出世間波羅蜜行而乃
求彼非究竟樂大慧出世間上上波羅蜜者
如實能知但是自心虛妄分別見外境界尒
時實知唯是自心見內外法不分別虛妄分別
不取內外自心色相故菩薩摩訶薩如實
能知一切法故行檀波羅蜜為令一切衆生
得无怖畏安隱樂故是名檀波羅蜜大慧
菩薩觀彼一切諸法不生分別隨順清淨是
名尸波羅蜜大慧菩薩離分別心忍彼脩行如
實而知能取可取境界非實是名菩薩羼提
波羅蜜大慧菩薩云何脩精進行初中後夜
常勤脩行隨順如實法斷諸分別是名毗梨
耶波羅蜜大慧菩薩離於不分別心不墮外

BD01294 號　入楞伽經卷八　（20–2）

波羅蜜大慧菩薩云何脩精進行初中後夜
常勤脩行隨順如實法斷諸分別是名毗梨
耶波羅蜜大慧菩薩離於不分別心不墮外
道能取可取境界之相是名禪波羅蜜大慧
何者菩薩般若波羅蜜菩薩如實觀察自心
分別之相不見分別不墮二邊依如實脩行
轉身不見一法生不見一法滅自身內證聖
行脩行是名菩薩般若波羅蜜大慧波羅
蜜義如是滿足者得阿耨多羅三藐三菩提
尒時世尊重說偈言
空无常剎那　愚分別有為　如河燈種子　空无常剎那
分別剎那義　剎那亦如是　剎尼迦不生　寂靜離所作
一切法不生　我說剎那義　物生即有滅　不為凡夫說
分別相續法　妄想見六道　若无明為因　能生諸心者
乃至色未生　中間依何住　即生即有滅　餘心隨彼生
色不一念住　觀於何法生　依何因生法　心无因而生
是故生不成　云何知念壞　脩行者證定　金剛佛舍利
光音天宮殿　世間不壞事　真如證真實　如來智成就
比丘證平等　云何念不住　乾闥婆幻色　何故念不生
无四大見色　四大何所為
入楞伽經化品第十五
尒時聖者大慧菩薩摩訶薩復白佛言世尊
如佛世尊與諸羅漢受阿耨多羅三藐三菩
提記如來復說諸佛如來不入涅槃復說如
來應正遍知何等夜證大菩提何等夜入般
涅槃於其中間不說一字如來復說諸佛如

BD01294 號　入楞伽經卷八　（20–3）

來應正遍知何等夜證大菩提何等夜入般
涅槃於其中間不說一字如來復說諸佛如
來常入无覺无觀无分別定復言作諸種種
應化度諸衆生世尊復說諸識念念差別
不住金剛密迹常隨侍衛復說世間本際難
知復言衆生入般涅槃若入涅槃應有本際
復說諸佛无有怨敵而見諸魔復說如來斷
一切鄣而見旃遮摩那毗孫陀梨等謗佛入娑
梨耶村竟不得食空鉢而出世尊若如是者
如來便有无量罪業云何如來不離一切諸
罪過惡而得阿耨多羅三藐三菩提一切種
智
佛告聖者大慧菩薩言善哉善哉善哉大慧
汝今諦聽當為汝說大慧白佛言善哉世尊
唯然受教佛告大慧我為曾行菩薩行諸聲
聞等依无餘涅槃而與授記大慧我與聲聞
授記者為怯弱衆生生勇猛心大慧此世界
中及餘佛國有諸衆生行菩薩行而復樂於
聲聞法行為轉彼取大菩提應化佛為應化
聲聞授記非執佛法身佛而授記別大慧聲
聞辟支佛涅槃无差別何以故斷煩惱无差
異故斷煩惱鄣非斷智鄣復次大慧見法无
我斷於智鄣見人无我斷煩惱鄣大慧轉意
識故斷法鄣業鄣以轉意阿黎耶識薰習故
究竟清淨大慧我常依本法體而住更不生
法依本名字章句不覺不思而說諸法大慧

識故斷法鄣業鄣以轉意阿黎耶識薰習故
究竟清淨大慧我常依本法體而住更不生
法依本名字章句不覺不思而說諸法大慧
如來常如意知常不失念是故如來无覺无
觀諸佛如來離四種地已遠離二種死二種
鄣二種業故大慧七種識意意識眼耳鼻舌
身念念不住因虛妄薰習離於无漏諸善法
故大慧如來藏世間不生不死不來不去常
恒清淨不變復次大慧依如來藏故有世
間涅槃苦樂之因而諸凡夫不覺不知而墮於
空虛妄顛倒大慧金剛密迹常隨侍衛應
化如來前後圍遶非法佛報佛根本如來應
正遍知大慧根本如來遠離諸根大小諸量
遠離一切凡夫聲聞辟支佛等大慧如實脩
行得彼真如樂行境界者知根本佛以得
平等法忍故是故金剛密迹隨應化佛大慧
應化佛者无業无謗而應化佛不異法佛報
佛如來而亦不一如陶師盟等作所作事應化
佛作化衆生事異真實相說法不說內所證法
聖智境界復次大慧一切凡夫外道聲聞辟
支佛等見六識滅墮於斷見不見阿黎耶
識墮於常見復次大慧不見自心分別本際
是故世間名无本際大慧遠離自心分別見
者名為解脫得涅槃證大慧諸佛如來遠離
四種薰習氣故是故无過尒時世尊重說偈言
三乘及非乘　諸佛无量乘　一切記佛地　說諸煩惱斷

者名為觧脫得涅槃證大慧諸佛如來遠離
四種薰習氣故是故无過尒時世尊重說偈言
三乘及非乘　諸佛无量乘　一切記佛地　說諸煩惱斷
内身證聖智　及无餘涅槃　誘進怯衆生　是故隱覆說
如來得證智　亦說於彼道　衆生依入道　二乘无涅槃
見欲色及有　及四種薰地　意識亦所生　見意識共住
見意眼識等　常无常斷滅　常見依意等　而起涅槃見
入楞伽經遮食肉品第十六
尒時聖者大慧菩薩摩訶薩白佛言世尊我
觀世間生死流轉怨結相連墮諸惡道皆由
食肉更相殺害增長貪瞋不得出離甚為大
苦世尊食肉之人斷大慈種脩聖道者不應
得食世尊諸外道等說耶見法盧迦耶陁随
俗之論墮於斷常有无見中皆遮食肉自已
不食不聽他食云何如來清淨法中脩梵行
者自食他食一切不制如來世尊於諸衆生
慈悲一等云何而聽以肉為食善哉世尊哀
愍世間願為我說食肉之過不食功德我及
一切諸菩薩等聞已得依如實脩行廣宣流
布令諸現在未來衆生一切識知
佛告聖者大慧菩薩言善哉善哉善哉大慧
汝大慈悲愍衆生故能問此義汝今諦聽當
為汝說大慧菩薩白佛言善哉世尊唯然受
教佛告大慧夫食肉者有无量過諸菩薩摩
訶薩脩大慈悲不得食肉食與不食功德罪
過我說少分汝今諦聽大慧我觀衆生從无
始來食肉習故貪著肉味更想殺害遠離賢

教佛告大慧夫食肉者有无量過諸菩薩摩
訶薩脩大慈悲不得食肉食與不食功德罪
過我說少分汝今諦聽大慧我觀衆生從无
始來食肉習故貪著肉味更想殺害遠離賢
聖受生死苦捨肉味者聞正法味於菩薩地
如實脩行速得阿耨多羅三藐三菩提復令
衆生入於聲聞辟支佛地止息之處息已令
入如來之地大慧如是等利慈心為本食肉
之人斷大慈種云何當得如是大利是故大慧
慧我觀衆生輪迴六道同在生死共相生育迭
為父母兄弟姊妹若男若女中表内外六親
眷屬或生餘道善道惡道常為眷屬以是
因緣我觀衆生更相噉肉无非親者由貪肉味
迭互相噉常生害心增長苦業流轉生死不
得出離佛說是時諸惡羅刹聞佛所說悲
捨惡心止不食肉迭相勸發慈悲之心護衆
生命過自護身捨離一切諸肉不食悲泣流
淚而白佛言世尊我聞佛說諦觀六道我所
噉肉皆是我親乃知食肉衆生大怨斷大慈種
長不善業是大苦本世尊我從今日斷不食
肉及我眷屬亦不聽食如來弟子有不食者
我當晝夜親近擁護若食肉者我當與作
大不饒益大慧羅刹惡鬼常食肉者聞我所說
尚發慈心捨肉不食况我弟子行善法者當
聽食肉若食肉者當知即是衆生大怨斷我
聖種大慧若我弟子聞我所說不諦觀察而
食肉者當知即是旃陁羅種非我弟子我非

聽食肉若食肉者當知即是衆生大怨斷我
聖種大慧若我弟子聞我所說不諦觀察而
食肉者當知即是旃陀羅種非我弟子我非
其師是故大慧若欲與我作眷屬者一切諸
肉悉不應食
復次大慧菩薩應觀一切是肉皆依父母膿
血不淨赤白和合生不淨身是故菩薩觀
肉不淨不應食肉
復次大慧食肉之人衆生聞氣悉皆驚怖
逃走遠離是故菩薩修如實行爲化衆生不
應食肉大慧譬如旃陀羅獵師屠兒捕魚鳥
人一切行處衆生遥見作如是念我今定死而
此來者是大惡人不識罪福斷衆生命求現
前利今來至此爲覓我等今我等身悉皆
有肉是故今來我等定死大慧由人食肉能令
衆生見者皆生如是驚怖大慧一切虛空地
中衆生見食肉者皆生驚怖而起疑念我於
今者爲死爲活如是惡人不修慈心亦如豺
狼遊行世間常覓肉食如牛噉草蜣蜋逐糞
不知飽足我身是肉正是其食不應逢見即
捨逃走離之遠去如人畏懼羅剎无異大慧
食肉之人能令衆生見者皆生如是驚怖當
知食肉衆生大怨是故菩薩修行慈悲爲攝
衆生不應食彼非聖惡人所食之味惡名流
布聖人呵責是故大慧菩薩爲攝諸衆生
故不應食肉
復次大慧菩薩爲護衆生言心不應食肉可

BD01294 號　入楞伽經卷八　（20–8）

衆生不應食彼非聖惡人所食之味惡名流
布聖人呵責是故大慧菩薩爲攝諸衆生
故不應食肉
復次大慧菩薩爲護衆生信心不應食肉何
以故大慧言菩薩者衆生皆知是佛如來慈
心之種能與衆生作歸依處聞者自然不生
疑怖生親友想善知識想不怖畏想言得
歸依處得安隱處得善導師大慧由不食
肉能生衆生如是信心若食肉者衆生即失一
切信心便言世間无可信者斷於信根是故大
慧菩薩爲護衆生信心一切諸肉悉不應食
復次大慧我諸弟子爲護世間謗三寶故不
應食肉何以故世間有人見食肉故謗毀三
寶作如是言於佛法中何處當有真實沙
門婆羅門修梵行者捨於聖人本所應食食
衆生肉猶如羅剎食肉滿腹醉眠不動依世凡
人豪貴勢力覓肉食噉如羅剎王驚怖衆生
是故處處唱如是言何處有實沙門婆羅門
修淨行者无法无沙門无毗尼无淨行者生
如是等无量无邊惡不善心斷我法輪絶滅
聖種一切皆由食肉者過是故大慧我弟子
者爲護惡人毀謗三寶乃至不應生念肉想
何况食噉復次大慧菩薩爲求清淨佛土教
化衆生不應食肉應觀諸肉如人死屍眼不
欲見不用聞氣何况可齅而著口中一切諸
肉亦復如是大慧如燒死屍臭氣不淨與燒餘
肉臭穢无異云何於中有食不食是故大慧

BD01294 號　入楞伽經卷八　（20–9）

欲見不用聞氣何況可觸而著口中一切諸
肉亦復如是大慧如燒死屍臭氣不淨與燒餘
肉臭穢无異云何於中有食不食是故大慧
菩薩為求清淨佛土教化眾生不應肉食
復次大慧菩薩為求出離生死應當專念
慈悲之行少欲知足猒世間苦速求解脫當
捨憒閙就於空閑住屍陁林阿蘭若處冢間樹
下獨坐思惟觀諸世間无一可樂妻子眷屬
如枷鏁想宮殿臺觀如牢獄想觀諸珍寶如
糞聚想見諸飲食如膿血想受諸飲食如塗
癰創趣得存命繫念聖道不為貪味酒肉
葱韮蒜薤臭味悉捨不食大慧若如是者是
真修行堪受一切人天供養若於世間不生猒
離貪著諸味酒肉葷辛得便噉食不應受
於世間信施
復次大慧有諸眾生過去曾修无量因緣有
微善根得聞我法信心出家在我法中過去
曾作羅剎眷屬虎狼師子猫狸中生雖在我
法食肉餘習見食肉者歡喜親近入諸城邑
聚落塔寺飲酒噉以為歡樂諸天下觀猶如
羅剎爭噉死屍等无有異而不自知已失我
眾成羅剎眷屬雖服袈裟剃除鬚髮有命
者見心生恐怖如畏羅剎是故大慧若以我
為師者一切諸肉悉不應食
復次大慧世間邪見諸呪術師若具食肉呪
術不成為成耶術尚不食肉況我弟子為求

復次大慧世間邪見諸呪術師若具食肉呪
術不成為成耶術尚不食肉況我弟子為求
如來无上聖道出世解脫修大慈悲精勤苦
行猶恐不得何處當有如是解脫為彼癡人
食肉而得是故大慧我諸弟子為求出世解
脫樂故不應食肉復次大慧食肉能起色力
食味人多貪著應當諦觀一切世間有身命
者各自寶重畏於死苦護惜身命人畜无別
寧當樂存疥野干身不能捨命受諸天樂
何以故畏死苦故大慧以是觀察死為大苦
是可畏法自身畏死云何當得而食他肉是
故大慧欲食肉者先自念身次觀眾生不應
食肉
復次大慧夫食肉者諸天遠離何況聖人是
故菩薩為見聖人當修慈悲不應食肉大慧
食肉之人睡眠亦苦起時亦苦若於夢中見
種種惡驚怖毛豎心常不安无慈心故乏諸
善力若其獨在空閑之處多為非人而伺其
便虎狼師子亦來伺求欲食其肉心常驚怖
不得安隱
復次大慧諸食肉者貪心難滿食不知量不
能消化增益四大口氣腥臊腹中多有无量
惡虫身多創癬白癩疾病種種不淨現在凡
夫不憙聞見何況未來无病香潔人身可得
復次大慧我說凡夫為求淨命噉於淨食尚
應生心如子肉想何況聽食非聖人食聖人

[illegible]
復次大慧我說凡夫為求淨命敗於淨食尚
應生心如子肉想何况聽食非聖人食聖人
離者以肉能生无量諸過失於出世一切功
德云何言我聽諸弟子食諸肉而不淨等味
言我聽者是則謗我大慧我聽弟子食諸
聖人所應食食非謂聖人遠離之食聖食能
生无量功德遠離諸過大慧過去現在聖人食
者所謂粳米大小麦豆種種油蜜甘蔗甘蔗
汁蜜陁市干提等隨時得者聽食為淨大慧
於未來世有愚癡人說種種毗尼言得食肉
因於過去食肉薰習愛著肉味隨自心見作
如是說非佛聖人說為美食大慧不食肉者
要因過去供養諸佛種諸善根能信佛語
堅住毗尼信諸因果至於身口能自節量不
為世間貪著諸味見食肉者能生慈心大慧
我憶過去有王名子師奴食種種肉愛著肉
味次第乃至食於人肉因食人肉父母兄弟
妻子眷屬皆悉捨離一切臣民國土聚落即
便謀反共斷其命以食肉者有如是過是故
不應食一切肉復次大慧自在天王化身為鴿
釋提桓因是諸天主因於過去食肉習氣化
身作鷹驚逐此鴿鴿來投我我於尒時作尸
毗王憐愍眾生更相食噉稱己身肉與鷹代
鴿割肉不足身上稱上受大苦惱大慧如是
无量世來食肉薰習自身他身有如是過何
况无愧常食肉者大慧復有餘王不食肉者

鴿割肉不足身上稱上受大苦惱大慧如是
无量世來食肉薰習自身他身有如是過何
况无愧常食肉者大慧復有餘王不食肉者
乘馬遊戲為馬驚波牽入深山失於侍從不
知歸路不食肉故師子虎狼見無害心與雌
歸子共行欲事乃至生子斑足王等以過
去世食肉薰習及作人王亦常食肉在七家
村多樂食肉食肉太過遂食人肉生諸男女
盡為羅刹大慧食肉眾生依於過去食肉薰
故多生羅刹師子虎狼豺豹猫貍鵄梟鵰鷲
鷹鷂等中有命之類各自護身不令得便受
受飢餓苦常生惡心念食他肉命終復墮惡
道受生人身難得何况當有得涅槃道大慧
當知食肉之人有如是等无量諸過不食
肉者即是无量功德之聚大慧而諸凡夫不
知如是食肉之過不食功德我今略說不聽食
肉大慧若一切人不食肉者亦无有人致害眾
生由人食肉若无可食處處求買為財利
者殺以販賣為買者殺是故買者與殺无異
是故食肉能鄣聖道大慧食肉之人愛著肉
味至无畜生乃食人肉何况麞鹿雉兔鵝鴈猪
羊雞狗駞驢象馬龍蛇魚鼈水陸有命得而
不食由著肉味設諸方便致害眾生造作種種
罝羅機網羅山羅地截河堰海遍諸水陸安
置害網機撥坑陷弓刀毒箭間无空處虛空
地水種種眾生皆被殺害為食肉故大慧獵
師屠兒貪肉之人等惡心堅固能行不忍見諸

宜罟網撥撥坑陷弓刀毒箭間无空處虛空
地水種種衆生皆被煞害為食肉故大慧獵
師屠兒食肉人等惡心堅固能行不忍見諸
衆生形體鮮肥膚肉充悦生食味心更相指
示言是可噉一生一念不忍之心是故我說
食肉之人斷大慈種
大慧我觀世間无有是肉而非命者自已不
煞不教人煞他不為煞不從命來而是肉者
无有是處若有是肉不從命出而是美食我
以何故不聽人食遍求世間无如是肉是故
我說食肉是罪斷如來種故不聽食
大慧我涅槃後於未來世法欲滅時於我法
中有出家者歸除鬚髮自稱我是沙門釋子
披我袈裟癡如小兒自稱律師憒在二邊種
種虛妄覺觀亂心貪著肉味隨自心見說毗
尼中言得食肉亦謗我言諸佛如來聽人食
肉亦說因制而聽食肉亦謗我言如來世尊
亦自食肉大慧我於象腋央掘魔涅槃大雲
等一切脩多羅中不聽食肉亦不說肉入於
食味大慧我若聽諸聲聞弟子肉為食者
我終不得口常讚歎脩大慈悲行如實行者
亦不讚歎屍陀林中頭陀行者亦不讚歎脩
行大乘住大乘者亦不讚歎不食肉者我不自
食不聽他食是故我勸脩菩薩行歎不食肉
勸觀衆生應如一子云何唱言我聽食肉我

食不聽他食是故我勸脩菩薩行歎不食肉
勸觀衆生應如一子云何唱言我聽食肉我
為弟子脩三乘行者速得果故遮一切肉悉
不聽食云何說言我毗尼中聽人食肉又復
說言如來餘脩多羅中說三種肉聽人食者
當知是人不解毗尼次第斷故唱言得食何
以故大慧肉有二種一者他煞二者自死以
世人言有肉得食有不得者象馬龍虵人鬼
弥猴猪狗及牛言不得食餘者得食屠兒不
問得食不得一切盡煞處處衒賣衆生死過
擯被煞害是故我制他煞自死悉不得食見
聞疑者所謂他煞不見聞疑者所謂自死是
故大慧我毗尼中唱如是言凡所有肉於一
切沙門釋子皆不淨食汙清淨命障聖道
分无有方便而可得食若有說言佛毗尼中說
三種肉為不聽食非為聽食當知是人堅住
毗尼是不謗我大慧今此楞伽脩多羅中一
切時一切肉亦无方便而可得食是故大慧
我遮食肉不為一人現在未來一切不得是
故大慧若彼癡人自言律師言毗尼中聽人
食肉亦謗我言如來自食彼愚癡人成大罪
障長夜墮於无利益處无聖人處不聞法處亦
不得見現在未來賢聖弟子況當得見諸
佛如來大慧諸聲聞人常所應食米麵油蜜
種種麻豆能生淨命非法貯畜非法受取我
說不淨尚不聽食何況聽食血肉不淨

佛如来大慧諸聲聞人常所應食米麵油蜜
種種麻豆能生淨命非法貯畜非法受取我
説不淨尚不聽食何况聽食血肉不淨
大慧我諸聲聞辟支佛菩薩弟子食於法食
非食飲食何况如来大慧諸佛如来法食法
住非飲食身非諸一切飲食住身離諸資生
愛有求等遠離一切煩惱習過善分別知心
心智慧一切智一切見見諸衆生平等憐愍
是故大慧我見一切諸衆生等猶如一子云
何而聽以肉為食亦不随喜何况自食大慧
如是一切葱韮蒜薤臭穢不淨能障聖道亦
障世間人天淨處何况諸佛淨土果報酒亦
如是能障聖道能損善業能生諸過是故大
慧求聖道者酒肉葱韮及蒜薤等能薰之
味悉不應食尒時世尊重説偈言
大慧菩薩問　酒肉葱韮蒜　佛言是不淨　一切不聽食
羅刹等食噉　非聖所食味　食者聖呵責　及惡名流布
願佛分別説　食不食罪福
大慧汝諦聽　我説食中過　酒肉葱韮蒜　是障聖道分
我觀三界中　及得聖道衆　无始世界来　展轉莫非親
云何於其中　而有食不食　觀肉所從来　出處最不淨
膿血和雜生　屎尿膿涕合　脩行淨行者　當觀不應食
種種肉及葱　酒亦不得飲　種種韮及蒜　脩行常遠離
常遠離麻油　穿孔牀不眠　飛傷諸細虫　斷害他命故
肉食長身力　由力生邪念　邪念生貪欲　故不聽食肉
由食肉生貪　貪心致迷醉　迷醉長愛欲　不解脱生死

常遠離麻油　穿孔牀不眠　飛傷諸細虫　斷害他命故
肉食長身力　由力生邪念　邪念生貪欲　故不聽食肉
由食肉生貪　貪心致迷醉　迷醉長愛欲　不解脱生死
為利殺衆生　為肉追錢財　彼二人惡業　死墮叫喚獄
三種名淨肉　不見聞不疑　世无如是肉　生墮食肉中
臭穢可猒患　常生顛狂中　多生旃陁羅　獵師屠兒家
或生羅刹女　及諸食肉處　羅刹猫貍等　食肉生彼中
象腋與大雲　涅槃指鬘經　及入楞伽經　我不聽食肉
諸佛及菩薩　聲聞亦呵責　食肉无慙愧　生生常顛狂
先説見聞疑　已斷一切肉　妄想不覺知　故生食肉想
如彼貪欲過　障礙聖解脱　酒肉葱韮蒜　悉為聖道障
未来世衆生　於肉愚癡説　言此淨无罪　佛聽我等食
淨食如藥想　猶如食子肉　知足生猒離　脩行行乞食
安住慈心者　我説常猒離　師子豺虎狼　恒可同遊止
食肉見者怖　云何而可食　是故脩行者　慈心不食肉
食肉斷慈心　離涅槃解脱　及違聖人教　故不聽食肉
不食生梵種　及諸脩行道　智慧及富貴　斯由不食肉
入楞伽經陁羅尼品第十七
尒時世尊告聖者大慧菩薩摩訶薩言大慧
汝應諦聽受持我楞伽經呪是呪過去未来
現在諸佛已説今説當説大慧我今亦説為
諸法師受持讀誦楞伽經者而呪曰
兜諦兜諦　祝諦祝諦　藕頗諦　藕頗諦
迦諦迦諦　阿摩黎　阿摩諦　毗摩黎
毗摩黎　尼弥尼弥　奚弥奚弥　婆迷
婆迷　歌黎歌黎　歌羅歌黎　阿𪗱陟皆反
摩𪗱　遮𪗱　兜𪗱　讓𪗱　藕弗𪗱

摩黎　层弥层弥　奚弥奚弥　婆達
婆達　歌黎歌黎　歌羅歌黎　阿𨄔陟皆反
摩𨄔　遮𨄔　兜𨄔　讓𨄔　藕弗𨄔
蔔第蔔第　波第波第　奚咪奚咪
地咪地咪　羅制羅制　波制波制
滕第滕第　阿制弥制　竹荼黎　兜荼第
波羅第　遏計遏計　斫計斫計　黎犀咪
荼犀咪　奚咪奚咪　晝晝　晝晝
抽畜抽畜　紬紬紬紬　除除除除
藕婆呵
大慧是名楞伽大經中呪文句善男子善女
人比丘比丘尼優婆塞優婆夷等能受持讀
誦此文句為人演說无有人能覓其罪過
若天天女若龍龍女若夜叉夜叉女阿脩羅
阿脩羅女迦樓羅迦樓羅女緊那羅緊那羅
女摩睺羅伽摩睺羅伽女浮多浮多女鳩槃
荼鳩槃荼女毗舍闍毗舍闍女嗚多羅嗚多羅
女阿波羅阿波羅女羅剎羅剎女荼伽荼伽
女嗚周何羅嗚周何羅女伽吒福多羅伽吒
福多羅女若人非人若人女非人女不能覓
其過若有惡鬼神損害人欲速令彼惡鬼去
者一百遍轉此陁羅层呪彼諸惡鬼驚怖
號哭疾走而去佛復告大慧我為護
法法師更說陁羅层而說呪曰
波頭弥　波頭弥提娌　奚层奚层　奚祢
諸黎諸羅諸纚　侯纚　侯羅　侯纚
由纚　由羅　由纚　波纚　波羅　波纚

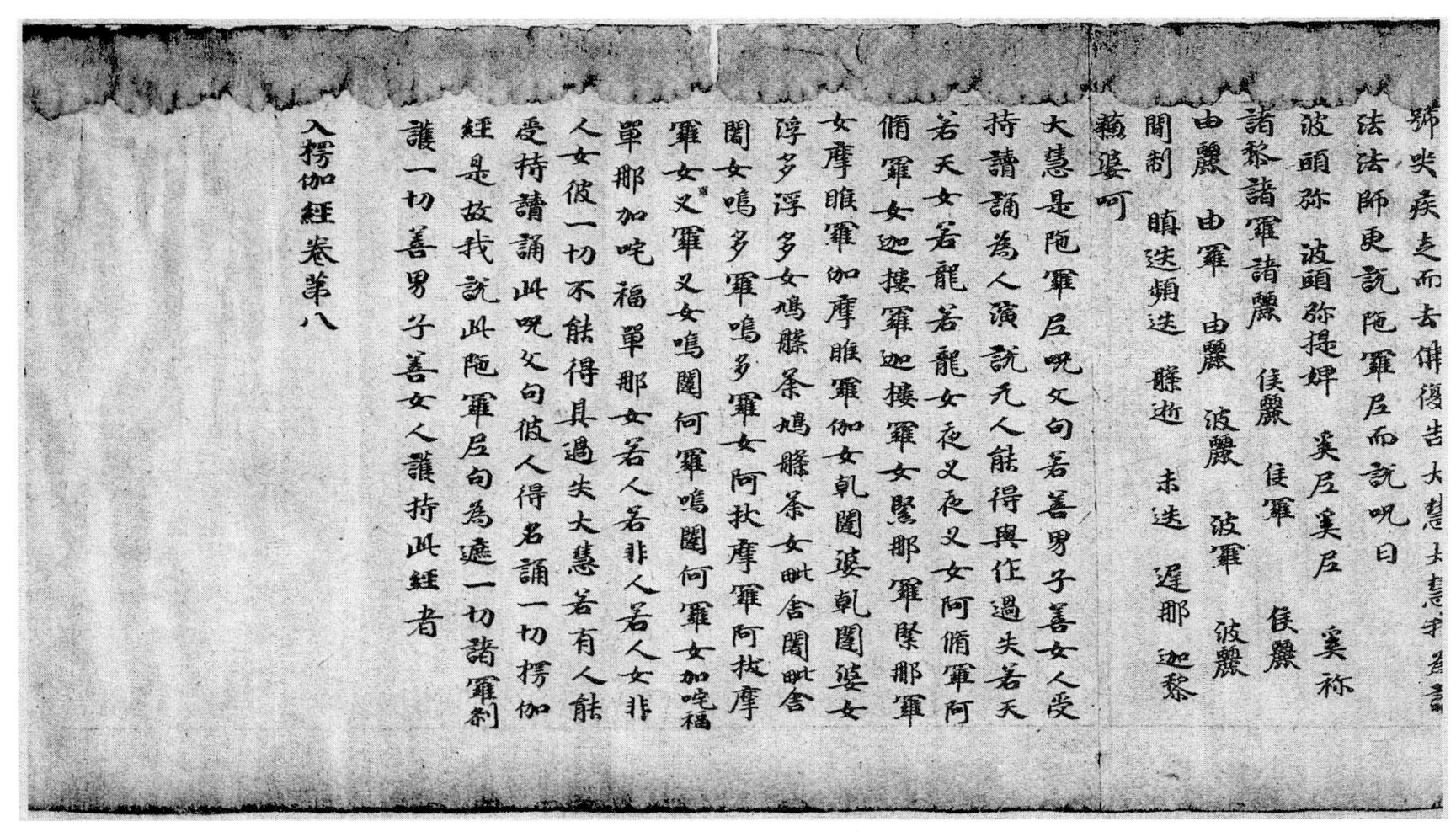

BD01294 號　入楞伽經卷八　（20–18）

號哭疾走而去佛復告大慧我為護
法法師更說陁羅层而說呪曰
波頭弥　波頭弥提娌　奚层奚层　奚祢
諸黎諸羅諸纚　侯纚　侯羅　侯纚
由纚　由羅　由纚　波纚　波羅　波纚
閻制　瞋迭頻迭　滕逝　赤迭　遲那　迦黎
藕婆呵
大慧是陁羅层呪文句若善男子善女人受
持讀誦為人演說无人能得與作過失若天
若天女若龍若龍女夜叉夜叉女阿脩羅阿
脩羅女迦樓羅迦樓羅女緊那羅緊那羅
女摩睺羅伽摩睺羅伽女乾闥婆乾闥婆女
浮多浮多女鳩槃荼鳩槃荼女毗舍闍毗舍
闍女嗚多羅嗚多羅女阿扰摩羅阿扰摩
羅女叉羅叉女嗚闍何羅嗚闍何羅女加吒福
單那加吒福單那女若人若非人若人女非
人女彼一切不能得其過失大慧若有人能
受持讀誦此呪文句彼人得名誦一切楞伽
經是故我說此陁羅层句為遮一切諸羅剎
護一切善男子善女人護持此經者

入楞伽經卷第八

BD01294 號　入楞伽經卷八　（20–19）

受持讀誦此呪文句彼人得名誦一切楞伽
經是故我說此陀羅尼句為遮一切諸羅剎
護一切善男子善女人護持此經者
入楞伽經卷第八

BD01294 號　入楞伽經卷八　　（20–20）

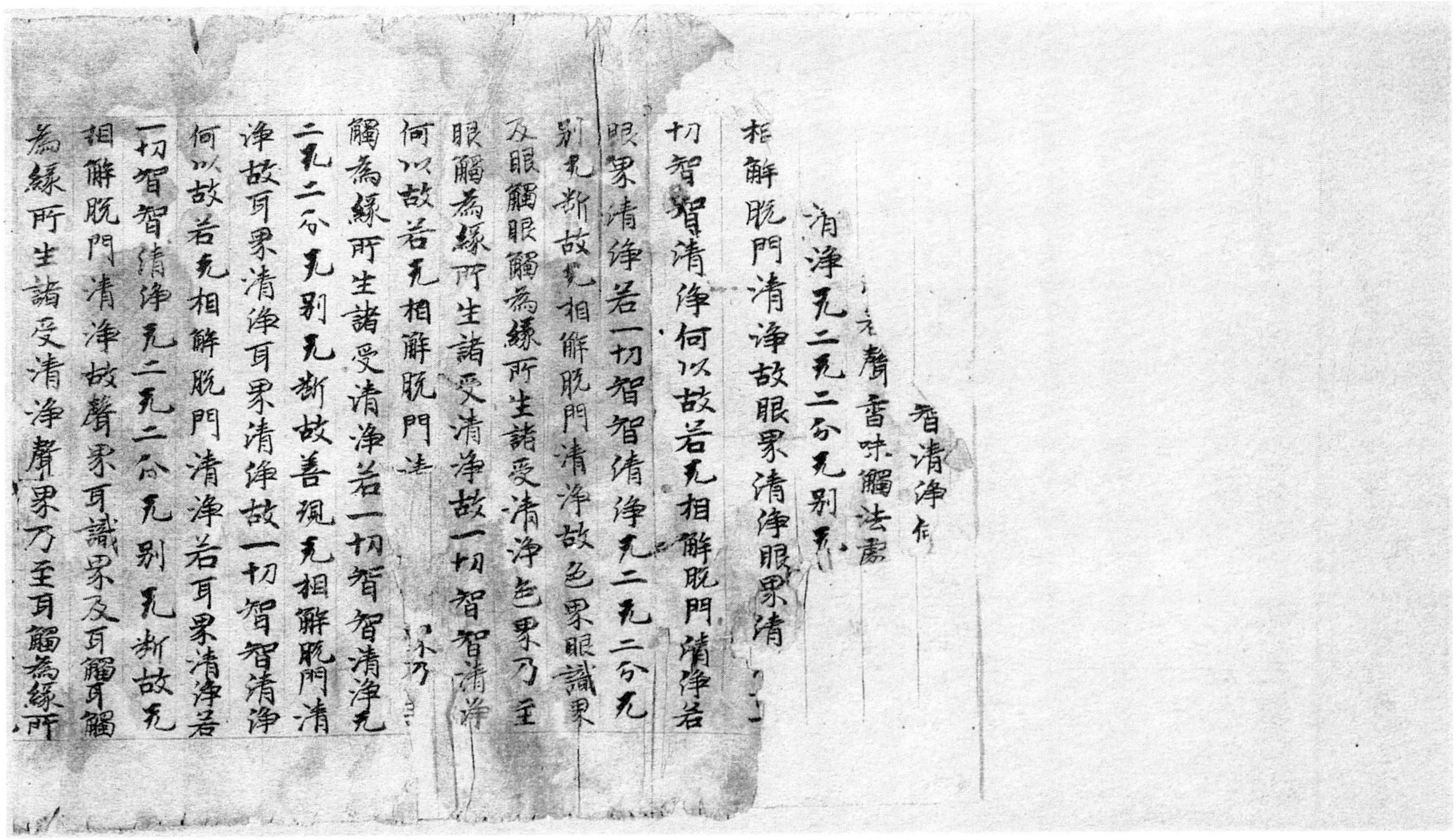
香清淨何
聲香味觸法處
清淨无二无二分无別无
相解脫門清淨故眼界清淨眼界清
切智智清淨何以故若无相解脫門清淨若
眼界清淨若一切智智清淨无二无二分无
別无斷故无相解脫門清淨故色界眼識界
及眼觸眼觸為緣所生諸受清淨色界乃至
眼觸為緣所生諸受清淨故一切智智清淨
何以故若无相解脫門法（不乃）
觸為緣所生諸受清淨若一切智智清淨无
二无二分无別无斷故善現无相解脫門清
淨故耳界清淨耳界清淨故一切智智清淨
何以故若无相解脫門清淨若耳界清淨若
一切智智清淨无二无二分无別无斷故无
相解脫門清淨故聲界耳識界及耳觸耳觸
為緣所生諸受清淨聲界乃至耳觸為緣所

BD01295 號　大般若波羅蜜多經卷二三二　　（22–1）

二无二分无别无断故善現无相解脱門清
淨故耳界清淨耳界清淨故一切智智清淨
何以故若无相解脱門清淨若耳界清淨若
一切智智清淨无二无二分无别无断故无
相解脱門清淨故聲界耳識界及耳觸耳觸
爲緣所生諸受清淨聲界乃至耳觸爲緣所
生諸受清淨故一切智智清淨何以故若无
相解脱門清淨若聲界乃至耳觸爲緣所生
諸受清淨若一切智智清淨无二无二分无
别无断故善現无相解脱門清淨故鼻界
清淨鼻界清淨故一切智智清淨何以故若无
相解脱門清淨若鼻界清淨若一切智智清
淨无二无二分无别无断故无相解脱門清
淨故香界鼻識界及鼻觸鼻觸爲緣所生諸
受清淨香界乃至鼻觸爲緣所生諸受清淨
故一切智智清淨何以故若无相解脱門清
淨若香界乃至鼻觸爲緣所生諸受清淨若
一切智智清淨无二无二分无别无断故善
現无相解脱門清淨故舌界清淨舌界清淨
故一切智智清淨何以故若无相解脱門清
淨若舌界清淨若一切智智清淨无二无二
分无别无断故无相解脱門清淨故味界舌
識界及舌觸舌觸爲緣所生諸受清淨味界
乃至舌觸爲緣所生諸受清淨故一切智智
清淨何以故若无相解脱門清淨若味界乃
至舌觸爲緣所生諸受清淨若一切智智清

BD01295號　大般若波羅蜜多經卷二三二　（22–2）

分无别无断故无相解脱門清淨故味界舌
識界及舌觸舌觸爲緣所生諸受清淨味界
乃至舌觸爲緣所生諸受清淨故一切智智
清淨何以故若无相解脱門清淨若味界乃
至舌觸爲緣所生諸受清淨若一切智智清
淨无二无二分无别无断故善現无相解脱
門清淨故身界清淨身界清淨故一切智智
清淨何以故若无相解脱門清淨若身界清
淨若一切智智淨淨无二无二分无别无断
故无相解脱門清淨故觸界身識界及身觸
身觸爲緣所生諸受清淨觸界乃至身觸爲
緣所生諸受清淨故一切智智清淨何以故若
无相解脱門清淨若觸界乃至身觸爲緣所
生諸受清淨若一切智智清淨无二无二分
无别无断故善現无相解脱門清淨故意界
清淨意界清淨故一切智智清淨何以故若
无相解脱門清淨若意界清淨若一切智智
清淨无二无二分无别无断故无相解脱門
清淨故法界意識界及意觸意觸爲緣所生
諸受清淨法界乃至意觸爲緣所生諸受清
淨故一切智智清淨何以故若无相解脱門
清淨若法界乃至意觸爲緣所生諸受清淨
若一切智智清淨无二无二分无别无断故
善現无相解脱門清淨故地界清淨地界清
淨故一切智智清淨何以故若无相解脱門

BD01295號　大般若波羅蜜多經卷二三二　（22–3）

諸受清淨法界乃至意觸為緣所生諸受清
淨故一切智智清淨何以故若无相解脫門
清淨若法界乃至意觸為緣所生諸受清淨
若一切智智清淨无二无二分无別无斷故
善現无相解脫門清淨故地界清淨地界清
淨故一切智智清淨何以故若无相解脫門
清淨若地界清淨若一切智智清淨无二无二
分无別无斷故无相解脫門清淨故水火風
空識界清淨水火風空識界清淨故一切智
智清淨何以故若无相解脫門清淨若水火
風空識界清淨若一切智智清淨无二无二
分无別无斷故善現无相解脫門清淨故无
明清淨无明清淨故一切智智清淨何以故若
无相解脫門清淨若无明清淨若一切
智智清淨无二无二分无別无斷故无相解
脫門清淨故行識名色六處觸受愛取有生
老死愁歎苦憂惱清淨行乃至老死愁歎苦
憂惱清淨故一切智智清淨何以故若无相
解脫門清淨若行乃至老死愁歎苦憂惱清
淨若一切智智清淨无二无二分无別无斷
故
善現无相解脫門清淨故布施波羅蜜多清
淨布施波羅蜜多清淨故一切智智清淨何
以故若无相解脫門清淨若布施波羅蜜多
清淨若一切智智清淨无二无二分无別无
斷故无相解脫門清淨故淨戒安忍精進靜

BD01295號　大般若波羅蜜多經卷二三二　（22–4）

善現无相解脫門清淨故布施波羅蜜多清
淨布施波羅蜜多清淨故一切智智清淨何
以故若无相解脫門清淨若布施波羅蜜多
清淨若一切智智清淨无二无二分无別无
斷故无相解脫門清淨故淨戒安忍精進靜
慮般若波羅蜜多清淨淨戒乃至般若波羅
蜜多清淨故一切智智清淨何以故若无相
解脫門清淨若淨戒乃至般若波羅蜜多清
淨若一切智智清淨无二无二分无別无斷
故善現无相解脫門清淨故內空清淨內空
清淨故一切智智清淨何以故若无相解脫
門清淨若內空清淨若一切智智清淨无二
无二分无別无斷故无相解脫門清淨故外
空內外空空空大空勝義空有為空无為空
畢竟空无際空散空无變異空本性空自相
空共相空一切法空不可得空无性空自性
空无性自性空清淨外空乃至无性自性空
清淨故一切智智清淨何以故若无相解脫
門清淨若外空乃至无性自性空清淨若一
切智智清淨无二无二分无別无斷故善現
无相解脫門清淨故真如清淨真如清淨故
一切智智清淨何以故若无相解脫門清淨
若真如清淨若一切智智清淨无二无二分
无別无斷故无相解脫門清淨故法界法性
不虛妄性不變異性平等性離生性法定法
住實際虛空界不思議界清淨法界乃至不

BD01295號　大般若波羅蜜多經卷二三二　（22–5）

无相解脫門清淨故真如清淨真如清淨故
一切智智清淨何以故若无相解脫門清淨
若真如清淨若一切智智清淨无二无二分
无別无斷故无相解脫門清淨故法界法性
不虛妄性不變異性平等性離生性法定法
住實際虛空界不思議界清淨法界乃至不
思議界清淨故一切智智清淨何以故若无
相解脫門清淨若法界乃至不思議界清淨
若一切智智清淨无二无二分无別无斷故
善現无相解脫門清淨故苦聖諦清淨苦聖
諦清淨故一切智智清淨何以故若无相解
脫門清淨若苦聖諦清淨若一切智智清淨
无二无二分无別无斷故无相解脫門清淨
故集滅道聖諦清淨集滅道聖諦清淨故一
切智智清淨何以故若无相解脫門清淨若
集滅道聖諦清淨若一切智智清淨无二无
二分无別无斷故善現无相解脫門清淨故
四靜慮清淨四靜慮清淨故一切智智清淨
何以故若无相解脫門清淨若四靜慮清淨
若一切智智清淨无二无二分无別无斷故
无相解脫門清淨故四无量四无色定清淨
四无量四无色定清淨故一切智智清淨何以
故若无相解脫門清淨若四无量四无色定清
淨若一切智智清淨无二无二分无別无
斷故善現无相解脫門清淨故八解脫清淨
八解脫清淨故一切智智清淨何以故若无

BD01295號　大般若波羅蜜多經卷二三二　　（22–6）

无相解脫門清淨故四无量四无色定清淨
四无量四无色定清淨故一切智智清淨何以
故若无相解脫門清淨若四无量四无色定清
淨若一切智智清淨无二无二分无別无
斷故善現无相解脫門清淨故八解脫清淨
八解脫清淨故一切智智清淨何以故若无
相解脫門清淨若八解脫清淨若一切智智
清淨无二无二分无別无斷故无相解脫門
清淨故八勝處九次第定十遍處清淨八勝
處九次第定十遍處清淨故一切智智清淨
何以故若无相解脫門清淨若八勝處九次
第定十遍處清淨若一切智智清淨无二无
二分无別无斷故善現无相解脫門清淨故
四念住清淨四念住清淨故一切智智清淨
何以故若无相解脫門清淨若四念住清淨
若一切智智清淨无二无二分无別无斷故
无相解脫門清淨故四正斷四神足五根五
力七等覺支八聖道支清淨四正斷乃至八
聖道支清淨故一切智智清淨何以故若无
相解脫門清淨若四正斷乃至八聖道支清
淨若一切智智清淨无二无二分无別无斷故
善現无相解脫門清淨故空解脫門清淨空
解脫門清淨故一切智智清淨何以故若无
相解脫門清淨若空解脫門清淨若一切智
智清淨无二无二分无別无斷故无相解脫
門清淨故无願解脫門清淨无願解脫門清

BD01295號　大般若波羅蜜多經卷二三二　　（22–7）

善現无相解脫門清淨故空解脫門清淨空
解脫門清淨故一切智智清淨何以故若无
相解脫門清淨若空解脫門清淨若一切智
智清淨无二无二分无別无斷故无相解脫
門清淨故无願解脫門清淨无願解脫門清
淨故一切智智清淨何以故若无相解脫門
清淨若无願解脫門清淨若一切智智清淨
无二无二分无別无斷故善現无相解脫門
清淨故菩薩十地清淨菩薩十地清淨故一
切智智清淨何以故若无相解脫門清淨若
菩薩十地清淨若一切智智清淨无二无二
分无別无斷故
善現无相解脫門清淨故五眼清淨五眼清
淨故一切智智清淨何以故若无相解脫門
清淨若五眼清淨若一切智智清淨无二无
二分无別无斷故无相解脫門清淨故六神
通清淨六神通清淨故一切智智清淨何以故
若无相解脫門清淨若六神通清淨若一
切智智清淨无二无二分无別无斷故善現
无相解脫門清淨故佛十力清淨佛十力清
淨故一切智智清淨何以故若无相解脫門
清淨若佛十力清淨若一切智智清淨无二
无二分无別无斷故无相解脫門清淨故四
无所畏四无礙解大慈大悲大喜大捨十八
佛不共法清淨四无所畏乃至十八佛不共

BD01295號　大般若波羅蜜多經卷二三二　（22–8）

淨故一切智智清淨何以故若无相解脫門
清淨若佛十力清淨若一切智智清淨无二
无二分无別无斷故无相解脫門清淨故四
无所畏四无礙解大慈大悲大喜大捨十八
佛不共法清淨四无所畏乃至十八佛不共
法清淨故一切智智清淨何以故若无相解
脫門清淨若四无所畏乃至十八佛不共法
清淨若一切智智清淨无二无二分无別无
斷故善現无相解脫門清淨故无忘失法清
淨无忘失法清淨故一切智智清淨何以故
若无相解脫門清淨若无忘失法清淨若一
切智智清淨无二无二分无別无斷故无相
解脫門清淨故恒住捨性清淨恒住捨性清
淨故一切智智清淨何以故若无相解脫門
清淨若恒住捨性清淨若一切智智清淨无
二无二分无別无斷故善現无相解脫門清
淨故一切智清淨一切智清淨故一切智智
清淨何以故若无相解脫門清淨若一切智
清淨若一切智智清淨无二无二分无別无
斷故无相解脫門清淨故道相智一切相智清
淨道相智一切相智清淨故一切智智清淨
何以故若无相解脫門清淨若道相智一切
相智清淨若一切智智清淨无二无二分无
別无斷故善現无相解脫門清淨故一切陁
羅尼門清淨一切陁羅尼門清淨故一切智
智清淨何以故若无相解脫門清淨若一切

BD01295號　大般若波羅蜜多經卷二三二　（22–9）

淨道相智一切相智清淨故一切智智清淨
何以故若无相解脫門清淨若道相智一切
相智清淨若一切智智清淨无二无二分无
別无斷故善現无相解脫門清淨故一切陁
羅尼門清淨一切陁羅尼門清淨故一切智
智清淨何以故若无相解脫門清淨若一切
陁羅尼門清淨若一切智智清淨无二无二
分无別无斷故无相解脫門清淨故一切三
摩地門清淨一切三摩地門清淨故一切智
智清淨何以故若无相解脫門清淨若一切
三摩地門清淨若一切智智清淨无二无二
分无別无斷故
善現无相解脫門清淨故預流果清淨預流
果清淨故一切智智清淨何以故若无相解
脫門清淨若預流果清淨若一切智智清淨
无二无二分无別无斷故无相解脫門清淨
故一來不還阿羅漢果清淨一來不還阿羅
漢果清淨故一切智智清淨何以故若无相
解脫門清淨若一來不還阿羅漢果清淨若
一切智智清淨无二无二分无別无斷故善
現无相解脫門清淨故獨覺菩提清淨獨覺
菩提清淨故一切智智清淨何以故若无相
解脫門清淨若獨覺菩提清淨若一切智智
淨淨无二无二分无別无斷故善現无相解
脫門清淨故一切菩薩摩訶薩行清淨一切
菩薩摩訶薩行清淨故一切智智清淨何以

BD01295號　大般若波羅蜜多經卷二三二　（22–10）

現无相解脫門清淨故獨覺菩提清淨獨覺
菩提清淨故一切智智清淨何以故若无相
解脫門清淨若獨覺菩提清淨若一切智智
淨淨无二无二分无別无斷故善現无相解
脫門清淨故一切菩薩摩訶薩行清淨一切
菩薩摩訶薩行清淨故一切智智清淨何以
故若无相解脫門清淨若一切菩薩摩訶薩
行清淨若一切智智清淨无二无二分无別
无斷故善現无相解脫門清淨故諸佛无上
正等菩提清淨諸佛无上正等菩提清淨故
一切智智清淨何以故若无相解脫門清淨
若諸佛无上正等菩提清淨若一切智智清
淨无二无二分无別无斷故
復次善現无願解脫門清淨故色清淨色清
淨故一切智智清淨何以故若无願解脫門
清淨若色清淨若一切智智清淨无二无二
分无別无斷故无願解脫門清淨故受想行
識清淨受想行識清淨故一切智智清淨何
以故若无願解脫門清淨若受想行識清淨
若一切智智清淨无二无二分无別无斷故
善現无願解脫門清淨故眼處清淨眼處
清淨故一切智智清淨何以故若无願解脫
門清淨若眼處清淨若一切智智清淨无二
无二分无別无斷故无願解脫門清淨故耳
鼻舌身意處清淨耳鼻舌身意處清淨故一切
智智清淨何以故若无願解脫門清淨若耳

BD01295號　大般若波羅蜜多經卷二三二　（22–11）

善現无願解脫門清淨故眼處清淨眼處
清淨故一切智智清淨何以故若无願解脫
門清淨若眼處清淨若一切智智清淨无二
无二分无別无斷故无願解脫門清淨故耳
鼻舌身意處清淨耳鼻舌身意處清淨故一切
智智清淨何以故若无願解脫門清淨若耳
鼻舌身意處清淨若一切智智清淨无二无
二分无別无斷故善現无願解脫門清淨故
色處清淨色處清淨故一切智智清淨何以
故若无願解脫門清淨若色處清淨若一
切智智清淨无二无二分无別无斷故无願解
脫門清淨故聲香味觸法處清淨聲香味觸
法處清淨故一切智智清淨何以故若无願
解脫門清淨若聲香味觸法處清淨若一切
智智清淨无二无二分无別无斷故善現无
願解脫門清淨故眼界清淨眼界清淨故一
切智智清淨何以故若无願解脫門清淨若
眼界清淨若一切智智清淨无二无二分无
別无斷故无願解脫門清淨故色界眼識界
及眼觸眼觸為緣所生諸受清淨色界乃至
眼觸為緣所生諸受清淨故一切智智清淨
何以故若无願解脫門清淨若色界乃至眼
觸為緣所生諸受清淨若一切智智清淨无
二无二分无別无斷故善現无願解脫門清
淨故耳界清淨耳界清淨故一切智智清淨
何以故若无願解脫門清淨若耳界清淨若

BD01295號　大般若波羅蜜多經卷二三二　（22–12）

何以故若无願解脫門清淨若色界乃至眼
觸為緣所生諸受清淨若一切智智清淨无
二无二分无別无斷故善現无願解脫門清
淨故耳界清淨耳界清淨故一切智智清淨
何以故若无願解脫門清淨若耳界清淨若
一切智智清淨无二无二分无別无斷故无
願解脫門清淨故聲界耳識界及耳觸耳觸
為緣所生諸受清淨聲界乃至耳觸緣所生諸
受清淨故一切智智清淨何以故若无願解
脫門清淨若聲界乃至耳觸為緣所生諸受
清淨若一切智智清淨无二无二分无別无
斷故善現无願解脫門清淨故鼻界清淨鼻
界清淨故一切智智清淨何以故若无願解
脫門清淨若鼻界清淨若一切智智清淨无
二无二分无別无斷故无願解脫門清淨故
香界鼻識界及鼻觸鼻觸為緣所生諸受清
淨香界乃至鼻觸為緣所生諸受清淨故一
切智智清淨何以故若无願解脫門清淨若
香界乃至鼻觸為緣所生諸受清淨若一
切智智清淨无二无二分无別无斷故
善現无願解脫門清淨故舌界清淨舌界清
淨故一切智智清淨何以故若无願解脫門
清淨若舌界清淨若一切智智清淨无二无
二分无別无斷故无願解脫門清淨故味界
舌識界及舌觸舌觸為緣所生諸受清淨味
界乃至舌觸為緣所生諸受清淨故一切智

BD01295號　大般若波羅蜜多經卷二三二　（22–13）

淨故一切智智清淨何以故若无願解脫門
清淨若舌界清淨若一切智智清淨无二无
二无二分无別无斷故无願解脫門清淨故味界
舌識界及舌觸舌觸為緣所生諸受清淨味
界乃至舌觸為緣所生諸受清淨故一切智
智清淨何以故若无願解脫門清淨若味界
乃至舌觸為緣所生諸受清淨若一切智智
清淨无二无二分无別无斷故善現无願解
脫門清淨故身界清淨身界清淨故一切智
智清淨何以故若无願解脫門清淨若身界
清淨若一切智智清淨无二无二分无別无
斷故无願解脫門清淨故觸界身識界及身
觸身觸為緣所生諸受清淨觸界乃至身觸
為緣所生諸受清淨故一切智智清淨何以故
若无願解脫門清淨若觸界乃至身觸為緣
所生諸受清淨若一切智智清淨无二无二
分无別无斷故善現无願解脫門清淨故意
界清淨意界清淨故一切智智清淨何以故
若无願解脫門清淨若意界清淨若一切智
智清淨无二无二分无別无斷故无願解脫
門清淨故法界意識界及意觸意觸為緣所
生諸受清淨法界乃至意觸為緣所生諸受
清淨故一切智智清淨何以故若无願解脫
門清淨若法界乃至意觸為緣所生諸受清
淨若一切智智清淨无二无二分无別无斷

BD01295號　大般若波羅蜜多經卷二三二　（22–14）

生諸受清淨法界乃至意觸為緣所生諸受
清淨故一切智智清淨何以故若无願解脫
門清淨若法界乃至意觸為緣所生諸受清
淨若一切智智清淨无二无二分无別无斷
故善現无願解脫門清淨故地界清淨地界
清淨故一切智智清淨何以故若无願解脫
門清淨若地界清淨若一切智智清淨无二
无二分无別无斷故无願解脫門清淨故
水火風空識界清淨水火風空識界清淨故
一切智智清淨何以故若无願解脫門清淨
若水火風空識界清淨若一切智智清淨无
二无二分无別无斷故善現无願解脫門清
淨故无明清淨无明清淨故一切智智清淨
何以故若无願解脫門清淨若无明清淨若
一切智智清淨无二无二分无別无斷故无願
解脫門清淨故行識名色六處觸受愛取
有生老死愁歎苦憂惱清淨行乃至老死愁
歎苦憂惱清淨故一切智智清淨何以故若
无願解脫門清淨若行乃至老死愁歎苦憂
惱清淨若一切智智清淨无二无二分无別
无斷故
善現无願解脫門清淨故布施波羅蜜多清
淨布施波羅蜜多清淨故一切智智清淨何
以故若无願解脫門清淨若布施波羅蜜多
清淨若一切智智清淨无二无二分无別无

BD01295號　大般若波羅蜜多經卷二三二　（22–15）

无斷故
善現无願解脫門清淨故布施波羅蜜多清
淨布施波羅蜜多清淨故一切智智清淨何
以故若无願解脫門清淨若布施波羅蜜多
清淨若一切智智清淨无二无二分无別无
斷故无願解脫門清淨故淨戒安忍精進靜
慮般若波羅蜜多清淨淨戒乃至般若波羅
蜜多清淨故一切智智清淨何以故若无願
解脫門清淨若淨戒乃至般若波羅蜜多清
淨若一切智智清淨无二无二分无別无斷
故善現无願解脫門清淨故內空清淨內空
清淨故一切智智清淨何以故若无願解脫
門清淨若內空清淨若一切智智清淨无二
无二分无別无斷故无願解脫門清淨故外
空內外空空空大空勝義空有為空无為空
畢竟空无際空散空无變異空本性空自相
空共相空一切法空不可得空无性空自性
空无性自性空清淨外空乃至无性自性空
清淨故一切智智清淨何以故若无願解脫
門清淨若外空乃至无性自性空清淨若
一切智智清淨无二无二分无別无斷故善
現无願解脫門清淨故真如清淨真如清淨
故一切智智清淨何以故若无願解脫門清
淨若真如清淨若一切智智清淨无二无二分
无別无斷故无願解脫門清淨故法界法性
不虛妄性不變異性平等性離生性法定法

BD01295號　大般若波羅蜜多經卷二三二　（22–16）

一切智智清淨无二无二分无別无斷故　善
現无願解脫門清淨故真如清淨真如清淨
故一切智智清淨何以故若无願解脫門清
淨若真如清淨若一切智智清淨无二无二分
无別无斷故无願解脫門清淨故法界法性
不虛妄性不變異性平等性離生性法定法
住實際虛空界不思議界清淨法界乃至不
思議界清淨故一切智智清淨何以故若无
願解脫門清淨若法界乃至不思議界清淨
若一切智智清淨无二无二分无別无斷　故
善現无願解脫門清淨故苦聖諦清淨苦聖
諦清淨故一切智智清淨何以故若无願解
脫門清淨若苦聖諦清淨若一切智智清淨
无二无二分无別无斷故无願解脫門清淨
故集滅道聖諦清淨集滅道聖諦清淨故一
切智智清淨何以故若无願解脫門清淨若
集滅道聖諦清淨若一切智智清淨无二无
二分无別无斷故善現无願解脫門清淨故
四靜慮清淨四靜慮清淨故一切智智清淨
何以故若无願解脫門清淨若四靜慮清淨
若一切智智清淨无二无二分无別无斷故
无願解脫門清淨故四无量四无色定清淨
四无量四无色定清淨故一切智智清淨何
以故若无願解脫門清淨若四无量四无色
定清淨若一切智智清淨无二无二分无別
无斷故善現无願解脫門清淨故八解脫清
淨八解脫清淨故一切智智清淨何以故若

BD01295號　大般若波羅蜜多經卷二三二　（22–17）

无願解脫門清淨故四无量四无色定清淨
四无量四无色定清淨故一切智智清淨何
以故若无願解脫門清淨若四无量四无色
定清淨若一切智智清淨无二无二分无別
无斷故善現无願解脫門清淨故八解脫清
淨八解脫清淨故一切智智清淨何以故若
无願解脫門清淨若八解脫清淨若一切智
智清淨无二无二分无別无斷故无願解脫
門清淨故八勝處九次第定十遍處清淨八
勝處九次第定十遍處清淨故一切智智清
淨何以故若无願解脫門清淨若八勝處九
次第定十遍處清淨若一切智智清淨无二
无二分无別无斷故善現无願解脫門清淨
故四念住清淨四念住清淨故一切智智清
淨何以故若无願解脫門清淨若四念住清
淨若一切智智清淨无二无二分无別无斷故
无願解脫門清淨故四正斷四神足五根
五力七等覺支八聖道支清淨四正斷乃至
八聖道支清淨故一切智智清淨何以故若
无願解脫門清淨若四正斷乃至八聖道支
清淨若一切智智清淨无二无二分无別无
斷故善現无願解脫門清淨故空解脫門清
淨空解脫門清淨故一切智智清淨何以故
若无願解脫門清淨若空解脫門清淨若一
切智智清淨无二无二分无別无斷故无願
解脫門清淨故无相解脫門清淨无相解脫

BD01295號　大般若波羅蜜多經卷二三二　（22–18）

清淨若一切智智清淨无二无二分无別无
斷故善現无願解脫門清淨故空解脫門清
淨空解脫門清淨故一切智智清淨何以故
若无願解脫門清淨若空解脫門清淨若一
切智智清淨无二无二分无別无斷故无願
解脫門清淨故无相解脫門清淨无相解脫
門清淨故一切智智清淨何以故若无願解
脫門清淨若无相解脫門清淨若一切智智
清淨无二无二分无別无斷故善現无願解
脫門清淨故菩薩十地清淨菩薩十地清淨
故一切智智清淨何以故若无願解脫門
清淨若菩薩十地清淨若一切智智清淨无
二无二分无別无斷故
善現无願解脫門清淨故五眼清淨五眼清
淨故一切智智清淨何以故若无願解脫門
清淨若五眼清淨若一切智智清淨无二无
二分无別无斷故无願解脫門清淨故六神
通清淨六神通清淨故一切智智清淨何以
故若无願解脫門清淨若六神通清淨若一
切智智清淨无二无二分无別无斷故善現
无願解脫門清淨故佛十力清淨佛十力清
淨故一切智智清淨何以故若无願解脫門
清淨若佛十力清淨若一切智智清淨无二
无二分无別无斷故无願解脫門清淨故四
无所畏四无礙解大慈大悲大喜大捨十八
佛不共法清淨四无所畏乃至十八佛不共
法清淨故一切智智清淨何以故若无願解

BD01295號　大般若波羅蜜多經卷二三二　（22–19）

淨故一切智智清淨何以故若无願解脫門
清淨若佛十力清淨若一切智智清淨无二
无二分无別无斷故无願解脫門清淨故四
无所畏四无礙解大慈大悲大喜大捨十八
佛不共法清淨四无所畏乃至十八佛不共
法清淨故一切智智清淨何以故若无願解
脫門清淨若四无所畏乃至十八佛不共法
清淨若一切智智清淨无二无二分无別无
斷故善現无願解脫門清淨故无忘失法清
淨无忘失法清淨故一切智智清淨何以故
若无願解脫門清淨若无忘失法清淨若一
切智智清淨无二无二分无別无斷故无願
解脫門清淨故恒住捨性清淨恒住捨性清
淨故一切智智清淨何以故若无願解脫門
清淨若恒住捨性清淨若一切智智清淨无
二无二分无別无斷故善現无願解脫門清
淨故一切智清淨一切智清淨故一切智智
清淨何以故若无願解脫門清淨若一切智
清淨若一切智智清淨无二无二分无別无
斷故无願解脫門清淨故道相智一切相智
清淨道相智一切相智清淨故一切智智清
淨何以故若无願解脫門清淨若道相智一
切相智清淨若一切智智清淨无二无二分
无別无斷故善現无願解脫門清淨故一切
陁羅尼門清淨一切陁羅尼門清淨故一切
智智清淨何以故若无願解脫門清淨若一

BD01295號　大般若波羅蜜多經卷二三二　（22–20）

斷故无願解脫門清淨故道相智一切相智
清淨道相智一切相智清淨故一切智智清
淨何以故若无願解脫門清淨若道相智一
切相智清淨若一切智智清淨无二无二分
无別无斷故善現无願解脫門清淨故一切
陁羅尼門清淨一切陁羅尼門清淨故一切
智智清淨何以故若无願解脫門清淨若一
切陁羅尼門清淨若一切智智清淨无二无
二分无別无斷故无願解脫門清淨故一切
三摩地門清淨一切三摩地門清淨故一切
智智清淨何以故若无願解脫門清淨若一
切三摩地門清淨若一切智智清淨无二无
二分无別无斷故
善現无願解脫門清淨故預流果清淨預流
果清淨故一切智智清淨何以故若无願解
脫門清淨若預流果清淨若一切智智清淨
无二无二分无別无斷故无願解脫門清淨
故一來不還阿羅漢果清淨一來不還阿羅
漢果清淨故一切智智清淨何以故若无願
解脫門清淨若一來不還阿羅漢果清淨若
一切智智清淨无二无二分无別无斷故善
現无願解脫門清淨故獨覺菩提清淨獨覺
菩提清淨故一切智智清淨何以故若无願
解脫門清淨若獨覺菩提清淨若一切智智
清淨无二无二分无別无斷故善現无願解
脫門清淨故一切菩薩摩訶薩行清淨一切

BD01295號　大般若波羅蜜多經卷二三二　（22–21）

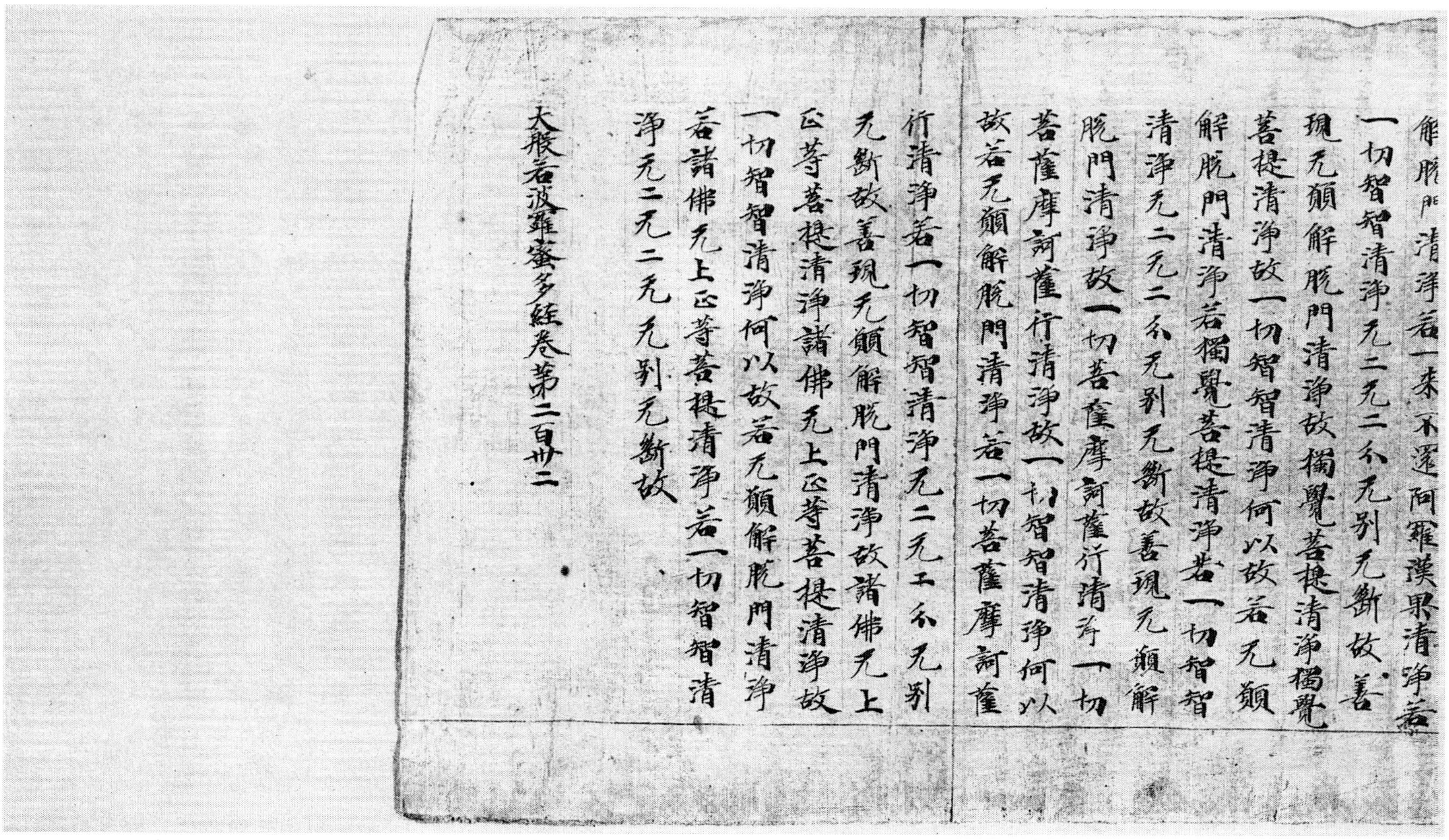
解脫門清淨若一來不還阿羅漢果清淨若
一切智智清淨无二无二分无別无斷故善
現无願解脫門清淨故獨覺菩提清淨獨覺
菩提清淨故一切智智清淨何以故若无願
解脫門清淨若獨覺菩提清淨若一切智智
清淨无二无二分无別无斷故善現无願解
脫門清淨故一切菩薩摩訶薩行清淨一切
菩薩摩訶薩行清淨故一切智智清淨何以
故若无願解脫門清淨若一切菩薩摩訶薩
行清淨若一切智智清淨无二无二分无別
无斷故善現无願解脫門清淨故諸佛无上
正等菩提清淨諸佛无上正等菩提清淨故
一切智智清淨何以故若无願解脫門清淨
若諸佛无上正等菩提清淨若一切智智清
淨无二无二分无別无斷故
大般若波羅蜜多經卷第二百卅二

BD01295號　大般若波羅蜜多經卷二三二　（22–22）

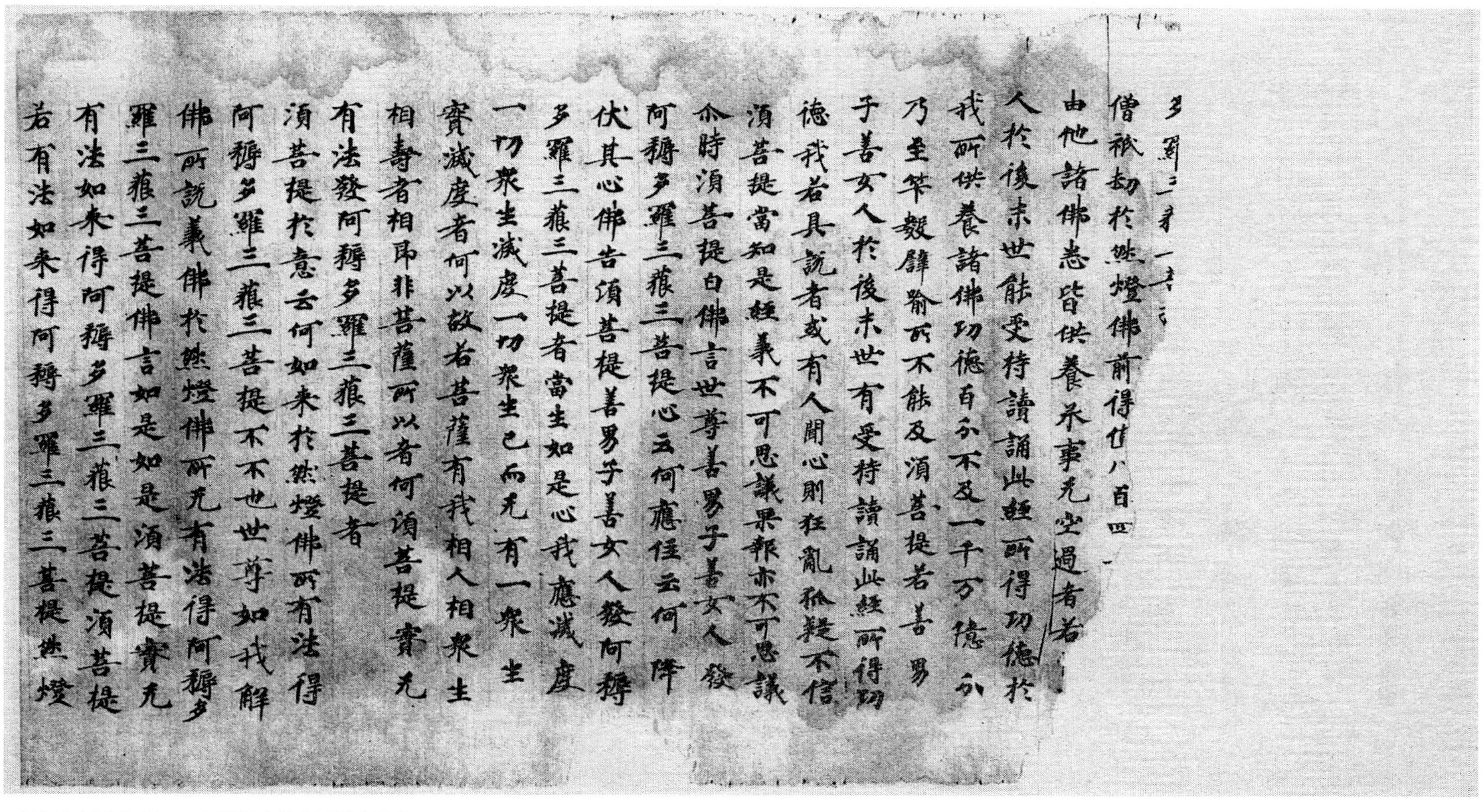
多羅三藐三
僧祇劫於然燈佛前得值八百四
由他諸佛悉皆供養承事无空過者若
人於後末世能受持讀誦此經所得功德於
我所供養諸佛功德百分不及一千万億分
乃至筭數譬喻所不能及須菩提若善男
子善女人於後末世有受持讀誦此經所得功
德我若具說者或有人聞心則狂亂狐疑不信
須菩提當知是經義不可思議果報亦不可思議
尒時須菩提白佛言世尊善男子善女人發
阿耨多羅三藐三菩提心云何應住云何降
伏其心佛告須菩提善男子善女人發阿耨
多羅三藐三菩提者當生如是心我應滅度
一切衆生滅度一切衆生已而无有一衆生
實滅度者何以故若菩薩有我相人相衆生
相壽者相即非菩薩所以者何須菩提實无
有法發阿耨多羅三藐三菩提者
須菩提於意云何如來於然燈佛所有法得
阿耨多羅三藐三菩提不不也世尊如我解
佛所說義佛於然燈佛所无有法得阿耨多
羅三藐三菩提佛言如是如是須菩提實无
有法如來得阿耨多羅三藐三菩提須菩提
若有法如來得阿耨多羅三藐三菩提然燈

BD01296號　金剛般若波羅蜜經　（6–1）

阿耨多羅三藐三菩提不不也世尊如我解
佛所說義佛於然燈佛所无有法得阿耨多
羅三藐三菩提佛言如是如是須菩提實无
有法如來得阿耨多羅三藐三菩提須菩提
若有法如來得阿耨多羅三藐三菩提然燈
佛則不與我受記汝於來世當得作佛号釋
迦牟尼以實无有法得阿耨多羅三藐三菩
提是故然燈佛與我受記作是言汝於來世
當得作佛号釋迦牟尼何以故如來者即諸
法如義若有人言如來得阿耨多羅三藐三
菩提須菩提實无有法佛得阿耨多羅三藐
三菩提須菩提如來所得阿耨多羅三藐三
菩提於是中无實无虛是故如來說一切法
皆是佛法須菩提所言一切法者即非一切
法是故名一切法須菩提譬如人身長大須
菩提言世尊如來說人身長大則為非大身
是名大身須菩提菩薩亦如是若作是言我
當滅度无量衆生則不名菩薩何以故須菩
提實无有法名為菩薩是故佛說一切法无
我无人无衆生无壽者須菩提若菩薩作是
言我當莊嚴佛土是不名菩薩何以故如來
說莊嚴佛土者即非莊嚴是名莊嚴須菩提
若菩薩通達无我法者如來說名真是菩薩
須菩提於意云何如來有肉眼不如是世尊
如來有肉眼須菩提於意云何如來有天眼
不如是世尊如來有天眼須菩提於意云何
如來有慧眼不如是世尊如來有慧眼須菩
是於意云何如來有法眼不如是世尊如來

BD01296號　金剛般若波羅蜜經　（6–2）

如來有肉眼須菩提於意云何如來有天眼
不如是世尊如來有天眼須菩提於意云何
如來有慧眼不如是世尊如來有慧眼須菩
提於意云何如來有法眼不如是世尊如來
有法眼須菩提於意云何如來有佛眼不如
是世尊如來有佛眼須菩提於意云何恒河
中所有沙佛說是沙不如是世尊如來說是
沙須菩提於意云何如一恒河中所有沙有
如是等恒河是諸恒河所有沙數佛世界如
是寧為多不甚多世尊佛告須菩提尒所國
土中所有衆生若干種心如來悉知何以故如
來說諸心皆為非心是名為心所以者何須菩
提過去心不可得現在心不可得未來
心不可得須菩提於意云何若有人滿三千
大千世界七寶以用布施是人以是因緣得
福多不如是世尊此人以是因緣得福甚多
須菩提若福德有實如來不說得福德多以
福德无故如來說得福德多
須菩提於意云何佛可以具足色身見不不
也世尊如來不應以具足色身見何以故如
來說具足色身即非具足色身是名具足色
身須菩提於意云何如來可以具足諸相見
不不也世尊如來不應以具足諸相見何以
故如來說諸相具足即非具足是名諸相具
足須菩提汝勿謂如來作是念我當有所說
法莫作是念何以故若有人言如來有所說
法即為謗佛不能解我所說故須菩提說法
者无法可說是名說法

BD01296號　金剛般若波羅蜜經　（6–3）

法莫作是念何以故若有人言如來有所說
法即為謗佛不能解我所說故須菩提說法
者无法可說是名說法
須菩提白佛言世尊佛得阿耨多羅三藐三
菩提為无所得耶如是如是須菩提我於阿
耨多羅三藐三菩提乃至无有少法可得是
名阿耨多羅三藐三菩提復次須菩提是法
平等无有高下是名阿耨多羅三藐三菩提
以无我无人无衆生无壽者脩一切善法則
得阿耨多羅三藐三菩提須菩提所言善法
者如來說非善法是名善法
須菩提若三千大千世界中所有諸須弥山
王如是等七寶聚有人持用布施若人以此
般若波羅蜜經乃至四句偈等受持為他人
說於前福德百分不及一千万億分乃至筭
數辟喻所不能及
須菩提於意云何汝等勿謂如來作是念我
當度衆生須菩提莫作是念何以故實无有
衆生如來度者若有衆生如來度者如來則
有我人衆生壽者須菩提如來說有我者則
非有我而凡夫之人以為有我須菩提凡夫
者如來說則非凡夫須菩提於意云何可以
三十二相觀如來不須菩提言如是如是以
三十二相觀如來佛言須菩提若以三十二
相觀如來者轉輪聖王則是如來須菩提白
佛言世尊如我解佛所說義不應以三十二
相觀如來尒時世尊而說偈言
若以色見我　以音聲求我　是人行邪道　不能見如來

BD01296號　金剛般若波羅蜜經　（6–4）

佛言世尊如我解佛所說義不應以三十二
相觀如來尒時世尊而說偈言
若以色見我　以音聲求我　是人行邪道　不能見如來
須菩提汝若作是念如來不以具足相故得
阿耨多羅三藐三菩提須菩提莫作是念如
來不以具足相故得阿耨多羅三藐三菩提
須菩提汝若作是念發阿耨多羅三藐三菩
提者說諸法斷滅相莫作是念何以故發阿
耨多羅三藐三菩提者於法不說斷滅相須
菩提若菩薩以滿恒河沙等世界七寶布施
若復有人知一切法无我得成於忍此菩薩
勝前菩薩所得功德須菩提以諸菩薩不受
福德故須菩提白佛言世尊云何菩薩不受
福德須菩提菩薩所作福德不應貪著是故
說不受福德須菩提若有人言如來若來若
去若坐若卧是人不解如來所說義何以故
如來者无所從來亦无所去故名如來須菩
提若善男子善女人以三千大千世界碎為
微塵於意云何是微塵衆寧為多不甚多世
尊何以故若是微塵衆實有者佛則不說是
微塵衆所以者何佛說微塵衆則非微塵衆
是名微塵衆世尊如來所說三千大千世界
則非世界是名世界何以故若世界實有者
則是一合相如來說一合相則非一合相是
名一合相須菩提一合相者則是不可說但
凡夫之人貪著其事須菩提若人言佛說我
見人見衆生見壽者見須菩提於意云何是
人解我所說義不世尊是人不解如來所說

BD01296號　金剛般若波羅蜜經　（6–5）

凡夫之人貪著其事須菩提若人言佛說我
見人見衆生見壽者見須菩提於意云何是
人解我所說義不世尊是人不解如來所說
義何以故世尊說我見人見衆生見壽者見
即非我見人見衆生見壽者見是名我見人
見衆生見壽者見須菩提發阿耨多羅三藐
三菩提心者於一切法應如是知如是見如
是信解不生法相須菩提所言法相者如來
說即非法相是名法相須菩提若有人以滿
无量阿僧祇世界七寶持用布施若有善
男子善女人發菩薩心者持於此經乃至四
句偈等受持讀誦為人演說其福勝彼云何
為人演說不取於相如如不動何以故
一切有為法　如夢幻泡影　如露亦如電　應作如是觀
佛說是經已長老須菩提及諸比丘比丘尼
優婆塞優婆夷一切世間天人阿脩羅聞佛
所說皆大歡喜信受奉行

金剛般若波羅蜜經

東海勘

BD01296 號　金剛般若波羅蜜經　（6–6）

是菩薩摩訶薩於此賢劫中定得無上正等菩
提復次舍利子有菩薩摩訶薩脩行般若波
羅蜜多雖已得四靜慮四無量四無色定已
得四念住四正斷四神足五根五力七等覺
支八聖道支已修空無相無願解脫門已修
八解脫八勝處九次第定十遍處已脩布施
淨戒安忍精進靜慮般若波羅蜜多已脩一
切陀羅尼門三摩地門已脩菩薩摩訶薩地
已修五眼六神通已脩佛十力四無所畏四
無礙解大慈大悲大喜大捨十八佛不共法
已修無忘失法恒住捨性已脩一切智道相
智一切相智而於聖諦現未通達舍利子當
知是菩薩摩訶薩一生所繫復次舍利子有
菩薩摩訶薩修行布施淨戒安忍精進靜慮
般若波羅蜜多遊諸世界從一佛國至一佛
國嚴淨佛土安立有情於無上覺舍利子是
菩薩摩訶薩要經無量無數大劫乃證无上
正等菩提復次舍利子有菩薩摩訶薩安住
布施淨戒安忍精進靜慮般若波羅蜜多常
勤精進饒益有情口常不說引無義語身意

BD01297 號　大般若波羅蜜多經卷八　（8–1）

國嚴淨佛土安立有情[illegible]
菩薩摩訶薩要經無量無數大劫乃證无上
正等菩提復次舍利子有菩薩摩訶薩安住
布施淨戒安忍精進靜慮般若波羅蜜多常
勤精進饒益有情口常不說引無義語身意
不起引無義業復次舍利子有菩薩摩訶薩
脩行六種波羅蜜多常勤精進饒益有情從
一佛國至一佛國斷諸有情三惡趣道方便
安立善趣道中
復次舍利子有菩薩摩訶薩雖住六種波羅
蜜多而以布施波羅蜜多常為上首勇猛脩
習施諸有情一切樂具常無解息一切有情
須食與食須飲與飲須乘與乘須衣
華香與華香須瓔珞與瓔珞須房舍與
須床榻與床榻須卧具與卧具須燈明
明須財穀與財穀須珎寶與珎寶須伎
伎樂須侍衛與侍衛隨其所須種種資具歡
喜施與令無所乏施已勸脩三菩提道復次
舍利子有菩薩摩訶薩雖住六種波羅蜜多
而以淨戒波羅蜜多常為上首勇猛脩習具
身語意清淨律儀勸諸有情亦令脩習如是
律儀令速圓滿復次舍利子有菩薩摩訶薩
雖住六種波羅蜜多而以安忍波羅蜜多常
為上首勇猛脩習遠離一切忿恚等心勸諸
有情亦令脩習如是安忍令速圓滿復次舍
利子有菩薩摩訶薩雖住六種波羅蜜多而
以精進波羅蜜多常為上首勇猛脩習具足

BD01297 號　大般若波羅蜜多經卷八　（8–2）

有情亦令脩習如是安忍令速圓滿復次舍
利子有菩薩摩訶薩雖住六種波羅蜜多而
以精進波羅蜜多常為上首勇猛脩習具足
脩行一切善法勸諸有情亦令脩習如是精
進令速圓滿復次舍利子有菩薩摩訶薩雖
住六種波羅蜜多而以靜慮波羅蜜多常為
上首勇猛脩習具脩一切勝奢摩他勸諸有
情亦令脩習如是勝定令速圓滿復次舍利
子有菩薩摩訶薩雖住六種波羅蜜多而以
般若波羅蜜多常為上首勇猛脩習具脩一
切毗鉢舍那勸請有情亦令脩習如是勝慧
令速圓滿
復次舍利子有菩薩摩訶薩脩行般若波羅
蜜多方便善巧化身如佛遍入地獄傍生鬼界
若人若天隨其類音為說正法令獲殊勝利
益安樂復次舍利子有菩薩摩訶薩安住
布施淨戒安忍精進靜慮般若波羅蜜多化
身如佛遍至十方殑伽沙等諸佛世界為諸
有情宣說正法供養恭敬尊重讚歎諸佛世
尊於諸佛所聽聞正法嚴淨佛土周覽十方
最勝佛土微妙淨相而便自起最極莊嚴清
淨佛土於中安處一生所繫諸大菩薩令速
證得所求無上正等菩提復次舍利子有菩
薩摩訶薩脩行布施淨戒安忍精進靜慮般
若波羅蜜多具三十二大丈夫相八十隨好
圓滿莊嚴諸根猛利最勝清淨眾生見者無

BD01297 號　大般若波羅蜜多經卷八　（8–3）

薩摩訶薩脩行布施淨戒安忍精進靜慮般
若波羅蜜多具三十二大丈夫相八十隨好
圓滿莊嚴諸根猛利衆勝清淨衆生見者無
不愛敬起清淨心因斯勸導隨其根欲令漸
證得三乘涅槃如是舍利子菩薩摩訶薩脩
行般若波羅蜜多應學清淨身語意業復
次舍利子有菩薩摩訶薩脩行布施淨戒安忍
精進靜慮般若波羅蜜多雖得諸根衆勝明
利而不恃此自重輕他復次舍利子有菩薩
摩訶薩從初發心乃至未得不退轉地恒住
施戒波羅蜜多於一切時不墮惡趣復次舍
利子有菩薩摩訶薩從初發心乃至未得不
退轉地常不捨離十善業道復次舍利子有
菩薩摩訶薩安住施戒波羅蜜多作轉輪王
成就七寶以法教化不以非法安立有情於
十善道亦以財寶施諸貧乏復次舍利子有
菩薩摩訶薩安住施戒波羅蜜多受多百千
轉輪王報值遇無量百千諸佛供養恭敬尊
重讚歎無空過者復次舍利子有菩薩摩訶
薩安住布施淨戒安忍精進靜慮般若波羅
蜜多常為耶見盲冥有情作法照明亦持此
明常以自照乃至無上正等菩提此法照明
曾不捨離舍利子是菩薩摩訶薩由此因緣
於諸佛法常得現起是故舍利子諸菩薩摩
訶薩脩行般若波羅蜜多於身語意三有罪
業無容暫起

BD01297號　大般若波羅蜜多經卷八　（8–4）

訶薩脩行般若波羅蜜多於身語意三有罪
業無容暫起
尒時舍利子白佛言世尊云何名為諸菩薩
摩訶薩有罪身業有罪語業有罪意業佛
告具壽舍利子言舍利子若菩薩摩訶薩作如
是念此是身我由此故而起身業此是語我
由此故而起語業此是意我由此故而起意
業舍利子如是名為諸菩薩摩訶薩有罪身
業有罪語業有罪意業又舍利子諸菩薩摩
訶薩脩行般若波羅蜜多不得身及身業不
得語及語業不得意及意業又舍利子若菩
薩摩訶薩脩行般若波羅蜜多得身語意及
彼業者便起慳貪犯戒忿恚懈怠散亂惡慧
之心若起此心不名菩薩摩訶薩是故舍利
子諸菩薩摩訶薩脩行般若波羅蜜多生此
念者無有是處又舍利子諸菩薩摩訶薩脩
行布施淨戒安忍精進靜慮般若波羅蜜多
起身語意三種麁重無有是處何以故舍利
子諸菩薩摩訶薩修行六種波羅蜜多能淨
一切身麁重故能淨一切語麁重故能淨一切
意麁重故尒時舍利子白佛言世尊云何菩
薩摩訶薩能淨身語意三種麁重佛告具壽
舍利子言舍利子諸菩薩摩訶薩脩行六
種波羅蜜多不得身及身麁重不得語及語
麁重不得意及意麁重如是舍利子諸菩薩
摩訶薩脩行六種波羅蜜多能淨身語意三

BD01297號　大般若波羅蜜多經卷八　（8–5）

種波羅蜜多不得身及身麁重不得語及語
麁重不得意及意麁重如是舍利子諸菩薩
摩訶薩脩行六種波羅蜜多能淨身語意三
種麁重又舍利子若菩薩摩訶薩從初發心
常樂受持十善業道不起聲聞心不起獨覺
心於諸有情恒起悲心欲拔其苦恒起慈心
欲與其樂舍利子我亦說如是菩薩摩訶薩
能淨身語意三種麁重利樂有情心力勝故
復次舍利子有菩薩摩訶薩脩行布施淨戒
安忍精進靜慮般若波羅蜜多淨菩提道尒
時舍利子白佛言世尊云何名為菩薩摩訶
薩菩提道佛告具壽舍利子言舍利子諸菩
薩摩訶薩脩行六種波羅蜜多不得身業及
身麁重不得語業及語麁重不得意業及意
麁重不得布施波羅蜜多不得淨戒波羅蜜
多不得安忍波羅蜜多不得精進波羅蜜多
不得靜慮波羅蜜多不得般若波羅蜜多不
得聲聞不得獨覺不得菩薩不得如來舍利
子是名菩薩摩訶薩菩提道何以故以菩提
道於一切法皆不得故
復次舍利子有菩薩摩訶薩脩行布施淨戒
安忍精進靜慮般若波羅蜜多趣菩提道無
能制者尒時舍利子白佛言世尊何緣菩薩
摩訶薩脩行六種波羅蜜多趣菩提道無能
制者佛告具壽舍利子言舍利子諸菩薩摩
訶薩脩行六種波羅蜜多時不著色不著受

BD01297號　大般若波羅蜜多經卷八　（8–6）

能制者尒時舍利子白佛言世尊何緣菩薩
摩訶薩脩行六種波羅蜜多趣菩提道無能
制者佛告具壽舍利子言舍利子諸菩薩摩
訶薩脩行六種波羅蜜多時不著色不著受
想行識不著眼處不著耳鼻舌身意處不
著色處不著聲香味觸法處不著眼界不著
耳鼻舌身意界不著色界不著聲香味觸法
界不著眼識界不著耳鼻舌身意識界不著
眼觸不著耳鼻舌身意觸不著眼觸為緣所
生諸受不著耳鼻舌身意觸為緣所生諸受
不著地界不著水火風空識界不著因緣不
著等無間緣所緣緣增上緣及從緣所生法不
著無明不著行識名色六處觸受愛取有生
老死愁歎苦憂惱不著布施波羅蜜多不著
淨戒安忍精進靜慮般若波羅蜜多不著內
空不著外空內外空空空大空勝義空有為
空無為空畢竟空無際空散空無變異空本
性空自相空共相空一切法空不可得空無性
空自性空無性自性空不著真如不著法界
法性不虛妄性不變異性平等性離生性
法定法住實際虛空界不思議界不著四念
住不著四正斷四神足五根五力七等覺支
八聖道支不著苦聖諦不著集滅道聖諦不
著四靜慮不著四無量四無色定不著八解
脫不著八勝處九次第定十遍處不著空解
脫門不著無相無願解脫門不著一切陀羅
尼門不著一切三摩地門不著極喜地不著

BD01297號　大般若波羅蜜多經卷八　（8–7）

空不著外空內外空空空大空勝義空有為
空無為空畢竟空無際空散空無變異空本
性空自相空共相空一切法空不可得空無性
空自性空無性自性空不著真如不著法界
法性不虛妄性不變異性平等性離生性
法定法住實際虛空界不思議界不著四念
住不著四正斷四神足五根五力七等覺支
八聖道支不著苦聖諦不著集滅道聖諦不
著四靜慮不著四無量四無色定不著八解
脫不著八勝處九次第定十遍處不著空解
脫門不著無相無願解脫門不著一切陀羅
尼門不著一切三摩地門不著極喜地不著
離垢地發光地焰慧地極難勝地現前地遠
行地不動地善慧地法雲地不著五眼不著
六神通不著佛十力不著四無所畏四無礙
解大慈大悲大喜大捨十八佛不共法不著
三十二大士相不著八十隨好不著無忘失
法不著恒住捨性不著一切智不著道相智
一切相智不著預流果不著一來不還阿羅
漢果獨覺菩提不著一切菩薩摩訶薩行不
著諸佛無上正等菩提舍利子由是緣故諸

BD01297號　大般若波羅蜜多經卷八　（8–8）

肩所荷擔　其所至方
合掌恭敬供養尊重讚歎華
香燒香繒蓋幢幡衣服餚饌
上供而供養之　應持天寶而
應以奉獻所以者何是人
之即得究竟阿耨多羅三
此義而說偈

若欲住佛道　成就自然智　常當勤供養　受持法華者
其有欲疾得　一切種智慧　當受持是經　并供養持者
若有能受持　妙法華經者　當知佛所使　愍念諸衆生
諸有能受持　妙法華經者　捨於清淨土　愍衆故生此
當知如是人　自在所欲生　能於此惡世　廣說无上法
應以天華香　及天寶衣服　天上妙寶聚　供養說法者
吾滅後惡世　能持是經者　當合掌禮敬　如供養世尊
上饌衆甘美　及種種衣服　供養是佛子　冀得須臾聞
若能於後世　受持是經者　我遣在人中　行於如來事
若於一劫中　常懷不善心　作色而罵佛　獲无量重罪
其有讀誦持　是法華經者　須臾加惡言　其罪復過彼
有人求佛道　而於一劫中　合掌在我前　以无數偈讚
由是讚佛故　得无量功德　歎美持經者　其福復過彼

BD01298號　妙法蓮華經卷四　（20–1）

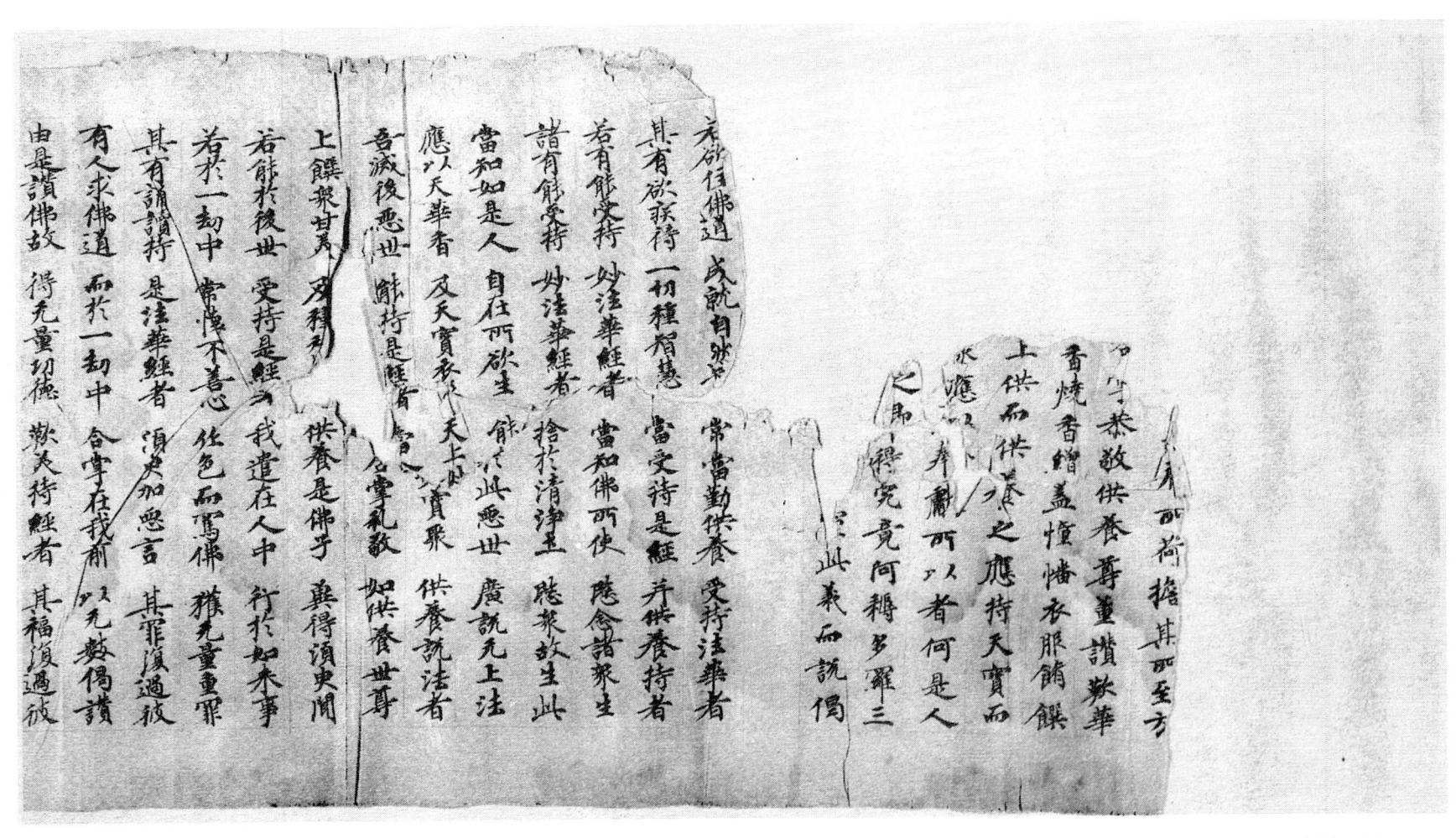

其有誦讀持　是法華經者　須臾加惡言　其罪復過彼
有人求佛道　而於一劫中　合掌在我前　以无數偈讚
由是讚佛故　得无量功德　歎美持經者　其福復過彼
於十八億劫　以冣妙色聲　及與香味觸　供養持經者
如是供養已　若得須臾聞　則應自欣慶　我今獲大利
藥王今告汝　我所說諸經　而於此經中　法華冣第一
尒時佛復告藥王菩薩摩訶薩我所說經典
无量千億已說今說當說而於其中此法華
經冣為難信難解藥王此經是諸佛祕要之
藏不可分布妄授與人諸佛世尊之所守護
從昔已來未曾顯說而此經者如來現在猶
多怨嫉況滅度後藥王當知如來滅後其能
書持讀誦供養為他人說者如來則為以衣
覆之又為他方現在諸佛之所護念是人有
大信力及志願力諸善根力當知是人與如
來共宿則為如來手摩其頭藥王在在處處
若說若讀若誦若書若經卷所住處皆應起
七寶塔極令高廣嚴飾不須復安舍利所以
者何此中已有如來全身此塔應以一切華
香瓔珞繒蓋幢幡伎樂歌頌供養恭敬尊重
讚歎若有人得見此塔禮拜供養當知是等
皆近阿耨多羅三藐三菩提藥王多有人在
家出家行菩薩道若不能得見聞讀誦書持
供養是法華經者當知是人未善行菩薩道
若有得聞是經典者乃能善行菩薩之道其

家出家行菩薩道若不能得見聞讀誦書持
供養是法華經者當知是人未善行菩薩道
若有得聞是經典者乃能善行菩薩之道其
有衆生求佛道者若見若聞是法華經聞已
信解受持者當知是人得近阿耨多羅三藐
三菩提藥王譬如有人渴乏須水於彼高原
穿鑿求之猶見乾土知水尚遠施功不已轉
見濕土遂漸至泥其心決定知水必近菩薩
亦復如是若未聞未解未能修習是法華經
當知是人去阿耨多羅三藐三菩提尚遠若
得聞解思惟修習必知得近阿耨多羅三藐
三菩提所以者何一切菩薩阿耨多羅三藐
三菩提皆屬此經此經開方便門示真實相
是法華經藏深固幽遠无人能到今佛教化
成就菩薩而為開示藥王若有菩薩聞是法
華經驚疑怖畏當知是為新發意菩薩若聲
聞人聞是經驚疑怖畏當知是為增上慢者
藥王若有善男子善女人如來滅後欲為四
衆說是法華經者云何應說是善男子善女
人入如來室著如來衣坐如來座尒乃應為
四衆廣說斯經如來室者一切衆生中大慈
悲心是如來衣者柔和忍辱心是如來座者
一切法空是安住是中然後以不懈怠心為
諸菩薩及四衆廣說是法華經藥王我於餘
國遣化人為其集聽法衆亦遣化比丘比丘

一切法空是安住是中然後以不懈怠心為
諸菩薩及四衆廣說是法華經藥王我於餘
國遣化人為其集聽法衆亦遣化比丘比丘
尼優婆塞優婆夷聽其說法是諸化人聞法
信受隨順不逆若說法者在空閑處我時廣
遣天龍鬼神乾闥婆阿修羅等聽其說法我
雖在異國時時令說法者得見我身若於此
經忘失句逗我還為說令得具足尒時世尊
欲重宣此義而說偈言
欲捨諸懈怠 應當聽此經 是經難得聞 信受者亦難
如人渴須水 穿鑿於高原 猶見乾燥土 知去水尚遠
漸見濕土泥 決定知近水 藥王汝當知 如是諸人等
不聞法華經 去佛智甚遠 若聞是深經 決了聲聞法
是諸經之王 聞已諦思惟 當知此人等 近於佛智慧
若人說此經 應入如來室 著於如來衣 而坐如來座
處衆无所畏 廣為分別說 大慈悲為室 柔和忍辱衣
諸法空為座 處此為說法 若說此經時 有人惡口罵
加刀杖瓦石 念佛故應忍 我千万億土 現淨堅固身
於无量億劫 為衆生說法 若我滅度後 能說此經者
我遣化四衆 比丘比丘尼 及清信士女 供養於法師
引導諸衆生 集之令聽法 若人欲加惡 刀杖及瓦石
則遣變化人 為之作衛護 若說法之人 獨在空閑處
寂漠无人聲 讀誦此經典 我尒時為現 清淨光明身
若忘失章句 為說令通利 若人具是德 或為四衆說
空處讀誦經 皆得見我身 若人在空閑 我遣天龍王

寂漠无人聲 讀誦此經典 我尒時為現 清淨光明身
若忘失章句 為說令通利 若人具是德 或為四衆說
空處讀誦經 皆得見我身 若人在空閑 我遣天龍王
夜叉鬼神等 為作聽法衆 是人樂說法 分別无罣礙
諸佛護念故 能令大衆喜 若親近法師 速得菩薩道
隨順是師學 得見恒沙佛

妙法蓮華經見寶塔品第十一

尒時佛前有七寶塔高五百由旬縱廣二百
五十由旬從地踊出住在空中種種寶物而
莊挍之五千欄楯龕室千万无數幢幡以為
嚴飾垂寶瓔珞寶鈴万億而懸其上四面皆
出多摩羅跋栴檀之香充遍世界其諸幡蓋
以金銀琉璃車𤦲馬瑙真珠玫瑰七寶合成
高至四天王宮三十三天雨天曼陁羅華供
養寶塔餘諸天龍夜叉乾闥婆阿修羅迦樓
羅緊那羅摩睺羅伽人非人等千万億衆以
一切華香瓔珞幡蓋伎樂供養寶塔恭敬尊
重讚歎尒時寶塔中出大音聲歎言善哉善
哉釋迦牟尼世尊能以平等大慧教菩薩法
佛所護念妙法華經為大衆說如是如是釋
迦牟尼世尊如所說者皆是真實尒時四衆
見大寶塔住在空中又聞塔中所出音聲皆
得法喜怪未曾有從座而起恭敬合掌却住
一面尒時有菩薩摩訶薩名大樂說知一切
世間天人阿修羅等心之所疑而白佛言世

一面尒時有菩薩摩訶薩名大樂說知一切
世間天人阿脩羅等心之所疑而白佛言世
尊以何因緣有此寶塔從地踊出又於其中
發是音聲尒時佛告大樂說菩薩此寶塔中
有如來全身乃往過去東方无量千万億阿
僧祇世界國名寶淨彼中有佛号曰多寶其
佛行菩薩道時作大誓願若我成佛滅度之
後於十方國土有說法華經處我之塔廟為
聽是經故踊現其前為作證明讚言善哉彼
佛成道已臨滅度時於天人大眾中告諸比
丘我滅度後欲供養我全身者應起一大塔
其佛神通願力十方世界在在處處若有說
法華經者彼之寶塔皆踊出其前全身在於
塔中讚言善哉善哉大樂說今多寶如來塔
聞說法華經故從地踊出讚言善哉善哉是
時大樂說菩薩以如來神力故白佛言世尊
我等願欲見此佛身佛告大樂說菩薩摩訶
薩是多寶佛有深重願若我寶塔為聽法華
經故出於諸佛前時其有欲以我身示四眾
者彼佛分身諸佛在於十方世界說法盡還
集一處然後我身乃出現耳大樂說我分身
諸佛在於十方世界說法者今應當集大樂
說白佛言世尊我等亦願欲見世尊分身諸
佛礼拜供養尒時佛放白毫一光即見東方
五百万億那由他恒河沙等國土諸佛彼諸

BD01298號　妙法蓮華經卷四　（20–6）

說白佛言世尊我等亦願欲見世尊分身諸
佛礼拜供養尒時佛放白毫一光即見東方
五百万億那由他恒河沙等國土諸佛彼諸
國土皆以頗梨為地寶樹寶衣以為莊嚴无
數千万億菩薩充滿其中遍張寶幔寶網羅
上彼國諸佛以大妙音而說諸法及見无量
万億菩薩遍滿諸國為眾說法南西北方四
維上下白毫相光所照之處亦復如是尒時
十方諸佛各告眾菩薩言善男子我今應往
娑婆世界釋迦牟尼佛所并供養多寶如來
寶塔時娑婆世界即變清淨琉璃為地寶樹
莊嚴黃金為繩以界八道无諸聚落村營城
邑大海江河山川林藪燒大寶香曼陁羅華
遍布其地以寶網幔羅覆其上懸諸寶鈴唯
留此會眾移諸天人置於他土是時諸佛各
將一大菩薩以為侍者至娑婆世界各到寶
樹下一一寶樹高五百由旬枝葉華菓次第
莊嚴諸寶樹下皆有師子之座高五由旬亦
以大寶而校飾之尒時諸佛各於此座結加
趺坐如是展轉遍滿三千大千世界而於釋
迦牟尼佛一方所分之身猶故未盡時釋迦
牟尼佛欲容受所分身諸佛故八方各更變
二百万億那由他國皆令清淨无有地獄餓
鬼畜生及阿脩羅又移諸天人置於他土所
化之國亦以琉璃為地寶樹莊嚴樹高五百

BD01298號　妙法蓮華經卷四　（20–7）

二百万億那由他國皆令清淨无有地獄餓
鬼畜生及阿脩羅又移諸天人置於他土所
化之國亦以瑠璃為地寶樹莊嚴樹高五百
由旬枝葉華菓次苐嚴飾樹下皆有寶師子
座高五由旬種種諸寶以為莊校亦无大海
江河及目真隣陁山摩訶目真隣陁山鐵圍
山大鐵圍山須弥山等諸山王通為一佛國
土寶地平正寶交露幔遍覆其上懸諸幡蓋
燒大寶香諸天寶華遍布其地釋迦牟尼佛
為諸佛當來坐故復於八方各變二百万億
那由他國皆令清淨无有地獄餓鬼畜生及
阿脩羅又移諸天人置於他土所化之國亦
以瑠璃為地寶樹莊嚴樹高五百由旬枝葉
華菓次苐莊嚴樹下皆有寶師子座高五由
旬亦以大寶而校飾之亦无大海江河及目
真隣陁山摩訶目真隣陁山鐵圍山大鐵圍
山須弥山等諸山王通為一佛國土寶地平
正寶交露幔遍覆其上懸諸幡蓋燒大寶香
諸天寶華遍布其地尒時東方釋迦牟尼所
分之身百千万億那由他恒河沙等國土中
諸佛各各說法來集於此如是次苐十方諸
佛皆悉來集坐於八方尒時一一方四百万
億那由他國土諸佛如來遍滿其中是時諸
佛各在寶樹下坐師子座皆遣侍者問訊釋
迦牟尼佛各賫寶華滿掬而告之言善男子

BD01298號　妙法蓮華經卷四　（20–8）

億那由他國土諸佛如來遍滿其中是時諸
佛各在寶樹下坐師子座皆遣侍者問訊釋
迦牟尼佛各賫寶華滿掬而告之言善男子
汝往詣耆闍崛山釋迦牟尼佛所如我辭曰
少病少惱氣力安樂及菩薩聲聞衆悉安隱
不以此寶華散佛供養而作是言彼某甲佛
與欲開此寶塔諸佛遣使亦復如是尒時釋
迦牟尼佛見所分身佛悉已來集各各坐於
師子之座皆聞諸佛與欲同開寶塔即從座
起住虛空中一切四衆起立合掌一心觀佛
於是釋迦牟尼佛以右指開七寶塔戶出大
音聲如却關鑰開大城門即時一切衆會皆
見多寶如來於寶塔中坐師子座全身不散
如入禪定又聞其言善哉善哉釋迦牟尼佛
快說是法華經我為聽是經故而來至此尒
時四衆等見過去无量千万億劫滅度佛說
如是言歎未曾有以天寶華聚散多寶佛及
釋迦牟尼佛上尒時多寶佛於寶塔中分半
座與釋迦牟尼佛而作是言釋迦牟尼佛可
就此座即時釋迦牟尼佛入其塔中坐其半
座結加趺坐尒時大衆見二如來在七寶塔
中師子座上結加趺坐各作是念佛座高遠
唯願如來以神通力令我等輩俱處虛空即
時釋迦牟尼佛以神通力接諸大衆皆在虛
空以大音聲普告四衆誰能於此娑婆國土

BD01298號　妙法蓮華經卷四　（20–9）

中師子座上結加趺坐各作是念佛座高遠
唯願如来以神通力令我等輩俱處虛空即
時釋迦牟尼佛以神通力接諸大眾皆在虛
空以大音聲普告四眾誰能於此娑婆國土
廣說妙法華經今正是時如来不久當入涅
槃佛欲以此妙法華經付囑有在尒時世尊
欲重宣此義而說偈言
聖主世尊　雖久滅度　在寶塔中　尚為法来
諸人云何　不勤為法　此佛滅度　无鞅數劫
處處聽法　以難遇故　彼佛本願　我滅度後
在在所往　常為聽法　又我分身　无量諸佛
如恒沙等　来欲聽法　及見滅度　多寶如来
各捨妙土　及弟子眾　天人龍神　諸供養事
令法久住　故来至此　為坐諸佛　以神通力
移无量眾　令國清淨　諸佛各各　詣寶樹下
如清淨池　蓮華莊嚴　其寶樹下　諸師子座
佛坐其上　光明嚴飾　如夜闇中　然大炬火
身出妙香　遍十方國　眾生蒙薰　喜不自勝
譬如大風　吹小樹枝　以是方便　令法久住
告諸大眾　我滅度後　誰能護持　讀說斯經
今於佛前　自說誓言　其多寶佛　雖久滅度
以大誓願　而師子吼　多寶如来　及與我身
所集化佛　當知此意　諸佛子等　誰能護法
當發大願　令得久住　其有能護　此經法者
則為供養　我及多寶　此多寶佛　處於寶塔
常遊十方　為是經故　亦復供養　諸来化佛

BD01298號　妙法蓮華經卷四　（20–10）

所集化佛　當知此意　諸佛子等　誰能護法
當發大願　令得久住　其有能護　此經法者
則為供養　我及多寶　此多寶佛　處於寶塔
常遊十方　為是經故　亦復供養　諸来化佛
莊嚴光飾　諸世界者　若說此經　則為見我
多寶如来　及諸化佛　諸善男子　各諦思惟
此為難事　宜發大願　諸餘經典　數如恒沙
雖說此等　未足為難　若接須彌　擲置他方
无數佛土　亦未為難　若以足指　動大千界
遠擲他國　亦未為難　若立有頂　為眾演說
无量餘經　亦未為難　若佛滅後　於惡世中
能說此經　是則為難　假使有人　手把虛空
而以遊行　亦未為難　於我滅後　若自書持
若使人書　是則為難　若以大地　置足甲上
昇於梵天　亦未為難　佛滅度後　於惡世中
暫讀此經　是則為難　假使劫燒　擔負乾草
入中不燒　亦未為難　我滅度後　若持此經
為一人說　是則為難　若持八万　四千法藏
十二部經　為人演說　令諸聽者　得六神通
雖能如是　亦未為難　於我滅後　聽受此經
問其義趣　是則為難　若人說法　令千万億
无量无數　恒沙眾生　得阿羅漢　具六神通
雖有是益　亦未為難　於我滅後　若能奉持
如斯經典　是則為難　我為佛道　於无量土
從始至今　廣說諸經　而於其中　此經第一

BD01298號　妙法蓮華經卷四　（20–11）

如斯經典 是則為難 我為佛道 於无量土
從始至今 廣說諸經 而於其中 此經第一
若有能持 則持佛身 諸善男子 於我滅後
誰能受持 讀誦此經 今於佛前 自說誓言
此經難持 若暫持者 我則歡喜 諸佛亦然
如是之人 諸佛所歎 是則勇猛 是則精進
是名持戒 行頭陀者 則為疾得 无上佛道
能於來世 讀持此經 是真佛子 住淳善地
佛滅度後 能解其義 是諸天人 世間之眼
於恐畏世 能須臾說 一切天人 皆應供養

妙法蓮華經提婆達多品第十二

尒時佛告諸菩薩及天人四衆吾於過去无
量劫中求法華經无有懈惓於多劫中常作
國王發願求於无上菩提心不退轉為欲滿
足六波羅蜜勤行布施心无悋惜象馬七珎
國城妻子奴婢僕從頭目髓腦身肉手足不
惜軀命時世人民壽命无量為於法故捐捨
國位委政太子擊鼓宣令四方求法誰能為
我說大乘者吾當終身供給走使時有仙人
來白王言我有大乘名妙法華經若不違我當
為宣說王聞仙言歡喜踊躍即隨仙人供給
所須採菓汲水拾薪設食乃至以身而為床
座身心无惓于時奉事經於千歲為於法故
精勤給侍令无所乏尒時世尊欲重宣此義
而說偈言

BD01298號　妙法蓮華經卷四

(20–12)

精勤給侍令无所乏尒時世尊欲重宣此義
而說偈言
我念過去劫 為求大法故 雖作世國王 不貪五欲樂
搥鍾告四方 誰有大法者 若為我解說 身當為奴僕
時有阿私仙 來白於大王 我有微妙法 世間所希有
若能脩行者 吾當為汝說 時王聞仙言 心生大喜悅
即便隨仙人 供給於所須 採薪及菓蓏 隨時恭敬與
情存妙法故 身心无懈惓 普為諸衆生 勤求於大法
亦不為己身 及以五欲樂 故為大國王 勤求獲此法
遂致得成佛 今故為汝說
佛告諸比丘尒時王者則我身是時仙人者
今提婆達多是由提婆達多善知識故令我
具足六波羅蜜慈悲喜捨三十二相八十種
好紫磨金色十力四无所畏四攝法十八不
共神通道力成等正覺廣度衆生皆因提婆
達多善知識故告諸四衆提婆達多却後過
无量劫當得成佛号曰天王如來應供正遍
知明行足善逝世間解无上士調御丈夫天
人師佛世尊世界名天道時天王佛住世二
十中劫廣為衆生說於妙法恒河沙衆生得
阿羅漢果无量衆生發緣覺心恒河沙衆生
發无上道心得无生忍至不退轉時天王佛
般涅槃後正法住世二十中劫全身舍利起
七寶塔高六十由旬縱廣四十由旬諸天人
民悉以雜華末香燒香塗香衣服瓔珞幢幡

BD01298號　妙法蓮華經卷四

(20–13)

阿羅漢果无量衆生發緣覺心恒河沙衆生
發无上道心得无生忍至不退轉時天王佛
般涅槃後正法住世二十中劫全身舍利起
七寶塔高六十由旬縱廣四十由旬諸天人
民悉以雜華末香燒香塗香衣服瓔珞幢幡
寶蓋伎樂歌頌禮拜供養七寶妙塔无量衆
生得阿羅漢无量衆生悟辟支佛不可思議
衆生發菩提心至不退轉佛告諸比丘未來
世中若有善男子善女人聞妙法華經提婆
達多品淨心信敬不生疑惑者不墮地獄餓
鬼畜生生十方佛前所生之處常聞此經若
生人天中受勝妙樂若在佛前蓮華化生於
時下方多寶世尊所從菩薩名曰智積白多
寶佛當還本土釋迦牟尼佛告智積曰善男
子且待須臾此有菩薩名文殊師利可與相
見論說妙法可還本土尒時文殊師利坐千
葉蓮華大如車輪俱來菩薩亦坐寶華從於
大海娑竭龍宮自然踊出住虛空中詣靈鷲
山從蓮華下至於佛所頭面敬禮二世尊足
修敬已畢往智積所共相慰問却坐一面智
積菩薩問文殊師利仁往龍宮所化衆生其
數幾何文殊師利言其數无量不可稱計非
口所宣非心所測且待須臾自當有證所言
未竟无數菩薩坐寶蓮華從海踊出詣靈鷲
山住在虛空此諸菩薩皆是文殊師利之所

BD01298號　妙法蓮華經卷四　（20–14）

口所宣非心所測且待須臾自當有證所言
未竟无數菩薩坐寶蓮華從海踊出詣靈鷲
山住在虛空此諸菩薩皆是文殊師利之所
化度具菩薩行皆共論說六波羅蜜本聲聞
人在虛空中說聲聞行今皆修行大乘空義
文殊師利謂智積曰於海教化其事如是尒
時智積菩薩以偈讚曰
大智德勇健　化度无量衆　今此諸大會　及我皆已見
演暢實相義　開闡一乘法　廣度諸群生　令速成菩提
文殊師利言我於海中唯常宣說妙法華經
智積問文殊師利言此經甚深微妙諸經中
寶世所希有頗有衆生勤加精進修行此經
速得佛不文殊師利言有娑竭羅龍王女年
始八歲智慧利根善知衆生諸根行業得陀
羅尼諸佛所說甚深祕藏悉能受持深入禪
定了達諸法於剎那頃發菩提心得不退轉
辯才无礙慈念衆生猶如赤子功德具足心
念口演微妙廣大慈悲仁讓志意和雅能至
菩提智積菩薩言我見釋迦如來於无量劫
難行苦行積功累德求菩提道未曾止息觀
三千大千世界乃至无有如芥子許非是菩
薩捨身命處為衆生故然後乃得成菩提道
不信此女於須臾頃便成正覺言論未訖時
龍王女忽現於前頭面禮敬却住一面以偈
讚曰

BD01298號　妙法蓮華經卷四　（20–15）

不信此女於須臾頃便成正覺言論未訖時
龍王女忽現於前頭面禮敬却住一面以偈
讚曰
深達罪福相　遍照於十方　微妙淨法身　具相三十二
以八十種好　用莊嚴法身　天人所戴仰　龍神咸恭敬
一切衆生類　无不宗奉者　又聞成菩提　唯佛當證知
我闡大乘教　度脫苦衆生
時舍利弗語龍女言汝謂不久得无上道是
事難信所以者何女身垢穢非是法器云何
能得无上菩提佛道懸曠經无量劫勤苦積
行具脩諸度然後乃成又女人身猶有五障
一者不得作梵天王二者帝釋三者魔王四
者轉輪聖王五者佛身云何女身速得成佛
尒時龍女有一寶珠價直三千大千世界持
以上佛佛即受之龍女謂智積菩薩尊者舍
利弗言我獻寶珠世尊納受是事疾不荅言
甚疾女言以汝神力觀我成佛復速於此當
時衆會皆見龍女忽然之間變成男子具菩
薩行即往南方无垢世界坐寶蓮華成等正
覺三十二相八十種好普為十方一切衆生
演說妙法尒時娑婆世界菩薩聲聞天龍八
部人與非人皆遙見彼龍女成佛普為時會
人天說法心大歡喜悉遙敬禮无量衆生聞
法解悟得不退轉无量衆生得受道記无垢
世界六反震動娑婆世界三千衆生住不退

BD01298號　妙法蓮華經卷四　(20–16)

演說妙法尒時娑婆世界菩薩聲聞天龍八
部人與非人皆遙見彼龍女成佛普為時會
人天說法心大歡喜悉遙敬禮无量衆生聞
法解悟得不退轉无量衆生得受道記无垢
世界六反震動娑婆世界三千衆生住不退
地三千衆生發菩提心而得受記智積菩薩
及舍利弗一切衆會嘿然信受

妙法蓮華經持品第十三

尒時藥王菩薩摩訶薩及大樂說菩薩摩訶
薩與二万菩薩眷屬俱皆於佛前作是誓言
唯願世尊不以為慮我等於佛滅後當奉持
讀誦說此經典後惡世衆生善根轉少多增
上慢貪利供養增不善根遠離解脫雖難可
教化我等當起大忍力讀誦此經持說書寫
種種供養不惜身命尒時衆中五百阿羅漢
得受記者白佛言世尊我等亦自誓願於異
國土廣說此經復有學无學八千人得受記
者從座而起合掌向佛作是誓言世尊我等
亦當於他國土廣說此經所以者何是娑婆
國中人多弊惡懷增上慢功德淺薄瞋濁諂
曲心不實故尒時佛姨母摩訶波闍波提比
丘尼與學无學比丘尼六千人俱從座而起
一心合掌瞻仰尊顏目不暫捨於時世尊告
憍曇彌何故憂色而視如來汝心將无謂我
不說汝名授阿耨多羅三藐三菩提記耶憍

BD01298號　妙法蓮華經卷四　(20–17)

憍曇弥何故憂色而視如來汝心將无謂我
不說汝名授阿耨多羅三藐三菩提記耶憍
曇弥我先揔說一切聲聞皆已授記今汝欲
知記者將來之世當於六万八千億諸佛法
中為大法師及六千學无學比丘尼俱為法
師汝如是漸漸具菩薩道當得作佛号一切
衆生憙見如來應供正遍知明行足善逝世
間解无上士調御丈夫天人師佛世尊憍曇
弥是一切衆生憙見佛及六千菩薩轉次授
記得阿耨多羅三藐三菩提尒時羅睺羅母
耶輸陁羅比丘尼作是念世尊於授記中獨
不說我名佛告耶輸陁羅汝於來世百万億
諸佛法中脩菩薩行為大法師漸具佛道於
善國中當得作佛号具足千万光相如來應
供正遍知明行足善逝世間解无上士調御
丈夫天人師佛世尊佛壽无量阿僧祇劫尒
時摩訶波闍波提比丘尼及耶輸陁羅比丘
尼并其眷屬皆大歡喜得未曾有即於佛前
而說偈言
世尊導師 安隱天人 我等聞記 心安具足
諸比丘尼說是偈已白佛言世尊我等亦能
於他方國土廣宣此經尒時世尊視八十万
億那由他諸菩薩摩訶薩是諸菩薩皆是阿
惟越致轉不退法輪得諸陁羅尼即從座起
至於佛前一心合掌而作是念若世尊告勑

於他方國土廣宣此經尒時世尊視八十万
億那由他諸菩薩摩訶薩是諸菩薩皆是阿
惟越致轉不退法輪得諸陁羅尼即從座起
至於佛前一心合掌而作是念若世尊告勑
我等持說此經者當如佛教廣宣斯法復作
是念佛今嘿然不見告勑我當云何時諸菩
薩敬順佛意并欲自滿本願便於佛前作師
子吼而發誓言世尊我等於如來滅後周旋
往反十方世界能令衆生書寫此經受持讀
誦解說其義如法脩行正憶念皆是佛之威
力唯願世尊在於他方遥見守護即時諸菩
薩俱同發聲而說偈言
唯願不為慮 於佛滅度後 恐怖惡世中 我等當廣說
有諸无智人 惡口罵詈等 及加刀杖者 我等皆當忍
惡世中比丘 邪智心諂曲 未得謂為得 我慢心充滿
或有阿練若 納衣在空閑 自謂行真道 輕賤人間者
貪著利養故 與白衣說法 為世所恭敬 如六通羅漢
是人懷惡心 常念世俗事 假名阿練若 好出我等過
而作如是言 此諸比丘等 為貪利養故 說外道論議
自作此經典 誑惑世間人 為求名聞故 分別於是經
常在大衆中 欲毀我等故 向國王大臣 婆羅門居士
及餘比丘衆 誹謗說我惡 謂是邪見人 說外道論議
我等敬佛故 悉忍是諸惡 為斯所輕言 汝等皆是佛
如此輕慢言 皆當忍受之 濁劫惡世中 多有諸恐怖
惡鬼入其身 罵詈毀辱我 我等敬信佛 當著忍辱鎧

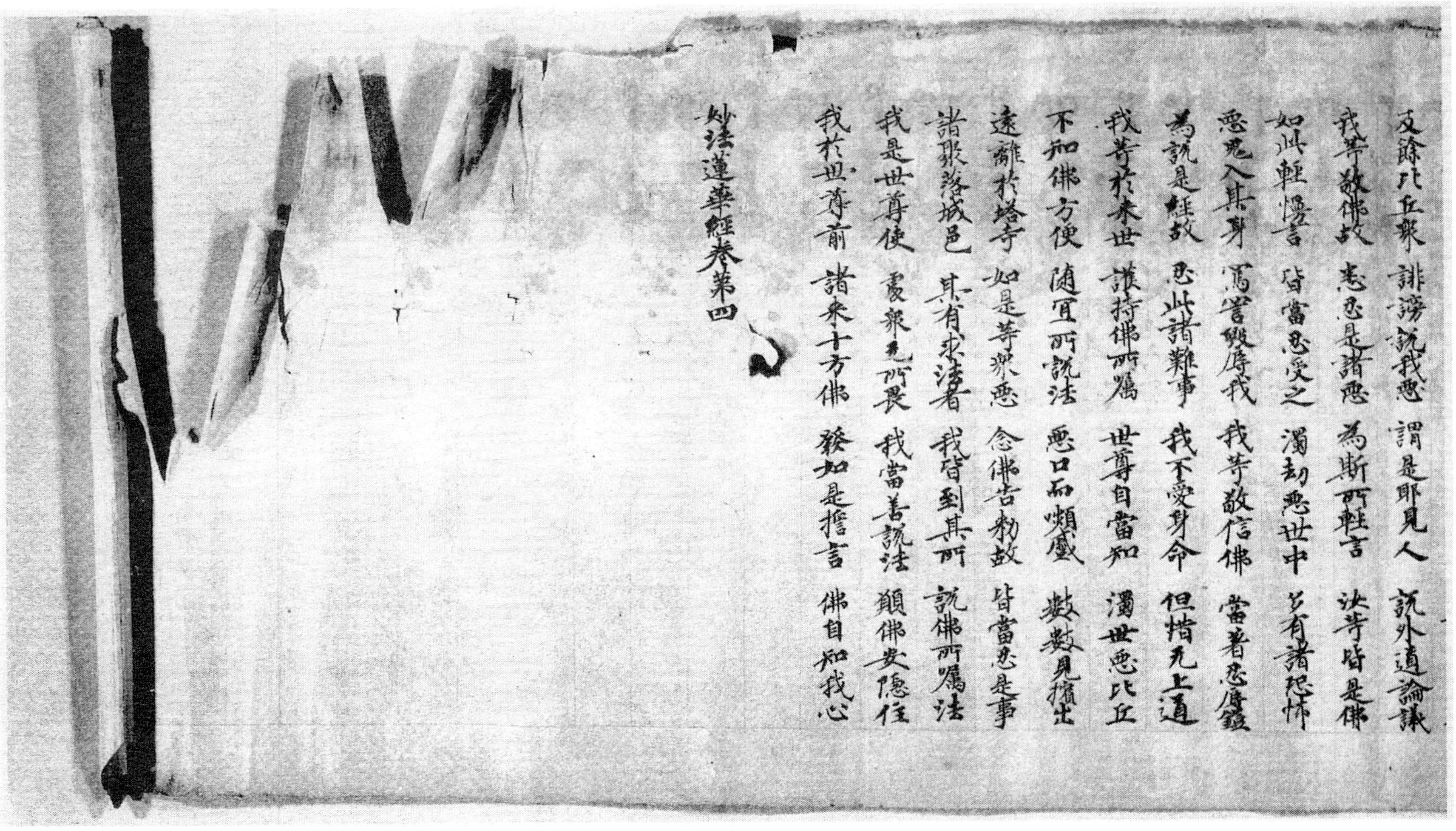

及餘比丘衆　誹謗說我惡　謂是邪見人　說外道論議
我等敬佛故　悉忍是諸惡　為斯所輕言　汝等皆是佛
如此輕慢言　皆當忍受之　濁劫惡世中　多有諸恐怖
惡鬼入其身　罵詈毀辱我　我等敬信佛　當著忍辱鎧
為說是經故　忍此諸難事　我不愛身命　但惜无上道
我等於來世　護持佛所囑　世尊自當知　濁世惡比丘
不知佛方便　隨宜所說法　惡口而顰蹙　數數見擯出
遠離於塔寺　如是等衆惡　念佛告勅故　皆當忍是事
諸聚落城邑　其有求法者　我皆到其所　說佛所囑法
我是世尊使　處衆无所畏　我當善說法　願佛安隱住
我於世尊前　諸來十方佛　發如是誓言　佛自知我心
妙法蓮華經卷第四

BD01298號　妙法蓮華經卷四　（20–20）

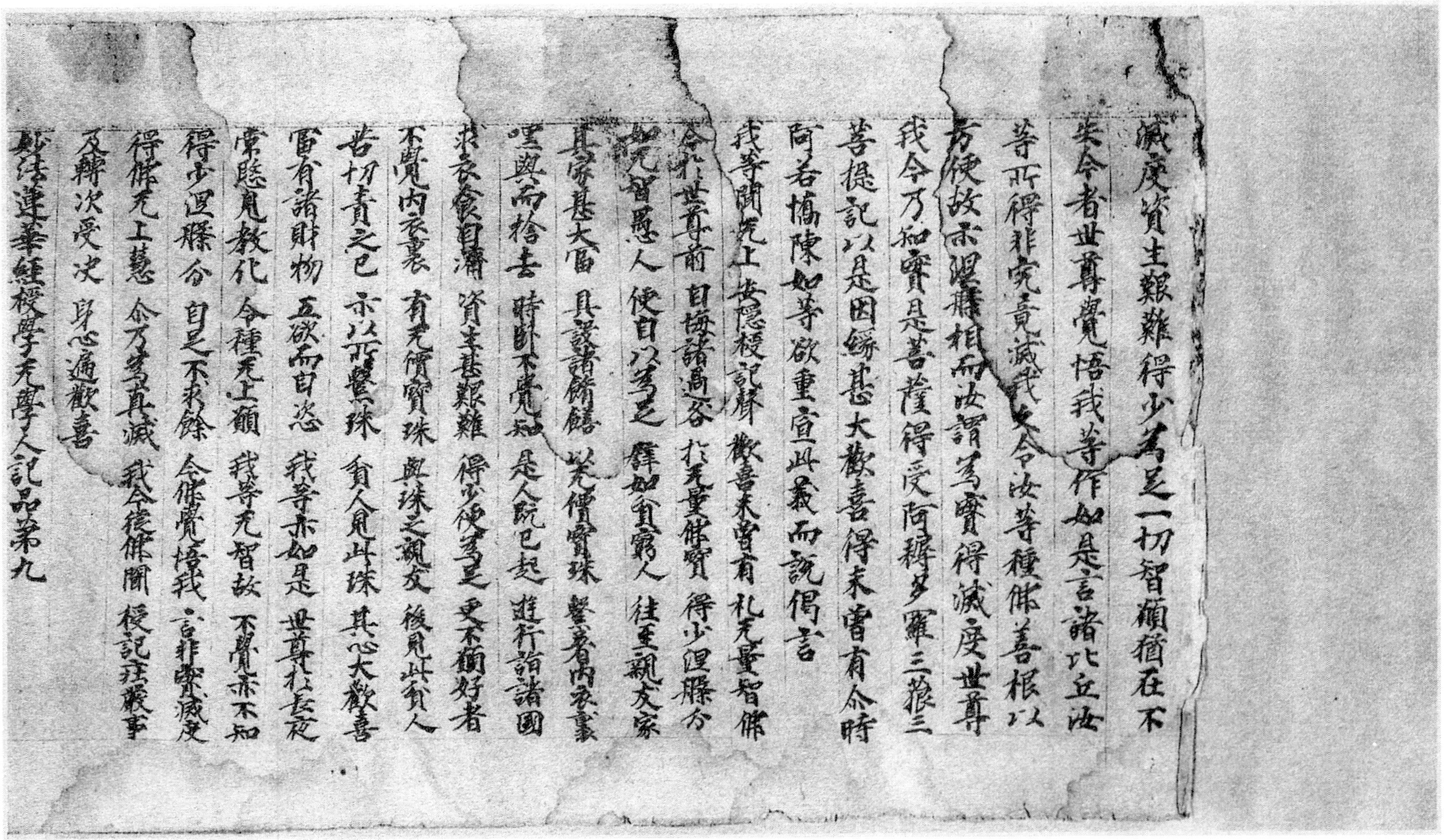

滅度資生艱難得少為足一切智願猶在不
失今者世尊覺悟我等作如是言諸比丘汝
等所得非究竟滅我久令汝等種佛善根以
方便故示涅槃相而汝謂為實得滅度世尊
我今乃知實是菩薩得受阿耨多羅三藐三
菩提記以是因緣甚大歡喜得未曾有爾時
阿若憍陳如等欲重宣此義而說偈言
我等聞无上　安隱授記聲　歡喜未曾有　禮无量智佛
今於世尊前　自悔諸過咎　於无量佛寶　得少涅槃分
如无智愚人　便自以為足　譬如貧窮人　往至親友家
其家甚大富　具設諸餚饍　以无價寶珠　繫著內衣裏
默與而捨去　時臥不覺知　是人既已起　遊行詣他國
求衣食自濟　資生甚艱難　得少便為足　更不願好者
不覺內衣裏　有无價寶珠　與珠之親友　後見此貧人
苦切責之已　示以所繫珠　貧人見此珠　其心大歡喜
富有諸財物　五欲而自恣　我等亦如是　世尊於長夜
常愍見教化　令種无上願　我等无智故　不覺亦不知
得少涅槃分　自足不求餘　今佛覺悟我　言非實滅度
得佛无上慧　爾乃為真滅　我今從佛聞　授記莊嚴事
及轉次受決　身心遍歡喜
妙法蓮華經授學无學人記品第九

BD01299號　妙法蓮華經卷四　（25–1）

常愍見教化　令種无上願　我等无智故　不覺亦不知
得少涅槃分　自足不求餘　今佛覺悟我　言非實滅度
得佛无上慧　尒乃為真滅　我今從佛聞　授記莊嚴事
及轉次受決　身心遍歡喜

妙法蓮華經授學无學人記品第九

尒時阿難羅睺羅而作是念我等每自思惟
設得受記不亦快乎即從座起到於佛前頭
面禮足俱白佛言世尊我等於此亦應有分
唯有如來我等所歸又我等為一切世間天
人阿脩羅所見知識阿難常為侍者護持法
藏羅睺羅是佛之子若佛見授阿耨多羅三
藐三菩提記者我願既滿衆望亦足尒時學
无學聲聞弟子二千人皆從座起偏袒右肩
到於佛前一心合掌瞻仰世尊如阿難羅睺
羅所願住立一面尒時佛告阿難汝於來世
當得作佛號山海慧自在通王如來應供正
遍知明行足善逝世間解无上士調御丈夫
天人師佛世尊當供養六十二億諸佛護持
法藏然後得阿耨多羅三藐三菩提教化二
十千万億恒河沙諸菩薩等令成阿耨多羅
三藐三菩提國名常立勝幡其土清淨琉璃
為地劫名妙音遍滿其佛壽命无量千万億
阿僧祇劫若人於千万億无量阿僧祇劫中
筭數校計不能得知正法住世倍於壽命像
法住世復倍正法阿難是山海慧自在通王
佛為十方无量千万億恒河沙等諸佛如來

BD01299號　妙法蓮華經卷四　（25–2）

筭數校計不能得知正法住世倍於壽命像
法住世復倍正法阿難是山海慧自在通王
佛為十方无量千万億恒河沙等諸佛如來
所共讚歎稱其功德尒時世尊欲重宣此義
而說偈言

我今僧中說　阿難持法者　當供養諸佛　然後成正覺
号曰山海慧　自在通王佛　其國土清淨　名常立勝幡
教化諸菩薩　其數如恒沙　佛有大威德　名聞滿十方
壽命无有量　以愍衆生故　正法倍壽命　像法復倍是
如恒河沙等　无數諸衆生　於此佛法中　種佛道因緣

尒時會中新發意菩薩八千人咸作是念我
等尚不聞諸大菩薩得如是記有何因緣而
諸聲聞得如是決尒時世尊知諸菩薩心之
所念而告之曰諸善男子我與阿難等於空
王佛所同時發阿耨多羅三藐三菩提心阿難常
樂多聞我常勤精進是故我已得成阿耨
多羅三藐三菩提而阿難護持我法亦護
將來諸佛法藏教化成就諸菩薩衆其本願
如是故獲斯記阿難面於佛前自聞授記及
國土莊嚴所願具足心大歡喜得未曾有即
時憶念過去无量千万億諸佛法藏通達无
礙如今所聞亦識本願尒時阿難而說偈言

世尊甚希有　令我念過去　无量諸佛法　如今日所聞
我今无復疑　安住於佛道　方便為侍者　護持諸佛法

尒時佛告羅睺羅汝於來世當得作佛号蹈

BD01299號　妙法蓮華經卷四　（25–3）

世尊甚希有 令我念過去 无量諸佛法 如今日所聞
我今无復疑 安住於佛道 方便為侍者 護持諸佛法
尒時佛告羅睺羅汝於來世當得作佛号蹈
七寶華如來應供正遍知明行足善逝世間
解无上士調御丈夫天人師佛世尊當供養
十世界微塵等數諸佛如來常為諸佛而作
長子猶如今也是蹈七寶華佛國土莊嚴壽
命劫數所化弟子正法像法亦如山海慧自
在通王如來无異亦為此佛而作長子過是
已後當得阿耨多羅三藐三菩提尒時世尊
欲重宣此義而說偈言
我為太子時 羅睺為長子 我今成佛道 受法為法子
於未來世中 見无量億佛 皆為其長子 一心求佛道
羅睺羅密行 唯我能知之 現為我長子 以示諸衆生
无量億千万 功德不可數 安住於佛法 以求无上道
尒時世尊見學无學二千人其意柔軟寂然
清淨一心觀佛佛告阿難汝見是學无學二
千人不唯然已見阿難是諸人等當供養五
十世界微塵數諸佛如來恭敬尊重護持法
藏末後同時於十方國各得成佛皆同一号
名曰寶相如來應供正遍知明行足善逝世
間解无上士調御丈夫天人師佛世尊壽命
一劫國土莊嚴聲聞菩薩正法像法皆悉同
等尒時世尊欲重宣此義而說偈言
是二千聲聞 今於我前住 悉皆與授記 未來當作佛

BD01299號　妙法蓮華經卷四

（25–4）

等尒時世尊欲重宣此義而說偈言
是二千聲聞 今於我前住 悉皆與授記 未來當作佛
所供養諸佛 如上說塵數 護持其法藏 後當成正覺
各於十方國 悉同一名号 俱時坐道場 以證无上慧
皆名為寶相 國土及弟子 正法與像法 悉等无有異
咸以諸神通 度十方衆生 名聞普周遍 漸入於涅槃
尒時學无學二千人聞佛授記歡喜踊躍而
說偈言
世尊慧燈明 我聞授記音 心歡喜充滿 如甘露見灌

妙法蓮華經法師品第十

尒時世尊因藥王菩薩告八万大士藥王汝
見是大衆中无量諸天龍王夜叉乾闥婆阿
脩羅迦樓羅緊那羅摩睺羅伽人與非人及
比丘比丘尼優婆塞優婆夷求聲聞者求辟
支佛者求佛道者如是等類咸於佛前聞妙
法華經一偈一句乃至一念隨喜者我皆與
授記當得阿耨多羅三藐三菩提佛告藥王
又如來滅度之後若有人聞妙法華經乃至
一偈一句一念隨喜者我亦與受阿耨多羅
三藐三菩提記若復有人受持讀誦解說書
寫妙法華經乃至一偈於此經卷敬視如佛
種種供養華香瓔珞末香塗香燒香繒蓋
幢幡衣服伎樂乃至合掌恭敬藥王當知是諸
人等已曾供養十万億佛於諸佛所成就大
願愍衆生故生此人間藥王若有人聞何等

BD01299號　妙法蓮華經卷四

（25–5）

幢幡衣服伎樂乃至合掌恭敬藥王當知是諸
人等已曾供養十万億佛於諸佛所成就大
願愍衆生故生此人間藥王若有人問何等
衆生於未來世當得作佛應示是諸人等於
未來世必得作佛何以故若善男子善女人
於法華經乃至一句受持讀誦解說書寫種
種供養經卷華香瓔珞末香塗香燒香繒蓋
幢幡衣服伎樂合掌恭敬是人一切世間所
應瞻奉應以如來供養而供養之當知此人
是大菩薩成就阿耨多羅三藐三菩提哀愍
衆生願生此間廣演分別妙法華經何況盡
能受持種種供養者藥王當知是人自捨清
淨業報於我滅度後愍衆生故生於惡世廣
演此經若是善男子善女人我滅度後能竊
為一人說法華經乃至一句當知是人則如
來使如來所遣行如來事何況於大衆中廣
為人說藥王若有惡人以不善心於一劫中
現於佛前常毀罵佛其罪尚輕若人以一惡
言毀呰在家出家讀誦法華經者其罪甚重
藥王其有讀誦法華經者當知是人以佛莊
嚴而自莊嚴則為如來肩所荷擔其所至方
應隨向禮一心合掌恭敬供養尊重讚歎華
香瓔珞末香塗香燒香繒蓋幢幡衣服餚饍
作諸伎樂人中上供而供養之應持天寶而
以散之天上寶聚應以奉獻所以者何是人
歡喜說法須臾聞之即得究竟阿耨多羅三

BD01299號　妙法蓮華經卷四

(25–6)

香瓔珞末香塗香燒香繒蓋幢幡衣服餚饍
作諸伎樂人中上供而供養之應持天寶而
以散之天上寶聚應以奉獻所以者何是人
歡喜說法須臾聞之即得究竟阿耨多羅三
藐三菩提故爾時世尊欲重宣此義而說偈
言
若欲住佛道　成就自然智　常當勤供養　受持法華者
其有欲疾得　一切種智慧　當受持是經　并供養持者
若有能受持　妙法華經者　當知佛所使　愍念諸衆生
諸有能受持　妙法華經者　捨於清淨土　愍衆故生此
當知如是人　自在所欲生　能於此惡世　廣說無上法
應以天華香　及天寶衣服　天上妙寶聚　供養說法者
吾滅後惡世　能持是經者　當合掌禮敬　如供養世尊
上饌衆甘美　及種種衣服　供養是佛子　冀得須臾聞
若能於後世　受持是經者　我遣在人中　行於如來事
若於一劫中　常懷不善心　作色而罵佛　獲無量重罪
其有讀誦持　是法華經者　須臾加惡言　其罪復過彼
有人求佛道　而於一劫中　合掌在我前　以無數偈讚
由是讚佛故　得無量功德　歎美持經者　其福復過彼
於八十億劫　以最妙色聲　及與香味觸　供養持經者
如是供養已　若得須臾聞　則應自欣慶　我今獲大利
藥王今告汝　我所說諸經　而於此經中　法華最第一
爾時佛復告藥王菩薩摩訶薩我所說經典
無量千萬億已說今說當說而於其中此法華
經最為難信難解藥王此經是諸佛祕要之

BD01299號　妙法蓮華經卷四

(25–7)

无量千億已說今說當說而於其中此法華
經最為難信難解藥王此經是諸佛秘要之
藏不可分布妄授與人諸佛世尊之所守護
從昔已來未曾顯說而此經者如來現在猶
多怨嫉況滅度後藥王當知如來滅後其能
書持讀誦供養為他人說者如來則為以衣
覆之又為他方現在諸佛之所護念是人有
大信力及志願力諸善根力當知是人與如
來共宿則為如來手摩其頭藥王在在處處
若說若讀若誦若書若經卷所住處皆應起
七寶塔極令高廣嚴飾不須復安舍利所以
者何此中已有如來全身此塔應以一切華
香瓔珞繒蓋幢幡伎樂歌頌供養恭敬尊重
讚歎若有人得見此塔禮拜供養當知是等
皆近阿耨多羅三藐三菩提藥王多有人在
家出家行菩薩道若不能得見聞讀誦書持
供養是法華經者當知是人未善行菩薩道
若有得聞是經典者乃能善行菩薩之道其
有眾生求佛道者若見若聞是法華經聞已
信解受持者當知是人得近阿耨多羅三藐
三菩提藥王譬如有人渴乏須水於彼高原
穿鑿求之猶見乾土知水尚遠施功不已轉
見濕土遂漸至泥其心決定知水必近菩薩
亦復如是若未聞未解未能修習是法華經
當知是人去阿耨多羅三藐三菩提尚遠若
得聞解思惟修習必知得近阿耨多羅三藐

BD01299號　妙法蓮華經卷四　（25–8）

見濕土遂漸至泥其心決定知水必近菩薩
亦復如是若未聞未解未能修習是法華經
當知是人去阿耨多羅三藐三菩提尚遠若
得聞解思惟修習必知得近阿耨多羅三藐
三菩提所以者何一切菩薩阿耨多羅三藐
三菩提皆屬此經此經開方便門示真實相
是法華經藏深固幽遠无人能到今佛教化
成就菩薩而為開示藥王若有菩薩聞是法
華經驚疑怖畏當知是為新發意菩薩若聲
聞人聞是經驚疑怖畏當知是為增上慢者
藥王若有善男子善女人如來滅後欲為四
眾說是法華經者云何應說是善男子善女
人入如來室著如來衣坐如來座爾乃應為
四眾廣說斯經如來室者一切眾生中大慈
悲心是如來衣者柔和忍辱心是如來座者
一切法空是安住是中然後以不懈怠心為
諸菩薩及四眾廣說是法華經藥王我於餘
國遣化人為其集聽法眾亦遣化比丘比丘
尼優婆塞優婆夷聽其說法是諸化人聞法
信受隨順不逆若說法者在空閑處我時廣
遣天龍鬼神乾闥婆阿修羅等聽其說法我
雖在異國時時令說法者得見我身若於此
經忘失句逗我還為說令得具足爾時世尊
欲重宣此義而說偈言
欲捨諸懈怠　應當聽此經　是經難得聞　信受者亦難
如人渴須水　穿鑿於高原　猶見乾燥土　知去水尚遠

BD01299號　妙法蓮華經卷四　（25–9）

欲重宣此義而說偈言
欲捨諸懈怠　應當聽此經　是經難得聞　信受者亦難
如人渴須水　穿鑿於高原　猶見乾燥土　知去水尚遠
漸見濕土泥　決定知近水　藥王汝當知　如是諸人等
不聞法華經　去佛智甚遠　若聞是深經　決了聲聞法
是諸經之王　聞已諦思惟　當知此人等　近於佛智慧
若人說此經　應入如來室　著於如來衣　而坐如來座
處衆無所畏　廣為分別說　大慈悲為室　柔和忍辱衣
諸法空為座　處此為說法　若說此經時　有人惡口罵
加刀杖瓦石　念佛故應忍　我千万億土　現淨堅固身
於无量億劫　為衆生說法　若我滅度後　能說此經者
我遣化四衆　比丘比丘尼　及清信士女　供養於法師
引導諸衆生　集之令聽法　若人欲加惡　刀杖及瓦石
則遣變化人　為之作衛護　若說法之人　獨在空閑處
寂寞無人聲　讀誦此經典　我尒時為現　清淨光明身
若忘失章句　為說令通利　若人具是德　或為四衆說
空處讀誦經　皆得見我身　若人在空閑　我遣天龍王
夜叉鬼神等　為作聽法衆　是人樂說法　分別無罣礙
諸佛護念故　能令大衆喜　若親近法師　速得菩薩道
隨順是師學　得見恒沙佛

妙法蓮華經見寶塔品第十一

尒時佛前有七寶塔高五百由旬縱廣二百五十由旬從地踊出住在空中種種寶物而莊校之五千欄楯龕室千万無數幢幡以為嚴飾垂寶瓔珞寶鈴万億而懸其上四面皆出多摩羅跋栴檀之香充遍世界其諸幡蓋

BD01299號　妙法蓮華經卷四　（25–10）

莊校之五千欄楯龕室千万無數幢幡以為嚴飾垂寶瓔珞寶鈴万億而懸其上四面皆出多摩羅跋栴檀之香充遍世界其諸幡蓋以金銀琉璃車璖馬瑙真珠玫瑰七寶合成高至四天王宮三十三天雨天曼陀羅華供養寶塔餘諸天龍夜叉乾闥婆阿脩羅迦樓羅緊那羅摩睺羅伽人非人等千万億衆以一切華香瓔珞幡蓋伎樂供養寶塔恭敬尊重讚歎尒時寶塔中出大音聲歎言善哉善哉釋迦牟尼世尊能以平等大慧教菩薩法佛所護念妙法華經為大衆說如是如是釋迦牟尼世尊如所說者皆是真實尒時四衆見大寶塔住在空中又聞塔中所出音聲皆得法喜恠未曾有從座而起恭敬合掌却住一面尒時有菩薩摩訶薩名大樂說知一切世間天人阿脩羅等心之所疑而白佛言世尊以何因緣有此寶塔從地踊出又於其中發是音聲尒時佛告大樂說菩薩此寶塔中有如來全身乃往過去東方無量千万億阿僧祇世界國名寶淨彼中有佛号曰多寶其佛行菩薩道時作大誓願若我成佛滅度之後於十方國土有說法華經處我之塔廟為聽是經故踊現其前為作證明讚言善哉彼佛成道已臨滅度時於天人大衆中告諸比丘我滅度後欲供養我全身者應起一大塔其佛以神通願力十方世界在在處處若有說

BD01299號　妙法蓮華經卷四　（25–11）

聽是經故踊現其前為作證明讚言善哉彼
佛成道已臨滅度時於天人大衆中告諸比
丘我滅度後欲供養我全身者應起一大塔
其佛以神通願力十方世界在在處處若有說
法華經者彼之寶塔皆踊出其前全身在於
塔中讚言善哉善哉大樂說今多寶如來塔
聞說法華經故從地踊出讚言善哉善哉是
時大樂說菩薩以如來神力故白佛言世尊
我等願欲見此佛身佛告大樂說菩薩摩訶
薩是多寶佛有深重願若我寶塔為聽法花
經故出於諸佛前時其有欲以我身示四衆
者彼佛分身諸佛在於十方世界說法盡還
集一處然後我身乃出現耳大樂說我分身
諸佛在於十方世界說法者今應當集大樂
說白佛言世尊我等亦願欲見世尊分身諸
佛禮拜供養尒時佛放白豪一光即見東方
五百万億那由他恒河沙等國土諸佛彼諸
國土皆以頗梨為地寶樹寶衣以為莊嚴无
數千万億菩薩充滿其中遍張寶幔寶網
羅上彼國諸佛以大妙音而說諸法及見无量
千万億菩薩遍滿諸國為衆說法南西北方四
維上下白豪相光所照之處亦復如是尒時
十方諸佛各告衆菩薩言善男子我今應往
娑婆世界釋迦牟尼佛所并供養多寶如來
寶塔時娑婆世界即變清淨琉璃為地寶樹
莊嚴黃金為繩以界八道无諸聚落村營城

BD01299號　妙法蓮華經卷四　（25–12）

娑婆世界釋迦牟尼佛所并供養多寶如來
寶塔時娑婆世界即變清淨琉璃為地寶樹
莊嚴黃金為繩以界八道无諸聚落村營城
邑大海江河山川林藪燒大寶香曼陀羅華
遍布其地以寶網幔羅覆其上懸諸寶鈴唯
留此會衆移諸天人置於他方是時諸佛各
將一大菩薩以為侍者至娑婆世界各到寶
樹下一一寶樹高五百由旬枝葉華果次第
莊嚴諸寶樹下皆有師子之座高五由旬亦
以大寶而校餝之尒時諸佛各於此座結加
趺坐如是展轉遍滿三千大千世界而於釋
迦牟尼佛一方所分之身猶故未盡時釋迦
牟尼佛欲容受所分身諸佛故八方各更變
二百万億那由他國皆令清淨无有地獄餓
鬼畜生及阿脩羅又移諸天人置於他土所
化之國亦以琉璃為地寶樹莊嚴樹高五百
由旬枝葉華果次第嚴餝樹下皆有寶師
子座高五由旬種種諸寶以為莊校亦无大海
江河及目真隣陁山摩訶目真隣陁山鐵圍
山大鐵圍山須弥山等諸山王通為一佛國
土寶地平正寶交露幔遍覆其上懸諸播蓋
燒大寶香諸天寶華遍布其地釋迦牟尼佛
為諸佛當來坐故復於八方各更變二百万億
那由他國皆令清淨无有地獄餓鬼畜生及
阿脩羅又移諸天人置於他土所化之國亦

BD01299號　妙法蓮華經卷四　（25–13）

爲諸佛當來坐故復於八方各變二百万億
那由他國皆令清淨无有地獄餓鬼畜生及
阿脩羅又移諸天人置於他土所化之國亦
以瑠璃爲地寶樹莊嚴樹高五百由旬枝葉
華菓次第莊嚴樹下皆有寶師子座高五由
旬亦以大寶而挍飾之亦无大海江河及目
真隣陁山摩訶目真隣陁山鐵圍山大鐵圍
山須弥山等諸山王通爲一佛國土寶地平
正寶交露幔遍覆其上懸諸幡蓋燒大寶香
諸天寶華遍布其地尒時東方釋迦牟尼所
分之身百千万億那由他恒河沙等國土中
諸佛各各說法來集於此如是次第十方諸
佛皆悉來集坐於八方尒時一一方四百万
億那由他國土諸佛如來遍滿其中是時諸
佛各在寶樹下坐師子座皆遣侍者問訊釋
迦牟尼佛各賷寶華滿掬而告之言善男子
汝往詣耆闍崛山釋迦牟尼佛所如我辭曰
少病少惱氣力安樂及菩薩聲聞衆悉安隱
不以此寶華散佛供養而作是言彼某甲佛
與欲開此寶塔諸佛遣使亦復如是尒時釋
迦牟尼佛見所分身佛悉已來集各各坐於
師子之座皆聞諸佛與欲同開寶塔即從座
起住虛空中一切四衆起立合掌一心觀佛
於是釋迦牟尼佛以右指開七寶塔戶出大
音聲如卻關鑰開大城門即時一切衆會皆
[illegible]

BD01299號　妙法蓮華經卷四　(25-14)

起住虛空中一切四衆起立合掌一心觀佛
於是釋迦牟尼佛以右指開七寶塔戶出大
音聲如卻關鑰開大城門即時一切衆會皆
見多寶如來於寶塔中坐師子座全身不散
如入禪定又聞其言善哉善哉釋迦牟尼佛
快說是法華經我爲聽是經故而來至此尒
時四衆等見過去无量千万億劫滅度佛說
如是言歎未曾有以天寶華聚散多寶佛
及釋迦牟尼佛上尒時多寶佛於寶塔中分半
座與釋迦牟尼佛而作是言釋迦牟尼佛可
就此座即時釋迦牟尼佛入其塔中坐其半
座結跏趺坐尒時大衆見二如來在七寶塔
中師子座上結跏趺坐各作是念佛座高遠
唯願如來以神通力令我等輩俱處虛空即
時釋迦牟尼佛以神通力接諸大衆皆在虛
空以大音聲普告四衆誰能於此娑婆國土
廣說妙法華經今正是時如來不久當入
涅槃佛欲以此妙法華經付囑有在尒時
世尊欲重宣此義而說偈言
聖主世尊　雖久滅度　在寶塔中　尚爲法來
諸人云何　不勤爲法　此佛滅度　无央數劫
處處聽法　以難遇故　彼佛本願　我滅度後
在在所往　常爲聽法　又我分身　无量諸佛
如恒沙等　來欲聽法　及見滅度　多寶如來
各捨妙土　及弟子衆　天人龍神　諸供養事
令法久住　故來至此　爲坐諸佛　以神通力
移无量衆　令國清淨　諸佛各各　詣寶樹下

BD01299號　妙法蓮華經卷四　(25-15)

各捨妙土　及弟子衆　天人龍神　諸供養事
令法久住　故来至此　為坐諸佛　以神通力
移无量衆　令國清淨　諸佛各各　詣寶樹下
如清淨池　蓮華莊嚴　其寶樹下　諸師子座
佛坐其上　光明嚴飾　如夜闇中　然大炬火
身出妙音　遍十方國　衆生蒙薰　喜不自勝
譬如大風　吹小樹枝　以是方便　令法久住
告諸大衆　我滅度後　誰能護持　讀說斯經
今於佛前　自說誓言　其多寶佛　雖久滅度
以大誓願　而師子吼　多寶如來　及與我身
所集化佛　當知此意　諸佛子等　誰能護法
當發大願　令得久住　其有能護　此經法者
則為供養　我及多寶　此多寶佛　處於寶塔
常遊十方　為是經故　亦復供養　諸来化佛
莊嚴光飾　諸世界者　若說此經　則為見我
多寶如來　及諸化佛　諸善男子　各諦思惟
此為難事　宜發大願　諸餘經典　數如恒沙
雖說此等　未足為難　若接須彌　擲置他方
无數佛土　亦未為難　若以足指　動大千界
遠擲他國　亦未為難　若立有頂　為衆演說
无量餘經　亦未為難　若佛滅後　於惡世中
能說是經　是則為難　假使有人　手把虛空
而以遊行　亦未為難　於我滅後　若自書持
若使人書　是則為難　若以大地　置足甲上
昇於梵天　亦未為難　佛滅度後　於惡世中

BD01299號　妙法蓮華經卷四

（25–16）

而以遊行　亦未為難　於我滅後　若自書持
若使人書　是則為難　若以大地　置足甲上
昇於梵天　亦未為難　佛滅度後　於惡世中
暫讀此經　是則為難　假使劫燒　擔負乾草
入中不燒　亦未為難　我滅度後　若持此經
為一人說　是則為難　若持八万　四千法藏
十二部經　為人演說　令諸聽者　得六神通
雖能如是　亦未為難　於我滅後　聽受此經
問其義趣　是則為難　若人說法　令千万億
无量无數　恒沙衆生　得阿羅漢　具六神通
雖有是益　亦未為難　於我滅後　若能奉持
如斯經典　是則為難　我為佛道　於无量土
從始至今　廣說諸經　而於其中　此經第一
若有能持　則持佛身　諸善男子　於我滅後
誰能護持　讀誦此經　今於佛前　自說誓願
此經難持　若暫持者　我則歡喜　諸佛亦然
如是之人　諸佛所歎　是則勇猛　是則精進
是名持戒　行頭陁者　則為疾得　无上佛道
能於來世　讀持此經　是真佛子　住淳善地
佛滅度後　能解其義　是諸天人　世間之眼
於恐畏世　能須臾說　一切天人　皆應供養
妙法蓮華經提婆達多品第十二
尒時佛告諸菩薩及天人四衆　吾於過去无
量劫中求法華經无有懈惓　於多劫中常作
國王發願求於无上菩提心不退轉　為欲滿

BD01299號　妙法蓮華經卷四

（25–17）

量劫中求法華經无有懈惓於多劫中常作
國王發願求於无上菩提心不退轉為欲滿
足六波羅蜜勤行布施心无悋惜象馬七珍
國城妻子奴婢僕從頭目髓腦身肉手足不
惜軀命時世人民壽命无量為於法故捐捨
國位委政太子擊鼓宣令四方求法誰能為
我說大乘者吾當終身供給走使時有仙人
來白王言我有大乘名妙法華經若不違我
當為宣說王聞仙言歡喜踊躍即隨仙人供給
所須採果汲水拾薪設食乃至以身而為床
座身心无惓于時奉事經於千歲為於法故
精勤給侍令无所乏尒時世尊欲重宣此義
而說偈言
我念過去劫　為求大法故　雖作世國王　不貪五欲樂
搥鍾告四方　誰有大法者　若為我解說　身當為奴僕
時有阿私仙　來白於大王　我有微妙法　世間所希有
若能修行者　吾當為汝說　時王聞仙言　心生大喜悅
即便隨仙人　供給於所須　採薪及果蓏　隨時恭敬與
情存妙法故　身心无懈惓　普為諸眾生　勤求於大法
亦不為己身　及以五欲樂　故為大國王　勤求獲此法
遂致得成佛　今故為汝說
佛告諸比丘尒時王者則我身是時仙人者
今提婆達多是由提婆達多善知識故令我
具足六波羅蜜慈悲喜捨三十二相八十種
好紫磨金色十力四无所畏四攝法十八不

令提婆達多是由提婆達多善知識故令我
具足六波羅蜜慈悲喜捨三十二相八十種
好紫磨金色十力四无所畏四攝法十八不
共神通道力成等正覺廣度眾生皆因提
婆達多善知識故告諸四眾提婆達多卻後過
无量劫當得成佛號曰天王如來應供正遍
知明行足善逝世間解无上士調御丈夫天
人師佛世尊世界名天道時天王佛住世二
十中劫廣為眾生說於妙法恒河沙眾生得
阿羅漢果无量眾生發緣覺心恒河沙眾生
發无上道心得无生忍至不退轉時天王佛
般涅槃後正法住世二十中劫全身舍利起
七寶塔高六十由旬縱廣四十由旬諸天人
民悉以雜華末香燒香塗香衣服瓔珞幢幡
寶蓋伎樂歌頌禮拜供養七寶妙塔无量眾
生得阿羅漢果无量眾生悟辟支佛不可思議
眾生發菩提心至不退轉佛告諸比丘未來
世中若有善男子善女人聞妙法華經提婆
達多品淨心信敬不生疑惑者不墮地獄餓
鬼畜生生十方佛前所生之處常聞此經若
生人天中受勝妙樂若在佛前蓮華化生於
時下方多寶世尊所從菩薩名曰智積白多
寶佛當還本土釋迦牟尼佛告智積曰善男
子且待須臾此有菩薩名文殊師利可與相
見論說妙法可還本土尒時文殊師利坐千

寶佛當還本土釋迦牟尼佛告智積曰善男
子且待須臾此有菩薩名文殊師利可與相
見論說妙法可還本土尒時文殊師利坐千
葉蓮華大如車輪俱來菩薩亦坐寶蓮華從於
大海娑竭龍宮自然踊出住虛空中詣靈鷲
山從蓮華下至於佛所頭面敬禮二世尊足
脩敬已畢往智積所共相慰問却坐一面智
積菩薩問文殊師利仁往龍宮所化衆生其
數幾何文殊師利言其數无量不可稱計非
口所宣非心所測且待須臾自當有證所言
未竟无數菩薩坐寶蓮華從海踊出詣靈鷲
山住在虛空此諸菩薩皆是文殊師利之所化
度具菩薩行皆共論說六波羅蜜本聲聞
人在虛空中說聲聞行今皆脩行大乘空義
文殊師利謂智積曰於海教化其事如是尒
時智積菩薩以偈讚曰

大智德勇健　化度无量衆　今此諸大會　及我皆已見
演暢實相義　開闡一乘法　廣度諸羣生　令速成菩提

文殊師利言我於海中唯常宣說妙法華經
智積問文殊師利言此經甚深微妙諸經中
寶世所希有頗有衆生勤加精進脩行此經
速得佛不文殊師利言有娑竭羅龍王女年
始八歲智慧利根善知衆生諸根行業得陁
羅尼諸佛所說甚深秘藏悉能受持深入禪
定了達諸法於剎那頃發菩提心得不退轉
辯才无礙慈念衆生猶如赤子功德具足心

羅尼諸佛所說甚深秘藏悉能受持深入禪
定了達諸法於剎那頃發菩提心得不退轉
辯才无礙慈念衆生猶如赤子功德具足心
念口演微妙廣大慈悲仁讓志意和雅能至
菩提智積菩薩言我見釋迦如來於无量劫
難行苦行積功累德求菩薩道未曾止息觀
三千大千世界乃至无有如芥子許非是菩
薩捨身命處為衆生故然後乃得成菩提道
不信此女於須臾頃便成正覺言論未訖時
龍王女忽現於前頭面禮敬却住一面以偈
讚曰

深達罪福相　遍照於十方　微妙淨法身　具相三十二
以八十種好　用莊嚴法身　天人所戴仰　龍神咸恭敬
一切衆生類　无不宗奉者　又聞成菩提　唯佛當證知
我闡大乘教　度脫苦衆生

時舍利弗語龍女言汝謂不久得无上道是
事難信所以者何女身垢穢非是法器云何
能得无上菩提佛道懸曠經无量劫勤苦積
行具脩諸度然後乃成又女人身猶有五障
一者不得作梵天王二者帝釋三者魔王四
者轉輪聖王五者佛身云何女身速得成佛
尒時龍女有一寶珠價直三千大千世界持
以上佛佛即受之龍女謂智積菩薩尊者
舍利弗言我獻寶珠世尊納受是事疾不答言
甚疾女言以汝神力觀我成佛復速於此當
時衆會皆見龍女忽然之間變成男子具菩

甚疾女言以汝神力觀我成佛復速於此當
時衆會皆見龍女忽然之間變成男子具菩
薩行即往南方无垢世界坐寶蓮華成等正
覺三十二相八十種好普為十方一切衆生
演説妙法尒時娑婆世界菩薩聲聞天龍八
部人與非人皆遥見彼龍女成佛普為時會
人天説法心大歡喜悉遥敬礼无量衆生聞
法解悟得不退轉无量衆生得受道記无垢
世界六反震動娑婆世界三千衆生住不退
地三千衆生發菩提心而得受記智積菩
薩及舍利弗一切衆會嘿然信受

妙法蓮華經勸持品第十三

尒時藥王菩薩摩訶薩及大樂説菩薩摩訶
薩與二万菩薩眷屬俱皆於佛前作是誓言
唯願世尊不以為慮我等於佛滅後當奉持
讀誦説此經典後惡世衆生善根轉少多增
上慢貪利供養增不善根遠離解脱雖難可
教化我等當起大忍力讀誦此經持説書寫
種種供養不惜身命尒時衆中五百阿羅漢
得受記者白佛言世尊我等亦自誓願於異
國土廣説此經復有學无學八千人得受記
者從座而起合掌向佛作是誓言世尊我等
亦當於他國土廣説此經所以者何是娑婆
國中人多弊惡懷增上慢功德淺薄瞋濁諂
曲心不實故尒時佛姨母摩訶波闍波提比

亦當於他國土廣説此經所以者何是娑婆
國中人多弊惡懷增上慢功德淺薄瞋濁諂
曲心不實故尒時佛姨母摩訶波闍波提比
丘尼與學无學比丘尼六千人俱從座而起
一心合掌瞻仰尊顔目不暫捨於時世尊告
憍曇彌何故憂色而視如來汝心將无謂我
不説汝名授阿耨多羅三藐三菩提記耶憍
曇彌我先惣説一切聲聞皆已授記今汝欲
知記者將来之世當於六万八千億諸佛法
中為大法師及六千學无學比丘尼俱為法
師汝如是漸漸具菩薩道當得作佛号一切
衆生憙見如来應供正遍知明行足善逝世
間解无上士調御丈夫天人師佛世尊憍曇
彌是一切衆生憙見佛及六千菩薩轉次授
記得阿耨多羅三藐三菩提尒時羅睺羅母
耶輸陁羅比丘尼作是念世尊於授記中獨
不説我名佛告耶輸陁羅汝於来世百千万億
諸佛法中脩菩薩行為大法師漸具佛道於
善國中當得作佛号具足千万光相如来應
供正遍知明行足善逝世間解无上士調御
丈夫天人師佛世尊佛壽无量阿僧祇劫尒
時摩訶波闍波提比丘尼及耶輸陁羅比丘
尼并其眷屬皆大歡喜得未曾有即於佛前
而説偈言
世尊導師　安隠天人　我等聞記　心安具足

尼并其眷屬皆大歡喜得未曾有即於佛前
而說偈言
世尊導師 安隱天人 我等聞記 心安具足
諸比丘尼說是偈已白佛言世尊我等亦能
於他方國土廣宣此經尒時世尊視八十万
億那由他諸菩薩摩訶薩是諸菩薩皆是阿
惟越致轉不退法輪得諸陀羅尼即從座起
至於佛前一心合掌而作是念若世尊告勑
我等持說此經者當如佛教廣宣斯法復作
是念佛今嘿然不見告勑我當云何時諸菩
薩敬順佛意并欲自滿本願便於佛前作師
子吼而發誓言世尊我等於如來滅後周旋
往反十方世界能令衆生書寫此經受持讀
誦解說其義如法修行正憶念皆是佛之威
力唯願世尊在於他方遙見守護即時諸菩
薩俱同發聲而說偈言
唯願不為慮 於佛滅度後 恐怖惡世中 我等當廣說
有諸无智人 惡口罵詈等 及加刀杖者 我等皆當忍
惡世中比丘 耶智心諂曲 未得謂為得 我慢心充滿
或有阿練若 納衣在空閑 自謂行真道 輕賤人間者
貪著利養故 與白衣說法 為世所恭敬 如六通羅漢
是人懷惡心 常念世俗事 假名阿練若 好出我等過
而作如是言 此諸比丘等 為貪利養故 說外道論議
自作此經典 誑惑世間人 為求名聞故 分別於是經
常在大衆中 欲毀我等故 向國王大臣 婆羅門居士
及餘比丘衆 誹謗說我惡 謂是耶見人 說外道論議

BD01299號　妙法蓮華經卷四　(25–24)

或有阿練若 納衣在空閑 自謂行真道 輕賤人間者
貪著利養故 與白衣說法 為世所恭敬 如六通羅漢
是人懷惡心 常念世俗事 假名阿練若 好出我等過
而作如是言 此諸比丘等 為貪利養故 說外道論議
自作此經典 誑惑世間人 為求名聞故 分別於是經
常在大衆中 欲毀我等故 向國王大臣 婆羅門居士
及餘比丘衆 誹謗說我惡 謂是耶見人 說外道論議
我等敬佛故 悉忍是諸惡 為斯所輕言 汝等皆是佛
如此輕慢言 皆當忍受之 濁劫惡世中 多有諸恐怖
惡鬼入其身 罵詈毀辱我 我等敬信佛 當著忍辱鎧
為說是經故 忍此諸難事 我不愛身命 但惜无上道
我等於來世 護持佛所囑 世尊自當知 濁世惡比丘
不知佛方便 隨宜所說法 惡口而顰蹙 數數見擯出
遠離於塔寺 如是等衆惡 念佛告勑故 皆當忍是事
諸聚落城邑 其有求法者 我皆到其所 說佛所囑法
我是世尊使 處衆无所畏 我當善說法 願佛安隱住
我於世尊前 諸來十方佛 發如是誓言 佛自知我心

妙法蓮華經卷第四

BD01299號　妙法蓮華經卷四　(25–25)

功德鎧脩般若時雖護淨戒而能不見持犯
差別是為淨戒波羅蜜多大功德鎧脩般若
時依勝空慧而脩安忍不見能忍所忍等事
是為安忍波羅蜜多大功德鎧脩般若時雖
觀諸法皆畢竟空而以大悲勤脩善法是為
精進波羅蜜多大功德鎧脩般若時雖脩勝
定而觀定境皆畢竟空是為靜慮波羅蜜多
大功德鎧脩般若時觀一切法一切有情及
一切行皆如幻夢光影響像陽焰變化及尋
香城而脩種種無取著慧是為般若波羅蜜
多大功德鎧舍利子如是菩薩摩訶薩脩行
般若波羅蜜多時具被六種波羅蜜多大功
德鎧若菩薩摩訶薩以一切智智相應作意
脩行般若波羅蜜多時於六波羅蜜多相無
取無得當知是菩薩摩訶薩被大功德鎧舍
利子如是名為諸菩薩摩訶薩普為利樂一
切有情被大功德鎧舍利子諸菩薩摩訶薩
安住一一波羅蜜多皆脩六種波羅蜜多令
得圓滿是故名被大功德鎧復次舍利子諸
菩薩摩訶薩雖入靜慮無量無色而不味著

BD01300號　大般若波羅蜜多經卷四八七　（2–1）

取無得當知是菩薩摩訶薩被大功德鎧舍
利子如是名為諸菩薩摩訶薩普為利樂一
切有情被大功德鎧舍利子諸菩薩摩訶薩
安住一一波羅蜜多皆脩六種波羅蜜多令
得圓滿是故名被大功德鎧復次舍利子諸
菩薩摩訶薩雖入靜慮無量無色而不味著
亦不為彼勢力牽引亦不隨彼勢力受生舍
利子是為菩薩摩訶薩脩行靜慮波羅蜜多
時所被方便善巧般若波羅蜜多大功德鎧
復次舍利子諸菩薩摩訶薩雖於靜慮無
量無色住遠離見寂靜見空無相無願見而
不證實際不墮聲聞及獨覺地超勝一切聲
聞獨覺舍利子是為菩薩摩訶薩脩行靜慮
波羅蜜多時所被方便善巧般若波羅蜜多大
功德鎧舍利子以諸菩薩普為利樂一切有
情被如是等大功德鎧故復名摩訶薩舍利
子如是普為利樂有情被大功德鎧菩薩摩
訶薩普為十方殑伽沙等諸佛世界一切如
來應正等覺處大眾中歡喜讚歎作如是言
某方某世界中有某名菩薩摩訶薩普為利
樂一切有情被大功德鎧嚴淨佛土成熟有
情遊戲神通作所應作如是展轉聲遍十方
人天等聞皆大歡喜咸作是言是菩薩摩訶
薩不久當證所求無上正等菩提

BD01300號　大般若波羅蜜多經卷四八七　（2–2）

四百卄七

BD01300 號背　勘記　　　　（1–1）

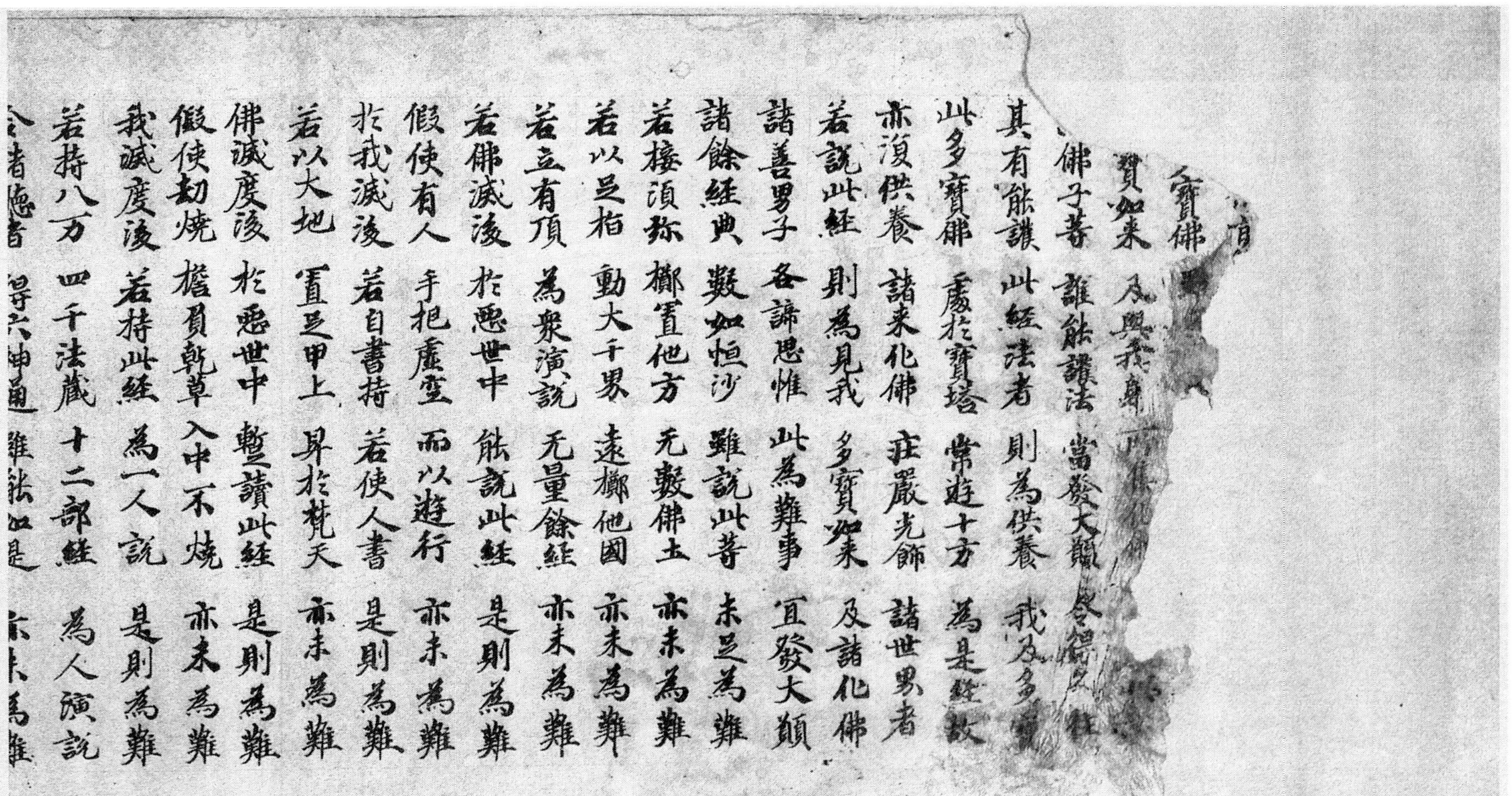

寶佛
寶如来　及與我身　所集化佛　當知此意
佛子等　誰能護法　當發大願　令得久住
其有能護　此經法者　則為供養　我及多寶
此多寶佛　處於寶塔　常遊十方　為是經故
亦復供養　諸来化佛　莊嚴光飾　諸世界者
若說此經　則為見我　多寶如来　及諸化佛
諸善男子　各諦思惟　此為難事　宜發大願
諸餘經典　數如恒沙　雖說此等　未足為難
若接須弥　擲置他方　无數佛土　亦未為難
若以足指　動大千界　遠擲他國　亦未為難
若立有頂　為衆演說　无量餘經　亦未為難
若佛滅後　於惡世中　能說此經　是則為難
假使有人　手把虛空　而以遊行　亦未為難
於我滅後　若自書持　若使人書　是則為難
若以大地　置足甲上　昇於梵天　亦未為難
佛滅度後　於惡世中　暫讀此經　是則為難
假使劫燒　擔負乾草　入中不燒　亦未為難
我滅度後　若持此經　為一人說　是則為難
若持八万　四千法藏　十二部經　為人演說
令諸聽者　得六神通　雖能如是　亦未為難

BD01301 號　妙法蓮華經卷四　　　　（11–1）

假使劫燒　擔負乾草　入中不燒　亦未為難
我滅度後　若持此經　為一人說　是則為難
若持八万　四千法藏　十二部經　為人演說
令諸聽者　得六神通　雖能如是　亦未為難
於我滅後　聽受此經　問其義趣　是則為難
若人說法　令千万億　无量无數　恒沙眾生
得阿羅漢　具六神通　雖有此益　亦未為難
於我滅後　若能奉持　如斯經典　是則為難
我為佛道　於无量土　從始至今　廣說諸經
而於其中　此經第一　若有能持　則持佛身
諸善男子　於我滅後　誰能受持　讀誦此經
今於佛前　自說誓言
此經難持　若暫持者　我則歡喜　諸佛亦然
如是之人　諸佛所歎　則是勇猛　是則精進
是名持戒　行頭陀者　則為疾得　无上佛道
能於來世　讀持此經　是真佛子　住純善地
佛滅度後　能解其義　是諸天人　世間之眼
於恐畏世　能須臾說　一切天人　皆應供養

妙法蓮華經提婆達多品第十二

尒時佛告諸菩薩及天人四眾吾於過去无
量劫中求法華經无有懈惓於多劫中常作
國王發願求於无上菩提心不退轉為欲滿
足六波羅蜜勤行布施心无悋惜象馬七珎
國城妻子奴婢僕從頭目髓腦身肉手足不
惜軀命時世人民壽命无量為於法故捐捨

BD01301號　妙法蓮華經卷四　（11–2）

國王發願求於无上菩提心不退轉為欲滿
足六波羅蜜勤行布施心无悋惜象馬七珎
國城妻子奴婢僕從頭目髓腦身肉手足不
惜軀命時世人民壽命无量為於法故捐捨
國位委政太子擊鼓宣令四方求法誰能為
我說大乘者吾當終身供給走使時有仙人
來白王言我有大乘名妙法蓮華經若不違
我當為宣說王聞仙言歡喜踊躍即隨仙人
供給所須採菓汲水拾薪設食乃至以身而
為牀座身心无惓于時奉事經於千歲為於
法故精勤給侍令无所乏尒時世尊欲重宣
此義而說偈言
我念過去世　為求大法故　雖作世國王　不貪五欲樂
搥鍾告四方　誰有大法者　若為我解說　身當為奴僕
時有阿私仙　來白於大王　我有微妙法　世間所希有
若能脩行者　吾當為汝說　時王聞仙言　心生大喜悅
即便隨仙人　供給於所須　採薪及菓蓏　隨時恭敬與
情存妙法故　身心无懈惓　普為諸眾生　勤求於大法
亦不為己身　及以五欲樂　故為大國王　勤求獲此法
遂致得成佛　今故為汝說
佛告諸比丘尒時王者則我身是時仙人者
今提婆達多是由提婆達多善知識故令我
具足六波羅蜜慈悲喜捨三十二相八十種
好紫磨金色十力四无所畏四攝法十八不共
神通道力成等正覺廣度眾生皆因提婆

BD01301號　妙法蓮華經卷四　（11–3）

今提婆達多是由提婆達多善知識故令我
具足六波羅蜜慈悲喜捨三十二相八十種
好紫磨金色十力四无所畏四攝法十八不共
神通道力成等正覺廣度衆生皆因提婆
達多善知識故告諸四衆提婆達多却後過
无量劫當得成佛號曰天王如來應供正遍
知明行足善逝世間解无上士調御丈夫天
人師佛世尊世界名天道時天王佛住世二
十中劫廣為衆生說於妙法恒河沙衆生得
阿羅漢果无量衆生發緣覺心恒河沙衆生
發无上道心得无生法忍至不退轉時天王
佛般涅槃後正法住世二十中劫全身舍利
起七寶塔高六十由旬縱廣四十由旬諸天
人民悉以雜華末香燒香塗香衣服瓔珞幢
幡寶蓋伎樂歌頌礼拜供養七寶妙塔无
量衆生得阿羅漢果无量衆生悟辟支佛不可
思議衆生發菩提心至不退轉佛告諸比丘
未來世中若有善男子善女人聞妙法華經
提婆達多品淨心信敬不生疑惑者不墮地
獄餓鬼畜生生十方佛前所生之處常聞此
經若生人天中受勝妙樂若在佛前蓮華化
生於時下方多寶世尊所從菩薩名曰智積
啓多寶佛當還本土釋迦牟尼佛告智積曰
善男子且待須臾此有菩薩名文殊師利可
與相見論說妙法可還本土

BD01301 號　妙法蓮華經卷四　（11–4）

生於時下方多寶世尊所從菩薩名曰智積
啓多寶佛當還本土釋迦牟尼佛告智積曰
善男子且待須臾此有菩薩名文殊師利可
與相見論說妙法可還本土
尒時文殊師利坐千葉蓮華大如車輪俱來菩
薩亦坐寶蓮華從於大海娑竭羅龍宮自
然踊出住虛空中詣靈鷲山從蓮華下至於
佛所頭面敬礼二世尊足脩敬已畢往智積
所共相慰問却坐一面智積菩薩問文殊師
利仁往龍宮所化衆生其數幾何文殊師利
言其數无量不可稱計非口所宣非心所測
且待須臾自當有證所言未竟无數菩薩坐
寶蓮華從海踊出詣靈鷲山住在虛空此諸
菩薩皆是文殊師利之所化度具菩薩行皆
共論說六波羅蜜本聲聞人在虛空中說聲
聞行今皆脩行大乘空義文殊師利謂智積
曰於海教化其事如此尒時智積菩薩
讚曰
大智德勇健　化度无量衆　今
演暢實相義　開闡一乘法
文殊師利言我於海中唯
智積問文殊師利言此經甚
寶世所希有頗有衆生勤加精
速得佛不文殊師利言有娑竭羅龍王
始八歲智慧利根善知衆生諸根利鈍
羅尼諸佛所說甚深秘藏悉能受持深入

BD01301 號　妙法蓮華經卷四　（11–5）

寶世所希有頗有衆生勤加精
速得佛不文殊師利言有娑竭羅龍王
始八歲智慧利根善知衆生諸根利鈍
羅尼諸佛所說甚深秘藏悉能受持深入禪
定了達諸法於剎那頃發菩提心得不退轉
辯才无礙慈念衆生猶如赤子功德具足心
念口演微妙廣大慈悲仁讓志意和雅能至
菩提智積菩薩言我見釋迦如來於无量劫
難行苦行積功累德求菩薩道未曾止息觀
三千大千世界乃至无有如芥子許非是菩
薩捨身命處為衆生故然後乃得成菩提道
不信此女於須臾頃便成正覺言論未訖時
龍王女忽現於前頭面礼敬却住一面以偈
讚曰
深達罪福相　遍照於十方　微妙淨法身　具相三十二
以八十種好　用莊嚴法身　天人所戴仰　龍神咸恭敬
一切衆生類　无不宗奉者　又聞成菩提　唯佛當證知
我闡大乘教　度脫苦衆生
時舍利弗語龍女言汝謂不久得无上道是
事難信所以者何女身垢穢非是法器云何
能得无上菩提佛道懸曠經无量劫勤苦積
行具修諸度然後乃成又女人身猶有五鄣
者不得作梵天王二者帝釋三者魔王四者轉
輪聖王五者佛身云何女身速得成佛尒
時龍女有一寶珠價直三千大千世界持以

者不得作梵天王二者帝釋三者魔王四者轉
輪聖王五者佛身云何女身速得成佛尒
時龍女有一寶珠價直三千大千世界持以
上佛佛即受之龍女謂智積菩薩尊者舍利
弗言我獻寶珠世尊納受是事疾不荅言甚
疾女言以汝神力觀我成佛復速於此當時
衆會皆見龍女忽然之間變成男子具菩
薩行即往南方无垢世界坐寶蓮華成等正覺
三十二相八十種好普為十方一切衆生演
說妙法尒時娑婆世界菩薩聲聞天龍八部
人與非人皆遥見彼龍女成佛普為時會人
天說法心大歡喜悉遥礼敬无量衆生聞法
解悟得不退轉无量衆生得受道記无垢世
界六反震動娑婆世界三千衆生住不退地
三千衆生發菩提心而得受記智積菩薩及
舍利弗一切衆會嘿然信受
妙法蓮華經勸持品第十三
尒時藥王菩薩摩訶薩及大樂說菩薩摩訶
薩與二万菩薩眷屬俱皆於佛前作是誓言
唯願世尊不以為慮我等於佛滅後當奉持
讀誦說此經典後惡世衆生善根轉少多增
上慢貪利供養增不善根遠離解脫雖難可
教化我等當起大忍力讀誦此經持說書寫
種種供養不惜身命尒時衆中五百阿羅漢
得受記者白佛言世尊我等亦自誓願於異

種種供養不惜身命尒時衆中五百阿羅漢
得受記者白佛言世尊我等亦自誓願於異
國土廣說此經復有學无學八千人得受記
者從座而起合掌向佛作是誓言世尊我等
亦當於他國土廣說此經所以者何是娑婆
國中人多弊惡懷增上慢功德淺薄瞋濁諂
曲心不實故
尒時佛姨母摩訶波闍波提比丘尼與學无
學比丘尼六千人俱從座而起一心合掌瞻
仰尊顏目不暫捨於時世尊告憍曇弥何故
憂色而視如来汝心將无謂我不說汝名得
授阿耨多羅三藐三菩提記耶憍曇弥我先
惣說一切聲聞皆已授記今汝欲知記者將来
之世當於六万八千億諸佛法中為大法師
及六千學无學比丘尼俱為法師汝如是漸
漸具菩薩道當得作佛号一切衆生喜見如
来應供正遍知明行足善逝世間解无上士
調御丈夫天人師佛世尊憍曇弥是一切衆
生喜見佛及六千菩薩轉次授記得阿耨多
羅三藐三菩提尒時羅睺羅母耶輸陁羅比
丘尼作是念世尊於授記中獨不說我名佛
告耶輸陁羅汝於来世百千万億諸佛法中
脩菩薩行為大法師漸具佛道於善國中當
得作佛号具足千万光相如来應供正遍知

BD01301 號　妙法蓮華經卷四　（11–8）

告耶輸陁羅汝於来世百千万億諸佛法中
脩菩薩行為大法師漸具佛道於善國中當
得作佛号具足千万光相如来應供正遍知
明行足善逝世間解无上士調御丈夫天人
師佛世尊佛壽无量阿僧祇劫尒時摩訶波
闍波提比丘尼及耶輸陁羅比丘尼并其眷
屬皆大歡喜得未曾有即於佛前而說偈言
世尊導師　安隱天人　我等聞記　心安具足
諸比丘尼說是偈已白佛言世尊我等亦能
於他方國土廣宣此經
尒時世尊視八十万億那由他諸菩薩摩訶
薩是諸菩薩皆是阿惟越致轉不退法輪得
諸陁羅尼即從座起至於佛前一心合掌而
作是念若世尊告勑我等持說此經者當如
佛教廣宣斯法復作是念佛今嘿然不見告
勑我當云何時諸菩薩敬順佛意并欲自滿
本願便於佛前作師子吼而發誓言世尊我
等於如来滅後周旋往反十方世界能令衆
生書寫此經受持讀誦解說其義如法脩行
正憶念皆是佛之威力唯願世尊在於他方
遥見守護即時諸菩薩俱同發聲而說偈言
唯願不為慮　於佛滅度後　恐怖惡世中　我等當廣說
有諸无智人　惡口罵詈等　及加刀杖者　我等皆當忍
惡世中比丘　耶智心諂曲　未得謂為得　我慢心充滿
或有阿練若　納衣在空閑　自謂行真道　輕賤人間者

BD01301 號　妙法蓮華經卷四　（11–9）

唯願不為慮　於佛滅度後　恐怖惡世中　我等當廣說
有諸无智人　惡口罵詈等　及加刀杖者　我等皆當忍
惡世中比丘　邪智心諂曲　未得謂為得　我慢心充滿
或有阿練若　納衣在空閑　自謂行真道　輕賤人閒者
貪著利養故　與白衣說法　為世所恭敬　如六通羅漢
是人懷惡心　常念世俗事　假名阿練若　好出我等過
而作如是言　此諸比丘等　為貪利養故　說外道論議
自作此經典　誑惑世間人　為求名聞故　分別於是經
常在大衆中　欲毀我等故　向國王大臣　婆羅門居士
及餘比丘衆　誹謗說我惡　謂是邪見人　說外道論議
我等敬佛故　悉忍是諸惡　為斯所輕言　汝等皆是佛
如此輕慢言　皆當忍受之
濁劫惡世中　多有諸恐怖　惡鬼入其身　罵詈毀辱我
我等敬信佛　當著忍辱鎧　為說是經故　忍此諸難事
我不愛身命　但惜无上道　我等於來世　護持佛所囑
世尊自當知　濁世惡比丘　不知佛方便　隨宜所說法
惡口而顰蹙　數數見擯出　遠離於塔寺　如是等衆惡
念佛告勑故　皆當忍是事
諸聚落城邑　其有求法者　我皆到其所　說佛所囑法
我是世尊使　處衆无所畏　我當善說法　願佛安隱住
我於世尊前　諸來十方佛　發如是誓言　佛自知我心

妙法蓮華經卷第四

BD01301號　妙法蓮華經卷四　（11–10）

我等敬佛故　悉忍是諸惡　為斯所輕言　汝等皆是佛
如此輕慢言　皆當忍受之
濁劫惡世中　多有諸恐怖　惡鬼入其身　罵詈毀辱我
我等敬信佛　當著忍辱鎧　為說是經故　忍此諸難事
我不愛身命　但惜无上道　我等於來世　護持佛所囑
世尊自當知　濁世惡比丘　不知佛方便　隨宜所說法
惡口而顰蹙　數數見擯出　遠離於塔寺　如是等衆惡
念佛告勑故　皆當忍是事
諸聚落城邑　其有求法者　我皆到其所　說佛所囑法
我是世尊使　處衆无所畏　我當善說法　願佛安隱住
我於世尊前　諸來十方佛　發如是誓言　佛自知我心

妙法蓮華經卷第四

BD01301號　妙法蓮華經卷四　（11–11）

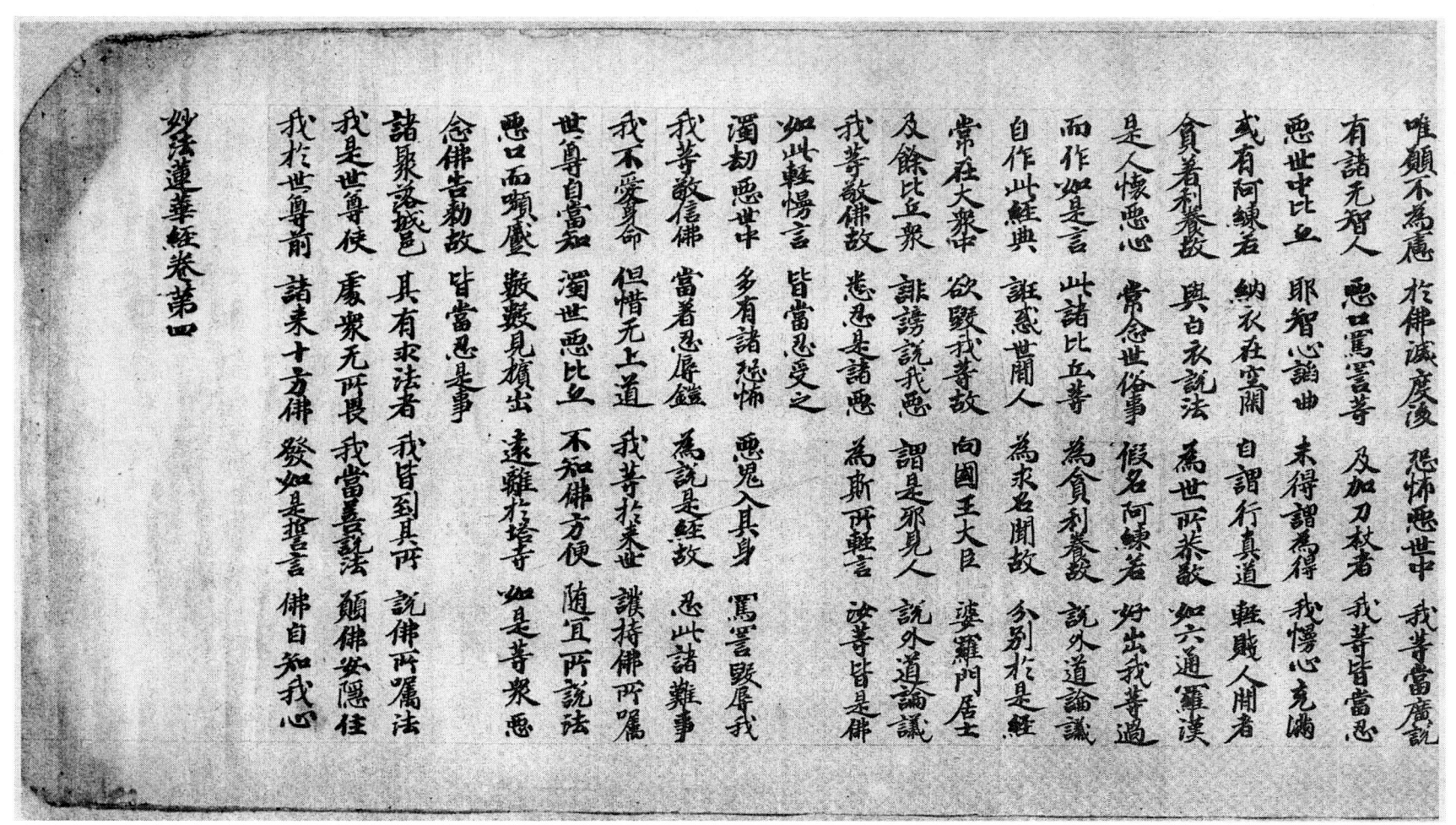

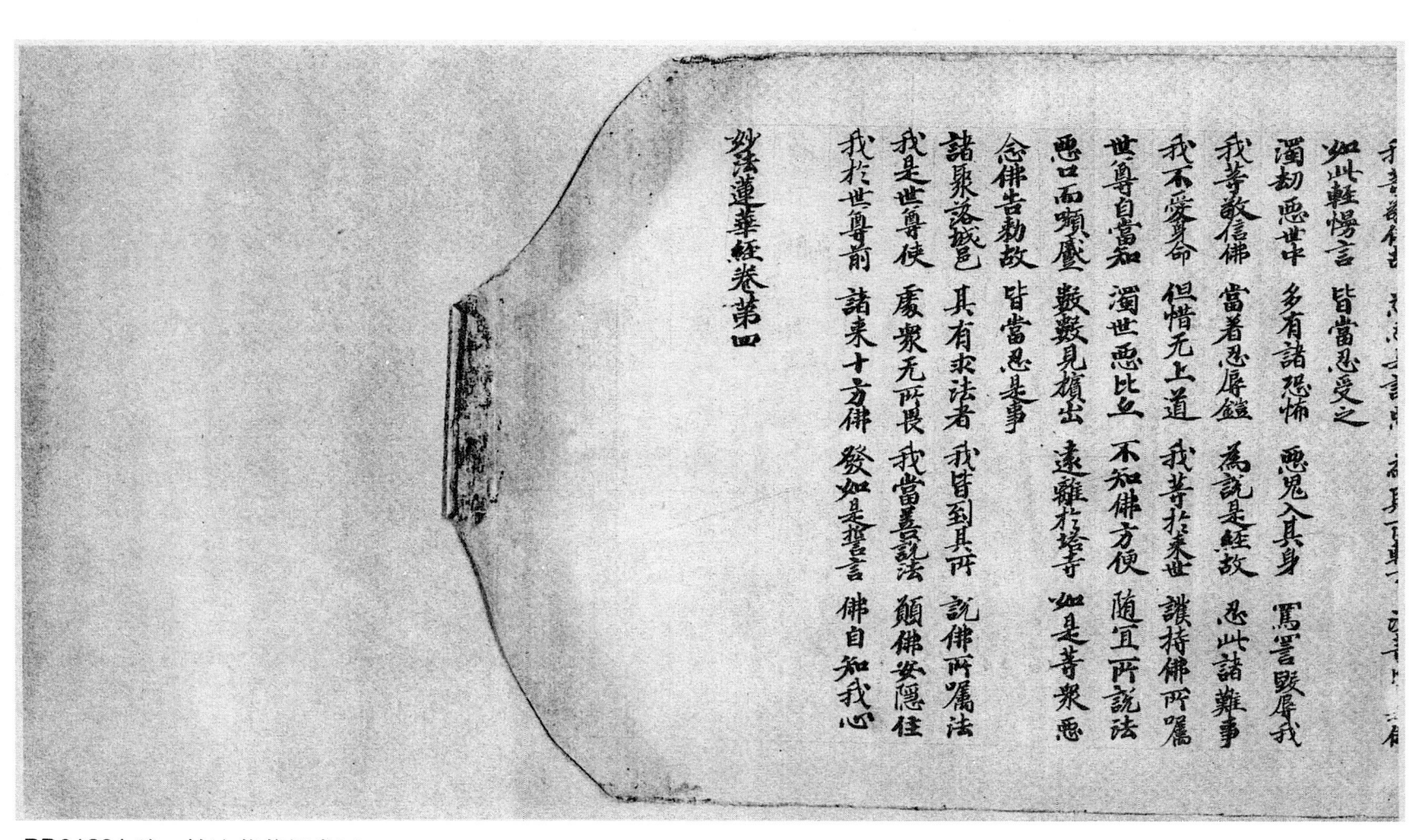

二无二分无别无斷
識清淨受想行識
是意生清淨與受想行
分无别无斷故善現意生清
處清淨即意生清淨何以故是
處清淨无二无二分无别无斷
即耳鼻舌身意處清淨耳鼻
淨即意生清淨何以故是意生
舌身意處清淨无二无二分无别无斷故
意生清淨即色處清淨色處清淨
清淨何以故是意生清淨與色處清
二分无别无斷故意生清淨即聲香味
處清淨聲香味觸法處清淨即意生清
以故是意生清淨與聲香味觸法處清
二无二分无别无斷故善現意生清淨即
界清淨眼界清淨即意生清淨何以故
生清淨與眼界清淨无二无二分无别无斷
意生清淨即色界眼識界及眼觸眼觸
緣所生諸受清淨色界乃至眼觸為緣
生諸受清淨即意清淨何以故是意生
淨與色界乃至眼觸為緣所生諸受清淨无
无二分无别无斷故善現意生清淨即耳界

BD01302號　大般若波羅蜜多經卷一九三　（17–1）

意生清淨即色界眼識界及眼觸眼觸
緣所生諸受清淨色界乃至眼觸為緣
生諸受清淨即意清淨何以故是意生
淨與色界乃至眼觸為緣所生諸受清淨无
无二分无别无斷故善現意生清淨即耳界
清淨耳界清淨即意生清淨何以故是意生
清淨與耳界清淨无二无二分无别无斷故
意生清淨即聲界耳識界及耳觸耳觸為
所生諸受清淨聲界乃至耳觸為緣所
諸受清淨即意生清淨何以故是意生清
與聲界乃至耳觸為緣所生諸受清淨
二无二分无别无斷故善現意生清淨即鼻
界清淨鼻界清淨即意生清淨何以故是意
生清淨與鼻界清淨无二无二分无别无斷
故意生清淨即香界鼻識界及鼻觸鼻
觸為緣所生諸受清淨香界乃至鼻觸
緣所生諸受清淨即意生清淨何以故是
生清淨與香界乃至鼻觸為緣所生諸受
淨无二无二分无别无斷故善現意生清淨
即舌界清淨舌界清淨即意生清淨何以
故是意生清淨與舌界清淨无二无二分无
别无斷故意生清淨即味界舌識界及舌觸
舌觸為緣所生諸受清淨味界乃至舌觸
緣所生諸受清淨即意生清淨何以故是
生清淨與味界乃至舌觸為緣所生諸受
淨无二无二分无别无斷故善現意生清淨
即身界清淨身界清淨即意生清淨何以故
是意生清淨與身界清淨无二无二分无别
无斷故意生清淨即觸界身識界及身觸身

BD01302號　大般若波羅蜜多經卷一九三　（17–2）

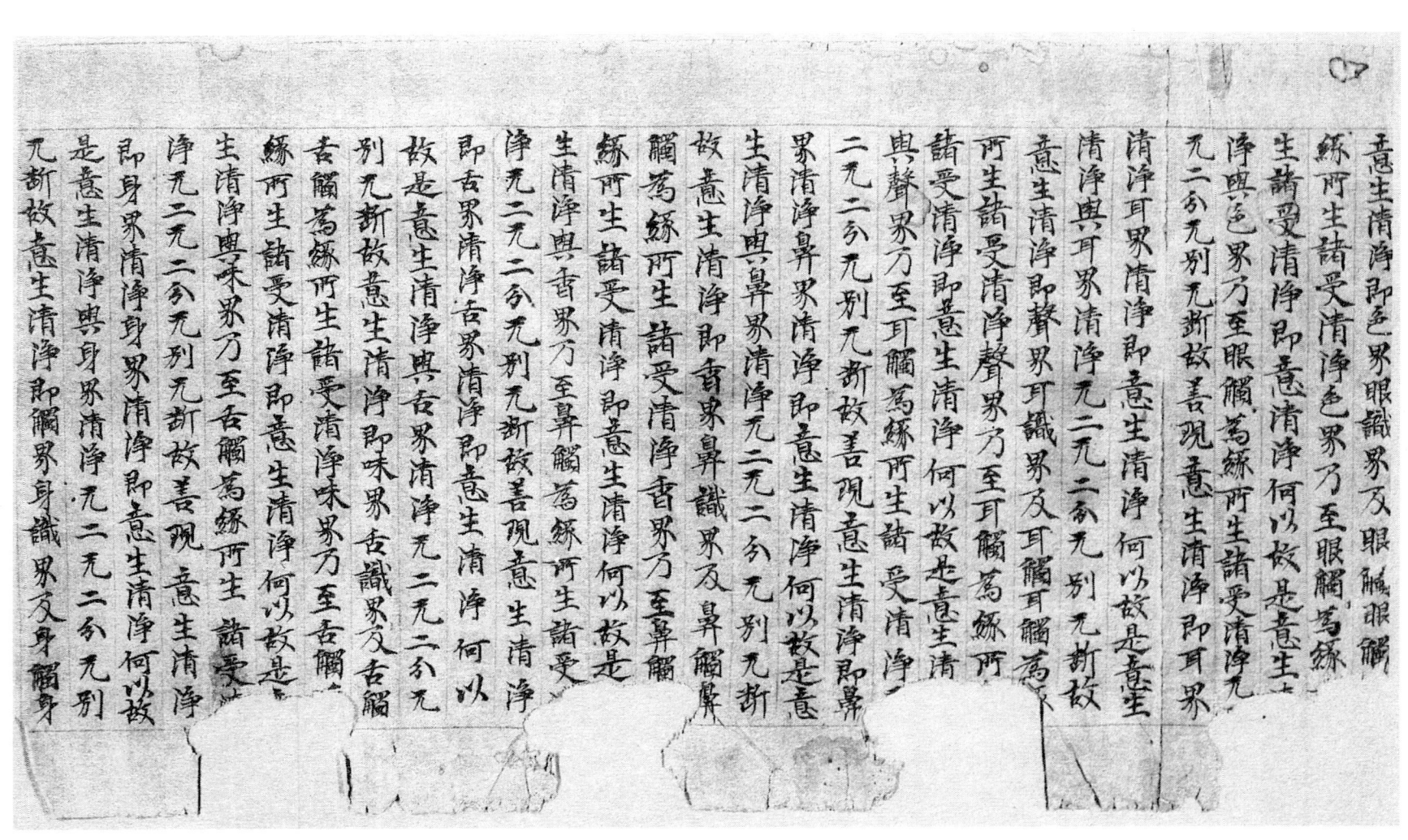

即身界清淨身界清淨即意生清淨何以故
是意生清淨與身界清淨无二无二分无別
无斷故意生清淨即觸界身識界及身觸身
觸為緣所生諸受清淨觸界乃至身觸為緣
所生諸受清淨即意生清淨何以故是意
生清淨與觸界乃至身觸為緣所生諸受清
淨无二无二分无別无斷故善現意生清淨
即意界清淨意界清淨即意生清淨何以
故是意生清淨與意界清淨无二无二分无別
无斷故意生清淨即法界意識界及意觸意
觸為緣所生諸受清淨法界乃至意觸為緣
所生諸受清淨即意生清淨何以故是意生
清淨與法界乃至意觸為緣所生諸受清淨
无二无二分无別无斷故善現意生清淨即
地界清淨地界清淨即意生清淨何以故是
意生清淨與地界清淨无二无二分无別无
斷故意生清淨即水火風空識界清淨水火
風空識界清淨即意生清淨何以故是意生
清淨與水火風空識界清淨无二无二分无
別无斷故善現意生清淨即无明清淨无明
清淨即意生清淨何以故是意生清淨與无
明清淨无二无二分无別无斷故 意生清淨
即行識名色六處觸受愛取有生老死愁歎
苦憂惱清淨行乃至老死愁歎苦憂惱清淨
即意生清淨何以故是意生清淨與行乃至
老死愁歎苦憂惱清淨无二无二分无別无斷
故善現意生清淨即布施波羅蜜多清
淨布施波羅蜜多清淨即意生清淨何以故
是意生清淨與布施波羅蜜多清淨无二无

BD01302 號　大般若波羅蜜多經卷一九三　（17–3）

老死愁歎苦憂惱清淨无二无二分无別无斷
故善現意生清淨即布施波羅蜜多清
淨布施波羅蜜多清淨即意生清淨何以故
是意生清淨與布施波羅蜜多清淨无二无
二分无別无斷故意生清淨即戒淨安忍精
進靜慮般若波羅蜜多清淨淨戒乃至般若
波羅蜜多清淨即意生清淨何以故是意生
清淨與淨戒乃至般若波羅蜜多清淨无二无
二分无別无斷故善現意生清淨即內空清
淨內空清淨即意生清淨何以故是意生清
淨與內空清淨无二无二分无別无斷故意生
清淨即外空內外空空空大空勝義空有
為空无為空畢竟空无際空散空无變異
空本性空自相空共相空一切法空不可得
空无性空自性空无性自性空清淨外空乃至
无性自性空清淨即意生清淨何以故是意
生清淨與外空乃至无性自性空清淨无二
无二分无別无斷故善現意生清淨即真如
清淨真如清淨即意生清淨何以故是意生
清淨與真如清淨无二无二分无別无斷故
意生清淨即法界法性不虛妄性不變異
性平等性離生性法定法住實際虛空界不
思議界清淨法界乃至不思議界清淨即意
生清淨何以故是意生清淨與法界乃至不
思議界清淨无二无二分无別无斷故善現
意生清淨即苦聖諦清淨苦聖諦清淨即
意生清淨何以故是意生清淨與苦聖諦清
淨无二无二分无別无斷故意生清淨即集
滅道聖諦清淨集滅道聖諦清淨即意生

BD01302 號　大般若波羅蜜多經卷一九三　（17–4）

意生清淨即苦聖諦清淨苦聖諦清淨即
意生清淨何以故是意生清淨與苦聖諦清
淨无二无二分无別无斷故意生清淨即集
滅道聖諦清淨集滅道聖諦清淨即意生
清淨何以故是意生清淨與集滅道聖諦清
淨无二无二分无別无斷故
善現意生清淨即四靜慮清淨四靜慮清
淨即意生清淨何以故是意生清淨與四靜
慮清淨无二无二分无別无斷故意生清淨即
四无量四无色定清淨四无量四无色定清
淨即意生清淨何以故是意生清淨與四无
量四无色定清淨无二无二分无別无斷故
善現意生清淨即八解脫清淨八解脫清
淨即意生清淨何以故是意生清淨與八解
脫清淨无二无二分无別无斷故意生清淨
即八勝處九次第定十遍處清淨八勝處九
次第定十遍處清淨即意生清淨何以故是
意生清淨與八勝處九次第定十遍處清淨
无二无二分无別无斷故善現意生清淨即四
念住清淨四念住清淨即意生清淨何以故
是意生清淨與四念住清淨无二无二分无
別无斷故意生清淨即四正斷四神足五根
五力七等覺支八聖道支清淨四正斷乃至
八聖道支清淨即意生清淨何以故是意生
清淨與四正斷乃至八聖道支清淨无二无
二分无別无斷故善現意生清淨即空解
脫門清淨空解脫門清淨即意生清淨何
以故是意生清淨與空解脫門清淨无二无
二分无別无斷故意生清淨即无相无願解脫
門清淨无相无願解脫門清淨即意生清淨

以故是意生清淨與空解脫門清淨无二无
二分无別无斷故意生清淨即无相无願解脫
門清淨无相无願解脫門清淨即意生清淨
何以故是意生清淨與无相无願解脫門清淨
无二无二分无別无斷故善現意生清淨即菩
薩十地清淨菩薩十地清淨即意生清淨
何以故是意生清淨與菩薩十地清淨无二
无二分无別无斷故
善現意生清淨即五眼清淨五眼清淨即意
生清淨何以故是意生清淨與五眼清淨无
二无二分无別无斷故意生清淨即六神通
清淨六神通清淨即意生清淨何以故是
意生清淨與六神通清淨无二无二分无別无
斷故善現意生清淨即佛十力清淨佛十力
清淨即意生清淨何以故是意生清淨與佛
十力清淨无二无二分无別无斷故意生清淨
即四无所畏四无礙解大慈大悲大喜大捨
十八佛不共法清淨四无所畏乃至十八佛
不共法清淨即意生清淨何以故是意
生清淨與四无所畏乃至十八佛不共法清
淨无二无二分无別无斷故善現意生清淨
即无忘失法清淨无忘失法清淨即意生清
淨何以故是意生清淨與无忘失法清淨无
二无二分无別无斷故意生清淨即恒住捨性
清淨恒住捨性清淨即意生清淨何以故
是意生清淨與恒住捨性清淨无二无二
分无別无斷故善現意生清淨即一切智清
淨一切智清淨即意生清淨何以故是意生
清淨與一切智清淨无二无二分无別无斷故

分无別无斷故善現意生清淨即一切智清
淨一切智清淨即意生清淨何以故是意生
清淨與一切智清淨无二无二分无別无斷故
意生清淨即道相智一切相智清淨道相智一
切相智清淨即意生清淨何以故是意生
清淨與道相智一切相智清淨无二无二分无
別无斷故善現善生清淨即一切陁羅尼門
清淨一切陁羅尼門清淨即意生清淨何以
故是意生清淨與一切陁羅尼門清淨无二
无二分无別无斷故意生清淨即一切三摩
地門清淨一切三摩地門清淨即意生清淨
何以故是意生清淨與一切三摩地門清淨
无二无二分无別无斷故
善現意生清淨即預流果清淨 預流果清
淨即意生清淨何以故是意生清淨與預流
果清淨无二无二分无別 无斷故意生清淨
即一來不還阿羅漢果清淨一來不還阿羅
漢果清淨即意生清淨何以故是意生清淨
與一來不還阿羅漢清果淨无二无二分无別
无斷故善現意生清淨即獨覺菩提清淨
獨覺菩提清淨即意生清淨何以故是意生
清淨與獨覺菩提清淨无二无二分无別无斷
故善現意生清淨即一切菩薩摩訶薩行
清淨一切菩薩摩訶薩行清淨即意生清
淨何以故是意生清淨與一切菩薩摩訶薩
行清淨无二无二分无別无斷故善現意生清
淨即諸佛无上正等菩提清淨諸佛无上正
等菩提清淨即意生清淨何以故是意生清淨
與者佛无上正等菩提清淨无二无二分 无

淨即諸佛无上正等菩提清淨諸佛无上正
等菩提清淨即意生清淨何以故是意生清淨
與諸佛无上正等菩提清淨无二无二分 无
別无斷故
復次善現儒童清淨即色清淨 即儒
童清淨何以故是儒童清淨與色清淨无二
无二分无別无斷故儒童清淨即受想行識
清淨受想行識清淨即儒童清淨何以故是
儒童清淨與受想行識清淨无二无二分无
別无斷故善現儒童清淨即眼處清淨眼處
清淨即儒童清淨何以故是儒童清淨與眼
處清淨无二无二分无別无斷故儒童清淨
即耳鼻舌身意處清淨耳鼻舌身意處清
淨即儒童清淨何以故是儒童清淨與耳鼻
舌身意處清淨无二无二分无別 无斷故善
現儒童清淨即色處清淨色處清淨即儒童清
淨何以故是儒童清淨與色處清淨无二无
二分无別无斷故儒童清淨即聲香味觸法
處清淨聲香味觸法處清淨即儒童清淨何
以故是儒童清淨與聲香味觸法處清淨无
二无二分无別无斷故善現儒童清淨即眼
界清淨眼界清淨即儒童清淨何以故是儒
童清淨與眼界清淨无二无二分无別无斷
故儒童清淨即色界眼識界及眼觸眼觸爲
緣所生諸受清淨色界乃至眼觸爲緣所生
諸受清淨即儒童清淨何以故是儒童清淨
與色界乃至眼觸爲緣所生諸受清淨无无
二分无別无斷故善現儒童清淨即耳界清
淨耳界清淨即儒童清淨何以故是儒童清

諸受清淨即儒童清淨何以故是儒童清淨
與色界乃至眼觸為緣所生諸受清淨无二无
二分无別无斷故善現儒童清淨即耳界清
淨耳界清淨即儒童清淨何以故是儒童清
淨與耳界清淨无二无二分无別无斷故儒
童清淨即聲界耳識界及耳觸耳觸為緣所
生諸受清淨聲界乃至耳觸為緣所生諸受
清淨即儒童清淨何以故是儒童清淨與聲
界乃至耳觸為緣所生諸受清淨无二无二
分无別无斷故善現儒童清淨即鼻界清淨
鼻界清淨即儒童清淨何以故是儒童清淨
與鼻界清淨无二无二分无別无斷故儒童
清淨即香界鼻識界及鼻觸鼻觸為緣所生
諸受清淨香界乃至鼻觸為緣所生諸受清
淨即儒童清淨何以故是儒童清淨與香界
乃至鼻觸為緣所生諸受清淨无二无二分
无別无斷故善現儒童清淨即舌界清淨舌
界清淨即儒童清淨何以故是儒童清淨與
舌界清淨无二无二分无別无斷故儒童清淨
即味界舌識界及舌觸舌觸為緣所生諸受
清淨味界乃至舌觸為緣所生諸受清淨
即儒童清淨何以故是儒童清淨與味界乃
至舌觸為緣所生諸受清淨无二无二分无
別无斷故善現儒童清淨即身界清淨身界
清淨即儒童清淨何以故是儒童清淨與身
界清淨无二无二分无別无斷故儒童清淨
即觸界身識界及身觸身觸為緣所生諸受
清淨觸界乃至身觸為緣所生諸受清淨即
儒童清淨何以故是儒童清淨與觸界乃至

BD01302 號　大般若波羅蜜多經卷一九三　（17–9）

界清淨无二无二分无別无斷故儒童清淨
即觸界身識界及身觸身觸為緣所生諸受
清淨觸界乃至身觸為緣所生諸受清淨即
儒童清淨何以故是儒童清淨與觸界乃至
身觸為緣所生諸受清淨无二无二分无別
无斷故善現儒童清淨即意界清淨意界
清淨即儒童清淨何以故是儒童清淨與意界
清淨无二无二分无別无斷故儒童清淨即
法界意識界及意觸意觸為緣所生諸受清
淨法界乃至意觸為緣所生諸受清淨即
儒童清淨何以故是儒童清淨與法界乃至意
觸為緣所生諸受清淨无二无二分无別无
斷故善現儒童清淨即地界清淨地界清淨
即儒童清淨何以故是儒童清淨與地界清
淨无二无二分无別无斷故儒童清淨即水
火風空識界清淨水火風空識界清淨即儒
童清淨何以故是儒童清淨與水火風空識
界清淨无二无二分无別无斷故善現儒童
清淨即无明清淨无明清淨即儒童清淨何
以故是儒童清淨與无明清淨无二无二分
无別无斷故儒童清淨即行識名色六處觸
受愛取有生老死愁歎苦憂惱清淨行乃至
老死愁歎苦憂惱清淨即儒童清淨何以故
是儒童清淨與行乃至老死愁歎苦憂惱清
淨无二无二分无別无斷故
善現儒童清淨即布施波羅蜜多清淨布施
波羅蜜多清淨即儒童清淨何以故是儒童
清淨與布施波羅蜜多清淨无二无二分无
別无斷故儒童清淨即淨戒安忍精進靜慮

BD01302 號　大般若波羅蜜多經卷一九三　（17–10）

波羅蜜多清淨即儒童清淨何以故是儒童
清淨與布施波羅蜜多清淨无二无二分无
別无斷故儒童清淨即淨戒安忍精進靜慮
般若波羅蜜多清淨淨戒乃至般若波羅
蜜多清淨即儒童清淨何以故是儒童清淨
與淨戒乃至般若波羅蜜多清淨无二无二
分无別无斷故善現儒童清淨即內空清淨
內空清淨即儒童清淨何以故是儒童清淨
與內空清淨无二无二分无別无斷故儒童清
淨即外空內外空空空大空勝義空有為空
无為空畢竟空无際空散空无變異空本性
空自相空共相空一切法空不可得空无性
空自性空无性自性空清淨外空乃至无性
自性空清淨即儒童清淨何以故是儒童清
淨與外空乃至无性自性空清淨无二无二
分无別无斷故善現儒童清淨即真如清淨
真如清淨即儒童清淨何以故是儒童清淨
與真如清淨无二无二分无別无斷故儒童
清淨即法界法性不虛妄性不變異性平等
性離生性法定法住實際虛空界不思議界
清淨法界乃至不思議界清淨即儒童清淨
何以故是儒童清淨與法界乃至不思議界
清淨无二无二分无別无斷故善現儒童清
淨即苦聖諦清淨苦聖諦清淨即儒童清淨
何以故是儒童清淨與苦聖諦清淨无二无
二分无別无斷故儒童清淨即集滅道聖諦
清淨集滅道聖諦清淨即儒童清淨何以故
是儒童清淨與集滅道聖諦清淨无二无二

BD01302 號　大般若波羅蜜多經卷一九三　（17–11）

清淨集滅道聖諦清淨即儒童清淨何以故
是儒童清淨與集滅道聖諦清淨无二无二
分无別无斷故
善現儒童清淨即四靜慮清淨四靜慮清淨
即儒童清淨何以故是儒童清淨與四靜慮
清淨无二无二分无別无斷故儒童清淨即
四无量四无色定清淨四无量四无色定清淨
即儒童清淨何以故是儒童清淨與四无量
四无色定清淨无二无二分无別无斷故善
現儒童清淨即八解脫清淨八解脫清淨
即儒童清淨何以故是儒童清淨與八解脫
清淨无二无二分无別无斷故儒童清淨即
八勝處九次第定十遍處清淨八勝處九次
第定十遍處清淨即儒童清淨何以故是儒童
清淨與八勝處九次第定十遍處清淨无二
无二分无別无斷故善現儒童清淨即四念
住清淨四念住清淨即儒童清淨何以故
是儒童清淨與四念住清淨无二无二分无
別无斷故儒童清淨即四正斷四神足五根
五力七等覺支八聖道支清淨四正斷乃至
八聖道支清淨即儒童清淨何以故是儒童
清淨與四正斷乃至八聖道支清淨无二无
二分无別无斷故善現儒童清淨即空解脫
門清淨空解脫門清淨即儒童清淨何以故
是儒童清淨與空解脫門清淨无二无二分
无別无斷故儒童清淨即无相无願解脫門
清淨无相无願解脫門清淨即儒童清淨
何以故是儒童清淨與无相无願解脫門清淨

BD01302 號　大般若波羅蜜多經卷一九三　（17–12）

无別无斷故儒童清淨即无相无願解脫門
清淨无相无願解脫門清淨即儒童清淨
何以故是儒童清淨與无相无願解脫門清淨
无二无二分无別无斷故善現儒童清淨即
菩薩十地清淨菩薩十地清淨即儒童清淨
何以故是儒童清淨與菩薩十地清淨无二
无二分无別无斷故
善現儒童清淨即五眼清淨五眼清淨即儒
童清淨何以故是儒童清淨與五眼清淨无
二无二分无別无斷故儒童清淨即六神通
清淨六神通清淨即儒童清淨何以故是儒
童清淨與六神通清淨无二无二分无別无
斷故善現儒童清淨即佛十力清淨佛十力
清淨即儒童清淨何以故是儒童清淨與佛
十力清淨无二无二分无別无斷故儒童清
淨即四无所畏四无礙解大慈大悲大喜大
捨十八佛不共法清淨四无所畏乃至十八
佛不共法清淨即儒童清淨何以故是儒童
清淨與四无所畏乃至十八佛不共法清淨
无二无二分无別无斷故善現儒童清淨即
无忘失法清淨无忘失法清淨即儒童清淨
何以故是儒童清淨與无忘失法清淨无二
无二分无別无斷故儒童清淨即恒住捨性
清淨恒住捨性清淨即儒童清淨何以故是
儒童清淨與恒住捨性清淨无二无二分无
別无斷故善現儒童清淨即一切智清淨一
切智清淨即儒童清淨何以故是儒童清淨
與一切智清淨无二无二分无別无斷故儒
童清淨即道相智一切相智清淨道相智一

BD01302號　大般若波羅蜜多經卷一九三　（17–13）

別无斷故善現儒童清淨即一切智清淨一
切智清淨即儒童清淨何以故是儒童清淨
與一切智清淨无二无二分无別无斷故儒
童清淨即道相智一切相智清淨道相智一
切相智清淨即儒童清淨何以故是儒童清
淨與道相智一切相智清淨无二无二分无
別无斷故善現儒童清淨即一切陁羅尼門
清淨一切陁羅尼門清淨即儒童清淨何以
故是儒童清淨與一切陁羅尼門清淨无二
无二分无別无斷故儒童清淨即一切三摩
地門清淨一切三摩地門清淨即儒童清淨
何以故是儒童清淨與一切三摩地門清淨
无二无二分无別无斷故
善現儒童清淨即預流果清淨預流果清淨
即儒童清淨何以故是儒童清淨與預流果
清淨无二无二分无別无斷故儒童清淨即
一來不還阿羅漢果清淨一來不還阿羅漢
果清淨即儒童清淨何以故是儒童清淨
與一來不還阿羅漢果清淨无二无二分无
別无斷故善現儒童清淨即獨覺菩提清
淨獨覺菩提清淨即儒童清淨何以故是儒
童清淨與獨覺菩提清淨无二无二分无別
无斷故善現儒童清淨即一切菩薩摩訶薩
行清淨一切菩薩摩訶薩行清淨即儒童
清淨何以故是儒童清淨與一切菩薩摩訶
薩行清淨无二无二分无別无斷故善現儒
童清淨即諸佛无上正等菩提清淨諸佛无
上正等菩提清淨即儒童清淨何以故是儒
童清淨與諸佛无上正等菩提清淨无二无

BD01302號　大般若波羅蜜多經卷一九三　（17–14）

薩行清淨无二无二分无別无斷故善現憍
童清淨即諸佛无上正等菩提清淨諸佛无
上正等菩提清淨即憍童清淨何以故是憍
童清淨與諸佛无上正等菩提清淨无二无
二分无別无斷故
復次善現作者清淨即色清淨色清淨即
作者清淨何以故是作者清淨與色清淨无二
无二分无別无斷故作者清淨即受想行識
清淨受想行識清淨即作者清淨何以故是
作者清淨與受想行識清淨无二无二分无
別无斷故善現作者清淨即眼處清淨眼處
清淨即作者清淨何以故是作者清淨與眼
處清淨无二无二分无別无斷故作者清淨
即耳鼻舌身意處清淨耳鼻舌身意處清
淨即作者清淨何以故是作者清淨與耳鼻
舌身意處清淨无二无二分无別无斷故善
現作者清淨即色處清淨色處清淨即作者
清淨何以故是作者清淨與色處清淨无二
无二分无別无斷故作者清淨即聲香味觸
法處清淨聲香味觸法處清淨即作者清淨
何以故是作者清淨與聲香味觸法處清淨
无二无二分无別无斷故善現作者清淨
即眼界清淨眼界清淨即作者清淨何以故
是作者清淨與眼界清淨无二无二分无別
无斷故作者清淨即色界眼識界及眼觸眼
觸為緣所生諸受清淨色界乃至眼觸為緣
所生諸受清淨即作者清淨何以故是作者清
淨與色界乃至眼觸為緣所生諸受清淨无
二无二分无別无斷故善現作者清淨即

BD01302號　大般若波羅蜜多經卷一九三　（17–15）

所生諸受清淨即作者清淨何以故是作者清
淨與色界乃至眼觸為緣所生諸受清淨无
二无二分无別无斷故善現作者清淨即
耳界清淨耳界清淨即作者清淨何以故是
作者清淨與耳界清淨无二无二分无別无
斷故作者清淨即聲界耳識界及耳觸耳觸
為緣所生諸受清淨聲界乃至耳觸為緣所
生諸受清淨即作者清淨何以故是作者清
淨與聲界乃至耳觸為緣所生諸受清淨无
二无二分无別无斷故善現作者清淨即鼻
界清淨鼻界清淨即作者清淨何以故是作
者清淨與鼻界清淨无二无二分无別无斷
故作者清淨即香界鼻識界及鼻觸鼻觸為
緣所生諸受清淨香界乃至鼻觸為緣所生諸
受清淨即作者清淨何以故是作者清淨與
香界乃至鼻觸為緣所生諸受清淨无二无
二分无別无斷故善現作者清淨即舌界清
淨舌界清淨即作者清淨何以故是作者清淨
與舌界清淨无二无二分无別无斷故作者清
淨即味界舌識界及舌觸舌觸為緣所生
諸受清淨味界乃至舌觸為緣所生諸受
清淨即作者清淨何以故是作者清淨與味
界乃至舌觸為緣所生諸受清淨无二无二
分无別无斷故

大般若波羅蜜多經卷第一百九十三

比丘照寫

BD01302號　大般若波羅蜜多經卷一九三　（17–16）

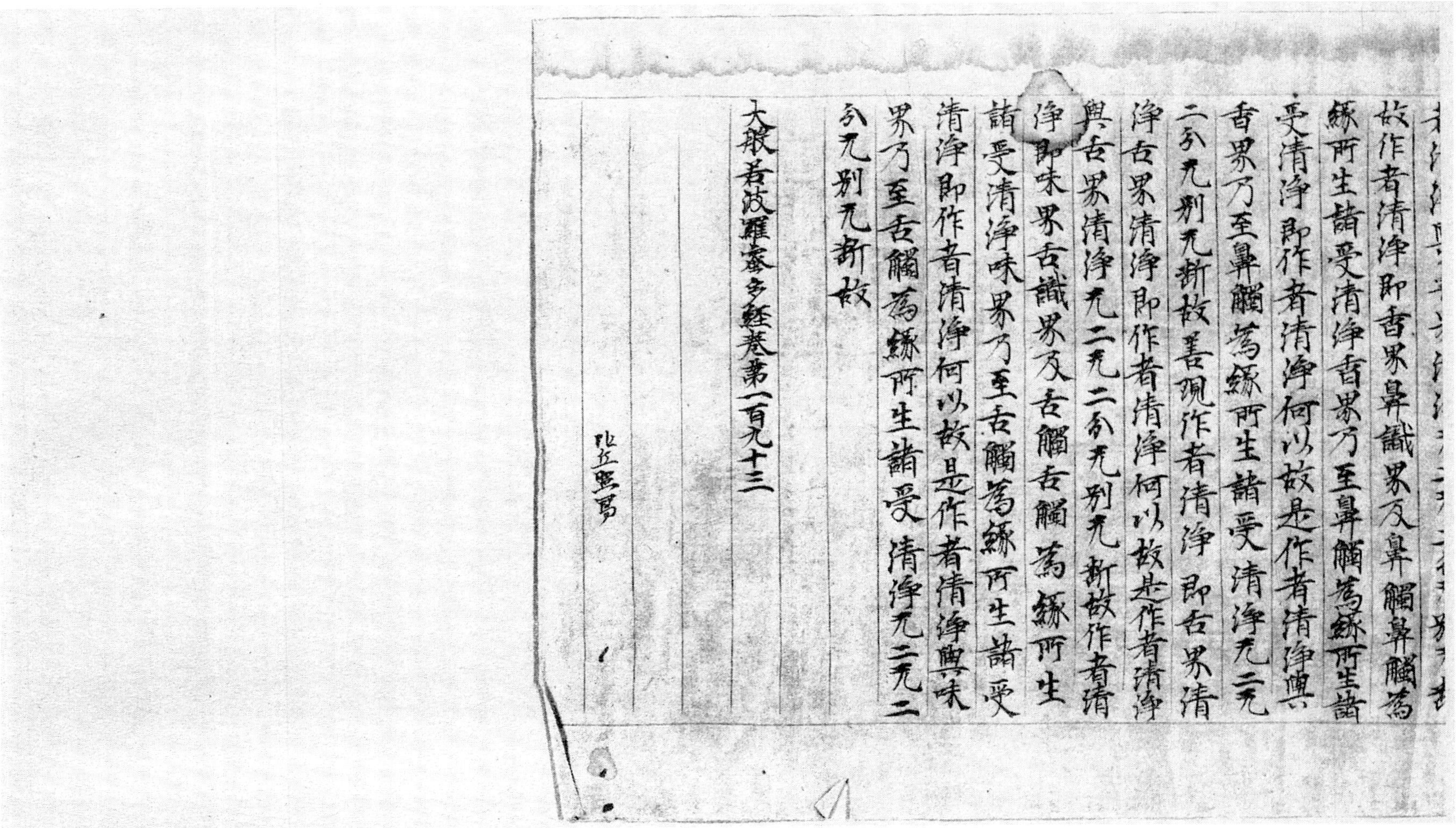
故作者清淨即香界鼻識界及鼻觸鼻觸為
緣所生諸受清淨香界乃至鼻觸為緣所生諸
受清淨即作者清淨何以故是作者清淨與
香界乃至鼻觸為緣所生諸受清淨无二无
二分无別无斷故善現作者清淨即舌界清
淨舌界清淨即作者清淨何以故是作者清淨
與舌界清淨无二无二分无別无斷故作者清
淨即味界舌識界及舌觸舌觸為緣所生
諸受清淨味界乃至舌觸為緣所生諸受
清淨即作者清淨何以故是作者清淨與味
界乃至舌觸為緣所生諸受清淨无二无二
分无別无斷故

大般若波羅蜜多經卷第一百九十三

比丘惠寫

BD01302 號　大般若波羅蜜多經卷一九三　（17–17）

弟廿袟

BD01302 號背　勘記　（1–1）

大般若波羅蜜多經
第三分善現品第三之二
尒時具壽善現白佛言世
布施波羅蜜多應學般若波
戒安忍精進靜慮般若波羅
波羅蜜多若諸菩薩欲遍知
羅蜜多欲遍知受想行識應學般若
多若諸菩薩欲遍知眼處應學般若
多欲遍知耳鼻舌身意處應學般若
多若諸菩薩欲遍知色處應學般若波
多欲遍知聲香味觸法處應學般若波
多若諸菩薩欲遍知眼界應學般若波
多欲遍知耳鼻舌身意界應學般若波羅
多若諸菩薩欲遍知色界應學般若波
多欲遍知聲香味觸法界應學般若波
多若諸菩薩欲遍知眼識界應學般若
蜜多欲遍知耳鼻舌身意識界應學般
羅蜜多若諸菩薩欲遍知眼觸應學般
羅蜜多欲遍知耳鼻舌身意觸應學般
羅蜜多若諸菩薩欲遍知眼觸爲緣所生
受應學般若波羅蜜多欲遍知耳鼻舌身意
觸爲緣所生諸受應學般若波羅蜜多若諸
菩薩欲遍知地界應學般若波羅蜜多欲遍
知水火風空識界應學般若波羅蜜多若諸

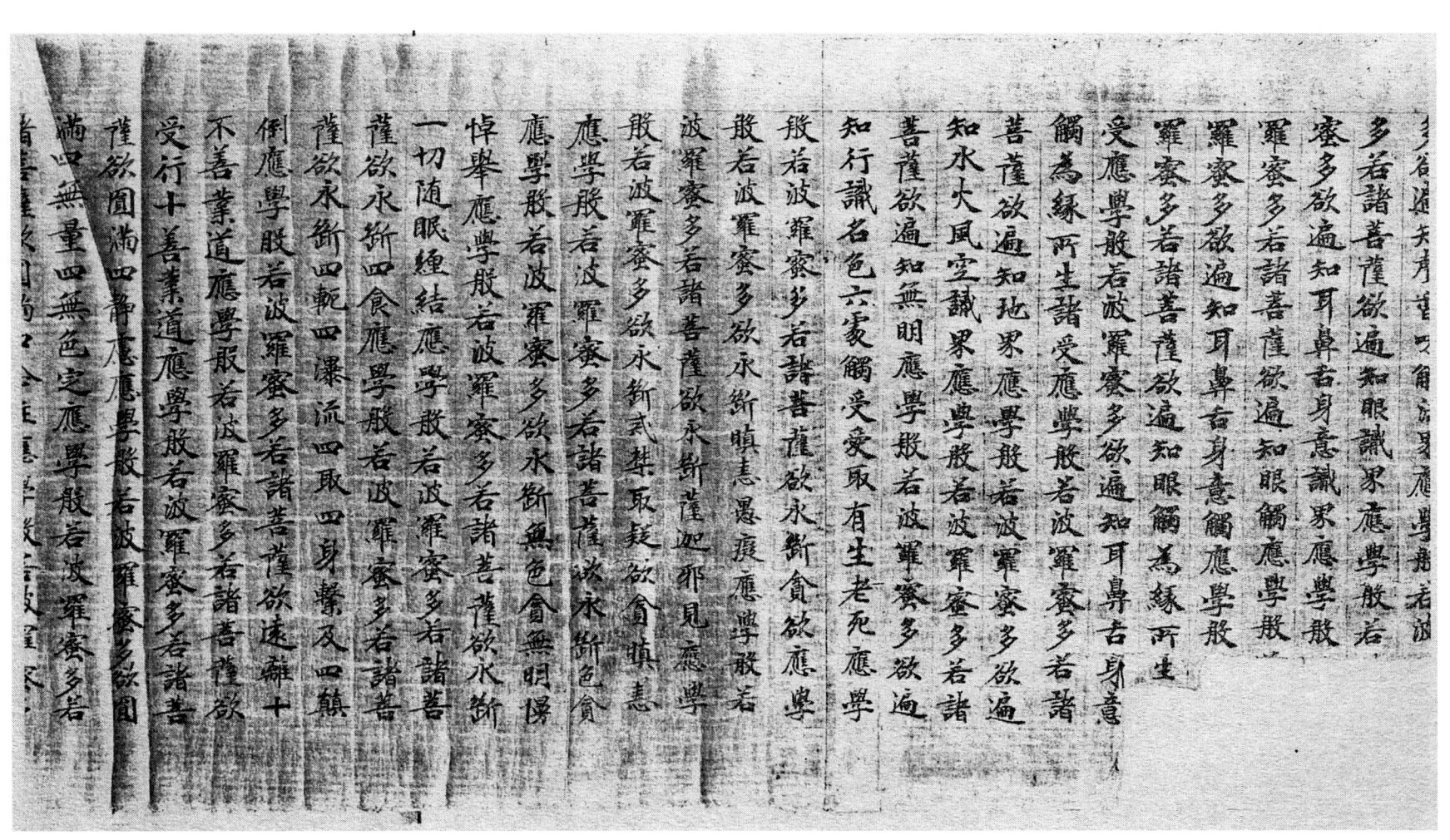

BD01303號　大般若波羅蜜多經卷四八四　（3–1）

多欲遍知聲香味觸法界應學般若波
多若諸菩薩欲遍知眼識界應學般若
蜜多欲遍知耳鼻舌身意識界應學般
羅蜜多若諸菩薩欲遍知眼觸應學般
羅蜜多欲遍知耳鼻舌身意觸應學般
羅蜜多若諸菩薩欲遍知眼觸爲緣所生
受應學般若波羅蜜多欲遍知耳鼻舌身意
觸爲緣所生諸受應學般若波羅蜜多若諸
菩薩欲遍知地界應學般若波羅蜜多欲遍
知水火風空識界應學般若波羅蜜多若諸
菩薩欲遍知無明應學般若波羅蜜多欲遍
知行識名色六處觸受愛取有生老死應學
般若波羅蜜多若諸菩薩欲永斷貪欲應學
般若波羅蜜多欲永斷瞋恚愚癡應學般若
波羅蜜多若諸菩薩欲永斷薩迦耶見應學
般若波羅蜜多欲永斷戒禁取疑欲貪瞋恚
應學般若波羅蜜多若諸菩薩欲永斷色貪
應學般若波羅蜜多欲永斷無色貪無明憍
悼舉應學般若波羅蜜多若諸菩薩欲永斷
一切隨眠纏結應學般若波羅蜜多若諸菩
薩欲永斷四食應學般若波羅蜜多若諸菩
薩欲永斷四軛四瀑流四取四身繫及四顛
倒應學般若波羅蜜多若諸菩薩欲遠離十
不善業道應學般若波羅蜜多若諸菩薩欲
受行十善業道應學般若波羅蜜多若諸菩
薩欲圓滿四靜慮應學般若波羅蜜多欲圓
滿四無量四無色定應學般若波羅蜜多若
諸菩薩欲圓[illegible]

BD01303號　大般若波羅蜜多經卷四八四　（3–2）

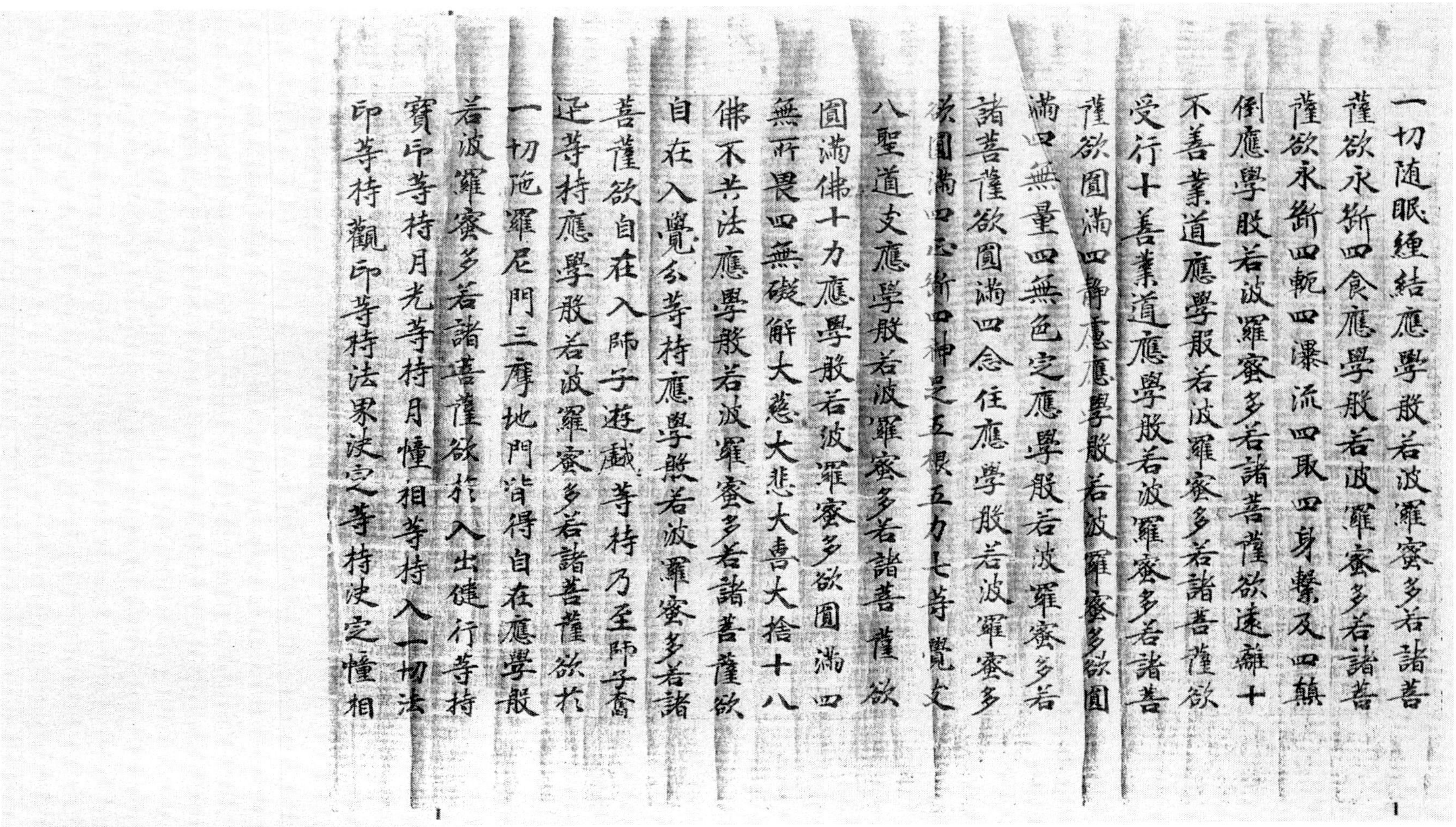

一切隨眠纏結應學般若波羅蜜多若諸菩
薩欲永斷四食應學般若波羅蜜多若諸菩
薩欲永斷四軛四瀑流四取四身繫及四顛
倒應學般若波羅蜜多若諸菩薩欲遠離十
不善業道應學般若波羅蜜多若諸菩薩欲
受行十善業道應學般若波羅蜜多若諸菩
薩欲圓滿四靜慮應學般若波羅蜜多欲圓
滿四無量四無色定應學般若波羅蜜多若
諸菩薩欲圓滿四念住應學般若波羅蜜多
欲圓滿四正斷四神足五根五力七等覺支
八聖道支應學般若波羅蜜多若諸菩薩欲
圓滿佛十力應學般若波羅蜜多欲圓滿四
無所畏四無礙解大慈大悲大喜大捨十八
佛不共法應學般若波羅蜜多若諸菩薩欲
自在入覺分等持應學般若波羅蜜多若諸
菩薩欲自在入師子遊戲等持乃至師子奮
迅等持應學般若波羅蜜多若諸菩薩欲於
一切陁羅尼門三摩地門皆得自在應學般
若波羅蜜多若諸菩薩欲於入出健行等持
寶印等持月光等持月幢相等持入一切法
印等持觀印等持法界決定等持決定幢相

BD01303 號　大般若波羅蜜多經卷四八四　　（3–3）

BD01303 號背　勘記　　（1–1）

BD01304 號背　護首　　　　（1–1）

金光明最勝王經分別三身品第三 二　三藏法師義淨奉 制譯
爾時虛空藏菩薩摩訶薩在大衆中從座而
起偏袒右肩右膝著地合掌恭敬頂禮佛足
以上微妙金寶之華寶幢幡蓋而爲供養白
佛言世尊云何菩薩摩訶薩於諸如來甚深
秘密如法修行佛言善男子諦聽諦聽善
思念之吾當爲汝分別解説
善男子一切如來有三種身云何爲三一者
化身二者應身三法者身如是三身具足攝
受阿耨多羅三藐三菩提若正了知速出生

BD01304 號　金光明最勝王經卷二　　　　（16–1）

秘密如法修行佛言善男子諦聽諦聽善
思念之吾當為汝分別解說
善男子一切如来有三種身云何為三一者
化身二者應身三法身如是三身具足攝
受阿耨多羅三藐三菩提若正了知速出生
死云何菩薩了知化身善男子如来昔在修
行地中為一切衆生修種種法如是修習至
修行滿修行力故得大自在自在力故隨衆
生意隨衆生行隨衆生界悉皆了別不待時
不過時處相應時相應行相應說法相應現
種種身是名化身善男子云何菩薩了知應
身謂諸如来為諸菩薩得通達故說於真諦
為令解了生死涅槃是一味故為除身見
衆生怖畏歡喜故為無邊佛法而作本故
如實相應如如如如智本願力故是身得現
具三十二相八十種好項背圓光是名應身善
男子云何菩薩摩訶薩了知法身為除諸煩惱
等障為具諸善法故唯有如如如如智是名
法身前二種身是假名有此第三身是真
實有為前二身而作根本何以故離法如如離
無分別智一切諸佛無有別法一切諸佛智
慧具足一切煩惱究竟滅盡得清淨佛地是
故法如如如如智攝一切佛法
復次善男子一切諸佛利益自他至於究竟
自利益者是法如如利益他者是如如智能
於自他利益之事而得自在成就種種無邊
用故是故分別一切佛法有無量無邊種種
差別善男子譬如依心妄想思惟說種種煩

BD01304號　金光明最勝王經卷二　(16–2)

自利益者是法如如利益他者是如如智能
於自他利益之事而得自在成就種種無邊
用故是故分別一切佛法有無量無邊種種
差別善男子譬如依心妄想思惟說種種煩
惱說種種業用種種果報如是依法如如依
如如智說種種佛法說種種獨覺法說種種聲
聞法依法如如依如如智一切佛法自在成就
是為第一不可思議譬如畫空作莊嚴具是
難思議如是依法如如依如如智成就佛法
亦難思議善男子云何法如如如如智二無分
別而得自在事業成就善男子譬如如来
入於涅槃願自在故種種事業皆得成就法
如如如如智自在事成亦復是如
復次菩薩摩訶薩入無心定依前願力從禪
定起作衆事業如是二法無有分別自在事
成善男子譬如日月無有分別亦如水鏡無
有分別光明亦無分別三種和合得有影生
如是法如如如如智亦無分別以願自在故
衆生有感現應化身如日月影和合出現復
次善男子譬如無量無邊水鏡依於光故
空影得現種種異相空者即是無相善男子
如是受化諸弟子等是法身影以願力故於
二種身現種種相於法身地無有異相善男
子依此二身一切諸佛說有餘涅槃依此法
身說無餘涅槃何以故一切餘法究竟盡故
依此三身一切諸佛說無住處涅槃為二身故
不住涅槃離於法身無有別佛何故二身不
住涅槃二身假名不實念念生滅不定住故

BD01304號　金光明最勝王經卷二　(16–3)

身說無餘涅槃何以故一切餘法究竟盡故
依此三身一切諸佛說無住處涅槃為二身故
不住涅槃離於法身無有別佛何故二身不
住涅槃二身假名不實念念生滅不定住故
數數出現以不定故法身不尒是故二身不
住涅槃法身不二是故不住涅槃故依三身
說無住涅槃
善男子一切凡夫為三相故有縛有障遠離
三身不至三身何者為三一者遍計所執相
二者依他起相三者成就相如是諸相不能
解故不能滅故不能淨故是故不得至於三
身如是三相能解能滅能淨故是故諸佛
具足三身善男子諸凡夫人未能除遣此三
心故遠離三身不能得至何者為三一者起
事心二者依根本心三者根本心依諸伏道
起事心盡依法斷道依根本心盡依最勝道
根本心盡起事心滅故得現化身依根本心
滅故得顯應身根本心滅故得至法身是故
一切如來具足三身
善男子一切諸佛於第一身與諸佛同事於
第二身與諸佛同意於第三身與諸佛同
體善男子是初佛身隨眾生意有多種故
現種種相是故說多第二佛身弟子一意故
現一相是故說一第三佛身過一切種相非執
相境界是故說名不一不二善男子是第一身
依於應身得顯現故是第二身依於法身
得顯現故是法身者是真實有無依處故
善男子如是三身以有義故而說於常以有

BD01304號　金光明最勝王經卷二　（16–4）

得顯現故是法身者是真實有無依處故
善男子如是三身以有義故而說於常以有
義故說於無常化身者恒轉法輪處處隨
緣方便相續不斷絕故是故說常非是本故具
足大用不顯現故說為無常應身者從無始來
相續不斷一切諸佛不共之法能攝持故眾生
無盡用亦無盡是故說常非是本故以具足
用不顯現故說為無常法身者非是行法无
有異相是根本故猶如虛空是故說常善男
子離無分別智更無勝智離法如如無勝境
界是法如如是慧如如是二種如如如如不一
不異是故法身慧清淨故滅清淨故是二清
淨是故法身具足清淨
復次善男子分別三身有四種異有化身非
應身有應身非化身有化身亦應身有非
化身亦非應身何者化身非應身謂諸如來般
涅槃後以願自在故隨緣利益是名化身何
者應身非化身是地前身何者化身亦應
身謂住有餘涅槃之身何者非化身非應身
謂是法身善男子是法身者二無所有所顯
現故何者名為二無所有於此法身相及相
處二皆是無非有非無非一非異非數非非
數非明非闇如是如如智不見相及相處不
見非有非無不見非一非異不見非數非非
數不見非明非闇是當知境界清淨智慧清
淨不可分別無有中間為滅道本故於此法
身能顯如來種種事業
善男子是身因緣境界處所果依於本難

BD01304號　金光明最勝王經卷二　（16–5）

[illegible]清淨智慧清
淨不可分別無有中間爲滅道本故於此法
身能顯如来種種事業
善男子是身因緣境界處所果依於本難
思議故若了此義是身即是大乘是如来性是
如来藏依於此身得發初心修行地心而得
顯現不退地心亦皆得現一生補處心金剛
之心如来之心而悉顯現無量無邊如来妙
法皆悉顯現依此法身不可思議摩訶三昧
而得顯現依此法身得現一切大智是故二
身依於三昧依於智慧而得顯現如此法身
依於自體說常說我依大三昧故說於樂依於
大智故說清淨是故如来常住自在安樂清
淨依大三昧一切禪定首楞嚴等一切念處大
法念等大慈大悲一切陁羅尼一切神通一
切自在一切法平等攝受如是佛法悉皆
出現依此大智十力四無所畏四無礙辯一百
八十不共之法一切希有不可思議法悉
皆顯現譬如依如意寶珠無量無邊種種
珎寶悉皆得現如是依大三昧寶依大智慧
寶能出種種無量無邊諸佛妙法善男子
如是法身三昧智慧過一切相不著於相不
可分別非常非斷是名中道雖有分別體无
分別雖有三數而無三體不增不減猶如夢
幻亦無所執亦無能執法體如如是解脫處
過死王境越生死闇一切衆生不能修行所不
能至一切諸佛菩薩之所住處善男子譬如
有人願欲得金處處求覓遂得金礦既得
[illegible]

過死王境越生死闇一切衆生不能修行所不
能至一切諸佛菩薩之所住處善男子譬如
有人願欲得金處處求覓遂得金礦既得
礦已即便碎之擇取精者鑪中銷鍊得清
淨金隨意迴轉作諸鐶釧種種嚴具雖有諸
用金性不改
復次善男子若善男子善女人求勝解脫修
行世善得見如来及弟子衆得親近已白佛
言世尊何者爲善何者不善何者正修得
清淨行諸佛如来及弟子衆見彼問時如是
思惟是善男子善女人欲求清淨欲聽正法
即便爲說令其開悟彼既聞已正念憶持發
心修行得精進力除嬾惰障滅一切罪於諸
學處離不尊重息掉悔心入於初地依初地心
除利有情障得入二地於此地中除不逼惱障
入於三地於此地中除心軟淨障入於四地
於此地中除善方便入於五地於此地中
除見真俗障入於六地於此地中除見行
相障入於七地於此地中除不見滅相障入
於八地於此地中除不見生相障入於九地
於此地中除六通障入於十地於此地中除
所知障障根本心入如来地如来地者由三
淨故名極清淨云何爲三一者煩惱淨二者
苦淨三者相淨譬如真金鎔銷冶鍊既燒打
已無復塵垢爲顯金性本清淨故金體清淨
非謂無金譬如濁水澄渟清淨无復滓穢爲
顯水性本清淨故非謂無水如是法身與
煩惱雜苦集除已無復餘習爲顯佛性本清
[illegible]

顯水性本清淨故非謂無水如是法身與
煩惱雜苦集除已無復餘習為顯佛性本清
淨故非謂無體譬如虛空烟雲塵霧之所障
蔽若除屏已是空界淨非謂無空如是法
身一切衆苦悉皆盡故說為清淨非謂無體譬
如有人於睡夢中見大河水漂泛其身運手
動足截流而渡得至彼岸由彼身心不懈退
故從夢覺已不見有水彼此岸別非謂無心
生死妄想既滅盡已是覺清淨非謂無覺如
是法界一切妄想不復生故說為清淨非是
諸佛無其實體
復次善男子是法身者惑障清淨能現應
身業障清淨能現化身智障清淨能現法
身譬如依空出電依電出光如是依法身故
能現應身依應身故能現化身由性淨故能
現法身智慧清淨能現應身三昧清淨能
現化身此三清淨是法如如不異如如一味如如
解脫如如究竟如如是故諸佛體無有異善
男子若有善男子善女人說於如來是我大
師若作如是決定信者此人即應深心解了
如來之身無有別異善男子以是義故於諸
境界不正思惟悉皆除斷即知彼法無有二
相亦無分別聖所修行如如於彼無有二相
正修行故如是如是一切諸障悉皆除滅如
如一切障滅如是如是法如如如如智得最清
淨如如法界正智清淨如是如是一切自在
具足攝受皆得成就一切諸障悉皆除滅一

BD01304號　金光明最勝王經卷二　（16–8）

如一切障滅如是如是法如如如如智得最清
淨如如法界正智清淨如是如是一切自在
具足攝受皆得成就一切諸障悉皆除滅一
切諸障得清淨故是名真如正智真實之
相如是見者是名聖見是則名為真實見佛
何以故如實得見法真如故是故諸佛悉能
普見一切如來何以故聲聞獨覺已出三界求
真實境不能知見如是聖人所不知見一切
凡夫皆生疑惑顛倒分別不能得度如兔
浮海必不能過所以者何力微劣故凡夫之人
亦復如是不能通達法如如故然諸如來無
分別心於一切法得大自在具足清淨深智
慧故是自境界不共他故是故諸佛如來於
無量無邊阿僧祇劫不惜身命難行苦行
方得此身最上無比不可思議過言說境
是妙寂靜離諸怖畏
善男子如是知見法真如者無生老死壽命
無限無有睡眠亦無飢渴心常在定無有
散動若於如來起諍論心是則不能見於
如來諸佛所說皆能利益有聽聞者无不解
脫諸惡禽獸惡人惡鬼不相逢值由聞法故
果報無盡然諸如來無無記事一切境界无
欲知心生死涅槃無有異想如來所記無不決
定諸佛如來四威儀中無非智攝一切諸法无
有不為慈悲所攝無有不為利益安樂諸
衆生者善男子若有善男子善女人於此
金光明經聽聞信解不墮地獄餓鬼傍生阿
蘇羅道常處人天不生下賤恒得親近諸佛

BD01304號　金光明最勝王經卷二　（16–9）

衆生者善男子若有善男子善女人於此
金光明經聽聞信解不墮地獄餓鬼傍生阿
蘇羅道常處人天不生下賤恒得親近諸佛
如來聽受正法常生諸佛清淨國土所以者
何由得聞此甚深法故是善男子善女人則
為如來已知已記當得不退阿耨多羅三藐
三菩提若善男子善女人於此甚深微妙之
法一經耳者當知是人不謗如來不毀正法
不輕聖衆一切衆生未種善根令得種故已
種善根令增長成熟故一切世界所有衆生
皆勸修行六波羅蜜多
尒時虛空藏菩薩梵釋四王諸天衆等即
從座起偏袒右肩合掌恭敬頂礼佛足白佛
言世尊若所在處講說如是金光明王微妙
經典於其國土有四種利益何者為四一者國
王軍衆強盛無諸怨敵離於疾病壽命延
長吉祥安樂正法興顯二者中宮后妃王子
諸臣和悅無諍離於諂佞王所愛重三者沙
門婆羅門及諸國人修行正法無病安樂无
枉死者於諸福田悉皆修立四者於三時中
四大調適常為諸天增加守護慈悲平等无
傷害心令諸衆生歸敬三寶皆願修習菩
提之行是為四種利益之事世尊我等亦常
為弘經故隨逐如是持經之人所在住處為
作利益佛言善哉善哉善男子如是如是汝
等應當勤心流布此妙經王則令正法久住於世
金光明最勝王經夢見懺悔品第四
尒時妙幢菩薩親於佛前聞妙法已歡喜

BD01304號　金光明最勝王經卷二　（16–10）

等應當勤心流布此妙經王則令正法久住於世
金光明最勝王經夢見懺悔品第四
尒時妙幢菩薩親於佛前聞妙法已歡喜
踊躍一心思惟還至本處於夜夢中見大
金鼓光明晃耀猶如日輪於此光中得見十方
無量諸佛於寶樹下坐琉璃座無量百千
大衆圍繞而為說法見一婆羅門桴擊金鼓
出大音聲聲中演說微妙伽他明懺悔法妙幢
聞已皆悉憶持繫念而住至天曉已與無量百
千大衆圍繞持諸供具出王舍城詣鷲峯
山至世尊所礼佛足已布設香華右繞三帀
退坐一面合掌恭敬瞻仰尊顏白佛言世尊
我於夢中見婆羅門以手執桴擊妙金鼓出
大音聲聲中演說微妙伽他明懺悔法我
皆憶持唯願世尊降大慈悲聽我所說即於
佛前而說頌曰
我於昨夜中　夢見大金鼓　其形極殊妙　周遍有金光
猶如盛日輪　光明皆普耀　充滿十方界　咸見於諸佛
在於寶樹下　各處琉璃座　無量百千衆　恭敬而圍繞
有一婆羅門　以杖擊金鼓　於其鼓聲內　說此妙伽他
金光明鼓出妙聲　遍至三千大千界
能滅三途極重罪　及以人中諸苦厄
由此金鼓聲威力　永滅一切煩惱障
斷除怖畏令安隱　譬如自在牟尼尊
佛於生死大海中　積行修成一切智
能令衆生覺品具　究竟咸歸功德海
由此金鼓出妙聲　普令聞者獲梵響
證得無上菩提果　常轉清淨妙法輪

BD01304號　金光明最勝王經卷二　（16–11）

能令衆生覺品具　究竟咸歸功德海
由此金鼓出妙聲　普令聞者獲梵響
證得無上菩提果　常轉清淨妙法輪
住壽不可思議劫　隨機說法利群生
能斷煩惱衆苦流　貪瞋癡等皆除滅
若有衆生處惡趣　大火猛焰周遍身
若得聞是妙鼓音　即能離苦歸依佛
皆得成就宿命智　能憶過去百千生
悉皆正念牟尼尊　得聞如來甚深教
由聞金鼓勝妙音　常得親近於諸佛
悉能捨離諸惡業　純修清淨諸善品
一切天人有情類　慇重至誠祈願者
得聞金鼓妙音聲　能令所求皆滿足
衆生墮在無間獄　猛火炎熾苦焚身
無有救護處輪迴　聞者能令苦除滅
人天餓鬼傍生中　所有現受諸苦難
得聞金鼓發妙響　皆蒙離苦得解脫
現在十方界　常住兩足尊　願以大悲心　哀愍憶念我
衆生無歸依　亦無有救護　為如是等類　能作大歸依
我先所作罪　極重諸惡業　今對十力前　至心皆懺悔
我不信諸佛　亦不敬尊親　不務修衆善　常造諸惡業
或自恃尊高　種姓及財位　盛年行放逸　常造諸惡業
心恒起邪念　口陳於惡言　不見於過罪　常造諸惡業
恒作愚夫行　無明闇覆心　隨順不善友　常造諸惡業
或因諸戲樂　或復懷憂惱　為貪瞋所纏　故我造諸惡
親近不善人　及由慳嫉意　貧窮行諂誑　故我造諸惡
雖不樂衆過　由有怖畏故　及不得自在　故我造諸惡
或為躁動心　或因瞋恚恨　及以飢渴惱　故我造諸惡

BD01304號　金光明最勝王經卷二　（16–12）

親近不善人　及由慳嫉意　貧窮行諂誑　故我造諸惡
雖不樂衆過　由有怖畏故　及不得自在　故我造諸惡
或為躁動心　或因瞋恚恨　及以飢渴惱　故我造諸惡
由飲食衣服　及貪愛女人　煩惱火所燒　故我造諸惡
於佛法僧衆　不生恭敬心　作如是衆罪　我今悉懺悔
於獨覺菩薩　亦無恭敬心　作如是衆罪　我今悉懺悔
無知謗正法　不孝於父母　作如是衆罪　我今悉懺悔
由愚癡憍慢　及以貪瞋力　作如是衆罪　我今悉懺悔
我於十方界　供養無數佛　當願拔衆生　令離諸苦難
願一切有情　皆令住十地　福智圓滿已　成佛導群迷
我為諸衆生　苦行百千劫　以大智慧力　皆令出苦海
我為諸含識　演說甚深經　最勝金光明　能除諸惡業
若人百千劫　造諸極重罪　暫時能發露　衆惡盡消除
依此金光明　作如是懺悔　由斯能速盡　一切諸苦業
勝定百千種　不思議總持　根力覺道支　修習常無倦
我當至十地　具足珍寶處　圓滿佛功德　濟度生死流
我於諸佛海　甚深功德藏　妙智難思議　皆令得具足
唯願十方佛　觀察護念我　皆以大悲心　哀受我懺悔
我於多劫中　所造諸惡業　由斯生苦惱　哀愍願消除
我造諸惡業　常生憂怖心　於四威儀中　曾無歡樂想
諸佛具大悲　能除衆生怖　願受我懺悔　令得離憂苦
我有煩惱障　及以諸報業　願以大悲水　洗濯令清淨
我先作諸罪　及現造惡業　至心皆發露　咸願得蠲除
未來諸惡業　防護令不起　設令有違者　終不敢覆藏
身三語四種　意業復有三　繫縛諸有情　無始恒相續
由斯三種行　造作十惡業　如是衆多罪　我今皆懺悔
我造諸惡業　苦報當自受　今於諸佛前　至誠皆懺悔
於此贍部洲　及他方世界　所有諸善業　今我皆隨喜

BD01304號　金光明最勝王經卷二　（16–13）

身三語四種　意業復有三　繫縛諸有情　無始恒相續
由斯三種行　造作十惡業　如是衆多罪　我今皆懺悔
我造諸惡業　若報當自受　今於諸佛前　至誠皆懺悔
於此贍部洲　及他方世界　所有諸善業　今我皆隨喜
願離十惡業　修行十善道　安住十地中　常見十方佛
我以身語意　所修福智業　願以此善根　速成無上慧
我今親對十方前　發露衆多苦難事
凡愚迷惑三有難　恒造極重惡業難
我所積集欲邪難　常起貪愛流轉難
於此世間耽著難　一切愚夫煩惱難
狂心散動顛倒難　及以親近惡友難
於生死中貪染難　瞋癡闇鈍造罪難
生八無暇惡處難　未曾積集功德難
我今皆於最勝前　懺悔無邊罪惡業
我今歸依諸善逝　我禮德海無上尊
如大金山照十方　唯願慈悲哀攝受
身色金光淨無垢　目如清淨紺琉璃
吉祥威德名稱尊　大悲慧日除衆闇
佛日光明常普遍　善淨無垢離諸塵
牟尼月照極清涼　能除衆生煩惱熱
三十二相遍莊嚴　八十隨好皆圓滿
福德難思無與等　如日流光照世間
色如琉璃淨無垢　猶如滿月處虛空
妙頗梨網映金軀　種種光明以嚴飾
於生死苦暴流內　老病憂愁水所漂
如是苦海難堪忍　佛日舒光令永竭
我今稽首一切智　三千世界希有尊
光明晃耀紫金身　種種妙好皆嚴飾
如大海水量難知　大地微塵不可數

BD01304號　金光明最勝王經卷二　（16–14）

妙頗梨網映金軀　種種光明以嚴飾
於生死苦暴流內　老病憂愁水所漂
如是苦海難堪忍　佛日舒光令永竭
我今稽首一切智　三千世界希有尊
光明晃耀紫金身　種種妙好皆嚴飾
如大海水量難知　大地微塵不可數
如妙高山巨稱量　亦如虛空無有際
諸佛功德亦如是　一切有情不能知
於無量劫諦思惟　無有能知德海岸
盡此大地諸山岳　析如微塵能算知
毛端渧海尚可量　佛之功德無能數
一切有情皆共讚　世尊名稱諸功德
清淨相好妙莊嚴　不可稱量知分齊
我之所有衆善業　願得速成無上尊
廣說正法利群迷　悉令解脫於衆苦
降伏大力魔軍衆　當轉無上妙法輪
久住劫數難思議　充足衆生甘露味
猶如過去諸最勝　六波羅蜜皆圓滿
滅諸貪欲及瞋癡　降伏煩惱除衆苦
願我常得宿命智　能憶過去百千生
亦常憶念牟尼尊　得聞諸佛甚深法
願我以斯諸善業　奉事無邊最勝尊
遠離一切不善因　恒得修行真妙法
一切世界諸衆生　悉皆離苦得安樂
所有諸根不具足　令彼身相皆圓滿
若有衆生遭病苦　身形羸瘦無所依
咸令病苦得消除　諸根色力皆充滿
若犯王法當刑戮　衆苦逼迫生憂惱

BD01304號　金光明最勝王經卷二　（16–15）

所有諸根不具足　令彼身相皆圓滿
若有衆生遭病苦　身形羸瘦無所依
咸令病苦得消除　諸根色力皆充滿
若犯王法當刑戮　衆苦逼迫生憂惱
彼受如斯極苦時　無有歸依能救護
若受鞭杖枷鎖繫　種種苦具切其身
無量百千憂惱時　逼迫身心無暫樂
皆令得免於繫縛　及以鞭杖苦楚事
將臨刑者得命全　衆苦皆令永除盡
若有衆生飢渴逼　令得種種殊勝味
盲者得視聾者聞　跛者能行瘂能語
貧窮衆生獲寶藏　倉庫盈溢無所乏
皆令得受上妙樂　無一衆生受苦惱
一切人天皆樂見　容儀溫雅甚端嚴
悉皆現受無量樂　受用豐饒福德具
隨彼衆生念伎樂　衆妙音聲皆現前
念水即現清涼池　金色蓮華汎其上
隨彼衆生心所念　飲食衣服及牀敷
金銀珎寶妙琉璃　珞莊嚴皆具
勿令衆生聞惡響　不
所受容貌悉端
世間常

BD01304 號　金光明最勝王經卷二　（16–16）

為實堅固三
法僧不可破壞無相
為實堅固三摩地云何名為解脫
三摩地謂若住此三摩地時見諸
一切音聲文字衆相寂滅是故名為解
聲文字三摩地云何名為入施設語
地謂若住此三摩地時悟入一切等
施設語言無著無礙是故名為入施
三摩地云何名為炬熾然三摩地謂
三摩地時於諸等持威光照耀是故名
熾然三摩地云何名為嚴淨相三摩地謂
住此三摩地時普能嚴淨一切定相是故
為嚴淨相三摩地云何名為無標幟三摩地
謂若住此三摩地時於諸等持不見標幟
故名為無標幟三摩地云何名為具妙相
摩地謂若住此三摩地時諸定妙相無不具
足是故名為具妙相三摩地云何名為不喜
一切苦樂三摩地謂若住此三摩地時於諸
等持樂苦之相不樂觀察是故名為不喜一

BD01305 號　大般若波羅蜜多經卷四八九　（3–1）

摩地謂若住此三摩地時諸定妙相無不具
足是故名為具妙相三摩地云何名為不憙
一切苦樂三摩地謂若住此三摩地時於諸
等持樂苦之相不樂觀察是故名為不憙一
切苦樂三摩地云何名為無盡行相三摩地
謂若住此三摩地時不見諸定行相有盡是
故名為無盡行相三摩地云何名為具總持
三摩地謂若住此三摩地時能總任持諸定
勝事是故名為具總持三摩地云何名為攝
伏一切正性邪性三摩地謂若住此三摩地
時於諸等持正性邪性攝伏諸見皆令不起
是故名為攝伏一切正性邪性三摩地云何
名為息違順三摩地謂若住此三摩地時於
諸等持及一切法都不見有違順之相是故
名為息違順三摩地云何名為離憎愛三
摩地謂若住此三摩地時於諸等持及一切法
都不見有愛憎之相是故名為離愛憎三摩
地云何名為無垢明三摩地謂若住此三摩
地時都不見有垢相明相是故名為無垢明
三摩地云何名為具堅固三摩地謂若住此
三摩地時令諸等持皆得堅固是故名為具
堅固三摩地云何名為滿月淨光三摩地謂
若住此三摩地時令諸等持功德增益如淨
滿月光增海水是故名為滿月淨光三摩地
云何名為大莊嚴三摩地謂若住此三摩地
時令諸等持成就種種微妙希有大莊嚴事
是故名為大莊嚴三摩地云何名為普照世

BD01305號　大般若波羅蜜多經卷四八九　（3–2）

都不見有愛憎之相是故名為離愛憎三摩
地云何名為無垢明三摩地謂若住此三摩
地時都不見有垢相明相是故名為無垢明
三摩地云何名為具堅固三摩地謂若住此
三摩地時令諸等持皆得堅固是故名為具
堅固三摩地云何名為滿月淨光三摩地謂
若住此三摩地時令諸等持功德增益如淨
滿月光增海水是故名為滿月淨光三摩地
云何名為大莊嚴三摩地謂若住此三摩地
時令諸等持成就種種微妙希有大莊嚴事
是故名為大莊嚴三摩地云何名為普照世
間三摩地謂若住此三摩地時照諸等持及
一切法令有情類皆得開曉是故名為普照
世間三摩地云何名為定平等性三摩地謂
若住此三摩地時不見等持定散差別是故
名為定平等性三摩地云何名為遠離塵垢
三摩地謂若住此三摩地時能滅一切煩惱
塵垢是故名為遠離塵垢三摩地云何名為
有諍無諍平等理趣三摩地謂若住此三摩
地時不見諸法及一切定有諍無諍性相差

BD01305號　大般若波羅蜜多經卷四八九　（3–3）

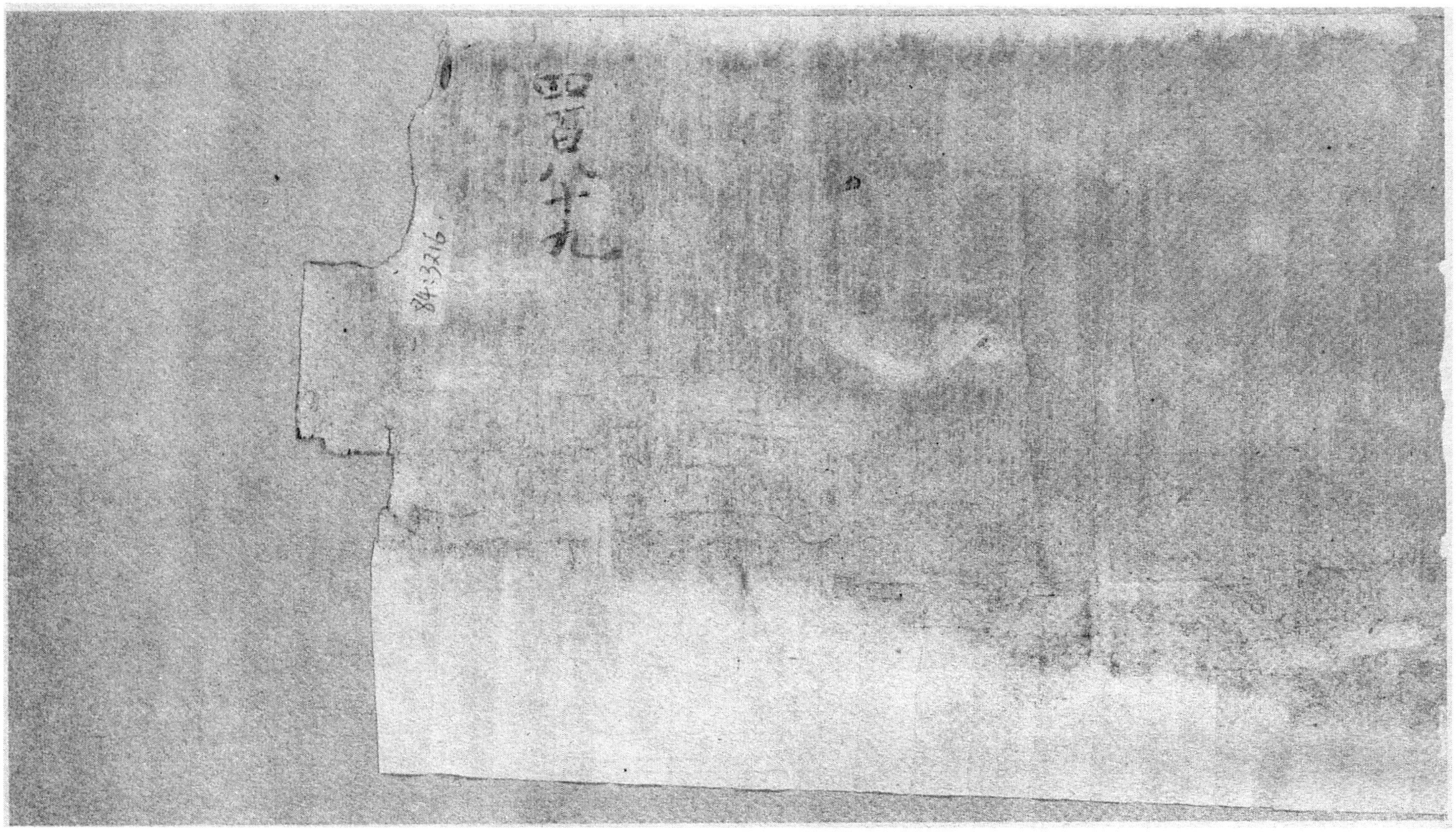

BD01305 號背　勘記　　　　（2–1）

BD01305 號背　殘字痕　　　　（2–2）

千世界所有地種假使有人磨以為墨過於
東方千國土乃下一點大如微塵又過千國
土復下一點如是展轉盡地種墨於汝等意
云何是諸國土若筭師若筭師弟子能得邊
際知其數不不也世尊諸比丘是人所經國土
若點不點盡末為塵一塵一劫彼佛滅後
已來復過是數无量无邊百千万億阿僧祇
劫我以如來知見力故觀彼久遠猶若今日
尒時世尊欲重宣此義而說偈言

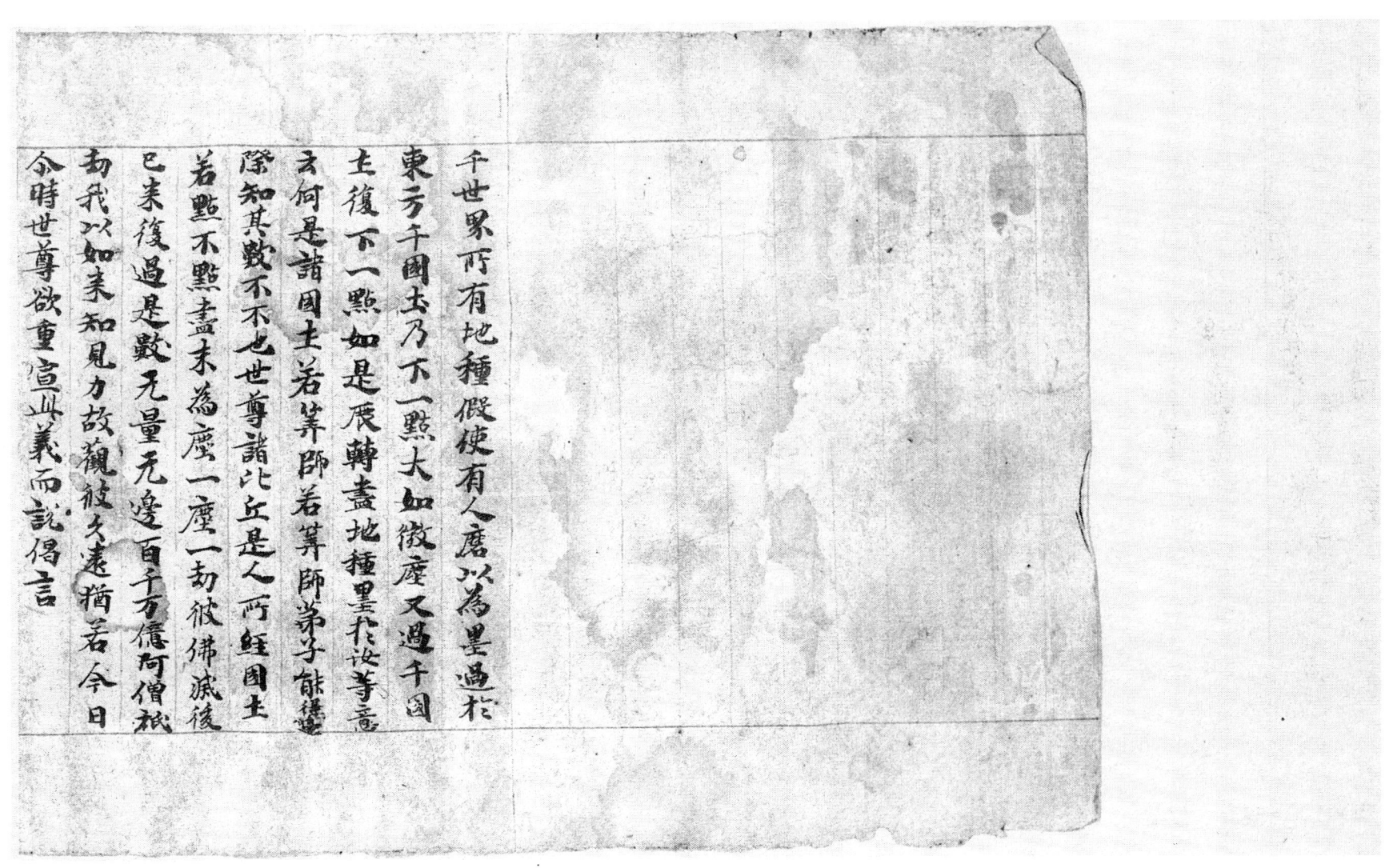

BD01306 號　妙法蓮華經卷三　（12–1）

若點不點盡末為塵一塵一劫彼佛滅後
已來復過是數无量无邊百千万億阿僧祇
劫我以如來知見力故觀彼久遠猶若今日
尒時世尊欲重宣此義而說偈言
我念過去世　无量无邊劫　有佛両足尊　名大通智勝
如人以力磨　三千大千土　盡此諸地種　皆悉為墨
過於千國土　乃下一塵點　如是展轉點　盡此諸塵墨
如是諸國土　點與不點等　復盡末為塵　一塵為一劫
此諸微塵數　其劫復過是　彼佛滅度來　如是无量劫
如來无礙智　知彼佛滅度　及聲聞菩薩　如見今滅度
諸比丘當知　佛智淨微妙　无漏无所礙　通達无量劫
佛告諸比丘大通智勝佛壽五百四十万億
那由他劫其佛本坐道場破魔軍已垂得阿
耨多羅三藐三菩提而諸佛法不現在前如
是一小劫乃至十小劫結加趺坐身心不動
而諸佛法猶不在前尒時忉利諸天先為彼
佛於菩提樹下敷師子座高一由旬佛於此
座當得阿耨多羅三藐三菩提適坐此座時
諸梵天王雨衆天華面百由旬香風時來吹
去萎華更雨新者如是不絶滿十小劫供養
於佛乃至滅度常雨此華四王諸天為供養
佛常擊天鼓其餘諸天作天伎樂滿十小劫
至于滅度亦復如是諸比丘大通智勝佛過
十小劫諸佛之法乃現在前成阿耨多羅三
藐三菩提其佛未出家時有十六子其第一

BD01306 號　妙法蓮華經卷三　（12–2）

至于滅度亦復如是諸比丘大通智勝佛過
十小劫諸佛之法乃現在前成阿耨多羅三
藐三菩提其佛未出家時有十六子其第一
者名曰智積諸子各有種種珍異玩好之具
聞父得成阿耨多羅三藐三菩提皆捨所珍
往詣佛所諸母涕泣而隨送之其祖轉輪聖
王與一百大臣及餘百千万億人民皆共圍
繞隨至道場咸欲親近大通智勝如來供養
恭敬尊重讚歎到已頭面礼足繞佛畢已一心
合掌瞻仰世尊以偈頌曰
大威德世尊　為度衆生故　於无量億歲　尒乃得成佛
諸願已具足　善哉吉无上　世尊甚希有　一坐十小劫
身體及手足　靜然安不動　其心常憺怕　未曾有散乱
究竟永寂滅　安住无漏法　今者見世尊　安隱成佛道
我等得善利　稱慶大歡喜　衆生常苦惱　盲瞑无導師
不識苦盡道　不知求解脫　長夜增惡趣　減損諸天衆
從瞑入於瞑　永不聞佛名　今佛得最上　安隱无漏法
我等及天人　為得最大利　是故咸稽首　歸命无上尊
尒時十六王子偈讚佛已勸請世尊轉於法
輪咸作是言世尊說法多所安隱憐愍饒益
諸天人民重說偈言
世雄无等倫　百福自莊嚴　得无上智慧　願為世間說
度脫於我等　及諸衆生類　為分別顯示　令得是智慧
若我等得佛　衆生亦復然　世尊知衆生　深心之所念
亦知所行道　又知智慧力　欲樂及脩福　宿命所行業
世尊悉知已　當轉无上轉

度脫於我等　及諸衆生類　為分別顯示　令得是智慧
若我等得佛　衆生亦復然　世尊知衆生　深心之所念
亦知所行道　又知智慧力　欲樂及脩福　宿命所行業
世尊悉知已　當轉无上轉
佛告諸比丘大通智勝佛得阿耨多羅三藐
三菩提時十方各五百万億諸佛世界六種
震動其國中間幽瞑之處日月威光所不能
照而皆大明其中衆生各得相見咸作是言
此中云何忽生衆生又其國界諸天宮殿乃至
梵宮六種震動大光普照遍滿世界勝諸
天光尒時東方五百万億諸國土中梵天宮
殿光明照曜倍於常明諸梵天王各作是念
今者宮殿光明昔所未有以何因緣而現此
相是時諸梵天王即各相詣共議此事而彼
衆中有一大梵天王名一切救為諸梵衆而
說偈言
我等諸宮殿　光明昔未有　此是何因緣　宜各共求之
為大德天生　為佛出世間　而此大光明　遍照於十方
尒時五百万億國土諸梵天王與宮殿俱各以
衣裓盛諸天華共詣西方推尋是相見大
通智勝如來處于道場菩提樹下坐師子座
諸天龍王乾闥婆緊那羅摩睺羅伽人非人
等恭敬圍繞及見十六王子請佛轉法輪即
時諸梵天王頭面礼佛繞百千帀即以天華
而散佛上其所散華如須弥山并以供養佛
菩提樹其菩提樹高十由旬華供養已各以

時諸梵天王頭面礼佛繞百千帀即以天華
而散佛上其所散華如須弥山并以供養佛
菩提樹其菩提樹高十由旬華供養已各以
宫殿奉上彼佛而作是言唯見哀愍饒益我
等所獻宫殿願垂納處時諸梵天王即於佛
前一心同聲以偈頌曰
世尊甚希有　難可得值遇　具无量功德　能救護一切
天人之大師　哀愍於世間　十方諸衆生　普皆蒙饒益
我等所從來　五百万億國　捨深禪定樂　為供養佛故
我等先世福　宫殿甚嚴飾　今以奉世尊　唯願哀納受
尒時諸梵天王偈讚佛已各作是言唯願世
尊轉於法輪度脫衆生開涅槃道時諸梵天
王一心同聲而說偈言
世雄兩足尊　唯願演說法　以大慈悲力　度苦惱衆生
尒時大通智勝如来嘿然許之又諸比丘東
南方五百万億國土諸大梵王各自見宫殿
光明照曜昔所未有歡喜踊躍生希有心即
各相詣共議此事而彼衆中有一大梵天王
名曰大悲為諸梵衆而說偈言
是事何因緣　而現如此相　我等諸宫殿　光明昔未有
為大德天王　為佛出世間　未曾見此相　當共一心求
過千万億土　尋光共推之　多是佛出世　度脫苦衆生
尒時五百万億諸梵天王與宫殿俱各以衣
裓盛諸天華共詣西北方推尋是相見大通
智勝如来處于道場菩提樹下坐師子座諸

BD01306號　妙法蓮華經卷三　（12–5）

尒時五百万億諸梵天王與宫殿俱各以衣
裓盛諸天華共詣西北方推尋是相見大通
智勝如来處于道場菩提樹下坐師子座諸
天龍王乾闥婆緊那羅摩睺羅伽人非人等
恭敬圍繞及見十六王子請佛轉法輪時諸
梵天王頭面礼佛繞百千帀即以天華而散
佛上所散之華如須弥山并以供養佛菩提
樹華供養已各以宫殿奉上彼佛而作是言
唯見哀愍饒益我等所獻宫殿願垂納處尒
時諸梵天王即於佛前一心同聲以偈頌曰
聖主天中王　迦陵頻伽聲　哀愍衆生者　我等今敬礼
世尊甚希有　久遠乃一現　一百八十劫　空過无有佛
三惡道充滿　諸天衆減少　今佛出於世　為衆生作眼
世間所歸趣　救護於一切　為衆生之父　哀愍饒益者
我等宿福慶　今得值世尊
尒時諸梵天王偈讚佛已各作是言唯願世
尊哀愍一切轉於法輪度脫衆生時諸梵天
王一心同聲而說偈言
大聖轉法輪　顯示諸法相　度苦惱衆生　令得大歡喜
衆生聞此法　得道若生天　諸惡道減少　忍善者增益
尒時大通智勝如来嘿然許之又諸比丘南
方五百万億國土諸大梵王各自見宫殿光
明照曜昔所未有歡喜踊躍生希有心即各
相詣共議此事以何因緣我等宫殿有此光
曜而彼衆中有一大梵天王名曰妙法為諸

BD01306號　妙法蓮華經卷三　（12–6）

眼照明昔所未有歡喜踊躍生希有心即各
相詣共議此事以何因緣我等宮殿有此光
曜而彼衆中有一大梵天王名曰妙法為諸
梵衆而說偈言
我等諸宮殿　光明甚威曜　此非无因緣　是相宜求之
過於百千劫　未曾見是相　為大德天王　為佛出世間
尒時五百万億諸梵天王與宮殿俱各以衣
裓盛諸天華共詣北方推尋是相見大通智
勝如来處于道場菩提樹下坐師子座諸天
龍王乾闥婆緊那羅摩睺羅伽人非人等恭
敬圍繞及見十六王子請佛轉法輪時諸梵
天王頭面礼佛繞百千帀即以天華而散佛
上所散之華如須弥山并以供養佛菩提樹
華供養已各以宮殿奉上彼佛而作是言唯
見哀愍饒益我等所獻宮殿願垂納處尒時
諸梵天王即於佛前一心同聲以偈頌曰
世尊甚難見　破諸煩惱者　過百三十劫　今乃得一見
諸飢渴衆生　以法雨充滿　昔所未曾覩　无量智慧者
如優曇波羅　今日乃值遇　我等諸宮殿　蒙光故嚴飾
世尊大慈愍　唯願垂納受
尒時諸梵天王偈讚佛已各作是言唯願世
尊轉於法輪令一切世間諸天魔梵沙門婆
羅門皆獲安隱而得度脫時諸梵天王一心
同聲以偈頌曰
唯願天人尊　轉无上法輪　擊于大法鼓　而吹大法螺
普雨大法雨　度无量衆生　我等咸歸請　當演深遠音

BD01306號　妙法蓮華經卷三　（12–7）

同聲以偈頌曰
唯願天人尊　轉无上法輪　擊于大法鼓　而吹大法螺
普雨大法雨　度无量衆生　我等咸歸請　當演深遠音
尒時大通智勝如来嘿然許之西南方乃至
下方亦復如是尒時上方五百万億國土諸
大梵王皆悉自覩所止宮殿光明威曜昔所
未有歡喜踊躍生希有心即各相詣共議此
事以何因緣我等宮殿有斯光明而彼衆中
有一大梵天王名曰尸棄為諸梵衆而說偈
言
今以何因緣　我等諸宮殿　威德光明曜　嚴飾未曾有
如是之妙相　昔所未曾見　為大德天王　為佛出世間
尒時五百万億諸梵天王與宮殿俱各以衣
裓盛諸天華共詣下方推尋是相見大通智
勝如来處于道場菩提樹下坐師子座諸天
龍王乾闥婆緊那羅摩睺羅伽人非人等恭
敬圍繞及見十六王子請佛轉法輪時諸梵
天王頭面礼佛繞百千帀即以天華而散佛
上所散之華如須弥山并以供養佛菩提樹
華供養已各以宮殿奉上彼佛而作是言唯
見哀愍饒益我等所獻宮殿願垂納處時諸
梵天王即於佛前一心同聲以偈頌曰
善哉見諸佛　救世之聖尊　能於三界獄　勉出諸衆生
普智天人尊　哀愍群萌類　能開甘露門　廣度於一切
於昔无量劫　空過无有佛　世尊未出時　十方常暗瞑
三惡道增長　阿脩羅亦盛　諸天衆轉減　死多墮惡道

BD01306號　妙法蓮華經卷三　（12–8）

普智天人尊　哀愍群萌類　能開甘露門　廣度於一切
於昔无量劫　空過无有佛　世尊未出時　十方常闇瞑
三惡道增長　阿脩羅亦盛　諸天衆轉減　死多墮惡道
不從佛聞法　常行不善事　色力及智慧　斯等皆減少
罪業因緣故　失樂及樂想　住於邪見法　不識善儀則
不蒙佛所化　常墮於惡道　佛為世間眼　久遠時乃出
哀愍諸衆生　故現於世間　超出成正覺　我等甚欣慶
及餘一切衆　喜歎未曾有　我等諸宮殿　蒙光故嚴飾
今以奉世尊　唯垂哀納受　願以此功德　普及於一切
我等與衆生　皆共成佛道
尒時五百万億諸梵天王偈讚佛已各白佛
言唯願世尊轉於法輪多所安隱多所度脫
時諸梵天王而說偈言
世尊轉法輪　擊甘露法鼓　度苦惱衆生　開示涅槃道
唯願受我請　以大微妙音　哀愍而敷演　无量劫習法
尒時大通智勝如來受十方諸梵天王及十
六王子請即時三轉十二行法輪若沙門婆
羅門若天魔梵及餘世間所不能轉謂是苦
是苦集是苦滅是苦滅道及廣說十二因緣
法无明緣行行緣識識緣名色名色緣六入
六入緣觸觸緣受受緣愛愛緣取取緣有有
緣生生緣老死憂悲苦惱无明滅則行滅行
滅則識滅識滅則名色滅名色滅則六入滅
六入滅則觸滅觸滅則受滅受滅則愛滅愛
滅則取滅取滅則有滅有滅則生滅生滅則

BD01306號　妙法蓮華經卷三　（12–9）

滅則識滅識滅則名色滅名色滅則六入滅
六入滅則觸滅觸滅則受滅受滅則愛滅愛
滅則取滅取滅則有滅有滅則生滅生滅則
老死憂悲苦惱滅佛於天人大衆之中說是
法時六百万億那由他人以不受一切法故
而於諸漏心得解脫皆得深妙禪定三明六
通具八解脫第二第三第四說法時千万億
恒河沙那由他等衆生亦以不受一切法故
而於諸漏心得解脫從是已後諸聲聞衆无
量无邊不可稱數尒時十六王子皆以童子
出家而為沙弥諸根通利智慧明了已曾供
養百千万億諸佛淨脩梵行求阿耨多羅三
藐三菩提俱白佛言世尊是諸世界无量千万
億大德聲聞皆已成就世尊亦當為我等說阿
耨多羅三藐三菩提法我等聞已皆共脩學
世尊我等志願如來知見深心所念佛自證
知尒時轉輪聖王所將衆中八万億人見十
六王子出家亦求出家王即聽許尒時彼佛
受沙弥請過二万劫已乃於四衆之中說是
大乘經名妙法蓮華教菩薩法佛所護念說
是經已十六沙弥為阿耨多羅三藐三菩提
故皆共受持諷誦通利說是經時十六菩薩
沙弥皆悉信受聲聞衆中亦有信解其餘衆
生千万億種皆生疑惑佛說是經於八千劫
未曾休廢說此經已即入靜室住於禪定八

BD01306號　妙法蓮華經卷三　（12–10）

沙弥皆悉信受聲聞眾中亦有信解其餘眾
生千万億種皆生疑惑佛說是經於八千劫
未曾休廢說此經已即入靜室住於禪定八
万四千劫是時十六菩薩沙弥知佛入室寂
然禪定各昇法座亦於八万四千劫為四部
眾廣說分別妙法華經一一皆度六百万億
那由他恒河沙等眾生示教利喜令發阿耨
多羅三藐三菩提心大通智勝佛過八万四
千劫已從三昧起往詣法座安祥而坐普告
大眾是十六菩薩沙弥甚為希有諸根通利
智慧明了已曾供養无量千万億數諸佛於
諸佛所常脩梵行受持佛智開示眾生令入
其中汝等皆當數數親近而供養之所以者
何若聲聞辟支佛及諸菩薩能信是十六菩
薩所說經法受持不毀者是人皆當得阿耨
多羅三藐三菩提如來之慧佛告諸比丘是
十六菩薩常樂說是妙法蓮華經一一菩薩
所化六百万億那由他恒河沙等眾生世世
所生與菩薩俱從其聞法悉皆信解以此因
緣得值四万億諸佛世尊于今不盡諸比丘
我今語汝彼佛弟子十六沙弥今皆得阿耨
多羅三藐三菩提於十方國土現在說法有
无量百千万億菩薩聲聞以為眷屬其二沙
弥東方作佛一名阿閦在歡喜國二名須弥
頂東南方二佛一名師子音名師子相南

BD01306號　妙法蓮華經卷三　（12–11）

无量百千万億菩薩聲聞以為眷屬其二沙
弥東方作佛一名阿閦在歡喜國二名須弥
頂東南方二佛一名師子音名師子相南
方二佛一名虛空住二名常滅西南方二佛
一名帝相二名梵相西方二佛一名阿弥陀
二名度一切世間苦惱西北方二佛一名多
摩羅跋栴檀香神通二名須弥相北方二佛
一名雲自在二名雲自在王東北方佛名壞
一切世間怖畏第十六我釋迦牟尼佛於娑
婆國土成阿耨多羅三藐三菩提諸比丘我等
為沙弥時各各教化无量百千万億恒河
沙等眾生從我聞法為阿耨多羅三藐三菩
提此諸眾生于今有住聲聞地者我常教化
阿耨多羅三藐三菩提是諸人等應以是法
漸入佛道所以者何如來智慧難信難解
時所化无量恒河沙等眾生者汝等諸比丘
及我滅度後未來世中聲聞弟子是也我滅
度[illegible]弟子不聞是經不知不覺菩薩所
行自於所得功德生滅度想當入涅槃我於
餘國作佛更有異名是人雖生滅度之想入
於涅槃而於彼土求佛智慧得聞是經唯以
佛乘而得滅度更无餘乘除諸如來方便說
法諸比丘若如來自知涅槃時到眾又清淨
信解堅固了達空法深入禪定便集諸菩薩

BD01306號　妙法蓮華經卷三　（12–12）

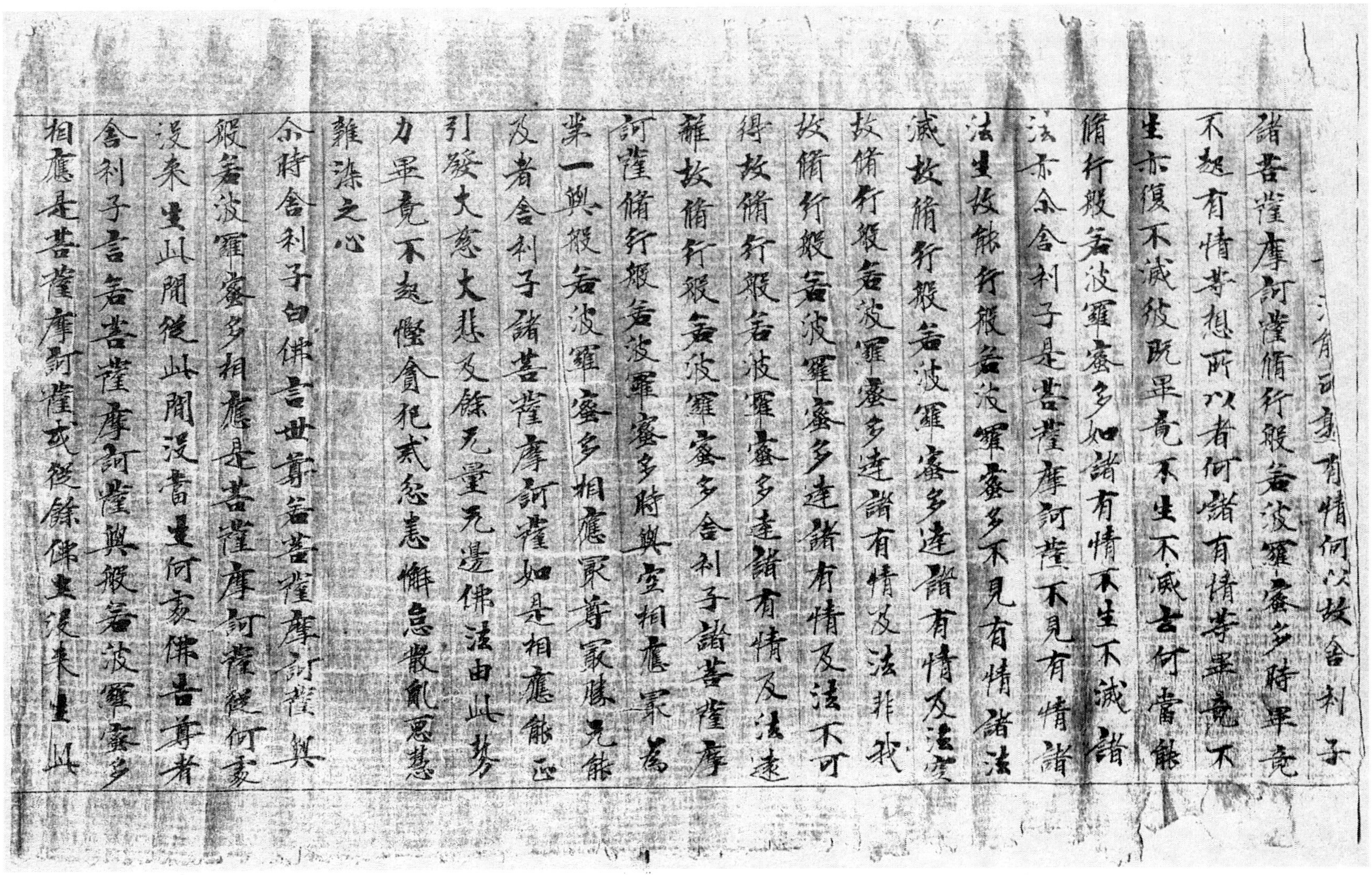

[illegible]有情何以故舍利子
諸菩薩摩訶薩修行般若波羅蜜多時畢竟
不起有情等想所以者何諸有情等畢竟不
生亦復不滅彼既畢竟不生不滅云何當能
修行般若波羅蜜多如諸有情不生不滅諸
法亦尒舍利子是菩薩摩訶薩不見有情諸
法生故能行般若波羅蜜多不見有情諸法
滅故修行般若波羅蜜多達諸有情及法空
故修行般若波羅蜜多達諸有情及法非我
故修行般若波羅蜜多達諸有情及法不可
得故修行般若波羅蜜多達諸有情及法遠
離故修行般若波羅蜜多舍利子諸菩薩摩
訶薩修行般若波羅蜜多時與空相應最爲
第一與般若波羅蜜多相應最尊最勝无能
及者舍利子諸菩薩摩訶薩如是相應能正
引發大慈大悲及餘无量无邊佛法由此勢
力畢竟不起慳貪犯戒忿恚懈怠散亂惡慧
雜染之心
尒時舍利子白佛言世尊若菩薩摩訶薩與
般若波羅蜜多相應是菩薩摩訶薩從何處
沒來生此間從此間沒當生何處佛告尊者
舍利子言若菩薩摩訶薩與般若波羅蜜多
相應是菩薩摩訶薩或從餘佛土沒來生此

BD01307號A　大般若波羅蜜多經（兑廢稿）卷四八一　（1–1）

四百八十一

BD01307號A背　勘記　（1–1）

性亦不可得
蜜多亦以無性為自性故舍利子由
若諸菩薩脩行般若波羅蜜多時於般若波羅
蜜多若取行若取不行若取亦行亦不行若
取非行非不行若取不取如是一切非行般
若波羅蜜多何以故舍利子以一切法皆用
無性為自性故都無所取無所執著舍利子
是名菩薩於一切法無所取著無性無生三
摩地此三摩地微妙殊勝廣大無量能集無
邊無礙作事不共一切聲聞獨覺若諸菩薩
能於如是勝三摩地常住不捨速證無上正等
菩提
時舍利子問善現言諸菩薩摩訶薩為但於
此一勝等持常住不捨速證無上正等菩提
為更有餘善現答言非但於此一勝等持常
住不捨令諸菩薩速證無上正等菩提復有
所餘舍利子言何者是餘善現答言舍利子
諸菩薩摩訶薩復有健行等持寶印等持師
子遊戲等持妙月等持月幢相等持諸法海
等持觀頂等持法界決定等持決定幢相等
持金剛喻等持入諸法印等持安住定等持
王印等持精進力等持等涌出等持入詞決
定等持入增語等持觀方等持總持印等持
無忘失等持諸法等趣等持遍覆虛空等持

BD01307 號 B　大般若波羅蜜多經（兌廢稿）卷四八五　（2–1）

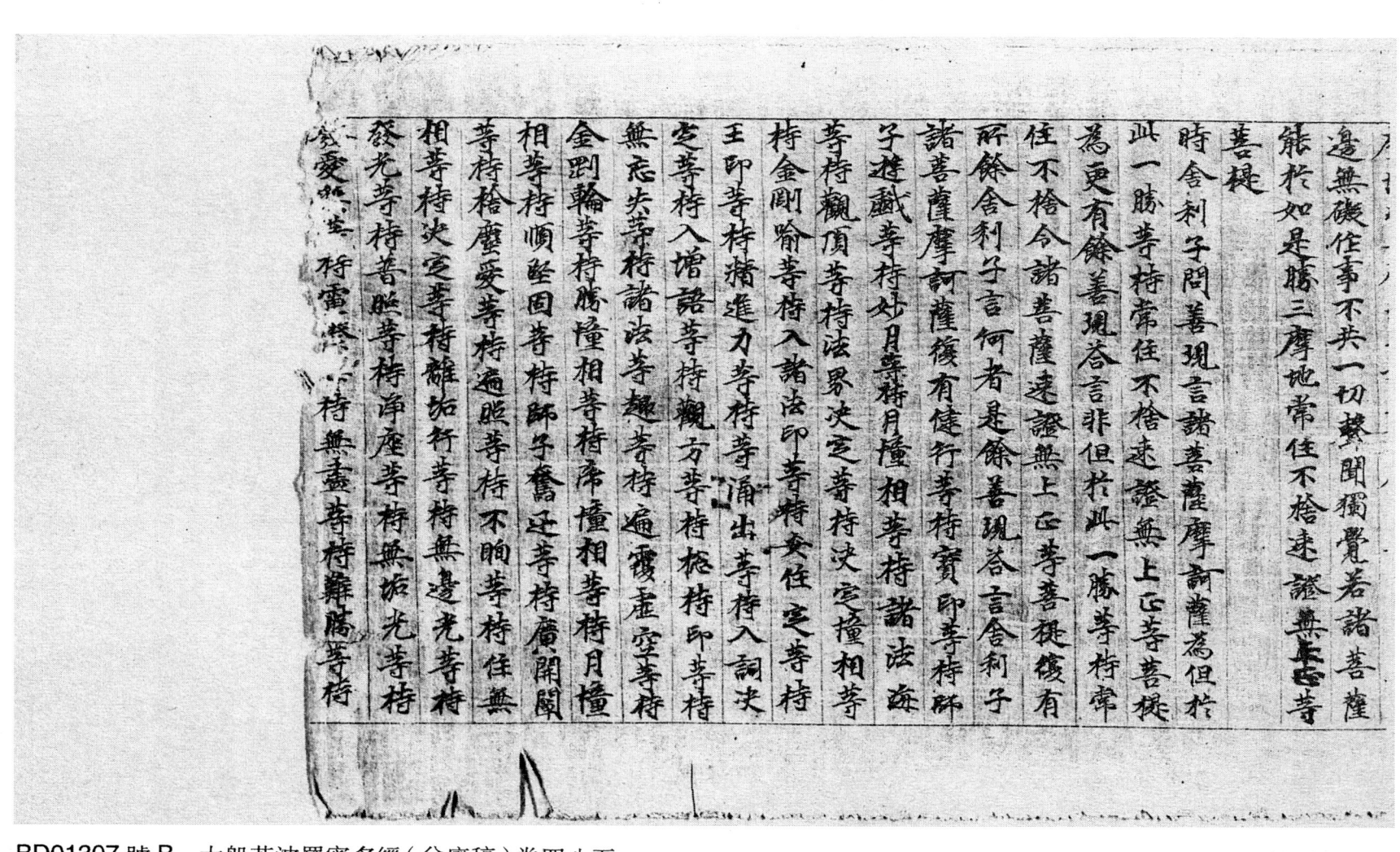

邊無礙作事不共一切聲聞獨覺若諸菩薩
能於如是勝三摩地常住不捨速證無上正等
菩提
時舍利子問善現言諸菩薩摩訶薩為但於
此一勝等持常住不捨速證無上正等菩提
為更有餘善現答言非但於此一勝等持常
住不捨令諸菩薩速證無上正等菩提復有
所餘舍利子言何者是餘善現答言舍利子
諸菩薩摩訶薩復有健行等持寶印等持師
子遊戲等持妙月等持月幢相等持諸法海
等持觀頂等持法界決定等持決定幢相等
持金剛喻等持入諸法印等持安住定等持
王印等持精進力等持等涌出等持入詞決
定等持入增語等持觀方等持總持印等持
無忘失等持諸法等趣等持遍覆虛空等持
金剛輪等持勝幢相等持帝幢相等持月幢
相等持順堅固等持師子奮迅等持廣開闡
等持捨塵愛等持遍照等持不眴等持住無
相等持決定等持離垢行等持無邊光等持
發光等持普照等持淨座等持無垢光等持
愛樂等持電燈等持無盡等持難勝等持

BD01307 號 B　大般若波羅蜜多經（兌廢稿）卷四八五　（2–2）

四百八十五

BD01307 號 B 背　勘記　　（1–1）

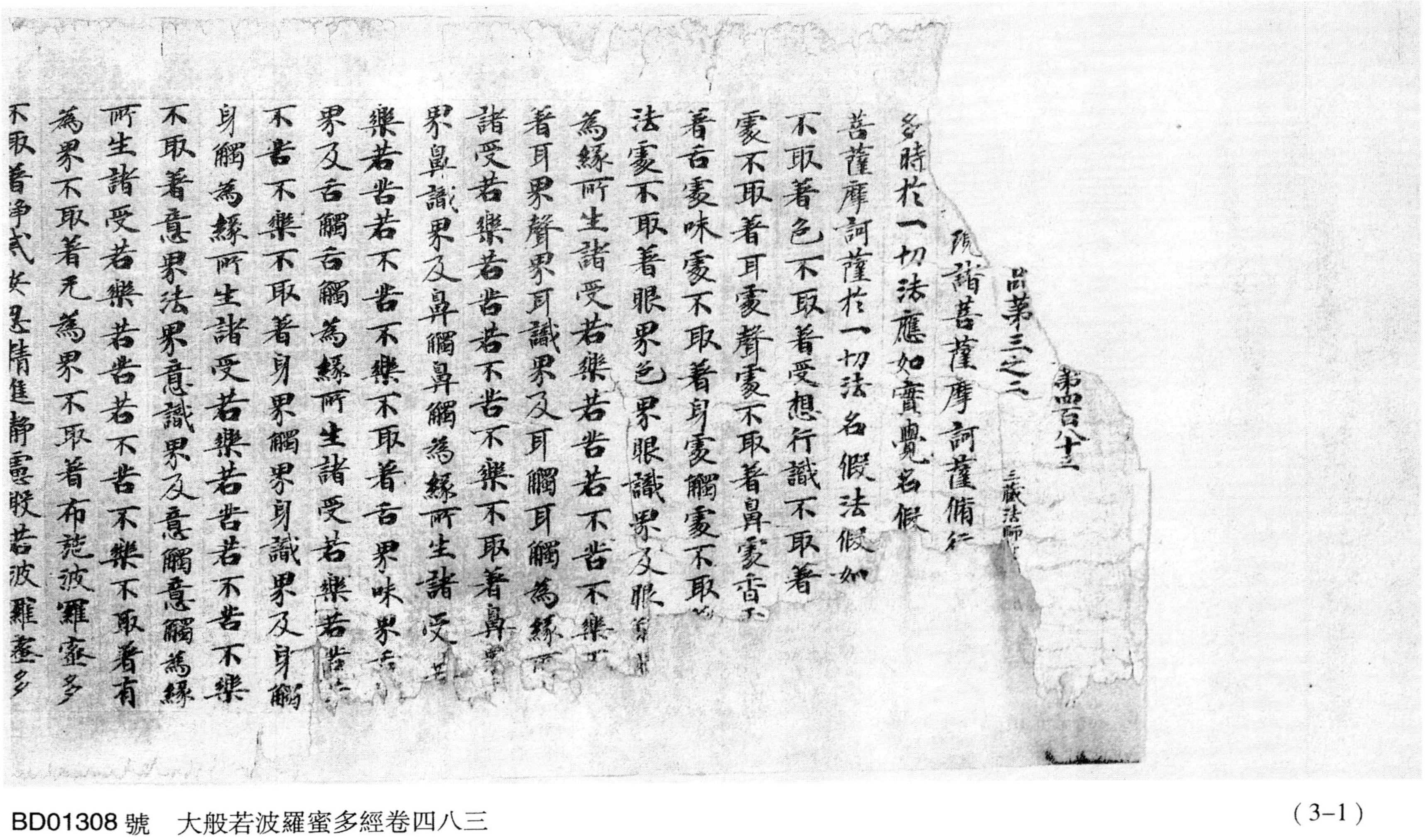
第四百八十三
三藏法師
品第三之三
諸菩薩摩訶薩脩行
多時於一切法應如實覺名假
菩薩摩訶薩於一切法名假法假如
不取著色不取著受想行識不取著
處不取著耳處聲處不取著鼻處香
著舌處味處不取著身處觸處不取
法處不取著眼界色界眼識界及眼
為緣所生諸受若樂若苦若不苦不樂
著耳界聲界耳識界及耳觸耳觸為緣所
諸受若樂若苦若不苦不樂不取著鼻
界鼻識界及鼻觸鼻觸為緣所生諸受若
樂若苦若不苦不樂不取著舌界味界
界及舌觸舌觸為緣所生諸受若樂若
不苦不樂不取著身界觸界身識界及身觸
身觸為緣所生諸受若樂若苦若不苦不樂
不取著意界法界意識界及意觸意觸為緣
所生諸受若樂若苦若不苦不樂不取著有
為界不取著无為界不取著布施波羅蜜多
不取著淨戒安忍精進靜慮般若波羅蜜多

BD01308 號　大般若波羅蜜多經卷四八三　　（3–1）

身觸為緣所生諸受若樂若苦若不苦不樂
不取著意界法界意識界及意觸意觸為緣
所生諸受若樂若苦若不苦不樂不取著有
為界不取著无為界不取著布施波羅蜜多
不取著淨戒安忍精進靜慮般若波羅蜜多
不取著名不取著相不取著菩薩身不取著
肉眼不取著天眼慧眼法眼佛眼不取著智波
羅蜜多不取著神通波羅蜜多不取著內空
不取著外空內外空大空空空勝義空有為
空无為空畢竟空无際空散空本性空自相
空一切法空无性空无性自性空不取著真
如不取著實際法界不取著成熟有情不取
著嚴淨佛土不取著方便善巧所以者何善
現以一切法若能取著若所取著若取著時
若取著處皆无所有如是善現諸菩薩摩訶
薩於一切法无所取著脩行般若波羅蜜多
時增長布施波羅蜜多增長淨戒安忍
靜慮般若波羅蜜多趣入菩薩正決
住菩薩不退轉地圓滿菩薩殊勝神
神通得圓滿已從一佛國至一佛國供
敬尊重讚歎諸佛世尊為欲成熟諸
為欲嚴淨自佛土故為見如來應正等覺引
發種種殊勝善根既能引發勝善根已隨所
樂聞諸佛正法皆得聽受既聽受已乃至安
坐妙菩提座終不忘失所受法門亦无間斷
善於一切陀羅尼門三摩地門皆得自在如
是善現諸菩薩摩訶薩脩行般若波羅蜜多

BD01308 號　大般若波羅蜜多經卷四八三　（3–2）

時增長布施波羅蜜多增長淨戒安忍
靜慮般若波羅蜜多趣入菩薩正決定
住菩薩不退轉地圓滿菩薩殊勝神
神通得圓滿已從一佛國至一佛國供
敬尊重讚歎諸佛世尊為欲成熟諸
為欲嚴淨自佛土故為見如來應正等覺引
發種種殊勝善根既能引發勝善根已隨所
樂聞諸佛正法皆得聽受既聽受已乃至安
坐妙菩提座終不忘失所受法門亦无間斷
善於一切陀羅尼門三摩地門皆得自在如
是善現諸菩薩摩訶薩脩行般若波羅蜜多
時於一切法能如實覺名假法假无所取著
復次善現於意云何言菩薩者即色乃至識
是菩薩耶異色乃至識是菩薩耶色乃至識
中有菩薩耶菩薩中有色乃至識耶離色乃
至識有菩薩耶善現答言不也世尊復次善
現於意云何言菩薩者即眼處乃至意處是
菩薩耶異眼處乃至意處是菩薩耶眼處乃
至意處中有菩薩耶菩薩中有眼處乃至意
處耶離眼處乃至意處有菩薩耶善現答言
不也世尊復次善現於意云何言菩薩者即
色處乃至法處是菩薩耶異色處乃至法處

BD01308 號　大般若波羅蜜多經卷四八三　（3–3）

BD01308 號　勘記　　（1–1）

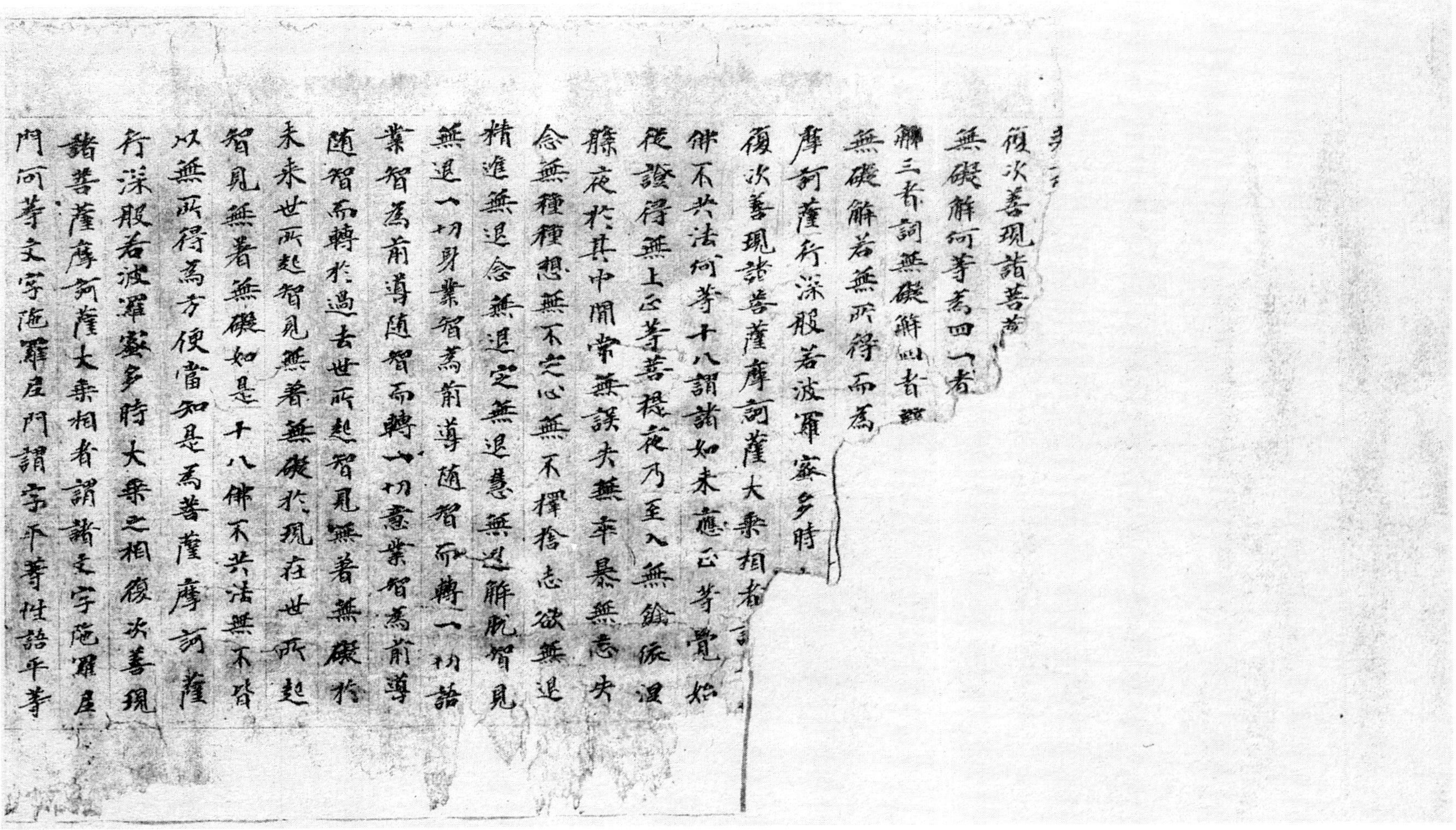

復次善現諸菩
無礙解何等為四一者
解三者詞無礙解四者辯
無礙解若無所得而為
摩訶薩行深般若波羅蜜多時
復次善現諸菩薩摩訶薩大乘相者謂
佛不共法何等十八謂諸如來應正等覺始
從證得無上正等菩提夜乃至入無餘依涅
槃夜於其中間常無誤失無卒暴無忘失
念無種種想無不定心無不擇捨志欲無退
精進無退念無退定無退慧無退解脫智見
無退一切身業智為前導隨智而轉一切語
業智為前導隨智而轉一切意業智為前導
隨智而轉於過去世所起智見無著無礙於
未來世所起智見無著無礙於現在世所起
智見無著無礙如是十八佛不共法無不皆
以無所得為方便當知是為菩薩摩訶薩
行深般若波羅蜜多時大乘之相復次善現
諸菩薩摩訶薩大乘相者謂諸文字陀羅尼
門何等文字陀羅尼門謂字平等性語平等

BD01309 號　大般若波羅蜜多經卷四九〇　　（4–1）

以無所得為方便當知是為菩薩摩訶薩
行深般若波羅蜜多時大乘之相復次善現
諸菩薩摩訶薩大乘相者謂諸文字陁羅尼
門何等文字陁羅尼門謂字平等性語平等
性入諸字門云何字平等性語平等性入諸字
門善現當知若菩薩摩訶薩行深般若波
羅蜜多時以無所得而為方便入裏字門悟
一切法本不生故入洛字門悟一切法離塵
垢故入跛字門悟一切法勝義教故入者字
門悟一切法遠離死生若死若生皆無
為方便故入娜字門悟一切法遠離名
名若相皆無所得為方便故入砢字門
切法出世間故愛支因緣不現前故入柁[illegible]
門悟一切法調伏寂靜真如平等無分別故
入婆字門悟一切法離縛解故入荼字門悟
一切法離熱矯穢得清淨故入沙字門悟一
切法無罣礙故入縛字門悟一切法言音道
斷故入頞字門悟一切法真如不動故入也
字門悟一切法如實不生故入瑟吒字門悟
一切法制伏任持相不可得故入迦字門悟
一切法作者不可得故入娑字門悟一切法
時平等性不可得故入磨字門悟一切法我
所執性不可得故入伽字門悟一切法行動
取性不可得故入他字門悟一切法所依處
性不可得故入闍字門悟一切法能所生起
不可得故入濕縛字門悟一切法安隱之性
不可得故入達字門悟一切法能持界性不

BD01309 號　大般若波羅蜜多經卷四九○　（4–2）

取性不可得故入他字門悟一切法所依處
性不可得故入闍字門悟一切法能所生起
不可得故入濕縛字門悟一切法安隱之性
不可得故入達字門悟一切法能持界性不
可得故入捨字門悟一切法奢摩他性不可
得故入佉字門悟一切法如太虛空平等之
性不可得故入羼字門悟一切法窮盡之性
不可得故入薩頞字門悟一切法任持之性
不可得故入若字門悟一切法能所知性不
可得故入剌他字門悟一切法執着義性不
可得故入呵字門悟一切法能為[illegible][illegible]不可
得故入薄字門悟一切法可破壞性不可得
故入綽字門悟一切法欲樂覆性不可得故
入颯麼字門悟一切法可憶念性不可得故
入嗑縛字門悟一切法可呼名性不可得故
入蹉字門悟一切法離勇健故入鍵字門悟
一切法厚平等性不可得故入搽字門悟一
切法積集之性不可得故入拏字門悟一切
法離諠雜故入頗字門悟一切法無果報故
入塞迦字門悟一切法離蘊性故入逸婆字
門悟一切法衰老性相不可得故入酌字門
悟一切法無足跡故入吒字門悟一切法相
驅迫性不可得故入擇字門悟一切法究竟
處所不可得故善現當知此擇字門是能悟
入法空邊除除此諸字表諸法空更不可得
所以者何此諸字義不可宣說不可顯示不
[illegible]

BD01309 號　大般若波羅蜜多經卷四九○　（4–3）

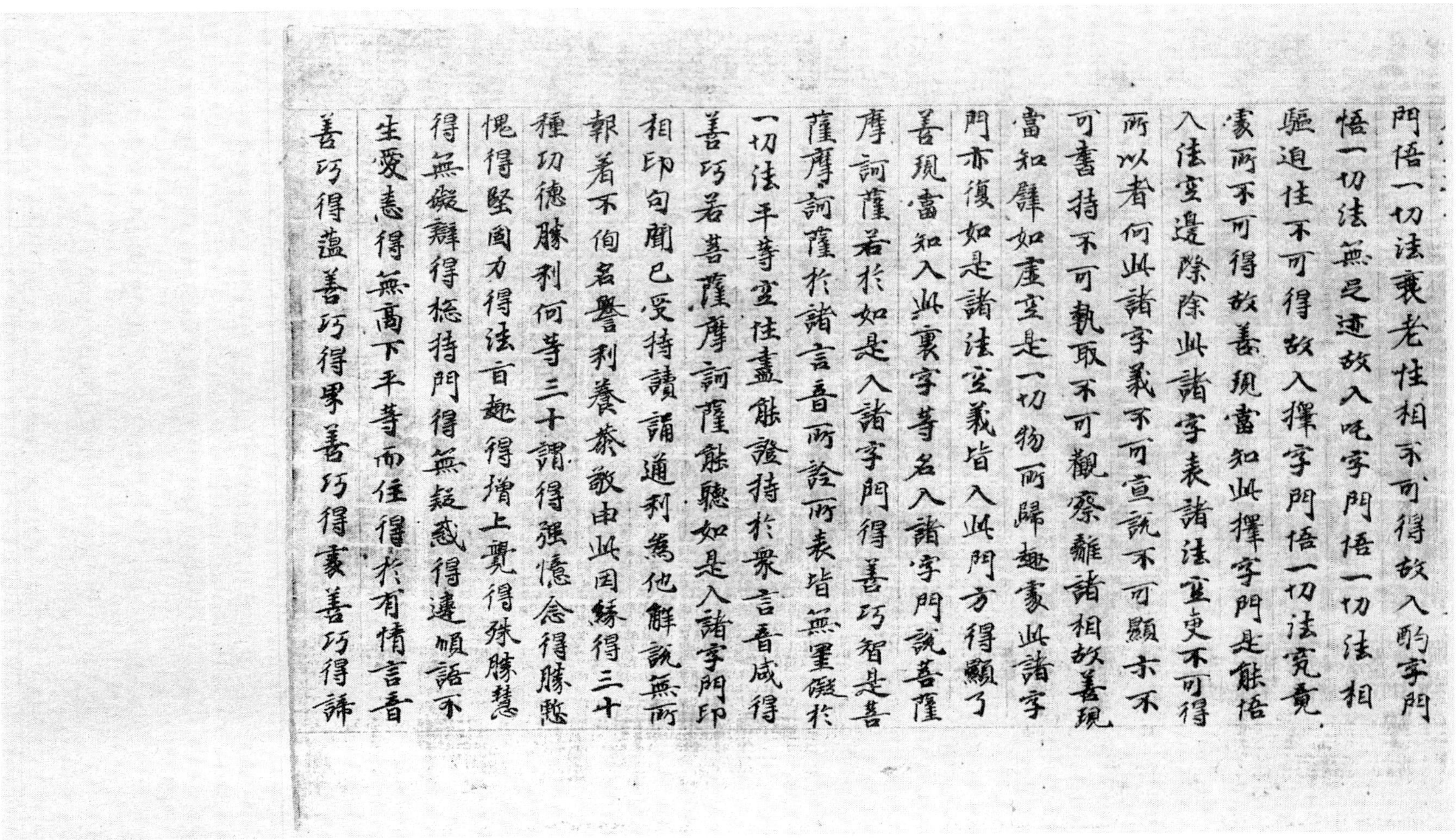

門悟一切法衰老性相不可得故入酌字門
悟一切法無足迹故入吒字門悟一切法相
驅迫性不可得故入擇字門悟一切法究竟
處所不可得故善現當知此擇字門是能悟
入法空邊際除此諸字表諸法空更不可得
所以者何此諸字義不可宣說不可顯示不
可書持不可執取不可觀察離諸相故善現
當知譬如虛空是一切物所歸趣處此諸字
門亦復如是諸法空義皆入此門方得顯了
善現當知入此裏字等名入諸字門說菩薩
摩訶薩若於如是入諸字門得善巧智是菩
薩摩訶薩於諸言音所詮所表皆無罣礙於
一切法平等空性盡能證持於衆言音咸得
善巧若菩薩摩訶薩能聽如是入諸字門印
相印句聞已受持讀誦通利為他解說無所
執著不徇名譽利養恭敬由此因緣得三十
種功德勝利何等三十謂得強憶念得勝慚
愧得堅固力得法旨趣得增上覺得殊勝慧
得無礙辯得總持門得無疑惑得違順語不
生愛恚得無高下平等而住得於有情言音
善巧得蘊善巧得界善巧得處善巧得諦

BD01309 號　大般若波羅蜜多經卷四九〇　　（4–4）

四百九十

BD01309 號背　勘記　　（1–1）

沒如出沒水上經行如履平地身出煙焰
如燎高原體注衆流如銷雪嶺日月神德威
勢難當以手捫摩光明隱蔽乃至淨居轉身
自在如是神變其數无邊舍利子此菩薩摩
訶薩雖具如是神境智用而於其中不自高
舉不執神境智證通性不執神境智證通事
不執能得如是神境智證通者於執不執俱
无所執何以故舍利子自性空故自性離故
自性本來不可得故舍利子是菩薩摩訶薩
不爲娛樂引發如是神境智通唯除爲得一
切智智舍利子是爲菩薩摩訶薩修行般若波
羅蜜多引發神境智證通波羅蜜多
舍利子有菩薩摩訶薩天耳智證通最勝清
淨過人天耳能如實聞十方各如殑伽沙界
情非情類種種音聲所謂遍聞諸地獄聲傍
生聲鬼界聲人聲天聲聲聞聲獨覺聲菩薩
聲如來聲及餘一切情非情聲若大若小無
障无礙舍利子此菩薩摩訶薩雖具如是天
耳智用而於其中不自高舉不執天耳智證
通性不執天耳智證通事不執能得如是天
耳智證通者於執不執俱无所執何以故舍
利子自性空故自性離故自性本來不可得
故舍利子是菩薩摩訶薩不爲娛樂引發如

BD01310號　大般若波羅蜜多經卷四八二　（3–1）

情[illegible]
生聲鬼界聲人聲天聲聲聞聲獨覺聲菩薩
聲如來聲及餘一切情非情聲若大若小無
障无礙舍利子此菩薩摩訶薩雖具如是天
耳智用而於其中不自高舉不執天耳智證
通性不執天耳智證通事不執能得如是天
耳智證通者於執不執俱无所執何以故舍
利子自性空故自性離故自性本來不可得
故舍利子是菩薩摩訶薩不爲娛樂引發如
是天耳智通唯除爲得一切智智舍利子是
爲菩薩摩訶薩修行般若波羅蜜多引發天
耳智證通波羅蜜多
舍利子有菩薩摩訶薩他心智證通能如實
知十方各如殑伽沙界他有情類心心所
所謂遍知他有情類若有貪心若離貪心若
有瞋心若離瞋心若有癡心若離癡心若有
愛心若離愛心若有取心若離取心若聚心
若散心若小心若大心若舉心若下心若寂
靜心若不寂靜心若掉心若不掉心若定心
若不定心若解脫心若不解脫心若有漏心
若无漏心若有疊心若无疊心若有上心若
无上心皆如實知舍利子此菩薩摩訶薩雖
具如是他心智用而於其中不自高舉不執
他心智證通性不執他心智證通事不執能
得如是他心智證通者於執不執俱无所執
何以故舍利子自性空故自性離故自性本
來不可得故舍利子是菩薩摩訶薩不爲娛
樂引發如是他心智通唯除爲得一切智智

BD01310號　大般若波羅蜜多經卷四八二　（3–2）

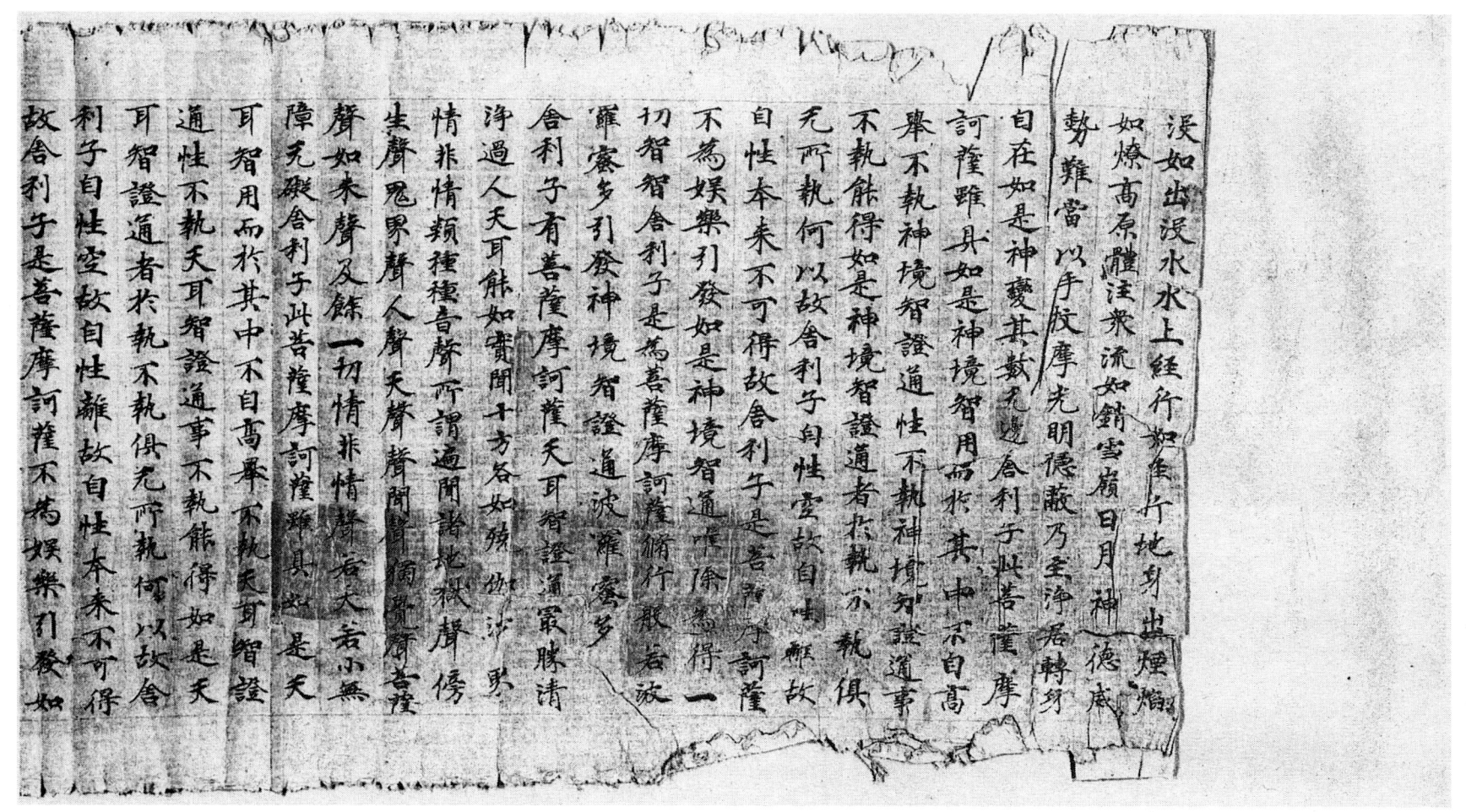

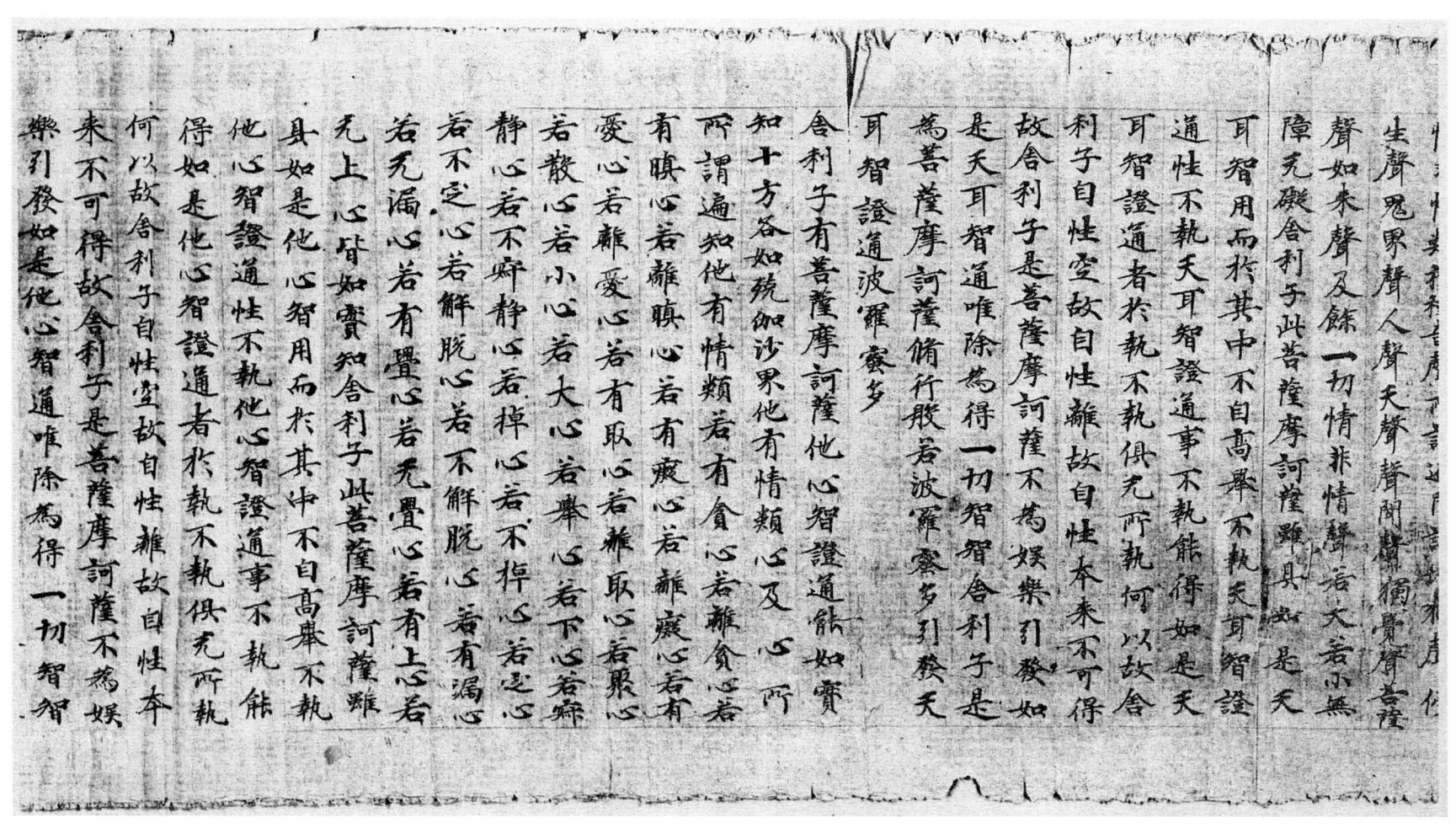

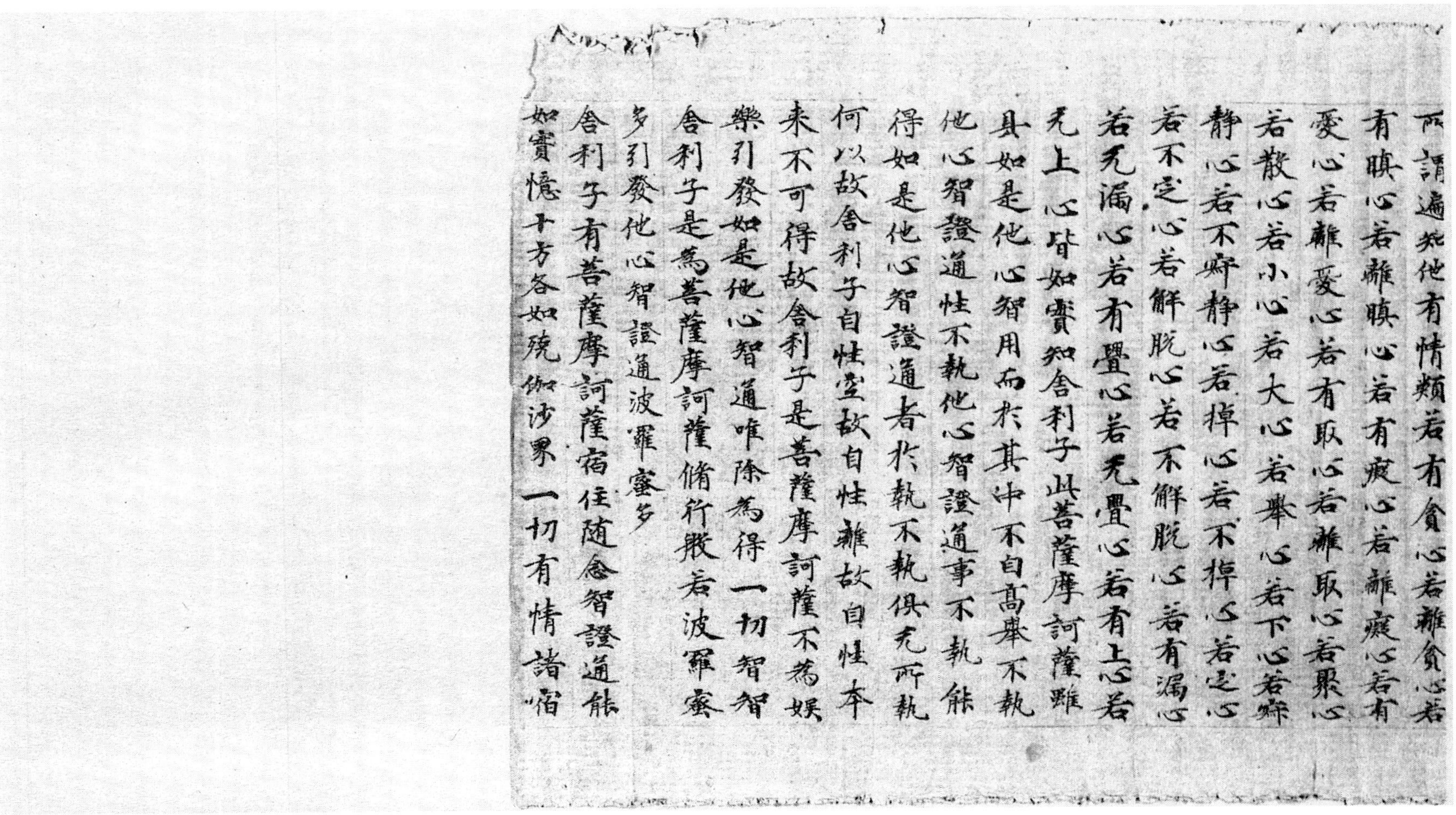

所謂遍知他有情類若有貪心若離貪心若
有瞋心若離瞋心若有癡心若離癡心若有
愛心若離愛心若有取心若離取心若聚心
若散心若小心若大心若舉心若下心若寂
靜心若不寂靜心若掉心若不掉心若定心
若不定心若解脫心若不解脫心若有漏心
若无漏心若有疊心若无疊心若有上心若
无上心皆如實知舍利子此菩薩摩訶薩雖
具如是他心智用而於其中不自高舉不執
他心智證通性不執他心智證通事不執能
得如是他心智證通者於執不執俱无所執
何以故舍利子自性空故自性離故自性本
來不可得故舍利子是菩薩摩訶薩不為娛
樂引發如是他心智通唯除為得一切智智
舍利子是為菩薩摩訶薩修行般若波羅蜜
多引發他心智證通波羅蜜多
舍利子有菩薩摩訶薩宿住隨念智證通能
如實憶十方各如殑伽沙界一切有情諸宿

BD01310 號　大般若波羅蜜多經卷四八二　（3–3）

BD01310 號背　勘記　（1–1）

我慢多我見多是三三昧中
能得涅槃門以是故諸禪定法中是三空
法是三解脫門亦名為三三昧是三三昧實三
昧故餘定亦得名字復次除四根本禪從未
到地乃至有頂地名為定亦名三昧非禪四
禪亦名定亦名定亦名三昧諸餘定亦名定
亦名三昧如四无量四空定四辯六通八背
捨處解脫八勝處九次第定十一切處等諸
定法有一種聲聞人言單一切三昧法有廿三
種有一種人言六十五種有一種言五百種
摩訶衍法眾大故无量三昧如菩薩三昧名
遍法性莊嚴三昧能照一切三昧法三昧不
分別知觀法性底三昧入无底佛法三昧如
虛空无底无邊照三昧如來力行觀三昧佛
无畏莊嚴力頻申三昧法性門旋藏三昧一
切世界无导莊嚴遍月三昧遍莊嚴法雲光
三昧菩薩得如是等一切二无量諸三昧復
次般若波羅蜜摩訶衍義中品略說有一百八
三昧初名首楞嚴三昧乃至虛空不著不染
三[illegible]

BD01311號　諸經集鈔（擬）　（20–1）

三昧菩薩得如是等一切二无量諸三昧復
次般若波羅蜜摩訶衍義中品略說有一百八
三昧初名首楞嚴三昧乃至虛空不著不染
三昧廣說則无量三昧以是故菩薩得諸
三昧行空无作无相三昧者問曰前言菩薩
得諸三昧何以故復言行空行无作行无相
答曰前說三昧名未說相令欲說相是故言
行空无作无相若有人行空无作无相是名
得實相三昧
空三昧无相三昧无作三昧四禪四无量心
四无色定八背捨八勝處九次第定十一切
處問曰何以故次卅七品分說八種法答曰
卅七品是趣涅槃道行是道已到涅槃涅槃
城有三門所謂空无相无作已說道次應說
到處門四禪等是助開門法復次卅七品是
上妙法欲界心散亂行者依何地何方便得
當依色界无色界諸禪定於四无量心八背
捨八勝處九次第定十一切處中識心稍得
柔濡自在隨意不辭如御者識馬回折隨意
然入陣十一切處觀月少許青色草觀一
切物皆能使青一切黃赤一切白皆如是復
次於八勝處緣中自在初二背捨觀身不淨
第三背捨觀身還使淨四无量慈觀眾生皆
樂悲觀眾生皆苦喜觀眾生皆喜捨是三心
心但觀眾生无有憎愛復次有二種觀一者
得解脫觀二者實〻觀〻者是卅七品以實觀
難得故次第說得〻解〻中心柔濡易得

BD01311號　諸經集鈔（擬）　（20–2）

心但觀眾生无有增減復次有二種觀一者
得解脫觀二者實ゝ觀ゝゝ者是卅七品以實觀
難得故次第說得ゝ解ゝ中心柔濡易得
實觀用實觀得入三涅槃門問日何等空涅
槃門答日觀諸无我ゝゝ所空諸法從因緣和
合生无有作者无有受者是名空門復次空
門如忍智品中說如是无我ゝゝ所以眾生云
何於諸法中心著行者思惟作是念諸法從
因緣生无有實法但有相而諸眾生取是相
著我ゝゝ所我今當觀是相有實可得不審觀
之都不可得若男相女相一異相等是相實
皆不可得何以故諸法无我ゝゝ所故空ゝ故
无男无女一等法我ゝゝ所中名字是一是異
以是故男女一異法實不可得復次四大及
造色圍虛空故名為身是中內外入因緣和
合生識種身得是種和合作種ゝ事言語坐
起去來於空種和合中強名為男強名為女
若六種男是應有六男不可以一作六ゝ作
一亦於地種中无男无女相乃至識種亦无
女相若各ゝ中无和合亦无如六狗各ゝ不
能生師子和合亦不能生无性故問日是三
種以智慧觀空觀无相觀无作智慧何以故
名三昧答日是三昧智慧若不住定中則是
狂慧多墮耶疑无所能作若住定中則
能破諸煩惱得諸法實相復次是道異一
切世間与世間相違諸聖人在定中得實

BD01311 號　諸經集鈔（擬）　（20–3）

狂慧多墮耶疑无所能作若住定中則
能破諸煩惱得諸法實相復次是道異一
切世間与世間相違諸聖人在定中得實
相說非是狂心語復次諸禪定中无此三法
不名為三昧何以故還失墮生死故以是
故三昧脫門佛說名為三昧問日今何以故
名解脫門答日行是法得解脫到无餘涅槃
是故名解脫門无餘涅槃是真解脫身心皆
得解脫有餘涅槃為作門此三法雖非涅
槃涅槃因故名為涅槃世間有因中說果
果中說因是空无相无作是定性是定相應
心心數法隨行身業口業此中此心不相應
諸行和合皆名為三昧譬如王來必有大臣
營從三昧如王智慧大臣餘法如營從餘法
名雖不必應有何以故定力不獨生不能
獨有所作故是諸法共生共住共滅共成事
互相利益或有說者三解脫門一向无漏三
三昧或有漏或无漏以是故三昧解脫有二
名如是說者在十一地六地三无色欲界及
有頂地若有漏者繫在十一地无漏者不繫
喜根樂根捨根相應初學在欲界中成就在
色无色界中如是等成就不成就脩不脩如
阿毗曇中廣說是三解脫門摩訶衍中是一
法以行因緣故說有三種觀諸法空不可得
是空亦不取相是轉空名无相无相中不應
有所作為三界生是時无相轉名无作譬如
城有三門一人身不得一時從三門入若入

BD01311 號　諸經集鈔（擬）　（20–4）

是空亦不取相是轉空名无相无相中不應
有所作爲三界生是時无相轉名无作譬如
城有三門一人身不得一時從三門入若入
則從一門諸法實相是涅槃城城有三門空
无相无作若人入空門不得是空亦不取相
是人直入事辦故不須二門若入是空門取
相得是空於是人不名爲門通塗更蕩若除
空相是時從无相門入若於无相心著生戲
論是時除取无相相入无作門阿毗曇義中
是空解脫門緣苦諦攝五陰无相解脫門緣
一法所謂數緣盡无作解脫門緣三諦攝五
陰摩訶衍義中是三解脫緣諸法實相以是三
解脫門觀世間即是涅槃何以故涅槃空无
相无作世間亦如是問曰如家中說涅槃一
問今何以說三答曰先以說法雖一而義
有三復次應受者有三種愛多者見多者愛
見等者見多者爲說空解脫門見一切諸法
從因緣生无有自性无有自性故空故諸見
滅愛多者爲說无作解脫門見一切法无常
若從因緣生見已心猒離愛即得入道愛見
等者爲說无相解脫門聞是男女等相无故
斷愛一切等相无故斷見佛或一時說二門
或一時說三門菩薩應遍學知一切道故說
三門更欲說餘事故三解脫義略說

大集經卷第廿二

若比丘觀過去身及脩莊嚴觀身見身是名
脩无願解脫門若比丘觀過去身已唯見於

BD01311號　諸經集鈔（擬）　（20-5）

大集經卷第廿二

若比丘觀過去身及脩莊嚴觀身見身是名
脩无願解脫門若比丘觀過去身已唯見於
心亦不見身及脩莊嚴觀身見身是名脩无
相解脫門若比丘觀過去身已亦不見作及
以作者作者无身身无作者脩莊嚴道觀身
見身是名脩空解脫門受心法亦如是復次
憍陳如三解脫門脩莊嚴觀一切行不出不
滅出已則滅滅无所至不至去來是名莊嚴
无願解脫門復次觀未來世尊行未出若
行未出則无有滅是名莊嚴无願解脫門不
畢畢竟竟盡盡者則无生滅若无生滅即畢
竟盡若畢竟盡即空因緣若如是觀畢竟盡
者是名莊嚴空解脫門若觀諸行是畢竟盡
即无生滅若无生滅即无有空何以故先有
後无名之爲空本无者則无後无若无後无
云何名空若无所者即是无爲畢竟盡者非
是有爲亦非无爲空亦非行亦非无行是故
畢竟盡者非有爲攝非无爲攝是名莊嚴无
相解脫門行畢竟盡者即是涅槃非過去未
來現在是故非過去

十一空法門

内空　外空　内外空　有爲空　无爲空　无始空
性空　无所有空　第一義空　空空　大空

涅槃經卷第十六

菩薩摩訶薩云何觀於内空是菩薩摩訶薩

BD01311號　諸經集鈔（擬）　（20-6）

内空　外空　内外空　有為空　无為空　无始空
性空　无所有空　第一義空　空空　大空
涅槃經卷第十六
菩薩摩訶薩云何觀於内空是菩薩摩訶薩
觀内法空是内法空謂无父母怨親中人衆
生壽命常樂我淨如來法僧所有財物是内
法中雖有佛性而是佛性非内非外所以者
何佛性常住无變易故是名菩薩摩訶薩觀
於内空外空者亦復如是无有内法内外空
者亦復如是善男子唯有如來法僧佛性不
在二空何以故如是四法常樂我淨是故四
法不在為空是名内外俱空善男子有為空
者有為之法悉皆是空所謂内空外空内外
空常樂我淨空衆生壽命如來法僧第一義
空是中佛性非有為法是故佛性有為法空
是名有為空善男子云何菩薩摩訶薩觀无
為空是无為法悉皆是空所謂是无常苦不
淨无我陰界入衆生壽命相有為有漏内法
外法无為法中佛等四法非有為非无為性
是善故非先為性常住故非有為是名菩薩
觀无為空云何菩薩摩訶薩觀无始空是菩
薩摩訶薩見生死无始皆悉空寂所謂空者
常樂我淨皆悉空寂无有變易衆生壽命三
寶佛性及无為法是名菩薩觀无始空云何
菩薩觀於性空是菩薩摩訶薩觀一切法本
性皆空謂陰界入常无常苦樂淨不淨我无
[illegible]

寶佛性及无為法是名菩薩觀无始空云何
菩薩觀於性空是菩薩摩訶薩觀一切法本
性皆空謂陰界入常无常苦樂淨不淨我无
我觀如是等一切諸法不見本性是名菩薩
摩訶薩觀於性空云何菩薩摩訶薩觀无所
有空如人无子言舍宅空畢竟觀空无有親
愛愚癡之人言諸方空貧窮之人言一切空
如是所計或空或非空菩薩觀時如貧窮人
一切皆空是名菩薩摩訶薩觀无所有空云
何菩薩摩訶薩觀第一義空善男子菩薩摩
訶薩觀第一義時是眼生時无所從來及其
滅時去无所至本无今有已有還无推其實
性无眼无生如眼一切諸法亦復如是何等
名為第一義空有業有報不見作者如是空
法名第一義空是名菩薩摩訶薩觀第一義
空云何菩薩摩訶薩於觀空々是空々中乃
是聲聞辟支佛等所迷沒處善男子是有是
无是名空々是々非是々名空々善男子十
住菩薩尚於是中通達少分猶如微塵況復
餘人善子男如是空々亦不同於聲聞所得
空々三昧是名菩薩觀於空々善男子云何
菩薩摩訶薩觀於大空善男子言大空者謂
般若波羅蜜是名大空善男子菩薩摩訶薩
得如是空門則得住於虛空等地
十八空法門
内空　外空　内外空　空空　大空　第一義空　有為空
无為空　畢竟空　无始空　散空　性空　自性空

般若波羅蜜是名大空善男子菩薩摩訶薩
得如是空門則得住於虛空等地
十八空法門
内空　外空　内外空　空空　大空　第一義空　有為空
无為空　畢竟空　无始空　散空　性空　自性空
諸法空　不可得空　无法空　有法空　无法有法空
摩訶般若波羅蜜經卷第六
須菩提白佛言何等為内空佛言内法名眼
耳鼻舌身意眼々空非常非滅故何以故性
自尒耳々空鼻々空舌々空身々空意々空
非常非滅故何以故性自尒是名内空何等
為外空外法名色聲香味觸法色々空非常
非滅故何以故性自尒聲々空香々空味々
空觸々空法々空非常非滅故何以故性自
尒是名外空何等為内外空内外法名内六
入外六入内々法々空非常非滅故何以故
性自尒外々法々空非常非滅故何以故性自
尒是名内外空何等為空々一切法空是空亦空
非常非滅故何以故性自尒是名空々何等
為大空東々方々空非常非滅故何以故性
自尒南西北方四維上下南西北方四維上
下空非常非滅故何以故性自尒是名大空
何等為第一義空第一義空名涅々槃々空
非常非滅故何以故性自尒是名第一義空
何等為有為空有為法名欲界色界无色界欲
界欲空々界色々界々空无々色々界々空非

BD01311號　諸經集鈔（擬）　（20-9）

非常非滅故何以故性自尒是名第一義空
何等為有為空有為法名欲界色界无色界欲
界欲空々界色々界々空无々色々界々空非
常非滅故何以故性自尒是名為有空何等
為无為空无為法名若无生相无住相无滅
相无為法无為法空非常非滅故何以故生
自尒是為无為空何等為畢竟空畢竟名諸
法至竟不可得非常非滅故何以故性自尒
是名畢竟空何等為无始空若法初來處不
可得非常非滅故何以故性自尒是名无始
空何等為散空散名諸法无滅非常非滅故
何以故性自尒是名散空何等為性空一切
法性若有為法性若无為法性是性非聲聞
辟支佛所作亦非佛所作亦非餘人作是性
性空非常非滅故何以故性自尒是名性空
何等為自相空自相名色壞相受々相々取
相行作相識々相知是等有為无為法各々
相自相空非常非滅故何以故性自尒是名
自相空何等為諸法空諸法名色受相行諸
眼耳鼻舌身意色聲香味觸法眼界色界眼
識界乃至意界法界意識界諸々法々空非
常非滅故何以故性自尒是名為諸法空何
等為不可得空諸法求不可得是不可得空
非常非滅故何以故性自尒是名不可得空
何等為无法空若法无是亦空非常非滅故
何以故性自尒是名无法空何等為有法空

BD01311號　諸經集鈔（擬）　（20-10）

非常非滅故何以故性自介是名不可得空
何等為无法空若法无是亦空非常非滅故
何以故性自介是名无法空何等為有法空
有法名諸法和合中有自性相是有法空非
常非滅故何以故性自介是名有法空何等
為无法有法空諸法中无法諸法和合中有
自性相是无法有法空非常非滅故何以故
性自介是名无法有法空復次須菩提法空
相空无々法々相空自々法々相空他々法
々相空何等名法々相空自々五々衆々空是
名法相空何等名无々法々相空无法名无
為法是无々法々空何等名自々法々空諸
法自法空是空非知作非見作是名自々法
々空何等名他々法々空若佛出若佛未出
法住法相法位法性如實際過此諸法空是
名他々法々空是名菩薩摩訶薩摩訶衍

法界體性法門

法界體性經卷第一

文殊師利言世尊當說何法佛言說於法界
體性因緣世尊一切諸法皆法界體性出法
界外无有所聞云何因法界演說於佛法
言攜擣衆生若聞此法於驚怖世尊法界
體性无有驚怖是驚怖者即法界體性舍利
弗問於文殊師利若一切法界體性衆生何
處有汙染淨法界體性无行淨故文殊師利
言是諸衆生身見顛倒妄住我々所是凡夫
人發起我想是衆生等執著我想及着他相

BD01311號　諸經集鈔(擬)　(20–11)

弗問於文殊師利若一切法界體性衆生何
處有汙染淨法界體性无行淨故文殊師利
言是諸衆生身見顛倒妄住我々所是凡夫
人發起我想是衆生等執著我想及着他相
起心々數法是心々數法造作諸業若善不
善是諸衆生行業因故復得果報若色有生
即有染汙是染汙者法界體性若知汙染是
法界體性是名自淨然第一義无有淨汙若
汙染法若自淨法文殊師利說是法時出百
比丘悉斷諸漏得无漏心舍利弗語文殊師
利言所說法界无有錯謬說是法已過百比
丘悉斷諸漏得无漏心文殊師利言此法界
者本是繫縛今得解脫舍利弗言是法界者
非本繫縛今得解脫耶是諸比丘今於何處心
得解脫如來甚多調伏聲聞皆斷諸漏心得
解脫文殊師利言大德舍利弗如是世尊聲
聞不耶舍利弗言文殊師利知々是々知汝
所說我是世尊聲聞人也文殊師利言大德
舍利弗汝斷諸漏得於无漏解脫心耶舍利弗
言我得无漏解脫之心文殊師利言大德以
何等心得於解脫為過去心為未來心現在心
耶大德過去世心已滅之相未來世心未至
相現在世心不住之相云何大德心得解脫
舍利弗言文殊師利非過去心得於解脫非
未來現在心得於解脫文殊師利言大德汝
云何言心得解脫舍利弗言文殊師利住世
[illegible]

BD01311號　諸經集鈔(擬)　(20–12)

相現在世心不住之相云何大德心得解脫
舍利弗言文殊師利非過去心得於解脫非
未來現在心得於解脫文殊師利言大德汝
云何言心得解脫舍利弗言文殊師利住世
諦說心得解脫第一義中都无有心繫縛解
脫文殊師利言汝欲令法界體性有於世諦
第一義諦耶舍利弗言法界體性无有世諦
第一義諦文殊師利言汝云何說住於世諦
心得解脫舍利弗言寧无有心得解脫耶文
殊師利言若心有內有外有中者心得解脫
而是心者无內外中故无繫縛解脫衆中有
二百比丘聞於所說即從坐起說如是言若
无繫縛无解脫心我等何故出家脩道若无
出世何故脩道是諸比丘說麁語已背衆而
去文殊師利欲調伏是諸比丘故如諸比丘
所去道前化一比丘是諸比丘到化比丘所
在化比丘前如是問言大德從何處來是化
比丘答諸比丘大德我於文殊師利所說不
解不知不信不向以是緣故從彼衆來是說
比丘即復語此化比丘言大德我等亦尒不
解不知不信不向以是緣故從彼衆來大德
我等今當善共思議若非生詈則非諍訟非
諍訟者是第一義沙門法也汝等心者何等
相耶爲青黃赤白此頗梨色實耶不實耶常
耶无常耶色耶非色耶諸比丘言大德心者非
色而不可見无有形照亦无礙對无處无放
化比丘言大德若心不實无戲論者云何解

相耶爲青黃赤白此頗梨色實耶不實耶常
耶无常耶色耶非色耶諸比丘言大德心者非
色而不可見无有形照亦无礙對无處无放
化比丘言大德若心不實无戲論者云何解
脫是諸比丘答言不也化比丘言大德以是
義故文殊師利說法界體性无汙涂淨是心
體性空无有實從妄想起若不實妄想則是
不〻生〻不滅若其非是生住滅者无有繫
縛亦无解脫无向无得以是義故說法界體
性无汙涂淨亦无向得无解脫者若有比丘
如是脩无增无㝵空平等故解脫知一切諸
法平等无有上下若善不善可作不作可有
漏无漏若世出世有爲无爲如是等上下動
搖无不妄想亦不見知如是諸法悉見平等
喻如虛空大德阿難若有比丘如是解者名
善解脫如是比丘无增上㝵以是義故如來
說言若有比丘解諸法平等喻如虛空如動
手虛空无有拿者沙門法者亦復如是
語時二百比丘悉斷諸漏得於无漏解脫之
法尒時四方出千菩薩聞說法界體性无分別
經常爲說此法界體性无分別經以開化
之世尊如虛空體性是一切法亦復如是如
法體性受持諸法无二无別佛告阿難此經
名說法界體性无分別法亦名文殊師利所
說善受持之
大雲經卷第一
一切諸佛十号具足等有一法名曰法界以

名說法界體性无分別法亦名文殊師利所
說善受持之
大雲經卷第一
一切諸佛十号具足等有一法名曰法界以
此法界諸佛世尊等有常應以常慧水淨自
洗浴服甘露味并以惠施一切衆生稱集一
切諸佛所行汝今當服是甘露味汝既服已
復當轉施一切衆生
大般涅槃經卷第卅二
大涅槃者即諸佛如來法界有佛无佛法界
常住若言佛性住衆生中者常法无住若有
住處即是无常如十二因緣无定住處若有
住處十二因緣不得名常如來法身亦无住
處法界法入法陰虛空悉无住處佛性亦尒
都无住處
大方等大集經卷第八
善男子如是三昧住在何處不晌菩薩言如
一切法真實性住是三昧者亦如是住一切
諸法真實性者名醒解脫醒解脫者名无所
住无所住之住〻一切法一切諸法不住煩惱
不住解脫大德得解脫者為具煩惱不具煩
惱善男子我亦不具非不具也大德若仁不
具非不具者為何所得言解脫也須菩提言
善男子若使法界有繫縛者我則解脫而法
界性无縛解相非〻相〻非種〻相非一相
非多相如法界相解脫亦尒時須菩提說是
法時八千比丘得阿羅漢果須菩提語不晌

具非不具者為何所得言解脫也須菩提言
善男子若使法界有繫縛者我則解脫而法
界性无縛解相非〻相〻非種〻相非一相
非多相如法界相解脫亦尒時須菩提說是
法時八千比丘得阿羅漢果須菩提語不晌
菩薩言善男子如佛所說若能具足如是等
法得是三昧汝今具是三、是昧不〻晌菩薩
言大德一切諸法无有根住若法无根即是
无處夫无住者名為无作若无作者云何可
住須菩提言必无住者何如來常作是言住
如是法得无生忍不晌菩薩言大德无所
住者亦名為住是故如來亦說住貪而得解
脫而婬恚性不能壞貪作於解脫若有菩薩
能知如是不住之住是名无生智慧住是也无
生智慧中已則能獲得无生法忍復次大德
若有菩薩不離凡夫能知醒法以凡夫心觀
察醒法以醒法性觀察於忍〻性觀忍復次
是忍觀一切法知如是等名无生法忍復次
大德若有菩薩觀二界種一衆生界二者法
界以法界性觀衆生性以衆生性觀法界性
若離法界无衆生界衆〻生〻界无生无滅
若能如是通達如者名无生智无生智者即
无生忍
大集經卷第十六
實性真相悉平等　如是觀名義菩薩
生死涅槃无差別　佛法僧寶亦无二
一切法義不可說　无有生滅如虛空

大集經卷第十六

實性真相悉平等　如是觀名義菩薩
生死涅槃无差別　佛法僧寶亦无二
一切法義不可說　无有生滅如虛空
若是內法外中无　外法之性內中无
一切諸法亦如是　是名第一真空義
一切衆生心本性　清淨无識如虛空
凡夫不知心性故　說客煩惱之所染
若諸煩惱能汙心　終不可淨如垢膩
諸客煩惱鄣覆故　說言凡夫心不淨
如其心性本淨者　一切衆生應解脫
以客煩惱鄣覆故　是故不得於解脫
如衆生性一切法　无爲之性不可說
如來學真法之性　是故名爲无导智
一切凡夫不知見　流轉无量生死中
无明所覆遠於實　不知如尒及法界
法界之性如虛空　一切世間不能說
如來備集大慈悲　无字法中而演說

寶篋經卷上

須菩提言文殊師利佛法結使云何差別文
殊師利言大德須菩提如須弥山王光所照
處悉同一色所謂金色般若光明照一切結
使悉同一色謂佛法色是故般若慧觀一切
諸法皆是佛法須菩提言文殊師利以何緣
故一切諸法皆是佛法文殊師利言如佛智
所覺云何佛智所覺答言如如初始後亦如
是不離如故云何初後答言初空後窮須菩

故一切諸法皆是佛法文殊師利言如佛智
所覺云何佛智所覺答言如如初始後亦如
是不離如故云何初後答言初空後窮須菩
提言窮之与空有何差別文殊言於意云何
如出金与金有何差別答言以言說故而有
差別言說故言空言窮須菩提白佛言世尊
今乃演說菩薩无量无邊諸法功德菩薩聞是
功德无喜无高佛言須菩提諸菩薩根本自
淨不喜不高云何根本自淨佛言无我根本
无衆生根淨須菩提言世尊所謂爲淨佛言
須菩提无縛无解无生死涅槃是名爲淨須
菩提言世尊若无生死涅槃者云何名淨佛
言須菩提猶如有言淨於虛空實无所除令
虛空淨實无有法名爲淨須菩提汝今淨不
答曰世尊我淨以无垢故佛言若无有垢爲
何所淨須菩提言世尊法性清淨我以知之
佛言須菩提汝今能知法界性也須菩提言
世尊若離法界有餘法者可知法界无有法
界能知法界佛无有一法離於法界時須菩
提嘿然不答尒時勝志菩薩從空來下頂礼
佛足右遶七匝向佛嘆說不壞法界偈
巳界及法界　衆生界同等　是界等法界　令授我記巳
愛界煩惱界　上虛界平等　諸法同是界　我今同此來
生死涅槃界　等住如法界

清淨毗尼經一卷

文殊師利何等爲法界門文殊師利言天子

愛界煩惱界　上亜界平等　諸法同是界　我今同此來
生死涅槃界　等住如法界
清淨毗尼經一卷
文殊師利何等爲法界門文殊師利言天子
普遍門是法界門天子言何界是法界文殊
師利言一切衆生界是法界天子言文殊師
利法界有邊際不答言天子於意云何虛空
有邊際不也文殊師利言天子猶如虛空无
有邊際法界亦尒无有邊際天子言文殊師
利汝知法界也答言天子法界不知法界天子
言文殊師利汝知何法有如是辯答言天子
於意云何鴉知何法而出音聲天子言鴉无
所知而出音聲以因緣故而有音聲如是天
子菩薩緣衆生故而有所說天子言汝住何
處能有所說答言天子猶如〻來化人所住
而有所說我住亦尒天子言如來化人无有
住處答言天子如來化人无所住而有所說
一切諸法亦无所住而有所說天子言文殊
師利言一切法无住汝住何處成无上道文殊
師利言天子我住无間成无上道天子言无
間爲住何處答言无間住无相本天子言文
殊師利言住无間者必墮地獄答言天子如
〻是〻如來所說造五无間必墮地獄天子我
今亦住於五无間天子菩薩住五无間成无
上道何等爲五菩薩摩訶薩從初發心來无
上道中間不墮聲聞緣覺地是初无間我應

BD01311號　諸經集鈔（擬）　（20–19）

今亦住於五无間天子菩薩住五无間成无
上道何等爲五菩薩摩訶薩從初發心來无
上道中間不墮聲聞緣覺地是初无間我應
救濟一切衆生中間无解是二无間捨一切物
中間无慳是三无間知諸法无生中間不与
諸見共住是四无間若知若見若斷平等正
覺以一念想應〻而覺知之中間不起必成
正覺是五无間若菩薩住是五无間成阿耨
多羅三藐三菩提天子言文殊師利頗有凡
夫住五　墮於地獄菩薩亦住此五无間成
无上正真道也答言有天子言以何因緣故
答言天子一切法空解於空故名得菩提一切
法无相无願非有爲无生无起因緣生覺是
因緣故名覺菩提天子言文殊師利誰信此
法答言天子若佛如來尚不生信況復聲聞
天子又問誰解是法答言不行我相者又問
誰信是法答言不住此彼坍者尒時寶主世
界菩薩与文殊師利來者聞說是已白世尊
言一切言說皆是戲論是差別說呵嘖結使
說世尊實相佛土无有是說純明菩薩不
退轉說无差別說世尊難有釋迦牟尼如來
應正覺能忍是得一切法无有差別无上中
一味法性安置三乘是諸菩薩即以天花
殊師利我可還寶主世界文
菩薩言

BD01311號　諸經集鈔（擬）　（20–20）

順普賢菩薩迴向心以此无縛无著解脫心
善根知眾生趣微細知眾生死微細知眾生
生微細知眾生處微細知眾生性微細知眾
生種類微細知眾生界微細知眾生行微細
知眾生所微細知眾生境界微細知如是等一
切微細於一念中悉得了知脩普賢行而无
懈惓以此无縛无著解脫心善根悉分別知
初發意菩薩等一切菩薩諸行微細菩薩處
微細菩薩自在微細菩薩遊行无量佛剎微
細菩薩法明微細菩薩淨眼微細菩薩具足
深心微細菩薩法詢諸如來大眾微細菩薩
諸陀羅尼智門微細菩薩无量无邊无所畏
地一切諸辯方便演說微細菩薩无量无邊
三昧相微細菩薩見一切佛三昧微細菩薩
莊嚴三昧微細菩薩法界三昧智慧微細菩
薩自在三昧智慧微細菩薩三昧智微細菩
薩受持盡未來際三昧微細菩薩勝妙
智慧分別一切菩薩三昧微細菩薩无量无
邊一切菩薩出生三昧分別了知微細菩薩
出生三昧智慧法詢一切諸如來所微細脩
習一切菩薩廣大甚深无导三昧究竟一切
種智得方便地一切通地分別實義地菩薩
離癡智脩習普賢无量諸行微細以此无縛

BD01312號　大方廣佛華嚴經（晉譯五十卷本）卷一八　（18–1）

種智得方便地一切通地分別實義地菩薩
離癡智脩習普賢无量諸行微細以此无縛
无著解脫心善根於一念中悉知菩薩一切
住微細悉知菩薩地微細菩薩種種行微細
菩薩出生迴向微細菩薩得一切諸佛藏微
細菩薩分別智慧微細菩薩大願神力自在
微細演說菩薩三昧微細菩薩神力方便微
細菩薩叩微細菩薩一生補處微細菩薩生
兜率天微細菩薩處天宮微細菩薩嚴淨佛
剎微細菩薩觀察人中微細菩薩放大光明
微細菩薩了達家法微細菩薩眷屬法微細
菩薩一切世界受生法微細菩薩一身示一
切身命終微細菩薩身入母胎微細菩薩處
母胎微細菩薩在胎中顯現法界等大眾自
在神力微細菩薩在母胎顯示一佛切自在微
細菩薩生法微細菩薩遊行七步无畏智微
細菩薩現在王宮方便法微細菩薩出家求
道調伏諸根脩法微細菩薩菩提樹下坐道
場法微細菩薩降魔成等正覺法微細如來
端坐道場放光明網普照十方一切世界微
細顯現如來无量无邊自在神力微細如來
師子吼大般涅槃微細如來教化一切眾生
未曾有失微細知如來金剛菩提心微細顯
現如來住持一切世界微細於一切世界盡
未來劫施作佛事而无休息微細究竟受持
一切法界[illegible]

BD01312號　大方廣佛華嚴經（晉譯五十卷本）卷一八　（18–2）

未曾有失微細知如來金剛菩提心微細顯
現如來住持一切世界微細於一切世界盡
未來劫施作佛事而无休息微細究竟受持
一切法界微細虛空界等一切世界為化衆
生故普現佛身出興於世微細一如來身現
无量身微細去來現在一切諸佛智慧眷屬
微細如是一切功德微細我當悉知具足究
竟得到彼岸清淨示現一切衆生於念念中
智慧周滿得不退轉脩菩薩行具普賢迴向
功德之地受持一切如來菩薩所行不離菩
薩諸智慧門一切方便皆悉清淨普能安隱
一切衆生脩菩薩行具足菩薩諸地功德得
金剛幢迴向之門出生无量法界諸功德藏
常為諸佛之所護念入諸菩薩深淨法門演
說一切微妙法義无所違失悉能慈愍一切
衆生於念念中究竟了知思議不思議地諸
功德藏於不思議出生思議亦諸法門離語
言道得智慧地一切菩薩皆悉同等盡未來
際脩菩薩行未曾休息具普賢行遠離世間
一切妄想及諸語言道具足受持大願自在
脩菩薩行未曾斷絕以此无縛无著解脫心
善根入一切衆生性智微細分別衆生性智
微細具足演說衆生性智微細諸著衆生性
智微細衆生不動性智微細衆生動性智微
細无量无邊趣趣衆生性智微細不可思議

智微細衆生不動性智微細衆生動性智微
細无量无邊趣趣衆生性智微細不可思議
衆生種種行性智微細衆生无量煩惱性智
微細衆生无量清淨性智微細如是等一切
衆生性境界智微細於一念中如實了知調
伏安隱一切衆生如應說法而不失時常轉
法輪攝取衆生諸要法門脩菩薩道智慧具
足化身无量安隱衆生悉令歡喜慧日普照
深入菩提心得菩薩自在智覺悟安住菩薩
智境界脩習大乘智究竟普賢行以此无縛
无著解脫心善根悉能分別虛空法界等一
切世界智微細小世界智微細中世界智微
細不淨世界智微細清淨世界智微細无比
世界智微細雜世界智微細廣世界智微細
狹世界智微細无量莊嚴世界智微細一切
世界諸佛出世亦現一切智微細演說一切
世界智微細一身充滿一切世界智微細放
无量光普照一切世界智微細一切世界一
切諸佛顯現自在神力智微細一妙音聲普
聞十方一切世界智微細一切世界現在諸
佛大衆圍繞智微細一切法界作一佛剎智
微細一佛剎作一切佛剎智微細一切世界
如夢智微細一切世界如電智微細如是等
一切世界智微細悉分別智究竟了達菩薩
諸行皆悉如幻究竟普賢菩薩行自在智得
普賢菩薩洞觀行一切菩薩行无有休息善

一切世界智微細悉分別智究竟了達菩薩
諸行皆悉如幻究竟普賢菩薩行自在智得
普賢菩薩明觀行一切菩薩行无有休息悉
離顛倒見一切佛及佛自在得无畏身智无
所依諸善根法无所染著心之所行悉无所
有捨離諸方堅固之相嚴淨菩薩所行之相
而未曾厭一切智相不著眾生三昧莊嚴智
慧隨順一切法界於一切世界脩菩薩行以
此无縛无著解脫心善根深入无量法界智
微細演說一切法界智微細度廣法界智微
細分別不思議法界智微細分別一切法界
智微細於一念中充滿一切法界智微細等
觀一切法界智微細一切法界境界无所有
智微細觀察一切法界无畏智微細解一切
法界不生智微細身持一切法界自在智微
細如是等一切法界智微細皆悉究竟成普
賢行受持智慧得法自在令眾生歡喜不捨
義身不見法身出生无畏平等之智得无畏
行不著諸法離一切有真實无染隨順世
間行語言法常樂寂靜不捨實義智慧清
淨滅除虛妄一切所有悉悲堅固覺悟无量
一切法界一切世間平等不二一切諸法之
深不二无所依心得入普賢菩薩行門究竟
成就平等智慧以此无縛无著解脫善心根
悉能分別一切諸劫智微細无量劫即是一
念智微細一念即无量劫智微細阿僧祇劫

BD01312號　大方廣佛華嚴經（晉譯五十卷本）卷一八　（18–5）

成就平等智慧以此无縛无著解脫善心根
悉能分別一切諸劫智微細无量劫即是一
念智微細一念即无量劫智微細阿僧祇劫
即是一劫智微細一劫即是阿僧祇劫智微
細長劫即是短劫智微細短劫即是長劫智
微細入有佛劫无佛劫智微細數知一切劫
无餘智微細說一切劫非劫智微細一念中
覺過去未來現在際一切諸劫无餘智微細
如是等一切諸劫一念中以如來智知得一
切菩薩行圓滿王心得普賢菩薩究竟行心
得一切離虛妄心得不退大願心得亦現无
量无邊世界網中一切如來遍充滿心得聞
持諸佛善根菩薩行心得與一切眾生大无
畏心得一切劫中亦現諸佛出興世心得一
一世界中盡未來劫行菩薩道无休息心得
一切世界中如來身業无業菩薩身心以此
无縛无著解脫心善根知无量甚深法智微細
勝法智微細雜法智微細莊嚴法智微細廣
說一切諸法智微細一切法即是一法智微
細一法即是一切法智微細一切法悉入非
法智微細非法入一切法亦不違法智微細
入一切佛法方便无有餘智微細如是一
切諸微細法以无畏智悉能了知得一切行
同一行心得究竟无量无邊法界心得无畏
力分別法心決定安住諸无畏行以一切智
充滿諸根一切邪[illegible]

BD01312號　大方廣佛華嚴經（晉譯五十卷本）卷一八　（18–6）

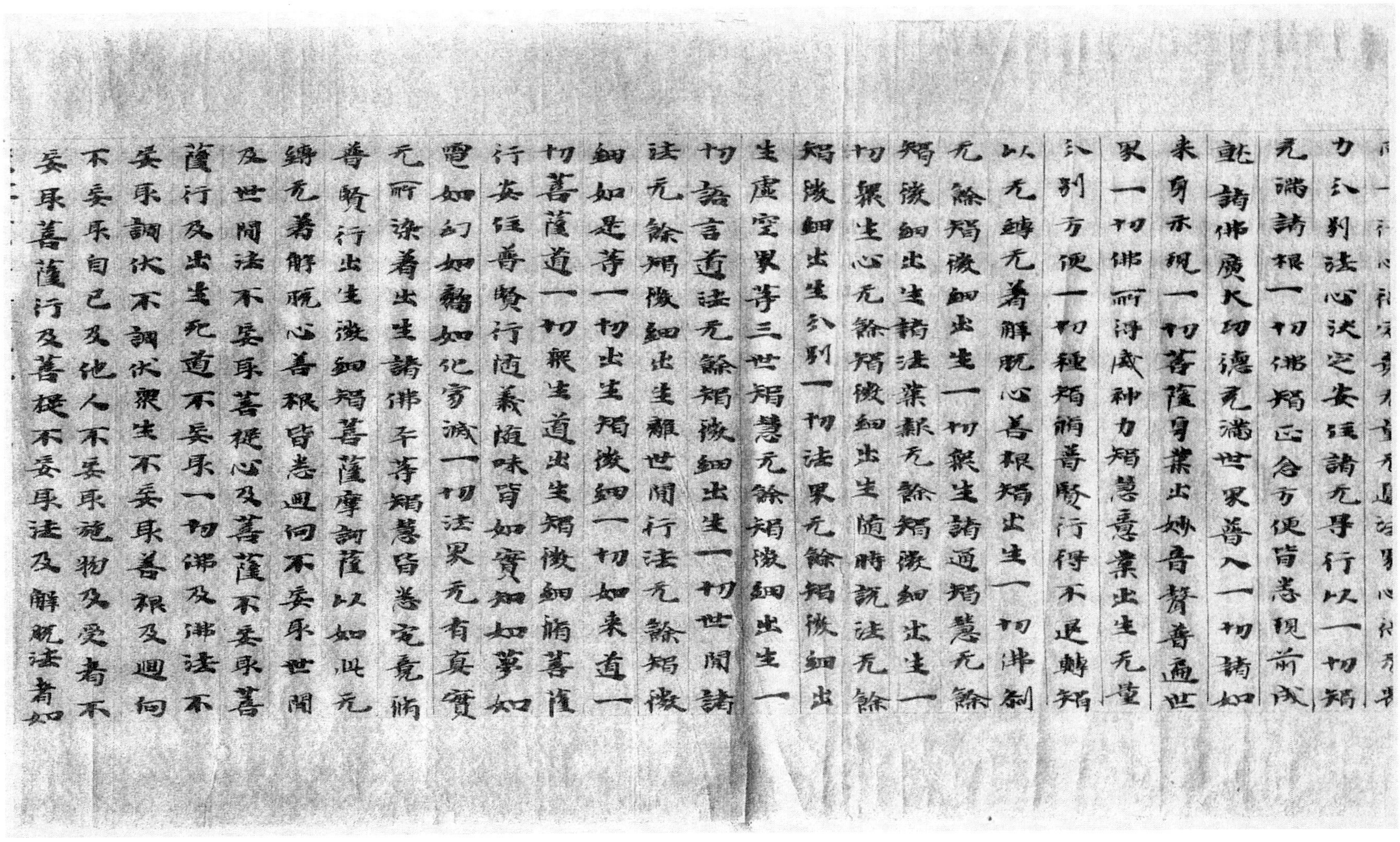

力分別法心決定安住諸无导行以一切智
无礙諸根一切佛智正念方便皆悉現前成
就諸佛廣大功德充滿世界普入一切諸如
来身示現一切菩薩身業出妙音聲普遍世
界一切佛所得威神力智慧意業出生无量
分別方便一切種智備普賢行得不退轉智
以无縛无著解脫心善根智出生一切佛刹
无餘智微細出生一切衆生諸通智慧无餘
智微細出生諸法業報无餘智微細出生一
切衆生心无餘智微細出生隨時說法无餘
智微細出生分別一切法界无餘智微細出
生虛空界等三世智慧无餘智微細出生一
切語言道法无餘智微細出生一切世間諸
法无餘智微細出生離世間行法无餘智微
細如是等一切出生智微細一切如来道一
切菩薩道一切衆生道出生智微細備菩薩
行安住普賢行隨義味皆如實知如夢如
電如幻如響如化寂滅一切法界无有真實
无所染著出生諸佛平等智慧皆悉究竟備
普賢行出生微細智菩薩摩訶薩以如此无
縛无著解脫心善根皆悉迴向不妄取世間
及世間法不妄取菩提心及菩薩不妄取菩
薩行及出生死道不妄取一切佛及佛法不
妄取調伏不調伏衆生不妄取善根及迴向
不妄取自己及他人不妄取施物及受者不
妄取菩薩行及菩提不妄取法及解脫法者如

BD01312 號　大方廣佛華嚴經（晉譯五十卷本）卷一八　（18–7）

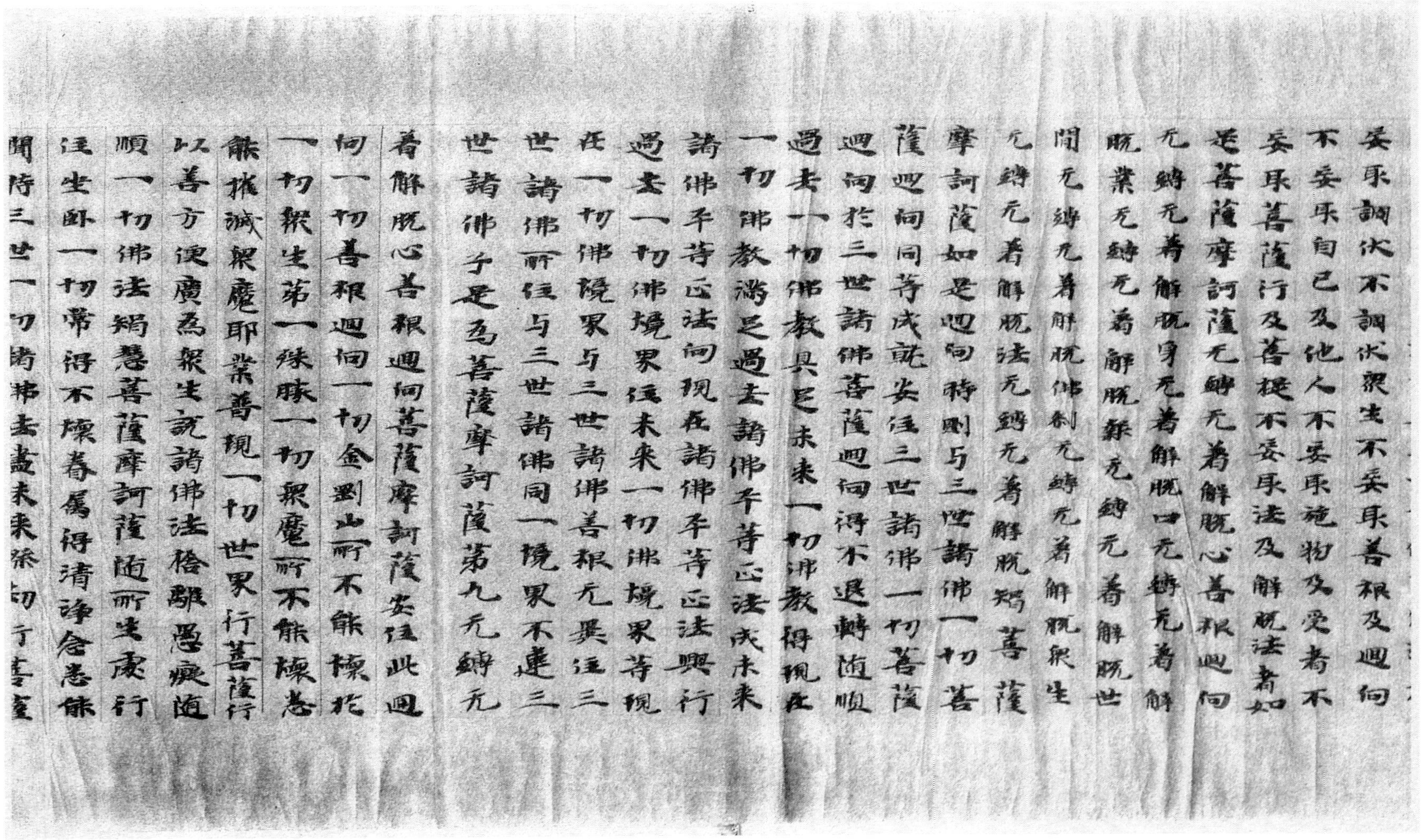

妄取調伏不調伏衆生不妄取善根及迴向
不妄取自己及他人不妄取施物及受者不
妄取菩薩行及菩提不妄取法及解脫法者如
是菩薩摩訶薩无縛无著解脫心善根迴向
无縛无著解脫身无著解脫口无縛无著解
脫業无縛无著解脫報无縛无著解脫世
間无縛无著解脫佛刹无縛无著解脫衆生
无縛无著解脫法无縛无著解脫智菩薩
摩訶薩如是迴向時則与三世諸佛一切菩
薩迴向同等成就安住三世諸佛一切菩薩
迴向於三世諸佛菩薩迴向得不退轉隨順
過去一切佛教具足未来一切佛教得現在
一切佛教滿足過去諸佛平等正法成未来
諸佛平等正法向現在諸佛平等正法興行
過去一切佛境界住未来一切佛境界等現
在一切佛境界与三世諸佛善根无異住三
世諸佛所住与三世諸佛同一境界不違三
世諸佛子是為菩薩摩訶薩第九无縛无
著解脫心善根迴向菩薩摩訶薩安住此迴
向一切善根迴向一切金剛山所不能壞於
一切衆生第一殊勝一切衆魔所不能壞悉
能摧滅衆魔耶業普現一切世界行菩薩行
以善方便廣為衆生說諸佛法捨離愚癡隨
順一切佛法智慧菩薩摩訶薩隨所生處行
住坐卧一切常得不壞眷屬得清淨念悉能
聞持三世一切諸佛去盡未来際切行菩薩

BD01312 號　大方廣佛華嚴經（晉譯五十卷本）卷一八　（18–8）

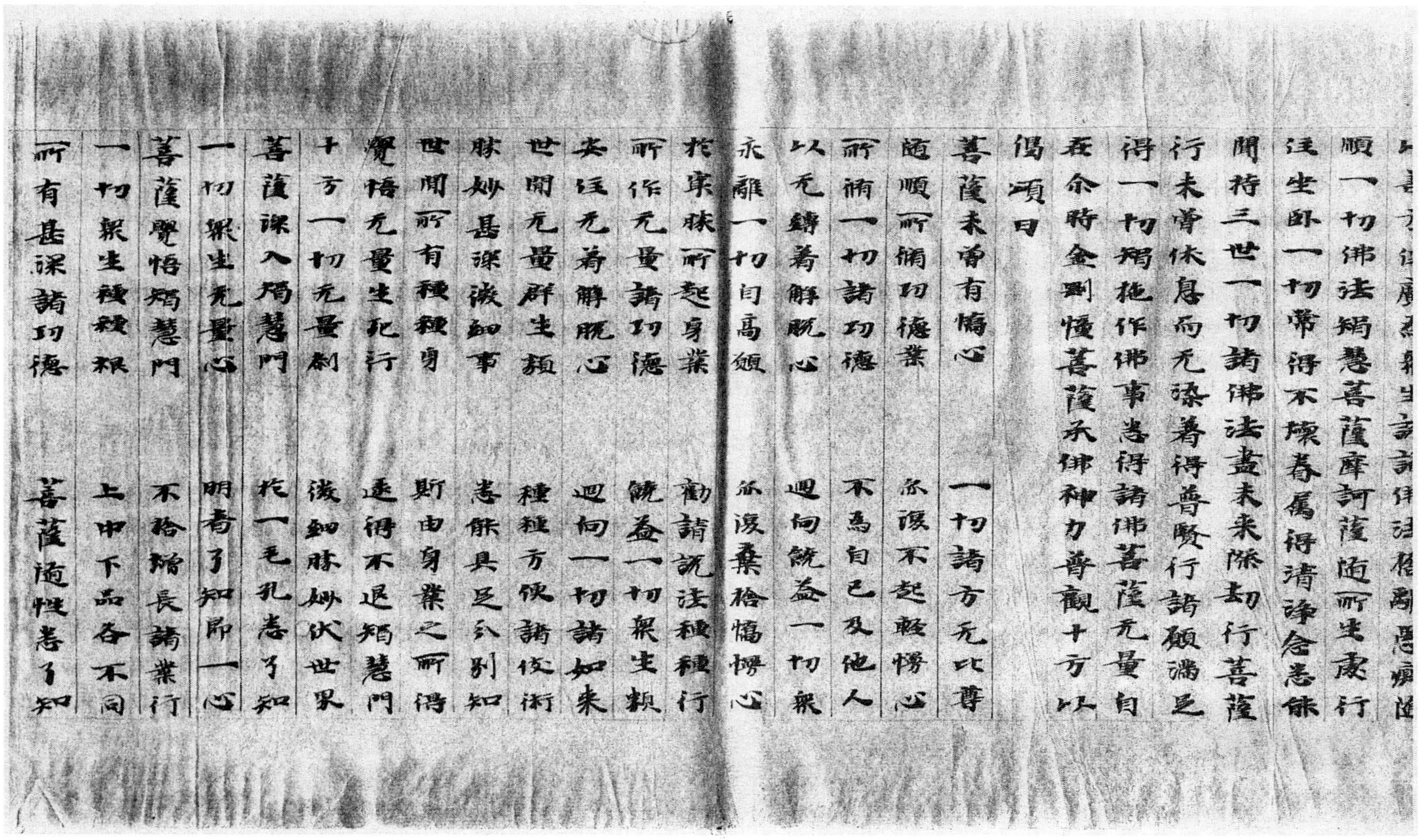

順一切佛法智慧菩薩摩訶薩隨所生處行
住坐卧一切常得不壞眷屬得清淨念悉能
聞持三世一切諸佛法盡未来際劫行菩薩
行未曾休息而无染著得普賢行諸願滿足
得一切智施作佛事悉得諸佛菩薩无量自
在尒時金剛幢菩薩承佛神力普觀十方以
偈頌曰
菩薩未曾有憍心　一切諸方无比尊
隨順所脩功德業　尒復不起輕慢心
所脩一切諸功德　不為自己及他人
以无縛著解脫心　迴向饒益一切衆
永離一切自高慢　尒復棄捨憍慢心
於衆勝所起身業　勸請說法種種行
所作无量諸功德　饒益一切衆生類
安住无著解脫心　迴向一切諸如来
世間无量群生類　種種方便諸伎術
勝妙甚深微細事　悉能具足分別知
世間所有種種身　斯由身業之所得
覺悟无量生死行　逮得不退智慧門
十方一切无量剎　微細勝妙伏世界
菩薩深入智慧門　於一毛孔悉了知
一切衆生无量心　明者了知即一心
菩薩覺悟智慧門　不捨增長諸業行
一切衆生種種根　上中下品各不同
所有甚深諸功德　菩薩隨性悉了知

BD01312號　大方廣佛華嚴經（晉譯五十卷本）卷一八　（18–9）

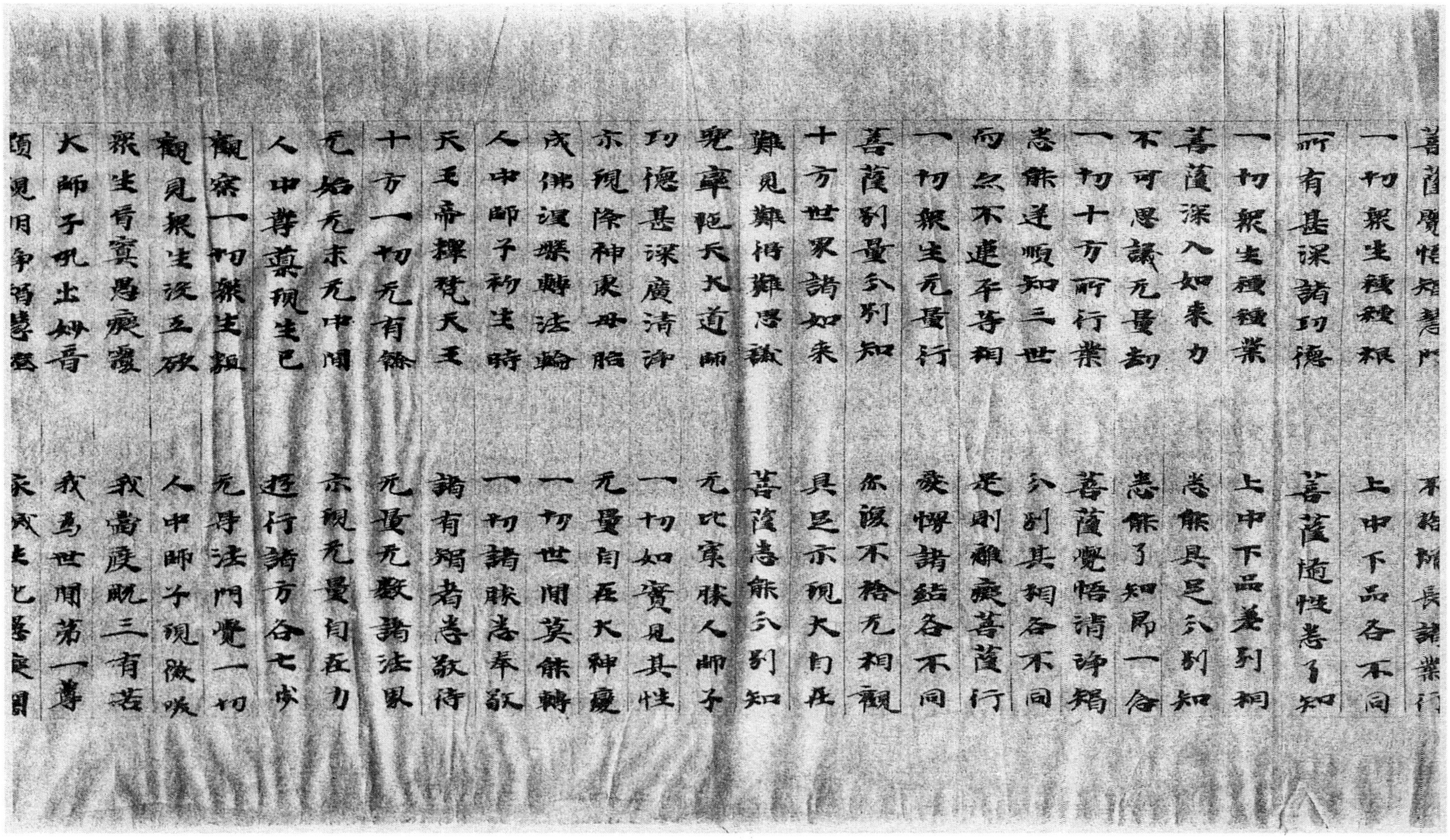

菩薩覺悟智慧門　不捨增長諸業行
一切衆生種種根　上中下品各不同
所有甚深諸功德　菩薩隨性悉了知
一切衆生種種業　上中下品差別相
菩薩深入如来力　悉能具足分別知
不可思議无量劫　悉能了知即一念
一切十方所行業　菩薩覺悟清淨智
悉能逆順知三世　分別其相各不同
而亦不違平等相　是則離癡菩薩行
一切衆生无量行　愛慢諸結各不同
菩薩剎量分別知　尒復不捨无相觀
十方世界諸如来　具足示現大自在
難見難得難思議　菩薩悉能分別知
兜率陁天大道師　无比衆勝人師子
功德甚深廣清淨　一切如實見其性
示現降神處母胎　无量自在大神變
成佛涅槃轉法輪　一切世間莫能轉
人中師子初生時　一切諸勝悉奉敬
天王帝釋梵天王　諸有智者悉敬待
十方一切无有餘　无量无數諸法界
无始无末无中間　示現无量自在力
人中尊導現生已　遊行諸方各七步
觀察一切衆生類　无得法門覺一切
觀見衆生沒五欲　人中師子現微咲
衆生盲冥愚癡覆　我當度脫三有苦
大師子吼出妙音　我為世間第一尊
顯現明淨智慧燈　永滅生死愚癡闇

BD01312號　大方廣佛華嚴經（晉譯五十卷本）卷一八　（18–10）

衆生奇實為癡覆　我當度脫三有苦
大師子吼出妙音　我為世間第一尊
顯現明淨智慧燈　永滅生死愚癡闇
人中師子出世間　放大光明无有量
斷除一切諸惡道　无量衆苦究竟滅
或時亦現處宮殿　或現捨家行學道
人中師子現自在　饒益一切衆生故
菩薩初坐道場時　六反震動諸大地
普放无量大光明　遍照五道衆生類
振動一切魔宮殿　開發十方衆生心
皆於菩薩有緣者　皆悉覺悟真實義
一毛道中无量乘　十方一切諸佛剎
衆生道乘无有量　欲現寂勝大神變
如是方便隨順覺　如一切佛所演說
若諸如來所不說　亦悉解了分別知
除滅一切衆魔怨　普震三千大千界
深入一切无尋門　能壞一切諸魔道
如來或在諸佛剎　或復現處諸天宮
或復現身梵宮殿　菩薩悉見无尋鄣
轉於清淨妙法輪　如來法身无邊際
悉於三世一切劫　寂勝演說无窮盡
諸佛无等師子坐　悉皆充滿十方界
種種妙相而莊嚴　佛處於坐難思議
真佛子等悉圍遶　充滿法界无有餘
說菩薩行无邊際　隨順諸佛出要道
者獨能以一方便　稱諸佛法无有餘

BD01312號　大方廣佛華嚴經（晉譯五十卷本）卷一八　（18–11）

說菩薩行无邊際　隨順諸佛出要道
者獨能以一方便　稱諸佛法无有餘
種種莊嚴寂勝法　皆悉充滿於法界
无等无量妙自在　亦現一切種種身
又現諸趣无量生　或現婇女衆圍遶
亦現出家行學道　欲令衆生諸根利
乃至亦現般涅槃　分布舍利起塔廟
如是種種无量行　如來演說佛所住
一切如來諸功德　究竟遍知到彼岸
如是種種无量行　於一切劫无休息
然未曾生疲猒心　菩薩皆悉善迴向
一切諸佛自在力　及佛无量諸功德
菩薩隨順悉了知　普為一切衆生說
如是一切諸法王　隨彼无量諸境界
於一念中悉覺悟　而亦不捨菩薩行
一切寂勝甚深法　及諸佛剎正法道
隨順覺悟殊勝行　究竟迴向到彼岸
有數无數一切劫　菩薩深解即一念
具足修習菩薩行　於彼勝道不退轉
十方无量一切剎　或有淨妙或垢穢
及欲一切諸如來　菩薩皆悉分別知
於念念中悉明了　不可思議无量劫
如是了知三世劫　具足安住究竟行
深入了達心所行　善方便行一劫法
一切佛剎菩薩行　悉能明了分別知

BD01312號　大方廣佛華嚴經（晉譯五十卷本）卷一八　（18–12）

深入了達心所行　善方便行一切法
一切佛刹菩薩行　悉能明了分別知
出生智慧无有量　出生衆生及諸法
出生菩提力自在　一切皆悉无邊際
深入一切无有餘　分別一切諸妙法
悉分別知同異相　具足廣脩菩薩行
十方一切諸佛刹　彼有无量无數衆
彼彼諸性各不同　菩薩皆能分別知
過去一切諸如來　未來現在諸導師
若能如是知迴向　則与三世諸佛等
若能如是知迴向　則与衆勝功德等
則与衆勝智慧等　則与衆勝所行等
一切世間莫能壞　諸所學者悉成就
隨順一切諸衆勝　善能觀察於世間
菩薩所行不可量　无量功德悉具足
堅固安住如來行　具足分別自在力
佛子何等爲菩薩摩訶薩第十法界等无量
迴向佛子此菩薩摩訶薩離垢繒繫頂受大
法師記能廣法施成大慈悲安住衆生於菩
提心饒益衆生未曾休息以菩提心長養善
根爲一切衆生作調御師示諸衆生一切智
道爲一切衆生作法藏日善根淨光普照一
切等心普觀一切衆生欲令衆生常行善根
未曾休息增長清淨微妙智慧不捨一切善
根道業爲一切衆生作大智慧旅寶導師開
示一切安隱正道以一切衆生爲首脩行諸

BD01312號　大方廣佛華嚴經（晉譯五十卷本）卷一八　（18–13）

未曾休息增長清淨微妙智慧不捨一切善
根道業爲一切衆生作大智慧旅寶導師開
示一切安隱正道以一切衆生爲首脩行諸
法令一切衆生得不可壞眞善知識長養善
根菩薩摩訶薩行法施等一切善法攝取薩
婆若心究竟正力到於彼岸脩行堅固難壞
菩提之心常發大願脩習菩提依善知識離
諂曲心專求菩提分別无量一切智門境界
菩薩摩訶薩於彼善根迴向廣大而无限齊
乃至一句一味佛所說法若聞若持若說以
此善根如是迴向一心正念无量无邊虛空
等世界中三世諸佛行菩薩行以此善根迴
向令一切佛常守護念於一世界盡未來劫
爲一衆生脩菩薩行如一世界乃至虛空法
界等一切世界盡未來劫爲一衆生脩菩薩
行爲一切衆生亦復如是爲一切衆生以大
莊嚴而自莊嚴不生離佛善知識想得是想
故常見現在一切諸佛乃至未曾遠離一佛
諸佛菩薩所讚梵行皆悉滿足行不缺梵行
具足不破梵行不濁梵行无垢梵行不退梵
行不穢梵行諸佛所讚梵行无依梵行无所
有梵行離倒清淨順行三世諸佛菩薩梵行
无得梵行无取梵行靜梵行无礙梵行安
住梵行无比梵行不動梵行不亂梵行无恚
梵行如說行梵行令一切衆生皆悉安住此
諸梵行脩習梵行具足梵行清淨梵行離垢
梵行明照梵行離塵梵行離曀梵行離熱梵

BD01312號　大方廣佛華嚴經（晉譯五十卷本）卷一八　（18–14）

諸梵行脩習梵行具足梵行清淨梵行離垢
梵行明照梵行離塵梵行離暗梵行離熱梵
行離緾梵行離一切起梵行離一切惱害梵
行得到彼岸何以故菩薩若自不脩梵行令
他淨脩梵行无有是處菩薩自退梵行令他
具足梵行无有是處菩薩自破梵行令他安
立梵行无有是處菩薩自離梵行教他立梵
行道无有是處菩薩自減梵行令他脩習梵
行无有是處菩薩不樂梵行令他樂脩梵行
无有是處菩薩不住梵行令他安住梵行无
有是處菩薩不究竟梵行令他究竟梵行无
有是處菩薩自捨梵行令他不捨梵住梵行
无有是處菩薩壞散梵行令他攝取梵行无
有是處何以故菩薩摩訶薩如說脩行遠離
顛倒又能廣說離顛倒法實語實行脩習清
淨身口意業離諸染汙行无得處滅一切鄣
菩薩摩訶薩自正直心令他正直心法菩薩
脩習忍辱以諸善根調伏其心令他脩忍以
諸善根調伏其心菩薩自離疑悔令他離諸
疑悔菩薩自得歡喜信心令他得不壞信菩
薩自行堅法令他行堅法菩薩摩訶薩善根
如是迴向復次菩薩摩訶薩以法施等諸善
根門如是迴向以此善根令一切衆生悉得
諸佛无盡法門分別解說諸佛法門摧滅一
切外道邪論令歸伏窮歷悉得三世一切諸
佛所說法海於一一生法一一方便方法二

BD01312號　大方廣佛華嚴經（晉譯五十卷本）卷一八　（18–15）

切外道邪論令歸伏窮歷悉得三世一切諸
佛所說法海於一一生法一一方便方法二
語言法一一施設法一一教法一一說法一
一法門一一入法一一決定法一一住法悉
得无量无邊无盡法藏得无畏法深入四辯
廣爲衆生說微妙法盡未來際而无窮盡成
正直心離諸顛倒生无导道言无謬失衆生
聞法悉皆歡喜解了衆生一切言音得不退
轉一切法明一切衆生歡喜无量悉皆安住
一切種智具足離癡明淨法辯聞持諸法悉
能分別一切世界得法界等无量身於一念
中悉能充滿一切法界微妙音聲遍滿无量
无邊法界亦現眷屬充滿法界脩法界等菩
薩淨業得法界等无量菩薩所住得法界等
无量決定法學法界等无量諸法究竟住法
界等无量菩薩行迴向法界等无量菩薩內
法菩薩摩訶薩善根如是迴向念一切衆生
具足薩婆若安住薩婆若復次菩薩摩訶薩
善根如是迴向見法界等无量一切佛調伏
法界等无量衆生嚴淨法界等无量佛剎得
法界等无量菩薩智得法界等无量无所畏
得法界等无量深妙辯得法界等无量一切
菩薩諸陀羅尼得法界等无量不可思議菩薩
住具足法界等无量功德藏具足法界等无
量寶義善根菩薩摩訶薩復作是念以此善
根令一切衆生悉得是法具足成滿如我无
畏一切行等[illegible]

BD01312號　大方廣佛華嚴經（晉譯五十卷本）卷一八　（18–16）

无量决定法學法界等无量諸法究竟住法
界等无量菩薩行迴向法界等无量菩薩内
法菩薩摩訶薩善根如是迴向令一切衆生
具足薩婆若安住薩婆若復次菩薩摩訶薩
善根如是迴向見法界等无量一切佛調伏
法界等无量衆生嚴浄法界等无量佛刹得
法界等无量菩薩智得法界等无量无所畏
得法界等无量深妙辯得法界等无量一切
菩薩諸陁羅尼得法界等无量不可思議菩薩
住具足法界等无量功徳藏具足法界等无
量實義善根菩薩摩訶薩復作是念以此善
根令一切衆生悉得是法具足成滿如我无
異一切行等功徳等智慧等力等无畏等自
在等正覺等説法等如實義等論議等諸通
等菩薩摩訶薩善根如是迴向復次菩薩摩
訶薩以此善根如是迴向如法界无量出生
智慧亦復如是如法界无量所見諸佛亦復
如是如法界无量住諸佛刹亦復如是如法
界无量菩薩所行亦復如是如法界不可斷
得一切智亦復如是如法界等一得一切
智亦復如是如是界自性清浄令一切衆
生清浄亦復如是如法界隨順悉至一切令
一切衆生行普賢菩薩行亦復如是如法界
莊嚴一切衆生令一切衆生得普賢菩薩莊
嚴亦復如是如法界不可壞令一切衆生得
不壞善根亦復如是

BD01312號　大方廣佛華嚴經（晉譯五十卷本）卷一八　（18–17）

得法界等无量深妙辯得法界等无量一切
菩薩諸陁羅尼得法界等无量不可思議菩薩
住具足法界等无量功徳藏具足法界等无
量實義善根菩薩摩訶薩復作是念以此善
根令一切衆生悉得是法具足成滿如我无
異一切行等功徳等智慧等力等无畏等自
在等正覺等説法等如實義等論議等諸通
等菩薩摩訶薩善根如是迴向復次菩薩摩
訶薩以此善根如是迴向如法界无量出生
智慧亦復如是如法界无量所見諸佛亦復
如是如法界无量住諸佛刹亦復如是如法
界无量菩薩所行亦復如是如法界不可斷
得一切智亦復如是如法界等一得一切
智亦復如是如是界自性清浄令一切衆
生清浄亦復如是如法界隨順悉至一切令
一切衆生行普賢菩薩行亦復如是如法界
莊嚴一切衆生令一切衆生得普賢菩薩莊
嚴亦復如是如法界不可壞令一切衆生得
不壞善根亦復如是
華嚴經卷第十八

BD01312號　大方廣佛華嚴經（晉譯五十卷本）卷一八　（18–18）

度資生艱難得少為足一
失今者世尊覺悟我等作
等所得非究竟滅我久令汝等種
方便故示涅槃相而汝謂為實得滅度世
我今乃知實是菩薩得受阿耨多羅三藐三
菩提記以是因緣甚大歡喜得未曾有尒時
阿若憍陳如等欲重宣此義而說偈言
我等聞无上　安隱授記聲　歡喜未曾有　礼无量智佛
今於世尊前　自悔諸過咎　於无量佛寶　得少涅槃分
如无智愚人　便自以為足　譬如貧窮人　往至親友家
其家甚大富　具設諸餚饍　以无價寶珠　繫著內衣裏
嘿與而捨去　時臥不覺知　是人既已起　遊行詣他國
求衣食自濟　資生甚艱難　得少便為足　更不願好者
不覺內衣裏　有无價寶珠　與珠之親友　後見此貧人
苦切責之已　示以所繫珠　貧人見此珠　其心大歡喜
富有諸財物　五欲而自恣　我等亦如是　世尊於長夜
常愍見教化　令種无上願　我等无智故　不覺亦不知
得少涅槃分　自足不求餘　今佛覺悟我　言非實滅度
得佛无上慧　尒乃為真滅　我今從佛聞　授記莊嚴事
及轉次受決　身心遍歡喜

BD01313號　妙法蓮華經卷四　（26–1）

富有諸財物　五欲而自恣　我等亦如是　世尊於長夜
常愍見教化　令種无上願　我等无智故　不覺亦不知
得少涅槃分　自足不求餘　今佛覺悟我　言非實滅度
得佛无上慧　尒乃為真滅　我今從佛聞　授記莊嚴事
及轉次受決　身心遍歡喜
妙法蓮華經授學无學人記品第九
尒時阿難羅睺羅而作是念　我等每自思惟
設得受記不亦快乎即從座起到於佛前頭
面礼足俱白佛言世尊我等於此亦應有分
唯有如來我等所歸又我等為一切世間天
人阿脩羅所見知識阿難常為侍者護持法
藏羅睺羅是佛之子若佛見授阿耨多羅三
藐三菩提記者我願既滿眾望亦足尒時學
无學聲聞弟子二千人皆從座起偏袒右肩
到於佛前一心合掌瞻仰世尊如阿難羅睺
羅所願住立一面尒時佛告阿難汝於來世
當得作佛号山海慧自在通王如來應供正
遍知明行足善逝世間解无上士調御丈夫
天人師佛世尊當供養六十二億諸佛護持
法藏然後得阿耨多羅三藐三菩提教化二
十千万億恒河沙諸菩薩等令成阿耨多羅
三藐三菩提國名常立勝幡其土清淨琉璃
為地劫名妙音遍滿其佛壽命无量千万億
阿僧祇劫若人於千万億无量阿僧祇劫中
算數挍計不能得知正法住世倍於壽命像
法住世復倍正法阿難是山海慧自在通王

BD01313號　妙法蓮華經卷四　（26–2）

十千万億恒河沙諸菩薩等令成阿耨多羅
三藐三菩提國名常立勝幡其土清淨琉璃
爲地劫名妙音遍滿其佛壽命无量千万億
阿僧祇劫若人於千万億无量阿僧祇劫中
算數挍計不能得知正法住世倍於壽命像
法住世復倍正法阿難是山海慧自在通王
佛爲十方无量千万億恒河沙等諸佛如來
所共讚歎稱其功德尒時世尊欲重宣此義
而說偈言
我今僧中說　阿難持法者　當供養諸佛　然後成正覺
号曰山海慧　自在通王佛　其國土清淨　名常立勝幡
教化諸菩薩　其數如恒沙　佛有大威德　名聞滿十方
壽命无有量　以愍衆生故　正法倍壽命　像法復倍是
如恒河沙等　无數諸衆生　於此佛法中　種佛道因緣
尒時會中新發意菩薩八千人咸作是念我
等尚不聞諸大菩薩得如是記有何因緣而
諸聲聞得如是決尒時世尊知諸菩薩心之
所念而告之曰諸善男子我與阿難等於空
王佛所同時發阿耨多羅三藐三菩提心阿
難常樂多聞我常勤精進是故我已得成阿
耨多羅三藐三菩提而阿難護持我法亦護
將來諸佛法藏教化成就諸菩薩衆其本願
如是故獲斯記阿難面於佛前自聞授記及
國土莊嚴所願具足心大歡喜得未曾有即
時憶念過去无量千万億諸佛法藏通達无
礙如今所聞亦識本願尒時阿難而說偈言

BD01313號　妙法蓮華經卷四　（26–3）

如是故獲斯記阿難面於佛前自聞授記及
國土莊嚴所願具足心大歡喜得未曾有即
時憶念過去无量千万億諸佛法藏通達无
礙如今所聞亦識本願尒時阿難而說偈言
世尊甚希有　令我念過去　无量諸佛法　如今日所聞
我今无復疑　安住於佛道　方便爲侍者　護持諸佛法
尒時佛告羅睺羅汝於來世當得作佛号蹈七
寶華如來應供正遍知明行足善逝世間解
无上士調御丈夫天人師佛世尊當供養十
世界微塵等數諸佛如來常爲諸佛而作
長子猶如今也是蹈七寶華佛國土莊嚴壽
命劫數所化弟子正法像法亦如山海慧自
在通王如來无異亦爲此佛而作長子過是
已後當得阿耨多羅三藐三菩提尒時世尊
欲重宣此義而說偈言
我爲太子時　羅睺爲長子　我今成佛道　受法爲法子
於未來世中　見无量億佛　皆爲其長子　一心求佛道
羅睺羅密行　唯我能知之　現爲我長子　以示諸衆生
无量億千万　功德不可數　安住於佛法　以求无上道
尒時世尊見學无學二千人其意柔軟寂然
清淨一心觀佛佛告阿難汝見是學无學二
千人不唯然已見阿難是諸人等當供養五
十世界微塵數諸佛如來恭敬尊重護持法
藏末後同時於十方國各得成佛皆同一号
名曰寶相如來應供正遍知明行足善逝世
間解无上士調御丈夫天人師佛世尊壽命

BD01313號　妙法蓮華經卷四　（26–4）

千人不唯然已見阿難是諸人等當供養五
十世界微塵數諸佛如來恭敬尊重護持法
藏末後同時於十方國各得成佛皆同一号
名曰寶相如來應供正遍知明行足善逝世
間解无上士調御丈夫天人師佛世尊壽命
一劫國土莊嚴聲聞菩薩正法像法皆悉同
等尒時世尊欲重宣此義而說偈言
是二千聲聞　今於我前住　悉皆與受記　未來當成佛
所供養諸佛　如上說塵數　護持其法藏　後當成正覺
各於十方國　悉同一名号　俱時坐道場　以證无上慧
皆名為寶相　國土及弟子　正法與像法　悉等无有異
咸以諸神通　度十方衆生　名聞普周遍　漸入於涅槃
尒時學无學二千人聞佛授記歡喜踊躍而
說偈言
世尊慧燈明　我聞授記音　心歡喜充滿　如甘露見灌
妙法蓮華經法師品第十
尒時世尊因藥王菩薩告八万大士藥王汝
見是大衆中无量諸天龍王夜叉乾闥婆阿
脩羅迦樓羅緊那羅摩睺羅伽人與非人及
比丘比丘尼優婆塞優婆夷求聲聞者求辟
支佛者求佛道者如是等類咸於佛前聞妙
法華經一偈一句乃至一念隨喜者我皆與
受記當得阿耨多羅三藐三菩提佛告藥王
又如來滅度之後若有人聞妙法華經乃至
一偈一句一念隨喜者我亦與受阿耨多羅
三藐三菩提記若復有人受持讀誦解說書

BD01313號　妙法蓮華經卷四　（26–5）

又如來滅度之後若有人聞妙法華經乃至
一偈一句一念隨喜者我亦與受阿耨多羅
三藐三菩提記若復有人受持讀誦解說書
寫妙法華經乃至一偈於此經卷敬視如佛
種種供養華香瓔珞末香塗香燒香繒蓋幢
幡衣服伎樂乃至合掌恭敬藥王當知是諸
人等已曾供養十万億佛於諸佛所成就大
願愍衆生故生此人間藥王若有人問何等
衆生於未來世當得作佛應示是諸人等於
未來世必得作佛何以故若善男子善女人
於法華經乃至一句受持讀誦解說書寫種
種供養經卷華香瓔珞末香塗香燒香繒
蓋幢幡衣服伎樂合掌恭敬是人一切世間所
應瞻奉應以如來供養而供養之當知此人
是大菩薩成就阿耨多羅三藐三菩提哀愍
衆生願生此間廣演分別妙法華經何況盡
能受持種種供養者藥王當知是人自捨清
淨業報於我滅度後愍衆生故生於惡世廣
演此經若是善男子善女人我滅度後能竊
為一人說法華經乃至一句當知是人則如來
使如來所遣行如來事何況於大衆中廣為
人說藥王若有惡人以不善心於一劫中現
於佛前常毀罵佛其罪尚輕若人以一惡
言毀呰在家出家讀誦法華經者其罪甚重
藥王其有讀誦法華經者當知是人以佛莊
嚴而自莊嚴則為如來肩所荷擔其所至方

BD01313號　妙法蓮華經卷四　（26–6）

嚴而自莊嚴則為如來肩所荷擔其所至方
應隨向礼一心合掌恭敬供養尊重讚歎華
香瓔珞末香塗香燒香繒蓋幢幡衣服餚饌
作諸伎樂人中上供而供養之應持天寶而
以散之天上寶聚應以奉獻所以者何是人
作諸伎樂人中上之即得究竟阿耨多羅三
藐三菩提故尒時世尊欲重宣此義而說偈言
若欲住佛道　成就自然智　當當勤供養　受持法華者
其有欲疾得　一切種智慧　當受持是經　并供養持者
若有能受持　妙法華經者　當知佛所使　愍念諸衆生
諸有能受持　妙法華經者　捨於清淨土　愍衆故生此
當知如是人　自在所欲生　能於此惡世　廣說无上法
應以天華香　及天寶衣服　天上妙寶聚　供養說法者
吾滅後惡世　能持是經者　當合掌礼敬　如供養世尊
上饌衆甘美　及種種衣服　供養是佛子　兾得須臾聞
若能於後世　受持是經者　我遣在人中　行於如來事
若於一劫中　常懷不善心　作色而罵佛　獲无量重罪
其有讀誦持　是法華經者　須臾加惡言　其罪復過彼
有人求佛道　而於一劫中　合掌在我前　以无數偈讚
由是讚佛故　得无量功德　歎美持經者　其福復過彼
於八十億劫　以最妙色聲　及與香味觸　供養持經者
如是供養已　若得須臾聞　則應自欣慶　我今獲大利
藥王今告汝　我所說諸經　而於此經中　法華最第一
尒時佛復告藥王菩薩摩訶薩我所說經典
无量千万億已說今說當說而於其中此法華

尒時佛復告藥王菩薩摩訶薩我所說經典
无量千万億已說今說當說而於其中此法華
經最為難信難解藥王此經是諸佛秘要之
藏不可分布妄授與人諸佛世尊之所守護
從昔已來未曾顯說而此經者如來現在猶
多怨嫉況滅度後藥王當知如來滅後其能
書持讀誦供養為他人說者如來則為以衣
覆之又為他方現在諸佛之所護念是人有
大信力及志願力諸善根力當知是人與如來
共宿則為如來手摩其頭藥王在在處處若
說若讀若誦若書若經卷所住之處皆應起
七寶塔極令高廣嚴飾不須復安舍利所以
者何此中已有如來全身此塔應以一切華
香瓔珞繒蓋幢幡伎樂歌頌供養恭敬尊重
讚歎若有人得見此塔礼拜供養當知是等
皆近阿耨多羅三藐三菩提藥王多有人在
家出家行菩薩道若不能得見聞讀誦書持
供養是法華經者當知是人未善行菩薩道
若有得聞是經典者乃能善行菩薩之道其
有衆生求佛道者若見若聞是法華經聞已
信解受持者當知是人得近阿耨多羅三藐三
菩提藥王譬如有人渴乏須水於彼高原
穿鑿求之猶見乾土知水尚遠施功不已轉
見濕土遂漸至泥其心決定知水必近菩薩亦
復如是若未聞未解未能修習是法華經

[illegible]
穿鑿求之猶見乾土知水尚遠施功不已轉
見濕土遂漸至泥其心決定知水必近菩薩亦
復如是若未聞未解未能修習是法華經
當知是人去阿耨多羅三藐三菩提尚遠若
得聞解思惟修習必知得近阿耨多羅三藐
三菩提所以者何一切菩薩阿耨多羅三藐
三菩提皆屬此經此經開方便門示真實相
是法華經藏深固幽遠无人能到今佛教化
成就菩薩而為開示藥王若有菩薩聞是法
華經驚疑怖畏當知是為新發意菩薩若聲
聞人聞是經驚疑怖畏當知是為增上慢者
藥王若有善男子善女人如來滅後欲為四
衆說是法華經者云何應說是善男子善女
人入如來室著如來衣坐如來座尒乃應為
四衆廣說斯經如來室者一切衆生中大慈
悲心是如來衣者柔和忍辱心是如來座者
一切法空是安住是中然後以不懈怠心為
諸菩薩及四衆廣說是法華經藥王我於餘
國遣化人為其集聽法衆亦遣化比丘比丘尼
優婆塞優婆夷聽其說法是諸化人聞法
信受隨順不逆若說法者在空閑處我時廣
遣天龍鬼神乹闥婆阿脩羅等聽其說法
我雖在異國時時令說法者得見我身若於此
經忘失句逗我還為說令得具足尒時世尊
欲重宣此義而說偈言
欲捨諸懈怠　應當聽此經　是經難得聞　信受者亦難

我雖在異國時時令說法者得見我身若於此
經忘失句逗我還為說令得具足尒時世尊
欲重宣此義而說偈言
欲捨諸懈怠　應當聽此經　是經難得聞　信受者亦難
如人渴須水　穿鑿於高原　猶見乾燥土　知去水尚遠
漸見濕土泥　決定知近水　藥王汝當知　如是諸人等
不聞法華經　去佛智甚遠　若聞是深經　決了聲聞法
是諸經之王　聞已諦思惟　當知此人等　近於佛智慧
若人說此經　應入如來室　著於如來衣　而坐如來座
處衆无所畏　廣為分別說　大慈悲為室　柔和忍辱衣
諸法空為座　處此為說法　若說此經時　有人惡口罵
加刀杖凡石　念佛故應忍　我千万億土　現淨堅固身
於无量億劫　為衆生說法　若我滅度後　能說此經者
我遣化四衆　比丘比丘尼　及清信士女　供養於法師
引導諸衆生　集之令聽法　若人欲加惡　刀杖及凡石
則遣變化人　為之作衛護　若說法之人　獨在空閑處
寂漠无人聲　讀誦此經典　我尒時為現　清淨光明身
若忘失章句　為說令通利　若人具是德　或為四衆說
空處讀誦經　皆得見我身　若人在空閑　我遣天龍王
夜叉鬼神等　為作聽法衆　是人樂說法　分別无罣礙
諸佛護念故　能令大衆喜　若親近法師　速得菩薩道
隨順是師學　得見恒沙佛

妙法蓮華經見寶塔品第十一

尒時佛前有七寶塔高五百由旬縱廣二百五
十由旬從地踊出住在空中種種寶物而莊

隨順是師學　得見恒沙佛
妙法蓮華經見寶塔品第十一
尒時佛前有七寶塔高五百由旬縱廣二百五
十由旬從地踊出住在空中種種寶物而莊
挍之五千欄楯龕室千万無數幢幡以為
嚴飾垂寶瓔珞寶鈴万億而懸其上四面皆
出多摩羅跋栴檀之香充遍世界其諸幡蓋
以金銀琉璃車𤦲馬瑙真珠玫瑰七寶合成
高至四天王宮三十三天雨天曼陁羅華供
養寶塔餘諸天龍夜叉乾闥婆阿脩羅迦樓
羅緊那羅摩睺羅伽人非人等千万億衆以
一切華香瓔珞幡蓋伎樂供養寶塔恭敬
尊重讚歎尒時寶塔中出大音聲歎言善哉
善哉釋迦牟尼世尊能以平等大慧教菩薩法
佛所護念妙法華經為大衆說如是如是釋
迦牟尼世尊如所說者皆是真實尒時四衆
見大寶塔住在空中又聞塔中所出音聲皆
得法喜怪未曾有從座而起恭敬合掌却住
一面尒時有菩薩摩訶薩名大樂說知一切
世間天人阿脩羅等心之所疑而白佛言世
尊以何因緣有此寶塔從地踊出又於其中
發是音聲尒時佛告大樂說菩薩此寶塔中
有如來全身乃往過去東方无量千万億阿
僧祇世界國名寶淨彼中有佛号曰多寶其
佛本行菩薩道時作大誓願若我佛滅度
之後於十方國土有說法華經處我之塔廟

BD01313號　妙法蓮華經卷四　（26–11）

有如來全身乃往過去東方无量千万億阿
僧祇世界國名寶淨彼中有佛号曰多寶其
佛本行菩薩道時作大誓願若我佛滅度
之後於十方國土有說法華經處我之塔廟
為聽是經故踊現其前為作證明讚言善哉
彼佛成道已臨滅度時於天人大衆中告諸比
丘我滅度後欲供養我全身者應起一大塔
其佛以神通願力十方世界在在處處若有說
法華經者彼之寶塔皆踊出其前全身在於
塔中讚言善哉善哉大樂說今多寶如來塔
聞說法華經故從地踊出讚言善哉善哉是
時大樂說菩薩以如來神力故白佛言世尊
我等願欲見此佛身佛告大樂說菩薩摩訶
薩是多寶佛有深重願若我寶塔為聽法華
經故出於諸佛前時其有欲以我身示四衆
者彼佛分身諸佛在於十方世界說法盡還
集一處然後我身乃出現耳大樂說我分身
諸佛在於十方世界說法者今應當集大樂
說白佛言世尊我等亦願欲見世尊分身諸
佛禮拜供養尒時佛放白豪一光即見東方
五百万億那由他恒河沙等國土諸佛彼諸
國土皆以頗梨為地寶樹寶衣以為莊嚴无
數千万億菩薩充滿其中遍張寶幔寶網羅
上彼國諸佛以大妙音而說諸法及見无量
千万億菩薩遍滿諸國為衆說法南西北方四
維上下白豪相光所照之處亦復如是尒時十

BD01313號　妙法蓮華經卷四　（26–12）

上欲圍諸佛以大妙音而說諸法及見无量
千万億菩薩遍滿諸國為衆說法南西北方四
維上下白毫相光所照之處亦復如是尒時十
方諸佛各告衆菩薩言善男子我今應往
娑婆世界釋迦牟尼佛所并供養多寶如來
寶塔時娑婆世界即變清淨琉璃為地寶樹
莊嚴黃金為繩以界八道无諸聚落村營城
邑大海江河山川林藪燒大寶香曼陀羅華
遍布其地以寶網幔羅覆其上懸諸寶鈴唯
留此會衆移諸天人置於他土是時諸佛各
將一大菩薩以為侍者至娑婆世界各到寶
樹下一一寶樹高五百由旬枝葉華菓次第
莊嚴諸寶樹下皆有師子之座高五由旬亦
以大寶而挍飾之尒時諸佛各於此座結加
趺坐如是展轉遍滿三千大千世界而於釋
迦牟尼佛一方所分之身猶故未盡時釋迦
牟尼佛欲容受所分身諸佛故八方各更變
二百万億那由他國皆令清淨无有地獄餓
鬼畜生及阿脩羅又移諸天人置於他土所
化之國亦以琉璃為地寶樹莊嚴樹高五百
由旬枝葉華菓次第嚴飾樹下皆有寶師子
座高五由旬種種諸寶以為莊挍亦无大海
江河及目真隣陁山摩訶目真隣陁山鐵圍
山大鐵圍山須弥山等諸山王通為一佛國
土寶地平正寶交露幔遍覆其上懸諸幡蓋

BD01313號　妙法蓮華經卷四　（26–13）

座高五由旬種種諸寶以為莊挍亦无大海
江河及目真隣陁山摩訶目真隣陁山鐵圍
山大鐵圍山須弥山等諸山王通為一佛國
土寶地平正寶交露幔遍覆其上懸諸幡蓋
燒大寶香諸天寶華遍布其地釋迦牟尼佛
為諸佛當來坐故復於八方各變二百万億
那由他國皆令清淨无有地獄餓鬼畜生及
阿脩羅又移諸天人置於他土所化之國亦
以琉璃為地寶樹莊嚴樹高五百由旬枝葉
華菓次第莊嚴樹下皆有寶師子座高五
由旬亦以大寶而挍飾之亦无大海江河及目
真隣陁山摩訶目真隣陁山鐵圍山大鐵圍
山須弥山等諸山王通為一佛國土寶地平
正寶交露幔遍覆其上懸諸幡蓋燒大寶
香諸天寶華遍布其地尒時東方釋迦牟尼所
分之身百千万億那由他恒河沙等國土中
諸佛各各說法來集於此如是次第十方諸
佛皆悉來集坐於八方尒時一一方四百万
億那由他國土諸佛如來遍滿其中是時諸
佛各在寶樹下坐師子座皆遣侍者問訊釋
迦牟尼佛各賫寶華滿掬而告之言善男子
汝往詣耆闍崛山釋迦牟尼佛所如我辭曰
少病少惱氣力安樂及菩薩聲聞衆悉安隱
不以此寶華散佛供養而作是言彼某甲佛
與欲開此寶塔諸佛遣使亦復如是尒時釋
迦牟尼佛見所分身佛悉已來集各各坐於

BD01313號　妙法蓮華經卷四　（26–14）

下以此寶華散佛供養而作是言欲某甲佛
與欲開此寶塔諸佛遣使亦復如是尒時釋
迦牟尼佛見所分身佛悉已來集各各坐於
師子之座皆聞諸佛與欲同開寶塔即從座
起住虛空中一切四衆起立合掌一心觀佛
於是釋迦牟尼佛以右指開七寶塔戶出大
音聲如却關鑰開大城門即時一切衆會皆
見多寶如來於寶塔中坐師子座全身不散
如入禪定又聞其言善哉善哉釋迦牟尼佛
快說是法華經我為聽是經故而來至此尒
時四衆等見過去无量千万億劫滅度佛說
如是言歎未曾有以天寶華聚散多寶佛及
釋迦牟尼佛上尒時多寶佛於寶塔中分半
座與釋迦牟尼佛而作是言釋迦牟尼佛可
就此座即時釋迦牟尼佛入其塔中坐其半
座結加趺坐尒時大衆見二如來在七寶塔
中師子座上結加趺坐各作是念佛座高遠
唯願如來以神通力令我等輩俱處虛空即
時釋迦牟尼佛以神通力接諸大衆皆在虛
空以大音聲普告四衆誰能於此娑婆國土
廣說妙法華經今正是時如來不久當入涅
槃佛欲以此妙法華經付囑有在尒時世尊欲
重宣此義而說偈言
聖主世尊　雖久滅度　在寶塔中　尚為法來
諸人云何　不勤為法　此佛滅度　无央數劫
處處聽法　以難遇故　彼佛本願　我滅度後

重宣此義而說偈言
聖主世尊　雖久滅度　在寶塔中　尚為法來
諸人云何　不勤為法　此佛滅度　无央數劫
處處聽法　以難遇故　彼佛本願　我滅度後
在在所住　常為聽法　又我分身　无量諸佛
如恒沙等　来欲聽法　及見滅度　多寶如來
各捨妙土　及弟子衆　天人龍神　諸供養事
令法久住　故來至此　為坐諸佛　以神通力
移无量衆　令國清淨　諸佛各各　詣寶樹下
如清淨池　蓮華莊嚴　其寶樹下　諸師子座
佛坐其上　光明嚴飾　如夜闇中　然大炬火
身出妙香　遍十方國　衆生蒙熏　喜不自勝
譬如大風　吹小樹枝　以是方便　令法久住
告諸大衆　我滅度後　誰能護持　讀說斯經
今於佛前　自說誓言　其多寶佛　雖久滅度
以大誓願　而師子吼　多寶如來　及與我身
所集化佛　當知此意　諸佛子等　誰能護法
當發大願　令得久住　其有能護　此經法者
則為供養　我及多寶　此多寶佛　處於寶塔
常遊十方　為是經故　亦復供養　諸來化佛
莊嚴光飾　諸世界者　若說此經　則為見我
多寶如來　及諸化佛　諸善男子　各諦思惟
此為難事　宜發大願　諸餘經典　數如恒沙
雖說此等　未足為難　若接須弥　擲置他方
无數佛土　亦未為難　若以足指　動大千界
遠擲他國　亦未為難　若立有頂　為衆演說

此為難事　宜發大願　諸餘經典　數如恒沙
雖說此等　未足為難　若接須弥　擲置他方
无數佛土　亦未為難　若以足指　動大千界
遠擲他國　亦未為難　若立有頂　為衆演說
无量餘經　亦未為難　若佛滅後　於惡世中
能說此經　是則為難　假使有人　手把虛空
而以遊行　亦未為難　於我滅後　若自書持
若使人書　是則為難　若以大地　置足甲上
昇於梵天　亦未為難　佛滅度後　於惡世中
暫讀此經　是則為難　假使劫燒　擔負乾草
入中不燒　亦未為難　我滅度後　若持此經
為一人說　是則為難　若持八万　四千法藏
十二部經　為人演說　令諸聽者　得六神通
雖能如是　亦未為難　於我滅後　聽受此經
問其義趣　是則為難　若人說法　令千万億
无量无數　恒沙衆生　得阿羅漢　具六神通
雖有是益　亦未為難　於我滅後　若能奉持
如斯經典　是則為難　我為佛道　於无量土
從始至今　廣說諸經　而於其中　此經第一
若有能持　則持佛身　諸善男子　於我滅後
誰能讀持　讀誦此經　今於佛前　自說誓言
此經難持　若暫持者　我則歡喜　諸佛亦然
如是之人　諸佛所歎　是則勇猛　是則精進
是名持戒　行頭陁者　則為疾得　无上佛道
能於來世　讀持此經　是真佛子　住淳善地
佛滅度後　能解其義　是諸天人　世間之眼

此經難持　若暫持者　我則歡喜　諸佛亦然
如是之人　諸佛所歎　是則勇猛　是則精進
是名持戒　行頭陁者　則為疾得　无上佛道
能於來世　讀持此經　是真佛子　住淳善地
佛滅度後　能解其義　是諸天人　世間之眼
於恐畏世　能須臾說　一切天人　皆應供養

妙法蓮華經提婆達多品第十二

尒時佛告諸菩薩及天人四衆：吾於過去无量劫中求法華經，无有懈惓。於多劫中常作國王，發願求於无上菩提，心不退轉。為欲滿足六波羅蜜，勤行布施，心无悋惜，象馬七珎、國城妻子、奴婢僕從、頭目髓腦、身肉手足，不惜軀命。時世人民壽命无量，為於法故，捐捨國位，委政太子，擊鼓宣令，四方求法：誰能為我說大乘者，吾當終身供給走使。時有仙人來白王言：我有大乘，名妙法蓮華經，若不違我，當為宣說。王聞仙言，歡喜踊躍，即隨仙人，供給所須，採菓汲水，拾薪設食，乃至以身而為床座，身心无惓。于時奉事經於千歲，為於法故，精勤給侍，令无所乏。尒時世尊欲重宣此義，而說偈言：

我念過去劫　為求大法故　雖作世國王　不貪五欲樂
搥鍾告四方　誰有大法者　若為我解說　身當為奴僕
時有阿私仙　來白於大王　我有微妙法　世間所希有
若能脩行者　吾當為汝說　時王聞仙言　心生大喜悅
即便隨仙人　供給於所須　採薪及菓蓏　隨時恭敬與

時有阿私仙 來白於大王 我有微妙法 世間所希有
若能脩行者 吾當為汝說 時王聞仙言 心生大喜悅
即便隨仙人 供給於所須 採薪及菓蓏 隨時恭敬與
情存妙法故 身无心懈惓 普為諸衆生 勤求於大法
亦不為己身 及以五欲樂 故為大國王 勤求獲此法
遂致得成佛 今故為汝說
佛告諸比丘尒時王者則我身是時仙人者
今提婆達多是由提婆達多善知識故令我
具足六波羅蜜慈悲喜捨三十二相八十種
好紫磨金色十力四无所畏四攝法十八不
共神通道力成等正覺廣度衆生皆因提婆
達多善知識故告諸四衆提婆達多却後過
无量劫當得成佛號曰天王如來應供正遍
知明行足善逝世間解无上士調御丈夫天
人師佛世尊世界名天道時天王佛住世二十
中劫廣為衆生說於妙法恒河沙衆生得
阿羅漢果无量衆生發緣覺心恒河沙衆生
發无上道心得无生法忍至不退轉時天王佛
般涅槃後正法住世二十中劫全身舍利起
七寶塔高六十由旬縱廣四十由旬諸天人民
悉以雜華末香燒香塗香衣服瓔珞幢幡寶
蓋伎樂歌頌禮拜供養七寶妙塔无量衆
生得阿羅漢果无量衆生悟辟支佛不可思
議衆生發菩提心至不退轉佛告諸比丘未來
世中若有善男子善女人聞妙法華經提婆
達多品淨心信敬不生疑惑者不墮地獄餓

BD01313號　妙法蓮華經卷四　（26–19）

生得阿羅漢果无量衆生悟辟支佛不可思
議衆生發菩提心至不退轉佛告諸比丘未來
世中若有善男子善女人聞妙法華經提婆
達多品淨心信敬不生疑惑者不墮地獄餓
鬼畜生生十方佛前所生之處常聞此經若
生人天中受勝妙樂若在佛前蓮華化生於
時下方多寶世尊所從菩薩名曰智積白多
寶佛當還本土釋迦牟尼佛告智積曰善
男子且待須臾此有菩薩名文殊師利可與相
見論說妙法可還本土尒時文殊師利坐千
葉蓮華大如車輪俱來菩薩亦坐寶蓮華從
於大海娑竭羅龍宮自踊出住虛空中詣靈
鷲山從蓮華下至於佛所頭面敬禮二世尊足
脩敬已畢往智積所共相慰問却坐一面智
積菩薩問文殊師利仁往龍宮所化衆生其
數幾何文殊師利言其數无量不可稱計非
口所宣非心所測且待須臾自當有證知所
言未竟无數菩薩坐寶蓮華從海踊出詣
靈鷲山住在虛空此諸菩薩皆是文殊師利之
所化度具菩薩行皆共論說六波羅蜜本聲
聞人在虛空中說聲聞行今皆脩行大乘空義
文殊師利謂智積曰於海教化其事如是尒
時智積菩薩以偈讚曰
大智德勇健 化度无量衆 今此諸大會 及我皆已見
演暢實相義 開闡一乘法 廣導諸群生 令速成菩提

BD01313號　妙法蓮華經卷四　（26–20）

文殊師利謂智積曰於海教化其事如何
時智積菩薩以偈讚曰
大智德勇健　化度无量衆　今此諸大會　及我皆已見
演暢實相義　開闡一乘法　廣度諸群生　令速成菩提
文殊師利言我於海中唯常宣說妙法華經
智積問文殊師利言此經甚深微妙諸經中寶
世所希有頗有衆生勤加精進脩行此經
速得佛不文殊師利言有娑竭羅龍王女年
始八歲智慧利根善知衆生諸根行業得陁
羅尼諸佛所說甚深秘藏悉能受持深入禪
定了達諸法於剎那頃發菩提心得不退轉
辯才无礙慈念衆生猶如赤子功德具足心念
口演微妙廣大慈悲仁讓志意和雅能至
菩提智積菩薩言我見釋迦如來於无量劫
難行苦行積功累德求菩薩道未曾止息觀
三千大千世界乃至有如芥子許非是菩
薩捨身命處為衆生故後乃得成菩提道
不信此女於須臾頃便成正覺言論未訖時
龍王女忽現於前頭面礼敬却住一面以偈
讚曰
深達罪福相　遍照於十方　微妙淨法身　具相三十二
以八十種好　用莊嚴法身　天人所戴仰　龍神咸恭敬
一切衆生類　无不宗奉者　又聞成菩提　唯佛當證知
我闡大乘教　度脫苦衆生
時舍利弗語龍女言汝謂不久得无上道是
事難信所以者何女身垢穢非是法器云何

BD01313號　妙法蓮華經卷四　（26–21）

以八十種好　用莊嚴法身　天人所戴仰　龍神咸恭敬
一切衆生類　无不宗奉者　又聞成菩提　唯佛當證知
我闡大乘教　度脫苦衆生
時舍利弗語龍女言汝謂不久得无上道是
事難信所以者何女身垢穢非是法器云何
行具脩諸度然後乃成又女人身猶有五障
一者不得作梵天王二者帝釋三者魔王四
者轉輪聖王五者佛身云何女身速得成佛
尒時龍女有一寶珠價直三千大千世界持
以上佛佛即受之龍女謂智積菩薩尊者舍
利弗言我獻寶珠世尊納受是事疾不答言
甚疾女言以汝神力觀我成佛復速於此當
時衆會皆見龍女忽然之間變成男子具菩
時衆會皆見龍女忽世界坐寶蓮華成等正
覺三十二相八十種好普為十方一切衆生演
說妙法尒時娑婆世界菩薩聲聞天龍八
部人與非人皆遙見彼龍女成佛普為時會
人天說法心大歡喜悉遙敬礼无量衆生聞
法解悟得不退轉无量衆生得受道記无垢
世界六反震動娑婆世界三千衆生住不退
地三千衆生發菩提心而得受記智積菩薩
如是三千大千无量无邊諸國王智積菩薩
及舍利弗一切衆會嘿然信受
妙法蓮華經持品第十三
尒時藥王菩薩摩訶薩及大樂說菩薩摩
薩與二万菩薩眷屬俱皆於佛前作是誓言

BD01313號　妙法蓮華經卷四　（26–22）

[illegible]
妙法蓮華經持品第十三
尒時藥王菩薩摩訶薩及大樂說菩薩摩
薩與二万菩薩眷屬俱皆於佛前作是誓言
唯願世尊不以為慮我等於佛滅後當奉持
讀誦說此經典後惡世眾生善根轉少多增
上慢貪利供養增不善根遠離解脫雖難可
教化我等當起大忍力讀誦此經持說書寫
種種供養不惜身命尒時眾中五百阿羅漢
得受記者白佛言世尊我等亦自誓願於異
國土廣說此經復有學无學八千人得受記
者從座而起合掌向佛作是誓言世尊我等
亦當於他國土廣說此經所以者何是娑婆
國中人多弊惡懷增上慢功德淺薄瞋濁諂
曲心不實故尒時佛姨母摩訶波闍波提比
丘尼與學无學比丘尼六千人俱從座而起
一心合掌瞻仰尊顏目不暫捨於時世尊告
憍曇彌何故憂色而視如來汝心將无謂我
不說汝名得授阿耨多羅三藐三菩提記耶憍
曇彌我先總說一切聲聞皆已授記今汝欲
知記者將來之世當於六万八千億諸佛法
中為大法師及六千學无學比丘尼俱為法
師汝如是漸漸具菩薩道當得作佛号一切眾
生喜見如來應供正遍知明行足善逝世間
解无上士調御丈夫天人師佛世尊憍曇
彌是一切眾生喜見佛及六千菩薩轉次授
記得阿耨多羅三藐三菩提尒時羅睺羅母

BD01313 號　妙法蓮華經卷四　（26–23）

生喜見如來應供正遍知明行足善逝世間
解无上士調御丈夫天人師佛世尊憍曇
彌是一切眾生喜見佛及六千菩薩轉次授
記得阿耨多羅三藐三菩提尒時羅睺羅母
耶輸陀羅比丘尼作是念世尊於授記中獨不
說我名佛告耶輸陀羅汝於來世百千万億
諸佛法中脩菩薩行為大法師漸具佛道於
善國中當得作佛号具足千万光相如來應
供正遍知明行足善逝世間解无上士調御丈
夫天人師佛世尊佛壽无量阿僧祇劫尒
時摩訶波闍波提比丘尼及耶輸陀羅比丘
尼并其眷屬皆大歡喜得未曾有即於佛前
而說偈言
世尊導師　安隱天人　我等聞記　心安具足
諸比丘尼說是偈已白佛言世尊我等亦能
於他方國土廣宣此經尒時世尊視八十万億
那由他諸菩薩摩訶薩是諸菩薩皆是阿
惟越致轉不退法輪得諸陀羅尼即從座起
至於佛前一心合掌而作是念若世尊告勅
我等持說此經者當如佛教廣宣斯法復作
是念佛今嘿然不見告勅我當云何時諸菩
薩敬順佛意并欲自滿本願便於佛前作師
子吼而發誓言世尊我等於如來滅後周旋
往反十方世界能令眾生書寫此經受持讀
誦解說其義如法脩行正憶念皆是佛之威
力唯願世尊在於他方遙見守護

BD01313 號　妙法蓮華經卷四　（26–24）

薩敬順佛意并欲自滿本願便於佛前作師
子吼而發誓言世尊我等於如來滅後周旋
往反十方世界能令衆生書寫此經受持讀
誦解說其義如法脩行正憶念皆是佛之威
力唯願世尊在於他方遥見守護即時諸菩
薩俱同發聲而說偈言
唯願不爲慮　於佛滅度後　恐怖惡世中　我等當廣說
有諸无智人　惡口罵詈等　及加刀杖者　我等皆當忍
惡世中比丘　邪智心諂曲　未得謂爲得　我慢心充滿
或有阿練若　納衣在空閑　自謂行真道　輕賤人間者
貪著利養故　與白衣說法　爲世所恭敬　如六通羅漢
是人懷惡心　常念世俗事　假名阿練若　如出我等過
而作如是言　此諸比丘等　爲貪利養故　說外道論議
自作此經典　誑惑世間人　爲求名聞故　分別於是經
常在大衆中　欲毀我等故　向國王大臣　婆羅門居士
及餘比丘衆　誹謗說我惡　謂是邪見人　說外道論議
我等敬佛故　悉忍是諸惡　爲斯所輕言　汝等皆是佛
如此輕慢言　皆當忍受之　濁劫惡世中　多有諸恐怖
惡鬼入其身　罵詈毀辱我　我等敬信佛　當著忍辱鎧
爲說是經故　忍此諸難事　我不愛身命　但惜无上道
我等於來世　護持佛所囑　世尊自當知　濁世惡比丘
不知佛方便　隨宜所說法　惡口而顰蹙　數數見擯出
遠離於塔寺　如是等衆惡　念佛告勅故　皆當忍是事
諸聚落城邑　其有求法者　我皆到其所　說佛所囑法
我是世尊使　處衆无所畏　我當善說法　願佛安隱住
我於世尊前　諸來十方佛　發如是誓言　佛自知我心

BD01313號　妙法蓮華經卷四　（26–25）

或有阿練若　納衣在空閑　自謂行真道　輕賤人間者
貪著利養故　與白衣說法　爲世所恭敬　如六通羅漢
是人懷惡心　常念世俗事　假名阿練若　如出我等過
而作如是言　此諸比丘等　爲貪利養故　說外道論議
自作此經典　誑惑世間人　爲求名聞故　分別於是經
常在大衆中　欲毀我等故　向國王大臣　婆羅門居士
及餘比丘衆　誹謗說我惡　謂是邪見人　說外道論議
我等敬佛故　悉忍是諸惡　爲斯所輕言　汝等皆是佛
如此輕慢言　皆當忍受之　濁劫惡世中　多有諸恐怖
惡鬼入其身　罵詈毀辱我　我等敬信佛　當著忍辱鎧
爲說是經故　忍此諸難事　我不愛身命　但惜无上道
我等於來世　護持佛所囑　世尊自當知　濁世惡比丘
不知佛方便　隨宜所說法　惡口而顰蹙　數數見擯出
遠離於塔寺　如是等衆惡　念佛告勅故　皆當忍是事
諸聚落城邑　其有求法者　我皆到其所　說佛所囑法
我是世尊使　處衆无所畏　我當善說法　願佛安隱住
我於世尊前　諸來十方佛　發如是誓言　佛自知我心
妙法蓮華經卷第四

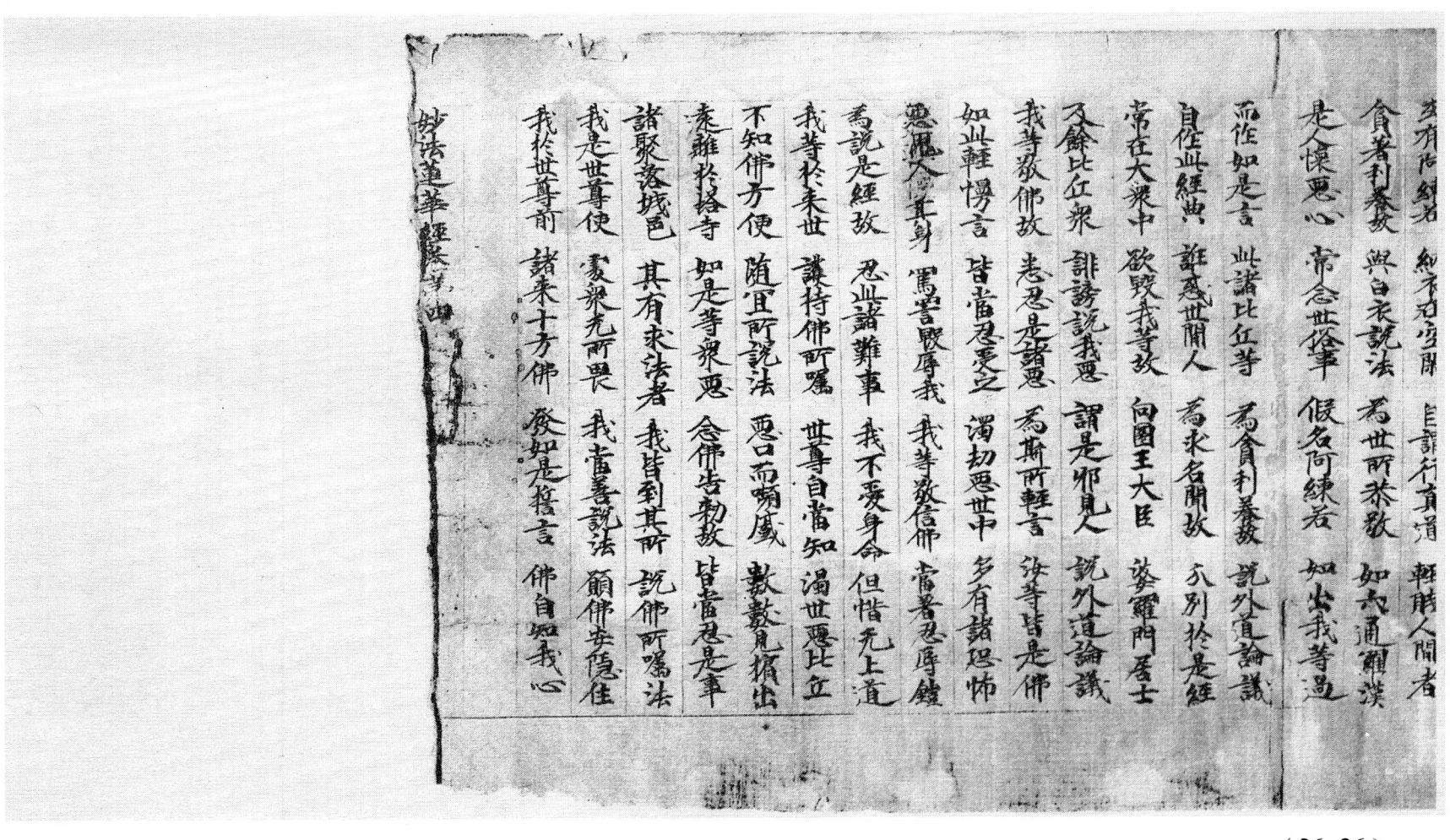

BD01313號　妙法蓮華經卷四　（26–26）

普雨
所有[illegible][illegible]財者　皆得[illegible]
即便遍雨於七寶　悉皆充[illegible]
瓔珞嚴身隨所須　衣服飲食[illegible]
尒時國主善生王　見此四洲雨珍寶
咸持供養寶髻佛　所有遺教苾芻僧
應知過去善生王　即我釋迦牟尼是
為於昔時捨大地　及諸珍寶滿四洲
昔時寶積大法師　為彼善生說妙法
因彼開演經王故　東方現成不動佛
以我曾聽此經王　合掌一言稱隨喜
及施七寶諸功德　獲此最勝金剛身
金光百福相莊嚴　所有見者皆歡喜
一切有情无不愛　俱胝天眾亦同然
過去曾經九十九　俱胝億劫作輪王
亦於小國為人王　復經无量百千劫
於无量劫為帝釋　亦復曾為大梵王
供養十力大慈尊　彼之數量難窮盡
我昔聞經隨喜善　所有福聚量難知
由斯福故證菩提　獲得法身真妙智
尒時大眾聞是說已　歎未曾有皆願奉持
金光明經流通不絕

BD01314 號　金光明最勝王經卷九　（15–1）

於无量劫為帝釋　亦復曾為大梵王
供養十力大慈尊　彼之數量難窮盡
我昔聞經隨喜善　所有福聚量難知
由斯福故證菩提　獲得法身真妙智
尒時大眾聞是說已　歎未曾有皆願奉持
金光明經流通不絕
金光明最勝王經諸天藥叉護持品第廿二
尒時世尊告大吉祥天女曰若有淨信善男
子善女人欲於過去未來現在諸佛以不可
思議廣大微妙供養之具而為奉獻及欲解
了三世諸佛甚深行處是人應當決定至心
隨是經王所在之處城邑聚落或山澤中廣
為眾生敷演流布其聽法者應除亂想攝
耳用心世尊即為彼天及諸大眾說伽他曰
若欲於諸佛　不思議供養　復了諸如來　甚深境界者
若見演說此　最勝金光明　應親詣彼方　至其所住處
此經難思議　能生諸功德　无邊大苦海　解脫諸有情
我觀此經王　初中後皆善　甚深不可測　譬喻无能比
假使恒河沙　大地塵海水　虛空諸山石　无能喻少分
欲入深法界　應先聽是經　法性之制底　甚深善安住
於斯制底內　見我牟尼尊　悅意妙音聲　演說斯經典
由此俱胝劫　數量難思議　生在人天中　常受勝妙樂
若聽是經者　應作如是心　我得不思議　无邊功德蘊
假使大火聚　滿百踰繕那　為聽此經王　直過无辭苦
既至彼住處　得聞如是經　能滅於罪業　及除諸惡夢
惡星諸變怪　蠱道邪魅等　得聞是經時　諸惡皆捨離
應嚴勝高座　淨妙若蓮花　法師處其上　猶如大龍坐

BD01314 號　金光明最勝王經卷九　（15–2）

若聽是經者　應作如是心　我得不思議　无邊功德蘊
假使大火聚　滿百踰繕那　為聽此經王　直過无辭苦
既至彼住處　得聞如是經　能滅於罪業　及除諸惡夢
惡星諸變怪　蠱道邪魅等　得聞是經時　諸惡皆捨離
應嚴勝高座　淨妙若蓮花　法師處其上　猶如大龍坐
於斯安坐已　說此甚深經　書寫及誦持　并為解其義
法師捨此座　往詣餘方所　於此高座中　神通非一相
或見法師像　猶在高座上　或時見世尊　及以諸菩薩
或作普賢像　或如妙吉祥　或見慈氏尊　身處於高座
或見希奇相　及以諸天像　暫得覩容儀　忽然還不現
成就諸吉祥　所作皆隨意　功德悉圓滿　世尊如是說
最勝有名稱　能滅諸煩惱　他國賊皆除　戰時常得勝
惡夢悉皆无　及消諸毒害　所作三業罪　經力能除滅
於此贍部洲　名稱咸充滿　所有諸怨結　悉皆相捨離
設有怨敵至　聞名便退散　不假動兵戈　兩陣生歡喜
梵王帝釋主　護世四天王　及金剛藥叉　正了知大將
无熱池龍王　及以娑揭羅　緊那羅樂神　蘇羅金翅王
大辯才天女　并大吉祥天　斯等上首天　各領諸天眾
常供養諸佛　法寶不思議　恒生歡喜心　於經起恭敬
斯等諸天眾　皆悉共思惟　遍觀修福者　共作如是說
應觀此有情　咸是大福德　善根精進力　當來生我天
為聽甚深經　敬心來至此　供養法制底　尊重正法故
憐愍於眾生　而作大饒益　於此深經典　能為法寶器
入此法門者　能入於法性　於此金光明　至心應聽受
是人曾供養　无量百千佛　由彼諸善根　得聞此經典
如是諸天主　天女大辯才　并彼吉祥天　及以四王眾
无數藥叉眾　勇猛有神通　各於其四方　常來相擁護

BD01314號　金光明最勝王經卷九　（15–3）

入此法門者　能入於法性　於此金光明　至心應聽受
是人曾供養　无量百千佛　由彼諸善根　得聞此經典
如是諸天主　天女大辯才　并彼吉祥天　及以四王眾
无數藥叉眾　勇猛有神通　各於其四方　常來相擁護
日月天帝釋　風水火諸神　吠率怒大肩　閻羅辯才等
一切諸護世　勇猛具威神　擁護持經者　晝夜常不離
大力藥叉王　那羅延自在　正了知為首　二十八藥叉
餘藥叉百千　神通有大力　恒於恐怖處　常來護此人
金剛藥叉王　并五百眷屬　諸大菩薩眾　常來護此人
寶王藥叉主　及以滿賢王　曠野金毗羅　賓度羅黃色
此等藥叉王　各各五百眷屬　見聽此經者　皆來共擁護
彩軍健闥婆　善王常戰勝　珠頸及青頸　并勃里沙王
大最勝大黑　蘇跋拏雞舍　半之迦羊足　及以大婆伽
小渠并護法　及以獼猴王　針毛及日支　寶髮皆來護
大渠諸拘羅　旃檀欲中勝　舍羅及雪山　及以娑多山
皆有大神通　雄猛具大力　見持此經者　皆來相擁護
阿那婆答多　及以娑揭羅　目真醯羅葉　難陀小難陀
於百千龍中　神通具威德　共護持經人　晝夜常不離
婆稚羅睺羅　毗摩質多羅　母旨善跋羅　大肩及歡喜
及餘蘇羅王　并无數天眾　大力有勇健　皆來護是人
訶利底母神　五百藥叉眾　於彼人睡覺　常來相擁護
旃荼旃荼女　藥叉旃稚女　昆帝揭吒施　吸眾生精氣
如是諸神眾　大力有神通　常護持經者　晝夜恒不離
上首辯才天　无量諸天女　吉祥天為首　并餘諸眷屬
此大地神女　果實園林神　樹神江河神　制底諸神等
如是諸天神　心生大歡喜　彼皆來擁護　讀誦此經人
見有持經者　增壽命色力　威光及福德　[illegible]

BD01314號　金光明最勝王經卷九　（15–4）

知是諸神衆大力有神通　常護持經者　晝夜不離
上首辯才天　無量諸天女　吉祥天爲首　并餘諸眷屬
此大地神女　果實園林神　樹神江河神　制底諸神等
如是諸天神　心生大歡喜　彼皆來擁護　讀誦此經人
見有持經者　增壽命色力　威光及福德　妙相以莊嚴
星宿現災變　困厄當此人　夢見惡徵祥　皆悉令除滅
此大地神女　堅固有威勢　由此經力故　法味常充足
地肥若流下　過百踰繕那　地神令味上　滋潤於大地
此地厚六十　八億踰繕那　乃至金剛際　地味皆令上
由聽此經王　獲大功德蘊　能使諸天衆　悉蒙其利益
復令諸天衆　威力有光明　歡喜常安樂　捨離於衰相
於此南洲內　林果苗稼神　由此經威力　心常得歡喜
苗稼皆成就　處處有妙花　果實並滋繁　充滿於大地
所有諸果樹　及以衆園林　悉皆生妙花　香氣常芬馥
衆草諸樹木　咸出微妙花　及生甘美果　隨處皆充遍
於此贍部洲　無量諸龍女　心生大歡喜　皆共入池中
種植鉢頭摩　及以分陁利　青白二蓮花　池中皆遍滿
由此經威力　虛空淨無翳　雲霧皆除遣　冥闇悉光明
日出放千光　無垢燄清淨　由此經王力　流暉遶四天
此經威德力　資助於天子　皆用贍部洲　而作於宮殿
日天子初出　見此洲歡喜　常以大光明　周遍皆照耀
於斯大地內　所有蓮花池　日光照及時　無不盡開發
於此贍部洲　田疇諸果藥　悉皆令善熟　充滿於大地
由此經威力　日月所照處　星辰不失度　風雨皆順時
遍此贍部洲　國土咸豐樂　隨有此經處　殊勝倍餘方
若此金光明　經典流布處　有能講誦者　悉得如上福
爾時大吉祥天女及諸天等聞佛所說皆大

於此贍部洲　田疇諸果藥　悉皆令善熟　充滿於大地
由此經威力　日月所照處　星辰不失度　風雨皆順時
遍此贍部洲　國土咸豐樂　隨有此經處　殊勝倍餘方
若此金光明　經典流布處　有能講誦者　悉得如上福
爾時大吉祥天女及諸天等聞佛所說皆大
歡喜於此經王及受持者一心擁護令無憂惱
常得安樂

金光明最勝王經授記品第廿三

爾時如來於大衆中廣說法已欲爲妙幢菩
薩及其二子銀幢銀光授阿耨多羅三藐三
菩提記時有十千天子最勝光明而爲上首
俱從三十三天來至佛所頂禮佛足却坐一
面聽佛說法爾時佛告妙幢菩薩言汝於來
世過無量無數百千萬億那庾多劫已於金
光明世界當成阿耨多羅三藐三菩提號金
寶山王如來應正遍知明行足善逝世間解無
上士調御丈夫天人師佛世尊出現於世時
此如來般涅槃後所有教法亦皆滅盡時彼
長子名曰銀幢即於此界次補佛處世界
爾時轉名淨幢當得作佛名曰金幢光如來
應正遍知明行足善逝世間解無上士調御丈
夫天人師佛世尊時此如來般涅槃後所有
教法亦皆滅盡次子銀光即補佛處還於此
界當得作佛號曰金光明如來應正遍知明
行足善逝世間解無上士調御丈夫天人師佛
世尊是時十千天子聞三大士得授記已復
聞如是最勝王經心生歡喜清淨無垢猶如

界當得作佛号曰金光明如來應正遍知明
行足善逝世間解无上士調御丈夫天人師佛
世尊是時十千天子聞三大士得授記已復
聞如是最勝王經心生歡喜清淨无垢猶如
虛空尒時如來知是十千天子善根成熟
即便與授大菩提記汝等天子於當來世
過无量无數百千万億那庾多劫於最勝因陁
羅高幢世界得成阿耨多羅三藐三菩提同
一種姓又同一名号曰面目清淨優鉢羅香
山十号具足如是次第十千諸佛出現於世
尒時菩提樹神白佛言世尊是十千天子從
三十三天為聽法故來詣佛所云何如來便
與授記當得成佛世尊我未曾聞是諸天子
具足修習六波羅蜜多難行苦行捨於手足
頭目髓腦眷屬妻子象馬車乘奴婢僕使宮
殿園林金銀瑠璃硨磲碼碯珊瑚虎珀璧玉
珂貝飲食衣服卧具醫藥如餘无量百千
菩薩以諸供具養過去无數百千万億那庾
多佛如是菩薩各經无量无邊劫數然後方
得受菩提記世尊是諸天子以何因緣修何
勝行種何善根從彼天來暫時聞法便得
記唯願世尊為我解說斷除疑網佛告地神
善女天如汝所說皆從勝妙善根因緣勤苦
修已方得授記此諸天子於妙天宮捨五欲
樂故來聽是金光明經既聞法已於是經中
心生慇重如淨瑠璃无諸瑕穢復得聞此三
大菩薩授記之事亦由過去久修正行誓願

BD01314號　金光明最勝王經卷九　（15–7）

修已方得授記此諸天子於妙天宮捨五欲
樂故來聽是金光明經既聞法已於是經中
心生慇重如淨瑠璃无諸瑕穢復得聞此三
大菩薩授記之事亦由過去久修正行誓願
因緣是故我今皆與授記於未來世當成阿
耨多羅三藐三菩提時彼樹神聞佛說已歡
喜信受

金光明最勝王經除病品第廿四

佛告菩提樹神善女天諦聽諦聽善思念之
是十千天子本願因緣今為汝說善女天過
去无量不可思議阿僧企耶劫尒時有佛出
現於世名曰寶髻如來應正遍知明行足善
逝世間解无上士調御丈夫天人師佛世尊
善女天時彼世尊般涅槃後正法滅已於像
法中有王名曰天自在光常以正法化於人
民猶如父母是王國中有一長者名曰持水
善解醫明妙通八術衆生病苦四大不調咸
能救療善女天尒時持水長者唯有一子名
曰流水顏容端正人所樂觀受性聰敏妙閑
諸論書畫算印无不通達時王國內有无量
百千諸衆生類皆遇疫疾衆苦所逼乃至无
有歡樂之心善女天尒時長者子流水見是
无量百千衆生受諸病苦起大悲心作如是
念无量衆生為諸極苦之所逼迫我父長者
雖善醫方妙通八術能療衆病四大增損然
已衰邁老耄虛羸要假扶策方能進步不復
能往城邑聚落救諸病苦今有无量百千衆

BD01314號　金光明最勝王經卷九　（15–8）

无量百千衆生受諸病苦起大悲心作如是
念无量衆生為諸病苦之所逼迫我父長者
雖善醫方妙通八術能療衆病四大增損然
已衰邁老耄虛羸要假扶策方能進步不復
能往城邑聚落救諸病苦今有无量百千衆
生皆遇重病无能救者我今當至大醫父所
諮問治病醫方秘法若得解已當往城邑聚
落之所救諸衆生種種疾病令於長夜得受
安樂時長者子作是念已即詣父所稽首礼
足合掌恭敬却住一面即以伽他請其父曰
慈父當哀愍　我欲救衆生　今請諸醫方　幸願為我說
云何身衰壞　諸大有增損　復在何時中　能生諸疾病
云何噉飲食　得受於安樂　能使內身中　火熱不衰損
衆生有四病　風黃熱痰癊　及以總集病　云何而療治
何時風病起　何時熱病發　何時動痰癊　何時總集生
時彼長者聞子請已復以伽他而答之曰
我今依古仙　所有療病法　次第為汝說　善聽救衆生
三月是春時　三月名為夏　三月名秋分　三月謂冬時
此據一年中　三三而別說　二二為一節　便成歲六時
初二是花時　三四名熱際　五六名雨際　七八謂秋時
九十是寒時　後二名氷雪　既知如是別　授藥勿令差
當隨此時中　調息於飲食　入腹令消散　衆病則不生
節氣若變改　四大有推移　此時无藥資　必生於病苦
醫人解四時　復知其六節　明閑身七界　食藥使无差
謂味界血肉　膏骨及髓腦　病入此中時　知其可療不
病有四種別　謂風熱痰癊　及以總集病　應知發動時
春中痰癊動　夏內風病生　秋時黃熱增　冬節三俱起

BD01314號　金光明最勝王經卷九　（15–9）

醫人解四時　復知其六節　明閑身七界　食藥使无差
謂味界血肉　膏骨及髓腦　病入此中時　知其可療不
病有四種別　謂風熱痰癊　及以總集病　應知發動時
春中痰癊動　夏內風病生　秋時黃熱增　冬節三俱起
春食澀熱辛　夏膩熱醎醋　秋時冷甜膩　冬酸澀膩甜
於此四時中　服藥及飲食　若依如是味　衆病无由生
食後病由癊　食消時由熱　消後起由風　准時須識病
既識病源已　隨病而設藥　假令患狀殊　先須療其本
風病服油膩　患熱利為良　癊病應變吐　總集須三藥
風熱癊俱有　是名為總集　雖知病起時　應觀其本性
如是觀知已　順時而授藥　飲食藥无差　斯名善醫者
復應知八術　總攝諸醫方　於此若明閑　可療衆生病
謂針刺傷破　身疾并鬼神　惡毒及孩童　延年增氣力
先觀彼形色　語言及性行　然後問其夢　知風熱癊殊
乾瘦少頭髮　其心无定住　多語夢飛行　斯人是風性
少年生白髮　多汗及多瞋　聰明夢見火　斯人是熱性
心定身平整　慮審頭津膩　夢見水白物　是癊性應知
總集性俱有　或二或具三　隨有一偏增　應知是其性
既知本性已　准病而授藥　驗其无死相　方名可救人
諸根倒取境　尊醫人起慢　親友生瞋恚　是死相應知
左眼白色變　舌黑鼻梁皺　耳輪與舊殊　下脣垂向下
訶梨勒一種　具足有六味　能除一切病　无忌藥中王
又三果三辛　諸藥中易得　沙糖蜜蘇乳　此能療衆病
自餘諸藥物　隨病可增加　先起慈愍心　莫規於財利
我已為汝說　療疾中要事　以此救衆生　當獲无邊果
善女天尒時長者子流水親問其父八術之
要四大增損時節不同餌藥方法既善了知

BD01314號　金光明最勝王經卷九　（15–10）

我已為汝說　療病中要事　以此救衆生　當獲无邊果
善女天尒時長者子流水親問其父八術之
要四大增損時節不同餌藥方法既善了知
自忖堪能救療衆病即便遍至城邑聚落
所在之處隨有百千万億病苦衆生皆至其所
善言慰喻作如是語我是醫人我是醫人善
知方藥今為汝等療治衆病悉令除愈善女
天尒時衆人聞長者子善言慰喻許為治病
時有无量百千衆生遇極重病聞是語已身
心踊躍得未曾有以此因緣所有病苦悉得
蠲除氣力充實平復如本善女天尒時復有
无量百千衆生病苦深重難療治者即共往
詣長者子所重請醫療時長者子即以妙藥
令服皆蒙除差善女天是長者子於此國內
百千万億衆生病苦悉得除差
金光明最勝王經長者子流水品第廿五
尒時佛告菩提樹神善女天尒時長者子流
水於往昔時在天自在光王國內療諸衆生
所有病苦令得平復受安隱樂時諸衆生以
病除故多修福業廣行惠施以自歡娛即共
往詣長者子所咸生尊敬作如是言善哉善
哉大長者子善能滋長福德之事增益我等
安隱壽命仁今實是大力醫王慈悲菩薩妙
閑醫藥善療衆生无量病苦如是稱歎周遍
城邑善女天時長者子妻名水肩藏有其二
子一名水滿二名水藏是時流水將其二子漸

BD01314號　金光明最勝王經卷九　（15–11）

安隱壽命仁今實是大力醫王慈悲菩薩妙
閑醫藥善療衆生无量病苦如是稱歎周遍
城邑善女天時長者子妻名水肩藏有其二
子一名水滿二名水藏是時流水將其二子漸
次遊行城邑聚落過空澤中深險之處見諸
禽獸犲狼狐玃鵰鷲之屬食血肉者皆悉
奔飛一向而去時長者子作如是念此諸禽
獸何因緣故一向飛走我當隨後暫往觀之
即便隨去見有大池名曰野生其水將盡於
此池中多有衆魚流水見已生大悲心時有
樹神示現半身作如是語善哉善哉善男子
汝有實義名流水者可愍此魚應與其水有
二因緣名為流水一能流水二能與水汝今應
當隨名而作是時流水問樹神言此魚頭數
為有幾何樹神荅曰數滿十千善女天時長
者子聞是數已倍益悲心時此大池為日所
暴餘水无幾是十千魚將入死門旋身婉轉
見是長者心有所希隨逐瞻視目未曾捨時
長者子見是事已馳趣四方欲覓於水竟不
能得復望一邊見有大樹即便昇上折取枝
葉為作蔭涼復更推求是池中水從何處來
尋覓不已見一大河名曰水生時此河邊有諸
漁人為取魚故於河上流懸險之處決棄
其水不令下過於所決處卒難修補便作
是念此崖深峻設百千人時經三月亦未能
斷况我一身而堪濟辦時長者子速還本城
至大王所頭面礼足却住一面合掌恭敬作如

BD01314號　金光明最勝王經卷九　（15–12）

尋覓不已見一大河名曰水生時山河邊有諸
漁人爲取魚故於河上流懸險之處決棄
其水不令下過於所決處卒難修補便作
是念此崖深峻設百千人時經三月亦未能
斷况我一身而堪濟辦時長者子速還本城
至大王所頭面禮足却住一面合掌恭敬作如
是言我爲大王國土人民治種種病悉令安
隱漸次遊行至其空澤見有一池名曰野生
其水欲涸有十千魚爲日所暴將死不久唯
願大王慈悲愍念與二十大象暫往負水濟
彼魚命如我與諸病人壽命尒時大王即勑
大臣速疾與此醫王大象時彼大臣奉王勑
已白長者子善哉大士仁今自可至象廐中
隨意選取二十大象利益衆生令得安樂是
時流水及其二子將二十大象又從酒家多
借皮囊往決水處以囊盛水象負至池寫置
池中水即弥滿還復如故善女天時長者子
於池四邊周旋而視時彼衆魚亦復隨逐循
岸而行時長者子復作是念衆魚何故隨我
而行必爲飢火之所惱逼復欲從我求索於
食我今當與尒時長者子告其子言
汝取一象最大力者速至家中啓父長者家
中所有可食之物乃至父母食噉之分及以
妻子奴婢之分悉皆收取即可持來尒時二
子受父教已乘最大象速往家中至祖父所
說如上事收取家中可食之物置於象上疾
還父所至彼池邊是時流水見其子來身心

BD01314號　金光明最勝王經卷九　（15–13）

中所有可食之物乃至父母食噉之分及以
妻子奴婢之分悉皆收取即可持來尒時二
子受父教已乘最大象速往家中至祖父所
說如上事收取家中可食之物置於象上疾
還父所至彼池邊是時流水見其子來身心
喜躍遂取餅食遍散池中魚得食已悉皆
飽足便作是念我今施食令魚得命願於來
世當施法食充濟无邊復更思惟我先曾於
空閑林處見一苾芻讀大乘經說十二緣生甚
深法要又經中說若有衆生臨命終時得聞
寶髻如來名者即生天上我今當爲是十千
魚演說甚深十二緣起亦當稱說寶髻佛名
然贍部洲有二種人一者深信大乘二者不
信毀呰亦當爲彼增長信心時長者子作如
是念我入池中可爲衆魚說深妙法作是
念已即便入水唱言南謨過去寶髻如來應
正遍知明行足善逝世間解无上士調御丈
夫天人師佛世尊此佛往昔修菩薩行時作
是誓願於十方界所有衆生臨命終時聞我
名者命終之後得生三十三天尒時流水復
爲池魚演說如是甚深妙法此有故彼有此
生故彼生所謂无明緣行行緣識識緣名色
名色緣六處六處緣觸觸緣受受緣愛愛緣
取取緣有有緣生生緣老死憂悲苦惱此滅
故彼滅所謂无明滅則行滅行滅則識滅識
滅則名色滅名色滅則六處滅六處滅則觸
滅觸滅則受滅受滅則愛滅愛滅則取滅取

BD01314號　金光明最勝王經卷九　（15–14）

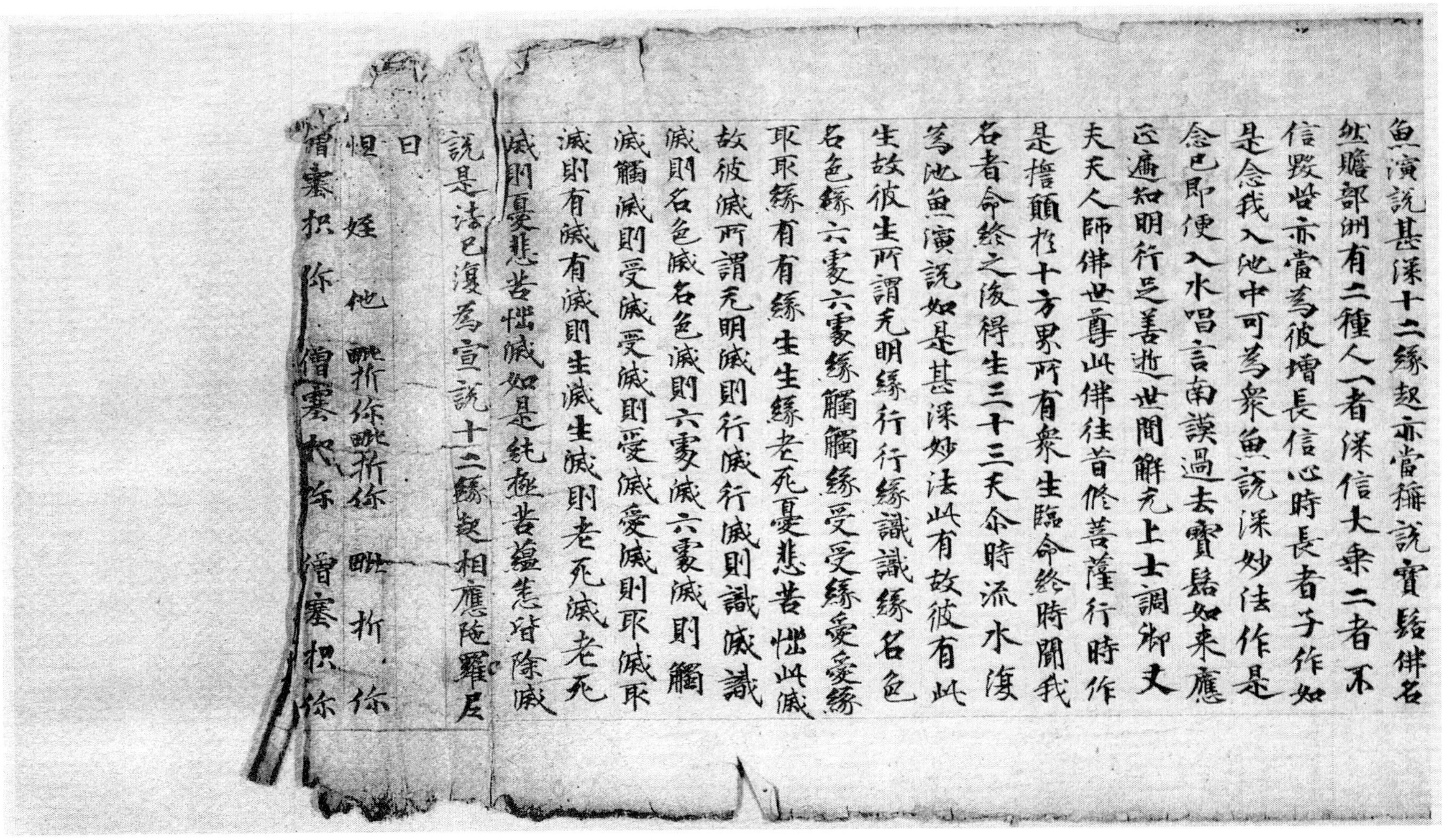
魚演說甚深十二緣起亦當稱說寶髻佛名
然贍部洲有二種人一者深信大乘二者不
信毀呰亦當為彼增長信心時長者子作如
是念我入池中可為衆魚說深妙法作是
念已即便入水唱言南謨過去寶髻如來應
正遍知明行足善逝世間解无上士調御丈
夫天人師佛世尊此佛往昔修菩薩行時作
是誓願於十方界所有衆生臨命終時聞我
名者命終之後得生三十三天尒時流水復
為池魚演說如是甚深妙法此有故彼有此
生故彼生所謂无明緣行行緣識識緣名色
名色緣六處六處緣觸觸緣受受緣愛愛緣
取取緣有有緣生生緣老死憂悲苦惱此滅
故彼滅所謂无明滅則行滅行滅則識滅識
滅則名色滅名色滅則六處滅六處滅則觸
滅觸滅則受滅受滅則愛滅愛滅則取滅取
滅則有滅有滅則生滅生滅則老死滅老死
滅則憂悲苦惱滅如是純極苦蘊悉皆除滅
說是法已復為宣說十二緣起相應陁羅尼
曰
怛姪他 毗折你毗折你 毗折你
僧塞枳你 僧塞枳你 僧塞枳你

BD01314 號　金光明最勝王經卷九　（15–15）

著　録　凡　例

本目錄採用條目式著錄法。諸條目意義如下：

1.1　著錄編號。用漢語拼音首字“BD”表示，意為“北京圖書館藏敦煌遺書”，簡稱“北敦號”。文獻寫在背面者，標註為“背”。一件遺書上抄有多個文獻者，用數字1、2、3等標示小號。一號中包括幾件遺書，且遺書形態各自獨立者，用字母A、B、C等區別。

1.2　著錄分類號。本條記目錄暫不分類，該項空缺。

1.3　著錄文獻的名稱、卷本、卷次。

1.4　著錄千字文編號。

1.5　著錄縮微膠卷號。

2.1　著錄遺書的總體數據。包括長度、寬度、紙數、正面抄寫總行數與每行字數、背面抄寫總行數與每行字數。如該遺書首尾有殘破，則對殘破部分單獨度量，用加號加在總長度上。凡屬這種情況，長度用括弧標註。

2.2　著錄每紙數據。包括每紙長度及抄寫行數或界欄數。

2.3　著錄遺書的外觀。包括：(1) 裝幀形式。(2) 首尾存況。(3) 護首、軸、軸頭、天竿、縹帶，經名是書寫還是貼簽，有無經名號，扉頁、扉畫。(4) 卷面殘破情況及其位置。(5) 尾部情況。(6) 有無附加物（蟲繭、油污、線繩及其他）。(7) 有無裱補及其年代。(8) 界欄。(9) 修整。(10) 其他需要交待的問題。

2.4　著錄一件遺書抄寫多個文獻的情況。

3.1　著錄文獻首部文字與對照本核對的結果。

3.2　著錄文獻尾部文字與對照本核對的結果。

3.3　著錄錄文。

3.4　著錄對文獻的說明。

4.1　著錄文獻首題。

4.2　著錄文獻尾題。

5　著錄本文獻與對照本的不同之處。

6.1　著錄本遺書首部可與另一遺書綴接的編號。

6.2　著錄本遺書尾部可與另一遺書綴接的編號。

7.1　著錄題記、題名、勘記等。

7.2　著錄印章。

7.3　著錄雜寫。

7.4　著錄護首及扉頁的內容。

8　著錄年代。

9.1　著錄字體。如有武周新字、合體字、避諱字等，予以說明。

9.2　著錄卷面二次加工的情況。包括句讀、點標、科分、間隔號、行間加行、行間加字、硃筆、墨塗、倒乙、刪除、兌廢等。

10　著錄敦煌遺書發現後，近現代人所加內容，裝裱、題記、印章等。

11　備註。著錄揭裱互見、圖版本出處及其他需要說明的問題。

上述諸條，有則著錄，無則空缺。

為避文繁，上述著錄中出現的各種參考、對照文獻，暫且不列版本說明。全目結束時，將統一編制本條記目錄出現的各種參考書目。

本條記目錄為農曆年份標註其公曆紀年時，未經行歲頭年末之換算，請讀者使用時注意自行換算。

條 記 目 錄

BD01255—BD01314

1.1 BD01255 號 1
1.3 金光明經懺悔滅罪傳
1.4 列 055
1.5 081:1364
2.1 （6.5+778.6）×25.5 厘米；17 紙；435 行，行 18 字。
2.2 01：6.5+24，17；02：48.5，28；03：48.6，25；04：48.4，27；05：48.5，28；06：48.5，28；07：48.5，28；08：48.5，28；09：48.5，28；10：48.6，28；11：48.5，28；12：48.8，28；13：48.5，28；14：48.6，28；15：48.8，28；16：48.8，28；17：26.0，02。
2.3 卷軸裝。首殘尾全。卷端殘破嚴重。有燕尾。有烏絲欄。已修整。
2.4 本遺書包括 2 個文獻：（一）《金光明經懺悔滅罪傳》，70 行，今編為 BD01255 號 1。（二）《金光明經》卷一，365 行，今編為 BD01255 號 2。
3.1 首 4 行中下殘→大正 663，16/358B12～16。
3.2 尾全→16/359B1。
8 9～10 世紀。歸義軍時期寫本。
9.1 楷書。
11 圖版：《敦煌寶藏》，67/182B～192B。

1.1 BD01255 號 2
1.3 金光明經卷一
1.4 列 055
1.5 081:1364
2.4 本遺書由 2 個文獻組成，本號爲第 2 個，365 行。餘參見 BD01255 號 1 之第 2 項、第 11 項。
3.1 首全→大正 663，16/335B2。
3.2 尾全→16/340C10。
4.1 金光明經序品第一（首）。
4.2 金光明經卷第一（尾）。
8 9～10 世紀。歸義軍時期寫本。
9.1 楷書。

1.1 BD01256 號
1.3 妙法蓮華經卷三
1.4 列 056
1.5 105:4999
2.1 （1.5+890.9）×24.6 厘米；20 紙；539 行，行 17 字。
2.2 01：1.5+13.2，9；02：45.6，28；03：45.8，28；04：45.8，28；05：45.8，28；06：45.8，28；07：45.9，28；08：45.8，28；09：45.8，28；10：45.8，28；11：45.9，28；12：45.7，28；13：46.8，28；14：47.2，28；15：47.1，28；16：47.5，28；17：46.2，28；18：46.9，28；19：47.2，28；20：45.1，26。
2.3 卷軸裝。首殘尾全。經黃紙。首紙殘破，卷面多水漬，有殘洞。背有古代裱補。有燕尾。有烏絲欄。
3.1 首行上下殘→大正 262，9/19B8～9。
3.2 尾全→9/27B9。
4.2 妙法蓮華經卷第三（尾）。
8 7～8 世紀。唐寫本。
9.1 楷書。
11 圖版：《敦煌寶藏》，87613A～625A。

1.1 BD01257 號
1.3 金光明最勝王經卷四
1.4 列 057
1.5 083:1665
2.1 （2.5+595.4）×27 厘米；14 紙；346 行，行 17 字。
2.2 01：2.5+3.5，4；02：45.5，28；03：45.4，28；04：45.3，28；05：45.5，28；06：45.3，28；07：45.5，28；08：45.5，28；09：45.7，28；10：45.5，28；11：45.7，28；12：46.0，28；13：45.5，28；14：45.5，06。

2.3 卷軸裝。首殘尾全。第 2 紙前部上下有殘缺破損，卷面多水漬。有烏絲欄。
3.1 首 2 行上下殘→大正 665，16/418A17 ~ 18。
3.2 尾全→16/422B21。
4.2 金光明經卷第四（尾）。
8 8 ~ 9 世紀。吐蕃統治時期寫本。
9.1 楷書。
11 圖版：《敦煌寶藏》，69/170A ~ 177A。

1.1 BD01258 號
1.3 大般若波羅蜜多經卷四三〇
1.4 列 058
1.5 084:3115
2.1 94.2 × 25.4 厘米；2 紙；54 行，行 17 字。
2.2 01：47.1，26； 02：47.1，28。
2.3 卷軸裝。首全尾脫。卷面有橫裂。通卷背下部有古代裱補。有烏絲欄。
3.1 首全→大正 220，7/160B18。
3.2 尾殘→7/161A17。
4.1 大般若波羅蜜多經卷第四百卅，/第二分天來品第卅四之二，三藏法［師］玄奘奉詔譯/（首）。
8 8 ~ 9 世紀。吐蕃統治時期寫本。
9.1 楷書。
11 圖版：《敦煌寶藏》，76/414A ~ 415A。

1.1 BD01259 號
1.3 大般若波羅蜜多經卷四二九
1.4 列 059
1.5 084:3114
2.1 （12.7 + 82.5）× 25 厘米；2 紙；56 行，行 17 字。
2.2 01：12.7 + 34.9，28； 02：47.6，28。
2.3 卷軸裝。首尾均脫。首紙下部殘缺，卷面有橫裂。有烏絲欄。已修整。
3.1 首 7 行下殘→大正 220，7/156C17 ~ 24。
3.2 尾殘→7/157B16。
8 8 ~ 9 世紀。吐蕃統治時期寫本。
9.1 楷書。
11 圖版：《敦煌寶藏》，76/412B ~ 413B。

1.1 BD01260 號
1.3 大通方廣懺悔滅罪莊嚴成佛經卷上
1.4 列 060
1.5 277:8212
2.1 1071.3 × 25 厘米；23 紙；588 行，行 17 ~ 20 字。
2.2 01：38.5，20； 02：45.3，24； 03：47.8，25；
04：47.8，25； 05：47.8，25； 06：47.8，25；
07：47.8，25； 08：47.8，25； 09：47.8，25；
10：44.0，26； 11：48.5，28； 12：48.8，28；
13：48.7，28； 14：49.0，29； 15：48.7，28；
16：48.7，28； 17：49.0，28； 18：49.0，28；
19：49.0，28； 20：49.0，28； 21：49.0，28；
22：48.0，28； 23：23.5，06。
2.3 卷軸裝。首殘尾全。首紙上邊殘缺，卷尾上下有蟲繭。有烏絲欄。
3.1 首殘→大正 2871，85/1338C28。
3.2 尾全→85/1345B1。
4.2 大通方廣經卷上（尾）。
8 9 ~ 10 世紀。歸義軍時期寫本。
9.1 楷書。
11 圖版：《敦煌寶藏》，109/24B2 ~ 256B。

1.1 BD01261 號
1.3 大般涅槃經（北本　宮本）卷三四
1.4 列 061
1.5 115:6497
2.1 （4 + 798）× 26.3 厘米；18 紙；477 行，行 17 字。
2.2 01：4 + 32.5，22； 02：45.9，28； 03：45.9，28；
04：46.0，28； 05：46.1，28； 06：46.0，28；
07：46.1，28； 08：46.0，28； 09：46.2，28；
10：46.1，28； 11：46.1，28； 12：46.0，28；
13：46.1，28； 14：46.0，28； 15：46.0，28；
16：46.0，28； 17：46.0，28； 18：29.0，07。
2.3 卷軸裝。首殘尾全。打紙，紙薄而韌。首紙下有撕裂。有燕尾。有烏絲欄。
3.1 首 2 上下行殘→大正 374，12/562C25 ~ 27。
3.2 尾全→12/568B21。
4.2 大般涅槃經卷第卅四（尾）。
5 與《大正藏》本對照，分卷不同。經文相當於《大正藏》卷三十三迦葉菩薩品第十二之一至卷第三十四迦葉菩薩品第十二之二。與日本宮内寮本分卷相同。
8 7 ~ 8 世紀。唐寫本。
9.1 楷書。
11 圖版：《敦煌寶藏》，99/566A ~ 576B。

1.1 BD01262 號
1.3 妙法蓮華經卷六
1.4 列 062
1.5 105:5728
2.1 （12.2 + 877.4）× 27 厘米；22 紙；506 行，行 17 字。
2.2 01：08.5，03； 02：3.7 + 39.8，27； 03：43.3，25；
04：43.3，25； 05：43.5，25； 06：43.6，25；
07：43.7，25； 08：43.6，25； 09：43.5，25；
10：43.6，25； 11：43.7，25； 12：43.7，25；
13：43.5，25； 14：43.5，25； 15：43.5，25；

16：43.5，25；　17：43.5，25；　18：43.5，25；
19：43.6，25；　20：43.5，25；　21：43.5，25；
22：10.5，01。
2.3　卷軸裝。首殘尾全。卷首油污，卷上邊有撕裂。有燕尾。背有古代裱補。有烏絲欄。
3.1　首5行上中殘→大正262，9/47C28～48A2。
3.2　尾全→9/55A9。
4.2　妙法蓮華經卷第六（尾）。
6.1　首→BD01264號。
8　7～8世紀。唐寫本。
9.1　楷書。
11　圖版：《敦煌寶藏》，94/439A～450A。

1.1　BD01263號
1.3　妙法蓮華經卷三
1.4　列063
1.5　105:4984
2.1　（13.3＋910.9）×25.4厘米；21紙；557行，行17字。
2.2　01：13.3＋30.8，26；　02：45.8，28；　03：45.9，28；
04：45.8，28；　05：46.0，28；　06：45.9，28；
07：45.9，28；　08：45.9，28；　09：46.0，28；
10：45.8，28；　11：45.8，28；　12：45.9，28；
13：46.0，28；　14：46.0，28；　15：46.0，28；
16：45.9，28；　17：45.9，28；　18：45.8，28；
19：45.8，28；　20：45.7，27；
21：08.3，拖尾。
2.3　卷軸裝。首尾均全。卷首上下殘缺。尾有原軸，硃漆軸頭。有烏絲欄。
3.1　首7行下殘→大正262，9/19A14～25。
3.2　尾全→9/27B9。
4.1　妙法蓮華經藥草喻品第五，□…□（首）。
4.2　妙法蓮華經卷第三（尾）。
8　8世紀。唐寫本。
9.1　楷書。
9.2　有倒乙。
11　圖版：《敦煌寶藏》，87/455B～467B。

1.1　BD01264號
1.3　妙法蓮華經卷六
1.4　列064
1.5　105:5702
2.1　（11＋113.5＋27）×27厘米；4紙；73行，行17字。
2.2　01：11＋27.5，22；　02：43.2，25；　03：42.8，25；
04：02.0，01。
2.3　卷軸裝。首尾均殘。卷面油污並殘破嚴重。有烏絲欄。
3.1　首6行下殘→大正262，9/46C20～26。
3.2　尾5行下殘→9/47C27～48A1。
6.2　尾→BD01262號。
8　7～8世紀。唐寫本。
9.1　楷書。
11　圖版：《敦煌寶藏》，94/345B～347A。

1.1　BD01265號
1.3　大般若波羅蜜多經卷二六二
1.4　列065
1.5　084:2701
2.1　（2.3＋269.2）×25.5厘米；6紙；161行，行17字。
2.2　01：2.3＋34，21；　02：47.0，28；　03：47.2，28；
04：47.1，28；　05：47.1，28；　06：46.8，28。
2.3　卷軸裝。首殘尾脱。紙質較厚。首紙下邊殘缺。有烏絲欄。
3.1　首行上殘→大正220，6/327A17。
3.2　尾殘→6/329A2。
8　7～8世紀。唐寫本。
9.1　楷書。
11　圖版：《敦煌寶藏》，74/447A～450B。

1.1　BD01266號
1.3　金有陀羅尼經
1.4　列066
1.5　254:7569
2.1　（9.5＋134.9）×26.6厘米；4紙；80行，行17～18字。
2.2　01：9.5＋32.5，24；　02：43.0，25；　03：42.2，24；
04：17.2，07。
2.3　卷軸裝。首殘尾全。卷首下部有殘損，有烏絲欄。
3.1　首2行下殘→大正2910，85/1455C16～19。
3.2　尾全→85/1456C10。
4.1　金有陀羅尼經（首）。
4.2　金有陀羅尼經一卷（尾）。
8　9世紀。吐蕃統治時期寫本。
9.1　楷書。
9.2　有行間校加字。
11　圖版：《敦煌寶藏》，107/18B～20A。

1.1　BD01267號
1.3　妙法蓮華經卷五
1.4　列067
1.5　105:5454
2.1　1009.6×25厘米；22紙；597行，行17字。
2.2　01：46.3，26；　02：46.5，28；　03：46.5，28；
04：46.7，28；　05：46.8，28；　06：46.7，28；
07：46.5，28；　08：46.7，28；　09：46.5，28；
10：46.5，28；　11：46.5，28；　12：46.5，28；
13：46.5，28；　14：46.4，28；　15：46.5，28；
16：46.5，28；　17：46.5，28；　18：46.5，28；

19：46.5，28；　20：46.5，28；　21：46.5，28；
22：32.5，11。
2.3　卷軸裝。首殘尾全。紙較厚。卷面多水漬。有刻劃界欄。
3.1　首殘→大正 262，9/37B6。
3.2　尾全→9/46B14。
4.2　妙法蓮華經卷第五（尾）。
8　8 世紀。唐寫本。
9.1　楷書。
11　圖版：《敦煌寶藏》，92/46B～62A。

1.1　BD01268 號
1.3　大般若波羅蜜多經卷三二六
1.4　列 068
1.5　084：2885
2.1　（8.6＋38.8）×25 厘米；1 紙；28 行，行 17 字。
2.3　卷軸裝。首尾均脫。卷面殘破，有殘洞。有烏絲欄。
3.1　首 5 行上下殘→大正 220，6/667A3～7。
3.2　尾殘→6/667B1。
8　7～8 世紀。唐寫本。
9.1　楷書。
11　圖版：《敦煌寶藏》，75/347A。

1.1　BD01269 號
1.3　大般若波羅蜜多經卷五二八
1.4　列 069
1.5　084：3289
2.1　41.4×24.8 厘米；1 紙；25 行，行 17 字。
2.3　卷軸裝。首全尾脫。卷下部有殘洞。背有古代裱補。有烏絲欄。
3.1　首全→大正 220，7/707C13。
3.2　尾殘→7/708A11。
4.1　大般若波羅蜜多經卷第五百廿八，/第三分妙相品第廿八之一，三藏法師玄奘奉詔譯/（首）。
8　8～9 世紀。吐蕃統治時期寫本。
9.1　楷書。
11　圖版：《敦煌寶藏》，77/121B。

1.1　BD01270 號
1.3　無量壽宗要經
1.4　列 070
1.5　275：7916
2.1　129.5×32 厘米；3 紙；95 行，行 30 餘字。
2.2　01：43.5，31；　02：43.0，32；　03：43.0，32。
2.3　卷軸裝。首全尾脫。接縫處有開裂。有烏絲欄。
3.1　首全→大正 936，19/82A3。
3.2　尾殘→19/84B26。
4.1　大乘無量壽經（首）。
8　8～9 世紀。吐蕃統治時期寫本。
9.1　行楷。
9.2　有刮改。
11　圖版：《敦煌寶藏》，108/297B～299A。

1.1　BD01271 號
1.3　妙法蓮華經卷二
1.4　列 071
1.5　105：4788
2.1　（5.4＋399.9）×24.8 厘米；10 紙；238 行，行 17 字。
2.2　01：5.4＋8，7；　02：47.0，28；　03：47.3，28；
04：47.2，28；　05：47.1，28；　06：47.2，28；
07：47.2，28；　08：47.1，28；　09：47.2，28；
10：14.6，07。
2.3　卷軸裝。首殘尾全。經黄打紙。卷面有殘裂。背有古代裱補。有烏絲欄。
3.1　首 3 行下殘→大正 262，9/15C14～18。
3.2　尾全→9/19A12。
4.2　妙法蓮華經卷第二（尾）。
8　7～8 世紀。唐寫本。
9.1　楷書。
11　圖版：《敦煌寶藏》，86/580A～585B。

1.1　BD01272 號
1.3　金剛般若波羅蜜經
1.4　列 072
1.5　094：3751
2.1　（2.5＋469.6）×25.5 厘米；11 紙；267 行，行 17 字。
2.2　01：2.5＋24.5，16；　02：49.0，28；　03：48.8，28；
04：48.5，28；　05：48.8，28；　06：48.9，28；
07：48.7，28；　08：48.7，28；　09：48.7，28；
10：48.5，27；　11：06.5，拖尾。
2.3　卷軸裝。首殘尾全。第 4 紙有横裂，拖尾殘破。有烏絲欄。已修整。
3.1　首 2 行上殘→大正 235，8/749B3～4。
3.2　尾全→8/752C3。
4.2　金剛般若波羅蜜經（尾）。
7.3　拖尾有藏文硬筆淡墨雜寫“nabte－ya－aiuta”
8　7～8 世紀。唐寫本。
9.1　楷書。
11　圖版：《敦煌寶藏》，80/162A～168B。

1.1　BD01273 號
1.3　金光明最勝王經卷三
1.4　列 073
1.5　083：1604
2.1　（8＋484）×27.5 厘米；11 紙；313 行，行 17 字。

2.2　01：8+11，12；　02：46.5，31；　03：47.5，31；
　　04：47.5，31；　05：48.5，31；　06：47.5，31；
　　07：47.5，31；　08：48.0，31；　09：48.0，31；
　　10：47.5，31；　11：44.5，22。
2.3　卷軸裝。首殘尾全。通卷殘破處已修復。有燕尾。有烏絲欄。已修整。
3.1　首5行上下殘→大正665，16/414A2～7。
3.2　尾全→16/417C16。
4.2　金光明最勝王經卷第三（尾）。
8　9～10世紀。歸義軍時期寫本。
9.1　楷書。
11　從該件上揭下古代裱補紙4塊，今編爲BD16072號。
　　圖版：《敦煌寶藏》，68/575B～581B。

1.1　BD01274號
1.3　妙法蓮華經卷一
1.4　列074
1.5　105∶4494
2.1　851.8×26厘米；20紙；510行，行17字。
2.2　01：46.0，24；　02：42.5，26；　03：42.5，26；
　　04：42.5，26；　05：42.5，26；　06：42.3，26；
　　07：42.3，26；　08：42.3，26；　09：42.3，26；
　　10：42.5，26；　11：42.5，26；　12：42.5，26；
　　13：42.5，26；　14：42.5，26；　15：42.5，26；
　　16：42.5，26；　17：42.5，26；　18：42.3，26；
　　19：42.3，26；　20：42.0，18。
2.3　卷軸裝。首尾均全。卷端殘留護首。背有古代裱補。有燕尾。有烏絲欄。
3.1　首全→大正262，9/1C14。
3.2　尾全→9/10B21。
4.1　妙法蓮華經序品第一（首）。
4.2　妙法蓮華經卷第一（尾）。
8　8世紀。唐寫本。
9.1　楷書。
9.2　有刮改。
11　圖版：《敦煌寶藏》，83/353A～365B。

1.1　BD01275號
1.3　金光明最勝王經卷二
1.4　列075
1.5　083∶1503
2.1　（12.5+647.4）×25.5厘米；15紙；395行，行17字。
2.2　01：12.5+7，12；　02：46.0，28；　03：46.0，28；
　　04：46.4，28；　05：46.1，28；　06：46.2，28；
　　07：46.0，28；　08：45.8，28；　09：45.8，28；
　　10：46.0，28；　11：46.1，28；　12：46.0，28；
　　13：45.5，28；　14：45.5，28；　15：43.0，19。
2.3　卷軸裝。首殘尾全。卷首殘破嚴重。尾有原軸，上軸頭脱落，下有蓮蓬形軸頭，螺鈿鑲嵌。背有古代裱補。有烏絲欄。
3.1　首8行下殘→大正665，16/408B19～27。
3.2　尾全→16/413C6。
4.2　金光明最勝王經卷第二（尾）。
5　尾附音義。
8　8～9世紀。吐蕃統治時期寫本。
9.1　楷書。
11　圖版：《敦煌寶藏》，68/153A～161A。

1.1　BD01276號
1.3　觀無量壽佛經
1.4　列076
1.5　016∶0204
2.1　（10+643.3）×26.1厘米；14紙；375行，行17字。
2.2　01：10+24，20；　02：47.7，28；　03：47.7，28；
　　04：47.7，28；　05：47.7，28；　06：47.8，28；
　　07：47.8，28；　08：47.7，28；　09：47.8，28；
　　10：47.9，28；　11：47.8，28；　12：48.0，28；
　　13：47.7，28；　14：46.0，19。
2.3　卷軸裝。首殘尾全。卷首下邊有殘缺，接縫處有開裂。有烏絲欄。已修整。
3.1　首6行上殘→大正365，12/341C5～10。
3.2　尾全→12/346B21。
4.2　佛說無量壽觀經（尾）。
7.3　首紙上邊有雜寫“地藏菩”三字。
8　7～8世紀。唐寫本。
9.1　楷書。
11　圖版：《敦煌寶藏》，57/146A～155A。

1.1　BD01277號
1.3　妙法蓮華經卷三
1.4　列077
1.5　105∶5013
2.1　922.3×25.4厘米；19紙；522行，行17字。
2.2　01：34.5，19；　02：48.8，28；　03：49.3，28；
　　04：49.4，28；　05：49.5，28；　06：49.4，28；
　　07：49.4，28；　08：49.4，28；　09：49.4，28；
　　10：49.4，28；　11：49.4，28；　12：49.4，28；
　　13：49.3，28；　14：49.3，28；　15：49.4，28；
　　16：49.5，28；　17：49.4，28；　18：49.3，28；
　　19：48.8，27。
2.3　卷軸裝。首殘尾全。經黄紙。首紙前方有殘破，卷前部紙張變色。背有古代裱補。有烏絲欄。
3.1　首行殘→大正262，9/19B25～26。
3.2　尾全→9/27B9。
4.2　妙法蓮華經卷第三（尾）。

8　7～8世紀。唐寫本。
9.1　楷書。
11　圖版：《敦煌寶藏》，88/98A～111B。

1.1　BD01278號
1.3　摩訶般若波羅蜜經卷二
1.4　列078
1.5　088:3424
2.1　（14.4+960.7）×26厘米；21紙；592行，行17字。
2.2　01：02.4，01；　02：12+37.5，31；　03：49.3，31；
04：49.3，31；　05：49.1，31；　06：49.2，31；
07：49.1，31；　08：49.1，31；　09：49.1，31；
10：49.2，31；　11：49.2，31；　12：49.2，31；
13：49.6，31；　14：49.6，31；　15：49.6，31；
16：49.7，31；　17：49.7，31；　18：49.8，31；
19：49.1，31；　20：49.3，31；　21：35.0，02。
2.3　卷軸裝。首殘尾全。紙張砑光上蠟。卷首下有撕裂殘損，接縫處有開裂。背有古代裱補。
3.1　首8行上殘→大正223，8/225B26～C4。
3.2　尾全→8/232C15。
4.2　摩訶般若波羅蜜經卷第二，往生品，舌相品，無等品，名字品（尾）。
5　與《大正藏》本對照，卷中品名有不同，參見第4項尾題。
8　5～6世紀。南北朝寫本。
9.1　隸楷。
9.2　有刮改。
11　圖版：《敦煌寶藏》，77/554B～567A。

1.1　BD01279號
1.3　妙法蓮華經卷六
1.4　列079
1.5　105:5654
2.1　（1.5+1049.3）×26.2厘米；26紙；599行，行17字。
2.2　01：1.5+36.3，23；　02：41.2，24；　03：41.6，24；
04：41.6，24；　05：41.6，24；　06：41.8，24；
07：42.0，24；　08：42.1，24；　09：41.9，24；
10：42.4，24；　11：42.1，24；　12：41.9，24；
13：42.3，24；　14：42.2，24；　15：42.2，24；
16：42.2，24；　17：42.2，24；　18：42.3，24；
19：42.2，24；　20：42.0，24；　21：42.2，24；
22：42.5，24；　23：42.3，24；　24：41.3，24；
25：41.9，24；　26：05.0，拖尾。
2.3　卷軸裝。首殘尾全。卷上部多水漬，卷面有墨劃污痕；前6紙有等距殘洞，尾紙撕裂。有燕尾。有烏絲欄。
3.1　首1行上殘→大正262，9/46B21。
3.2　尾全→9/55A9。
4.1　□…□第十八，六（首）。
4.2　妙法蓮華經卷第六（尾）。
8　7～8世紀。唐寫本。
9.1　楷書。
9.2　有行間校加字。
11　圖版：《敦煌寶藏》，93/503B～517B。

1.1　BD01280號
1.3　妙法蓮華經卷二
1.4　列080
1.5　105:4931
2.1　（89.3+6.4）×26厘米；2紙；56行，行16字（偈）。
2.2　01：47.9，28；　02：41.4+6.4，28。
2.3　卷軸裝。首脱尾殘。經黄紙。卷尾有蟲繭。有烏絲欄。
3.1　首殘→大正262，9/14B25。
3.2　尾4行上殘→9/15B6～10。
8　7～8世紀。唐寫本。
9.1　楷書。
11　圖版：《敦煌寶藏》，87/253B～254B。

1.1　BD01281號
1.3　無量壽宗要經
1.4　列081
1.5　275:7718
2.1　197×29厘米；5紙；130行，行30餘字。
2.2　01：40.0，26；　02：43.0，30；　03：43.0，29；
04：43.0，29；　05：28.0，16。
2.3　卷軸裝。首尾均全。前3紙上部殘缺嚴重，接縫處有開裂。有烏絲欄。
3.1　首全→大正936，19/82A3。
3.2　尾全→19/84C29。
4.1　大乘無量壽經（首）。
4.2　佛説無量壽宗要經（尾）。
7.1　尾有題名“常卿”。
8　8～9世紀。吐蕃統治時期寫本。
9.1　楷書。
11　圖版：《敦煌寶藏》，107/414A～416B。

1.1　BD01282號
1.3　金光明最勝王經卷二
1.4　列082
1.5　083:1522
2.1　（19.5+556.9）×26厘米；14紙；正面312行，行17字。背面4行，行字不等。
2.2　01：19.5+24.5，26；　02：44.0，25；　03：43.7，24；
04：43.8，25；　05：43.8，25；　06：33.3，19；
07：44.0，25；　08：43.7，25；　09：43.8，25；
10：43.4，24；　11：43.5，24；　12：43.8，24；

13：43.5，21；　　14：18.1，拖尾。
2.3　卷軸裝。首脱尾全。經黄紙。通卷上部變色，卷首右下殘缺，卷尾有蟲繭，有燕尾。背有古代裱補。有烏絲欄。已修整。
2.4　本遺書包括2個文獻：（一）《金光明最勝王經》，312行，抄寫在正面，今編為BD01282號。（二）《社司文書》（擬），4行，抄寫在背面裱補紙上，今編為BD01282號背。
3.1　首11行下殘→大正665，16/409B22～C6。
3.2　尾全→16/413C6。
4.2　金光明最勝王經卷第二（尾）。
5　尾附音義。
8　7～8世紀。唐寫本。
9.1　楷書。
11　圖版：《敦煌寶藏》，68/292B～299B。

1.1　BD01282號背
1.3　社司文書（擬）
1.4　列082
1.5　083:1522
2.4　本遺書由2個文獻組成，本號爲第2個，4行，抄寫在背面裱補紙上。餘參見BD01282號之第2項、第11項。
3.3　錄文：
□…□◇身、奴子、全段、騰人/□…□及米因福榮苑後有科/□…□米因上下罰酒半瓮/□…□（罰）酒一㪷，使錄事買酒□…□。/
（錄文完）
8　9～10世紀。歸義軍時期寫本。
9.1　楷書。

1.1　BD01283號
1.3　梵網經盧舍那佛說菩薩心地戒品第十卷下
1.4　列083
1.5　143:6761
2.1　（39＋192）×24.5厘米；5紙；133行，行17字。
2.2　01：39＋3，25；　02：48.0，28；　03：48.0，28；
04：48.0，28；　05：45.0，24。
2.3　卷軸裝。首殘尾全。卷首尾有殘裂。尾有麻繩穿紙。有烏絲欄。
3.1　首2行上中殘→大正1484，24/1008A14。
3.2　尾全→24/1009C8。
4.2　菩薩戒一卷（尾）。
5　與《大正藏》本對照，尾少一段經文與偈頌。參見大正1484，24/1009C9～1010A21。
7.1　卷背四個接縫處分別有騎縫數字“十九”、“廿”、“廿一”、“廿二”。
7.3　卷背有雜寫兩字。
8　7～8世紀。唐寫本。
9.1　楷書。
9.2　有行間校加字。有刪除、間隔符號。
11　圖版：《敦煌寶藏》，101/513A～516A。

1.1　BD01284號
1.3　金光明最勝王經卷三
1.4　列084
1.5　083:1615
2.1　（12.3＋513.6）×26.2厘米；12紙；286行，行17字。
2.2　01：12.3＋31.7，25；　02：44.3，25；　03：44.1，25；
04：44.3，25；　05：44.3，25；　06：44.2，25；
07：44.2，25；　08：44.3，25；　09：44.3，25；
10：44.3，25；　11：44.1，25；　12：39.5，11。
2.3　卷軸裝。首殘尾全。卷端破碎嚴重，有黴變。有燕尾。有烏絲欄。已修整。
3.1　首7行下殘→大正665，16/414B5～11。
3.2　尾全→16/417C16。
4.2　金光明經卷第三（尾）。
5　尾附音義。
8　7～8世紀。唐寫本。
9.1　楷書。
11　圖版：《敦煌寶藏》，68/646A～652B。

1.1　BD01285號
1.3　無量壽宗要經
1.4　列085
1.5　275:7917
2.1　（140.5＋7.5）×31.5厘米；4紙；96行，行30餘字。
2.2　01：45.0，28；　02：44.0，29；　03：44.0，29；
04：7.5＋7.5，10。
2.3　卷軸裝。首全尾殘。通卷紙張變色。卷面有殘裂、殘洞。有烏絲欄。
3.1　首全→大正936，19/82A3。
3.2　尾5行中下殘→19/84b19～29。
4.1　大乘無量壽宗要經（首）。
8　8～9世紀。吐蕃統治時期寫本。
9.1　楷書。
11　圖版：《敦煌寶藏》，108/299B～301A。

1.1　BD01286號
1.3　妙法蓮華經卷一
1.4　列086
1.5　105:4509
2.1　（19.3＋822.5）×25.9厘米；19紙；503行，行17字。
2.2　01：19.3＋11.5，19；　02：46.4，28；　03：46.6，28；
04：46.5，28；　05：46.7，28；　06：46.8，28；
07：46.6，28；　08：46.8，28；　09：46.7，28；
10：46.8，28；　11：46.8，28；　12：46.8，28；

13：47.0，28；　14：46.9，28；　15：47.0，28；
16：47.0，28；　17：47.0，28；　18：46.8，28；
19：15.8，08。
2.3　卷軸裝。首殘尾全。經黄紙。卷前部多水漬。有烏絲欄。
3.1　首12行下殘→大正262，9/1C26～2A9。
3.2　尾全→9/10B21。
4.2　妙法蓮華經卷第一（尾）。
8　7～8世紀。唐寫本。
9.1　楷書。
9.2　有刮改。
11　圖版：《敦煌寶藏》，83/546A～558B。

1.1　BD01287號
1.3　妙法蓮華經卷三
1.4　列087
1.5　105:5088
2.1　（11.9+749.5）×26.3厘米；19紙；448行，行17字。
2.2　01：11.9+13.3，15；　02：41.5，25；　03：41.5，25；
04：41.8，25；　05：41.4，25；　06：41.6，25；
07：41.7，25；　08：41.4，25；　09：41.9，25；
10：41.3，25；　11：41.5，25；　12：41.3，25；
13：41.4，25；　14：41.4，25；　15：41.5，25；
16：41.2，25；　17：41.6，25；　18：41.6，25；
19：30.6，8。
2.3　卷軸裝。首殘尾全。尾有原軸，兩端塗漆，棕色。卷面有殘損、殘洞，通卷有等距離黴爛，接縫處有開裂，第8、9紙脱爲2截。背有古代裱補。有烏絲欄。
3.1　首7行殘→大正262，9/20C2～9。
3.2　尾全→9/27B9。
4.2　妙法蓮華經卷第三（尾）。
8　7～8世紀。唐寫本。
9.1　楷書。
11　圖版：《敦煌寶藏》，88/568A～579B。

1.1　BD01288號
1.3　無量壽宗要經
1.4　列088
1.5　275:7976
2.1　（16+140）×31厘米；4紙；104行，行30餘字。
2.2　01：16.0，12；　02：47.0，31；　03：46.5，31；
04：46.5，30。
2.3　卷軸裝。首殘尾全。第2紙上下殘缺，中間有横向撕裂。有烏絲欄。
3.1　首12行中上殘→大正936，19/82A11～B9。
3.2　尾全→19/84C29。
4.2　佛說無量壽宗要經（尾）。
7.1　第4紙末有藏文題記“gis－bris（爲……所寫）”及漢字題名。漢字題名已殘，難以辨認。
8　8～9世紀。吐蕃統治時期寫本。
9.1　行楷。
11　圖版：《敦煌寶藏》，108/420A～421B。

1.1　BD01289號
1.3　摩訶般若波羅蜜經卷一〇
1.4　列089
1.5　088:3438
2.1　（13.1+141.5+17.6）×25.7厘米；4紙；99行，行17字。
2.2　01：13.1+32.8，26；　02：48.2，28；　03：48.3，28；
04：12.2+17.6，17。
2.3　卷軸裝。首尾均殘。打紙。通卷下部殘破，卷面有蟲繭，背有鳥糞。有烏絲欄。已修整。
3.1　首7行中下殘→大正223，8/293C16～23。
3.2　尾10行下殘→8/294C24～295A3。
4.1　摩訶般若波羅蜜經十善品第□…□（首）。
5　與《大正藏》本對照，品名不同。
8　7世紀。唐寫本。
9.1　楷書。
11　圖版：《敦煌寶藏》，77/643B～645B。

1.1　BD01290號
1.3　無量壽宗要經
1.4　列090
1.5　275:7719
2.1　223×31厘米；6紙；147行，行30餘字。
2.2　01：43.5，28；　02：42.0，29；　03：43.5，29；
04：43.5，29；　05：43.5，30；　06：07.0，02。
2.3　卷軸裝。首尾均全。首紙上邊有殘裂，卷前部上下有等距離殘洞。接縫處有開裂。有烏絲欄。
3.1　首全→大正936，19/82A3。
3.2　尾全→19/84C29。
4.1　大乘無量壽經（首）。
4.2　佛說無量壽宗要經（尾）。
8　8～9世紀。吐蕃統治時期寫本。
9.1　楷書。
11　圖版：《敦煌寶藏》，107/417A～419B。

1.1　BD01291號1
1.3　無量壽宗要經
1.4　列091
1.5　275:7977
2.1　307×30厘米；7紙；190行，行30餘字。
2.2　01：45.5，27；　02：43.5，23；　03：46.5，29；
04：43.0，30；　05：43.0，30；　06：43.0，30；

07：42.5，21。
2.3　卷軸裝。首脱尾全。有烏絲欄。
2.4　本遺書包括2個文獻：（一）《無量壽宗要經》，50行，今編為BD01291號1。（二）《無量壽宗要經》，140行，今編為BD01291號2。
3.1　首殘→大正936，19/83C29。
3.2　尾全→19/84C29。
4.2　佛説無量壽宗要經（尾）。
8　8~9世紀。吐蕃統治時期寫本。
9.1　行楷。
11　圖版：《敦煌寶藏》，108/422A~425B。

1.1　BD01291號2
1.3　無量壽宗要經
1.4　列091
1.5　275:7977
2.4　本遺書由2個文獻組成，本號爲第2個，140行。餘參見BD01291號1之第2項、第11項。
3.1　首全→大正936，19/82A3。
3.2　尾全→19/84C29。
4.1　大乘無量壽經（首）。
4.2　佛説無量壽宗要經（尾）。
8　8~9世紀。吐蕃統治時期寫本。
9.1　行楷。
9.2　有行間校加字。

1.1　BD01292號
1.3　大般若波羅蜜多經卷一七五
1.4　列092
1.5　084:2435
2.1　（3+774.7）×25.7厘米；17紙；456行，行17字。
2.2　01：3+37，24；　02：47.8，28；　03：47.5，28；
04：47.3，28；　05：47.7，28；　06：47.6，28；
07：47.7，28；　08：47.7，28；　09：47.7，28；
10：47.4，28；　11：47.6，28；　12：47.3，28；
13：47.5，28；　14：47.3，28；　15：47.3，28；
16：47.3，28；　17：25.0，12。
2.3　卷軸裝。首殘尾全。背有古代裱補。有烏絲欄。
3.1　首2行中下殘→大正220，5/938C25~27。
3.2　尾全→5/944A17。
4.2　大般若波羅蜜多經卷第一百七十五（尾）。
8　8~9世紀。吐蕃統治時期寫本。
9.1　楷書。
9.2　有行間校加字，有刮改。
11　圖版：《敦煌寶藏》，73/311B~321B。

1.1　BD01293號
1.3　妙法蓮華經卷三
1.4　列093
1.5　105:5177
2.1　（6.1+303.7）×26.1厘米；5紙；178行，行17字。
2.2　01：6.1+66.6，42；　02：72.3，42；　03：72.5，42；
04：71.0，41；　05：21.3，11。
2.3　卷軸裝。首脱尾全。首紙前部殘裂，下邊有殘損，卷面有油污。有烏絲欄。
3.1　首4行下殘→大正262，9/24B25~29。
3.2　尾全→9/27B9。
4.2　妙法蓮華經卷第三（尾）。
8　8~9世紀。吐蕃統治時期寫本。
9.1　楷書。
11　圖版：《敦煌寶藏》，89/328A~332A。

1.1　BD01294號
1.3　入楞伽經卷八
1.4　列094
1.5　037:0332
2.1　（4.5+755.2）×25.5厘米；17紙；435行，行17字。
2.2　01：4.5+8，8；　02：46.5，28；　03：47.0，28；
04：46.5，27；　05：47.0，28；　06：47.0，28；
07：47.3，28；　08：47.0，28；　09：46.8，27；
10：46.5，27；　11：46.7，27；　12：46.7，27；
13：46.8，27；　14：46.5，27；　15：46.5，28；
16：46.8，28；　17：45.5，14。
2.3　卷軸裝。首殘尾全。尾有原軸，已脱落。軸兩端鑲蓮蓬形軸頭，軸頭嵌螺鈿花瓣。通卷上邊有水漬。已修整。
3.1　首3行殘→大正671，16/559B29~C3。
3.2　尾全→16/565B2。
4.2　入楞伽經卷第八（尾）。
8　7~8世紀。唐寫本。
9.1　楷書。
9.2　有行間校加字。
11　圖版：《敦煌寶藏》，58/116B~126B。

1.1　BD01295號
1.3　大般若波羅蜜多經卷二三二
1.4　列095
1.5　084:2599
2.1　（8+741.2）×25.9厘米；17紙；432行，行17字。
2.2　01：8+2.1，5；　02：46.5，28；　03：47.8，28；
04：48.2，28；　05：48.0，28；　06：48.3，28；
07：48.5，28；　08：48.5，28；　09：48.4，28；
10：48.5，28；　11：48.5，28；　12：48.4，28；
13：48.1，28；　14：48.1，28；　15：48.0，28；
16：48.0，28；　17：17.3，07。

2.3　卷軸裝。首殘尾全。卷前部殘破嚴重，紙張變色，卷面有殘裂。背面有古代裱補。有烏絲欄。
3.1　首 4 上下殘→大正 220，6/166C1～4。
3.2　尾全→6/171C5。
4.2　大般若波羅蜜多經卷第二百卅二（尾）。
8　8～9 世紀。吐蕃統治時期寫本。
9.1　楷書。
11　圖版：《敦煌寶藏》，74/177A～186B。

1.1　BD01296 號
1.3　金剛般若波羅蜜經
1.4　列 096
1.5　094:4210
2.1　（4+226.5）×24.5 厘米；6 紙；135 行，行 17 字。
2.2　01：4+35，25；　02：45.0，28；　03：45.0，28；
04：45.0，28；　05：43.0，26；　06：13.5，拖尾。
2.3　卷軸裝。首殘尾全。卷首下邊殘缺，有殘洞；卷面下上邊有殘裂。有烏絲欄。
3.1　首 3 行下殘→大正 235，8/750C27～751A1。
3.2　尾全→8/752C3。
4.2　金剛般若波羅蜜經（尾）。
7.1　尾有題記“惠海勘”。
8　7～8 世紀。唐寫本。
9.1　楷書。
11　圖版：《敦煌寶藏》，82/407B～410B。

1.1　BD01297 號
1.3　大般若波羅蜜多經卷八
1.4　列 097
1.5　084:2025
2.1　（1.8+282）×25.8 厘米；6 紙；168 行，行 17 字。
2.2　01：1.8+44，28；　02：47.7，28；　03：47.6，28；
04：47.6，28；　05：47.6，28；　06：47.5，28。
2.3　卷軸裝。首殘尾脫。前 2 紙下方有撕裂殘缺，第 4 紙下邊有撕裂。背有古代裱補。有烏絲欄。已修整。
3.1　首 2 行上下殘→大正 220，5/40A23～24。
3.2　尾殘→5/42A17。
8　7～8 世紀。唐寫本。
9.1　楷書。
11　圖版：《敦煌寶藏》，71/391B～395A。

1.1　BD01298 號
1.3　妙法蓮華經卷四
1.4　列 098
1.5　105:5328
2.1　（15.5+762.3）×24.8 厘米；16 紙；423 行，行 17 字。
2.2　01：15.5+11，15；　02：50.0，28；　03：50.0，28；
04：50.2，28；　05：50.2，28；　06：50.3，28；
07：50.2，28；　08：50.2，28；　09：50.2，28；
10：50.2，28；　11：50.2，28；　12：50.2，28；
13：50.2，28；　14：50.2，28；　15：50.0，28；
16：49.0，16。
2.3　卷軸裝。首殘尾全。經黄紙。尾有原軸，上下軸頭脫落。卷首殘破嚴重，卷中多有殘損、破洞，黴爛嚴重。有烏絲欄。
3.1　首 9 行上殘→大正 262，9/31A5～13。
3.2　尾全→9/37A2。
4.2　妙法蓮華經卷第四（尾）。
8　7～8 世紀。唐寫本。
9.1　楷書。
11　圖版：《敦煌寶藏》，91/10B～21A。

1.1　BD01299 號
1.3　妙法蓮華經卷四
1.4　列 099
1.5　105:5236
2.1　970.3×26 厘米；20 紙；549 行，行 17 字。
2.2　01：49.5，28；　02：49.0，28；　03：49.2，28；
04：49.3，28；　05：49.3，28；　06：49.3，28；
07：49.3，28；　08：49.3，28；　09：49.2，28；
10：49.3，28；　11：49.3，28；　12：49.2，28；
13：49.5，28；　14：49.3，28；　15：49.5，28；
16：49.5，28；　17：49.5，28；　18：49.5，28；
19：49.5，28；　20：32.8，17。
2.3　卷軸裝。首脫尾全。有烏絲欄。
3.1　首殘→大正 262，9/29A18。
3.2　尾全→9/37A2。
4.2　妙法蓮華經卷第四（尾）。
8　9～10 世紀。歸義軍時期寫本。
9.1　楷書。
9.2　有刮改。
11　圖版：《敦煌寶藏》，90/182A～195B。

1.1　BD01300 號
1.3　大般若波羅蜜多經卷四八七
1.4　列 100
1.5　084:3211
2.1　（1.2+64.7）×25.5 厘米；2 紙；39 行，行 17 字。
2.2　01：1.2+17.1，11；　02：47.6，28。
2.3　卷軸裝。首殘尾脫。全卷下邊殘破嚴重，有殘片脫落。有烏絲欄。
3.1　首行上殘→大正 220，7/472B28。
3.2　尾殘→7/473A8。
7.1　卷背有勘記“四百八十七”。
8　8～9 世紀。吐蕃統治時期寫本。

9.1 楷書。
11 圖版:《敦煌寶藏》,76/637A～B。

1.1 BD01301 號
1.3 妙法蓮華經卷四
1.4 張 001
1.5 105:5365
2.1 (6+386.1)×25.3 厘米;8 紙;211 行,行 17 字。
2.2 01:6+32.5,21; 02:50.5,28; 03:50.5,28;
04:50.3,28; 05:50.3,28; 06:50.8,28;
07:50.7,28; 08:50.5,22。
2.3 卷軸裝。首殘尾全。經黄紙。卷首有水漬,接縫處有開裂,第 4 紙下殘缺一大塊。有燕尾。有烏絲欄。
3.1 首 3 行上下殘→大正 262,9/34A6～8。
3.2 尾全→9/37A2。
4.2 妙法蓮華經卷第四(尾)。
8 7～8 世紀。唐寫本。
9.1 楷書。
11 圖版:《敦煌寶藏》,91/197B～203B。

1.1 BD01302 號
1.3 大般若波羅蜜多經卷一九三
1.4 張 002
1.5 084:2481
2.1 (35.5+596)×25.8 厘米;15 紙;401 行,行 17 字。
2.2 01:35.5+1.7,22; 02:43.3,28; 03:43.5,28;
04:43.5,28; 05:43.5,28; 06:43.5,28;
07:43.5,28; 08:43.6,28; 09:43.4,28;
10:43.5,28; 11:43.6,28; 12:43.3,28;
13:43.4,28; 14:43.5,28; 15:29.2,15。
2.3 卷軸裝。首殘尾全。首紙有殘裂,卷前半部下邊有等距離殘缺,卷面有火灼殘洞。卷背有鳥糞。有烏絲欄。
3.1 首 21 行下殘→大正 220,5/1033B19～C12。
3.2 尾全→5/1038A12。
4.2 大般若波羅蜜多經卷第一百九十三(尾)。
7.1 第 1 紙背面有勘記“第廿袟”。尾題後有題記:“比丘照寫”。
8 8～9 世紀。吐蕃統治時期寫本。
9.1 楷書。
11 圖版:《敦煌寶藏》,73/439A～447A。

1.1 BD01303 號
1.3 大般若波羅蜜多經卷四八四
1.4 張 003
1.5 084:3203
2.1 (34.3+56.4)×25.3 厘米;2 紙;54 行,行 17 字。
2.2 01:34.3+10.1,26; 02:46.3,28。
2.3 卷軸裝。首殘尾脱。首尾紙有殘裂。有烏絲欄。已修整。
3.1 首 20 行下殘→大正 220,7/454C16～455A9。
3.2 尾殘→7/455B14。
4.1 大般若波羅蜜多經□…□/第三分善現品第三之□…□/(首)。
7.1 卷背有勘記“四百八十四”。
8 7～8 世紀。唐寫本。
9.1 楷書。
11 圖版:《敦煌寶藏》,76/621B～622B。

1.1 BD01304 號
1.3 金光明最勝王經卷二
1.4 張 004
1.5 083:1480
2.1 (557.9+11)×27.5 厘米;14 紙;344 行,行 17 字。
2.2 01:18.6,護首; 02:41.8,26; 03:43.0,27;
04:42.8,27; 05:43.0,27; 06:43.0,27;
07:42.2,27; 08:43.0,27; 09:43.3,27;
10:43.0,27; 11:43.0,27; 12:42.3,27;
13:41.5,26; 14:26.4+11,22。
2.3 卷軸裝。首全尾殘。有護首。卷中多處碎裂。有烏絲欄。已修整。
3.1 首全→大正 665,16/408B2。
3.2 尾 5 行上下殘→16/413A23～27。
4.1 金光明最勝王經分別三身品第三,二,三藏法師義淨奉制譯(首)。
7.4 護首背有經名“金光明最勝王經卷第二”,上有經名號。
8 8～9 世紀。吐蕃統治時期寫本。
9.1 楷書。
11 圖版:《敦煌寶藏》,68/59B～67A。

1.1 BD01305 號
1.3 大般若波羅蜜多經卷四八九
1.4 張 005
1.5 084:3216
2.1 (25.5+41.2)×25.5 厘米;2 紙;51 行,行 17 字。
2.2 01:25.5+20.8,27; 02:40.4,24。
2.3 卷軸裝。首殘尾斷。首紙有殘洞,下邊殘損;接縫處有開裂;第 2 紙有殘裂,下邊有縫綫。背有古代裱補紙,上有殘字痕。有烏絲欄。已修整。
3.1 首 15 行上下殘→大正 220,7/484A11～25。
3.2 尾殘→7/484C3。
7.1 卷背有勘記“四百八十九”。
8 8～9 世紀。吐蕃統治時期寫本。
9.1 楷書。
11 圖版:《敦煌寶藏》,76/646A～647A。

1.1　BD01306 號
1.3　妙法蓮華經卷三
1.4　張 006
1.5　105:5127
2.1　466.9×27.8 厘米；10 紙；252 行，行 17 字。
2.2　01：19.4，素紙；　02：49.5，28；　03：49.7，28；
04：49.7，28；　05：49.7，28；　06：49.6，28；
07：49.7，28；　08：49.8，28；　09：49.9，28；
10：49.9，28。
2.3　卷軸裝。首斷尾脱。首紙為素紙，上有烏絲欄。尾紙後部有殘洞，有蟲繭。有烏絲欄。
3.1　首缺→大正 262，9/22A24。
3.2　尾殘→9/25C22。
8　9～10 世紀。歸義軍時期寫本。
9.1　楷書。
11　圖版：《敦煌寶藏》，89/99A～104B。

1.1　BD01307 號 A
1.3　大般若波羅蜜多經（兌廢稿）卷四八一
1.4　張 007
1.5　084:3198
2.1　（1.5+36.8）×24.8 厘米；1 紙；23 行，行 17 字。
2.3　卷軸裝。首殘尾脱。卷面有殘裂。背有古代裱補。有烏絲欄。
3.1　首行上殘→大正 220，7/439A10。
3.2　尾殘→7/439B3。
7.1　卷背面有勘記“四百八十一”。
8　8～9 世紀。吐蕃統治時期寫本。
9.1　楷書。
11　圖版：《敦煌寶藏》，76/606A。

1.1　BD01307 號 B
1.3　大般若波羅蜜多經（兌廢稿）卷四八五
1.4　張 007
1.5　084:3206
2.1　（3.6+46.3）×25.7 厘米；2 紙；30 行，行 17 字。
2.2　01：3.6，2；　02：46.3，28。
2.3　卷軸裝。首殘尾脱。卷前部有殘裂。有烏絲欄。
3.1　首 2 行下殘→大正 220，7/462A23～25
3.2　尾行殘→7/462B25。
7.1　卷背面有勘記“四百八十五”。
8　8～9 世紀。吐蕃統治時期寫本。
9.1　楷書。
9.2　有校改、有刮改。
11　圖版：《敦煌寶藏》，76/625A～B。

1.1　BD01308 號
1.3　大般若波羅蜜多經卷四八三
1.4　張 008
1.5　084:3201
2.1　（27+65.8）×24.6 厘米；2 紙；54 行，行 17 字。
2.2　01：27+18.3，26；　02：47.5，28。
2.3　卷軸裝。首殘尾脱。尾紙下部有殘缺。背有古代裱補。有烏絲欄。已修整。
3.1　首 15 行上下殘→大正 220，7/449A10～27。
3.2　尾殘→7/449C8。
4.1　□…□第四百八十三，/□…□品第三之二，三藏法師□…□/（首）。
7.1　卷背面有 2 處勘記“四百八十三”。
8　8～9 世紀。吐蕃統治時期寫本。
9.1　楷書。
11　圖版：《敦煌寶藏》，76/619B～620B。

1.1　BD01309 號
1.3　大般若波羅蜜多經卷四九〇
1.4　張 009
1.5　084:3217
2.1　（10.1+124.5）×25.8 厘米；3 紙；80 行，行 17 字。
2.2　01：10.1+29.4，24；　02：47.5，28；　03：47.6，28。
2.3　卷軸裝。首殘尾脱。卷面有殘洞、殘裂及殘缺。有烏絲欄。已修整。
3.1　首 6 行下殘→大正 220，7/489A28～B5。
3.2　尾殘→7/490A21。
7.1　卷背面有勘記“四百九十”。
8　8～9 世紀。吐蕃統治時期寫本。
9.1　楷書。
11　圖版：《敦煌寶藏》，76/647B～649A。

1.1　BD01310 號
1.3　大般若波羅蜜多經卷四八二
1.4　張 010
1.5　084:3199
2.1　75.8×24.9 厘米；2 紙；46 行，行 17 字。
2.2　01：29.8，18；　02：46.0，28。
2.3　卷軸裝。首殘尾脱。通卷殘破，卷面有殘洞。背有古代裱補。有烏絲欄。
3.1　首殘→大正 220，7/443C13。
3.2　尾殘→7/444A29。
7.1　卷背有勘記“四百八十二”。
8　8～9 世紀。吐蕃統治時期寫本。
9.1　楷書。
11　圖版：《敦煌寶藏》，76/606B～607B。

1.1　BD01311 號

1.3　諸經集鈔（擬）
1.4　張011
1.5　357∶8426
2.1　（4＋761＋4）×26.5厘米；19紙；454行，行17字。
2.2　01：4＋37，24；　02：40.5，24；　03：40.5，24；
04：40.5，24；　05：40.5，24；　06：40.5，24；
07：40.5，24；　08：40.5，24；　09：40.5，24；
10：41.0，24；　11：41.0，24；　12：41.0，24；
13：41.0，24；　14：40.5，24；　15：40.5，24；
16：40.5，24；　17：40.5，24；　18：40.5，24；
19：33.5＋4，22。
2.3　卷軸裝。首尾均殘。卷面有撕裂、殘洞。有烏絲欄。
3.4　說明：

本文獻首2行中下殘，尾2行中上殘。內容為雜抄《大智度論》、《大集經》、《大般涅槃經》等諸多經論之有關文字。大致情況如下：

第1行～第25行：大正1509（卷五），25/96C21～97A20；

第26行～第61行"性故"：大正1509（卷廿），25/206A8～B17；

第61行"問曰"～第68行"生死故"：大正1509（卷廿），25/206C17～C24；

第68行"以是"～第80行"利益"：大正1509（卷廿），25/206C29～207A12；

第80行"或有"～第86行"廣說"：大正1509（卷廿），25/207A25～B2；

第86行"是三"～第111行：大正1509（卷廿），25/207C4～208A2；

第112行：大集經卷第廿一；

第112行～第132行：大正397（廿二）13/159C16～160A7；

第133行：十一空法門；

第133行～第180行：大正374（十六）12/461B6～C23；

其中第136行：涅槃經卷第十六；

第181行：十八空法門；

第181行～第241行：大正223（卷五），8/250B4～251A8；

其中第185行：摩诃般若波羅蜜經卷第六；

第242行：法界体性法門；

第242行～第313行第一字：大正310（卷廿六），11/143A21～C17；

其中第243行：法界体性經卷第一；

第313行～第318行：大正310（卷廿七），11/150B15～C25；

第319行：大雲經卷第一；

第319行～第324行：大正387（卷一），12/1082C26或28～1083A3；

第325行：大般涅槃經卷第卅二；

第325行～第331行：大正374（卷卅二），12/555C25～556A2；

第332行：大方等大集經卷第八；

第332行～361：大正397（卷七），13/43B22～C23；

第362行：大集經卷第十六；

第362行～第379行：大正397（卷十三），13/90B6～C17；

第380行：賓篋經卷上；

第380行～第391行"寂"：大正462（卷上），14/467A5～20；

第391行"須菩"～第405行"不答"：14/469A26～B21；

第405行"爾"～第409行：大正462（卷下），14/479C25～480A1、480A4；

第410行：清淨毗尼經一卷；

第410行～第447行"岸者"：大正1489，24/1079A1～B11；

第447行"尔"～第455行：大正1489，24/1080B20～29。

5　所抄文字與《大正藏》本對照，內容基本相近，文字時有不同。有些文字乃撮略經文大意而成。
8　6世紀。南北朝寫本。
9.1　隸書。
9.2　有行間校加字，有重文號。
11　圖版：《敦煌寶藏》，110/289B～299A。

1.1　BD01312號
1.3　大方廣佛華嚴經（晉譯五十卷本）卷一八
1.4　張012
1.5　001∶0016
2.1　（668＋6）×27厘米；13紙；共388行，行17字。
2.2　01：43.0，25；　02：53.0，30；　03：53.0，30；
04：53.0，30；　05：53.0，31；　06：53.0，31；
07：53.0，30；　08：53.0，31；　09：53.0，30；
10：53.0，31；　11：53.0，31；　12：53.0，31；
13：42＋6，27。
2.3　卷軸裝。首尾均殘。卷面有破裂。有烏絲欄。已修整。
3.1　首殘→大正278，9/530B27。
3.2　尾全→9/535A16。
4.2　華嚴經卷第十八（尾）
5　相當於《大正藏》本卷二十一《金剛幢菩薩十迴向品》第二十一之八的一部分。與《大正藏》本相比，卷之開合不同，且本號的《金剛幢菩薩十迴向品》不分細目。
6.1　首→BD07817號。
8　5～6世紀。南北朝寫本。

9.1　隸書。
11　圖版：《敦煌寶藏》，56/68B～78A。

1.1　BD01313 號
1.3　妙法蓮華經卷四
1.4　張 013
1.5　105:5238
2.1　（8.7＋952.5）×25.3 厘米；21 紙；549 行，行 17 字。
2.2　01：3.2＋，2；　02：5.5＋43.5，28；　03：49.0，28；
04：49.0，28；　05：49.0，28；　06：49.0，28；
07：49.0，28；　08：49.0，28；　09：49.0，28；
10：49.0，28；　11：49.0，28；　12：49.0，28；
13：49.0，28；　14：49.0，28；　15：49.0，28；
16：49.0，28；　17：49.2，28；　18：49.0，28；
19：49.0，28；　20：48.8，28；　21：27.0，15。
2.3　卷軸裝。首殘尾全。卷面上下邊殘破較多，卷尾有污漬。有烏絲欄。
3.1　首 5 行上下殘→大正 262，9/29A17～22。
3.2　尾全→9/37A2。
4.2　妙法蓮華經卷第四（尾）。
8　8 世紀。吐蕃統治時期寫本。
9.1　楷書。
9.2　有刮改。
11　圖版：《敦煌寶藏》，90/210B～224A。

1.1　BD01314 號
1.3　金光明最勝王經卷九
1.4　張 014
1.5　083:1910
2.1　（6.5＋525.5）×26.2 厘米；13 紙；318 行，行 17 字。
2.2　01：6.5＋3.5，6；　02：47.0，28；　03：47.0，28；
04：47.2，28；　05：47.1，28；　06：47.2，28；
07：47.0，28；　08：47.1，28；　09：47.0，28；
10：47.1，28；　11：47.0，28；　12：46.3，28；
13：05.0，04。
2.3　卷軸裝。首尾均殘。首 2 紙殘破嚴重，有殘洞，上下邊殘破，有水漬，有黴斑。有烏絲欄。
3.1　首 4 行下殘→大正 665，16/444C5～8。
3.2　尾殘→16/449C23。
8　8 世紀。唐寫本。
9.1　楷書。
11　圖版：《敦煌寶藏》，70/620A～626B。

新舊編號對照表

一、千字文號與北敦號、縮微膠卷號對照表

千字文號	北敦號	縮微膠卷號
列 055	BD01255 號 1	081：1364
列 055	BD01255 號 2	081：1364
列 056	BD01256 號	105：4999
列 057	BD01257 號	083：1665
列 058	BD01258 號	084：3115
列 059	BD01259 號	084：3114
列 060	BD01260 號	277：8212
列 061	BD01261 號	115：6497
列 062	BD01262 號	105：5728
列 063	BD01263 號	105：4984
列 064	BD01264 號	105：5702
列 065	BD01265 號	084：2701
列 066	BD01266 號	254：7569
列 067	BD01267 號	105：5454
列 068	BD01268 號	084：2885
列 069	BD01269 號	084：3289
列 070	BD01270 號	275：7916
列 071	BD01271 號	105：4788
列 072	BD01272 號	094：3751
列 073	BD01273 號	083：1604
列 074	BD01274 號	105：4494
列 075	BD01275 號	083：1503
列 076	BD01276 號	016：0204
列 077	BD01277 號	105：5013
列 078	BD01278 號	088：3424
列 079	BD01279 號	105：5654
列 080	BD01280 號	105：4931
列 081	BD01281 號	275：7718
列 082	BD01282 號	083：1522
列 082	BD01282 號背	083：1522
列 083	BD01283 號	143：6761
列 084	BD01284 號	083：1615
列 085	BD01285 號	275：7917
列 086	BD01286 號	105：4509
列 087	BD01287 號	105：5088
列 088	BD01288 號	275：7976
列 089	BD01289 號	088：3438
列 090	BD01290 號	275：7719
列 091	BD01291 號 1	275：7977
列 091	BD01291 號 2	275：7977
列 092	BD01292 號	084：2435
列 093	BD01293 號	105：5177
列 094	BD01294 號	037：0332
列 095	BD01295 號	084：2599
列 096	BD01296 號	094：4210
列 097	BD01297 號	084：2025
列 098	BD01298 號	105：5328
列 099	BD01299 號	105：5236
列 100	BD01300 號	084：3211
張 001	BD01301 號	105：5365
張 002	BD01302 號	084：2481
張 003	BD01303 號	084：3203
張 004	BD01304 號	083：1480
張 005	BD01305 號	084：3216
張 006	BD01306 號	105：5127
張 007	BD01307 號 A	084：3198
張 007	BD01307 號 B	084：3206
張 008	BD01308 號	084：3201
張 009	BD01309 號	084：3217
張 010	BD01310 號	084：3199
張 011	BD01311 號	357：8426
張 012	BD01312 號	001：0016
張 013	BD01313 號	105：5238
張 014	BD01314 號	083：1910

二、縮微膠卷號與北敦號、千字文號對照表

縮微膠卷號	北敦號	千字文號
001：0016	BD01312 號	張 012
016：0204	BD01276 號	列 076
037：0332	BD01294 號	列 094
081：1364	BD01255 號 1	列 055
081：1364	BD01255 號 2	列 055
083：1480	BD01304 號	張 004
083：1503	BD01275 號	列 075
083：1522	BD01282 號	列 082
083：1522	BD01282 號背	列 082
083：1604	BD01273 號	列 073
083：1615	BD01284 號	列 084
083：1665	BD01257 號	列 057
083：1910	BD01314 號	張 014
084：2025	BD01297 號	列 097
084：2435	BD01292 號	列 092
084：2481	BD01302 號	張 002
084：2599	BD01295 號	列 095
084：2701	BD01265 號	列 065
084：2885	BD01268 號	列 068
084：3114	BD01259 號	列 059
084：3115	BD01258 號	列 058
084：3198	BD01307 號 A	張 007
084：3199	BD01310 號	張 010
084：3201	BD01308 號	張 008
084：3203	BD01303 號	張 003
084：3206	BD01307 號 B	張 007
084：3211	BD01300 號	列 100
084：3216	BD01305 號	張 005
084：3217	BD01309 號	張 009
084：3289	BD01269 號	列 069
088：3424	BD01278 號	列 078
088：3438	BD01289 號	列 089
094：3751	BD01272 號	列 072
094：4210	BD01296 號	列 096
105：4494	BD01274 號	列 074
105：4509	BD01286 號	列 086
105：4788	BD01271 號	列 071
105：4931	BD01280 號	列 080
105：4984	BD01263 號	列 063
105：4999	BD01256 號	列 056
105：5013	BD01277 號	列 077
105：5088	BD01287 號	列 087
105：5127	BD01306 號	張 006
105：5177	BD01293 號	列 093
105：5236	BD01299 號	列 099
105：5238	BD01313 號	張 013
105：5328	BD01298 號	列 098
105：5365	BD01301 號	張 001
105：5454	BD01267 號	列 067
105：5654	BD01279 號	列 079
105：5702	BD01264 號	列 064
105：5728	BD01262 號	列 062
115：6497	BD01261 號	列 061
143：6761	BD01283 號	列 083
254：7569	BD01266 號	列 066
275：7718	BD01281 號	列 081
275：7719	BD01290 號	列 090
275：7916	BD01270 號	列 070
275：7917	BD01285 號	列 085
275：7976	BD01288 號	列 088
275：7977	BD01291 號 1	列 091
275：7977	BD01291 號 2	列 091
277：8212	BD01260 號	列 060
357：8426	BD01311 號	張 011